逐条解説 シリーズ

逐条解説

消費者契約法
〔第5版〕

消費者庁
消費者制度課
編

商事法務

●第 5 版はしがき

　消費者契約法は、消費者と事業者との間で締結される契約（消費者契約）に関して、民法の特則となる民事ルールなどを定めているほか、内閣総理大臣の認定を受けた適格消費者団体による差止請求制度（消費者団体訴訟制度）について定めています。

　このうち、民事ルールに関して、平成30年改正施行後の消費者や消費者契約を取り巻く環境の変化に対応するため、「消費者契約法及び消費者の財産的被害の集団的な回復のための民事の裁判手続の特例に関する法律の一部を改正する法律」（令和 4 年法律第59号）が、第208回通常国会において成立し、令和 5 年 6 月 1 日に施行されました。

　消費者団体訴訟制度についても、同改正法により、適格消費者団体の認定及び監督に関する規定の整備を行いました。適格消費者団体の認定及び監督に関する改正は、令和 5 年10月 1 日に施行されました。

　また、いわゆる霊感商法への対応の強化を求める社会的な要請に対応するため、「消費者契約法及び独立行政法人国民生活センター法の一部を改正する法律」（令和 4 年法律第99号）が、第210回臨時国会において成立し、令和 5 年 1 月 5 日に施行されました。

　これらの一連の改正等に伴い、消費者契約法施行令、消費者契約法施行規則、適格消費者団体の認定、監督等に関するガイドラインが改正、改訂されました。

　こうしたことから、本書の第 5 版を発行することとなりました。

　第 5 版を発行するにあたり、本書をより活用しやすくする観点から、資料部分の構成を改めております。第 4 版では、これまでの立法・改正に関する資料が、第 1 編「立法の背景・経緯」、第 3 編「関係法令・資料」に分かれて掲載されておりましたが、読みやすさの観点から第 3 編にまとめて掲載しました。また、立法・改正の前提となっている検討会等の報告書等については、消費者契約法の理解を深める上で有用であると思われるため、可能な限り本書に収録するようにしました。引き続き本書が広く活用されることを期待しております。

ii　　第 5 版はしがき

令和 5 年11月

消費者庁消費者制度課

●第4版はしがき

　消費者契約法は、消費者と事業者との間で締結される契約（消費者契約）
に関して、民法の特則となる民事ルールなどを定めているほか、内閣総理
大臣の認定を受けた適格消費者団体による差止請求制度（消費者団体訴訟
制度）について定めています。

　このうち、民事ルールに関する規定については、第3版の発行（平成30年
5月）後、高齢者のみならず若年者を含めた幅広い年代において生じてい
る消費者被害に対処すること等を目的として、「消費者契約法の一部を改
正する法律」（平成30年法律第54号）が第196回通常国会において成立しまし
た。同法律は令和元年6月15日に施行されました。

　消費者団体訴訟制度については、適格消費者団体の適正な業務運営を確
保することを目的として、「適格消費者団体の認定、監督等に関するガイド
ライン」が平成31年2月1日に改訂されました。

　こうしたことから、本書の第4版を発行することとなりました。消費者
契約法に対する理解を深めるため、本書が広く活用されることを期待して
おります。

　　令和元年6月

　　　　　　　　　　　　　　　　　　　　　消費者庁消費者制度課

●第3版はしがき

　消費者契約法は、消費者と事業者との間で締結される契約（消費者契約）
に関して、民法の特則となる民事ルールなどを定めているほか、内閣総理
大臣の認定を受けた適格消費者団体による差止請求制度（消費者団体訴訟
制度）について定めています。

　このうち、民事ルールに関する規定については、近年の高齢化の進展を
始めとした社会経済状況の変化に適切に対応すること等を目的として、平
成13年4月1日の法施行以来、初めての本格的な見直しが行われました。

iv

見直しに際しては、内閣総理大臣からの諮問を受け、内閣府消費者委員会の消費者契約法専門調査会において、法施行後の社会経済状況の変化、裁判例等の傾向、民法等との関係といった視点を踏まえた審議がなされ、同委員会の答申等を踏まえた改正となる「消費者契約法の一部を改正する法律」（平成28年法律第61号）が第190回通常国会において成立し、平成29年6月3日に施行されました。また、見直しに際して、消費者委員会の審議において、解釈の明確化を図るべきとされた点についても、審議内容をもとに本書において反映しております。

　消費者団体訴訟制度については、「消費者の財産的被害の集団的な回復のための民事の裁判手続の特例に関する法律」が平成28年10月1日施行され、これに伴い消費者契約法施行規則、適格消費者団体の認定、監督等に関するガイドラインが改正、改訂されました。また、「独立行政法人国民生活センター法等の一部を改正する法律」（平成29年法律第43号）が第193回通常国会において成立し、平成29年10月1日に施行されました。これにより消費者契約法第17条第1項が改正され、消費者契約法施行規則、適格消費者団体の認定、監督等に関するガイドラインが改正、改訂されました。これらに関する記述についても、最新のものにアップデートする必要がありました。

　こうしたことから、本書の第3版を発行することとなりました。消費者契約法に対する理解を深めるため、本書が広く活用されることを期待しております。

平成30年2月

消費者庁消費者制度課

●第2版補訂版はしがき

　本書の第2版が発行されてから4年が経過しました。その間、特定商取引に関する法律の改正による訪問購入に関する規制の導入、食品表示法の制定、消費者の財産的被害の集団的な回復のための民事の裁判手続の特例に関する法律の制定など、消費者関連法の制定・改正がされたほか、適格

消費者団体の認定、監督等に関するガイドラインが改訂されており、本書においてもこれを踏まえた記述をする必要があることから、この度、第2版補訂版を発刊することにしました。

また、平成13年4月に消費者契約法が施行されてから14年が経ち、幾つかの最高裁判決も出ていることから、併せてこれを紹介することにしました。

消費者契約法の理解を深めるため、引き続き本書が活用されることを期待しています。

平成27年4月

消費者庁消費者制度課

●第2版刊行にあたって

消費者契約法は、平成12年に成立し、平成13年4月1日より施行されました。消費者契約法の制定により、従来消費者・事業者間の情報の質および量ならびに交渉力の格差によって発生していた消費者契約トラブルについての被害救済が図られるようになりましたが、被害救済は、個別的・事後的に図られることから、同種の消費者被害の発生または拡大を防止するには限界がありました。そこで、消費者被害の未然防止、拡大防止を図るために、平成18年改正により消費者契約法に、適格消費者団体が同法に規定する不当な勧誘行為と不当な契約条項を含む契約の締結に対して差止請求をすることができる制度（消費者団体訴訟制度）が盛り込まれ、平成19年6月7日より施行されました。

また、商品・役務の内容の多様化を背景として、「不当景品類及び不当表示防止法」（以下「景品表示法」といいます。）および「特定商取引に関する法律」（以下「特定商取引法」といいます。）の違反による消費者被害が急増していたことに対応するため、平成20年に法改正を行い、平成21年4月1日より景品表示法上の、同年12月1日より特定商取引法上の不当な行為に対しても適格消費者団体が差止請求を行えるようになりました。

さらに、平成21年9月に「消費者を主役とする政府の舵取り役」となる

消費者庁が発足し、消費者契約法は内閣府から消費者庁に移管されること
となったほか、前回の新版から消費者関連法の多くが改正されています。
こうしたことから、この機会に第2版を発行することとなりましたが、本
書が実務家や研究者だけでなく、事業関係者にも広く活用され、消費者契
約法に対するご理解を深めていただけることを期待しております。

　平成22年4月

消費者庁企画課

●新版に寄せて

　適格消費者団体による差止請求権等を内容とする消費者契約法一部改正
法が平成18年5月に成立し、平成19年6月7日から施行される。
　消費者契約を包括的に適用対象とする民事立法として平成13年に消費者
契約法が施行されて以来、同法に関する裁判例が数多く集積されるととも
に、消費生活相談の現場においても紛争解決に活用されるなど、着実にそ
の効果を発揮している。他方、これまでの消費者契約法は、個別事件にお
いて事後的に消費者の利益擁護を図るルールのみから成るため、これだけ
では紛争の未然防止・拡大防止には限界のあることも指摘されていた。
　こうした状況にかんがみ、第19次国民生活審議会消費者政策部会の下に
消費者団体訴訟制度検討委員会が設置され、同委員会は、一定の要件に適
合する消費者団体が差止請求権を行使することを内容とするいわゆる消費
者団体訴訟制度の導入について、その必要性、差止請求の対象、適格消費
者団体の要件、訴訟手続の在り方等について審議・検討し、平成17年6月
に報告書を取りまとめた。今般の消費者契約法の改正は、基本的にこの報
告書を踏まえたものである。
　内閣総理大臣により認定され、差止請求権を付与される適格消費者団体
は、消費者の立場に立った市場の監視者として、市場からの不当勧誘行為
や不当契約条項の一掃を図るうえで重要な役割を担うことが期待されると
ともに、そのような重責の担い手にふさわしく、積極的な情報開示等によ
り信頼性を維持することが求められる。また、消費者も、適格消費者団体

に対して苦情相談に関する情報を提供するなど、その活動を支援していくことが期待されよう。一方、事業者においては、消費者契約法等の法令を遵守しつつ適正な事業活動を行うことはもとより必要であるが、適格消費者団体との対話によりその一層の促進を図ることも大いに期待されるところである。

　立案を担当した内閣府国民生活局の事務局スタッフは、消費者団体訴訟制度検討委員会の立上げから、改正法の成立、その後の政令・内閣府令・ガイドラインの策定に至るまで、困難な作業を熱意をもって遂行された。本書はそうした作業の集大成というべきものであり、改正消費者契約法に関心を寄せるすべての実務家及び研究者にとって必携の書である。

　本書が広く活用され、消費者取引の適正化の一助になることを心より念願する次第である。

　平成19年6月
　　　　　第19次国民生活審議会消費者政策部会消費者団体訴訟制度
　　　　　検討委員会委員長・京都大学大学院法学研究科教授
　　　　　　　　　　　　　　　　　　　　　　　　　山本　　豊

●新版はしがき

　消費者と事業者との間の情報の質及び量並びに交渉力の格差にかんがみ、消費者が消費者契約の取消しや消費者契約の条項の無効を主張できる場合を類型的に定めた消費者契約法が平成13年4月1日から施行されています。同法の制定により、消費者の被害救済が個別的・事後的に図られるようになりましたが、同種の消費者被害の発生又は拡大を阻止するには限界があります。

　この消費者契約法の実効性確保策として、適格消費者団体が同法に規定する不当行為の差止請求をすることができる制度（消費者団体訴訟制度）を創設するため、第164回通常国会において、「消費者契約法の一部を改正する法律」（平成18年法律第56号）が成立し、平成18年6月7日に公布されました。同法律は、平成19年6月7日から施行されます。

消費者団体訴訟制度については、消費者契約法制定に際しての衆参両院における附帯決議（平成12年4月）、司法制度改革推進計画（平成14年3月閣議決定）等において、その検討の必要性が指摘されていました。このような中で、平成16年4月、国民生活審議会消費者政策部会に消費者団体訴訟制度検討委員会が設置され、毎回白熱した真摯な議論が行われてきました。当時の関係者の並々ならぬご努力が、この度の我が国社会に受け容れられる合理的な制度の構築につながったものであり、各方面からの力強い御支援、そして御理解・御協力に対し、改めて御礼を申し上げたいと思います。

改正法では、消費者団体訴訟制度について、消費者契約法に違反する事業者の不当な勧誘行為や不当な契約条項の使用による消費者被害の発生又は拡大を防止するため、適格消費者団体が当該事業者に対してその差止めを請求できることとするとともに、適格消費者団体の内閣総理大臣による認定等の制度及び差止請求に係る訴訟手続等の所要の措置を定めています。

本制度は、消費者全体の利益を擁護するための制度です。消費者全体の利益擁護を担う適格性を有する者として認定を受け、本法に基づく差止請求権を行使する主体である適格消費者団体は、自らの活動を通じて消費者の信頼を獲得していくとともに、消費者は、被害情報を適格消費者団体に提供したり、その会員となったり、寄附を行う等により、適格消費者団体の活動を消費者全体で支えていくことが期待されます。

一方、事業者としては、日頃からコンプライアンス経営に注力して頂くことは勿論ですが、仮に差止請求がなされた場合であっても、適格消費者団体が主張するような消費者契約法違反の事実がないか、事業者として早期に点検し、違反があれば是正するなど、適切に対応することが重要と考えます。

本書は、現行規定に係る解説を含む消費者契約法の逐条解説をはじめ、立法の背景・経緯、そして法案検討時からの関係資料等を取りまとめたものです。消費者契約法について消費者、事業者をはじめとする国民の皆様の御理解が深められることの一助になれば幸いです。

本書を刊行するにあたり、国民生活審議会の委員各位や、今般の改正に当たって貴重な御意見を賜りました学界、法曹界、各省庁の関係各位をは

じめ、改正に御尽力賜りましたすべての皆様方に、改めて御礼を申し上げる次第です。そして、最後となりましたが、内閣府国民生活局において本改正法の法制化作業に取り組んだ、田口義明国民生活局長（当時）をはじめ、堀田繁国民生活局審議官、井内正敏消費者企画課長、消費者団体訴訟制度検討室（現消費者団体訴訟室）の鈴木敏之室長（当時）、加納克利課長補佐、松下美帆課長補佐（当時）、鮎澤良史課長補佐、また本書の刊行に携わったスタッフの諸君の努力に対し、高く敬意を表したいと思います。

平成19年6月

内閣府国民生活局長
西　達男

●補訂版はしがき

　消費者契約法が制定され、本書の初版が発行されてから3年が経過した。その間、訪問販売法が特定商取引に関する法律に改正され、新たに金融商品の販売等に関する法律が制定されるなど、消費者関連法の整備・改正がなされており、本書において引用している法律等の記述も改正する必要があることから、この度、補訂版を発刊することにした。

　消費者契約法の理解を深めるため、引き続き本書が活用されることを期待している。

平成15年3月

内閣府国民生活局消費者企画課長
中村　昭裕

●本書の発刊に寄せて

　消費者契約法は、平成12年4月に成立し、平成13年4月1日から施行される。この法律は、消費者と事業者の契約、すなわち消費者契約を直接のターゲットとするわが国初めての包括的で具体的な民事ルールを定める立

法であり、わが国の消費者法において製造物責任法と並ぶ重要な意義を有する。

　思えば、従来国民生活審議会において断続的になされてきた個別約款の改善提言という対応を超えて、広く消費者契約そのものを対象とする包括的で具体的な民事ルール立法の方向を明確な形で打ち出したのは、平成6年の第14次国民生活審議会消費者政策部会の消費者行政問題検討委員会報告であり、それから起算すれば、消費者契約法の実現に約6年を要したことになる。実現した消費者契約法は、基本的にすべての事業者を対象とし、しかも契約締結過程および契約内容の両面を規制するから、消費者と事業者との契約取引につき必ず守らねばならないミニマムの統一ルールが設定され、今後のわが国の消費者取引市場のインフラストラクチャーの重要部分が整備されたことになる。実現した立法の内容およびそれに要した時の長さをどう評価するかは、もちろんそれぞれの見方があるであろうが、製造物責任法の立法の場合と比較すると、国民生活審議会において両法の検討に関係した者としては、色々な意味で相当に前進があったといって良いと思う。

　ところでこれからは、消費者および事業者が消費者契約法を如何に効果的に活用するかが重要である。私の見るところ消費者契約法は、出来る限り具体的なルールとするための努力が大いになされたが、それでも相当に解釈が分かれ得るところがかなりあると思われる。この点において本書の発刊は、まことに時宜を得たものであり、国民の消費者契約法の理解に大いに貢献するものである。そしていうまでもないが、本書が政府提出の消費者契約法における政府部内での法案作成作業の中心となった経済企画庁事務当局の手になるものであることは、その解釈への賛成・反対を問わず、消費者契約法を理解しようとするすべての者にとって、今後とも必ず参照すべき必読の重要文献となるであろう。

　省庁再編等を含めてきわめて公務多忙のなかにあって、かくも周到な逐条解説を立法成立後のまことに短期間に発刊させることは、消費者契約法を早期に広く国民のものとしたいとの強い熱意なくしてはまさに不可能であり、執筆された方々の真摯な努力に対して深い敬意を表するとともに、本書を広く江湖に推薦したいと思う。

平成12年11月

　　　　　国民生活審議会消費者政策部会長・東京大学教授
　　　　　　　　　　　　　　　　　落合　誠一

●消費者契約法の成立

　消費者契約法は平成12年４月28日に参議院本会議で全会一致で可決され成立し、同年５月12日に法律第61号として公布されました。民・商法の特別法として、消費者と事業者との間に存在する、構造的な「情報の質及び量並びに交渉力の格差」に着目し、消費者が契約を取消したり、契約条項の効力を否定したりできる要件を拡大、明確化するという画期的な法律の成立です。

　国民生活審議会では、製造物責任法の審議を終えた後、平成６年４月より消費者取引の問題等の審議を開始しておりますので、足掛け６年にわたる検討の結果、現実の法律となったことになります。各方面からの熱い期待と、力強い応援と、そしてご理解・ご協力があってこそ実現できたのだと改めて御礼を申し上げたいと思います。

　事業者も消費者も是非法律の意味を正しく理解していただきたいと思います。消費者と事業者の間で締結される契約に関するトラブルの公正かつ円滑な解決を図るというのがこの法律の目的であり、それは、裁判でのみ解決されるというものではなく、例えば、事業者と消費者の相対交渉など裁判外においても、紛争がより迅速に解決されることを期待しています。

　また、消費者契約法は、単なるトラブル解決のルールにとどまらず、事業者がルールに従い適切な行動をとればトラブルを未然に防ぐことにも寄与します。

　さらに重要なことは信頼感の醸成です。事業者が、消費者契約法は最低限のルールであると認識し、売る側の責任を自覚し、本法の努力規定を踏まえて可能な限り消費者のレベルに応じた情報提供を行えば消費者の信頼を勝ち取ることになります。こうして、消費者と事業者間の信頼感が増すことにより、新たな経済活動や業態の創造が容易になり、活発化されると

いうプラスサムの結果を招くことも期待しております。

消費者契約法は平成13年4月1日から施行されます。時間はあるようでないものです。本書は、消費者契約法の立法の背景・経緯、消費者契約法の逐条解説、そして関係審議会の報告など関係資料をまとめたものですが、消費者契約法について国民の皆様のご理解が深められることの一助となることを願ってやみません。

本書を刊行するにあたり、国民生活審議会の委員各位や、消費者取引の適正化に関する議論に携わられた諸先輩に心から御礼を申し上げたいと思います。また、消費者契約法の成立にご尽力いただいた立法府の関係各位や関係省庁の皆様方にも心から御礼申し上げたいと思います。そして最後となりましたが、経済企画庁において本法の法制化作業に取り組んだ、金子孝文国民生活局長（当時）をはじめ、田島秀雄国民生活局審議官（当時）、消費者行政第一課の藤岡文七課長（当時）、堀田繁課長、川口康裕調査官（当時）、坂田進課長補佐（当時）、また本書の刊行に携わったスタッフの諸君の努力に対し、高く敬意を表したいと思います。

平成12年11月

経済企画庁国民生活局長
池田　実

逐条解説 消費者契約法

もくじ

第1編　逐条解説 ……………………………………………………… 1

第1章　総則（第1条～第3条） ……………………………… 2

第1条（目的） ……………………………………………………… 2

第2条（定義） ……………………………………………………… 8

Ⅰ　第1項から第3項まで ……………………………………… 8

Ⅱ　第4項 ………………………………………………………… 20

第3条（事業者及び消費者の努力） …………………………… 22

Ⅰ　第1項 ………………………………………………………… 22

Ⅱ　第2項 ………………………………………………………… 33

第2章　消費者契約 ……………………………………………… 45

第1節　消費者契約の申込み又はその承諾の意思表示の
取消し（第4条～第7条） ……………………………… 45

第4条（消費者契約の申込み又はその承諾の意思表示の
取消し） ……………………………………………… 45

Ⅰ　第1項・第2項（誤認類型） ……………………………… 45

Ⅱ　第3項（困惑類型） ………………………………………… 65

Ⅲ　第4項（過量類型） ………………………………………… 104

Ⅳ　第5項（重要事項） ………………………………………… 117

Ⅴ　第6項（取消しに係る第三者） …………………………… 125

第5条（媒介の委託を受けた第三者及び代理人） ………… 131

Ⅰ　第1項 ………………………………………………………… 131

Ⅱ　第2項 ………………………………………………………… 134

第6条（解釈規定）……………………………………………141

第6条の2（取消権を行使した消費者の返還義務）………142

第7条（取消権の行使期間等）………………………………146

  Ⅰ 第1項……………………………………………………146

  Ⅱ 第2項……………………………………………………151

第2節　消費者契約の条項の無効（第8条〜第10条）…………153

第8条（事業者の損害賠償の責任を免除する条項等の

    無効）……………………………………………………155

  Ⅰ 第1項……………………………………………………156

  Ⅱ 第2項……………………………………………………172

  Ⅲ 第3項……………………………………………………177

第8条の2（消費者の解除権を放棄させる条項等の無効）

    ……………………………………………………………181

第8条の3（事業者に対し後見開始の審判等による

    解除権を付与する条項の無効）………………………185

第9条（消費者が支払う損害賠償の額を予定する条項

    等の無効等）……………………………………………191

  Ⅰ 第1項……………………………………………………191

  Ⅱ 第2項……………………………………………………204

第10条（消費者の利益を一方的に害する条項の無効）……209

第3節　補則（第11条）……………………………………………224

第11条（他の法律の適用）…………………………………224

  Ⅰ 第1項……………………………………………………224

  Ⅱ 第2項……………………………………………………226

第3章　差止請求……………………………………………………257

第1節　差止請求権等………………………………………………257

第12条（差止請求権）………………………………………257

第12条の2（差止請求の制限）……………………………265

第12条の3（消費者契約の条項の開示要請）………………274

もくじ　xv

第12条の4（損害賠償の額を予定する条項等に関する
　　　説明の要請等）……………………………………………278
第12条の5（差止請求に係る講じた措置の開示要請）……282
第2節　適格消費者団体………………………………………285
第1款　適格消費者団体の認定等（第13条〜第22条）………285
第13条（適格消費者団体の認定）…………………………285
　　Ⅰ　第1項・第2項………………………………………288
　　Ⅱ　第3項…………………………………………………290
　　Ⅲ　第4項…………………………………………………305
　　Ⅳ　第5項…………………………………………………308
第14条（認定の申請）………………………………………312
第15条（認定の申請に関する公告及び縦覧等）…………319
　　Ⅰ　第1項…………………………………………………319
　　Ⅱ　第2項…………………………………………………320
　　Ⅲ　第3項…………………………………………………322
第16条（認定の公示等）……………………………………324
第17条（認定の有効期間等）………………………………327
第18条（変更の届出）………………………………………332
第19条（合併の届出及び認可等）…………………………334
第20条（事業の譲渡の届出及び認可等）…………………338
第21条（解散の届出等）……………………………………341
第22条（認定の失効）………………………………………343
第2款　差止請求関係業務等（第23条〜第29条）…………345
第23条（差止請求権の行使等）……………………………345
　　Ⅰ　第1項…………………………………………………346
　　Ⅱ　第2項…………………………………………………347
　　Ⅲ　第3項…………………………………………………347
　　Ⅳ　第4項…………………………………………………348
　　Ⅴ　第5項…………………………………………………356
　　Ⅵ　第6項…………………………………………………358
第24条（消費者の被害に関する情報の取扱い）…………360

第25条（秘密保持義務）……………………………………362

第26条（氏名等の明示）……………………………………364

第27条（判決等に関する情報の提供）……………………366

第28条（財産上の利益の受領の禁止等）…………………368

 Ⅰ 第1項から第3項まで…………………………………369

 Ⅱ 第4項………………………………………………………371

 Ⅲ 第5項・第6項…………………………………………372

第29条（業務の範囲及び区分経理）………………………374

 Ⅰ 第1項………………………………………………………374

 Ⅱ 第2項………………………………………………………376

第3款 監督（第30条〜第35条）………………………377

第30条（帳簿書類の作成及び保存）………………………377

第31条（財務諸表等の作成、備置き、閲覧等及び提出等）

   ………………………………………………………386

 Ⅰ 第1項………………………………………………………387

 Ⅱ 第2項から第5項まで…………………………………389

第32条（報告及び立入検査）………………………………395

第33条（適合命令及び改善命令）…………………………397

第34条（認定の取消し等）…………………………………401

 Ⅰ 第1項………………………………………………………402

 Ⅱ 第2項………………………………………………………406

 Ⅲ 第3項・第4項…………………………………………407

 Ⅳ 第5項………………………………………………………408

第35条（差止請求権の承継に係る指定等）……………409

第4款 補則（第36条〜第40条）…………………………417

第36条（規律）………………………………………………417

第37条（官公庁等への協力依頼）…………………………420

第38条（内閣総理大臣への意見）…………………………422

第39条（判決等に関する情報の公表）……………………424

 Ⅰ 第1項………………………………………………………424

 Ⅱ 第2項………………………………………………………426

Ⅲ　第３項‥‥‥‥‥‥‥‥‥‥‥‥‥‥‥‥‥‥‥‥428

第40条（適格消費者団体への協力等）‥‥‥‥‥‥‥‥‥‥‥429

　　Ⅰ　第１項‥‥‥‥‥‥‥‥‥‥‥‥‥‥‥‥‥‥‥‥‥429

　　Ⅱ　第２項‥‥‥‥‥‥‥‥‥‥‥‥‥‥‥‥‥‥‥‥‥433

第３節　訴訟手続等の特例（第41条～第47条）‥‥‥‥‥‥‥434

第41条（書面による事前の請求）‥‥‥‥‥‥‥‥‥‥‥‥‥434

第42条（訴訟の目的の価額）‥‥‥‥‥‥‥‥‥‥‥‥‥‥‥438

第43条（管轄）‥‥‥‥‥‥‥‥‥‥‥‥‥‥‥‥‥‥‥‥‥439

　　Ⅰ　第１項‥‥‥‥‥‥‥‥‥‥‥‥‥‥‥‥‥‥‥‥‥439

　　Ⅱ　第２項‥‥‥‥‥‥‥‥‥‥‥‥‥‥‥‥‥‥‥‥‥440

第44条（移送）‥‥‥‥‥‥‥‥‥‥‥‥‥‥‥‥‥‥‥‥‥444

第45条（弁論等の併合）‥‥‥‥‥‥‥‥‥‥‥‥‥‥‥‥‥446

　　Ⅰ　第１項‥‥‥‥‥‥‥‥‥‥‥‥‥‥‥‥‥‥‥‥‥446

　　Ⅱ　第２項‥‥‥‥‥‥‥‥‥‥‥‥‥‥‥‥‥‥‥‥‥447

第46条（訴訟手続の中止）‥‥‥‥‥‥‥‥‥‥‥‥‥‥‥‥449

第47条（間接強制の支払額の算定）‥‥‥‥‥‥‥‥‥‥‥‥452

第４章　雑則（第48条・第48条の２）‥‥‥‥‥‥‥‥‥‥‥454

第48条（適用除外）‥‥‥‥‥‥‥‥‥‥‥‥‥‥‥‥‥‥‥454

第48条の２（権限の委任）‥‥‥‥‥‥‥‥‥‥‥‥‥‥‥‥459

第５章　罰則（第49条～第53条）‥‥‥‥‥‥‥‥‥‥‥‥‥461

第49条‥‥‥‥‥‥‥‥‥‥‥‥‥‥‥‥‥‥‥‥‥‥‥‥‥461

第50条‥‥‥‥‥‥‥‥‥‥‥‥‥‥‥‥‥‥‥‥‥‥‥‥‥465

第51条‥‥‥‥‥‥‥‥‥‥‥‥‥‥‥‥‥‥‥‥‥‥‥‥‥467

第52条‥‥‥‥‥‥‥‥‥‥‥‥‥‥‥‥‥‥‥‥‥‥‥‥‥470

第53条‥‥‥‥‥‥‥‥‥‥‥‥‥‥‥‥‥‥‥‥‥‥‥‥‥471

附則（平成12年法律第61号）‥‥‥‥‥‥‥‥‥‥‥‥‥‥‥476

附則（平成18年法律第56号）……………………………………478

    Ⅰ 第1項（施行期日）…………………………………………478

    Ⅱ 第2項（検討）………………………………………………478

附則（平成20年法律第29号）……………………………………480

    Ⅰ 第1項（施行期日）…………………………………………480

    Ⅱ 第2項（認定手続等に関する経過措置)………………………482

    Ⅲ 第3項（罰則に関する経過措置)……………………………485

附則（平成21年法律第49号）抄……………………………………487

附則（平成28年法律第61号）……………………………………489

  第1条（施行期日）……………………………………………489

  第2条から第4条まで（経過措置等)………………………………491

  第5条（検討)…………………………………………………493

  第6条（民法の一部を改正する法律の施行に伴う関係
        法律の整備等に関する法律の一部改正)……………495

附則（平成30年法律第54号）……………………………………496

  第1条（施行期日）……………………………………………496

  第2条及び第3条（経過措置等)……………………………………498

  第4条（検討)…………………………………………………500

  第5条（民法の一部を改正する法律の施行に伴う関係
        法律の整備等に関する法律の一部改正)……………501

附則（令和4年法律第59号）抄……………………………………502

  第1条（施行期日）……………………………………………502

  第2条（消費者契約法の一部改正に伴う経過措置)………504

  第4条（罰則に関する経過措置)……………………………………507

  第5条（政令への委任)…………………………………………508

もくじ　xix

第6条（検討）……………………………………………509

附則（令和4年法律第99号）抄………………………510

第1条（施行期日）………………………………………510
第2条（消費者契約法の一部改正に伴う経過措置）………511
第3条（検討）……………………………………………513

第2編　関係法令等……………………………………515

第1章　消費者契約法（平成12年法律第61号）………………516

第2章　消費者契約法施行令（平成19年政令第107号）………560

第3章　消費者契約法施行規則（平成19年内閣府令第17号）
……………………………………………………………566

第4章　適格消費者団体の認定、監督等に関する
ガイドライン……………………………………………589

第3編　資料編……………………………………………621

第1章　消費者契約法の制定（平成12年）…………………622

1 トラブルの現状………………………………………622
2 現行法制度と問題点…………………………………622
3 国民生活審議会における審議………………………624
4 関係審議会等における検討（法務省、通商産業省）…………626
5 政府部内における検討と立案作業…………………627
6 各政党における検討…………………………………627
7 第147回国会への提出………………………………629
8 第147回国会における審議の経過…………………629

⑨ 附帯決議……………………………………………………………630

⑩ 審議会等報告書等……………………………………………………633

⑪ 消費者契約法の実効性確保について……………………………652

⑫ 消費者契約に関する各国の法制度………………………………653

第2章　消費者契約法の改正（平成18年）……………………654

１ トラブルの現状………………………………………………654

２ 諸外国における消費者団体訴訟制度の状況……………………654

３ 消費者団体訴訟制度の検討に関する経緯………………………656

４ 国民生活審議会における審議……………………………………657

５ 政府部内における検討と立案作業………………………………657

６ 各政党における検討………………………………………………658

７ 第164回国会における審議の経過………………………………659

８ 政令の制定…………………………………………………………660

９ 内閣府令（施行規則）・ガイドラインの制定…………………661

⑩ 附帯決議……………………………………………………………662

⑪ 審議会等報告書……………………………………………………665

⑫ 海外における消費者団体訴訟制度の概要………………………687

第3章　消費者契約法等の改正（平成20年）……………………693

１ トラブルの現状……………………………………………………693

２ 検討の経緯…………………………………………………………694

３ 政府部内における検討と立案作業………………………………696

４ 各政党における検討………………………………………………696

５ 第169回国会における審議の経過………………………………697

６ 附帯決議……………………………………………………………698

７ 審議会等報告書……………………………………………………699

第4章　消費者契約法の改正（平成28年）……………………702

１ トラブルの現状……………………………………………………702

２ 検討の経緯…………………………………………………………703

3 政府部内における検討と立案作業……………………………………704

4 各政党における検討………………………………………………704

5 第190回国会における審議の経過…………………………………705

6 附帯決議……………………………………………………………705

7 審議会等報告書等…………………………………………………708

第5章　消費者契約法の改正（平成29年）………………743

1 検討の経緯…………………………………………………………743

2 政府部内における検討と立案作業………………………………744

3 各政党における検討………………………………………………744

4 第193回国会における審議の経過…………………………………744

5 附帯決議……………………………………………………………745

第6章　消費者契約法の改正（平成30年）………………748

1 トラブルの現状……………………………………………………748

2 検討の経緯…………………………………………………………749

3 政府部内における検討と立案作業………………………………750

4 各政党における検討………………………………………………750

5 第196回国会における審議の経過…………………………………750

6 附帯決議……………………………………………………………751

7 審議会等報告書等…………………………………………………756

第7章　消費者契約法の改正（令和4年通常国会）…………783

1 トラブルの現状……………………………………………………783

2 検討の経緯…………………………………………………………783

3 政府部内における検討と立案作業………………………………783

4 各政党における検討………………………………………………784

5 第208回国会における審議の経過…………………………………784

6 附帯決議……………………………………………………………785

7 審議会等報告書………………………………………………………790

xxii　もくじ

第8章　消費者契約法の改正（令和4年臨時国会）…………827

1 トラブルの現状…………………………………………………827

2 検討の経緯等…………………………………………………827

3 政府部内における検討と立案作業……………………………828

4 各政党における検討…………………………………………828

5 第210回国会における審議の経過……………………………828

6 附帯決議………………………………………………………829

7 審議会等報告書………………………………………………834

事項索引……………………………………………………………843

●凡例

本解説では、以下の略語を用いている場合がある。

〔略語〕

法	消費者契約法（平成12年法律第61号）
施行令	消費者契約法施行令（平成19年政令第107号）
規則	消費者契約法施行規則（平成19年内閣府令第17号）
ガイドライン	適格消費者団体の認定、監督等に関するガイドライン（消費者庁令和5年5月30日改訂）
景品表示法	不当景品類及び不当表示防止法（昭和37年法律第134号）
特定商取引法	特定商取引に関する法律（昭和51年法律第57号）
消費者裁判手続特例法	消費者の財産的被害等の集団的な回復のための民事の裁判手続の特例に関する法律（平成25年法律第96号）
民法改正法	民法の一部を改正する法律（平成29年法律第44号）
民法改正整備法	民法の一部を改正する法律の施行に伴う関係法律の整備等に関する法律（平成29年法律第45号）
改正民法	民法改正法が施行された場合の当該法律による改正後の民法

xxiv

●執筆者一覧

※ 肩書きは執筆当時

[初版]

坂田　　進　消費者行政第一課課長補佐

加藤　貴司　消費者行政第一課専門調査員

羽田野真司　消費者行政第一課

下世古光可　消費者行政第一課

荻原　哲矢　消費者行政第一課

浦沢　聡士　消費者行政第一課

丹羽誠太郎　消費者行政第一課

鎌田　　統　消費者行政第一課

松尾　憲和　消費者行政第一課

[新版]

鈴木　敏之　前消費者企画課消費者団体訴訟制度検討室室長

加納　克利　消費者企画課課長補佐

松下　美帆　前消費者企画課課長補佐

鮎澤　良史　消費者企画課課長補佐

中野　裕隆　前消費者企画課政策企画専門職

野村　雅也　前消費者企画課政策調査員

宮長　郁夫　消費者企画課政策企画専門職

落合　英紀　前消費者企画課

阿部　　翼　消費者企画課

吉積　郁子　消費者企画課

小池　智歌　消費者企画課

[第2版]

加納　克利　前内閣府国民生活局消費者企画課消費者団体訴訟室室長

鮎澤　良史　前内閣府国民生活局消費者企画課課長補佐

吉積　郁子　前内閣府国民生活局消費者企画課

片山　貴順　前内閣府国民生活局消費者企画課
西脇　得紘　前内閣府国民生活局消費者企画課
中島さやか　前内閣府国民生活局消費者企画課
鈴木　敦士　消費者庁企画課課長補佐
浦田　奈央　消費者庁企画課
上杉めぐみ　消費者庁企画課
渡邊美耶子　消費者庁企画課
稲垣　利彦　消費者庁企画課

［第2版補訂版］
加納　克利　消費者庁消費者制度課長
鈴木　敦士　消費者庁消費者制度課課長補佐
須藤　希祥　消費者庁消費者制度課課長補佐
宗宮　英恵　消費者庁消費者制度課政策企画専門官
稲垣　利彦　消費者庁消費者制度課

［第3版］
廣瀬　健司　消費者庁消費者制度課長
加納　克利　前消費者庁消費者制度課長
長窪　芳史　消費者庁消費者制度課課長補佐
落合　英紀　前消費者庁消費者制度課課長補佐
須藤　希祥　前消費者庁消費者制度課課長補佐
増田　朋記　前消費者庁消費者制度課課長補佐
小田　典靖　消費者庁消費者制度課政策企画専門官
志部淳之介　消費者庁消費者制度課政策企画専門官
福島　成洋　消費者庁消費者制度課政策企画専門官
川合　尚樹　前消費者庁消費者制度課政策企画専門官
木村　歩　消費者庁消費者制度課
近藤　怜　消費者庁消費者制度課
原口　都　消費者庁消費者制度課
坂上　響平　消費者庁消費者制度課

xxvi 執筆者一覧

片野坂明子　前消費者庁消費者制度課
兼高　淑江　前消費者庁消費者制度課

［第4版］
加納　克利　消費者庁消費者制度課長
廣瀬　健司　前消費者庁消費者制度課長
上野　一郎　消費者庁消費者制度課課長補佐
小田　典靖　消費者庁消費者制度課課長補佐
西川　功　消費者庁消費者制度課課長補佐
志部淳之介　消費者庁消費者制度課政策企画専門官
福島　成洋　消費者庁消費者制度課政策企画専門官
槇本　英之　消費者庁消費者制度課政策企画専門官
井村　勇貴　消費者庁消費者制度課
伊藤慎一郎　前消費者庁消費者制度課
坂上　響平　前消費者庁消費者制度課

［第5版］
黒木　理恵　前消費者庁消費者制度課長
落合　英紀　前消費者庁法制検討室副室長
齊藤　恒久　前消費者庁法制検討室副室長
小田　典靖　前消費者庁消費者制度課政策企画専門官
上野　一郎　前消費者庁消費者制度課課長補佐（第3条第1項第4号及び
　　　　　　第8条第3項部分担当）
久保美奈海　前消費者庁消費者制度課課長補佐（第13条以下部分担当）
西川　功　前消費者庁消費者制度課課長補佐（第13条以下部分担当）
福島　成洋　前消費者庁消費者制度課課長補佐（第3条第1項第2号、同
　　　　　　項第3号、第4条第3項第3号、同項第4号、同項第9号、
　　　　　　第12条の3及び第12条の5部分担当）
森貞　涼介　消費者庁消費者制度課課長補佐（第1条～第12条の5部分担
　　　　　　当）
伊吹　健人　消費者庁消費者制度課政策企画専門官（第13条以下部分担当）

小林　直弥　前消費者庁消費者制度課政策企画専門官（第13条以下部分担当）

玉置　貴広　前消費者庁消費者制度課政策企画専門官（第９条第２項及び第12条の４部分担当）

土田　悠太　前消費者庁消費者制度課政策企画専門官（第13条以下部分担当）

石田　千明　前消費者庁消費者制度課（第13条以下部分担当）

水上　優貴　前消費者庁消費者制度課（第13条以下部分担当）

第 1 編

逐条解説

第1章　総則（第1条～第3条）

第1条（目的）

> **（目的）**
> **第1条**　この法律は、消費者と事業者との間の情報の質及び量並びに交渉力の格差に鑑み、事業者の一定の行為により消費者が誤認し、又は困惑した場合等について契約の申込み又はその承諾の意思表示を取り消すことができることとするとともに、事業者の損害賠償の責任を免除する条項その他の消費者の利益を不当に害することとなる条項の全部又は一部を無効とするほか、消費者の被害の発生又は拡大を防止するため適格消費者団体が事業者等に対し差止請求をすることができることとすることにより、消費者の利益の擁護を図り、もって国民生活の安定向上と国民経済の健全な発展に寄与することを目的とする。

1　趣旨

　本法においては、消費者と事業者との間に存在する、契約の締結、取引に関する構造的な「情報の質及び量並びに交渉力の格差」に着目し、消費者に自己責任を求めることが適切でない場合のうち、契約締結過程及び契約条項に関して、消費者が契約の全部又は一部の効力を否定することができるようにすることによって、消費者契約（消費者と事業者との間で締結される契約。第2条で詳しく解説する。）に関するトラブルの公正かつ円滑な解決に資するとともに、事業者等が不特定かつ多数の消費者に対して消費者契約法に規定する不当な勧誘行為又は不当な契約条項を含む消費者契約の申込み又はその承諾の意思表示を現に行い又は行うおそれがある場合に、適格消費者団体が当該事業者等に対しその差止請求をすることができるこ

ととすることによって、消費者の被害の発生又は拡大の防止に資すると考えられる。

2 条文の解釈

(1) 「消費者と事業者との間の情報の質及び量並びに交渉力の格差」

消費者契約については、トラブルが生じたものにつきその原因を探ってみると、消費者契約における両当事者の間で意思表示（申込み、承諾）が形式的に合致していても、それらの表示から客観的に推断される意思の内容が、消費者の真意と必ずしも同じでない場合が多い。具体的には次のとおりである。

① 契約締結過程においては、事業者の不適切な動機付けや影響力の行使によって、意思形成が正当になされないままに消費者が契約の申込み又承諾を行うことにより契約が締結される。

② 契約条項については、消費者の意思表示に瑕疵がない場合であっても、消費者に著しく不利な内容の契約が締結されて、消費者が著しく重い義務を負ったり本来有する権利を奪われたりする。

上記の問題が生じる原因としては、消費者契約の特性ともいえる、消費者と事業者との間に存在する契約の締結、取引に関する構造的な「情報の質及び量並びに交渉力の格差」(注)が挙げられる。

ア 契約締結過程

（ア） 事業者は扱っている商品・権利・役務に関する内容や取引条件についての情報を、消費者よりも多く持っている（情報の量の格差）。

（イ） 事業者は当該事業に関し、消費者よりも交渉のノウハウがある（交渉力の格差）。

イ 契約条項

（ア） 事業者は、当該業に関連する法律、商慣習について、一般的に消費者よりも詳しい情報を持っている（情報の質及び量の格差）。

（イ） また、当該契約条項についても自らが作成したものであることが通常であるため、ひとつひとつの契約条項の意義についての知識を持っている（情報の質及び量の格差）。

4　第1編　逐条解説　第1章　総則（第1条～第3条）

(ウ)　同種の取引を大量に処理するために、事業者によってあらかじ
め設定された契約条項を消費者が変更してもらうことはほとんど
現実的にあり得ない（交渉力の格差）。
(注)　情報の質：入手される情報の詳しさ、入手される情報の正確性、
入手される情報の整理の度合い
情報の量：入手される情報量

したがって、本法においては、消費者と事業者との間に存在する、契約
の締結、取引に関する構造的な「情報の質及び量並びに交渉力の格差」（以
下、便宜の観点から「情報・交渉力の格差」とする。）に着目し、消費者に自己
責任を求めることが適切でない場合のうち、契約締結過程及び契約条項に
関して、消費者が契約の全部又は一部の効力を否定することができるよう
にする場合を、新たに定めることとした。

(2)　「事業者の一定の行為により消費者が誤認し、又は困惑した場合につ
いて契約の申込み又はその承諾の意思表示を取り消すことができること
とする」
この意味内容については、第2条以下の解説において詳述する。

(3)　「事業者の損害賠償の責任を免除する条項その他の消費者の利益を不
当に害することとなる条項の全部又は一部を無効とする」
この意味内容については、第2条以下の解説において詳述する。

(4)　「消費者の被害の発生又は拡大を防止するため適格消費者団体が事業
者等に対し差止請求をすることができることとする」
この意味内容については、第12条以下の解説において詳述する。

(5)　「消費者の利益の擁護」
消費者をめぐる環境が急速に多様化、複雑化する中で、消費者と事業者
双方が自己責任に基づいて行動できる環境整備が不可欠である。
すなわち、本法においては、消費者をめぐる契約に関してトラブルが生
じた際に、消費者自らによる救済を行いやすくすることを通じて「消費者

の利益の擁護」を図ることを直接の目的とする。

これに加え、消費者契約の特性・実態等に鑑みると、被害を受けた個々の消費者に、その救済に向けた積極的な権利行使を期待することには限界があるとともに、同種の消費者被害の発生又は拡大を効果的に阻止することにも限界があることを踏まえ、本法においては、適格消費者団体が事業者等に対し差止請求をすることができるようにすることにより、消費者の被害の発生又は拡大を防止して「消費者の利益の擁護」を図ることをも目的としている。

(6) 「もって国民生活の安定向上と国民経済の健全な発展に寄与すること」

本法の直接の目的は、消費者をめぐる契約に関してトラブルが生じた際に、消費者自らによる救済を行いやすくすること及び消費者の被害の発生又は拡大を防止するため適格消費者団体が事業者等に対し差止請求をすることができることとすることを通じて「消費者の利益の擁護」を図ることであり、「もって」以下にある「国民生活の安定向上と国民経済の健全な発展」は、「消費者の利益の擁護」を図ることによって達成することが期待されている目的を示すものである。

現代においては、事業が多様化・複雑化・専門分化し、また社会が高度情報化しているため、消費者と事業者との間に、契約の締結、取引に関する構造的な「情報・交渉力の格差」が生じている。かかる状況を踏まえて、消費者契約の分野で、契約の締結、取引の実情やトラブルの実態に鑑み、消費者に自己責任を求めることが不適切な場合のうち、消費者が契約の全部又は一部の効力を否定することができるように法律によって定めることにより、裁判規範（紛争解決の具体的指針）として機能することを通じた消費者の事後救済の容易化・迅速化、法的安定性の向上、争点の単純化・明確化、審理の拡散の防止等といった裁判における影響はもとより、裁判外紛争処理の円滑化・迅速化・低コスト化、消費者と事業者双方の契約に関する意識の変化、健全な国民のモラルの向上といった効果も期待される。

また、事業者にとっても、事業活動に即してどのような行為をするとどのような効果が生じるのかということについて予見可能性の高いルールが

6　第1編　逐条解説　第1章　総則（第1条～第3条）

策定されることにより、消費者と事業者双方の契約当事者としての責任に基づいた行動が促され、紛争の発生防止にも寄与することが期待される。さらには、取引に当たっての消費者と事業者双方の信頼感が醸成されることにより、経済活動の活性化に資することも期待できる。

　このように、本法を定めることにより、「国民生活の安定向上と国民経済の健全な発展」に資することが期待される。

　ア　消費者側の権利の濫用について

　個々の裁判において、目的規定に鑑み、情報の質及び量並びに交渉力の格差に比して消費者の主張が民法第1条第3項に規定する権利の濫用に当たるのであれば、当該消費者の当該主張が退けられるものと考える。

　イ　消費者が事業者に対して不当に有利な内容の契約を締結したとき

　本法制定の理念である、「消費者と事業者との間に存在する、契約の締結、取引に関する構造的な『情報・交渉力の格差』に着目し、民法等の規定によって救済されるもの以外について、契約の締結、取引の実情やトラブルの実態に鑑み消費者に自己責任を求めることが適切でない場合を法律によって定めることとする」ことから考えると、消費者が事業者に対して不当に有利な内容の契約を締結したときは、本法制定の理念から外れるために、本法で救済することは考えていない。

3　適用範囲の考え方

　本法は、あらゆる取引分野における消費者契約について、幅広く適用される民事ルールであり、契約の締結、取引に関する構造的な「情報・交渉力の格差」が存在する場合が現実的にみて一般的であることに着目したものである。

　また、このような一般的な傾向に鑑みた上で、本法の適用範囲を決めるに当たっては、次のような考え方に基づいている。

　本法で取り扱う消費者契約（消費者と事業者との間の契約）の適用範囲を決めるに当たっては、前述したように、取引に関する「情報・交渉力の格差」を念頭に置きつつ消費者と事業者の範囲を決める必要がある。

　本法における「消費者」と「事業者」とを区別する観点は、取引に関する「情報・交渉力の格差」であり、その格差が生じる要因は、基本的には

「①同種の行為（契約の締結、取引）を反復継続しているかどうか」であるが、要因はそれのみにとどまらず「②社会から要請されている事業者の責任」という視点も必要であると考えられた。

　例えば、事業者は、当該業において事業そのものとして扱っているもの以外にも、当該業を運営していくために必要な商品・権利・役務に関する内容や取引条件、さらには法律や商慣習について消費者よりも詳しい情報を持っているが、この部分については単に「同種の行為（契約の締結、取引）の反復継続」のみによって全てが説明されるわけではない。

　それは通常、「同種の行為（契約の締結、取引）の反復継続」である事業というものを行うために、反復継続という回数とは関係なく、事業者が事業を行う際には最低限知っているべきとされているもの、いわば事業者に求められる「事業者が取引をするためのインフラ（情報ネットワーク、法律知識、商慣習など）」ともいえるものである。これを換言するならば、通常、経済社会の取引の安全性を確保するために、社会が事業を行う者に対して求めている負担（＝「社会から要請されている事業者の責任」)(注)といえるであろう。

　以上の「社会から要請されている事業者の責任」に伴う「事業者が契約を締結し、取引をするためのインフラ」の有無が、消費者契約におけるトラブルを引き起こす取引に関する「情報・交渉力の格差」のもう一つの要因である。

　　(注)　社会が事業を行う者に対して求めている負担について、同様の考え方を採っている例としては、製造物責任法に規定している「製造物責任」の考え方がある。

　　　　製造物責任法が製造業者等に対し、その製造物が欠陥すなわち通常有すべき安全性を欠いていることにより損害賠償責任を負わせる根拠としては、例えば以下のような理論的根拠が考えられる。

　　信頼責任：自らの製品に対する消費者の信頼に反して欠陥ある製造物を製造し引き渡したことを根拠として、賠償責任を負うべきである。

　　報償責任：製造者は利益追及行為を行っており、利益を上げる過程において他人に損害を与えたことを根拠に、賠償責任を負うべきである。

　(危険責任：危険を内在した製造物を製造した者がその危険が実現した場合の賠償責任を負うべきである。)

8　第1編　逐条解説　第1章　総則（第1条〜第3条）

第2条（定義）

> **（定義）**
> **第2条**　この法律において「消費者」とは、個人（事業として又は事業のために契約の当事者となる場合におけるものを除く。）をいう。
> 2　この法律（第43条第2項第2号を除く。）において「事業者」とは、法人その他の団体及び事業として又は事業のために契約の当事者となる場合における個人をいう。
> 3　この法律において「消費者契約」とは、消費者と事業者との間で締結される契約をいう。
> 4　この法律において「適格消費者団体」とは、不特定かつ多数の消費者の利益のためにこの法律の規定による差止請求権を行使するのに必要な適格性を有する法人である消費者団体（消費者基本法（昭和43年法律第78号）第8条の消費者団体をいう。以下同じ。）として第13条の定めるところにより内閣総理大臣の認定を受けた者をいう。

Ⅰ　第1項から第3項まで

1　趣旨

　本法で取り扱う消費者契約（「消費者」と「事業者」との間で締結される契約）の適用範囲を決めるに当たっては、契約の締結、取引に関する「情報・交渉力の格差」を念頭に置きつつ「消費者」と「事業者」の範囲を決める必要がある。

　本法における「消費者」と「事業者」とを区別する観点は、契約の締結、取引に関する「情報・交渉力の格差」である。この格差は、「事業」（一定の目的をもってなされる同種の行為の反復継続的遂行）に由来することから、この概念を定義において用いるものとした。

2 条文の解釈

(1) 「事業として又は事業のために契約の当事者となる」

本条で定義する「消費者」とは、「事業としてでもなく、事業のためにでもなく」契約の当事者となる主体を意味し、「事業者」とは、「事業として又は事業のために」契約の当事者となる主体を意味する。

このうち、(4)・(5)に後述する「法人」及び「その他の団体」については、これらの団体が当事者となって締結する契約が「事業者」としてするものであると考えられる。

しかし、次の(2)に述べるように個人事業者については、「事業者」として「事業として又は事業のために」契約の当事者となる場合もあれば、「消費者」として「事業としてでもなく、事業のためにでもなく」契約の当事者となる場合もある。したがって、本法においては個人事業者が「事業として又は事業のために」契約の当事者となる場合には「事業者」として取り扱うことが妥当である。

なお、ここに掲げる「事業として又は事業のために」とは、「契約の当事者となる主体『自らの』事業として、又は『自らの』事業のために」という意味である。

ア 「事業」

「事業」とは、「一定の目的をもってなされる同種の行為の反復継続的遂行」であるが、営利の要素は必要でなく、営利の目的をもってなされるかどうかを問わない。また、公益・非公益を問わず反復継続して行われる同種の行為が含まれ、さらには弁護士、税理士等の「自由職業（専門的職業）」の概念も含まれるものと考えられる。

なお、労働契約（雇用主に対して、従業員が労務の提供に服することを約する契約）に基づく労働は、自己の危険と計算によらず他人の指揮命令に服するものであり、自己の危険と計算とにおいて独立的に行われるものである「事業」という概念には当たらないと考えられる（第48条参照）。

イ 「事業として」と「事業のために」

「事業として」とは、同種の行為を反復継続して行うことをいう。大森政輔ほか共編『法令用語辞典〔第11次改訂版〕』（学陽書房、2023）によれば、

10 　第1編　逐条解説　第1章　総則（第1条～第3条）

「業とする」とは、「一定の行為の反復的継続的遂行が『業』としてされたかどうかについて判定に困難な場合が少なくないが、結局、社会通念上それが事業の遂行とみられる程度の社会的地位を形成するかどうかによって決定するほかはない」とされている。

　「事業として」については、ある期間継続する意図をもって行われたものであれば、最初の行為も事業として行われたものと解されるし、事業規模や形態のいかんは問わない。

　「事業のために」とは、事業の用に供するために行うものが該当する。

(2)　「個人（事業として又は事業のために契約の当事者となる場合におけるものを除く。)」

　事業を行っていない個人については、本法において当然に「事業としてでもなく、事業のためにでもなく」契約の当事者となる「消費者」と考えられるが、個人事業者については、「事業者」として契約の当事者となる場合も、「消費者」として契約の当事者となる場合もある。

　例えば、個人事業者が当該事業のためにパソコンを購入したが、同時に個人の趣味としてそのパソコンを使用するというように、「事業のために」契約の当事者となるか、それとも「事業のためではない目的のために」契約の当事者となるかの判断を一概に決めることができない場合がある。この場合は、個々の具体的契約に即して、客観的にみて「事業のために」契約の当事者となるかどうかを判断することになる。

その場合の判断をするための考え方としては、

① 　まず、契約締結の段階で、該当事項が目的を達成するためになされたものであることの客観的、外形的基準（例：名目等）があるかどうかで判断し、

② 　①のみで判断することにつき現実的に困難がある場合は、物理的、実質的（例：時間等）基準に従い、該当事項が主として（例：上記のパソコン購入の例の場合、使用時間のうち、その2分の1以上を事業のために使用しているか等）目的を達成するためになされたものであるかどうかで判断する、

ということが考えられる。

なお、消費者に該当することを前提としたと考えられる裁判例として、事業者から不動産投資を勧められて2件の不動産を購入した個人について、不動産投資をするに当たっての不利益な事情を十分説明されていなかったなどとして、第4条第2項による取消しを認めた裁判例（東京地判平成24年3月27日）が存在する。

ア　個人が「消費者」か「事業者」かについて判断がつかない場合

事業者は、個人と契約を締結しようとする際にその相手方である個人が「事業として又は事業のために契約の当事者」となっているかどうかについて判断することが困難である場合がある。

すなわち契約時において、契約相手の個人が「事業として又は事業のために」当該契約を締結することが、契約時の名目や契約相手の個人の言動からは判断できず、また、契約相手の個人の事業についての情報もないような場合には、当該事業者にとって判断することは困難であると思われる。

しかし、本法は直接的には裁判規範となる民事ルールであるため、究極的には裁判所があらゆる客観的事実を勘案して判断することとなるし、当該個人が「消費者」として当該契約を締結したことについても、その立証責任は、民事訴訟法に従い、当該争いにおいて消費者契約法の適用があることを主張する個人が負担することとなる。

このほか、例えば、事業者が本法の適用を免れる意図で、契約相手の個人について法人その他の団体名義での契約書を作成したような場合には、単に契約書面上の記載だけで判断するのではなく、実体として「事業として又は事業のために」契約を締結していないのであれば、当該個人は「消費者」であると考えられるが、最終的には個別具体例に即し、司法の場において判断される。

イ　用途の変更

当初、個人利用として締結した契約内容を、ある期間経過後、事業のために利用した場合の本法の適用の有無は、契約内容に連続性があれば、契約当初における利用目的によって判断される。

したがって、具体例に則して考えると、インターネット契約を当初個人が個人利用としてインターネット事業者との間で締結し、当該個人が半年後通信販売事業を開始した場合、通信販売事業を開始した時点において、

12　第1編　逐条解説　第1章　総則（第1条～第3条）

当該契約の取消しや変更がなく当初の契約が続いていれば、当該契約については消費者契約となる。

(3)　「第43条第2項第2号を除く」

第43条第2項第2号（管轄）では、景品表示法上の不当行為があった地を規定しているが、景品表示法上の「事業者」を本法上の「事業者」と区別する観点から、本条第2項において、「この法律」とあるところ、その後に「（第43条第2項第2号を除く。）」と明記することとした。

(4)　「法人」

法人とは、自然人以外で、法律上の権利義務の主体となることを認められているものとされている。国・県・市・町・村のような公法人、特別法による特殊法人、一般社団法人又は一般財団法人、株式会社のような営利法人、協同組合のように個別法に根拠をもつ法人、特定非営利活動促進法人等に分類される。宗教法人や労働組合法第11条に基づく労働組合もこれに含まれる。

なお、行政主体が一方当事者となる場合は、行政法学上、下記のような類型の行政においては、「契約」による法律関係が存在すると考えられている。

ア　調達行政

行政処分（課税、土地収用等）によることもあるが、土地の任意買収、普通財産の売却の場合等は、民法上の「契約」と解される。

イ　給付行政

① 任意の人からの要求に応じて行政主体がサービスを提供する場合（水道利用関係等）は、民法上の「契約」と解される。

② 行政主体が一定の要件を満たす私人に財やサービスを提供する場合（公立保育所の入所許可等）には、受給資格の認定は行政処分によって行われるが、実際の財やサービスのやり取りは契約に基づいて行われ、特則のない限り、民法上の「契約」であると解することも可能である[注]。

（注）　行政処分に続けて、あるいは行政処分と同時に、行政主体と受給者との間で

契約が締結されるとの考え方（2段階説）。

　なお、規制行政（運転免許証の交付、旅券の発行等）、公証行政（登記、戸籍、住民票の記載、写しの交付等）については行政庁の公権力の行使、すなわち「行政処分」と考えられている。こうした分野は、行政手続法により規律されるべきものであり、「契約」に基づく法律関係とは考えられていない。

　このほか、行政主体が物を万人の利用できる状態に置き（公用開始）、万人がこの物（公共用物）を利用する場合（公共用物の一般使用）や、公益的観点から、私人がサービスを受ける義務を負い、この義務に基づいて行政主体から給付を受ける場合（公立小中学校の在学関係、下水道の利用等）についても、通常は、「契約」に基づくものとは考えられていない。

(5)　「その他の団体」

　「その他の団体」には、民法上の組合（民法第667条～第688条）を始め、法人格を有しない社団又は財団が含まれる。各種の親善、社交等を目的とする団体、PTA、学会、同窓会等といった法人となることが可能であるがその手続を経ない各種の団体がこれに含まれる。法人格を有しない場合のマンション管理組合もこれに含まれる。

　なお、親善団体と考えられる大学のラグビークラブチームと事業者との契約において、当該チームが「消費者」に該当するかという問題について、権利能力なき社団のように、一定の構成員により構成される組織であっても、消費者との関係で情報の質及び量並びに交渉力において優位に立っていると評価できないものについては、「消費者」に当たるとした裁判例（東京地判平成23年11月17日判例時報2150号49頁）が存在する。

(6)　「消費者契約」

　民法における「契約」のうち、本条で定義する「消費者」と「事業者」との間で締結される契約のことをいう。

14　第1編　逐条解説　第1章　総則（第1条～第3条）

③　個別の契約類型例

〔事例2−1〕公益社団法人及び公益財団法人が本業又は副業のために行う取引

　公益社団法人及び公益財団法人は事業者であり、事業者が本業又は副業のために行う取引は事業者として行うものであると判断される。

〔事例2−2〕宗教活動

　宗教法人については、法人に当たるため、事業者となる。また、教祖及び信者が行う宗教活動については、「事業＝一定の目的をもってなされる同種の行為の反復継続的遂行」の概念に当たれば事業となる。その上で、宗教法人等が行う宗教活動については、民法上の「契約」の概念に該当しない宗教活動であれば「消費者契約」には当たらない。

　したがって、宗教活動に伴う喜捨や布施が、宗教法人に対する「贈与」（すなわち、契約）に当たるかどうかは、民法の解釈によって定まるものであって、本条の「消費者契約」の解釈によって定まるものではないし、宗教活動と裁判の関係について、特に変更を加えるものではない。

〔事例2−3〕内職商法

　いわゆる内職商法とは、業者が、例えば簡単な作業で高収入を得られるなど条件の良い内職を、ダイレクトメール等で広告して希望者を集め、内職のための材料や機械を高い金額で購入させる。購入者は、その材料や機械を使って仕事をしても、技術不足等の理由をつけられて、もともと買い取るつもりがない業者に製品の買取りを拒否され、収入を得ることができず、結局損をさせられるという商法であると考えられる。

　まず、内職商法その他における「内職」というシステム自体を考えると、内職の注文者と内職の請負人（注文者から内職を頼まれた個人）との関係は、一般的には労働法上における労働契約ではなく、民法上における請負契約であり、内職商法は労働契約には当たらない（第48条を参照）。

　また、内職商法が本法の適用対象となるかどうかについては、内職の請負人が本条に規定する「事業者」となるか、それとも「消費者」となるかが問題になる。

第2条　15

　本法は民事ルールであるため、最終的には個別具体例に即し、司法の場において判断されるものであるが、いわゆる内職商法の中には、内職のために必要な材料や機械を購入させることを主な目的とし、その内職が客観的にみて実体がなく、事業であるとは認められないものがある。

　この場合、内職のための材料や機械を高い金額で購入する契約は「事業のため」の契約ではないこととなるため、本条における「消費者」に該当し、本法の適用範囲に入ると考えられる。

　また、その判断基準は「事業性」があるかどうかであり、また、ここでいう「事業」とは、「一定の目的をもってなされる同種の行為の反復継続的遂行」のことを指すが、「事業性」については、単に内職の回数や利益の存在によって判断するものではなく、それらを始めとして、契約の段階における事業者の意図（本当に内職をさせる意図があったのか、それとも単に内職をさせることを口実にして内職のための材料や機械を高い金額で購入させる意図だったのか。前者であると認められた場合には、本法の問題ではなく債務不履行の問題となる。）等の諸々の要素を含めて、全体として事業とみなすことが適当であるかどうかにより判断されるものと考えられる。

〔事例2-4〕マルチ商法

　いわゆるマルチ商法とは、販売組織の統括者等が他の人を組織に加入させ、さらにその加入した者に別の人を組織に加入させることを次々と行わせることにより組織をピラミッド形に拡大させていく商法であると考えられる。

　加入をしようとする者が商品やサービスの再販売等を行う意思を持たず、自らの消費のためだけに当該商品やサービスの購入契約又は提供契約を締結する場合は、当該商品やサービスの購入契約又は提供契約は「事業としてでもなく、事業のためでもなく」なされる契約となるため、加入者は本条における「消費者」に該当し、販売組織の統括者等との取引は本法の対象になると考えられる。

　しかし、この取引では、加入をしようとする者が再販売等を行う意思を持って販売組織に加入し、当該商品やサービスの購入契約又は提供契約を締結することが通常であり、他にもあっせん、委託形態もあるが、この場合には当該商品やサービスの購入契約又は提供契約は「事業として」なされる契約になると考えられる。

16　第1編　逐条解説　第1章　総則（第1条～第3条）

　したがって、加入者は本条における「事業者」に該当し、販売組織の統括者
等との取引は本法の対象にならないこととなるが、最終的には個別具体例に
即し、司法の場において判断されるものと考えられる。

〔事例2-5〕フランチャイズ商法
　いわゆるフランチャイズ商法におけるフランチャイズ契約とは、本部と多
数のチェーン加盟店からなる事業形態において、本部は加盟店に対して契約
期間中、店舗運営に伴う商標使用権の許諾・経営ノウハウ及び経営指導を提供
し、加盟店はその対価としてロイヤリティーフィーを支払うという契約であ
ると考えられる。
　本部については、本条における「事業者」に該当し、チェーン加盟店につい
ても「事業のため」の契約であると考えられるため、本条における「事業者」
に該当することとなるため、フランチャイズ契約については本法の対象とは
ならない。
　もっともフランチャイズ契約を装った不当な勧誘行為など、事案によって
は、本法の対象となるものもあり得るが、最終的には個別具体例に即し、司法
の場において判断されるものと考えられる。

〔事例2-6〕モニター商法
　いわゆるモニター商法とは、一般的にはモニター（商品やサービスを業者か
ら特別の条件で購入する代わりに、商品やサービスを実際に使用した上で得
た情報を業者に報告する者）になってもらうことを条件に商品やサービスを
特別に提供すると思わせて売りつける商法であると考えられる。
　この場合、モニター商法を行う業者については、一般的に本条の「事業者」
に該当するものと考えられる。しかし、モニターについては、客観的にみてモ
ニター自身が行うモニタリング自体に「事業」性がないと考えられる場合には、
当該モニタリングのために商品やサービスを購入する契約は「事業のため」の
契約ではないと考えられる。
　したがって、そのような場合のモニターは本条における「消費者」に該当し、
本法の適用範囲に入ると考えられるが、いずれにしても本法は民事ルールで
あるため、最終的には個別具体例に即し、司法の場において判断されるものと
考えられる。

〔事例2-7〕 保証契約等

　個人との保証契約等は、原則として本法の対象となる。ただし、事業者間の
リース契約に係る保証契約等においては、保証人等である個人が当該保証契
約等を「自らの事業として又は自らの事業のため」に締結していると認められ
る場合には、本法の適用はないと考えられる。

　以上の見解に基づき、上記取引事例の保証人等である個人の属性別の本法
の適用の有無を一般的に判断すると、以下のとおりと考えられる。

(1)　法人の経営者（代表取締役、取締役）や従業員等が、個人として、法人
　　の負っている債務の保証人等となる保証契約等

　法人の経営者や従業員等は自らが事業主体となっているわけではないため、
原則として本条における「消費者」に該当すると考えられる。

　したがって、この場合における保証契約等は消費者契約となる。

(2)　個人事業者や共同事業者、従業員等が個人として、個人事業者の負って
　　いる債務の保証人等となる保証契約等

　基本的には(1)と同じだが、共同事業者については、当該保証契約等を「自ら
の事業として又は自らの事業のため」に締結していると認められる場合が多
いと考えられるため、一般的には本法の適用はないと考えられる。

(3)　事業者間取引となる主契約（リース契約）に第8条から第10条で無効と
　　なる契約条項が含まれており、その保証契約等が消費者契約となる場合

　リース契約（事業者間取引となる主契約）と保証契約等（事業者と個人との
間の取引）は別契約であり、保証契約等が消費者契約となる場合、その保証契
約等の契約条項に第8条から第10条で無効となる契約条項に該当する契約条
項があるかどうかを判断することになる（切り離して考える）。

　すなわち、第8条から第10条で無効となる契約条項が含まれているリース契
約（主契約）に係る保証契約等は、当該契約条項がリース契約（主契約）の
内容である限り、その保証契約等に本法の適用があっても当該契約条項を理
由とする請求は無効と判断されないものと考えられる。ただし、保証契約等を
構成する契約条項（保証契約等の内容に係る事業者と保証人個人との間の取
決め）が第8条から第10条で無効となる契約条項に該当すれば、その契約条項
は無効となる。

18　第1編　逐条解説　第1章　総則（第1条〜第3条）

〔事例2-8〕介護サービス契約

　本法は民事ルールであるため、民法における契約のうち、本条における「消費者」と「事業者」との間で締結される契約であれば、取引の形態を問わずその対象となる。

　したがって、「要介護認定を受けた介護サービスの利用者」と「介護サービス事業者(注)」との間で締結される介護サービス契約についても、本条における「消費者」と「事業者」との間で締結される契約であるため、本法の対象となる。

　（注）　介護サービス事業者

　　　　　介護サービスを提供する指定居宅サービス事業者等及び介護保険施設

　さらに、介護サービスの利用者とケアプラン作成事業者（指定居宅介護支援事業者）との関係については、要介護認定を受けた介護サービスの利用者が、ケアプラン（介護サービス計画）を作成する契約を、ケアプラン作成事業者と締結した場合についても、本条における「消費者」と「事業者」との間で締結される契約であるため、本法の対象となる。

〔事例2-9〕医療

　患者が入院等を強制される行政処分のように、医療機関と患者との間に契約が存在していないとされている関係(注)においては本法の適用はないが、契約が成立しているとみられる場合には本法の適用がある。

　（注）　医療機関と患者の間に契約が存在していないとされている関係

　　　ア　法律上、患者に受診が義務付けられる場合

　　　　　1）患者が入院等を強制される行政処分の場合

　　　　　　　根拠法：精神保健及び精神障害者福祉に関する法律（入院措置）

　　　　　　　　　　　麻薬及び向精神薬取締法（入院措置）

　　　　　　　　　　　感染症の予防及び感染症の患者に対する医療に関する法律

　　　　　　　　　　　（入院措置）

　　　　　　　　　　　等

　　　　　2）あらかじめ法律で受診が義務付けられている場合

　　　　　　　根拠法：労働安全衛生法（健康診断）

　　　イ　救急医療のような事務管理とみなされる場合

第2条　19

〔事例2-10〕資格商法

　いわゆる資格商法とは、一般的には「受講するだけで資格が取れる」などと言って、公的資格や民間資格を取得するための講座を受けるよう、強引に勧誘する商法であると考えられる。

　資格商法を行う業者については、本条の「事業者」に該当する。一方、勧誘を受ける側については、客観的に見てその資格が自らの「事業のため」のものである場合は、本条の「事業者」に該当するため、本法の対象とはならない。しかし、その資格が自らの「事業のため」のものでない場合は本条における「消費者」に該当するため、本法の対象となる。

　いずれにしても、本法は民事ルールであるため、最終的には個別具体例に即し、司法の場において判断されるものと考えられる。

＜参考＞資格商法における取扱い

　契約の相手方は事業者とする。また、あくまでも抽象的に試みた仕分けであり、最終的には個々の具体例に即し、司法の場において判断されるものである。

	契約締結の動機	主体の取扱い	消費者契約か
(1)	自分で事業を行っている事業者が、業務上必要な資格を取得するため、自分で受講の申込みをした。 →　事業のための契約	事業者	×
(2)	従業員が雇用主から業務遂行のため資格をとることを要求されたため、自分で受講の申込みをした。 →　労働のための契約（※労働契約の労働は「事業」ではないため、労働のための契約は「事業のため」の契約には当たらない）（第48条参照）	消費者	○
(3)	従業員が業務遂行のために資格をとることが必要と自主的に判断したため、自分で受講の申込みをした。 →　労働のための契約（※労働契約の労働は「事業」ではないため、労働のための契約は「事業のため」の契約には当たらない）（第48条参照）	消費者	○

20 第1編 逐条解説 第1章 総則（第1条～第3条）

(4)	将来その資格をもって独立開業する意図をもって自分で受講の申込みをした。(例：将来弁護士になろうという者が弁護士資格に関する講座を受講する場合) → 未だ事業を行っていない段階のため、「事業のため」の契約には当たらない。	消費者	○
(5)	将来その資格をもって独立開業する意図はなく、また業務遂行のため資格をとることが必要と雇用主から要求されたわけでなく、業務遂行のため資格をとることが必要と自主的に判断したわけでもないが、趣味の一環として自分で受講の申込みをした。 → 「事業のため」の契約には当たらない。	消費者	○

〔事例2-11〕株の個人投資家

　株の個人投資家についてはまず、株取引の原資の性格や目的を客観的に判断して、個人投資家の行っている「事業として又は事業のため」に行われる取引かどうかによって、本条における「事業者」であるか「消費者」であるかを決めることとなる。

　すなわち、株取引の収益が再投資や生計の原資の全部又は重要な一部分となるような場合は、個人投資家が「事業として」行う取引であると考えられ、したがって、この場合の個人投資家は本条における「事業者」となる。

　また、個人が自ら行っている事業の事業資金の運用手段として株取引を行う場合は、「事業のため」に行う取引であり、この個人は本条における「事業者」となるが、いずれにしても、本法は民事ルールであるため、最終的には個別具体例に即し、司法の場において判断されるものと考えられる。

Ⅱ　第4項

1　趣旨等

　本法では、消費者の被害の発生又は拡大を防止して消費者の利益の擁護

を図るため、適格消費者団体が事業者等に対し差止請求をすることができることとしているところ、差止請求をする主体は、不特定かつ多数の消費者の利益を擁護する観点から真摯に差止請求をすることが期待できる者である必要がある。かかる観点から、第13条においては、特定非営利活動法人又は一般社団法人若しくは一般財団法人であること、消費生活に関する情報の収集及び提供並びに消費者の被害の防止及び救済のための活動その他の不特定かつ多数の消費者の利益の擁護を図るための活動を行うことを主たる目的とし、現にその活動を相当期間にわたり継続して適正に行っていると認められること、差止請求関係業務を適正に遂行するための体制及び業務規程が適切に整備されていること等の要件の全てに適合する者を内閣総理大臣が認定することしたところであり、また、この主体については、消費者基本法第8条に規定する消費者団体としての活動に努めることが期待されるところである。

　以上を踏まえ、不特定かつ多数の消費者の利益のために本法の規定による差止請求権を行使するのに必要な適格性を有する法人である消費者団体として第13条の定めるところにより内閣総理大臣の認定を受けた者を「適格消費者団体」とする定義規定を置くこととした。

22 第1編 逐条解説 第1章 総則（第1条～第3条）

第3条（事業者及び消費者の努力）

（事業者及び消費者の努力）
第3条 事業者は、次に掲げる措置を講ずるよう努めなければならない。
  一 消費者契約の条項を定めるに当たっては、消費者の権利義務その他
    の消費者契約の内容が、その解釈について疑義が生じない明確なもの
    で、かつ、消費者にとって平易なものになるよう配慮すること。
  二 消費者契約の締結について勧誘をするに際しては、消費者の理解を
    深めるために、物品、権利、役務その他の消費者契約の目的となるもの
    の性質に応じ、事業者が知ることができた個々の消費者の年齢、心身
    の状態、知識及び経験を総合的に考慮した上で、消費者の権利義務そ
    の他の消費者契約の内容についての必要な情報を提供すること。
  三 民法（明治29年法律第89号）第548条の2第1項に規定する定型取引
    合意に該当する消費者契約の締結について勧誘をするに際しては、消
    費者が同項に規定する定型約款の内容を容易に知り得る状態に置く措
    置を講じているときを除き、消費者が同法第548条の3第1項に規定す
    る請求を行うために必要な情報を提供すること。
  四 消費者の求めに応じて、消費者契約により定められた当該消費者が
    有する解除権の行使に関して必要な情報を提供すること。
 2 消費者は、消費者契約を締結するに際しては、事業者から提供された
  情報を活用し、消費者の権利義務その他の消費者契約の内容について理
  解するよう努めるものとする。

I 第1項

1 趣旨等

(1) 趣旨
　本項は、第1条の目的に沿って、事業者の努力義務を規定したものである。事業者と消費者との間に情報・交渉力の格差が存在することが、事業

者と消費者との間で締結された契約において発生する紛争の背景となることが少なくない。したがって事業者には、消費者の権利義務その他の消費者契約の内容が明確なものでかつ消費者にとって平易なものになるよう配慮すること（契約条項の明確化）が求められるとともに、消費者契約の締結について勧誘をするに際しては、消費者の理解を深めるために、消費者の権利義務その他の消費者契約の内容についての必要な情報を提供すること（情報提供）が求められる。なお、平成30年改正により、契約条項の明確化と情報の提供を第1号と第2号に分けて規定するとともに、それぞれについて改正がされた。また、令和4年通常国会改正により、第2号の勧誘時の情報提供の努力義務について考慮要素として年齢と心身の状態を追加する等の改正がされるとともに、定型約款の表示請求権に関する情報提供及び解除権行使に必要な情報提供の努力義務も追加する改正がされた。

(2)　事業者の努力義務を本法に規定する意義

　書面交付等も含めて、事業者からの消費者に対する情報提供義務を規定した法律としては、商品先物取引法第217条、割賦販売法第3条、特定商取引法第4条、金融商品取引法第37条の3、旅行業法第12条の4、宅地建物取引業法第35条第1項及び第2項等がある。

　こうした法律に同趣旨の規定が存在するにもかかわらず本項に事業者の努力義務を規定するのは、これらが個別の業種を対象にしたものであるのに対して、消費者契約法は消費者契約全体に関して規定するものだからである。

　一方で、本項に規定するような事業者の努力義務は、消費者基本法に規定すべきものということも考えられる。しかし、消費者基本法は抽象的な義務を規定しているのに対し、消費者契約法では努力義務とはいえ消費者契約という局面における具体化された義務を規定しており、実体規定と一体化して本項が規定されることには意義が存在する。

(3)　努力義務という形式を採る理由

　意思表示に瑕疵があるとして、取消しの効果が認められている場合は詐欺、強迫に限られていることや、消費者契約法が消費者に自己責任を求め

ることが不適切な場合に限って特別なルールを認めようという考え方からすると、単なる「情報の不提供」で取消しを認めることについては慎重に考える必要があり、真に必要な場合に限定する必要があると考えられる。第17次国民生活審議会消費者政策部会消費者契約法検討委員会の場においても、単なる「重要事項」の不提供だけで、取消し等の効果を付与するのは適当でないという見解が示された。したがって、取消しという効果を付与するのにふさわしい類型というのは、積極的にある事実が告知される一方でそれに密接に関連する別の事実が告知されないことによって、消費者が重要事項について誤認してしまうようなケースに限られるのではないかと考えられる。それ以外の情報の不提供の類型については努力義務にとどめることが適当であると考えられる。

　本項は努力義務であるので、本項に規定する義務違反を理由として契約の取消しや損害賠償責任といった私法的効力が直ちに生ずるものではない。

　もっとも、平成30年改正前の本項の規定に基づく努力義務を考慮して信義則上の説明義務を導いた上で、当該説明義務に違反したことが不法行為を構成するとして事業者に損害賠償責任を認めた裁判例（名古屋地判平成28年1月21日判例時報2304号83頁）があるように、本規定の義務違反が他の規定の解釈や適用に影響を与えることはあり得るものと考えられる。

　また、適格消費者団体が、事業者が使用する契約条項が第8条第1項第1号及び第3号に規定する免責条項に該当するとして差止請求をし、事業者は、当該契約条項は事業者が損害賠償責任を負わない場合を確認的に規定したものにすぎず免責条項ではないと主張した事案において、「事業者は、消費者契約の条項を定めるに当たっては、消費者の権利義務その他の消費者契約の内容が、その解釈について疑義が生じない明確なもので、かつ、消費者にとって平易なものになるよう配慮すべき努力義務を負っているのであって（法3条1項1号）、事業者を救済する（不当条項性を否定する）との方向で、消費者契約の条項に文言を補い限定解釈をすることは、同項の趣旨に照らし、極力控えるのが相当である。」とし、問題となった条項の使用の差し止めを認めた裁判例が存在する（東京高判令和2年11月5日（裁判所HP参照）。第一審はさいたま地判令和2年2月5日判時2458号84頁。）。

第3条　25

　なお、適格消費者団体の差止請求権の性格から、条項を限定解釈することを否定したものとして、最一判令和4年12月12日（本書221頁・最高裁判決【5】）がある。

2　条文の解釈等

(1)　契約条項の明確化
ア　平成30年改正の趣旨
　平成30年改正前の本項は、事業者の努力義務として、事業者が消費者契約の条項を定めるに当たっては消費者契約の内容が明確かつ平易なものになるよう配慮することを定めていた。
　しかし、実際に使用されている消費者契約の条項の中には、一見すると明確のようであるものの、真に明確であるとはいえず、その結果、解釈に疑義が生じている条項が散見される。例えば、契約書の条項を単に「A、B」と記載する場合は、一見すると明確のようであるが、「AかつB」とも「A又はB」とも解釈することが可能となり、解釈について疑義が生じ得る。そのため、平成30年改正によって、「解釈について疑義が生じない」という部分を条文上明示することで、事業者に対して明確な条項を定めるよう、より分かりやすい形で促すこととされた。
　また、消費者契約の内容について解釈に疑義が生じない明確なものになるよう配慮する旨を条文上明らかにすることは、条項使用者不利の原則が本項の趣旨から導かれる考え方の一つであることを条文上より明確にするという意味も持つものと考えられる。

イ　条文の解釈
①　「権利義務」と「その他の契約の内容」
　本項第1号は、事業者に対して、消費者契約の内容が消費者にとって明確かつ平易なものになるよう配慮に努めることを求めている。
　「契約の内容」には、商品・権利・役務等の質及び用途、契約の目的物の対価や取引条件、商品名、事業者の名称等が含まれる。このうち、契約の目的物の対価や取引条件は消費者の「権利義務」に該当する。また商品・権利・役務等の質及び用途は全てではないものの、一部は消費者の「権利義務」に該当し得る。消費者の「権利義務」に該当する部分は「契約の内

容」の中でも主要な部分であるので特に例示したものであり、「契約の内容」
に含まれる。

② 「解釈について疑義が生じない」

「解釈について疑義が生じない」については、契約の内容が解釈によって
確定されることはあり得るものであり、契約の内容について解釈が必要で
あることをもって、「解釈について疑義が生じ」ていることを意味するもの
ではない。

● 条項使用者不利の原則

　契約の条項について、解釈を尽くしてもなお複数の解釈の可能性が残る場
合には、条項の使用者に不利な解釈を採用すべきであるという考え方を条項
使用者不利の原則という。

　この原則の根拠としては、消費者と事業者との間には情報・交渉力の格差が
あることに鑑みると、条項が不明確であることによって複数の解釈が可能で
ある場合、紛争が生じたときには消費者は事業者から不利な解釈を押し付け
られるおそれがあるので、消費者の利益の擁護を図る必要があることが挙げ
られる。また、条項使用者不利の原則によって、事業者に対して明確な条項を
作成するインセンティブを与えることになり、ひいては条項の解釈に関する
消費者と事業者との間の紛争を未然に防止することが期待できる。

　本法には条項使用者不利の原則を定めた明文の規定はないものの、事業者
は「消費者契約の内容が、その解釈について疑義が生じない明確なもので、か
つ、消費者にとって平易なものになるよう配慮する」よう努めなければならな
いという本項第1号の趣旨から導かれる考え方の一つであるということがで
きる[注]。

　（注）　条項使用者不利の原則を適用することが考えられる具体的な事例として
　　　　は、例えば、消費者契約の条項において消費者が事業者に対して金銭支払義
　　　　務を負う要件として「A、B」と定められていたものの、他の条項ではAやBと
　　　　いう文言が用いられておらず、AやBの定義を定めた規定もない等により、「A、
　　　　B」が、AかつBなのか、A又はBなのかを、解釈を尽くしても確定することが
　　　　できない場合が考えられる。この場合、AかつBと解釈する方が、A又はBと解
　　　　釈するよりも、消費者が金銭支払義務を負う範囲が狭くなる点で事業者に不
　　　　利であるため、条項使用者不利の原則を適用した場合には、AかつBと解釈す
　　　　ることになると考えられる。

③ 「明確なもので、かつ、消費者にとって平易なもの」

第17次国民生活審議会消費者政策部会消費者契約法検討委員会報告においては、簡易生命保険法第7条第3項[注]（当時のもの）を参考に「……明確にするとともに、分かりやすいものにするよう配慮しなければならない」という表現を用いている。これを条文化したものが平成30年改正前の「明確かつ平易」という表現である。

平成30年改正によって、「その解釈について疑義が生じない明確なもので、かつ、消費者にとって平易なもの」という表現とされた。

> （注）　簡易生命保険法は平成19年10月1日廃止された。消費者契約法立案当時の条文は、以下のとおり。
>
> 第7条第3項
>
> 　郵政大臣は、保険約款を定めるに当たつては、簡易生命保険が簡易に利用できる生命保険として国民に提供される制度であることに留意し、簡易生命保険の範囲及び保険契約による権利義務を明確にするとともに、分かりやすいものにするよう配慮しなければならない。

(2) 契約内容に関する情報提供

ア 平成30年改正の趣旨

消費者と事業者との間には情報の質及び量について構造的な格差があることから、改正前の本項は、事業者の努力義務として、事業者の消費者に対する契約内容に関する一般的な情報提供を規定していた。

もっとも、提供された情報をどの程度理解することができるかは個々の消費者の知識及び経験や消費者契約の目的となるものの性質によってそれぞれ異なるものであり、「消費者の理解を深めるために」情報を提供するという当該規定の趣旨に照らすと、事業者は、勧誘に際して、消費者契約の目的となるものの性質に応じ、個々の消費者の知識及び経験を考慮した上で、必要な情報を提供することが望ましいと考えられる。

そこで、平成30年改正により、情報提供の在り方として、「物品、権利、役務その他の消費者契約の目的となるものの性質に応じ、個々の消費者の知識及び経験を考慮した上で」という文言を追加することとされた。

イ　令和 4 年通常国会改正の趣旨

　近年、消費者取引がますます多様化・複雑化していることに照らすと、事業者には個々の消費者の理解に応じた丁寧な情報提供をより積極的に行うことが求められている。ところが、事業者にとって消費者の知識及び経験は分からないことが多く、本号第 2 号の活用にも限界があった。そこで、考慮すべき消費者の事情として年齢及び心身の状態を追加するとともに、消費者の年齢、心身の状態、知識及び経験を総合的に考慮した上で情報を提供する旨を規定することとされた。

ウ　条文の解釈

①　「物品、権利、役務その他の消費者契約の目的となるものの性質に応じ」

　本号の「物品、権利、役務その他の消費者契約の目的となるもの」については、第 4 条第 4 項参照のこと。

　個々の消費者の知識及び経験の考慮が求められる程度は、消費者契約の目的となるものの性質によって異なるものと考えられる。

　例えば、消費者契約の目的となるものが使用方法の複雑ではない日用品等である場合、こうした性質を踏まえると、売主である事業者が買主である消費者の知識及び経験を考慮すべき程度は必ずしも高くないものと考えられる。

　他方、消費者契約の目的となるものが複雑な仕組みの商品・役務である場合、消費者が十分に理解できないおそれがある等の当該商品・役務の性質を踏まえると、事業者が消費者の知識及び経験を考慮すべき程度は相対的に高いものと考えられる。

②　「事業者が知ることができた個々の消費者の年齢、心身の状態、知識及び経験を総合的に考慮した上で」

　情報を提供するに当たって考慮すべき個々の消費者の事情としては、消費者の理解の不十分さを伺わせる手がかりとなるものという観点から、「年齢」、「心身の状態」、「知識及び経験」を規定している。

　例えば、対面取引等において、若年者である又は高齢者であるという意味で、消費者の「年齢」を知ることができたのであれば、必要に応じ、消費者の「年齢」を考慮して説明することが求められるし、消費者が若年者や高齢者ではなかったとしても、消費者の判断力が低下していることを知

ることができたのであれば、必要に応じ、「心身の状態」を考慮して説明することが求められる。また、消費者が若年者や高齢者であって、知識や経験が十分でないようなときには、この点を考慮して、一般的・平均的な消費者のときよりも、より基礎的な内容から説明を始めること等が事業者に求められる。さらに、特定の考慮事情のみで（例えば、消費者の「年齢」だけを基準として）画一的な対応をするようなことは避けるべきである。これらの点を明らかにするため、「事業者が知ることができた」個々の消費者の事情を「総合的に」考慮する旨を定めることとされた。

　もっとも、事業者に期待されるのは、事業者がこれらの消費者の事情を知ることができた場合には、その事情を考慮した上で情報提供を行うことであり、事業者に対し、これらの事情を積極的に調査することまで求めるものではない。

③ 「消費者契約の内容についての」

　本項第2号が事業者に消費者へ提供することを要請している情報とは、「消費者の権利義務その他の消費者契約の内容についての」情報のことであり、契約内容以外の周辺的な情報まで含めることを意味するものではない。具体的には、対象となっている商品以外の商品に関する比較情報や、モデルチェンジに関する情報等は「消費者の権利義務その他の消費者契約の内容」には該当せず、事業者が提供するよう努めなければならない情報には当たらない。

④ 「必要な情報」

　上記のような情報提供努力義務が事業者にあるとしても、消費者契約の内容についての情報を全て提供することまで本法は事業者に対して求めているわけではない。消費者契約の内容についての情報のうち、消費者が当該契約を締結するのに必要なものを提供すれば足りる。その範囲は、第4条第5項第1号及び第2号にいう「消費者の当該消費者契約を締結するか否かについての判断に通常影響を及ぼすべき」重要なものよりは広い概念であるが、消費者が当然に知っているような情報まで提供する努力義務はない。

30　　第1編　逐条解説　第1章　総則（第1条～第3条）

(3)　定型約款の表示請求権に関する情報提供

ア　趣旨

　ある特定の者が不特定多数の者を相手方として行う取引であって、その内容の全部又は一部が画一的であることがその双方にとって合理的なものは、民法上、「定型取引」と定義され、この定型取引において、契約の内容とすることを目的としてその特定の者により準備された条項の総体を「定型約款」という。この定型約款を準備した者は、定型取引を行うことの合意の前又はその合意の後相当の期間内に相手方から請求があった場合には、遅滞なく、相当な理由でその定型約款の内容を示さなければならない（民法第548条の3第1項。以下「定型約款の表示請求権」という。）。

　定型取引の相手方に認められる定型約款の表示請求権は、契約の締結前後に定型約款の内容を知る権利を保障するものであり、重要な権利である。しかし、定型約款準備者の相手方が消費者である場合には、当該消費者は定型約款の表示請求権があることを知らないことも多いと考えられる。そこで、令和4年通常国会改正により、本項第3号において、消費者が定型約款の表示請求権を実際に行使できるようにするため、定型約款準備者である事業者の努力義務として、定型約款の表示請求権についての必要な情報を提供する旨を規定することとされた。

　もっとも、事業者が、消費者が定型約款の内容を容易に知り得る状態に置く措置を講じている場合もあると考えられ、この場合には、別途、定型約款の表示請求権についての情報提供を行う必要はないと考えられることから、事業者は当該情報提供についての努力義務を負わないこととされた[(注)]。

> （注）　消費者契約において定型約款が用いられる場合には、情報・交渉力において構造的に劣位にある消費者が、安心して定型約款による取引を行えるようにする必要があり、この観点から、消費者が定型約款の内容を確認したいと考える場合には、定型約款準備者に請求するまでもなく、容易に定型約款の内容を知ることができるようにするのが本来望ましいものと考えられる。

イ　条文の解釈

①　「消費者が…定型約款の内容を容易に知り得る状態に置く措置」

　消費者が定型約款の内容を容易に知り得る状態に置く措置としては、定

型約款を記載した書面を交付することや、定型約款を記録したCD、DVDなどの電磁的記録を提供することが考えられる（民法第548条の3第1項ただし書参照）。また、定型約款を契約の内容とするためには、定型約款準備者（事業者）は、定型約款を契約の内容とする旨の合意をするか、又は、あらかじめ定型約款を契約の内容とする旨を相手方（消費者）に表示する必要があるので（民法第548条の2第1項各号）、この合意又は表示と連携する形で、契約を締結しようとしている消費者が定型約款の内容を確認したいと考えたときに、容易に定型約款の内容に辿り着く（アクセスする）ことができるようにすることも、消費者が定型約款の内容を容易に知り得る状態に置く措置であると考えられる。

　例えば、①店舗における取引であれば、消費者が契約を締結するまでに目に入る場所に、「当店では〇〇約款（定型約款）を使用しています。詳細は当社ウェブサイトをご覧ください」と記載した紙を貼り、店舗のウェブサイトの分かりやすいところに定型約款を掲載すること、②駐車場やコインロッカーの利用契約であれば、消費者が契約をする際に目につく場所に、定型約款の内容を記載した札を立てたり、定型約款の内容を記載したシールを貼ったりしておくこと、③オンライン取引であれば、契約締結画面までの間に画面上で認識可能な形で定型約款のリンクを表示し、そのリンクをクリックすると定型約款の内容が表示されるようにすることが考えられる。

　② 「請求を行うために必要な情報」

　定型約款の表示請求権に係る「請求を行うために必要な情報」には、定型約款の表示請求権の存在のみならず、消費者が請求をする場合の事業者の連絡先（住所やメールアドレス）、事業者が表示請求に関して書式を用意しているのであればその書式等が含まれる。

(4)　消費者の解除権の行使に関する情報提供

ア　趣旨

　消費者契約において任意解除権が設定されていても、その存在や行使の方法が、消費者にとって分かりにくい等の理由により、消費者による契約の任意解除が困難となる事例が見られる。任意解除権に係る事項は、本項

第2号によって勧誘時の情報提供の努力義務の対象とされているものの、実際に消費者が任意解除について関心を抱くのは、解除しようと考えた段階であることが多いと考えられるから、勧誘時のみの情報提供では実効性が低い。

また、任意解除の方法を消費者が知らないために任意解除ができない事態も消費者と事業者との間の情報・交渉力の格差に起因する消費者被害である。

そこで、令和4年通常国会改正により、本項第4号において、消費者の理解を深め、消費者被害の発生を防止するため、消費者の求めに応じて当該消費者が有する解除権の行使に関して必要な情報を提供する努力義務が定められた。

なお、本項第4号は全ての消費者契約を対象とするものであり、オンライン、非オンラインの消費者契約のいずれであるかを問わない。また、いわゆるサブスクリプション契約も含まれる。

本法に規定される事業者の努力義務は、従前は契約締結時までのものであったが、令和4年通常国会改正によって、契約締結後の契約からの離脱の場面等にまで射程が広げられた。

イ　条文の解釈

① 「消費者の求めに応じて」

本項第4号の努力義務は、解除権行使を考えようとする場面で消費者の理解を深めるという趣旨に基づくことから、消費者が解除権の行使に関する情報の提供を求めたときに事業者に課せられるものとされている。

② 「消費者契約により定められた当該消費者が有する解除権」

「消費者契約により定められた当該消費者が有する解除権」とは、消費者と事業者の解除についての合意によって発生する解除権（約定解除権）を指す^(注)。そのため、民法第541条等の法律の規定による法定解除権と同一の内容の解除権を消費者契約で合意した場合は含まれないが、例えば、事業者の債務不履行を理由として消費者が消費者契約を解除するための要件を加重するように、消費者契約で法定解除権の条件を変更する合意をする場合は含まれる。

　（注）　民法第540条第1項で「契約……により当事者の一方が解除権を有するとき」

と規定される解除権である。

③ 「解除権の行使に関して必要な情報」

「解除権の行使に関して必要な情報」とは、消費者契約を消費者が解除する際に必要な具体的な手順等の情報を指す。

例えば、消費者契約の締結後に事業者のウェブサイト上で解除の手続をしようとしてもどの画面にアクセスすれば良いのか分かりにくい、手続が複雑・煩雑である等の事例では、任意解除権を行使するために具体的にどのような手順を踏めば解除できるのか等の情報が該当する。

仮にウェブサイト上に解除の手続の方法が表示されているが、その具体的な手順が消費者にとって分かりにくい場合には、事業者は、単に当該ウェブサイトの存在を消費者に伝えたのみでは消費者に必要な情報を提供したこととならない場合もあると考えられる。一方で、ウェブサイト上に解除の手続が消費者にとって分かりやすく表示されており、具体的な手順も分かりやすい場合には、事業者は、当該ウェブサイトの存在を消費者に伝えるだけで、具体的な手順の詳細まで伝えないことでも、消費者に必要な情報を提供したこととなる場合もあると考えられる。

II 第2項

1 趣旨

本項は、第1条の目的に沿って、消費者の努力義務を規定したものである。規制緩和・撤廃後の自己責任に基づく市民社会においては、消費者も契約の当事者としての責任を自覚し、その責任を果たさなければならないことから、消費者には、消費者契約を締結するに際しては、事業者から提供された情報を活用し、消費者の権利義務その他の消費者契約の内容について理解することが求められることとなる。

消費者の内容理解義務を規定した法律としては、食料・農業・農村基本法第12条や消費者基本法第7条などがある。こうした法律に同趣旨の規定が存在するにもかかわらず本項に事業者及び消費者の努力義務を規定するのは、こうした法律が消費者基本法を除いて個別の業種を対象にしたもの

34 第1編 逐条解説 第1章 総則（第1条〜第3条）

であるのに対して、消費者契約法は消費者契約全体に関して規定するものだからである。

一方で、本項に規定するような消費者の努力義務は、消費者基本法に規定すべきものということも考えられる。しかし、消費者基本法は抽象的な義務を規定しているのに対し、消費者契約法では努力義務とはいえ消費者契約という局面における具体化された義務を規定しており、実体規定と一体化して本項が規定されることには意義が存在する。

2 条文の解釈

① 「提供された情報を活用」

本項では消費者に対して、事業者から提供された情報を活用することを要請しているが、この背景には消費者が自ら収集した情報も活用することが当然に存在する。しかし、事業者と消費者との間には情報・交渉力の格差が存在することから、消費者には自ら情報を収集する努力までも求めるものではない。事業者から情報が提供されることを前提として、少なくとも提供された情報は活用することを消費者に求めるものである。

② 「理解するよう努める」

消費者は、事業者から提供された情報を活用して契約の内容を理解することが求められるとしても、当該契約の内容を全て理解することはおよそ不可能である。消費者に求められているのは契約内容を完全に理解することではなく、自己責任を問い得る程度のレベルまで契約内容を理解し、本法で取消しとされるようなトラブルに至らないようにすることである。

3 「努めなければならない」（第1項）と「努めるものとする」（第2項）との差異

法制執務研究会編『新訂ワークブック法制執務第2版』（ぎょうせい、2018）によると、「『……するものとする』は、『……しなければならない』がある一定の義務付けを意味するのに対して、通常は、それより若干弱いニュアンスを表し、一般的な原則あるいは方針を示す規定の述語として用いられる」とされている。自己責任に基づき、消費者も契約の当事者としての責任を自覚し、その責任を果たさなければならないことを前提としつつ、消

第3条　35

費者と事業者との間の情報・交渉力の格差に鑑みて消費者に求められる努力のニュアンスを若干弱めたものである。

● サルベージ条項

　サルベージ条項とは、ある条項が本来は強行法規に反し全部無効となる場合に、その条項の効力を強行法規によって無効とされない範囲に限定する趣旨の条項をいう。例えば、本来であれば無効となるべき条項に「法律で許容される範囲において」という文言を加えたものがこれに当たる。

　サルベージ条項が使用された場合、有効とされる条項の範囲が明示されていないため、消費者が不利益を受けるおそれがあるという問題がある。

　事業者は、消費者にとって「消費者契約の内容が、その解釈について疑義が生じない明確なもので、かつ、消費者にとって平易な」条項を作成するよう配慮する努力義務を負っていることから（第3条第1項第1号）、サルベージ条項を使用せずに具体的に条項を作成するよう努めるべきである。

　令和4年通常国会改正により、サルベージ条項のうち、事業者の損害賠償責任の一部を免除するものについて、事業者の軽過失による場合にのみ適用されることを明らかにしていないものを無効とする規定が設けられた（第8条第3項）。サルベージ条項のうち、事業者の損害賠償責任の一部を免除するものとして、例えば、「賠償額は、法律で許容される範囲内において、10万円を限度とします」という条項があるが、法は事業者の故意又は重過失による損害賠償の一部を免除する条項を無効としていることから（第8条第1項第2号、第4号）、令和4年通常国会改正により追加された第8条第3項により、「賠償額は10万円を限度とします。ただし、事業者の故意又は重過失による場合を除きます」と具体的に書き分けなければ当該条項は無効とされることとなった。第8条第3項の解説を参照。

● 事業者の情報提供義務及び消費者の内容理解義務に関する立法例

商品先物取引法（昭和25年法律第239号）
（商品取引契約の締結前の書面の交付）
第217条　商品先物取引業者は、商品取引契約を締結しようとするときは、主務省令で定めるところにより、あらかじめ、顧客に対し次に掲げる事項を記載した書面を交付しなければならない。
一　当該商品取引契約に基づく取引（第2条第3項第4号に掲げる取引に

あつては同号の権利を行使することにより成立する同号イからホまでに
掲げる取引をいい、同条第14項第4号に掲げる取引にあつては同号の権
利を行使することにより成立する同号イからニまでに掲げる取引をいい、
同項第5号に掲げる取引にあつては同号の権利を行使することにより成
立する同号に規定する金銭を授受することとなる取引をいう。）の額（取
引の対価の額又は約定価格若しくは約定数値に、その取引の件数又は数
量を乗じて得た額をいう。）が、当該取引について顧客が預託すべき取引
証拠金、取次証拠金又は清算取次証拠金その他の保証金その他主務省令
で定めるもの（以下この項及び第220条の2第1項において「取引証拠金
等」という。）の額を上回る可能性がある場合にあつては、次に掲げる事
項
　イ　当該取引の額が当該取引証拠金等の額を上回る可能性がある旨
　ロ　当該取引の額の当該取引証拠金等の額に対する比率（当該比率を算
　　出することができない場合にあつては、その旨及びその理由）
二　商品市場における相場その他の商品の価格又は商品指数に係る変動に
　より当該商品取引契約に基づく取引について当該顧客に損失が生ずるこ
　ととなるおそれがあり、かつ、当該損失の額が取引証拠金等の額を上回る
　こととなるおそれがある場合には、その旨
三　前2号に掲げるもののほか、当該商品取引契約に関する事項であつて、
　顧客の判断に影響を及ぼすこととなる重要なものとして政令で定めるも
　の
四　前3号に掲げるもののほか、当該商品取引契約の概要その他の主務省
　令で定める事項
2　商品先物取引業者は、前項の規定による書面の交付に代えて、政令で定め
るところにより、当該顧客の承諾を得て、当該書面に記載すべき事項を電子
情報処理組織を使用する方法その他の情報通信の技術を利用する方法であ
つて主務省令で定めるものにより提供することができる。この場合におい
て、当該書面に記載すべき事項を当該方法により提供した商品先物取引業
者は、当該書面を交付したものとみなす。

割賦販売法（昭和36年法律第159号）

（割賦販売条件の表示）

第3条 割賦販売を業とする者（以下「割賦販売業者」という。）は、前条第1項第1号に規定する割賦販売（カード等を利用者に交付し又は付与し、そのカード等の提示若しくは通知を受けて、又はそれと引換えに当該利用者に商品若しくは権利を販売し、又は役務を提供するものを除く。）の方法により、指定商品若しくは指定権利を販売しようとするとき又は指定役務を提供しようとするときは、その相手方に対して、経済産業省令・内閣府令で定めるところにより、当該指定商品、当該指定権利又は当該指定役務に関する次の事項を示さなければならない。

一 商品若しくは権利の現金販売価格（商品の引渡し又は権利の移転と同時にその代金の全額を受領する場合の価格をいう。以下同じ。）又は役務の現金提供価格（役務を提供する契約の締結と同時にその対価の全額を受領する場合の価格をいう。以下同じ。）

二 商品若しくは権利の割賦販売価格（割賦販売の方法により商品又は権利を販売する場合の価格をいう。以下同じ。）又は役務の割賦提供価格（割賦販売の方法により役務を提供する場合の価格をいう。以下同じ。）

三 割賦販売に係る商品若しくは権利の代金又は役務の対価の支払（その支払に充てるための預金の預入れを含む。次項を除き、以下同じ。）の期間及び回数

四 第11条に規定する前払式割賦販売以外の割賦販売の場合には、経済産業省令・内閣府令で定める方法により算定した割賦販売の手数料の料率

五 第11条に規定する前払式割賦販売の場合には、商品の引渡時期

2 割賦販売業者は、前条第1項第1号に規定する割賦販売（カード等を利用者に交付し又は付与し、そのカード等の提示若しくは通知を受けて、又はそれと引換えに当該利用者に商品若しくは権利を販売し、又は役務を提供するものに限る。）の方法により、指定商品若しくは指定権利を販売するため又は指定役務を提供するため、カード等を利用者に交付し又は付与するときは、経済産業省令・内閣府令で定めるところにより、当該割賦販売をする場合における商品若しくは権利の販売条件又は役務の提供条件に関する次の事項を記載した書面を当該利用者に交付しなければならない。

一 割賦販売に係る商品若しくは権利の代金又は役務の対価の支払の期間

及び回数

二　経済産業省令・内閣府令で定める方法により算定した割賦販売の手数料の料率

三　前2号に掲げるもののほか、経済産業省令・内閣府令で定める事項

3　割賦販売業者は、前条第1項第2号に規定する割賦販売の方法により、指定商品若しくは指定権利を販売するため又は指定役務を提供するため、カード等を利用者に交付し又は付与するときは、経済産業省令・内閣府令で定めるところにより、当該割賦販売をする場合における商品若しくは権利の販売条件又は役務の提供条件に関する次の事項を記載した書面を当該利用者に交付しなければならない。

一　利用者が弁済をすべき時期及び当該時期ごとの弁済金の額の算定方法

二　経済産業省令・内閣府令で定める方法により算定した割賦販売の手数料の料率

三　前2号に掲げるもののほか、経済産業省令・内閣府令で定める事項

4　割賦販売業者は、第1項、第2項又は前項の割賦販売の方法により指定商品若しくは指定権利を販売する場合の販売条件又は指定役務を提供する場合の提供条件について広告をするときは、経済産業省令・内閣府令で定めるところにより、当該広告に、それぞれ第1項各号、第2項各号又は前項各号の事項を表示しなければならない。

特定商取引法（昭和51年法律第57号）
（訪問販売における書面の交付）

第4条　販売業者又は役務提供事業者は、営業所等以外の場所において商品若しくは特定権利につき売買契約の申込みを受け、若しくは役務につき役務提供契約の申込みを受けたとき又は営業所等において特定顧客から商品若しくは特定権利につき売買契約の申込みを受け、若しくは役務につき役務提供契約の申込みを受けたときは、直ちに、主務省令で定めるところにより、次の事項についてその申込みの内容を記載した書面をその申込みをした者に交付しなければならない。ただし、その申込みを受けた際その売買契約又は役務提供契約を締結した場合においては、この限りでない。

一　商品若しくは権利又は役務の種類

二　商品若しくは権利の販売価格又は役務の対価

第3条　39

　三　商品若しくは権利の代金又は役務の対価の支払の時期及び方法
　四　商品の引渡時期若しくは権利の移転時期又は役務の提供時期
　五　第9条第1項の規定による売買契約若しくは役務提供契約の申込みの
　　撤回又は売買契約若しくは役務提供契約の解除に関する事項（同条第2
　　項から第7項までの規定に関する事項（第26条第2項、第4項又は第5項
　　の規定の適用がある場合にあつては、当該各項の規定に関する事項を含
　　む。）を含む。）
　六　前各号に掲げるもののほか、主務省令で定める事項

金融商品取引法（昭和23年法律第25号）
（契約締結前の書面の交付）
第37条の3　金融商品取引業者等は、金融商品取引契約を締結しようとする
　ときは、内閣府令で定めるところにより、あらかじめ、顧客に対し、次に掲
　げる事項を記載した書面を交付しなければならない。ただし、投資者の保護
　に支障を生ずることがない場合として内閣府令で定める場合は、この限り
　でない。
　一　当該金融商品取引業者等の商号、名称又は氏名及び住所
　二　金融商品取引業者等である旨及び当該金融商品取引業者等の登録番号
　三　当該金融商品取引契約の概要
　四　手数料、報酬その他の当該金融商品取引契約に関して顧客が支払うべ
　　き対価に関する事項であつて内閣府令で定めるもの
　五　顧客が行う金融商品取引行為について金利、通貨の価格、金融商品市場
　　における相場その他の指標に係る変動により損失が生ずることとなるお
　　それがあるときは、その旨
　六　前号の損失の額が顧客が預託すべき委託証拠金その他の保証金その他
　　内閣府令で定めるものの額を上回るおそれがあるときは、その旨
　七　前各号に掲げるもののほか、金融商品取引業の内容に関する事項であ
　　つて、顧客の判断に影響を及ぼすこととなる重要なものとして内閣府令
　　で定める事項
2　第34条の2第4項の規定は、前項の規定による書面の交付について準用
　する。
3　金融商品取引業者等は、第2条第2項の規定により有価証券とみなされ

40 　第1編　逐条解説　第1章　総則（第1条～第3条）

る同項各号に掲げる権利に係る金融商品取引契約の締結の勧誘（募集若し
くは売出し又は募集若しくは売出しの取扱いであつて、政令で定めるもの
に限る。）を行う場合には、あらかじめ、当該金融商品取引契約に係る第1
項の書面の内容を内閣総理大臣に届け出なければならない。ただし、投資者
の保護に支障を生ずることがない場合として内閣府令で定める場合は、こ
の限りでない。

旅行業法（昭和27年法律第239号）
　（取引条件の説明）
第12条の4　旅行業者等は、旅行者と企画旅行契約、手配旅行契約その他旅行
　業務に関し契約を締結しようとするときは、旅行者が依頼しようとする旅
　行業務の内容を確認した上、国土交通省令・内閣府令で定めるところにより、
　その取引の条件について旅行者に説明しなければならない。
2　旅行業者等は、前項の規定による説明をするときは、国土交通省令・内閣
　府令で定める場合を除き、旅行者に対し、旅行者が提供を受けることができ
　る旅行に関するサービスの内容、旅行者が旅行業者等に支払うべき対価に
　関する事項、旅行業務取扱管理者の氏名、通訳案内士法（昭和二十四年法律
　第二百十号）第二条第一項に規定する全国通訳案内士（以下単に「全国通訳
　案内士」という。）又は同条第二項に規定する地域通訳案内士（以下単に「地
　域通訳案内士」という。）の同行の有無その他の国土交通省令・内閣府令で
　定める事項を記載した書面を交付しなければならない。
3　旅行業者等は、前項の規定による書面の交付に代えて、政令で定めるとこ
　ろにより、旅行者の承諾を得て、当該書面に記載すべき事項を電子情報処理
　組織を使用する方法その他の情報通信の技術を利用する方法であつて国土
　交通省令・内閣府令で定めるものにより提供することができる。この場合に
　おいて、当該旅行業者等は、当該書面を交付したものとみなす。

宅地建物取引業法（昭和27年法律第176号）
　（重要事項の説明等）
第35条　宅地建物取引業者は、宅地若しくは建物の売買、交換若しくは貸借の
　相手方若しくは代理を依頼した者又は宅地建物取引業者が行う媒介に係る
　売買、交換若しくは貸借の各当事者（以下「宅地建物取引業者の相手方等」

という。）に対して、その者が取得し、又は借りようとしている宅地又は建物に関し、その売買、交換又は貸借の契約が成立するまでの間に、宅地建物取引士をして、少なくとも次に掲げる事項について、これらの事項を記載した書面（第5号において図面を必要とするときは、図面）を交付して説明をさせなければならない。

一　当該宅地又は建物の上に存する登記された権利の種類及び内容並びに登記名義人又は登記簿の表題部に記録された所有者の氏名（法人にあつては、その名称）

二　都市計画法、建築基準法その他の法令に基づく制限で契約内容の別（当該契約の目的物が宅地であるか又は建物であるかの別及び当該契約が売買若しくは交換の契約であるか又は貸借の契約であるかの別をいう。以下この条において同じ。）に応じて政令で定めるものに関する事項の概要

三　当該契約が建物の貸借の契約以外のものであるときは、私道に関する負担に関する事項

四　飲用水、電気及びガスの供給並びに排水のための施設の整備の状況（これらの施設が整備されていない場合においては、その整備の見通し及びその整備についての特別の負担に関する事項）

五　当該宅地又は建物が宅地の造成又は建築に関する工事の完了前のものであるときは、その完了時における形状、構造その他国土交通省令・内閣府令で定める事項

六　当該建物が建物の区分所有等に関する法律（昭和37年法律第69号）第2条第1項に規定する区分所有権の目的であるものであるときは、当該建物を所有するための一棟の建物の敷地に関する権利の種類及び内容、同条第4項に規定する共用部分に関する規約の定めその他の一棟の建物又はその敷地（一団地内に数棟の建物があつて、その団地内の土地又はこれに関する権利がそれらの建物の所有者の共有に属する場合には、その土地を含む。）に関する権利及びこれらの管理又は使用に関する事項で契約内容の別に応じて国土交通省令・内閣府令で定めるもの

六の二　当該建物が既存の建物であるときは、次に掲げる事項

　　イ　建物状況調査（実施後国土交通省令で定める期間を経過していないものに限る。）を実施しているかどうか、及びこれを実施している場合におけるその結果の概要

42 　第1編　逐条解説　第1章　総則（第1条～第3条）

　　ロ　設計図書、点検記録その他の建物の建築及び維持保全の状況に関す
　　　る書類で国土交通省令で定めるものの保存の状況
　七　代金、交換差金及び借賃以外に授受される金銭の額及び当該金銭の授
　　受の目的
　八　契約の解除に関する事項
　九　損害賠償額の予定又は違約金に関する事項
　十　第41条第1項に規定する手付金等を受領しようとする場合における同
　　条又は第41条の2の規定による措置の概要
　十一　支払金又は預り金（宅地建物取引業者の相手方等からその取引の対
　　象となる宅地又は建物に関し受領する代金、交換差金、借賃その他の金銭
　　（第41条第1項又は第41条の2第1項の規定により保全の措置が講ぜられ
　　ている手付金等を除く。）であつて国土交通省令・内閣府令で定めるもの
　　をいう。以下第64条の3第2項第1号において同じ。）を受領しようとす
　　る場合において、同号の規定による保証の措置その他国土交通省令・内閣
　　府令で定める保全措置を講ずるかどうか、及びその措置を講ずる場合に
　　おけるその措置の概要
　十二　代金又は交換差金に関する金銭の貸借のあつせんの内容及び当該あ
　　つせんに係る金銭の貸借が成立しないときの措置
　十三　当該宅地又は建物が種類又は品質に関して契約の内容に適合しない
　　場合におけるその不適合を担保すべき責任の履行に関し保証保険契約の
　　締結その他の措置で国土交通省令・内閣府令で定めるものを講ずるかど
　　うか、及びその措置を講ずる場合におけるその措置の概要
　十四　その他宅地建物取引業者の相手方等の利益の保護の必要性及び契約
　　内容の別を勘案して、次のイ又はロに掲げる場合の区分に応じ、それぞれ
　　当該イ又はロに定める命令で定める事項
　　イ　事業を営む場合以外の場合において宅地又は建物を買い、又は借り
　　　ようとする個人である宅地建物取引業者の相手方等の利益の保護に資
　　　する事項を定める場合　国土交通省令・内閣府令
　　ロ　イに規定する事項以外の事項を定める場合　国土交通省令
2　宅地建物取引業者は、宅地又は建物の割賦販売（代金の全部又は一部につ
　いて、目的物の引渡し後1年以上の期間にわたり、かつ、2回以上に分割し
　て受領することを条件として販売することをいう。以下同じ。）の相手方に

対して、その者が取得しようとする宅地又は建物に関し、その割賦販売の契約が成立するまでの間に、宅地建物取引士をして、前項各号に掲げる事項のほか、次に掲げる事項について、これらの事項を記載した書面を交付して説明をさせなければならない。

一　現金販売価格（宅地又は建物の引渡しまでにその代金の全額を受領する場合の価格をいう。）

二　割賦販売価格（割賦販売の方法により販売する場合の価格をいう。）

三　宅地又は建物の引渡しまでに支払う金銭の額及び賦払金（割賦販売の契約に基づく各回ごとの代金の支払分で目的物の引渡し後のものをいう。第42条第１項において同じ。）の額並びにその支払の時期及び方法

3　宅地建物取引業者は、宅地又は建物に係る信託（当該宅地建物取引業者を委託者とするものに限る。）の受益権の売主となる場合における売買の相手方に対して、その者が取得しようとしている信託の受益権に係る信託財産である宅地又は建物に関し、その売買の契約が成立するまでの間に、宅地建物取引士をして、少なくとも次に掲げる事項について、これらの事項を記載した書面（第５号において図面を必要とするときは、図面）を交付して説明をさせなければならない。ただし、その売買の相手方の利益の保護のため支障を生ずることがない場合として国土交通省令で定める場合は、この限りでない。

一　当該信託財産である宅地又は建物の上に存する登記された権利の種類及び内容並びに登記名義人又は登記簿の表題部に記録された所有者の氏名（法人にあつては、その名称）

二　当該信託財産である宅地又は建物に係る都市計画法、建築基準法その他の法令に基づく制限で政令で定めるものに関する事項の概要

三　当該信託財産である宅地又は建物に係る私道に関する負担に関する事項

四　当該信託財産である宅地又は建物に係る飲用水、電気及びガスの供給並びに排水のための施設の整備の状況（これらの施設が整備されていない場合においては、その整備の見通し及びその整備についての特別の負担に関する事項）

五　当該信託財産である宅地又は建物が宅地の造成又は建築に関する工事の完了前のものであるときは、その完了時における形状、構造その他国土

交通省令で定める事項

六　当該信託財産である建物が建物の区分所有等に関する法律第2条第1項に規定する区分所有権の目的であるものであるときは、当該建物を所有するための一棟の建物の敷地に関する権利の種類及び内容、同条第4項に規定する共用部分に関する規約の定めその他の一棟の建物又はその敷地（一団地内に数棟の建物があつて、その団地内の土地又はこれに関する権利がそれらの建物の所有者の共有に属する場合には、その土地を含む。）に関する権利及びこれらの管理又は使用に関する事項で国土交通省令で定めるもの

七　その他当該信託の受益権の売買の相手方の利益の保護の必要性を勘案して国土交通省令で定める事項

食料・農業・農村基本法（平成11年法律第106号）
（消費者の役割）
第12条　消費者は、食料、農業及び農村に関する理解を深め、食料の消費生活の向上に積極的な役割を果たすものとする。

消費者基本法（昭和43年法律第78号）
第7条　消費者は、自ら進んで、その消費生活に関して、必要な知識を修得し、及び必要な情報を収集する等自主的かつ合理的に行動するよう努めなければならない。

2　消費者は、消費生活に関し、環境の保全及び知的財産権等の適正な保護に配慮するよう努めなければならない。

第2章　消費者契約

第1節　消費者契約の申込み又はその承諾の意思表示の取消し（第4条～第7条）

第4条（消費者契約の申込み又はその承諾の意思表示の取消し）

Ⅰ　第1項・第2項（誤認類型）

（消費者契約の申込み又はその承諾の意思表示の取消し）
第4条　消費者は、事業者が消費者契約の締結について勧誘をするに際し、当該消費者に対して次の各号に掲げる行為をしたことにより当該各号に定める誤認をし、それによって当該消費者契約の申込み又はその承諾の意思表示をしたときは、これを取り消すことができる。
一　重要事項について事実と異なることを告げること。　当該告げられた内容が事実であるとの誤認
二　物品、権利、役務その他の当該消費者契約の目的となるものに関し、将来におけるその価額、将来において当該消費者が受け取るべき金額その他の将来における変動が不確実な事項につき断定的判断を提供すること。　当該提供された断定的判断の内容が確実であるとの誤認
2　消費者は、事業者が消費者契約の締結について勧誘をするに際し、当該消費者に対してある重要事項又は当該重要事項に関連する事項について当該消費者の利益となる旨を告げ、かつ、当該重要事項について当該消費者の不利益となる事実（当該告知により当該事実が存在しないと消費者が通常考えるべきものに限る。）を故意又は重大な過失によって告げ

46　第1編　逐条解説　第2章　消費者契約

なかったことにより、当該事実が存在しないとの誤認をし、それによっ
て当該消費者契約の申込み又はその承諾の意思表示をしたときは、これ
を取り消すことができる。ただし、当該事業者が当該消費者に対し当該
事実を告げようとしたにもかかわらず、当該消費者がこれを拒んだとき
は、この限りでない。

1　趣旨等

(1)　趣旨

　現代社会のように、取引が多様化・複雑化する中で情報の面で消費者と
事業者との間に格差が存在する状況にあっては、契約の締結を勧誘するに
当たって、事業者から消費者に対し、消費者が契約を締結するという意思
決定をする上で必要な情報の提供が適切になされないまま、契約が締結さ
れるケースがある。このように、消費者が事業者の不適切な勧誘行為に影
響されて自らの欲求の実現に適合しない契約を締結した場合には、民法の
詐欺（同法第96条第1項）が成立しない場合でも、契約の成立についての合
意の瑕疵によって消費者が当該契約に拘束されることは衡平を欠くもので
あるため、消費者は当該契約の効力の否定を主張し得るとすることが適当
である。

　そこで、法は、本条第1項及び第2項において、事業者から消費者への
情報の提供に関する民事ルールを設けることとした。すなわち、消費者は、
事業者の一定の行為（誤認を通じて消費者の意思表示に瑕疵をもたらすよう
な不適切な勧誘行為。具体的には、不実告知（第1項第1号）、断定的判断の提供
（第1項第2号）、不利益事実の不告知（第2項））により誤認をし、それによっ
て当該消費者契約の申込み又はその承諾の意思表示をしたときは、これを
取り消すことができることとした。

(2)　平成30年改正

　平成30年改正前の本条第2項は、不利益事実の不告知による取消しの要
件を、事業者が不利益事実を故意に告げなかった場合に限定していた。こ

のため、消費者は自らが直接関知しないような事実について事業者が知っていたことを立証することが求められ、消費生活相談の現場では、こうした事業者の故意についての立証が消費者にとって困難であり、当該規定は実務上利用しにくいという指摘がされていた。

また、裁判例においては、先行行為（ある重要事項又は当該重要事項に関連する事項について当該消費者の利益となる旨を告げること）が具体的な告知として認定されることを前提として、故意の認定に際しては、具体的な事実を摘示せずに結論として故意があるとしたものや、事業者が消費者の誤認を認識し得たことから、故意を認定（推認）したもの等、故意要件を事案に即して柔軟に解釈しているものがみられた。

このように、故意の要件の見直しは、消費生活相談の現場における当該規定の活用及び訴訟における妥当な結論の確保という観点から課題になっていたため、平成30年改正では、このような故意の立証の困難さに起因する問題に対処するため、不利益事実の不告知による取消しの要件として、「故意」のほかに「重大な過失」を追加した。

２ 条文の解釈

(1) 要件１（事業者の行為）

1つ目の要件として、事業者が消費者契約の締結について勧誘をするに際し、事業者の一定の行為（不実告知（第1項第1号）、断定的判断の提供（第1項第2号）、不利益事実の不告知（第2項））が存在することが挙げられる。

ア 「消費者契約の締結について勧誘をするに際し」

「勧誘」とは、消費者の契約締結の意思の形成に影響を与える程度の勧め方をいう。したがって、「○○を買いませんか」などと直接に契約の締結を勧める場合のほか、その商品を購入した場合の便利さのみを強調するなど客観的にみて消費者の契約締結の意思の形成に影響を与えていると考えられる場合も含まれる。

なお、「勧誘」の解釈に関しては、下記のとおり、事業者等による働き掛けが不特定多数の消費者に向けられたものであったとしても、そのことから直ちにその働きかけが「勧誘」に当たらないということはできないとした最高裁判決がある。

48　第1編　逐条解説　第2章　消費者契約

　次に、「際し」とは、事業者が消費者と最初に接触してから契約を締結するまでの時間的経過において、という意味である。

● 「勧誘」に関連する最高裁判決

最三判平成29年1月24日（民集第71巻1号1頁）

事件番号：平成28年（受）1050号

事案概要：適格消費者団体であるX（上告人）が、健康食品の小売販売業等を営む事業者であるY（被上告人）に対し、自己の商品の原料の効用等を記載した新聞折込チラシを配布することが、不実告知（第4条第1項第1号）に当たるとして、第12条第1項及び第2項に基づき、上記効用等の記載をすることの差止め等を求めた事案であり、当該チラシの配布が法にいう「勧誘」に当たるか否かが争われた。

判示内容：上記各規定[注]にいう「勧誘」について、法に定義規定は置かれていないところ、例えば、事業者が、その記載内容全体から判断して消費者が当該事業者の商品等の内容や取引条件その他これらの取引に関する事項を具体的に認識し得るような新聞広告により不特定多数の消費者に向けて働きかけを行うときは、当該働きかけが個別の消費者の意思形成に直接影響を与えることもあり得るから、事業者等が不特定多数の消費者に向けて働きかけを行う場合を「勧誘」に当たらないとしてその適用対象から一律に除外することは、法第1条の趣旨目的に照らし相当とはいい難い。したがって、事業者等による働きかけが不特定多数の消費者に向けられたものであったとしても、そのことから直ちにその働きかけが「勧誘」に当たらないということはできないというべきである。

　　　　（注）　第4条第1項ないし第3項、第5条、第12条第1項及び第2項。

イ　不実告知（第1項第1号）

「重要事項について事実と異なることを告げること」

　「事実と異なること」とは、真実又は真正でないことをいう。真実又は真正でないことにつき必ずしも主観的認識を有していることは必要なく、告知の内容が客観的に真実又は真正でないことで足りる。

第1節　消費者契約の申込み又はその承諾の意思表示の取消し（第4条～第7条）**第4条**　49

したがって、主観的な評価であって、客観的な事実により真実又は真正であるか否かを判断することができない内容（例えば、「新鮮」、「安い」、「（100円だから）お買い得」という告知）は、「事実と異なること」の告知の対象にはならない。

＜不実告知型事例とその考え方＞

〔事例4-1〕

ヒールの硬い革靴が欲しくて靴屋で探していた。店員が「この靴はイタリア製なのでヒールが硬いですよ」と勧めたので購入したが、実際に道路を歩いてみると、以前自分が履いていたものに比べてさほど硬いとは思えなかった。

〔考え方〕

「ヒールが硬い」と告げることは、主観的な評価であって、客観的な事実により真実又は真正であるか否かを判断することができない内容であるので、「事実と異なること」を告げたことにはならず、取消しは認められない。

〔事例4-2〕

魚屋さんの店頭で「新鮮だよ」と言われたので魚を買ったが、たいして新鮮であるとは思えなかった。

〔考え方〕

「新鮮である」と告げることは、主観的な評価であって、客観的な事実により真実又は真正であるか否かを判断することができない内容であるので、「事実と異なること」を告げたことにはならず、取消しは認められない。

〔事例4-3〕

住宅販売において、「居住環境に優れた立地」という表現が用いられていたが、当該住宅の購入者にとっては、さほど優れているとは感じられなかった。

〔考え方〕

「居住環境に優れた立地」という表現自体は、主観的な評価であって、客観的な事実により真実又は真正であるか否かを判断することができない内容であるので、「事実と異なること」を告げたことにはならず、取消しは認められない。他に「当社のマンションは安心」と表現した場合も同様の例といえる。

50　第1編　逐条解説　第2章　消費者契約

〔事例4-4〕
　住宅建設用の土地の売買において、「近くにがけがありますが、この土地なら全く問題はありません」との説明を信じて契約した後に、その土地は、がけ地に接近しているためそのままでは考えているとおりの住宅を建設することができない上に、擁壁の設置も必要であることがわかった。
〔考え方〕
　「この土地なら全く問題はありません」との説明は、住宅建設用の土地の売買契約の締結に際しては、「この土地に住宅を建設するに当たって特段の障害はない」ことを告げたものと考えられるから、がけが接近していて考えているとおりの住宅を建設することができない場合や住宅を建設するには擁壁の設置が必要である場合等は「事実と異なることを告げること」に当たり、本条第1項第1号の要件に該当し、取消しが認められることもあり得る。

〔事例4-5〕
　弁護士が「必ず裁判に勝ちます」と言ったのに、裁判に勝てなかった。
〔考え方〕
　裁判に勝つか負けるかは、契約締結段階でその達成が可能か否かを見とおすことが契約の性質上そもそも不可能であるため、「裁判に勝ちます」と告げても一般的には「事実と異なることを告げること」には当たらず、第4条第1項第1号の要件に該当しないので取消しは認められない。
　また、裁判に勝つか負けるかは、「将来におけるその価額、将来において当該消費者が受け取るべき金額その他の将来における変動が不確実な事項」ではなく、本条第1項第2号の要件にも該当しないので取消しは認められない。

〔事例4-6〕
　「この映画を見れば絶対に感動しますよ」と勧誘されたが、実際に見ても感動しなかった。
〔考え方〕
　「感動する」と告げることは、主観的な評価であって、客観的な事実により真実又は真正であるか否かを判断することができない内容であるので、「事実と異なること」を告げたことにはならず、本条第1項第1号による取消しは認められない。

第1節　消費者契約の申込み又はその承諾の意思表示の取消し（第4条～第7条）**第4条**　51

　また、感動するかどうかは、「将来におけるその価額、将来において当該消費者が受け取るべき金額その他の将来における変動が不確実な事項」ではなく、本条第1項第2号の要件にも該当しないので取消しは認められない。

● **債務不履行**

　真実又は真正であるか否かの判断は、契約締結の時点において、契約締結に至るまでの事業者の告知の内容を全体的に評価して行われる。事業者が告げた内容が当該契約における事業者の債務の内容となっている場合において、契約締結後に当該債務について不履行があったとしても、そのことによって遡って「事実と異なること」を告げたとされるわけではない。

〔事例4-7〕
　建築請負契約において、基礎材は杉であると説明されて契約を締結し、仕様書にもそのように書かれていたが、事業者の手違いにより、実際には米栂であった。
〔考え方〕
　「基礎材は杉」ということは債務の内容になっていると考えられる。したがってこの事例は債務不履行の問題であり、「事実と異なること」を告げる行為には当たらないので、取消しは認められない。

〔事例4-8〕
　「○○日には届く」と言われたので契約したが、配送遅延のため、荷物がその日には届かなかった。
〔考え方〕
　「○○日には届く」ということは債務の内容になっていると考えられる。したがってこの事例は債務不履行の問題であり、「事実と異なること」を告げる行為には当たらないので、取消しは認められない。

〔事例4-9〕
　「ハーバービュー・ルームに泊まる香港4日間」というツアー・タイトルに魅力を感じ、ツアーに申し込んだ。旅行代理店での説明でもハーバービュー・ルームを手配するとのことであった。しかし、実際にホテルに行ってみると、手配ミスのため、窓からは街の景色しか見えず、海は全く見えなかった。

52　第1編　逐条解説　第2章　消費者契約

〔考え方〕

　「ハーバービュー・ルームに泊まる」ということは債務の内容になっていると考えられる。したがってこの事例は債務不履行の問題であり、「事実と異なること」を告げる行為には当たらないので、取消しは認められない。

● 「告げる」方法

　「告げる」については、必ずしも口頭によることを必要とせず、書面に記載して消費者に知悉させるなど消費者が実際にそれによって認識し得る態様の方法であればよい。

〔事例4-10〕

　業者から、事故車ではないことを口頭で確認して中古車を購入したが、後日整備に出したら事故車だと分かった。

〔考え方〕

　重要事項（事故車か否か）について、真実と異なることを告げている（事故車ではないと告げたこと）ので、本条第1項第1号の要件に該当し、取消しが認められる。

〔事例4-11〕

　新聞の折込チラシを見て築5年の中古の一戸建て住宅が気に入ったので、業者から「築5年である」旨の説明を受けて、売買契約を締結した。念のため登記簿を調べてみると、実際には築10年であることが判明した。

〔考え方〕

　重要事項（経過年数）について、真実と異なることを告げている（築5年と告げたこと）ので、本条第1項第1号の要件に該当し、取消しが認められる。

〔事例4-12〕

　「当センターの派遣する家庭教師は東大生です」と勧誘されたが、当該家庭教師が東京大学以外の東京○○大学の学生であった。

〔考え方〕

　「東大生」という略称は一般に東京大学の学生を意味するものであり、東京大学以外の東京○○大学の学生を「東大生」と告げることは、重要事項（家庭教師の出身大学）について、「事実と異なることを告げること」に当たるので、

第1節　消費者契約の申込み又はその承諾の意思表示の取消し（第4条～第7条）**第4条**　53

本条第1項第1号の要件に該当し、取消しが認められる。

〔事例4-13〕
　CS放送の受信契約をした。いつでもやめられるという説明だったので申し込んだのだが、4年以内は解約できないということが分かった。4年も解約できないと分かっていれば申し込まなかった。説明と違っているのでやめたい。
〔考え方〕
　重要事項（解除権の有無）について、真実と異なることを告げている（いつでもやめられると告げたこと）ので、本条第1項第1号の要件に該当し、取消しが認められる。

　ウ　断定的判断の提供（第1項第2号）
　①　「物品、権利、役務その他の当該消費者契約の目的となるものに関し、将来におけるその価額、将来において当該消費者が受け取るべき金額その他の将来における変動が不確実な事項につき」
　本号の「物品、権利、役務その他の当該消費者契約の目的となるもの」については、本条第4項の解説を参照のこと。
　「将来における変動が不確実な事項」の例示としては、
　　　（ア）「将来におけるその（＝物品、権利、役務その他の当該消費者契約の目的となるものの）価額」（例えば不動産取引に関して、将来における当該不動産の価額）、
　　　（イ）「将来において当該消費者が受け取るべき金額」（例えば保険契約に関して、将来において当該消費者が受け取るべき保険金の額）
の二つを掲げている。
　「その他の将来における変動が不確実な事項」とは、これら二つの概念には必ずしも含まれない、消費者の財産上の利得に影響するものであって将来を見通すことがそもそも困難であるもの（例えば証券取引に関して、将来における各種の指数・数値、金利、通貨の価格）をいう。
　本号は、将来において消費者が財産上の利得を得るか否かを見通すことが契約の性質上そもそも困難である事項（当該消費者契約の目的となるものに関し、将来における変動が不確実な事項）について事業者が断定的判断を提

54 第1編 逐条解説 第2章 消費者契約

供した場合につき、取消しの対象とする旨を規定している。これは、不実告知（第1号）と同様に、誤認を通じて消費者の意思表示に瑕疵をもたらし得る不適切な勧誘行為だからである。典型的には、保険、証券取引、先物取引、不動産取引、連鎖販売取引の分野における契約が問題となり得る。

　一方、事業者がある商品・サービスについての効用・メリットを説明する場合で、一定の前提の下で客観的に将来を見通すことが可能な情報を提供することは問題とならない。例えば、ガソリン代、電気代等の節約については、「このような使用条件の下では」という一定の前提の下で将来を見通すことが可能であることから、そのような前提とともに説明する限りにおいては、ここでいう「将来における変動が不確実な事項」には当たらない。

　なお、「将来における変動が不確実な事項」に関する裁判例として、パチンコ攻略情報の売買契約について、一般的にパチンコは遊技者がどれくらいの出球を獲得するかは複合的な要因による偶然性の高いものであり、常に多くの出球を獲得することができるパチンコの打ち方の手順等の情報は、将来における変動が不確実な事項に当たるとした裁判例（東京地判平成17年11月8日判例時報1941号98頁）が存在する。また、外国為替証拠金取引における預託金返還請求権を放棄する旨の和解契約について、事業者が外国為替証拠金取引の営業停止の行政処分を受け、その結果倒産し、消費者に預託金のほとんどが返還されなくなるかどうかは、将来における変動が不確実な事項に当たるとした裁判例（大阪高判平成19年4月27日判例時報1987号18頁）も存在する。

　他方で、家庭教師派遣契約について、事業者が「有名校に合格できる」と説明したとしても、有名校に合格するか否かは、消費者の財産上の利得に影響するものではないとして、将来における変動が不確実な事項に当たらないとした裁判例（東京地判平成21年6月15日）も存在する。

②　「断定的判断を提供すること」

「断定的判断」とは、確実でないものが確実である（例えば、利益を生ずることが確実でないのに確実である）と誤解させるような決めつけ方をいう。

「絶対に」、「必ず」のようなフレーズを伴うか否かは問わないが（例えば先物取引において、事業者が消費者に対して「この取引をすれば、100万円もうか

る」と告知しても、「この取引をすれば、必ず100万円もうかる」と告知しても、同じく断定的判断の提供である。）、事業者の非断定的な予想ないしは個人的見解を示すこと（例えば、「この取引をすれば、100万円もうかるかもしれない」と告知すること）は断定的判断の提供に当たらない。

　また、消費者の判断の材料となるもの（例えば、「エコノミストＡ氏は、『半年後に、円は１ドル＝120円に下落する』と言っている」という相場情報）について真実のことを告げることも問題にならない。

　さらに、将来の金利など「将来における変動が不確実な事項」につき、一定の仮定を置いて、「将来におけるその価額」、「将来において当該消費者が受け取るべき金額」につき、事業者が試算を行い、それを消費者に示したとしても、「将来における変動が不確実な事項」については、試算の前提としての仮定が明示されている限りは、「断定的判断を提供すること」には当たらない。

＜断定的判断の提供型事例とその考え方＞

〔事例 4 -14〕
　建築請負契約において、事業者から「当社の住宅は雨漏りしません」との説明を受けて契約した。
〔考え方〕
　雨漏りするか否かといった住宅の性能は「将来におけるその価額、将来において当該消費者が受け取るべき金額その他の将来における変動が不確実な事項」には当たらず、本条第１項第２号の要件に該当しないので取消しは認められない。

〔事例 4 -15〕
　「当校に通えば、TOEIC800点も夢じゃない」と勧誘されて、英語学校に通うことにしたが、TOEICの得点が800点を超えることはできなかった。
〔考え方〕
　TOEICの得点が800点を超えるかどうかは「将来におけるその価額、将来において当該消費者が受け取るべき金額その他の将来における変動が不確実な事項」には当たらず、本条第１項第２号の要件に該当しないので取消しは認められない。

56　第1編　逐条解説　第2章　消費者契約

また「TOEIC800点も夢じゃない」と告げることは断定的判断を提供することには当たらず、本条第1項第2号の要件に該当しないので取消しは認められない。

〔事例4-16〕
　証券会社の担当者に電話で勧誘されて、外債を購入した。円高にならないと言われたが、円高になった。
〔考え方〕
　「将来におけるその価額、将来において当該消費者が受け取るべき金額その他の将来における変動が不確実な事項」（円高になるか否か）について、断定的判断を提供（円高にならないと告げたこと）しているので、本条第1項第2号の要件に該当し、取消しが認められる。

〔事例4-17〕
　借金して契約しても10年後に利益が出ると言われて、一時払いの終身保険に加入した（銀行から約200万円借りた。その返済総額は293万円だが、10年後の満期金が360万円になると勧められた。）。しかし、予定どおりの配当が出なくなり、利息の方が高くなった。
〔考え方〕
　「将来におけるその価額、将来において当該消費者が受け取るべき金額その他の将来における変動が不確実な事項」（利益が出るか否か）について、断定的判断を提供（借金して契約しても10年後に利益が出ると告げたこと）しているので、本条第1項第2号の要件に該当し、取消しが認められる。

〔事例4-18〕
　過去の数値データ及び当該データを参考にした仮定を明示するとともに、これらを前提とした試算を示しながら「今まで元本割れしたことはなく、試算を考慮すれば今後も元本割れしないだろう」と言われたので金融商品を契約したが、元本割れした。
〔考え方〕
　「試算を考慮すれば今後も元本割れしないだろう」と告げるに際して、試算の前提としての仮定が明示されており、断定的判断を提供することには当た

第1節　消費者契約の申込み又はその承諾の意思表示の取消し（第4条～第7条）**第4条**　57

らず、本条第1項第2号の要件に該当しないので取消しは認められない。

エ　不利益事実の不告知（第2項）

①　「当該消費者に対してある重要事項又は当該重要事項に関連する事項について当該消費者の利益となる旨を告げ」（本文）

「当該重要事項（＝ある重要事項）に関連する事項」とは、基本的には、「ある重要事項」に関わりつながる事項を広く意味する。しかしながら、不利益事実の不告知の対象が「当該重要事項について当該消費者の不利益となる事実（当該告知により当該事実が存在しないと消費者が通常考えるべきものに限る。）」と限定されているため（後述）、実際上この「事項」は、一般的・平均的な消費者が、不利益事実が存在しないと誤認する程度に「ある重要事項」に密接に関わりつながるものである。

「当該消費者の利益となる旨」とは、消費者契約を締結する前の状態と後の状態とを比較して、「当該消費者」（＝個別具体的な消費者）に利益（必ずしも財産上の利益に限らない。）を生じさせるであろうことをいう。

本項が個別の勧誘場面について適用される規範である以上、ここでは「一般的・平均的な消費者の利益」ではなく「当該消費者（＝個別具体的な消費者）の利益」を問題としている。

②　「当該重要事項について当該消費者の不利益となる事実（当該告知により当該事実が存在しないと消費者が通常考えるべきものに限る。）を故意又は重大な過失によって告げなかったこと」（本文）

（ア）「当該重要事項について当該消費者の不利益となる事実（当該告知により当該事実が存在しないと消費者が通常考えるべきものに限る。）」

「当該重要事項」とは、「ある重要事項」（上記①）を受ける。

「当該消費者の不利益となる事実」とは、消費者契約を締結する前の状態と後の状態とを比較して、「当該消費者」（＝個別具体的な消費者）に不利益（必ずしも財産上の不利益に限らない。）を生じさせるおそれがある事実をいう（例えば、有価証券の取引で、当該消費者が取得した有価証券を売却するなどにより得られる金額が、当該消費者が当該有価証券を取得するために支払った金額（取得価額）を下回るおそれがあること、すなわち元本欠損が生じるおそれがあることが「当該消費者の不利益となる事実」に当たる。）。

58　第1編　逐条解説　第2章　消費者契約

　本項が個別の勧誘場面について適用される規範である以上、ここでは「一般的・平均的な消費者の不利益」ではなく「当該消費者（＝個別具体的な消費者）の不利益」を問題としている。

　「当該告知により当該事実が存在しないと消費者が通常考えるべきもの」とは、事業者の先行行為により、当該重要事項について当該消費者の不利益となる事実は存在しないであろうと「消費者」（＝一般的・平均的な消費者）が通常認識するものをいう（不利益となる事実は存在するため、この認識は「誤認」であるといえる。(3)②ウを参照のこと）。

　（イ）「故意又は重大な過失」
　「故意」とは、「当該事実が当該消費者の不利益となるものであることを知っており、かつ、当該消費者が当該事実を認識していないことを知っていながら、あえて」という意味である。

　「重大な過失」とは、僅かの注意をすれば容易に有害な結果を予見することができるのに、漫然と看過したというような、ほとんど故意に近い著しい注意欠如の状態をいうとされている（最判昭和32年7月9日民集11巻7号1203頁、大判大正2年12月20日参照。失火責任法の判例。）。

　③　事業者の免責事由（ただし書）
　第2項ただし書においては、事業者が一定の事情を立証することにより、消費者の取消権の行使を免れ得ることを規定する。具体的には、事業者が消費者に対し不利益事実を告げようとしたにもかかわらず、当該消費者がこれを拒んだ場合には、消費者は消費者契約の申込み又はその承諾の意思表示を取り消すことができないこととする。この免責事由の立証責任については事業者が負う。

　（ア）「当該事業者が当該消費者に対し当該事実を告げようとしたにもかかわらず」
　「当該事実を告げようとした」とは、例えば、当該消費者の利益となる旨を告げた後に、当該消費者の不利益となる事実を告げようとした場合をいう。

　（イ）「当該消費者がこれを拒んだ」
　「これ」とは、「当該事業者が当該消費者に対し当該事実を告げようとした」ことを受ける。

第1節　消費者契約の申込み又はその承諾の意思表示の取消し（第4条〜第7条）**第4条**　59

「当該消費者がこれを拒」むことの理由（例えば、説明を受ける時間がない、説明を受けることが面倒である。）については、その内容のいかんを問わない。

＜不利益事実の不告知型事例とその考え方＞

〔事例4-19〕

　（例えば、隣接地が空き地であって）「眺望・日当たり良好」という業者の説明を信じて中古マンションの2階の一室を買った。しかし半年後には隣接地に建物ができて眺望・日照がほとんど遮られるようになった。業者は隣接地に建設計画があると知っていたにもかかわらずそのことの説明はなかった。

〔考え方〕

　消費者の利益となる旨（（例えば、隣接地が空き地であって）眺望・日当たり良好）を告げ、不利益となる事実（隣接地に建物ができて眺望・日照が遮られるようになること）を故意に告げていないので、本条第2項の要件に該当し、取消しが認められる。

〔事例4-20〕

　「医療保障を充実した女性向けの保険」と勧められ定期付終身保険の転換契約をしたが、損な保険に変えられた。元の保険は8年前父が契約したものであり、1500万円の終身保険だったが、掛金は同額で保障は2500万円になるほか、収入保障と女性特有医療保障が付くと勧められた。契約後、別の保険会社の人に相談したところ、終身保険部分が減額され、予定利率も低いものになったことが分かった。

〔考え方〕

　消費者の利益となる旨（掛金は同額で保障は2500万円になるほか、収入保障と女性特有医療保障が付く。）を告げ、不利益となる事実（終身保険部分が減額され、予定利率も低いものになったこと）を故意に告げていないので、本条第2項の要件に該当し、取消しが認められる。

〔事例4-21〕

　デジタルCSチューナーセット（デジタルCSチューナー、CSアンテナ）を買えばすぐに某CS放送が見られると思ったのに、見られない。取付け機材が必要なことはカタログにも書いていないし、販売店でも説明がなかった。

60　第1編　逐条解説　第2章　消費者契約

〔考え方〕
　消費者の利益となる旨を告げておらず、本条第2項の要件に該当しないので取消しは認められない。

〔事例4-22〕
　「先週の価格の2割引」と宣伝していたので携帯電話を買ったが、2週間後に同じ商品が半値となった。店員は今後更に値段が下がることを知っていたが、これを告げなかった。
〔考え方〕
　消費者の利益となる旨（先週の価格の2割引）を告げているが、「当該告知により当該事実（今後更に値段が下がること）が存在しないと消費者が通常考えるべきもの」とはいえず、本条第2項の要件に該当しないので取消しは認められない。

〔事例4-23〕
　「月額3000円で、インターネットが7500円分、37.5時間も利用できる」と説明されたので、電話会社の通信料の割引サービスを契約した。ところがパソコンのタイマーで時間を管理しながらこのプランを利用したところ、約35時間しか利用していないのに、6100円の請求がきた。
　電話会社に問い合わせると、「たとえ通信時間が1秒でも、3分までかけたのと同じ1回10円が課金されるシステムである。3000円で37.5時間通信できるのはぶっ通しで利用したときや、全ての通信がジャスト3分単位でなされたときだけである」と説明された。1秒の通話を750回かけると、実際は12.5分しか利用していないのに、7500円分通信したことになる仕組みという。37.5時間利用できるとされているのに、実際は12.5分しか使えないケースもあるのは問題だ。
〔考え方〕
　消費者の利益となる旨（月額3000円で、インターネットが7500円分、37.5時間も利用できる）を告げ、不利益となる事実（3000円で37.5時間通信できるのはぶっ通しで利用したときや、全ての通信がジャスト3分単位でなされたときだけであること）を故意に告げていないので、本条第2項の要件に該当し、取消しが認められる。

第1節 消費者契約の申込み又はその承諾の意思表示の取消し（第4条～第7条）**第4条** 61

〔事例 4 -24〕

　「（例えば、隣接地が空き地であって）眺望が良い」という宅地建物取引業者の説明を受けてマンションの一室を購入した。ところが、購入半年後に隣接地にマンションが建ち、眺望がほとんど遮られてしまった。隣接地にマンションが建つことが分かっているのであれば、契約はしなかった。なお、当該業者は、当該マンション開発計画を容易に知り得た状況にあったにもかかわらず、消費者に告げなかった。

〔考え方〕

　本事例では、例えば、隣地のマンションの建設計画の説明会が当該事業者も参加可能な形で実施されていたという状況や、当該マンション建設計画は少なくとも近隣の不動産事業者において共有されていたという状況など、隣の空き地にマンションが建つことについて当該事業者が容易に知り得た状況にあったといえるような場合には、当該事業者に重大な過失が認められ得る。その場合、本件の当該事業者の行為は本条第2項の要件に該当し、取消しが認められる^(注)。

　（注）　単に不動産会社がマンション販売を取り扱う専門業者であることのみを理由として重大な過失が認められ得るというものではない。

(2)　要件2（消費者の当該消費者契約の申込み又はその承諾の意思表示）

「当該消費者契約の申込み又はその承諾の意思表示をした」

　契約は、一方による契約の申込みと相手方による承諾によって成立する（民法第522条第1項）。消費者は、自らが契約の申込みをする場合には「当該消費者契約の申込み」を、承諾をする場合には「その（＝当該消費者契約の申込みの）承諾の意思表示」を、それぞれ取り消すことになる。

　「意思表示」とは、一定の法律効果の発生を欲する意思を外部に対して表する行為をいう。

(3)　要件3（要件1と要件2の因果関係）

ア　因果関係

　①　「事業者が……当該消費者に対して次の各号に掲げる行為をした

ことにより当該各号に定める誤認をし、それによって」

② 「……故意又は重大な過失によって告げなかったことにより、当該事実が存在しないとの誤認をし、それによって」

消費者に取消権を与えるためには、消費者に意思表示の瑕疵がある（他人から不当な干渉を受け、意思決定が自由に行われなかった。）ことが必要である。したがって、要件1（事業者の行為）という先行事実が消費者に誤認を生じさせ、この誤認が要件2（消費者の当該消費者契約の申込み又はその承諾の意思表示）という後行事実を生じさせるという二重の因果関係（事業者の行為→消費者の誤認→消費者の当該消費者契約の申込み又はその承諾の意思表示）を規定している。

消費者契約が締結されるまでの過程で、事業者又は受託者等（受託者についての詳細は第5条の解説を参照）が消費者に対して、第1項、第2項に該当する行為を行った場合であっても、最終的な契約締結に至るまでの間に、事業者又は受託者等が再度適正な説明を行うこと等により、消費者の誤認が消滅し、その後、消費者の自由意思により契約の申込み又はその承諾の意思表示が行われたときなど誤認状態が最終段階まで継続しなかったときには、過去に不実告知があったこと等を理由として当該契約を取り消すことはできない。

イ 誤認

消費者の誤認を通じて要件1（事業者の行為）という先行事実が要件2（消費者の当該消費者契約の申込み又はその承諾の意思表示）という後行事実を生じさせることを、明示的に規定することとする。

「誤認」とは、違うものをそうだと誤って認めることをいう。

① 「当該告げられた内容が事実であるとの誤認」（第1項第1号）

事業者の不実告知（事実と異なることを告げる行為）により、消費者は当該告げられた内容が事実であろうという認識を抱くことになるが、これは「誤認」であるといえる。例えば、事業者が消費者に対して「この住宅は築5年である」と告知して築10年の住宅を販売した場合には、消費者は通常「この住宅は築5年であろう」という認識を抱くことになるが、これは事実でないので「誤認」であるといえる。

② 「当該提供された断定的判断の内容が確実であるとの誤認」（第1

項第2号）

　事業者の断定的判断の提供により、消費者は当該提供された断定的判断の内容が実現されるであろうという認識を抱くことになるが、これは「誤認」であるといえる。例えば、事業者が消費者に対して「この取引をすれば、100万円もうかる」と告知した場合には、消費者は通常「100万円もうかるだろう」という認識を抱くことになるが、これは必ずしも実現されないので「誤認」であるといえる。

　　③　「当該事実が存在しないとの誤認」（第2項）

　事業者の不利益事実の不告知により、消費者は当該消費者の不利益となる事が存在しないであろうという認識を抱くことになるが、これは「誤認」であるといえる。例えば、事業者が「眺望・日当たり良好」と告知して、「半年後には隣接地に建設計画がある」と知っていたにもかかわらずそのことを消費者に告知せずにマンションを販売した場合には、消費者は通常「隣接地に建物ができて眺望・日照は遮られないだろう」という認識を抱くことになるが、これは事実ではないので「誤認」であるといえる。

(4)　効果

「これを取り消すことができる」

　契約の申込み又はその承諾の意思表示が取り消された場合には、初めから無効であったことになる（民法第121条）ほか、その行使方法、効果等は、本法に別段の定めがない限り、「取消し」に関する民法の規定による（本法第11条1項）。取消権を行使した消費者の返還義務については、第6条の2に規定がある。第6条の2の解説を参照。

● 民法の詐欺と本法の「誤認」類型（本条第1項・第2項）との比較

　本法は、消費者と事業者との間の情報の格差が消費者契約（消費者と事業者との間で締結される契約）のトラブルの背景になっていることが少なくないことを前提として、消費者契約の締結に係る意思表示の取消しについては、民法の詐欺が成立するための厳格な要件を緩和するとともに、抽象的な要件を具体化・明確化したものである。

　これによって消費者の立証負担を軽くし、消費者が事業者の不適切な勧誘行為に影響されて締結した契約から離脱することを容易にすることが可能と

64　第1編　逐条解説　第2章　消費者契約

なる。

		民法の詐欺（第96条）	本法の「誤認」類型 （本条第1項・第2項）
要　件		①二重の故意	
		②欺罔行為	①事業者の行為（一定の事項についての一定の行為）（注）
		③詐欺の違法性	
		④二重の因果関係	②二重の因果関係
効　果		取消し	取消し
	善意の第三者との関係	対抗できない。	対抗できない。
	第三者の行為	契約の相手方がその事実を知っている場合に限り取消し可	事業者が媒介を委託した第三者の場合は取消し可
	取消権の期間制限	追認可能時から5年 行為時から20年	追認可能時から1年 契約締結時から5年

(注)　事業者の行為
　(1)　消費者契約の締結について勧誘をするに際し、
　(2)　以下のいずれかの行為をすること。
　　①　重要事項（本条第4項を参照）について事実と異なることを告げること（本条第1項第1号）
　　②　物品、権利、役務その他の当該消費者契約の目的となるものに関し、将来におけるその価額、将来において当該消費者が受け取るべき金額その他の将来における変動が不確実な事項につき断定的判断を提供すること（同項第2号）
　　③　ある重要事項又は当該重要事項に関連する事項について当該消費者の利益となる旨を告げ、かつ、当該重要事項について当該消費者の不利益となる事実（当該告知により当該事実が存在しないと消費者が通常考えるべきものに限る。）を故意又は重大な過失によって告げないこと（同条第2項）

第1節　消費者契約の申込み又はその承諾の意思表示の取消し（第4条〜第7条）**第4条**　65

解説

(1)　民法の詐欺の要件のうち本法の「誤認」類型で要件とされないものは、「二重の故意」、「詐欺の違法性」である。「二重の故意」とは、相手方を欺罔して錯誤に陥らせようする故意と、その錯誤によって意思表示をさせようとする故意のことである。「詐欺の違法性」とは、欺罔行為が社会通念上許される限度を超えた違法なものであることである。

(2)　本法の「誤認」類型において、対象となる事項を「重要事項」（本条第1項第1号）、「物品、権利、役務その他の当該消費者契約の目的となるものに関し、将来におけるその価額、将来において当該消費者が受け取るべき金額その他の将来における変動が不確実な事項」（同項第2号）、「当該重要事項について当該消費者の不利益となる事実（当該告知により当該事実が存在しないと消費者が通常考えるべきものに限る。）」（同条第2項）と限定している点は、民法の「欺罔行為」の要件を限定しているものである。

(3)　本法の「誤認」類型において「事業者の行為」を三つに限定している点は、民法の「欺罔行為」という要件を、消費者契約の場面に即して具体化・明確化するものである。

II　第3項（困惑類型）

3　消費者は、事業者が消費者契約の締結について勧誘をするに際し、当該消費者に対して次に掲げる行為をしたことにより困惑し、それによって当該消費者契約の申込み又はその承諾の意思表示をしたときは、これを取り消すことができる。

一　当該事業者に対し、当該消費者が、その住居又はその業務を行っている場所から退去すべき旨の意思を示したにもかかわらず、それらの場所から退去しないこと。

二　当該事業者が当該消費者契約の締結について勧誘をしている場所から当該消費者が退去する旨の意思を示したにもかかわらず、その場所から当該消費者を退去させないこと。

66 第1編 逐条解説 第2章 消費者契約

三 当該消費者に対し、当該消費者契約の締結について勧誘をすること
　を告げずに、当該消費者が任意に退去することが困難な場所であるこ
　とを知りながら、当該消費者をその場所に同行し、その場所において
　当該消費者契約の締結について勧誘をすること。

四 当該消費者が当該消費者契約の締結について勧誘を受けている場所
　において、当該消費者が当該消費者契約を締結するか否かについて相
　談を行うために電話その他の内閣府令で定める方法によって当該事業
　者以外の者と連絡する旨の意思を示したにもかかわらず、威迫する言
　動を交えて、当該消費者が当該方法によって連絡することを妨げるこ
　と。

五 当該消費者が、社会生活上の経験が乏しいことから、次に掲げる事
　項に対する願望の実現に過大な不安を抱いていることを知りながら、
　その不安をあおり、裏付けとなる合理的な根拠がある場合その他の正
　当な理由がある場合でないのに、物品、権利、役務その他の当該消費者
　契約の目的となるものが当該願望を実現するために必要である旨を告
　げること。

　イ　進学、就職、結婚、生計その他の社会生活上の重要な事項
　ロ　容姿、体型その他の身体の特徴又は状況に関する重要な事項

六 当該消費者が、社会生活上の経験が乏しいことから、当該消費者契
　約の締結について勧誘を行う者に対して恋愛感情その他の好意の感情
　を抱き、かつ、当該勧誘を行う者も当該消費者に対して同様の感情を
　抱いているものと誤信していることを知りながら、これに乗じ、当該
　消費者契約を締結しなければ当該勧誘を行う者との関係が破綻するこ
　とになる旨を告げること。

七 当該消費者が、加齢又は心身の故障によりその判断力が著しく低下
　していることから、生計、健康その他の事項に関しその現在の生活の
　維持に過大な不安を抱いていることを知りながら、その不安をあおり、
　裏付けとなる合理的な根拠がある場合その他の正当な理由がある場合
　でないのに、当該消費者契約を締結しなければその現在の生活の維持
　が困難となる旨を告げること。

八 当該消費者に対し、霊感その他の合理的に実証することが困難な特

第1節　消費者契約の申込み又はその承諾の意思表示の取消し（第4条～第7条）**第4条**　67

　別な能力による知見として、当該消費者又はその親族の生命、身体、財
　産その他の重要な事項について、そのままでは現在生じ、若しくは将
　来生じ得る重大な不利益を回避することができないとの不安をあお
　り、又はそのような不安を抱いていることに乗じて、その重大な不利
　益を回避するためには、当該消費者契約を締結することが必要不可欠
　である旨を告げること。
九　当該消費者が当該消費者契約の申込み又はその承諾の意思表示をす
　る前に、当該消費者契約を締結したならば負うこととなる義務の内容
　の全部若しくは一部を実施し、又は当該消費者契約の目的物の現状を
　変更し、その実施又は変更前の原状の回復を著しく困難にすること。
十　前号に掲げるもののほか、当該消費者が当該消費者契約の申込み又
　はその承諾の意思表示をする前に、当該事業者が調査、情報の提供、物
　品の調達その他の当該消費者契約の締結を目指した事業活動を実施し
　た場合において、当該事業活動が当該消費者からの特別の求めに応じ
　たものであったことその他の取引上の社会通念に照らして正当な理由
　がある場合でないのに、当該事業活動が当該消費者のために特に実施
　したものである旨及び当該事業活動の実施により生じた損失の補償を
　請求する旨を告げること。

■1　趣旨等

(1)　趣旨

　現代社会のように、交渉力の面で消費者と事業者との間に格差が存在す
る状況にあっては、契約の締結を勧誘するに当たって、事業者が消費者の
住居や勤務先から退去しなかったり、一定の場所から消費者を退去させな
かったりして、契約が締結されるケースがある。このように、消費者が事
業者の不適切な勧誘行為に影響されて自らの欲求の実現に適合しない契約
を締結した場合には、民法の強迫（同法第96条第1項）が成立しない場合も、
契約の成立についての合意の瑕疵は重大で決定的であるため、消費者は当
該契約の効力の否定を主張し得るとすることが適当である。

68　第1編　逐条解説　第2章　消費者契約

　そこで、本項においては、事業者から消費者への不適切な強い働き掛け
の回避に関する民事ルールを設けている。具体的には、消費者は、事業者
の一定の行為（困惑を通じて消費者の意思表示に瑕疵をもたらすような不適切
な勧誘行為。各号に規定）により困惑し、それによって当該消費者契約の申
込み又はその承諾の意思表示をしたときは、これを取り消すことができる
こととした。

(2)　平成30年改正
ア　経験の不足による不安をあおる告知（第5号）

　社会生活上の経験が乏しい消費者は、自己の願望の実現可能性について、
積み重ねてきた社会生活上の経験を材料として適切な判断を行うことが困
難であり、結果として、願望の実現が不能となるリスクを過大に評価し、
一般的・平均的な消費者に比べて過大な不安を抱くことが少なくない。そ
のため、事業者が、社会生活上の重要な事項等に対する願望の実現に不安
を抱く消費者を対象とし、当該消費者がその社会生活上の経験の乏しさか
ら過大な不安を抱いていることを知りながら、その不安をあおり、契約の
締結が必要である旨を告げ、消費者を自由な判断ができない状況に陥らせ
て望まぬ契約を締結させるといった消費者被害が発生している。このよう
な事業者の行為は、単なるセールストークの枠を超えるものであって、こ
れによる消費者の意思表示の瑕疵は重大である。

　本項第1号及び第2号は、事業者から消費者への不適切な強い働き掛け
として、事業者が退去せず、又は退去を妨害したことにより消費者が困惑
し、それによって消費者契約の申込み又はその承諾の意思表示をしたとき
は、これを取り消すことができるとしている。ところが、上記のような不
安をあおる告知による消費者被害は、不退去又は退去妨害には当たらない
事業者の行為によっても発生し得るため、本項第1号又は第2号の規定に
よって救済することは困難である。

　また、上記のような消費者被害の救済は、民法の公序良俗違反による無
効（同法第90条）又は不法行為に基づく損害賠償請求（同法第709条）によっ
て図ること等も考えられるが、これらの規定は抽象的であり、どのような
場合に意思表示が無効となったり損害賠償請求が認められたりするかにつ

第1節　消費者契約の申込み又はその承諾の意思表示の取消し（第4条〜第7条）**第4条**　69

いて、必ずしも明らかであるとはいえない。そこで、消費者契約の特性を踏まえた上で、「困惑」を要件としつつ、それと結び付く事業者の不当性の高い行為を類型化することにより、明確かつ具体的な要件をもって消費者に意思表示の取消しを認めるべき場合を規定することが適当であることから、平成30年改正において、本項第5号（平成30年改正当時、第3号）に、事業者から消費者への不適切な強い働き掛けの回避に関する新たなルールを設けることとした。

イ　経験の不足による好意の感情の誤信に乗じた破綻の告知（第6号）

　消費者が、その社会生活上の経験の乏しさから勧誘者に対する恋愛感情その他の好意の感情を抱き、かつ、勧誘者も当該消費者に対して同様の感情を抱いているものと誤信しているという、いわば片面的な人間関係を、事業者が濫用するなどの行為によって、消費者が困惑し、自由な判断ができない状況に陥り望まぬ契約を締結させられるといった消費者被害が発生している。典型例としては、いわゆるデート商法が挙げられる。こうした事業者の行為は、当該消費者を自由に判断ができない状況に陥らせて契約を締結させるものであり、これによる意思表示の瑕疵は重大である。

　このような消費者被害は、不退去又は退去妨害には当たらない事業者の行為によっても発生し得るため、本項第1号又は第2号の規定によって救済することは困難である。また、上記のような消費者被害の救済は、民法の公序良俗違反による無効（同法第90条）又は不法行為に基づく損害賠償請求（同法第709条）によって図ること等も考えられるが、これらの規定は抽象的であり、どのような場合に意思表示が無効となったり損害賠償請求が認められたりするかについて、必ずしも明らかであるとはいえない。そこで、消費者契約の特性を踏まえた上で、「困惑」を要件としつつ、それと結び付く事業者の不当性の高い行為を類型化することにより、明確かつ具体的な要件をもって消費者に意思表示の取消しを認めるべき場合を規定することが適当であることから、平成30年改正において、本項第6号（平成30年改正当時、第4号）に、事業者から消費者への不適切な強い働き掛けの回避に関する新たなルールを設けることとした。

ウ　判断力の低下による不安をあおる告知（第7号）

　加齢やうつ病、認知症等の心身の故障により消費者が契約の締結に関し

70 第1編 逐条解説 第2章 消費者契約

合理的な判断ができない事情を不当に利用して、商品、役務に係る契約を締結させる消費者被害が発生している。こうした事業者の行為は、当該消費者を自由に判断ができない状況に陥らせて契約を締結させるものであり、これによる意思表示の瑕疵は重大である。

　このような消費者被害は、不退去又は退去妨害には当たらない事業者の行為によっても発生し得るため、本項第1号又は第2号の規定によって救済することは困難である。また、上記のような消費者被害の救済は、民法の公序良俗違反による無効（同法第90条）又は不法行為に基づく損害賠償請求（同法第709条）によって図ること等も考えられるが、これらの規定は抽象的であり、どのような場合に意思表示が無効となったり損害賠償請求が認められたりするかについて、必ずしも明らかであるとはいえない。そこで、消費者契約の特性を踏まえた上で、「困惑」を要件としつつ、それと結び付く事業者の不当性の高い行為を類型化することにより、明確かつ具体的な要件をもって消費者に意思表示の取消しを認めるべき場合を規定することが適当である。平成30年改正においては、衆議院における修正によって、本項第7号（平成30年改正当時、第5号）に、事業者から消費者への不適切な強い働き掛けの回避に関する新たなルールが追加された。

　エ　霊感等による知見を用いた告知（第8号）

　霊感その他の合理的に実証することが困難な特別な能力による知見として、そのままでは消費者に重大な不利益を与える事態が生ずる旨を示して消費者の不安をあおり、消費者契約を締結させる被害事例が発生している。こうした事業者の行為は、当該消費者を自由に判断ができない状況に陥らせて契約を締結させるものであり、これによる意思表示の瑕疵は重大である。

　このような消費者被害は、不退去又は退去妨害には当たらない事業者の行為によっても発生し得るため、本項第1号又は第2号の規定によって救済することは困難である。また、上記のような消費者被害の救済は、民法の公序良俗違反による無効（同法第90条）又は不法行為に基づく損害賠償請求（同法第709条）によって図ること等も考えられるが、これらの規定は抽象的であり、どのような場合に意思表示が無効となったり損害賠償請求が認められたりするかについて、必ずしも明らかであるとはいえない。そこ

で、消費者契約の特性を踏まえた上で、「困惑」を要件としつつ、それと結び付く事業者の不当性の高い行為を類型化することにより、明確かつ具体的な要件をもって消費者に意思表示の取消しを認めるべき場合を規定することが適当である。平成30年改正においては、衆議院における修正によって、本項第8号（平成30年改正当時、第6号）に、事業者から消費者への不適切な強い働き掛けの回避に関する新たなルールが追加された。

オ　契約前の義務実施・契約前活動の損失補償請求（第9号・第10号）

　事業者が、消費者が契約の申込み又はその承諾の意思表示をする前に、消費者契約を締結したならば負うこととなる義務の全部又は一部を実施するなど、消費者が契約の締結を断りきれない状況を作り出した上で、消費者に対して契約の締結を求めることにより、消費者を自由な判断ができない状況に陥らせて望まぬ契約を締結させるといった消費者被害が発生している。このような事業者の行為は、消費者に、もはや契約を締結することを免れることはできないという心理的負担を抱かせて契約を締結させるものであり、これによる意思表示の瑕疵は重大である。

　しかし、このような消費者被害は、不退去又は退去妨害には当たらない事業者の行為によっても発生し得るため、本項第1号又は第2号の規定によって救済することは困難である。そこで、消費者契約の特性を踏まえた上で、「困惑」を要件としつつ、それと結び付く事業者の不当性の高い行為を類型化することにより、明確かつ具体的な要件をもって消費者に意思表示の取消しを認めるべき場合を規定することが適当であることから、平成30年改正において、本項第9号及び第10号（平成30年改正当時、第7号及び第8号）に、事業者から消費者への不適切な強い働き掛けの回避に関する新たなルールを設けることとした。

(3)　令和4年通常国会改正

　法は、事業者の不当な勧誘行為により消費者が困惑し、それによって契約を締結した場合において、消費者に契約に係る意思表示の取消しを認める規定を設けている（本項。困惑類型）。

　この規定における不当な勧誘行為について、立法時は不退去（第1号）と退去妨害（第2号）のみを定めていたところ、平成30年の改正により六つの

72　第1編　逐条解説　第2章　消費者契約

行為が追加された（第5号〜第10号。平成30年改正当時、第3号〜第8号）。この改正により救済できる消費者被害の範囲が広がったものの、その一方で、消費者被害が多様化する中で、既存の規定では被害救済が困難な事案も生じている。そこで、現に生じている消費者被害の実態に照らし、困惑類型の取消権に係る不当な勧誘行為を追加することとした。

　なお、令和4年通常国会改正は、不当な勧誘行為を追加することで取消しの範囲を広げるものであり、既存の規定の解釈を狭めるものではない。

ア　消費者を任意に退去困難な場所に同行し勧誘（第3号）

　退去妨害（第2号）は、消費者が退去する旨の意思を示したにもかかわらず、事業者が消費者を退去させないことが要件とされている。この点、勧誘目的を告げずに消費者を退去困難な場所に連れて行った上で勧誘をすることは、消費者をそれと知らせずに退去困難な場所に移動させた上で不意打ち的な事態（勧誘）への対応と突発的な判断を迫ることであり、消費者にとっては退去困難な場所で想定外の勧誘への対応を強いられる状況下にあって退去する旨の意思を示すことは困難になると考えられる。消費者をそのような状況に置くことは、退去妨害と同程度の不当性があるといえる。

　そこで、当該消費者契約の締結について勧誘をすることを告げずに、当該消費者が任意に退去することが困難な場所であることを知りながら、当該消費者をその場所に同行し、その場所において当該消費者契約の締結について勧誘をすることを追加している。

イ　契約締結の相談を行うための連絡を威迫する言動を交えて妨害（第4号）

　近年、特に若年の消費者に顕著な消費者被害として、店舗等において勧誘を受けた消費者が、事業者に対し、契約の目的物が高額である等の理由から、その場で電話等の方法で「親に相談したい」等と告げたにもかかわらず、事業者は「自分の意思で決めるように」、「他の学生は一人で決めている」等と消費者を威迫し、消費者が親等の第三者に相談することを妨害し、契約を締結させるというものがある。また、一人暮らしの消費者が、訪問販売のために訪れた事業者に対し、高齢のため別居している子供と相談したいと伝えたら、事業者の態度が急に変わり口調も強くなって、契約を締結させられたという被害もある。このような消費者被害については、消費者が退去する旨の意思等を示していないため既存の困惑類型により取

第1節　消費者契約の申込み又はその承諾の意思表示の取消し（第4条～第7条）**第4条**　73

り消すことはできないものの、これらと同程度の不当性があるといえる。

　そこで、消費者が消費者契約の締結について勧誘を受けている場所において、当該消費者契約を締結するか否かを相談するために電話その他の内閣府令で定める方法によって事業者以外の者と連絡する旨の意思を示したにもかかわらず、威迫する言動を交えて、当該消費者が当該方法によって連絡することを妨げることを追加している。

　　ウ　契約目的物の現状変更（第9号）

　令和4年通常国会改正前の本項第7号（令和4年通常国会改正後の第9号）は、契約締結前に契約を締結したならば負うこととなる義務の全部又は一部の実施を要件としているところ、事業者が、当該義務の実施とは言えない形で、契約の目的物の現状を変更することにより、もはや契約を締結するしかないと消費者を動揺させるような状況を作出し、消費者を困惑させるという消費者被害が生じており、これを救済するため、契約締結前に、契約の目的物の現状を変更し、変更前の原状の回復を著しく困難にすることを、同号を改正する形で追加している。

(4)　令和4年臨時国会改正

　令和4年臨時国会改正前の本項第6号（令和4年通常国会改正後の第8号）は、事業者が霊感その他の合理的に実証することが困難な特別な能力による知見として、そのままでは当該消費者に重大な不利益を与える事態が生ずる旨を示してその不安をあおり、当該消費者契約を締結することにより確実にその重大な不利益を回避することができる旨を告げ、消費者が困惑した場合については、消費者は契約の申込み又はその承諾の意思表示を取り消すことができることを規定していた。

　しかし、この規定が必ずしも活用されていないことなどを踏まえ、取消権を行使できる範囲を拡大することとした。

❷　条文の解釈

(1)　要件1（事業者の行為）

　1つ目の要件として、事業者が消費者契約の締結について勧誘をするに際し、本項各号に規定する一定の行為をしたことが挙げられる。

なお、「消費者契約の締結について勧誘をするに際し」については、本条第1項・第2項の解説を参照のこと。

ア　不退去（第1号）

① 「当該事業者に対し、当該消費者が、その住居又はその業務を行っている場所から退去すべき旨の意思を示したにもかかわらず」

「その住居又はその業務を行っている場所」とは、当該消費者がその公私にわたり生活に用いている家屋等の場所をいう。このうち「その（＝当該消費者の）住居」とは、当該消費者が居住して日常生活を送っている家屋をいう。また「その（＝当該消費者の）業務を行っている場所」とは、当該消費者が自ら業を行っている場合か労務を提供している場合かを問わず、当該消費者が労働している場所をいう。

「退去すべき旨の意思を示した」とは、基本的には、退去すべき旨の意思を直接的に表示した場合（例えば、「帰ってくれ」、「お引き取りください」と告知した場合）をいう。これを間接的に表示した場合については、例えば以下の（ア）から（ウ）のようなケースであれば、直接的に表示した場合と同様の要保護性が消費者に認められ、相手方である事業者にも明確に意思が伝わることから、社会通念上「退去すべき旨の意思を示した」とみなすことが可能であると考えられる。

(ア)　時間的な余裕がない旨を消費者が告知した場合
　　　例：「時間がありませんので」、「いま取り込み中です」、「これから出かけます」と消費者が告知した場合
(イ)　当該消費者契約を締結しない旨を消費者が明確に告知した場合
　　　例：「要らない」、「結構です」、「お断りします」と消費者が告知した場合
(ウ)　口頭以外の手段により消費者が意思を表示した場合
　　　例：消費者が、手振り身振りで「帰ってくれ」、「契約を締結しない」という動作をした場合

② 「それらの場所から退去しないこと」

「それらの場所」とは、「その住居又はその業務を行っている場所」を受ける。

「……から退去しないこと」については、滞留時間の長短を問わない。

第1節　消費者契約の申込み又はその承諾の意思表示の取消し（第4条〜第7条）第4条　75

＜不退去型事例とその考え方＞

〔事例4-25〕
　高額な子供用の教材を購入させられた。午前0時半まで説明を聞かされ、「子供が寝るので帰ってください」と言っても帰らなかったので仕方なく契約した。
〔考え方〕
　消費者が、その住居から退去すべき旨の意思を示した（「子供が寝るので帰ってください」と言った）にもかかわらず、事業者が退去しなかったので、本項第1号の要件に該当し、取消しが認められる。

〔事例4-26〕
　訪問販売で整水器を勧められ、何度も断ったのに長時間居座り、帰らないので仕方なく契約した。
　「高血圧、心臓肥大、甲状腺異常、座骨神経痛等の治療中で医療費がかかり、払えない。余命いくばくもない」などと説明し、何度も断ったが、5時間近くも居座り帰らないので、体の具合も悪くなり力尽きて契約した。
〔考え方〕
　消費者が、その住居から退去すべき旨の意思を示した（何度も断っていた）にもかかわらず、事業者が退去しなかったので、本項第1号の要件に該当し、取消しが認められる。

〔事例4-27〕
　健康器具の販売で、販売員が自宅で3時間にわたり説明を行った。途中でもう帰ってほしいというそぶりを示したが、結局困惑して購入してしまった。
〔考え方〕
　帰ってほしいというそぶりが、身振り手振りで「帰ってくれ」、「契約を締結しない」という動作をする等、事業者にも明確に意思が伝わるレベルのものであれば退去すべき旨の意思を示したことに当たり、本項第1号の要件に該当し、取消しが認められる。
　帰ってほしいというそぶりが、事業者にも明確に意思が伝わるレベルのものでなければ退去すべき旨の意思を示したことには当たらず、本項第1号の要件に該当しないので、取消しは認められない。

76 第1編 逐条解説 第2章 消費者契約

〔事例4-28〕
　行政書士講座の電話勧誘があり断ったが、書類が送付されて「契約しないと
給料を差し押さえる」と言われ、契約した。
〔考え方〕
　電話で勧誘することは、住居等から「退去しないこと」にも、勧誘をしてい
る場所から消費者を「退去させないこと」にも該当せず、本項の要件に該当し
ないので取消しは認められない。
　ただし、民法の強迫に当たる可能性や特定商取引法のクーリング・オフ（8
日以内）の規定により救済される可能性がある。

〔事例4-29〕
　来訪した販売員から勧誘を受け、最初はあまり興味がなかったので「（購入
は）考えていません」と伝えたが、販売員がなお説明を続けるのを聞いている
うちに興味が強まり、最終的に納得したうえで購入した。
〔考え方〕
　消費者は「（購入は）考えていません」と伝えており、これは「その住居から
退去すべき旨の意思を示した」に該当し得るものの、消費者が最終的に納得し
た上で購入したのであれば、困惑したために契約したとはいえず、本項の要件
に該当しないので取消しは認められない。

　イ　退去妨害（第2号）
　①　「当該事業者が当該消費者契約の締結について勧誘をしている場所から当
　　該消費者が退去する旨の意思を示したにもかかわらず」
　「当該事業者が当該消費者契約の締結について勧誘をしている場所」に
ついては、当該事業者が勧誘（本条第1項・第2項の解説を参照のこと）をし
ている場所であれば、どのような種類の場所であってもよい。
　「退去する旨の意思を示した」とは、基本的には、退去する旨の意思を直
接的に表示した場合（例えば「帰ります」、「ここから出してください」と告知
した場合）をいう。これを間接的に表示した場合については、例えば以下の
（ア）から（ウ）のようなケースであれば、直接的に表示した場合と同様の
要保護性が消費者に認められ、相手方である事業者にも明確に意思が伝わ

第1節　消費者契約の申込み又はその承諾の意思表示の取消し（第4条〜第7条）**第4条**　77

ることから、社会通念上「退去する旨の意思を示した」とみなすことが可能であると考えられる。

　（ア）　時間的な余裕がない旨を消費者が告知した場合

　　　　例：「時間がありませんので」、「これから別の場所に用事がある」と消費者が告知した場合

　（イ）　当該消費者契約を締結しない旨を消費者が明確に告知した場合

　　　　例：「要らない」、「結構です」、「お断りします」と消費者が告知した場合

　（ウ）　口頭以外の手段により消費者が意思を表示した場合

　　　　例：消費者が帰ろうとして部屋の出口に向かった場合

　　　　手振り身振りで「契約を締結しない」という動作をしながら、消費者がイスから立ち上がった場合

② 「その場所から当該消費者を退去させないこと」

「その場所」とは、「当該事業者が当該消費者契約の締結について勧誘をしている場所」を受ける。

「……から当該消費者を退去させないこと」とは、物理的な方法であるか心理的な方法であるかを問わず、消費者の一定の場所からの脱出を不可能又は著しく困難にする行為をいう。拘束時間の長短は問わない。

＜退去妨害型の事例とその考え方＞

〔事例4-30〕

　営業所で13時から24時まで勧誘され、頭がボーっとして帰りたくて契約書にサインをした。帰りたいと言ったのに帰してくれなかった。普通の状態だったら契約はしなかった。

〔考え方〕

　消費者が勧誘の場所から退去する旨の意思を示した（「帰りたい」と言った）にもかかわらず、事業者が消費者を退去させなかったので、本項第2号の要件に該当し、取消しが認められる。

〔事例4-31〕

　友人宅に電話があり、飛行機やホテルのチケットが格安になる会員の話だというので、2人で某会館へ出かけた。実際に話を聞いてみると高額なパソコ

78 第1編 逐条解説 第2章 消費者契約

ンの契約だった。夜7時から2時間半、断っているのにしつく勧誘された。その後は、ハンバーガーショップに連れて行かれ、午前1時半まで更に勧誘された。結局6時間半にわたる勧誘に朦朧として、契約書にサインした。数人に囲まれ、帰してもらえない状況だった。

〔考え方〕

　消費者が勧誘の場所から退去する旨の意思を示した（断っている）にもかかわらず、事業者が消費者を退去させなかったので、本項第2号の要件に該当し、取消しが認められる。

〔事例4-32〕

　店頭で「今日の生鮮食品はおいしいよ。買わなきゃ損だよ」と勧誘された。いったんは断って立ち去ろうとしたが、「今日限りのバーゲン。買わなきゃ損だ」と連呼され帰りにくい雰囲気になり購入してしまった。

〔考え方〕

　「今日限りのバーゲン。買わなきゃ損だ」と連呼することは、勧誘をしている場所から消費者の脱出を不可能又は著しく困難にする行為ではないため、消費者を「退去させないこと」には当たらず、本項第2号の要件に該当しないので取消しは認められない。

ウ　消費者を任意に退去困難な場所に同行し勧誘（第3号）

①　「当該消費者に対し、当該消費者契約の締結について勧誘をすることを告げずに、当該消費者が任意に退去することが困難な場所であることを知りながら、当該消費者をその場所に同行し」

　消費者の任意の退去が困難であるか否かは、当該消費者の事情を含む諸般の事情から客観的に判断されることになる。

　例えば、消費者が車で人里離れた勧誘場所に連れて行かれた場合、帰宅する交通手段がないのであれば、消費者が任意に退去することは困難であると考えられる。また、当該消費者の事情を含めて判断されるため、例えば階段の上り下りが困難といった身体的な障害がある消費者が、階段しかない建物の2階に連れて行かれた場合も、任意に退去することは困難であると考えられる。

　もっとも、この場合において、事業者が当該消費者に関する特段の事情

を把握しておらず、任意に退去することが困難であることを知らなかったときは、勧誘行為には取消しに値する程の不当性はないものと考えられることから、当該消費者が任意に退去することが困難であることについての事業者の主観的認識も要件としている。

また、本号における勧誘の不当性は、事業者が消費者を退去困難な場所に移動させた上で勧誘を行った点にあることから、事業者が消費者を退去困難な場所に同行したことを要件としている。そのため、例えば、飛行機に自発的に搭乗した消費者に勧誘を行う場合、機内は「当該消費者が任意に退去することが困難な場所」に該当するものの、事業者が「その場所に同行し」たわけではないため、本規定により契約を取り消すことはできないものと考えられる。また、一人暮らしの寝たきりの消費者を訪問して勧誘を行う場合も、本号により契約を取り消すことはできないものと考えられる。

②　「その場所において当該消費者契約の締結について勧誘をすること」
＜消費者を任意に退去困難な場所に同行し勧誘型の事例とその考え方＞

〔事例4-33〕
　知人から観光に誘われ、その知人が勤める店の車に乗ったところ、観光目的地の途中で、知人が勤める店の展示会場に連れていかれた。腰椎ベルトを勧められ、その店の車で来ていたことから断れず、契約してしまった。
〔考え方〕
　勧誘をすることを告げずに消費者を任意に退去困難な場所に同行し、勧誘をしたといえるため、本項第3号の要件に該当し、取消しが認められる。

　エ　契約締結の相談を行うための連絡を威迫する言動を交えて妨害（第4号）
　①　「当該消費者が当該消費者契約の締結について勧誘を受けている場所において、当該消費者が当該消費者契約を締結するか否かについて相談を行うために電話その他の内閣府令で定める方法によって当該事業者以外の者と連絡する旨の意思を示したにもかかわらず、」

消費者が当該事業者以外の者と連絡する方法については内閣府令（消費者契約法施行規則）に委任されている。消費者契約法施行規則第1条の2では、特定の相談方法が除外されることがないよう、本号の方法は「次に掲

80　第1編　逐条解説　第2章　消費者契約

げる方法その他の消費者が消費者契約を締結するか否かについて相談を行うために事業者以外の者と連絡する方法として通常想定されるものとする」と網羅的に規定されるとともに、以下の方法が例示されている。

　（ア）　電話

　有線、無線その他の電磁的方法によって、音声その他の音響を送り、伝え、又は受けるものである限り、インターネット回線を使って通話するIP電話等も「電話」に含まれる。

　（イ）　電子メール（特定電子メールの送信の適正化等に関する法律第2条第1号に規定する電子メールをいう。）その他のその受信する者を特定して情報を伝達するために用いられる電気通信（電気通信事業法第2条第1号に規定する電気通信をいう。）を送信する方法

　いわゆるSNS（ソーシャル・ネットワーキング・サービス）のメッセージ機能を用いる場合も含まれる。

　また、技術の進展に伴い新たな連絡の方法が消費者によって用いられる場合も、当該方法が受信する者を特定して情報を伝達するために用いられる電気通信を送信する方法に当たれば本項第4号の要件を満たす。

　②　「威迫する言動を交えて、当該消費者が当該方法によって連絡することを妨げること」

　「威迫する言動」とは、他人に対して言語挙動をもって気勢を示し、不安の感を生ぜしめることをいう。民法第96条第1項の「強迫」は、相手方に畏怖（恐怖心）を生じさせる行為であるのに対して、「威迫する言動」には畏怖（恐怖心）を生じさせない程度の行為も含まれる。また、「強迫」は相手方の契約締結に係る意思表示に向けられているのに対して、「威迫する言動」は、消費者が連絡することを妨げることに向けられている。

＜契約締結の相談を行うための連絡を威迫する言動を交えて妨害型の事例とその考え方＞

〔事例4-34〕
　ショッピングセンターで、ウォーターサーバーの無料レンタルとミネラルウォーターの定期購入契約を勧められた。親に相談したいと伝えたが、それはダメだと強引に契約を迫られ、やむなく契約した。

第1節　消費者契約の申込み又はその承諾の意思表示の取消し（第4条～第7条）**第4条**　81

〔考え方〕
　消費者が契約締結の相談を行うために事業者以外の者と連絡する旨の意思を示したにもかかわらず、威迫する言動を交えて妨害したといえるため、本項第4号の要件に該当し、取消しが認められる。

オ　経験の不足による不安をあおる告知（第5号）

① 当該消費者が、社会生活上の経験が乏しいことから、社会生活上の重要な事項等（『次に掲げる事項』としてイ・ロに列挙）に対する願望の実現に過大な不安を抱いていることを知りながら

（ア）「社会生活上の経験が乏しいことから」

　社会生活上の経験とは、社会生活上の出来事を、実際に見たり、聞いたり、行ったりすることで積み重ねられる経験全般をいう。

　社会生活上の経験が乏しいとは、社会生活上の経験の積み重ねが消費者契約を締結するか否かの判断を適切に行うために必要な程度に至っていないことを意味する。

　社会生活上の経験が乏しいか否かは、年齢によって定まるものではなく、中高年のように消費者が若年者でない場合であっても、社会生活上の経験の積み重ねにおいてこれと同様に評価すべき者は、本要件に該当し得る。

　社会生活上の経験の積み重ねにおいて若年者と同様に評価すべき者か否かは、当該消費者の就労経験や他者との交友関係等の事情を総合的に考慮して判断するものと考えられる。

　社会生活上の経験が乏しいことから、過大な不安を抱いていること等の要件の解釈については、契約の目的となるもの、勧誘の態様などの事情を総合的に考慮し、例えば、勧誘の態様が悪質なものである場合には、消費者による取消権が認められやすくなるものと考えられる。

（イ）「社会生活上の重要な事項等に対する願望」

　消費者の願望の対象となる事項として規定上は、「次に掲げる事項」とした上で、以下の事項をイ及びロとして列挙することとした。

イ　進学、就職、結婚、生計その他の社会生活上の重要な事項

ロ　容姿、体型その他の身体の特徴又は状況に関する重要な事項

82　第1編　逐条解説　第2章　消費者契約

a　進学、就職、結婚、生計その他の社会生活上の重要な事項

「社会生活上の重要な事項」とは、進学、就職、結婚、生計といった、一般的・平均的な消費者にとって社会生活を送る上で重要な事項をいう。ここで、「生計」とは、暮らしを立てるための手立てをいい、生活上の費用を得るための方法に関する事項を想定したものである。

「進学、就職、結婚、生計」は飽くまで例示であり、社会生活上の重要な事項はこれらに限られないことから、「…その他の社会生活上の重要な事項」として規定している。その他の社会生活上の重要な事項としては、例えば育児などの事項が考えられる。家族の健康等も「社会生活上の重要な事項」に含まれ得る。

b　容姿、体型その他の身体の特徴又は状況に関する重要な事項

「身体の特徴又は状況」とは、容姿、体型といった、一般的・平均的な消費者にとって、自己の身体に関わる重要な事項と考えられるものをいう。容姿、体型は例示であり、身体の特徴、状況はこれに限られない。身体の特徴としては、身長のほか、毛髪や皮膚等の特色が、身体の状況としては、体型のほか、顔に多数のニキビができていること等が挙げられる。視力の低下のように外部からは見えない身体の特徴、状況も含まれる。

例えば、ヘアケアサロン業者が、若者の社会経験の乏しさを利用して、将来も豊かな毛髪でありたいという身体の特徴に対する願望の実現に過大な不安を抱かせた上で、「このままでは毛髪が生えなくなる」などと告げて、消費者を困惑させ、高価なヘアケア商品等を購入させたような場合などが本規定の対象となり得る。なお、この事例において「このままでは毛髪が生えなくなる」などと告げたことが真実に反するのであれば、不実告知により意思表示を取り消すこともできると考えられる（事例4-60参照）[注]。

> [注]　毛髪という「身体」についての「損害又は危険」を「回避するために」は、「消費者契約の目的となるもの」であるヘアケア商品等が「通常必要であると判断される」。したがって、「消費者契約の目的となるものが……通常必要であると判断される事情」についての不実告知に該当するので、消費者はヘアケア商品等を購入する意思表示を取り消すことができる。

(ウ)　「願望の実現に過大な不安を抱いていること」

「過大な不安」とは、消費者の誰もが抱くような漠然とした不安ではなく、

社会生活上の経験が乏しいことにより、一般的・平均的な消費者に比べて「過大」に受け止められている不安をいう。通常よりは大きい心配をしている心理状態にあればこれに該当し得る。例えば、就職活動中の学生が、社会生活上の経験が乏しいことから、事業者の話をう呑みにするなどして、自分は他の学生に比べ劣っているなどと思い込んだ上で、このままでは一生就職できないという不安を抱き、その不安につけ込まれるというような場合が想定される。他方、進学や就職等の事項について、単にそれが不確実な事項であるということを理由として、消費者の誰もが抱くような漠然とした不安を抱いているにとどまるような場合は、本要件の対象とはならない。

（エ）「知りながら」

消費者が、社会生活上の経験が乏しいことから過大な不安を抱いている場合であっても、そのことを事業者が知らなかった場合には、類型的に不当性が高い行為とはいえないことから、消費者が過大な不安を抱いていることを「知りながら」ということを要件としている。

＜「社会生活上の経験が乏しい」に関する事例とその考え方＞

〔事例 4 -35〕
　実家暮らしの20歳の就活中の大学生に、その不安を知りつつ、「あなたは一生成功しない」と告げ、60万円の就職セミナーに勧誘した。
〔考え方〕
　20歳の就活中の大学生であり就労経験もないことからすると、当該契約を含む取引一般に関してノウハウや対応力が低いことから、「社会生活上の経験が乏しいこと」に該当する。

〔事例 4 -36〕
　企業において業務に長年従事し、事業者としての取引経験が豊富で交友関係も広く、家庭では財産の管理・処分をしている中年の会社員が、将来の自らの生計に過大な不安を抱いていたところ、事業者から、投資商品の情報商材の購入を何度もしつこく勧められ、これを購入した。
〔考え方〕
　企業において業務に長年従事し、事業者としての取引経験が豊富であると

84　第1編　逐条解説　第2章　消費者契約

いう経歴であること、交友関係も広く人間関係形成に係る経験が乏しいことを推認する事情も見当たらないことを考慮すると、当該契約を含む取引一般に関してノウハウや対応力を有しており、「社会生活上の経験が乏しいこと」に該当しない。

　②　「その不安をあおり、裏付けとなる合理的な根拠がある場合その他の正当な理由がある場合でないのに、物品、権利、役務その他の当該消費者契約の目的となるものが当該願望を実現するために必要である旨を告げること」

　（ア）「不安をあおり」

　「不安をあおり」とは、消費者に将来生じ得る不利益を強調して告げる場合等をいう。「物品、権利、役務その他の当該消費者契約の目的となるものが当該願望を実現するために必要である旨を告げる」という告知について、その態様を示すものである。不安をあおるような内容を直接的に告げなくとも、契約の目的となるものが必要である旨を繰り返し告げたり、強い口調で告げたりして強調する態様でも足りる。例えば、特別な対策をとらなければ就職できないと「過大な」不安を抱く学生に対して、そのことを知りながら「このセミナーを受講すればあなたでも就職できます」などと繰り返し告げることによって、その学生に、今このセミナーを受講しなければ就職できなくなるかもしれないなどと思わせた場合も、不安をあおるものとして取消しの対象としている。

　なお、不安はあらかじめ消費者が持っていたものも、事業者が新たに作り出したものも含まれるが、いずれにせよ不安をあおるような態様で告げることが必要である。

　（イ）「裏付けとなる合理的な根拠がある場合その他の正当な理由がある場合でないのに」

　「正当な理由がある場合」とは、消費者を自由な判断ができない状況に陥らせるおそれが類型的にない場合を意味する。その典型例として例示されている「裏付けとなる合理的な根拠がある場合」には科学的根拠のみならず合理的な経験則に基づくものも含み得るが、その他の「正当な理由がある場合」としては、告知内容が社会通念に照らして相当と認められる場合が考えられる。

不安を抱いている消費者に対して「物品、権利、役務その他の当該消費者契約の目的となるものが当該願望を実現するために必要である旨」を告げる場合であっても、消費者に将来発生し得る経済的リスク等を過去の客観的なデータ等に照らして説明して契約の勧誘を行う場合など、その告知内容について裏付けとなる合理的な根拠がある場合等には、むしろ消費者にとって当該消費者契約を締結するか否かを判断するために必要な情報を提供することとなるなど、当該告知を行うことについて正当な理由があると考えられる。

そこで、このような場合は消費者契約法上の取消しの対象から除き、根拠がない等の告知によって自由な判断ができない状況に陥らされる場合のみを対象とするため、「裏付けとなる合理的な根拠がある場合その他の正当な理由がある場合でないのに」という要件を規定している。

（ウ）「物品、権利、役務その他の当該消費者契約の目的となるものが当該願望を実現するために必要である旨を告げること」

過大な不安を抱いた消費者が、契約の締結について自由な判断ができない状況に陥らされるような告知内容として「物品、権利、役務その他の当該消費者契約の目的となるものが当該願望を実現するために必要である旨」を規定している。消費者契約の目的となるものが消費者の願望の実現のために必要である旨を告げることを要件としているのは、過大な不安を抱く消費者に対し、事業者が不安をあおる態様でこのような告知を行った場合には、消費者の認識において自身の願望の実現のためには契約を締結することが必須のものと考え、自由な判断ができない状況に陥らされる可能性が類型的に高いといえるためである。

「告げる」については本条第1項・第2項の解説を参照。

＜不安をあおる事例とその考え方＞

〔事例4-37〕
　学生が、就職セミナーを運営する塾会社から、「就職活動セミナーをしている」と指定の場所への来訪を要請された。セミナー終了後「ここで入塾しなければ就職活動も上手くいかない。後悔する」等と繰り返し告げられて勧誘されたため、当該学生は契約した。

86 第1編 逐条解説 第2章 消費者契約

〔考え方〕
　就職に関する願望の実現に対する不安に関し、繰り返し必要性を告げるという不安をあおる態様で告知を行っており、「不安をあおり」に該当する。

〔事例4-38〕
　幼児用教材の販売業者が、母親に、当該母親の子について「この子は想像力が足りない。学校の授業に付いていけなくなるかもしれない。」と不安をあおる告知を行い、幼児用教材の勧誘を行ったことから、当該母親は契約した。
〔考え方〕
　「想像力が足りない」、「学校の授業に付いていけなくなるかもしれない」という言葉で、母親に将来生じ得る不利益を強調して告げていることから、「不安をあおり」に該当する。

＜正当な理由がある場合の事例とその考え方＞

〔事例4-39〕
　保険の勧誘に際し、消費者の年齢に基づく将来の疾病罹患率等の客観的な資料に基づく予測と共に保険契約が必要である旨を告げた。
〔考え方〕
　告知内容について裏付けとなる合理的な根拠がある場合に該当する。

　カ　経験の不足による好意の感情の誤信に乗じた破綻の告知（第6号）
①　「当該消費者が、社会生活上の経験が乏しいことから、当該消費者契約の締結について勧誘を行う者に対して恋愛感情その他の好意の感情を抱き、かつ、当該勧誘を行う者も当該消費者に対して同様の感情を抱いているものと誤信していることを知りながら」
（ア）「社会生活上の経験が乏しいことから」
本要件については、本項第5号の解説を参照。
（イ）「当該消費者契約の締結について勧誘を行う者に対して恋愛感情その他の好意の感情を抱き、かつ、当該勧誘を行う者も当該消費者に対して同様の感情を抱いているものと誤信していることを知りながら」
ａ　「勧誘を行う者に対して恋愛感情その他の好意の感情を抱き」
「勧誘を行う者」とは、消費者と事業者の間に契約が成立するように、消

第1節　消費者契約の申込み又はその承諾の意思表示の取消し（第4条〜第7条）**第4条**　87

費者に対し勧誘行為を実施する者をいう。「勧誘を行う者」は、事業者が知っている者である必要はない。また、「勧誘を行う者」は必ずしも事業者から対価を得ている必要はない。本項第1号及び第2号では「退去すべき旨の意思を示した」又は「退去する旨の意思を示した」という意思を表示する消費者の行為が問題となるのに対し、本規定では、消費者から好意の感情が向けられる客体が問題となるため、その客体となるのは当該勧誘を行う者個人であることが明確となるよう「勧誘を行う者」という文言を用いている。また、「勧誘を行う者」である個人が「事業者」であることもあり得る。

　「恋愛感情」とは、他者を恋愛の対象とする感情をいう。「好意の感情」とは、他者に対する親密な感情をいう。代表的なものは恋愛感情であるが、それ以外の「好意の感情」であっても、良い印象や好感を超えて恋愛感情と同程度に親密な感情であれば、本規定の対象となり得る。もっとも、本要件における好意の感情というためには相当程度に親密である必要があり、単なる友情といった感情は含まれない。また、大人数の相手に対して同じように抱ける程度の好意では不十分であり、勧誘者に対する恋愛感情と同程度に特別な好意であることが必要となる。

b　「当該勧誘を行う者も当該消費者に対して同様の感情を抱いているものと誤信」

　本号は、消費者が、単に好意の感情を抱くだけではなく、勧誘者も同様の感情を持っていると誤信しており、かつ、事業者がそれを認識しているという片面的関係を要件としている。このように、事業者が消費者の誤信を知りながら勧誘する場合には、消費者が自由な判断ができない状況に陥る可能性が類型的に高いことから、そのような場合を適切に捉えるための要件である。

　したがって、消費者の認識において、勧誘者が消費者に対し恋愛感情等を有しているかどうかが不明な場合は、本要件に該当しない。また、「同様の感情を抱いているものと誤信している」ことが要件であるから、告知の時点で既に「同様の感情」が勧誘者に存在しているものと消費者が誤信している必要がある。

88 第1編 逐条解説 第2章 消費者契約

c 「同様の感情を抱いている」

「同様の感情」とは、同一である必要はないが、消費者の感情に相応する程度の感情であることが求められる。例えば、同じく恋愛感情を抱いていると誤信している場合には、その程度に多少の差があったとしても「同様の感情」を抱いているといえる。

また、恋愛感情と友情とでは「同様の感情」とはいえないが、双方の感情が密接であり対応する関係にあれば、「同様の感情」に含まれる。例えば、親が子に対する感情と子の親に対する感情や、後輩が先輩に抱く感情と先輩が後輩に抱く感情も、双方の感情が親密である場合には「同様の感情」といえる。

d 「知りながら」

本号は、消費者が、社会生活上の経験が乏しいことから勧誘者に対して好意の感情を抱き、かつ、当該勧誘を行う者も当該消費者に対して同様の感情を抱いているものと誤信していることを、事業者が「知りながら」ということを要件とし、事業者が、当該消費者の好意の感情及び誤信を知りながら、消費者契約を締結させたという類型的に不当な行為のみを対象としている。

通常の営業活動においても、消費者が一方的に勧誘者に対する好意の感情を抱いていることを事業者が認識しているにとどまるという場合は想定し得るが、「当該勧誘を行う者も当該消費者に対して同様の感情を抱いているものと誤信していること」を事業者が認識するような場合は、通常の営業活動では考え難いものである。

なお、「知りながら」の要件の立証については、勧誘者が当該消費者以外の者にも恋愛感情等に乗じた勧誘を行っていると考えられるような事実があるときなどには（消費生活センターに同一事業者による同一手口の被害事例が寄せられている場合など）、これを立証することで当該勧誘者は消費者に対して真実の恋愛感情等を有していないと評価できるものと考えられる。

＜好意の感情の事例とその考え方＞

〔事例4-40〕

日頃から同じ寮で生活しており同じサークルに所属する同郷の先輩から、

簡単にもうかる投資システムがあるという話を持ちかけられ、「その投資をするためにはDVDを購入する必要があるが、すぐに元を取れてもうかる」などと勧誘された。その際に、先輩から、「DVDを買ってくれないなら、今までのように親しくはできない」と言われ、DVDを購入した。

〔考え方〕

　日頃から同じ寮で生活し、かつ所属するサークルも同じである勧誘者に対する親密な感情の程度は、単なる良い印象や好感を超えたものであり、特別なものといえるため「好意の感情」に該当する。

②　「これに乗じ、当該消費者契約を締結しなければ当該勧誘を行う者との関係が破綻することになる旨を告げること」

（ア）　「これに乗じ」

　「これに乗じ」とは、そのような状態を利用するという意味である。本号は、消費者の恋愛感情その他の好意の感情及び当該勧誘を行う者も当該消費者に対して同様の感情を抱いているものとの誤信に事業者がつけ込んで消費者契約を締結させるという点に不当性を捉えるものであるが、「これに乗じ」という要件を規定することによって、事業者がつけ込むという主観的な意図を明確にしている。

　事業者が、消費者の好意の感情及び誤信を知りながら、消費者契約を締結しなければ勧誘者との関係が破綻することになる旨を告げて勧誘を行ったような場合には、通常、事業者に消費者の好意の感情及び誤信を利用する意図があったと推認されることになると考えられる。

　なお、本号は、勧誘前から存在する人間関係を濫用する場合を排除するものではない。例えば、勧誘前から存在する人間関係が通常の恋愛感情等であった場合で、その後、その一方当事者が勧誘者となり、既に相手方への恋愛感情等が喪失しているにもかかわらず、相手方の誤信等に乗じ勧誘したような場合は、本号に該当し得る。

（イ）　「当該消費者契約を締結しなければ当該勧誘を行う者との関係が破綻することになる旨を告げること」

　本号は、事業者が消費者との間の関係が破綻することを告げる行為が、消費者の認識において勧誘者との関係を維持するためには契約を締結する

ことを必須であると考え、自由な判断ができない状況に陥らされる可能性が類型的に高いといえることから、消費者に意思表示の取消しを認めるものである。したがって、取消しの対象となるのは、事業者が契約を締結しなければ関係が破綻する旨を告げた場合である。

「告げる」については本条第1項・第2項の解説を参照。

＜関係が破綻することになる旨を告げる事例とその考え方＞

〔事例4-41〕

　消費者に対して、勧誘者が恋愛感情を抱かせた上、それを知りつつ「契約してくれないと、今までの関係を続けられない」と告げて、高額な宝石を売りつけた。

〔考え方〕

　勧誘者は、消費者に対して「今までの関係を続けられない」と告げている。このような言動は「関係が破綻することになる旨を告げること」に該当する。

キ　判断力の低下による不安をあおる告知（第7号）

①　「当該消費者が、加齢又は心身の故障によりその判断力が著しく低下していることから、生計、健康その他の事項に関しその現在の生活の維持に過大な不安を抱いていることを知りながら」

（ア）「加齢又は心身の故障によりその判断力が著しく低下していることから」

「加齢」とは、年齢の増加をいう。「心身の故障」とは、精神的又は身体的な故障をいい、うつ病、認知症等が考えられる。年齢の増加に伴い物忘れが激しくなり契約を締結したこと自体を忘れて不要に同様の契約を締結してしまう等、契約を締結するか否かの判断を適切に行うことができない状態にある場合は、「加齢」により判断力が著しく低下しているものとして本号の対象となり得る。

「判断力」とは、一般に消費者契約の締結を適切に行うために必要な判断力をいう。「著しく低下している」とは、加齢又は心身の故障により消費者契約を締結するか否かの判断を適切に行うために必要な判断力が、一般的・平均的な消費者に比べ著しく低下している状況をいう。著しく低下しているか否かは、消費者契約の締結について事業者が勧誘をする時点の消

費者の事情に基づき判断される。例えば、消費者が認知症を発症している場合は、一般的には判断力が著しく低下している場合に該当すると考えられる。

「著しく」という要件は、事業者の不当性を基礎付けるためのものとして設けられたものであり、過度に厳格に解釈されてはならないものと考えられる[注]。

> [注] 参議院消費者問題に関する特別委員会（平成30年5月30日）における濱村進衆議院議員の答弁を参照（会議録8頁）。

（イ）　「生計、健康その他の事項に関しその現在の生活の維持に過大な不安を抱いていることを知りながら」

「生計」とは、暮らしを立てるための手立てをいい、生活上の費用を得るための方法に関する事項を想定したものである。生計、健康は例示でありこれに限られるものではない。「その他の事項」の例としては、人間関係等が挙げられる。

「現在の生活の維持」とは、当該消費者の置かれている現在の生活環境を維持することをいう。

「過大な不安を抱いている」とは、消費者の誰もが抱くような漠然とした不安ではなく、一般的・平均的な消費者に比べて「過大」に受け止められているような不安を抱いていることをいう。通常よりは大きい心配をしている心理状態にあればこれに該当し得る。

本号は、消費者が、判断力が著しく低下していることによって一般的・平均的な消費者に比べて過大な不安を抱いている状況に、事業者がつけ込んで、消費者を自由な判断ができない状況に陥らせて契約を締結させるという点に不当性を捉えるものである。そのため、事業者が「知りながら」ということを要件とし、類型的に不当な行為のみを対象としている。

＜加齢によりその判断力が著しく低下している事例とその考え方＞

〔事例4-42〕
物忘れが激しくなるなど加齢により判断力が著しく低下した消費者の不安を知りつつ、「投資用マンションを持っていなければ定期収入がないため今のような生活を送ることは困難である」と告げて、当該消費者に高額なマンションを購入させた。

92　第1編　逐条解説　第2章　消費者契約

〔考え方〕
　消費者は、物忘れが激しくなるなど年齢の増加に伴う変化により判断力が著しく低下している。このような消費者は「加齢」により判断力が著しく低下している場合に該当する。

　②　「その不安をあおり、裏付けとなる合理的な根拠がある場合その他の正当
　　　な理由がある場合でないのに、当該消費者契約を締結しなければその現在
　　　の生活の維持が困難となる旨を告げること」
　（ア）「その不安をあおり」
　「不安をあおり」とは、消費者の現在の生活の維持に生じ得る不利益を強調して告げる場合等をいう。不安をあおるような内容を直接的に告げなくとも、契約の目的となるものが必要である旨の告知を繰り返し告げたり、強い口調で告げたりして強調する態様でも足りる。
　（イ）「裏付けとなる合理的な根拠がある場合その他の正当な理由がある場合
　　　でないのに」
　「正当な理由がある場合」とは、消費者を自由な判断ができない状況に陥らせるおそれが類型的にない場合を意味する。その典型例は、例示されている「裏付けとなる合理的な根拠がある場合」であるが、その他の「正当な理由がある場合」としては、告知内容が社会通念に照らして相当と認められる場合が考えられる。
　不安を抱いている消費者に対して「当該消費者契約を締結しなければその現在の生活の維持が困難となる旨」を告げる場合であっても、その告知内容について裏付けとなる合理的な根拠がある場合等には、むしろ消費者にとって当該消費者契約を締結するか否かを判断するために必要な情報を提供することとなるなど、当該告知を行うことについて正当な理由があると考えられる。
　そこで、このような場合は消費者契約法上の取消しの対象から除き、根拠がない等の告知によって自由な判断ができない状況に陥らされる場合のみを対象とするため、「裏付けとなる合理的な根拠がある場合その他の正当な理由がある場合でないのに」という要件を規定している。

（ウ）「当該消費者契約を締結しなければその現在の生活の維持が困難となる旨を告げること」

過大な不安を抱いた消費者が、契約の締結について自由な判断ができない状況に陥らされるような告知内容として「当該消費者契約を締結しなければその現在の生活の維持が困難となる旨」を規定している。消費者契約の目的となるものが消費者の現在の生活の維持のために必要である旨を告げることを要件としているのは、過大な不安を抱く消費者に対し、事業者が不安をあおる態様でこのような告知を行った場合には、消費者の認識において自身の現在の生活の維持のためには契約を締結することが必須のものと考え、自由な判断ができない状況に陥らされる可能性が類型的に高いといえるためである。

なお、不安はあらかじめ消費者が持っていたものでも、事業者が新たに作り出した場合でもよいが、いずれにせよ不安をあおることが必要である。

「告げる」については本条第1項・第2項の解説を参照。

ク　霊感等による知見を用いた告知（第8号）

① 「当該消費者に対し、霊感その他の合理的に実証することが困難な特別な能力による知見として、当該消費者又はその親族の生命、身体、財産その他の重要な事項について、そのままでは現在生じ、若しくは将来生じ得る重大な不利益を回避することができないとの不安をあおり、又はそのような不安を抱いていることに乗じて」

（ア）「霊感その他の合理的に実証することが困難な特別な能力による知見として」

「霊感」とは、除霊、災いの除去や運勢の改善など超自然的な現象を実現する能力である。霊感以外でも「合理的に実証することが困難な特別な能力」は本号の対象となり、例えばいわゆる超能力がこれに当たる。

（イ）「当該消費者又はその親族の生命、身体、財産その他の重要な事項について、そのままでは現在生じ、若しくは将来生じ得る重大な不利益を回避することができないとの不安をあおり、又はそのような不安を抱いていることに乗じて」

本号でいう「不利益」とは、消費者又はその親族の生命、身体、財産その他の重要な事項に損害、損失が生ずることをいう。この「不利益」につ

94 第1編 逐条解説 第2章 消費者契約

いては、「将来生じ得る不利益」に加え、「現在生じている不利益」も対象
となる。また、このままでは不幸になる等の漠然としたものであっても、
個別具体的な勧誘の内容を通じ、消費者又はその親族の生命、身体、財産
その他の重要な事項について、そのままでは現在生じ、若しくは将来生じ
得る重大な不利益を回避することができない旨を伝えたとみることができ
る場合には含まれる。

　「親族」については、その範囲に特段の限定はないが、主に問題となるの
は、本人が不安を抱く程度に近しい親族（例えば、同居している親族）の場合
が多いと考えられる。

　「重大な」という要件は、消費者に取消権を付与する場合を適切に限定す
るとともに、事業者の不当性を基礎付けるためのものである。

　「不安をあおり」とは、消費者に対し「消費者又はその親族の生命、身体、
財産その他の重要な事項について、そのままでは現在生じ、若しくは将来
生じ得る重大な不利益を回避することができない旨」を強調して告げる場
合等をいう。例えば、契約の目的となるものが重大な不利益の回避のため
に必要である旨の告知を繰り返したり、強い口調で告げたりして強調する
場合が該当する。

　「不安を抱いていることに乗じて」とは、不安を抱いている状態を利用し
てという意味である。この場合の不安については、勧誘の前から消費者が
抱いていた不安であり、必ずしも勧誘者によって惹起されるものであるこ
とは要しない。

　本号における事業者の行為は、重大な不利益を与える事態が生ずる旨を
示し消費者に強い心理的負担を与えながら、その告知内容は合理的に実証
できる根拠に基づいておらず、勧誘の態様として不当性が高いため、本号
は消費者が「過大な」不安を抱いていたことは要件としていない。

　②　「その重大な不利益を回避するためには、当該消費者契約を締結すること
　　が必要不可欠である旨を告げること」

　本号は事業者が消費者に対し、重大な不利益を回避するためには、当該
消費者契約を締結することが必要不可欠である旨を告げることを要件とし
ている。この旨の告知が行われた場合には、消費者の認識において重大な
不利益の回避のためには契約を締結することが必須のものと考え、自由な

第1節　消費者契約の申込み又はその承諾の意思表示の取消し（第4条～第7条）**第4条**　95

判断ができない状況に陥らされる可能性が類型的に高いといえることから、そのような場面を適切に捉えるための要件である。

　「必要不可欠である旨を告げること」とは、必ずしも「必要不可欠」という言葉をそのまま告げる必要はなく、勧誘行為全体としてそれと同等程度の必要性及び切迫性が示されている場合も含まれるものと考えられる。

　「告げる」については本条第1項・第2項の解説を参照。

＜霊感等による知見を用いた告知型の事例とその考え方＞

〔事例4-43〕

　運勢相談をしたところ、事業者から、「私は霊能者であり、あなたの霊が見える。あなたには悪霊がついておりそのままでは病状が悪化する。この数珠を買わないと悪霊が去らない。」と言われ、50万円を支払った。

〔考え方〕

　事業者は霊能者を名のり、霊が見える、悪霊がついておりそのままでは病状が悪化するなど、超自然的な現象を実現する能力に基づく知見として消費者に重大な不利益を回避することができない事態が生ずる旨を示して不安をあおっている。このような事業者は「霊感その他の合理的に実証することが困難な特別な能力による知見として」消費者の重要な事項について、そのままでは現在生じている重大な不利益を回避することができないとの不安をあおり、その重大な不利益を回避するためには、当該消費者契約を締結することが必要不可欠である旨を告げる場合に該当する。

　ケ　契約前の義務実施・契約目的物の現状変更（第9号）

　①　「当該消費者が当該消費者契約の申込み又はその承諾の意思表示をする前に、当該消費者契約を締結したならば負うこととなる義務の内容の全部若しくは一部を実施し、又は当該消費者契約の目的物の現状を変更し」

　ある事業者の行為が「当該消費者契約を締結したならば負うこととなる義務の内容の全部若しくは一部を実施し」たといえるか否かは、その行為が、通常、当該消費者契約を締結したならば当該事業者が実施する行為であるか否かなどの事情を考慮して判断する。

　事業者が通常実施する行為であるか否かを基準としたのは、本号が、消費者契約の締結に先立って、その契約を締結したならば負う義務の内容を

96 第1編 逐条解説 第2章 消費者契約

事業者が実施した際に適用されるという、いわば仮定的な消費者契約を念頭に置いた規定であるところ、事業者が勧誘を行っている時点では当該消費者契約の義務の内容が必ずしも明らかとはなっていないことから、実際に締結された消費者契約の義務内容を基準とすることは適当でない。それゆえ、その義務内容を特定する必要があるため、「通常」当該事業者が実施する行為を基準とした。

② 「その実施又は変更前の原状の回復を著しく困難にすること」

「原状の回復を著しく困難にすること」とは、事業者が義務の全部若しくは一部を実施し、又は目的物の現状を変更することによって、実施・変更前の原状の回復を物理的に又は消費者にとって事実上不可能とすることをいう。「原状」とは、事業者による義務の全部若しくは一部の実施前又は目的物の現状変更前の状態をいう。

事業者が、消費者による意思表示の前に、義務の全部若しくは一部を実施し、又は目的物の現状を変更するのみならず、実施・変更前の状態に戻すことが著しく困難なものとした場合には、事業者が作出した既成事実から逃れることができないという消費者の心理的負担はより重いものになると考えられる。本要件は、このような不当性の高い事業者の行為を適切に捉えるためのものである。

消費者に心理的負担を生じさせる類型を適切に捉えるという本要件の趣旨に照らし、「原状の回復を著しく困難にすること」には、原状回復を物理的に不可能とすることのほか、消費者にとって事実上不可能な状態にすることも含まれる。

消費者にとって原状回復が事実上不可能である状態であるか否かは、当該消費者契約において、一般的・平均的な消費者を基準として社会通念を基に規範的に判断される。例えば、原状の回復について専門知識や経験、道具等が必要となるために、一般的・平均的な消費者をして原状の回復が事実上不可能であるといえる場合には、「原状の回復を著しく困難にする」ものと考えられる。他方で、単に消費者に契約の目的物である動産を引き渡すといった場合であれば、一般的・平均的な消費者であれば事業者に動産を返還することにより容易に原状の回復が可能であるといえるから、「原状の回復を著しく困難にする」ものとは考えられない。

第1節　消費者契約の申込み又はその承諾の意思表示の取消し（第4条～第7条）**第4条**　97

＜契約前の義務実施型事例とその考え方＞

〔事例 4 -44〕
　さお竹屋が自宅のそばに来たので話をしたところ、契約をする前に事業者が庭の物干し台の位置を見ながらメジャーで必要な長さを測定し、それに合わせてさお竹を必要な寸法に切って代金を請求してきた。既にさお竹は自分に必要な寸法に切られてしまっているため断ることができずに代金を払ってしまった。
〔考え方〕
　さお竹を切った行為は、通常、契約を締結したならば事業者が実施する行為であり、「当該消費者契約を締結したならば負うこととなる義務の内容」に該当する。また、消費者にとって、切断されたさお竹を切断前へ原状の回復をすることは、物理的に不可能であり、「原状の回復を著しく困難にする」に該当する。したがって、本項第9号の要件に該当し、取消しが認められる。

〔事例 4 -45〕
　ガソリンを入れようとガソリンスタンドに立ち寄ったところ、店員が「無料点検を実施しています」と言いながら、勝手にボンネットを開けてエンジンオイルも交換してしまった。断ることができず、エンジンオイルの費用を払ってしまった。
〔考え方〕
　エンジンオイルを交換する行為は、通常、契約を締結したならば事業者が実施する行為であり、「当該消費者契約を締結したならば負うこととなる義務の内容」に該当する。また、新しいオイルを抜き取り古いオイルを入れ直すことは、物理的には可能とも考えられるものの、オイルの交換作業には一定の技術や経験、道具が必要とされると考えられ、一般的・平均的な消費者はこのような技術や経験、道具を通常持っているとは言い難く、原状の回復が事実上不可能であるといえるので、「原状の回復を著しく困難にする」に該当する。したがって、本項第9号の要件に該当し、取消しが認められる。

＜契約目的物の現状変更型の事例とその考え方＞

〔事例 4 -46〕
　不用品の買取りのために訪問した業者に対し、査定してもらうために指輪

98　第1編　逐条解説　第2章　消費者契約

やネックレスなどの貴金属を見せたところ、「切断しないと十分な査定ができ
ない」と言われ、全ての貴金属を切断されてしまい、買取りに応じてしまった。
〔考え方〕
　契約締結前に契約の目的物の現状を変更し、変更前の原状の回復を著しく
困難にしているため、本項第9号の要件に該当し、取消しが認められる。

　コ　契約前活動の損失補償請求（第10号）
　①　「前号に掲げるもののほか、当該消費者が当該消費者契約の申込み又はそ
　　の承諾の意思表示をする前に、当該事業者が調査、情報の提供、物品の調達
　　その他の当該消費者契約の締結を目指した事業活動を実施した場合」
　（ア）「前号に掲げるもののほか」
　「前号に掲げるもののほか」とは、第10号の適用の対象には第9号の対象
となる行為が含まれないことをいう。すなわち、第10号の対象となる行為
は、消費者契約の申込み又は承諾の意思表示をする前に行われる「消費者
契約の締結を目指した事業活動」から、第9号の対象となる行為（消費者契
約の締結前に義務の全部若しくは一部を実施し、又は当該消費者契約の目的物の
変更を変更し、かつ原状の回復を著しく困難にするもの）を除いたものである
ことを示すものである。
　（イ）「当該消費者が当該消費者契約の申込み又はその承諾の意思表示をする
　　　前に、当該事業者が調査、情報の提供、物品の調達その他の当該消費者契
　　　約の締結を目指した事業活動を実施した場合」
　「当該消費者契約の締結を目指した事業活動」とは、事業者が特定の消費
者との契約締結を目的として行う事業活動をいう。例えば、事業者が契約
を行う前に実施する目的物の調査や、商品についての説明など、当該消費
者契約の締結に向けた準備行為が挙げられる。
　「調査、情報の提供、物品の調達」は例示であって、これらの行為に限定
されるものではない。「その他の当該消費者契約の締結を目指した事業活
動」には、例えば、事業者による遠隔地からの消費者の住居への来訪など
が含まれる。他方で、事業者が特定の消費者との間での消費者契約の締結
を目指した事業活動とはいえないような行為（例えば、自社の知名度を上げ
るためにチラシを配布するような行為）は、「当該消費者契約の締結を目指し

た事業活動」には当たらない。

● **第9号と第10号の適用の対象となる行為**

　義務の全部又は一部の実施に当たる行為のうち、原状の回復が著しく困難なものは上記のとおり第9号の適用の対象となることから、第10号の適用の対象となる事業者の行為は、義務の全部又は一部の実施に当たらない行為に加え、義務の全部又は一部の実施に当たる行為のうち、原状の回復が著しく困難ではないものとなる。

　例えば、「物品の調達」には、消費者契約の締結に向けた準備行為に当たる場合のほか、物品が消費者契約の目的物となっている場合など義務の全部又は一部の実施に当たる場合も考えられる。物品の調達を義務の全部又は一部として実施し、かつ原状の回復を著しく困難にした場合（例えば調達した物品が個別に製作される特注品である場合等）には、第9号の適用の対象となる。他方で、物品の調達を義務の全部又は一部として実施したが原状の回復を著しく困難にしたとはいえない場合（例えば調達した物品が汎用的なもので転用や返品が可能であると考えられる場合等）には第10号の適用の対象となり得る。

　②　「当該事業活動が当該消費者からの特別の求めに応じたものであったことその他の取引上の社会通念に照らして正当な理由がある場合でないのに、当該事業活動が当該消費者のために特に実施したものである旨及び当該事業活動の実施により生じた損失の補償を請求する旨を告げること。」

　（ア）　「当該事業活動が当該消費者からの特別の求めに応じたものであったことその他の取引上の社会通念に照らして正当な理由がある場合でないのに」

　「特別の求め」とは、消費者の事業者に対する調査等の事業活動の求めが、消費者契約の締結に際して一般的にみられる程度を超え、信義に反する程度の要求に至ったことをいう。

　消費者が消費者契約の締結に先立ち消費者契約の締結の意思決定の判断のために事業者に一定の調査等の事業活動を求めることは、消費者契約の締結に際して一般的にみられるものである。もっとも、消費者の事業者に対する調査等の事業活動の求めが消費者契約の締結に際して一般的にみられる程度を超えた場合、事業者が消費者に対して調査等の事業活動による

損失の補償の請求をすることは必ずしも不当であるとはいえないことから、本要件はそのような場合を本号の適用対象から除くこととした。

「正当な理由がある場合」とは、消費者からの特別の求めに応じた場合と同程度に、事業者による損失補償の請求に正当性が認められる場合をいう。

（イ）「当該事業活動が当該消費者のために特に実施したものである旨及び当該事業活動の実施により生じた損失の補償を請求する旨を告げること」

「当該消費者のために特に実施したものである旨」を「告げること」とは、消費者契約の締結を目指した事業活動を当該消費者のために特別に実施した旨を告げることをいう。

「損失の補償を請求する旨を告げる」とは、事業者が消費者に対して当該消費者のために特に実施した行為に係る費用を請求する旨を告げることをいう。

● 「告げる」方法

「告げる」については、必ずしも口頭によることを必要とせず、書面に記載して消費者に知悉させるなど消費者が実際にそれによって認識し得る態様の方法であればよい。例えば、人件費や旅費といった特定の損失の項目に言及して請求するなど、明示的にその旨を告げる場合のほか、領収書等の損失の項目の根拠資料を示しながら「どうしてくれるんだ」などと告げた場合も含む。

＜調査、情報の提供、物品の調達その他の当該消費者契約の締結を目指した事業活動を実施した事例とその考え方＞

〔事例4-47〕
　廃品回収の事業者が、消費者の求めに応じ4階の自宅まで上がってきた。消費者が廃品回収の値段を聞いて断ると、「わざわざ上の階まで来ているのにこのままでは帰れない。4階まで上がった分の手間賃を払え」と言われて契約を急かされたので契約してしまった。
〔考え方〕
　消費者宅への来訪は、通常は、廃品回収の消費者契約の義務の全部又は一部に当たらない消費者契約の締結に向けた準備行為であり、「消費者契約の締結を目指した事業活動」に該当する。

第1節　消費者契約の申込み又はその承諾の意思表示の取消し（第4条〜第7条）**第4条**　101

〔事例4-48〕
　保険の見直しをしようと思い、近所のファミレスにFP（ファイナンシャル・プランナー）を派遣してもらった。ファミレスで3回会って食事しながら説明を受けた。食事代は事業者が支払った。提示された保険の見積額が高いので4回目の面会時に契約を断ると、「契約しないならこれまでの飲食代を支払え」と言われた。

〔考え方〕
　消費者への商品の説明は、消費者契約の義務の全部又は一部に当たらない消費者契約の締結に向けた準備行為であり、「消費者契約の締結を目指した事業活動」に該当する。

＜「損失の補償を請求する旨を告げる」に関する事例とその考え方＞

〔事例4-49〕
　保険の見直しをしようと思い、近所のファミレスにFPを派遣してもらった。ファミレスで3回会って食事しながら説明を受けた。食事代は事業者が支払った。提示された保険の見積額が高いので4回目の面会時に契約を断ると、「契約しないならこれまでの飲食代を支払え」と言われた。

〔考え方〕
　事業者は、商品説明の際に生じた損失である飲食代の補償の請求を明示的に行っていることから、「損失の補償を請求する旨を告げる」に該当する。

〔事例4-50〕
　不動産販売の勧誘で会ってほしいと言われてファミレスで3回会って食事しながら説明を受けた。食事代は事業者が支払った。不動産の見積額が高いので4回目の面会時に契約を断ると、飲食代の領収書を見せながら「契約してくれなければ大損だ」と言った。

〔考え方〕
　事業者は、明示的に飲食代を請求しているわけではないが、手に持った飲食代の領収書と発言が相まって、消費者がそれによって損失の補償を請求されたものと認識し得る態様の方法で請求しているといえるため、「損失の補償を請求する旨を告げる」に該当する。

102 第1編 逐条解説 第2章 消費者契約

(2) 要件2（消費者の当該消費者契約の申込み又はその承諾の意思表示）

本項における二つ目の要件として、消費者の当該消費者契約の申込み又はその承諾の意思表示が存在することが挙げられる。

「当該消費者契約の申込み又はその承諾の意思表示をした」

本条第1項・第2項の解説を参照のこと。

(3) 要件3（要件1と要件2の因果関係）

本項における三つ目の要件として、事業者の行為（以下「要件1」という。）と消費者の当該消費者契約の申込み又はその承諾の意思表示（以下「要件2」という。）の因果関係が存在することが挙げられる。

消費者に取消権を与えるためには、消費者に意思表示の瑕疵がある（他人からの不当な干渉を受け、意思決定が自由に行われなかった）ことが必要である。したがって、要件1という先行事実が消費者に困惑を生じさせ、この困惑が要件2という後行事実を生じさせるという二重の因果関係（事業者の行為→消費者の困惑→消費者の当該消費者契約の申込み又はその承諾の意思表示）を規定することとする。この場合、消費者の困惑を通じて要件1という先行事実が要件2という後行事実を生じさせることを、明示的に規定している。

「により困惑し、それによって」

「困惑」とは、困り戸惑い、どうしてよいか分からなくなるような、精神的に自由な判断ができない状況をいう。畏怖（おそれおののくこと、怖じること）をも含む、広い概念である。

(4) 効果

「これを取り消すことができる」

本条第1項・第2項の解説を参照のこと。

● 民法の強迫と本法の「困惑」類型（本条第3項）との比較

本法は、消費者と事業者との間の交渉力の格差が消費者契約（消費者と事業者との間で締結される契約）のトラブルの背景になっていることが少なくないことを前提として、消費者契約の締結に係る意思表示の取消しについては、

第1節　消費者契約の申込み又はその承諾の意思表示の取消し（第4条～第7条）**第4条**　103

民法の強迫が成立するための厳格な要件を緩和するとともに、抽象的な要件を具体化・明確化したものである。これによって消費者の立証負担を軽くし、消費者が事業者の不適切な勧誘行為に影響されて締結した契約から離脱することを容易にすることが可能となる。

		民法の強迫（第96条）	本法の「困惑」類型（本条第3項）
要　件		①二重の故意	
		②強迫行為	①事業者の行為（注）
		③強迫の違法性	
		④二重の因果関係	②二重の因果関係
効　果		取消し	取消し
	善意の第三者との関係	対抗できる。	対抗できない。
	第三者の行為	取消し可	事業者が媒介を委託した第三者の場合は取消し可
	取消権の期間制限	追認可能時から5年行為時から20年	追認可能時から1年契約締結時から5年

(注)　事業者の行為
(1)　消費者契約の締結について勧誘をするに際し
(2)　本項第1号ないし第10号に掲げる行為をすること

解説
(1)　民法の強迫の要件のうち本法の「困惑」類型で要件とされないものは、「二重の故意」、「強迫行為」、「強迫の違法性」である。
(2)　本法の「困惑」類型においては、民法の「強迫行為」（相手方に畏怖を生じさせる行為）がなくても、消費者契約の場面に即した一定の「事業者の行為」（客観的・外形的には「困惑」類型に当てはまるが、必ずしも相手方に畏怖を生じさせない行為）があればよい。

104　第1編　逐条解説　第2章　消費者契約

Ⅲ　第4項（過量契約）

> 4　消費者は、事業者が消費者契約の締結について勧誘をするに際し、物品、権利、役務その他の当該消費者契約の目的となるものの分量、回数又は期間（以下この項において「分量等」という。）が当該消費者にとっての通常の分量等（消費者契約の目的となるものの内容及び取引条件並びに事業者がその締結について勧誘をする際の消費者の生活の状況及びこれについての当該消費者の認識に照らして当該消費者契約の目的となるものの分量等として通常想定される分量等をいう。以下この項において同じ。）を著しく超えるものであることを知っていた場合において、その勧誘により当該消費者契約の申込み又はその承諾の意思表示をしたときは、これを取り消すことができる。事業者が消費者契約の締結について勧誘をするに際し、消費者が既に当該消費者契約の目的となるものと同種のものを目的とする消費者契約（以下この項において「同種契約」という。）を締結し、当該同種契約の目的となるものの分量等と当該消費者契約の目的となるものの分量等とを合算した分量等が当該消費者にとっての通常の分量等を著しく超えるものであることを知っていた場合において、その勧誘により当該消費者契約の申込み又はその承諾の意思表示をしたときも、同様とする。

1　趣旨

　平成13年4月に本法が施行された後の高齢化の進展の影響も受け、事業者が、認知症の高齢者その他の合理的な判断をすることができない事情がある消費者に対し、その事情につけ込んで、不必要な物を大量に購入させるといった消費者被害が発生している。このような消費者被害の救済は、公序良俗違反による法律行為の無効（民法第90条・いわゆる暴利行為の無効）や、不法行為に基づく損害賠償請求（民法第709条）によって図ること等も考えられるが、これらの規定は抽象的であり、どのような場合に意思表示が無効となったり損害賠償請求が認められたりするかについて、必ずしも

第1節　消費者契約の申込み又はその承諾の意思表示の取消し（第4条〜第7条）**第4条**　105

明らかであるとはいえない。そこで、消費者契約の特性を踏まえた上で、明確かつ具体的な要件をもって、消費者に意思表示の取消しを認めるべき場合について規定することが適当であることから、平成28年改正において、新たに本項の規定を設けることとした。

　具体的には、消費者は、事業者が消費者契約の締結について勧誘をするに際し、当該消費者契約の目的となるものの分量等が当該消費者にとっての通常の分量等を著しく超えるものであること（以下、このことを「過量」であるといい、このような消費者契約を「過量な内容の消費者契約」という。）を知っていた場合において、その勧誘により当該消費者契約の申込み又はその承諾の意思表示をしたときは、これを取り消すことができることとしている。

　ここでいう過量な内容の消費者契約とは、「消費者の生活の状況」（後述するように、友人が自宅に遊びに来る等の一時的な生活の状況も含まれる。）や「これについての当該消費者の認識」も考慮に入れた上で、その目的となるものが当該消費者にとって過量であると判断される消費者契約であり、通常であれば、そのような契約を締結する必要はないと考えられる。それにもかかわらず、消費者が過量な内容の消費者契約を締結してしまうのは、当該消費者に、当該消費者契約を締結するか否かについて合理的な判断をすることができない事情（例えば、加齢や認知症による判断能力の低下、知識・経験の不足、事業者による断りにくい状況の作出等）がある場合であると考えられる。そして、消費者に取消権を認めるべきであるのは、事業者が当該事情を利用して当該消費者契約を締結させた場合であるところ、事業者が、当該消費者にとって過量な内容の消費者契約であることを知りながら、当該消費者契約の締結について勧誘をし、当該勧誘によって消費者が当該消費者契約の申込み又はその承諾の意思表示をした場合には、事業者が消費者の上記事情を利用して当該消費者契約を締結させたものと考えられる。このように、本項の規定は、事業者が、合理的な判断をすることができない事情がある消費者に対し、その事情につけ込んで不要な契約を締結させるような場合のうち、一つの類型について取消しを認めたものである。

106　第1編　逐条解説　第2章　消費者契約

２　条文の解釈

(1)　要件１（過量な内容の消費者契約であること）

　本項の規定が適用されるための一つ目の要件は、消費者が締結した消費者契約の目的となるものの分量等が、当該消費者にとっての通常の分量等を著しく超えるものであること（過量な内容の消費者契約であること）である。

　なお、消費者が既に同種契約（当該消費者契約の目的となるものと同種のものを目的とする消費者契約）を締結していた場合には、当該同種契約の目的となるものの分量等と、新たに消費者が締結した消費者契約の目的となるものの分量等とを合算した分量等が、当該消費者にとっての通常の分量等を著しく超えるものであることが要件となる。

①　「物品、権利、役務その他の当該消費者契約の目的となるもの」

　「当該消費者契約の目的となるもの」の例示として、

　　　ア　物品（一般的には、有体物たる動産をいう。例えば、自動車、電気製品、化粧品、絵画、着物、健康食品等）

　　　イ　権利（一定の利益を請求し、主張し、享受することができる法律上正当に認められた力をいう。例えば、スポーツ施設を利用する権利等）

　　　ウ　役務（他人のために行う種々の労務又は便益の提供をいう。例えば、住宅建築請負、結婚情報サービス、予備校での授業等）

の３つを掲げている。

　このほか、これら三つの概念には必ずしも含まれない給付の対象（例えば、不動産、無体物〔電気等〕）も「当該消費者契約の目的となるもの」に当たる。

②　「分量、回数又は期間（以下この項において「分量等」という。)」

　本項の適用対象となるのは、消費者契約の目的となるものの「分量、回数又は期間」が当該消費者にとって通常想定される範囲を著しく超える場合である。

　したがって、例えば、消費者契約の目的となるものが、当該消費者契約を締結した消費者にとって過度な性質・性能を備えたものであったとしても、「分量、回数又は期間」が通常想定される範囲を著しく超えるものでな

第1節　消費者契約の申込み又はその承諾の意思表示の取消し（第4条～第7条）**第4条**　107

ければ、本項の規定による取消しは認められない。

③　「当該消費者にとっての通常の分量等」

　「当該消費者にとっての通常の分量等」とは、「消費者契約の目的となるものの内容及び取引条件並びに事業者がその締結について勧誘をする際の消費者の生活の状況及びこれについての当該消費者の認識に照らして当該消費者契約の目的となるものの分量等として通常想定される分量等」をいう。この分量等がどの程度のものかは、「消費者契約の目的となるものの内容」、「消費者契約の目的となるもの…取引条件」、「事業者がその締結について勧誘をする際の消費者の生活の状況」及び「これについての当該消費者の認識」という要素を総合的に考慮した上で、一般的・平均的な消費者を基準として、社会通念を基に規範的に判断される。

ア　消費者契約の目的となるものの内容

　消費者契約の目的となるものの性質、性能・機能・効能、重量・大きさ、用途等が考えられる。例えば、消費者契約の目的となるものが、生鮮食品のようにすぐに消費しないと無価値になってしまうもの、自転車のように保管場所が必要なもの、布団のように一人の消費者が通常必要とする量が限られているものである場合等には、当該消費者にとっての通常の分量等が少なくなるため、結果的に過量性が認められやすい。これに対して、消費者契約の目的となるものが、例えば、缶詰食品のように比較的長期間の保存が前提とされるものや、金融商品のようにそれを保有すること自体を目的として購入されるものである場合等には、当該消費者にとっての通常の分量等が多くなるため、結果的に過量性が認められにくい。

　また、例えば、同じ商品であっても、事業者がそれに付随させている価値等によってその商品の内容が異なる場合もあると考えられる。例えば、音楽CDは、そこに収録された音楽を聴くためには、通常は1枚購入すれば十分であるから、過量性が認められやすいものであるといえる。もっとも、ジャケット（外装）に複数のバリエーションがある場合や、アーティストとの握手券が封入されている場合等には、たとえ中身のCD自体が同じものであったとしても、一人の消費者が複数購入することも想定されるものであると考えられる。そして、消費者が当該アーティストのファンである等の生活の状況（ウ参照）を併せて考慮すれば、当該消費者にとっての通常の

分量等が多くなり、過量性は認められにくいと考えられる。

イ　消費者契約の目的となるものの取引条件

価格、代金支払時期、景品類提供の有無等が考えられる。例えば、通常は、一つ100円の物品と比較すれば一つ10万円の物品の方が、当該消費者にとっての通常の分量等は少なくなり、過量性は認められやすいと考えられる。また、購入量に応じて、大幅な割引がされたり希少な景品が提供されたりする等、その取引条件次第では、当該消費者にとっての通常の分量等が多くなり、過量性が認められにくくなることもあると考えられる。

ウ　消費者の生活の状況

当該消費者の世帯構成人数、職業、交友関係、趣味・嗜好、消費性向等の日常的な生活の状況のほか、たまたま友人や親戚が家に遊びに来るとか、お世話になった近所の知人にお礼の品を配る目的がある等の一時的な生活の状況も含まれる。そして、事業者が消費者契約の締結について勧誘をする際に、当該消費者に、当該消費者契約の目的となるものについて、多くの分量等の給付を受ける理由となる生活の状況があれば、それに応じて、当該消費者にとっての通常の分量等が多くなるため、過量性が認められにくい。他方で、そのような生活の状況がなければ、当該消費者にとっての通常の分量等が少なくなるため、過量性は認められやすい。

なお、ここで考慮要素となるのは「消費者の生活の状況」であり、これはあくまでも当該消費者が自らの意思で営む生活の状況を指している。したがって、例えば、次々販売の被害に遭っていることが当該消費者の生活の状況に含まれる結果、新たな被害が過量な内容の消費者契約に当たらないという結論になるわけではない。

エ　消費者の認識

消費者の生活の状況についての当該消費者の認識を指す。例えば、普段は一人暮らしで他人が家に来ることはない消費者が、翌日友人が10人自宅に遊びに来る予定があるという認識の下で、それに見合った分量の食材を購入したが、実際に友人が遊びに来るのは1か月後であったという場合、当該消費者には、友人が10人自宅に遊びに来るという一時的な生活の状況が翌日のものであるという認識があったのであるから、これを考慮に入れた上で、当該消費者にとっての通常の分量等が判断される。

なお、この認識は、実際に客観的に存在する生活の状況についての認識であり、例えば、認知症の高齢者が、友人が10人自宅に遊びに来る予定がないにもかかわらず、これがあると思い込んで、これに見合った分量の食材を購入したという事例では、当該高齢者に、その食材が必要となる生活の状況が客観的に存在しない以上、これについての当該消費者の認識も観念できない。そのため、当該高齢者が、友人が自宅に遊びに来ると思い込んでいたとしても、そのことは、当該消費者にとっての通常の分量等を判断する上での考慮要素には含まれない（ただし、後述のとおり、取消しが認められるのは、事業者が過量性を認識していた場合であり、この事例でいえば、当該消費者に、友人が遊びに来る予定などないことを知っていた場合に限られる）。

④　「著しく超える」

本項の規定が適用されるためには、消費者契約の目的となるものの分量等が、当該消費者にとっての通常の分量等を単に超えるだけでなく、「著しく超える」ことが必要である。そして、当該消費者契約の目的となるものの分量等が当該消費者にとっての通常の分量等を「著しく超える」か否かについては、③に挙げた四つの要素を考慮した上で、一般的・平均的な消費者を基準として、社会通念を基に規範的に判断される。

● 既に同種契約を締結していた場合

消費者が既に同種契約を締結していた場合には、消費者が新たに締結した消費者契約の目的となるものの分量等だけでなく、既に締結していた同種契約の目的となるものの分量等も考慮に入れ、これらを合算した分量等が、当該消費者にとっての通常の分量等を著しく超えるものであることが要件となる。消費者契約の目的となるものが「同種」であるか別の種類であるかは、事業者の設定した区分によるのではなく、過量性の判断対象となる分量等に合算されるべきかどうかという観点から社会通念に照らして判断される。具体的には、その目的となるものの種類、性質、用途等に照らして、別の種類のものとして並行して給付を受けることが通常行われているかどうかという点のみならず、当該消費者が置かれた状況に照らして合理的に考えたときに別の種類のものと見ることが適当かどうかについても判断されるものと考えられる。

なお、この場合、取消しの対象となるのは、既に締結していた同種契約

110　第1編　逐条解説　第2章　消費者契約

ではなく消費者が新たに締結した消費者契約に係る意思表示である。

＜過量な内容の消費者契約に関する事例とその考え方＞

〔事例4-51〕

　家電製品や健康器具を店舗で販売している事業者が、たまに来店する気の弱そうな消費者に全身運動用の健康器具の在庫を売りつけようとして、声を掛けて親しげに話し、特別キャンペーンと称して家電製品を無料で贈呈するなどして断り難い状況を作出した上で、巧妙なセールストークを交え、「1割引にしますから」等と言って同じ健康器具を10台購入するよう何度も勧めた。当該消費者は、事業者との会話の中で腰痛の持病があり全身運動はできないということも伝えていたし、全身運動用の健康器具は要らないと思っていたが、そのしつこさに押し切られて、上手く断れずに同じ健康器具を10台（合計20万円）購入してしまった。

〔考え方〕

　全身運動用の健康器具は、必要であったとしても1世帯に1台あれば十分に目的を達することができ、また、保管場所を要するものでもあるから、たとえ1割引になるとしても、20万円もの対価を支払って10台も購入することが必要となるような商品ではない。また、腰痛持ちで全身運動はできないという生活の状況があり、その認識も有していた。そうすると、同じ健康器具10台は過量であり、当該売買契約は過量な内容の消費者契約に当たると考えられる。

〔事例4-52〕

　一人暮らしの消費者が、夕食のための買い物をしようと近所のスーパーマーケットに出かけたところ、当該消費者が一人暮らしであることを知っている知り合いの店員から、「今日は防災グッズセールを開催していて、缶詰が安いですよ。3年間もちます。この鯖の味噌煮の缶詰を2ダース（24個）買えば3割引で5,040円になります。」と言われ、もしもの時のためにと思って買って帰った。当該消費者は、普段は自炊をすることが多く、缶詰を食べることはほとんどなかった。

〔考え方〕

　缶詰は非常食として備蓄しておくことも可能な商品であり、3年間も保存できるものであること、まとめて買うと3割引になって合計の価格も取り立てて高額でもないことからすると、当該消費者が一人暮らしで普段は缶詰を

第1節　消費者契約の申込み又はその承諾の意思表示の取消し（第4条〜第7条）**第4条**　111

ほとんど食べないとしても、2ダース（24個）購入するということも想定される商品であると考えられる。そうすると、同じ缶詰2ダース（24個）は過量ではなく、当該売買契約は過量な内容の消費者契約には当たらないと考えられる。

(2)　要件2（事業者の行為－過量性を認識しながら勧誘をすること）

　二つ目の要件として、事業者が消費者契約の締結について勧誘をするに際し、当該消費者契約が過量な内容の消費者契約に該当することを知っていたことが挙げられる。

①　「事業者が消費者契約の締結について勧誘をするに際し」

　本条第1項・第2項の解説を参照。

　なお、ここでいう「勧誘」は、過量な内容の消費者契約の締結についての勧誘を指す。したがって、結果的に過量な内容の消費者契約が締結されたとしても、事業者の勧誘自体は適切な分量等の消費者契約に係るものであった場合（例えば、呉服店で、事業者が1着ずつ着物を示して当該着物の購入について勧誘し、消費者の好みに合う着物を探しながら最終的に合計10着を示したところ、当該消費者が、1着に決められないから10着全部を購入すると言った場合）には、ここでいう勧誘には当たらない。

②　「……を知っていた場合において」

　本項の取消権が認められる根拠は、消費者に当該消費者契約を締結するか否かについて合理的な判断をすることができない事情があることを事業者が利用して過量な内容の消費者契約を締結させたという点に求められる。そのため、事業者が、過量な内容の消費者契約の締結について勧誘をした場合であっても、その際に、当該消費者契約が消費者にとって過量な内容の消費者契約に当たることを知らなかった場合には、取消しは認められない。

　事業者の認識の証明に関連して、いわゆる次々販売の事例では、事業者は、消費者と繰り返しやり取りをして、結果的に当該消費者にとっての通常の分量等を著しく超えるような契約の締結について勧誘をしている以上、その過程において、当該消費者の生活の状況等について、当該事業者

112　第1編　逐条解説　第2章　消費者契約

が何も知らないということは、通常はないと考えられる。このため、次々
販売の事例であるということ自体から、事業者の認識は一定程度、推認さ
れるものと考えられる。

　また、同一事業者による同様の被害が他でも発生しているという情報（具
体的には、当該事業者が、捜査機関によって摘発を受けたという情報、行政処分
を受けたという情報、PIO-NETにおいて同種の苦情が寄せられているという情
報等）も間接的ではあるが、立証手段の一つとなると考えられる。

　なお、上記(1)③及び④に記載のとおり、過量である（当該消費者契約の目
的となるものの分量等が当該消費者にとっての通常の分量等を著しく超える）
というのは、一般的・平均的な消費者を基準とした規範的な評価であるとこ
ろ、これを「知っていた」というのは、その評価の基礎となる事実の認
識があったことを指す。したがって、事業者が、基礎となる事実は全て認
識した上でその評価を誤ったとしても、過量であることを「知らなかった」
ことにはならない。例えば、当該消費者が、一人暮らしで、普段から自宅
に誰かが遊びに来るということはなく、その日に特別誰かが来訪する予定
があるわけでもないということを、事業者が知っていたにもかかわらず、
20人分の生鮮食材を購入するよう勧誘した場合、仮に当該事業者が20人分
の生鮮食材を過量であるとは思わなかったのだとしても、本項の規定によ
る取消しを免れられるわけではない。

＜事業者の勧誘に関する事例とその考え方＞

〔事例4-53〕
　健康食品を販売している事業者が、来店した高齢の消費者に対して、健康食
品の購入を勧めるために話し掛け、賞味期限が1年の健康食品を1年分販売
した。その際、当該消費者は、一人暮らしで身寄りもなく、近所付き合いもほ
とんどないということを話していた。当該消費者が翌日も来店したため、事業
者が「昨日はどうも」と話し掛けたところ、当該消費者は認知症であり、昨日
1年分の健康食品を購入したことを忘れてしまっていた。それに気付いた事
業者が、さらに1年分の同じ健康食品の購入を勧めてみたところ、当該消費者
はこれを購入した。

〔考え方〕
　一人暮らしで身寄りもなく、近所付き合いもほとんどない消費者にとって、

第1節　消費者契約の申込み又はその承諾の意思表示の取消し（第4条～第7条）**第4条**　113

賞味期限が1年の健康食品は1年分あれば十分であるため、合計2年分の健康食品は過量であると考えられる。また、事業者は、消費者の生活の状況も、既に1年分の健康食品を購入していることも知っており、過量であることも認識した上でさらに1年分の健康食品を購入するよう勧誘しているため、2日目に締結した契約については取消しが認められると考えられる。

〔事例4-54〕
　スーパーマーケットに自分の夕食のおかずを買いに来た一人暮らしの消費者が、マグロの刺身20人前を自らレジに持参し、店員とは特に話をすることなくそれを買って行った。
〔考え方〕
　自分の夕食のおかずを買いに来た一人暮らしの消費者との関係では、生鮮食品であるマグロの刺身20人前は、過量であると考えられる。しかし、事業者がそれを知りながら勧誘をしたわけではないから、取消しは認められないと考えられる。

〔事例4-55〕
　一人暮らしで、職場には自宅近くからバスに乗って通っており、休日はほとんど家でテレビを見たりインターネットをしたりして過ごしている消費者が、インターネットの通信販売サイトで、自転車を20台注文し、購入した。
〔考え方〕
　自転車を保有するためには相応の駐輪スペースの確保が必要になるし、当該消費者は一人暮らしで普段は通勤等に自転車を用いていないことを考えると、自転車20台は、過量であると考えられる。しかし、事業者がそれを知りながら勧誘をしたわけではないから、取消しは認められないと考えられる。

〔事例4-56〕
　デパートの食料品売り場の店員が、夕方のタイムセールの際に、「このお惣菜は美味しいですよ。御家族なら10個でもいけます」と、消費期限が当日の惣菜を勧めていたところ、本当に10個買って行った消費者がいた。その消費者は実際には一人暮らしであり、10個の惣菜は到底食べ切れないものの、なんとなく見栄を張りたくなって購入しただけであったが、デパートの店員はそのよ

うなことは知らなかった。

〔考え方〕

一人暮らしの消費者にとって、消費期限が当日の惣菜10個は過量であると考えられる。また、事業者の勧誘によって惣菜10個の売買契約を締結しているが、当該勧誘の際に、事業者は当該消費者が一人暮らしであることを認識していなかったのであるから、その勧誘時に、当該消費者契約が消費者にとって過量な内容の消費者契約に当たることを知らなかったといえる。したがって、取消しは認められない。

(3) 要件3 （消費者の当該消費者契約の申込み又はその承諾の意思表示）

三つ目の要件として、消費者の当該消費者契約の申込み又はその承諾の意思表示が存在することが挙げられる。

「当該消費者契約の申込み又はその承諾の意思表示をした」

本条第1項・第2項の解説を参照のこと。

(4) 要件4 （要件2と要件3の因果関係）

四つ目の要件として、要件2（事業者の行為−過量性を知りながら勧誘をすること）と要件3（消費者の当該消費者契約の申込み又はその承諾の意思表示）の因果関係が存在することが挙げられる。

事業者が、過量な内容の消費者契約に該当することを知りながら当該消費者契約の締結について勧誘をしたとしても、それによって消費者が当該消費者契約の申込み又はその承諾の意思表示をした場合でなければ、消費者に当該消費者契約を締結するか否かについて合理的な判断をすることができない事情があることを事業者が利用して過量な内容の消費者契約を締結させたとはいえない。そのため、事業者が過量性を知りながらした勧誘と消費者の意思表示との間に因果関係を要することとしている。

(5) 効果

「これを取り消すことができる」

本条第1項・第2項の解説を参照のこと。

第1節　消費者契約の申込み又はその承諾の意思表示の取消し（第4条～第7条）**第4条**　115

❸　特定商取引法の規定との関係

　特定商取引法には、訪問販売及び電話勧誘販売の二つの取引類型において、日常生活において通常必要とされる分量を著しく超える商品の売買契約（過量販売と呼ばれている。）等について、申込みの撤回又は契約の解除をすることができる旨を定めた規定が設けられている（同法第9条の2及び第24条の2）。これらの規定も、本項の規定と同様に、契約の目的となるもの（商品、役務、一定の権利）の分量、期間又は回数が過大である場合に、契約の効力を否定するものである。

　もっとも、消費者にとって不要なものを大量に購入させる等の被害は、訪問販売や電話勧誘販売といった特定の取引類型だけではなく、例えば、自ら店舗に来訪した消費者との取引でも発生している(注)。そこで、消費者と事業者との間の契約に広く適用される消費者契約法において、このような被害に対応する規定が必要であることから、本項の規定が設けられた。

　ただし、消費者契約法は、訪問販売や電話勧誘販売のような不意打ち性を有する取引類型に限らず、また、消費者契約の目的となるもののいかんにかかわらず、あらゆる消費者契約に幅広く適用される法律であり、取引実務に与える影響も大きい。そこで、本項の要件は、事業者の行為に悪質性が認められる場合を具体的かつ明確に類型化したものとしている。具体的に要件を比較すると、次のとおりである（契約が1回だけ締結された場合を取り上げる。）。

　まず、特定商取引法の規定が適用されるための要件は、売買契約の目的となる商品・権利又は役務提供契約の目的となる役務が、「日常生活において通常必要とされる［分量/回数/期間］を著しく超える」ことである（購入者等が立証責任を負う。）。ただし、購入者等に「当該契約の締結を必要とする特別の事情があつたとき」には、適用されないこととされている（「特別の事情」があったことについては、販売業者又は役務提供事業者が立証責任を負う。）。

　これに対し、本項の規定が適用されるためには、前述のとおり、「消費者契約の目的となるものの分量、回数又は期間」が、「当該消費者にとっての通常の分量等を著しく超える」ことに加え、事業者が、そのことを知りな

116　第1編　逐条解説　第2章　消費者契約

がら勧誘をし、それによって消費者が意思表示をしたことが必要となる。そして、「当該消費者にとっての通常の分量等」を判断するに当たっての具体的な考慮要素（消費者契約の目的となるものの内容、その取引条件、勧誘の際の消費者の生活の状況、これについての当該消費者の認識）を列挙している。なお、特定商取引法の規定でいう「当該契約の締結を必要とする特別の事情」は、本項の規定では、当該消費者の一時的な生活の状況として考慮されるものと考えられる。すなわち、「当該契約の締結を必要とする特別の事情」があるような場合には、それに応じて、当該消費者にとっての通常の分量等が多くなるため、過量性が認められなくなると考えられる。

> （注）　例えば、呉服等の販売会社が、店舗に来訪した高齢の女性に対し、認知症のために財産管理能力が低下している状態を利用して、着物や宝石などの商品を、老後の生活に充てるべき流動資産をほとんど使ってしまうほど購入させたという被害（奈良地判平成22年7月9日消費者法ニュース86号129頁）。

● **特定商取引法の規定との比較**

要件		特定商取引法	消費者契約法
対象取引		訪問販売／電話勧誘販売	消費者契約全般
要件	過量性	日常生活において通常必要とされる分量等を著しく超えること［消費者］	消費者契約の目的となるものの分量等が当該消費者にとっての通常の分量等[※]を著しく超えること［消費者］ ※①消費者契約の目的となるものの内容及び②取引条件、③事業者がその締結をする際の消費者の生活の状況及び④これについての当該消費者の認識に照らして通常想定される分量等をいう。
	例外	当該契約の締結を必要とする特別の事情があったとき［事業者］	
	事業者の認識	・一つの契約の場合（第1号）は不要 ・次々販売の場合（第2号）は過量性の認識必要［消費者］	勧誘の際に過量性の認識必要［消費者］

第1節　消費者契約の申込み又はその承諾の意思表示の取消し（第4条〜第7条）**第4条**　117

勧誘と 意思表示との 因果関係	不要	必要［消費者］
行使期間	契約締結時から1年	追認をすることが できる時から1年／ 契約締結時から5年
効果	申込みの撤回又は契約の解除	取消し

（注1）　［　］内は立証責任の所在を示す。
（注2）　消費者から事業者に対して契約の目的となるものを返還する際の費用については、特定
　　　商取引法上の申込みの撤回又は解除の場合は事業者が負担することになるのに対し（同法第
　　　9条の2第3項・第9条第4項、第24条の2第3項・第24条第4項）、消費者契約法上の取消
　　　しの場合は消費者が負担することになる。また、特定商取引法上の申込みの撤回又は解除の
　　　場合は、消費者に使用利益の返還義務はないのに対し（同法第9条の2第3項・第9条第5
　　　項、第24条の2第3項・第24条第5項）、消費者契約法上の取消しの場合は、（取り消すこと
　　　ができるものであることについて善意であれば）現存利益に含まれる使用利益については消
　　　費者には返還義務がある（法第6条の2）。

Ⅳ　第5項（重要事項）

5　第1項第1号及び第2項の「重要事項」とは、消費者契約に係る次に掲
　げる事項（同項の場合にあっては、第3号に掲げるものを除く。）をいう。
　一　物品、権利、役務その他の当該消費者契約の目的となるものの質、用
　　　途その他の内容であって、消費者の当該消費者契約を締結するか否か
　　　についての判断に通常影響を及ぼすべきもの
　二　物品、権利、役務その他の当該消費者契約の目的となるものの対価
　　　その他の取引条件であって、消費者の当該消費者契約を締結するか否
　　　かについての判断に通常影響を及ぼすべきもの
　三　前2号に掲げるもののほか、物品、権利、役務その他の当該消費者契
　　　約の目的となるものが当該消費者の生命、身体、財産その他の重要な
　　　利益についての損害又は危険を回避するために通常必要であると判断

される事情

1 趣旨等

(1) 趣旨

　一般に、事業者の不実告知（本条第1項第1号）、不利益事実の不告知（本条第2項）という行為は、誤認を通じて消費者の意思表示に瑕疵をもたらすような不適切な勧誘行為であると考えられるが、民法の定める場合（同法第96条）とは別に新たに消費者に契約の申込み又はその承諾の意思表示の取消権（取消権は形成権であり、形成権者である消費者の一方的な権利行使により、直ちに完全な効果が生じる。）という重大な私法上の権利を付与する以上は、これらの行為の対象となる事項をそれに相応しい適切な範囲に限定する必要があるため、「重要事項」という概念が設けられた。

(2) 平成28年改正

　平成28年改正前の本条第4項は、「重要事項」の列挙事由として、「物品、権利、役務その他の当該消費者契約の目的となるもの」の「質、用途その他の内容」（第1号）及び「対価その他の取引条件」（第2号）を定めていた。

　ところが、事業者が消費者に対して、その消費者が消費者契約を締結する必要性を基礎付ける事実について不実を告げた結果、当該消費者が当該事実の誤認により当該契約を締結する必要性があると誤解し、本来は必要のない契約を締結してしまったという消費者被害が生じていた。このような消費者被害は、救済する必要がある一方で、「消費者契約の目的となるもの」に関しない事由についての不実告知であり、改正前の法の下では「重要事項」には該当せず取り消すことができないと考えられた。

　そこで、平成28年改正では不実告知に限り「重要事項」を拡張することとし^(注1)、「重要事項」の列挙事由として新たに第3号として「当該消費者契約の目的となるものが当該消費者の生命、身体、財産その他の重要な利益についての損害又は危険を回避するために通常必要であると判断される事情」を定める等の改正がされた^(注2)。

第1節　消費者契約の申込み又はその承諾の意思表示の取消し（第4条～第7条）**第4条**　119

　第3号の「当該消費者の生命、身体、財産その他の重要な利益について
の損害又は危険を回避するため」という文言について、これは、消費者契
約法が消費者契約全般に適用されるものであり、規律の内容をより具体的
かつ明確にすべきであるという観点から、必要性の内容（何のために消費者
契約の目的となるものが必要なのかに相当する部分）として規定されたもので
ある。

　　　（注1）　本条第5項柱書きの括弧書により、不利益事実の不告知（本条第2項）に
　　　　　ついては、本条第5項第3号の適用が排除されている。
　　　（注2）　平成28年改正前の本条第4項では、「重要事項」の要件として、柱書きに
　　　　　おいて「消費者の当該消費者契約を締結するか否かについての判断に通常影
　　　　　響を及ぼすべきもの」であることが定められていた。この要件は、改正後の本
　　　　　条第5項においては柱書きから削除され、第1号及び第2号の中で定められ
　　　　　ている。

② 条文の解釈

(1)　第1号・第2号

ア　要件1（消費者契約の目的となるものの内容・取引条件）

①　「物品、権利、役務その他の当該消費者契約の目的となるもの」

　本条第4項要件1（過量な内容の消費者契約であること）の解説を参照
のこと。

②　「質、用途その他の内容」

　「内容」の例示として、

　　a　質（品質や性質をいう。例えば物品の質として、性能・機能・効能、構
　　　造・装置、成分・原材料、品位、デザイン、重量・大きさ、耐用度、安全
　　　性、衛生性、鮮度。役務の質として、効果・効能・機能、安全性、事業者・
　　　担当者の資格、使用機器、回数・時間、時期・有効期間、場所）

　　b　用途（特徴に応じた使いみちをいう。例えば物品の用途として、コン
　　　ピューターがオフィス用のものか個人用のものか等。役務の用途として、
　　　予備校の講義が大学受験用のものか高校受験用のものか等）

　の二つを掲げている。

　　「その他の内容」とは、これら二つの概念には必ずしも含まれない、

120　第1編　逐条解説　第2章　消費者契約

当該消費者契約の目的となるものの実質や属性（例えば、物品の原産地、製造方法、特許・検査の有無等）をいう。

③　「対価その他の取引条件」

「取引条件」の例示として、対価（ある給付の代償として相手方から受ける金銭をいう。割賦販売価格、現金支払以外の方法による場合の価格、本体価格に付随する価格（例えば、配送費、工事費）などを含む。）を掲げている。

「その他の取引条件」とは、対価以外の、取引に関して付される種々の条件（例えば、価格の支払時期、契約の目的となるものの引渡し・移転・提供の時期、取引個数、配送・景品類提供の有無、契約の解除に関する事項、保証・修理・回収の条件等）をいう。

イ　要件2（消費者の当該消費者契約を締結するか否かについての判断に通常影響を及ぼすべきもの）

「消費者の当該消費者契約を締結するか否かについての判断に通常影響を及ぼすべきもの」とは、契約締結の時点における社会通念に照らし、当該消費者契約を締結しようとする一般的・平均的な消費者が当該消費者契約を締結するか否かについて、その判断を左右すると客観的に考えられるような、当該消費者契約についての基本的事項（通常予見される契約の目的に照らし、一般的・平均的な消費者が当該消費者契約の締結について合理的な意思形成を行う上で通常認識することが必要とされる重要なもの）をいう。なお、例えば主として高齢者が締結する消費者契約については、主として高齢者が一般的・平均的な消費者に当たるため、「重要事項」も主として高齢者を基準として判断されることになる。

重要事項に関し、建設請負契約に即してみれば、当該契約を締結するか否かを左右すると客観的に考えられるようなもののみに限定されるので、当該契約を維持しつつ、瑕疵修補あるいは損害賠償をすれば当該事項について誤認して契約した消費者が、契約の目的を達成できるような事項は重要事項にはならない。

例えば、次のように考えられる。

（ア）　ソフトウェアの携帯端末との連携機能（ソフトウェアがある携帯端末とデータ交換できなかった）

ある携帯端末とデータ交換できるパソコン用の住所録ソフトウェアを購入しようとする一般的・平均的な消費者であれば、当該ソフトウェアが当該携帯端末とデータ交換できなければ購入を差し控えるはずであり、したがって、「消費者の当該消費者契約を締結するか否かについての判断に通常影響を及ぼすべきもの」に当たる。

（イ）　電気製品のマルチの受信機能（テレビが外国で受信できなかった）

テレビが外国で受信できるか否かは、一般的・平均的な消費者であれば外国で受信できなくても何ら困ることはないため、「消費者の当該消費者契約を締結するか否かについての判断に通常影響を及ぼすべきもの」には当たらない。

（ウ）　電気製品の使用電圧（シェーバーが200ボルトで使用できなかった）

一般的・平均的な消費者であればシェーバーが200ボルトで使用できなくても何ら困ることはないため、「消費者の当該消費者契約を締結するか否かについての判断に通常影響を及ぼすべきもの」には当たらない。

＜事例とその考え方＞

〔事例4-57〕

「A社のOS版のソフトです」と説明されたので購入したソフトウェアだが、B社のOS版のソフトウェアだったので、自宅のパソコンでは使用できなかった。

〔考え方〕

ソフトウェアがどの会社のOS版であるかは「物品」の「質」に該当する。そして、一般的・平均的な消費者であれば、ソフトウェアが自分の使用しているパソコンで使用できなければ購入を差し控えると考えられるので、「消費者の当該消費者契約を締結するか否かについての判断に通常影響を及ぼすべきもの」に当たる。したがって、ソフトウェアがどの会社のOS版であるかは「重要事項」（本条第5項第1号）に該当するところ、真実と異なることを告げている（「A社のOS版のソフトです」と告げたこと）ので、本条第1項第1号の要件に該当し、取消しが認められる。

〔事例4-58〕

英会話教室の勧誘において「当校の講師は全員アメリカ人です」と告げられ

たが、イギリス人の講師がいた。

〔考え方〕

　英会話教室の契約において、講師がどこの国の人かは「役務」の「質」に当たるが、イギリス人であるかアメリカ人であるかは「消費者の当該消費者契約を締結するか否かについての判断に通常影響を及ぼすべきもの」ではないので、本条第5項第1号の要件に該当せず、取消しは認められない。

　ただし、講師が日本語を母国語とする日本人であるにもかかわらずアメリカ人であると告げられたという事案であれば、「消費者の当該消費者契約を締結するか否かについての判断に通常影響を及ぼすべきもの」と考えられるので、本号の要件に該当し、取消しが認められる。

(2)　第3号

①　「当該消費者の生命、身体、財産その他の重要な利益」

　「重要な利益」とは、法益としての重要性（価値）が、一般的・平均的な消費者を基準として、例示として挙げられている「生命、身体、財産」と同程度に認められるものである。具体的には、名誉・プライバシーの利益等が考えられる。また、生活上の利益も、電話を使用して通話をするなどの日常生活において欠かせないものであれば、「重要な利益」に該当すると考えられる。

　消費者被害の実態を踏まえると、「生命、身体、財産」についての損害又は危険に限定すべきではない一方で、取消しの範囲が過度に広がるのを避けるため、法益としての重要性（価値）が必ずしも高くないものについては対象から除外したものである。

　また、「生命、身体、財産その他の重要な利益」には「当該消費者の」という限定があるため、当該消費者以外の者の生命、身体又は財産は、本号が定める「生命」、「身体」、「財産」にそれぞれ該当しないことになる。もっとも、「当該消費者の重要な利益」に該当する場合はあり得るところであり、例えば、当該消費者の子供の生命であれば、これに該当すると考えられる。

②　「損害又は危険」

　「生命、身体、財産その他の重要な利益についての『損害又は危険』」と

第1節　消費者契約の申込み又はその承諾の意思表示の取消し（第4条～第7条）**第4条**　123

は、生命、身体、財産その他の重要な利益が侵害されることによって消費者に生じる不利益を意味する。「損害」としては、現に生じる不利益を、「危険」としては、不利益が生じるおそれ（蓋然性）を想定している。

　また、「損害又は危険」には、消費者が既に保有している利益を失うこと（いわゆる積極損害）のみならず、消費者が利益を得られないこと（いわゆる消極損害）も含まれる。

　③　「通常必要であると判断される」

　「当該消費者の生命、身体、財産その他の重要な利益についての損害又は危険を回避する」ことを実現する「ために」、「消費者契約の目的となるものが…通常必要であると判断される」かどうかは、契約締結の時点における社会通念に照らし、当該消費者契約を締結しようとする一般的・平均的な消費者を基準として判断される[注]。

　　　（注）　「損害又は危険を回避するために」、「消費者契約の目的となるもの」が有益
　　　　　であったとしても、必要とまではいえない場合には、本条第5項第3号には該
　　　　　当しないと考えられる。

〔事例4-59〕
　真実に反して「溝が大きくすり減ってこのまま走ると危ない、タイヤ交換が必要」と言われ、新しいタイヤを購入した。
〔考え方〕
　溝が大きくすり減っているタイヤで走行することによる「生命、身体、財産」についての「損害又は危険」を「回避するために」は、「消費者契約の目的となるもの」である新しいタイヤが「通常必要であると判断される」。したがって、「消費者契約の目的となるものが…通常必要であると判断される事情」の不実告知に該当する。

〔事例4-60〕
　真実に反して「このままだと2、3年後には必ず肌がボロボロになるので、この化粧品が必要」と言われ、化粧品を購入した。
〔考え方〕
　肌がボロボロになるという「身体」についての「損害又は危険」を「回避するために」は、「消費者契約の目的となるもの」である化粧品が「通常必要であ

124　第1編　逐条解説　第2章　消費者契約

ると判断される」。したがって、「消費者契約の目的となるものが…通常必要で
あると判断される事情」の不実告知に該当する。

〔事例4-61〕
　真実に反して「パソコンがウイルスに感染しており、プライバシー関する情
報がインターネット上に流出するおそれがある」と言われ、ウイルスを駆除す
るソフトを購入した。
〔考え方〕
　プライバシーの利益は「重要な利益」に該当する。そして、プライバシーに
関する情報が流出するという「重要な利益」についての「損害又は危険」を「回
避するために」は、「消費者契約の目的となるもの」である当該ソフトが「通常
必要であると判断される」。したがって、「消費者契約の目的となるものが…通
常必要であると判断される事情」の不実告知に該当する。

〔事例4-62〕
　真実に反して「今使っている黒電話は使えなくなる」と言われ、新しい電話
機を購入する旨の契約を締結した。
〔考え方〕
　電話を使用して通話をするという生活上の利益は、日常生活において欠か
せないものであり、「重要な利益」に該当する。そして、この「重要な利益」に
ついての「損害又は危険」を「回避するために」は、「消費者契約の目的となる
もの」である新しい電話機が「通常必要であると判断される」。したがって、
「消費者契約の目的となるものが…通常必要であると判断される事情」の不実
告知に該当する。

〔事例4-63〕
　売却が困難な山林の所有者が、測量会社から真実に反して「山林の近くに道
路ができている。家も建ち始めている」と告げられた結果、当該山林を売却す
ることができると考え、勧められるまま測量契約と広告掲載契約を締結した。
〔考え方〕
　当該山林の売却による利益を得られないという「財産」についての「損害又
は危険」について、山林を売却するためには測量や広告が必要であることから、

第1節 消費者契約の申込み又はその承諾の意思表示の取消し（第4条～第7条）**第4条** 125

この「損害又は危険」を「回避するために」は、「消費者契約の目的となるもの」である測量及び広告掲載が「通常必要であると判断される」。したがって、「消費者契約の目的となるものが…通常必要であると判断される事情」の不実告知に該当する。

● **第4条第5項に関連する最高裁判決**

最三判平成22年3月30日（裁判集民233号311頁）

事件番号：平成20年（受）909号

事案概要：商品取引員であるY（上告人）に金の商品先物取引を委託したX（被上告人）が、Yに対し、消費者契約法4条2項本文により委託契約の申込みの意思表示を取り消したと主張して、不当利得返還請求権に基づき、Yに預託した委託証拠金相当額の支払を求めた事案。

判示内容：本件契約において、将来における金の価格は「重要事項」に当たらないと解するのが相当。

V 第6項（取消しに係る第三者）

> 6 第1項から第4項までの規定による消費者契約の申込み又はその承諾の意思表示の取消しは、これをもって善意でかつ過失がない第三者に対抗することができない。

1 趣旨

本条で規定する取消しという効果が及ぶ範囲を広げすぎると、取引の安全を損なうことがあるため、取消しという効果を及ぼすにふさわしい範囲について規定することが必要となる。

そこで、民法第96条第3項の規定と同様に本項においては、本条に規定する取消しによっては善意の第三者に対抗できないこととした[注]。

　（注） 平成29年の民法改正により民法第96条第3項が改正され、「善意でかつ過失

126 第1編　逐条解説　第2章　消費者契約

がない第三者」に対抗できないこととなったため、これを受けて本項も改正された。

2　条文の解釈

「善意でかつ過失がない第三者」

民法第96条第3項にいう「第三者」とは、「詐欺による意思表示の当事者およびその包括承継人以外の者で、詐欺による意思表示によつて生じた法律関係に対し、新たに別の法律原因にもとづいて、詐欺による意思表示の取消しを主張する者と矛盾する権利関係に立つに至つた者」であり「善意」とは、上述の「第三者」たる地位に立つ時に、「詐欺による意思表示であることを知らなかった」ということである（川島武宜ほか編『新版注釈民法(3)総則(3)』（有斐閣、2003）229頁）。

本法においても、意思表示の取消しの場合における善意無過失の第三者の取扱いについては、民法と同様のものとする。

すなわち、「第三者」とは、本条第1項から第4項までの誤認・困惑等による意思表示の当事者及びその包括承継人以外の者で、これによる意思表示によって生じた法律関係に対し、新たに別の法律原因に基づいて、意思表示の取消しを主張する者と矛盾する権利関係に立つに至った者をいう。「善意かつ過失がない」とは、上述の「第三者」たる地位に立つ時に、本条第1項から第4項までの誤認・困惑等による意思表示であることを知らず、知らなかったことに過失がなかったということである。

3　民法の強迫（同法第96条第1項）と本項との関係

本項においては、現在正常に行われている取引の安全を損なうことがないようにするため、取消しという効果を導く要件を民法よりも緩和していることに鑑み、取消しの及ぶ範囲については民法第96条第3項よりも絞ることとした。すなわち、同条第1項における強迫の場合については、取消しという効果をもって善意無過失の第三者に対抗することができるのに対し（同条第3項参照）、本条第3項（及び準用規定である法第5条第1項）において規定する「困惑」した場合については、取消しという効果をもって善意無過失の第三者に対抗することはできないものとしている。

第1節 消費者契約の申込み又はその承諾の意思表示の取消し（第4条～第7条）**第4条** 127

（参考）第三者に対抗できないケース（例）

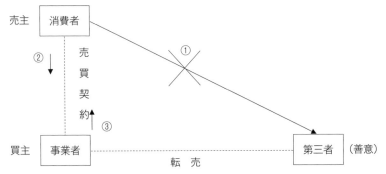

　消費者が、事業者に「困惑」させられて物品を事業者に売る売買契約をさせられた後、事業者がその物品を善意の第三者に転売した場合。
　① 第三者は事情を知らないので、消費者は第三者に契約の取消しを主張できない。
　② 消費者は事業者に代金の返還義務を負う。
　③ 事業者は消費者に対し、現物返還に代えて金銭で返還する義務を負う（市場性のある有価証券等代替物による返還が可能なものについては、同種同量のものを調達したうえで返還する）。

● 信用購入あっせん

〔事例4-64〕
　信用購入あっせん
（1）信用購入あっせん業者と民法上の善意の第三者
　信用購入あっせん業者は、典型的には、消費者と販売業者の間の売買契約が有効であり、したがって、消費者が販売業者に対して売買代金債務を負担していることを前提に、これを立替払することによって消費者に対する求償権を取得する。信用購入あっせん業者は、売買契約について販売業者及び購入者と独立の利害関係を有することから、善意無過失であれば、詐欺取消し（民法第96条第1項）との関係で、「第三者」として保護される（もちろん、信用購入あっせん業者が当該売買契約に係る意思表示の瑕疵等について了知している場合もあり、その場合は当然悪意の第三者である。）。

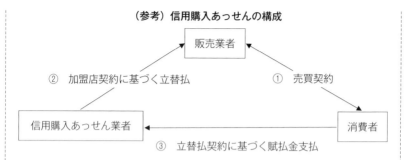

(2) 民法上の第三者効規定と割賦販売法の抗弁権の接続の規定の関係

割賦販売法においては、抗弁権の接続に関する規定（第30条の4、第30条の5、第35条の3の19）が設けられているが、これは、信用購入あっせん業者の善意・悪意にかかわらず消費者は信用購入あっせん業者に対して、販売業者に対して生じている事由を主張して「賦払金の支払を停止」することができる旨を定めたものである（ただし、これはあくまでも「賦払金の支払の停止」の効果を認めたものであって、信用購入あっせん業者に対する既払の信用代金の返還請求の効果までをも認めたものではない。）。

その意味において、上記抗弁権の接続に関する割賦販売法の規定は、民法とは別個の要件・効果の下で、消費者の信用購入あっせん業者への対抗を認めたものであって、民法上の規定から独立した消費者保護規定である。

(3) 本項と抗弁権の接続に関する割賦販売法の規定の関係

本項は、民法第96条第3項に倣い、本条第1項から第4項までの規定による消費者の意思表示の取消しを善意無過失の第三者に対抗できない旨を規定している。

そして、信用購入あっせん業者であっても、上記のとおり、「善意かつ過失がない第三者」に該当し得る。「善意かつ過失がない第三者」に該当する場合には、本条第1項から第4項までの規定に基づく取消しを信用購入あっせん業者に対抗できない。

しかしながら、割賦販売法の抗弁権の接続の規定は、信用購入あっせん取引の特性に着目して、販売業者に対して生じている事由であれば、これを信用購入あっせん業者に対して主張して賦払金の支払を停止することを特別に認めているのであるから、本項の規定にかかわらず、割賦販売法の抗弁権の接続の

規定に基づいて本条第1項から第4項までの規定に基づく取消しを信用購入あっせん業者に対して主張し、賦払金の支払を停止することは可能である。

なお、割賦販売法第30条の4等の規定は、消費者が悪意の信用購入あっせん業者に対して本条第1項から第4項までの規定に基づく取消しの効果を主張することを妨げるものではなく、本条第1項から第4項までの規定とは、別個独立の消費者保護規定であるから、本法第11条第2項の「別段の定め」にはあたらない。

(4) 本項と割賦販売法に基づく個別信用購入あっせん契約取消権の規定との関係

割賦販売法においては、個別信用購入あっせんとの関係で、一定の場合に、個別信用購入あっせん契約を取り消すことができる旨を規定している（第35条の3の13から第35条の3の16）。

これらの規定は、民法や本法とは別個の要件・効果の下で、消費者による個別信用購入あっせん契約の取消しを認めたものであって、民法及び本法に基づく取消権の規定から独立した消費者保護規定であり、個別信用購入あっせん契約との関係で、両者の取消権の要件を満たす場合には、消費者は選択的に取消権を行使できる。

● 第三者への求償

〔事例4-65〕
　第三者への求償
　例えば、商品の売買に関して、本条第1項第1号に規定する重要事項について事実と異なる情報をメーカー等から提供された販売業者が、その情報を真実であると誤認し、その情報に基づいて販売業者と消費者との間で締結された商品売買契約（すなわち消費者契約）が、消費者から本条第1項第1号の規定に基づいて取り消された場合、本法においては、当該契約を取り消された販売業者が、当該消費者契約について第三者であるメーカー等に求償することについて、特別の措置は講じていない。

したがって、販売業者としては民法に従い、次のような方法によって解決を図ることとなる。

通常、メーカー等が販売業者に対して、消費者にとって重要事項になるようなことを間違いなく説明することは、両当事者間におけるメーカー等の債務

130 第1編 逐条解説 第2章 消費者契約

の内容になっていると考えられるので、販売業者は民法第415条の規定により債務不履行に基づく損害賠償を請求することとなる。この場合において、メーカー等に責に帰すべき事由がないことを立証する責任はメーカー等にあり、したがって、販売業者はメーカー等の故意又は過失について立証責任を負うものではない。

その際、メーカー等が本法の重要事項に該当する事項について事実と異なることを告げた場合は、過失と評価されていることが多いのではないかと考えられる。

なお、仮に過失がないと評価される場合（いわゆる無過失の場合）については、販売業者はメーカー等に対して民法第415条あるいは第709条に基づく損害賠償を請求できないこととなるが、通常の場合には消費者は販売業者に対して不当利得の返還義務があり当該消費者契約によって得た商品を返却するほか、その使用収益も金銭で返還する義務を負うこととなる（損害賠償のように一方的に販売業者が金銭支払義務を負うわけではない。）。

第1節　消費者契約の申込み又はその承諾の意思表示の取消し（第4条～第7条）**第5条**　131

第5条（媒介の委託を受けた第三者及び代理人）

（媒介の委託を受けた第三者及び代理人）

第5条　前条の規定は、事業者が第三者に対し、当該事業者と消費者との間における消費者契約の締結について媒介をすることの委託（以下この項において単に「委託」という。）をし、当該委託を受けた第三者（その第三者から委託（2以上の段階にわたる委託を含む。）を受けた者を含む。以下「受託者等」という。）が消費者に対して同条第1項から第4項までに規定する行為をした場合について準用する。この場合において、同条第2項ただし書中「当該事業者」とあるのは、「当該事業者又は次条第1項に規定する受託者等」と読み替えるものとする。

2　消費者契約の締結に係る消費者の代理人（復代理人（2以上の段階にわたり復代理人として選任された者を含む。）を含む。以下同じ。）、事業者の代理人及び受託者等の代理人は、前条第1項から第4項まで（前項において準用する場合を含む。次条から第7条までにおいて同じ。）の規定の適用については、それぞれ消費者、事業者及び受託者等とみなす。

Ⅰ　第1項

1　趣旨

　第三者が契約締結に介在するケースについても、その第三者の不適切な勧誘行為に影響されて消費者が自らの意に沿わない契約を締結させられることがある。この場合、契約の成立についての合意の瑕疵によって消費者が当該契約に拘束されることは衡平を欠くものであるため、消費者は当該契約の効力を否定することができるとすることが適当であると考えられた。

　そこで、消費者契約の実態を踏まえ、事業者が第三者に対して消費者契約の締結の媒介（消費者に勧誘をすることを含む。）を委託し、当該委託を受けた第三者が、消費者に対して第4条第1項から第4項までに掲げる行為

をした場合についても、第4条の規定を準用することとした。

2 条文の解釈

① 「媒介」

媒介とは、他人間に契約が成立するように、第三者が両者の間に立って尽力することをいう。

また、本条の趣旨を考慮すれば、両者の間に立って尽力することには、必ずしも契約締結の直前までの必要な段取り等を第三者が行っていなくても、これに該当する可能性があるものと考えられる。

② 「事業者が第三者に対し、当該事業者と消費者との間における消費者契約の締結について媒介をすることの委託」

「事業者が第三者に対し、当該事業者と消費者との間における消費者契約の締結について媒介をすることの委託」とは、事業者が第三者に対して「消費者との間における『消費者契約の締結の媒介』を委託すること」である。

● 媒介の委託型事例

〔事例5-1〕宣伝契約

既に同じ商品・サービスについて契約をした顧客に、「その商品・サービスの宣伝を依頼し、成約した場合には紹介料を支払う」という契約をした場合には、「媒介の委託」に当たるかという問題を考える。

事業者からその扱っている商品・サービスの宣伝についての依頼を受けた顧客が、他の消費者に対して当該商品・サービスの宣伝を行ったところ、当該宣伝によって消費者が当該商品・サービスに興味を抱いたため、事業者が当該消費者に対して別途当該商品・サービスの説明を行った結果、事業者と当該消費者との間における当該商品・サービスの購入契約が成立したような場合は、購入契約成立に対する顧客の関与は必ずしも大きいものではないと考えられる。そうすると、購入契約が成立するように、顧客が両者の間に立って尽力したとまではいえず、通常「媒介の委託」に当たらないと考えられる。

第1節　消費者契約の申込み又はその承諾の意思表示の取消し（第4条〜第7条）第5条　133

③　「当該委託を受けた第三者（その第三者から委託（2以上の段階にわたる委託を含む。）を受けた者を含む。」

「当該委託を受けた第三者（その第三者から委託（2以上の段階にわたる委託を含む。）を受けた者を含む。」とは、事業者が第三者に対して、「消費者契約の締結の媒介を委託する」場合のみならず、事業者から「当該契約の締結の媒介を委託する」ことを直接受けた第三者が、さらに別の第三者に対して「当該契約の締結の媒介を委託する」場合をも含み、しかも別の第三者に対して「当該契約の締結の媒介を委託する」場合については、1段階に限らず、2段階以上の多段階にわたり委託する場合をも含む、という意味である。

消費者契約の場合には、契約締結の当事者たる事業者が直接勧誘をせず第三者が介在して勧誘する場合が、生命保険契約、携帯電話サービス契約、運輸・宿泊サービス（旅行代理店）、不動産（宅地建物取引業者）等にみられる。

④　「この場合において、同条第2項ただし書中『当該事業者』とあるのは、『当該事業者又は次条第1項に規定する受託者等』と読み替えるものとする。」

第4条第2項ただし書については、この読替え規定がなければ、ただし書の「当該事業者」の部分は、「受託者等（＝「当該委託を受けた第三者（その第三者から委託を受けた者（2以上の段階にわたる委託を受けた者を含む。）を含む。））」と読まれ、「当該事業者」は含まれないことになる。

しかし、「受託者等」と読むこととなると、「『消費者契約の締結の媒介』の委託を受けて勧誘に当たった受託者等が法第4条第2項に規定する行為をしたことにより消費者が誤認し、事業者がそのことに気付いたので自ら不利益事実を告知しようとしたにもかかわらず消費者がこれを拒んだ場合」についても、同項の規定による消費者契約の申込み又はその承諾の意思表示の取消しを認めてしまうことになる。「自ら不利益事実を告知しようとした」事業者にとっては、この取消しは過酷である。

そこで、この場合においては、第4条第2項ただし書の中に「当該事業者」を入れることにより、第4条第2項の規定による消費者契約の申込み又はその承諾の意思表示の取消しを認めないこととした。

134　第1編　逐条解説　第2章　消費者契約

● 民法の詐欺、強迫（同法第96条第2項）との関係

　本項においては、民法第96条第2項の規定では救済することが不可能な場合についても、消費者が事業者に対して当該契約の取消しを主張することができる。

　すなわち、第三者が消費者に対して消費者契約の締結に係る媒介に関して、不適切な勧誘行為（民法の詐欺、さらには第4条第1項及び第2項に規定する行為）をしたことを事業者が知らない場合においても、「事業者が当該第三者に対して、消費者契約の締結の媒介を委託した」という事実があれば、消費者は当該契約の取消しを事業者に対して主張することができる。

　なお、民法の強迫については、同法第96条第2項が詐欺のみをあげていることから事業者が強迫の事実を知らないときでも取消しを認める趣旨と考えられている。

Ⅱ　第2項

1　趣旨

　第4条第1項から第4項まで（本条第1項において準用する場合を含む。）に規定する消費者契約の申込み又はその承諾の意思表示に関し、代理人及び復代理人の行った意思表示については、本人がしたものとみなすこととした。

　すなわち、代理人及び復代理人が消費者契約の締結に関与する場合において、第4条第1項から第4項まで（本条第1項において準用する場合を含む。）に規定する消費者契約の申込み又はその承諾の意思表示については、その意思表示の効力が影響を受けるべき事実の有無を民法第101条第1項及び第2項の規定に倣い、代理人について判断することとした。

　本項を入れずに、解釈により民法第101条第1項及び第2項の規定を類推適用する方法も考えられたが、条文による担保なしに、民法第101条第1項に規定している「詐欺、強迫」という文言で、「詐欺、強迫」とは要件が異なる本法の規定している「誤認、困惑等」を解釈により類推適用することについては、解釈そのものに疑義が生じるほか、訴訟等において解釈を

第1節　消費者契約の申込み又はその承諾の意思表示の取消し（第4条〜第7条）**第5条**　135

めぐる争いが生じる可能性がある。したがって、そのような問題が生じることを避けるために本項を規定したものである。

2　条文の解釈

① 「消費者契約の締結に係る消費者の代理人（復代理人（2以上の段階にわたり復代理人として選任された者を含む。）を含む。以下同じ。）、事業者の代理人及び受託者等の代理人」

「代理人」とは消費者又は事業者が契約当事者となる場合の締結の代理権を有する者をいうが、当該「代理人」には復代理人（2以上の段階にわたり復代理人として選任された者を含む。）のほか、受託者がさらに第三者に媒介を委託する場合の準委任契約の締結の代理権を有する者を含む。

② 「前条第1項から第4項まで（前項において準用する場合を含む。次条から第7条までにおいて同じ。）の規定の適用」

第4条第1項から第4項までの規定を適用する場合及び本条第1項において第4条第1項から第4項までの規定を準用する場合（なお、これについては、第6条から第7条でも同様のことがいえる。）には上記の各代理人はそれぞれ消費者、事業者及び受託者等とみなされる。

なお、消費者の代理人を消費者とみなす場合において、消費者契約の取消しについて授権されていない無権代理人による契約の取消しまでを認めようという趣旨ではない（無権代理人の取扱いについては民法の代理に関する規定に委ねられることになる。）。

● 消費者・事業者の代理人の事例

〔事例5-2〕消費者の代理人の事例

　未成年者が単独で法律行為をすることができない財産の管理・処分に関し、親権者たる親が未成年者の法定代理人として事業者と契約を締結する際に、事業者の不実告知などの不適切な勧誘行為により誤認をした法定代理人である親が契約を締結した場合、未成年者は、事業者との間の契約を取り消すことができる。

〔事例5-3〕事業者の代理人の事例

　ある取引において、事業者の代理人たる代理商が消費者に対して行った不

実告知などの不適切な勧誘行為により誤認をしたことによって、消費者が契約を締結した場合、消費者は、事業者との間の契約を取り消すことができる。

〔事例5-4〕消費者の代理人が弁護士等の事業者である場合

　消費者の代理人が弁護士等の事業者である場合には、消費者と事業者との間には情報・交渉力の格差があるとはいえないので、消費者契約法を適用するのは適当ではないとの考え方もある。しかし、第5条第2項においては、消費者の代理人は消費者とみなしている。

　すなわち、消費者の代理人である弁護士等は、消費者から消費者契約の締結について与えられた代理権の範囲内、いわば消費者のコントロール下において消費者の代理をすることができるのであり、その意味で弁護士等が消費者の代理人である場合も消費者として取り扱うことが適切であると考えられるため、消費者の代理人が、第4条に該当する事業者の行為により影響を受け契約を締結した場合には、消費者は取り消すことができるものとされた。

● 　本法と不動産取引との関係

〔事例5-5〕

　⑴　売買契約の当事者の一方との契約に基づいて媒介する場合

　　①　売買契約の当事者が事業者と消費者である場合

　　　ア　事業者との契約に基づいて媒介するケース

　事業者から媒介をすることの委託を受けた不動産会社が、第4条に該当する行為を消費者に対して行った場合には、消費者は、事業者との間の売買契約を取り消し得る。

　一方、不動産会社と事業者との間の媒介契約は、本法の対象たる消費者契約ではないため、本法に基づいて取り消されることはない。

第1節　消費者契約の申込み又はその承諾の意思表示の取消し（第4条〜第7条）**第5条**　137

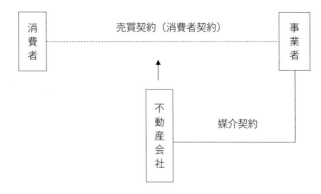

　　イ　消費者との契約に基づいて媒介するケース
　不動産会社と消費者との間の媒介契約に関して、不動産会社が第4条に該当する行為を消費者に対して行った場合には、消費者は、不動産会社との間の媒介契約を取り消し得る。

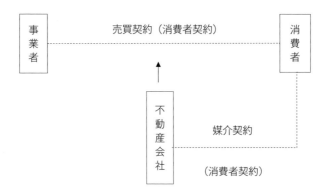

　②　売買契約の当事者が消費者と消費者である場合
　不動産会社が第4条に該当する行為を消費者Aに対して行った場合には、消費者Aと消費者Bとの間の売買契約は、本法の対象たる消費者契約ではないため、本法に基づいて取り消されることはない。
　一方、不動産会社が、媒介契約に関して第4条に該当する行為を消費者Bに

対して行った場合には、消費者Bは、不動産会社との間の媒介契約を取り消し得る。

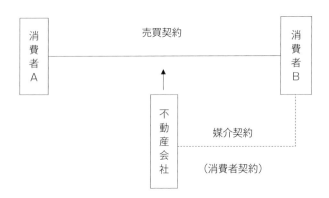

(2) 売買契約の双方との契約に基づいて媒介する場合
　① 1つの不動産会社が媒介する場合
　事業者から媒介をすることの委託を受けた不動産会社が、第4条に該当する行為を消費者に対して行った場合には、消費者は、事業者との間の売買契約を取り消し得る。
　不動産会社が、消費者との媒介契約に関して第4条に該当する行為を消費者に対して行った場合は、消費者は、不動産会社との間の媒介契約を取り消し得る。
　不動産会社が、事業者との媒介契約に関して第4条に該当する行為を事業者に対して行った場合は、事業者と不動産会社との間の媒介契約は本法の対象たる消費者契約ではないため、本法に基づいて取り消されることはない。

第1節　消費者契約の申込み又はその承諾の意思表示の取消し（第4条～第7条）**第5条**　139

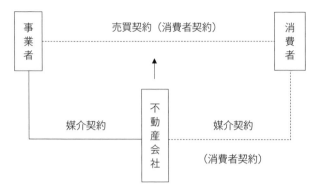

② 別々の不動産会社が売買契約の当事者それぞれとの契約に基づいて媒介する場合

事業者から媒介をすることの委託を受けた不動産会社Aが、第4条に該当する行為を消費者に対して行った場合は、消費者は、事業者との間の売買契約を取り消し得る。

不動産会社Bが、消費者との媒介契約に関して第4条に該当する行為を消費者に対して行った場合は、消費者は、不動産会社Bとの間の媒介契約を取り消し得る。

不動産会社Aが、媒介契約に関して第4条に該当する行為を事業者に対して行った場合は、事業者と不動産会社Aとの間の媒介契約は本法の対象たる消費者契約ではないため、本法に基づいて取り消されることはない。

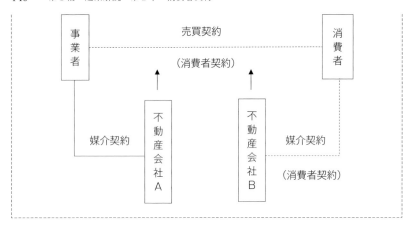

第1節　消費者契約の申込み又はその承諾の意思表示の取消し（第4条〜第7条）**第6条**　141

第6条（解釈規定）

（解釈規定）
第6条　第4条第1項から第4項までの規定は、これらの項に規定する消費者契約の申込み又はその承諾の意思表示に対する民法第96条の規定の適用を妨げるものと解してはならない。

① 趣旨

第4条第1項から第4項まで（第5条第1項において準用する場合を含む。以下同じ。）に規定する事業者の行為により消費者が消費者契約の申込み又はその承諾の意思表示をした場合について、同時に民法の詐欺・強迫（同法第96条）が成立するときは、消費者は詐欺・強迫の規定に基づいてもこれを取り消すことができる。本条はこのことを確認的に規定したものである。

② 条文の解釈

「妨げるものと解してはならない」

第4条第1項から第4項までの規定により消費者の消費者契約の申込み又はその承諾の意思表示が取消しの対象となり、かつ、これについて民法の詐欺・強迫が成立する場合には、消費者はこの両方を主張することができることを、確認的に規定したものである。

142　第1編　逐条解説　第2章　消費者契約

第6条の2（取消権を行使した消費者の返還義務）

> **（取消権を行使した消費者の返還義務）**
> **第6条の2**　民法第121条の2第1項の規定にかかわらず、消費者契約に基づく債務の履行として給付を受けた消費者は、第4条第1項から第4項までの規定により当該消費者契約の申込み又はその承諾の意思表示を取り消した場合において、給付を受けた当時その意思表示が取り消すことができるものであることを知らなかったときは、当該消費者契約によって現に利益を受けている限度において、返還の義務を負う。

1　趣旨

　消費者が本法の規定によって意思表示を取り消した場合には、その意思表示は初めから無効であったものとみなされる（第11条第1項・民法第121条）。そのため、取消権を行使した消費者が、当該消費者契約に基づいて事業者から既に給付を受けていた場合には、これを返還する義務を負うことになる。当該返還義務の範囲について、本法の制定当時には、民法第703条（不当利得の返還義務）が適用されると考えられており、本法に特段の規定は設けられていなかった。この考え方によれば、消費者が、意思表示を取り消すことができることを知らずに、事業者から給付を受けていた場合には、これを「その利益の存する限度において」返還すれば足りる（いわゆる現存利益を返還すれば足りる）こととなる。

　これに対し、改正民法の下では、無効な法律行為に基づく債務の履行として給付を受けた者は、その者が行為の時に制限行為能力者であった場合などの一定の例外を除いて、原則として原状回復義務を負うこととなると解される（民法第121条の2）。この場合、本法の規定により意思表示を取り消した消費者の返還義務の範囲は、現存利益の返還よりも広くなると考えられる。

第1節　消費者契約の申込み又はその承諾の意思表示の取消し（第4条〜第7条）**第6条**　143

● 返還義務の範囲

〔設例6-1〕
　サプリメント5箱を1箱1万円（合計5万円）で購入し、代金も支払ったが、2箱（2万円分）を費消した後になって、勧誘の際に、当該サプリメントに含まれる成分（アレルギー成分）について不実告知があったことが判明したので、意思表示を取り消した（当該サプリメントの費消により、他の出費が節約されたという事情はなく、当該サプリメントには、客観的に1箱1万円の価値があるものとする。）。

〔考え方〕
　本法制定当時の考え方によれば、民法第703条により、消費者は現存利益を返還すれば足り、消費者が事業者から物品を購入した場合には原則として手元にある原物を返還すれば良いと考えられる^(注)。これを前提とすると、設例では、手元に残っているサプリメント3箱を返還すればよいことになる。
　これに対し、改正民法第121条の2の下では、消費者は原状回復義務を負い、原物を返還することができる場合には原物を返還する義務を負う、原物を返還することができない場合にはその客観的価値を金銭に換算して返還することになるものと解される。これを前提とすると、設例では、手元に残っているサプリメント3箱に加え、費消したサプリメント2箱分の客観的価値（2万円）を返還する義務を負うこととなる。この場合、事業者の有するサプリメント2箱の客観的価値（2万円）の返還請求権が、消費者の有する代金（5万円）の返還請求権と相殺され、消費者はサプリメント2箱分の代金（2万円）の返還を受けられないことになる。

　(注)　原物が手元にない場合、その客観的価値を金銭に換算して返還する必要はない。ただし、当該原物を転売したことや、当該原物の給付を受けたことにより他の出費を免れたこと等により消費者に利得が残っている場合には、その利得（転売価格相当額や免れた出費の額等）を返還することとなると考えられる。また、原物を返還することができる場合であってもそうでない場合でも、当該原物を使用したことにより利益を得ている場合は、その使用利益相当分の金銭（例えば、自動車を使用した場合の利益については、レンタカー代等を参考にして金銭に換算することになる。）も返還することとなると考えられる。

	現存利益	原状回復
事業者の返還義務	代金（5万円）	代金（5万円）
消費者の返還義務	サプリ3箱（原物）	サプリ3箱（原物） ＋ サプリ2箱の価値（2万円）

（参考）民法
（原状回復の義務）

第121条の2 無効な行為に基づく債務の履行として給付を受けた者は、相手方を原状に復させる義務を負う。

2 前項の規定にかかわらず、無効な無償行為に基づく債務の履行として給付を受けた者は、給付を受けた当時その行為が無効であること（給付を受けた後に前条の規定により初めから無効であったものとみなされた行為にあっては、給付を受けた当時その行為が取り消すことができるものであること）を知らなかったときは、その行為によって現に利益を受けている限度において、返還の義務を負う。

3 第1項の規定にかかわらず、行為の時に意思能力を有しなかった者は、その行為によって現に利益を受けている限度において、返還の義務を負う。行為の時に制限行為能力者であった者についても、同様とする。

　しかしながら、これでは、消費者からみれば、事業者の不実告知を理由として意思表示を取り消したにもかかわらず、費消したサプリメント2箱の対価（2万円）を支払ったのと変わらない結果となる。そうすると、事業者としては、物品を費消させるなど原物返還が不可能な状況にさせさえすれば、不当勧誘行為によってした意思表示を取り消されても、代金を受領することができることになり、「給付の押付け」や「やり得」を許容することにもなりかねない。本法は、情報・交渉力の格差を背景に、事業者の不当勧誘行為によって本来望まない給付を押し付けられやすい消費者に取消権を認めるものであるが、取消権を行使した後の契約の清算の場面において「給付の押付け」や「やり得」が生じ得るとすれば、取消権を認めた趣

旨が没却されるおそれがある。

　そこで、従前どおり、消費者の返還義務の範囲を現存利益に限定するため、平成28年改正において、本条が設けられた。

2　条文の解釈

①　「民法第121条の２第１項の規定にかかわらず」

　第４条第１項から第４項までの規定により取消権を行使した消費者の返還義務の範囲については、民法第121条の２第１項ではなく、本条が適用されることを定めたものである。

②　「給付を受けた当時その意思表示が取り消すことができるものであることを知らなかったとき」

　消費者が、事業者から給付を受けた時点で、自らのした意思表示が取り消すことができるものであることについて知らなかった（善意であった）ことが要件となる。

　これは、民法第703条においても要件となると解されている。なお、同条に関して、給付受領時に善意であった消費者が後に悪意となり、その後に給付を受けた利益が消滅したとしても、返還義務の範囲を減少させる理由とはならないと解すべきとする最高裁判決がある（最判平成３年11月19日民集45巻８号1209頁）。

③　「当該消費者契約によって現に利益を受けている限度において、返還の義務を負う」

　第４条第１項から第４項までの規定により取消権を行使した消費者の返還義務の範囲が、いわゆる現存利益の返還に限定されることを定めるものである。現存利益に何が含まれるかについては、民法の解釈に委ねられるものと考えられる。

146　第1編　逐条解説　第2章　消費者契約

第7条（取消権の行使期間等）

> **（取消権の行使期間等）**
> **第7条**　第4条第1項から第4項までの規定による取消権は、追認をすることができる時から1年間（同条第3項第8号に係る取消権については、3年間）行わないときは、時効によって消滅する。当該消費者契約の締結の時から5年（同号に係る取消権については、10年）を経過したときも、同様とする。
> 2　会社法（平成17年法律第86号）その他の法律により詐欺又は強迫を理由として取消しをすることができないものとされている株式若しくは出資の引受け又は基金の拠出が消費者契約としてされた場合には、当該株式若しくは出資の引受け又は基金の拠出に係る意思表示については、第4条第1項から第4項までの規定によりその取消しをすることができない。

I　第1項

1　趣旨等

(1)　趣旨

　民法第126条では、取消権の行使期間を、「追認をすることができる時から5年間」、「行為の時から20年」と定めているところ、本法では、消費者が誤認、困惑したことにより、又は過量な内容の消費者契約の締結について勧誘を受けたことにより、消費者契約の申込み又はその承諾の意思表示を行った場合の取消権について、その行使期間を、「追認をすることができる時から1年間」、「当該消費者契約の締結の時から5年」としたものである。

　本法の対象である消費者契約においては、契約当事者の一方は必ず事業者であるところ、事業者の行う取引は、反復継続的に行われるという性質を持つ。このため、事業者の行う取引は、迅速な処理が求められ、かつ、

第1節　消費者契約の申込み又はその承諾の意思表示の取消し（第4条〜第7条）**第7条**　147

取引の安全確保、法律関係の早期の安定に対する要請が高い。

　また、本法は、民法の定める場合よりも取消しを広く認めるものであるので、私人間におけるあらゆる行為を想定し、その取消権の行使期間を定める民法の場合と比べ、取消権の行使期間を短く規定した。

(2)　平成28年改正

　平成28年改正前の本項は、短期の取消権の行使期間を「追認をすることができる時から6箇月間」としていたが、不当な勧誘を受けて契約を締結し、この期間を経過してしまう消費者が一定数存在していた。他方で、取引の安全の確保を図り、早期に法律関係を確定させる必要があるという要請もある。そこで、このような要請も考慮しつつ、消費者被害ができる限り救済されるよう、平成28年改正において、短期の取消権の行使期間を「追認をすることができる時から1年間」に伸長した。

(3)　令和4年臨時国会改正

　霊感等による知見を用いた告知に係る勧誘に対する取消権（第4条第3項第8号）については、当該勧誘を受けた場合に霊感等による正常な判断を行うことができない状態から抜け出すためには相当程度の時間を要するという指摘などを踏まえ、令和4年臨時国会改正において、上記の取消権の行使期間を、追認をすることができる時から3年間、消費者契約の締結の時から10年に伸長した。

2　条文の解釈

①　「追認をすることができる時」

　短期の取消権の行使期間の起算点となる「追認をすることができる時」とは、取消しの原因となっていた状況が消滅し、かつ、取消権を有することを知った時である（民法第124条第1項参照）。本法においては以下のとおりである。

ア　誤認類型の場合（第4条第1項、第2項）

　事業者の行った「重要事項について事実と異なることを告げる」（第4条第1項第1号）行為、「将来における変動が不確実な事項につき断定的判断

を提供する」（同項第2号）行為、「ある重要事項又は当該重要事項に関連する事項について当該消費者の利益となる旨を告げ、かつ、当該重要事項について当該消費者の不利益となる事実を故意に告げな」い（同条第2項）行為により、消費者が誤認をしたことに気付き、かつ、取消権を有することを知った時が「追認をすることができる時」となる。

イ　困惑類型の場合（第4条第3項）

消費者が、第4条第3項に規定する事業者の行為による困惑から脱した時が「追認をすることができる時」となる。

例えば、同項第1号及び第2号では、消費者が、事業者の行った「退去しない」（同項第1号）行為、「退去させない」（同項第2号）行為による困惑を脱し、かつ、取消権を有することを知った時が「追認をすることができる時」となる。

通常は、事業者の上記各行為を免れた時に、困惑から脱することが考えられる。具体的には以下の場合が考えられる。

- （ア）　当該消費者が退去すべき旨の意思を示した住居又は業務を行っている場所から、当該事業者が退去した時（同項第1号）
- （イ）　当該消費者が退去する旨の意思を示した場所から、当該消費者が退去した時（同項第2号）

ウ　過量な内容の消費者契約の場合（第4条第4項）

消費者が過量な内容の消費者契約を締結してしまうのは、当該消費者に当該消費者契約を締結するか否かについて合理的な判断をすることができない事情がある場合であると考えられるため、当該消費者契約を締結するか否かについて合理的な判断をすることができない事情が消滅し、かつ、取消権を有することを知った時が「追認をすることができる時」となる[注1]。

なお、個別具体的な状況にもよるが、以下の場合などが考えられる。

- （ア）　消費者が、過量な内容の消費者契約であることを認識していなかったために、当該消費者契約を締結してしまった場合であれば、その後、当該消費者契約が過量な内容のものであることを認識した時[注2]
- （イ）　消費者が、事業者による過量な内容の消費者契約の勧誘に対し

第1節　消費者契約の申込み又はその承諾の意思表示の取消し（第4条～第7条）**第7条**　149

て、断りたくても断り難い心理状態にあったために、当該消費者契約を締結してしまった場合であれば、そのような心理状態を脱した時^(注3)

（注1）　「合理的な判断をすることができない事情」とは、過量な内容の消費者契約を締結する原因となった事情であり、取消しが認められる事例には、必ず何らかの「合理的な判断をすることができない事情」があると考えられる。

（注2）　例えば、次々販売において消費者が、既に同種の物品を購入していたことを失念していたために過量な内容の契約を締結してしまった事例であれば、当該消費者が、既に同種の物品を購入・所有していたという事実を知れば、過量な内容のものであることを認識することになると考えられる。

（注3）　例えば、事業者より無料で商品の譲渡やサービスの提供等を受けた後に契約締結を勧められたことにより、当該消費者が断り難い心理状態となって契約を締結してしまった事例のように、その勧誘が終了してしまえば、他に過量な内容の契約を締結する要因となる事情がない場合であれば、通常は、当該勧誘が終了すれば当該心理状態を脱したものといえる。他方で、先輩・後輩又は使用者・被用者その他の人間関係を背景として過量な内容の契約締結を勧められて締結してしまった事例のように、当該勧誘が終了した後も、当該消費者契約の締結を断ることができなかったのと同じ心理状態が継続するのであれば、当該心理状態を脱するまでは、取消しの原因となっていた状況が継続していると考えられる。

② 「1年間（同条第3項第8号に係る取消権については、3年間）行わないとき」

（ア）　取引社会の実情において、比較的短期間のうちに請求、弁済がなされていることからも、早急に法律関係を確定させる必要がある

（イ）　他方、不当な勧誘を受けて契約を締結した消費者ができる限り救済されるようにする必要もある

ことなどを考慮し、短期の取消権の行使期間を1年と定めた。

　また、霊感等による知見を用いた告知に係る勧誘に対する取消権については、霊感等による正常な判断を行うことができない状態から抜け出すためには相当程度の時間を要し、かつ、その間は他人からは通常の状態に見えるが、本人には葛藤が続いているとする指摘などを踏まえ、短期の取消

権の行使期間を 3 年としている。

③ 「時効によって消滅する」

取消権は形成権であり、取消権者の一方的な権利行使により、直ちに完全な効果を生ずる。取消権を有する消費者は、事業者に対して意思表示をすることによってこれを行使することができ（民法第123条）、取消しの意思表示が事業者に到達すれば、取消しは有効となる（意思表示の方法の如何は問わないが、後で取消しの意思表示の有無が争われないようにするために、裁判外で取消権を行使する場合には、内容証明郵便・配達証明郵便を用いて行うことが多い。）。

しかしながら、取消権は「追認をすることができる時から 1 年」、又は「当該消費者契約の締結の時から 5 年」のいずれか一方の期間の経過によって消滅する。したがって、当該期間の経過後に取消しの意思表示をしたとしても、その取消しは効力を有しない。

なお、取消権が消滅していることの立証責任は、事業者が負う。例えば、1 年の行使期間について、消費者がどの時点で誤認に気付いていたかが争いとなった場合には、事業者は、間接事実（例えば、消費者から苦情が持ち込まれた日時等）の積み重ねによって立証していくことになる。

④ 「当該消費者契約の締結の時から」

長期の取消権の行使期間の起算点について、民法で定める「行為の時」とは異なり、本法では「当該消費者契約の締結の時」とした。

その理由は、

　（ア）　消費者と事業者の間で行われる契約が対話者間契約の場合は、通常「当該消費者契約の締結の時」と「行為の時」（＝消費者が契約締結のための意思表示をした時）の時期は等しくなる。

　（イ）　起算点が若干異なることとなる隔地者間契約の場合について、「行為の時」と規定すると、消費者が申込みを行う時には、到達主義に基づき、事業者に意思表示が到達した時点が起算点ということになるが、消費者にとって、自らの意思表示がいつ到達したのかが明確ではないという問題を生む。

ということである。

そこで、本法はできるだけ明確な民事ルールを規定するものであること

第1節　消費者契約の申込み又はその承諾の意思表示の取消し（第4条～第7条）**第7条**　151

から、より客観的に明確な「当該消費者契約の締結の時」を起算点と規定することとした（隔地者間契約の場合であっても、事業者の発する契約締結の諾否の通知等に記載された日付等によって、「消費者契約の締結の時」は、消費者にも明らかとなると考えられる。）。

⑤　「５年（同号に係る取消権については、10年）を経過したとき」

消費者の権利の保全及び取引の安全という両者の要請を踏まえ、本法では、長期の取消権の行使期間を５年と定めた[注]。

また、霊感等による知見を用いた告知に係る勧誘に対する取消権については、①霊感等による正常な判断を行うことができない状態から抜け出すためには相当程度の時間を要するという指摘があるところ、短期の取消権の行使期間を伸長しても長期の取消権の行使期間を伸長しなければ結果的に取消権が時効消滅してしまうと想定されること、及び②期間を伸長する場合には数字的にも明確であり、多くの者が理解しやすい期間とすることが適切であるが、事業者の行う取引についての迅速処理、法律関係の早期安定の要請を図る必要もあること、を踏まえ長期の取消権の行使期間を10年としている。

> （注）　本法の立案時においては、商事債権について５年間の消滅時効を定めた商法第522条の規定も参考とされた。

Ⅱ　第2項

1　趣旨

株式の引受けという行為は、対公衆的意思表示としての性質を有し、その内容は資本団体の創設という経済的意義を有することからも、この行為を信頼する公衆の利益を保護すべき要求が強い。この性質は会社法第51条第2項、第102条第6項、第211条第2項に規定する詐欺、強迫等の取消しの理由如何によらず妥当するものであるから、本法においても同様に株式引受けの取消しの制限をしたものである。

また、このことは、会社法以外の法律の規定により株式若しくは出資の引受け又は基金の拠出について詐欺又は強迫を理由として取り消すことが

152　第1編　逐条解説　第2章　消費者契約

できないものとされている場合にも同様に当てはまることから、そのような場合においても本法第4条第1項から第4項までの規定が適用されないことを規定することとした。

2　条文の解釈

「会社法（平成17年法律第86号）その他の法律により詐欺又は強迫を理由として取消しをすることができないものとされている株式若しくは出資の引受け又は基金の拠出」

　株式若しくは出資の引受け又は基金の拠出に関して、詐欺又は強迫を理由として取消しをすることができない旨を規定する法律の規定の例としては、会社法第51条第2項（同項を準用する資産の流動化に関する法律第25条第1項）、第102条第6項（同項を準用する投資信託及び投資法人に関する法律第75条第5項）及び第211条第2項（同項を準用する資産の流動化に関する法律第41条第6項、協同組織金融機関の優先出資に関する法律第14条第1項、投資信託及び投資法人に関する法律第84条第1項）のほか、金融商品取引法第101条の15第2項、保険業法第30条の5第3項及び第96条の3第2項、商品先物取引法第131条の5第2項等がある。

第2節　消費者契約の条項の無効（第8条～第10条）

1　趣旨

(1)　契約条項の無効（第8条～第10条）についての総説

　現代社会の消費者契約においては、契約当事者の一方である事業者が、大量取引を迅速かつ画一的に処理しながら安定した契約を確保するために、一定の場合に、自己の責任を免除若しくは軽減して相手方である消費者の権利を制限し、又は相手方である消費者に一定の義務を課すなどにより、経済的利益の配分を図っている（なお、電気・ガスの供給、輸送サービスの提供、電話の通信契約等のように、大量に取引がなされ、画一的かつ迅速な処理が要求されるために附合契約と呼ばれる契約形態をとることが合理的であるものがある。これらの契約については、消費者保護の観点から国が契約内容の認可・届出等の手続を通じて監督しているものが多い。）。しかし、場合によっては、取引が多様化・複雑化する中で情報・交渉力の面で消費者と事業者との間に大きな格差が存在する状況において、事業者が適切なバランスを失し、自己に一方的に有利な結果を来す可能性も否定できない。このように、消費者にとって不当な契約条項により権利を制限される場合には、消費者の正当な利益を保護するため当該条項の効力の全部又は一部を否定することが適当である。

　民法第91条は、当事者の意思によって任意規定と異なる特約をした場合には、任意規定よりもその特約が優先すると規定しているが、以上を踏まえ、本法第2章第2節の規定（第8条から第10条まで）は、民法第91条の特則として、民法、商法等の任意規定と異なる契約条項のうち一定の要件に当てはまるものの全部又は一部を無効としている。

(2)　民法第1条第2項（信義則）、第90条（公序良俗）との関係

　本法第2章第2節の規定は、消費者契約においては、契約全体を有効としつつ、第8条から第10条の規定に掲げる契約条項に該当するものを無効

とするものである。一方、裁判実務上、民法の信義則、公序良俗を根拠として、契約全体を有効としつつ契約条項の効力を否定する例がみられるものの、本法第2章第2節の規定は民法の信義則、公序良俗とはその目的を異にするものである。

ア 民法の信義誠実の原則（第1条第2項）の目的

権利の行使又は義務の履行に当たっては、社会共同生活の一員として、互いに相手の信頼を裏切らないように、誠意を持って行動することを要請する。

イ 民法の公序良俗（第90条）の目的

国家・社会の秩序や一般的利益、社会の一般的道徳観念に反する法律行為を無効とする。

ウ 本法第2章第2節の規定の目的

情報・交渉力において劣位にある消費者の正当な利益が不当な内容の契約条項により侵害された場合に、このような不当条項の効力を否定することにより当該消費者の利益を回復する。

第2節　消費者契約の条項の無効（第8条〜第10条）**第8条**　155

第8条（事業者の損害賠償の責任を免除する条項等の無効）

> **（事業者の損害賠償の責任を免除する条項等の無効）**
> **第8条**　次に掲げる消費者契約の条項は、無効とする。
> 　一　事業者の債務不履行により消費者に生じた損害を賠償する責任の全部を免除し、又は当該事業者にその責任の有無を決定する権限を付与する条項
> 　二　事業者の債務不履行（当該事業者、その代表者又はその使用する者の故意又は重大な過失によるものに限る。）により消費者に生じた損害を賠償する責任の一部を免除し、又は当該事業者にその責任の限度を決定する権限を付与する条項
> 　三　消費者契約における事業者の債務の履行に際してされた当該事業者の不法行為により消費者に生じた損害を賠償する責任の全部を免除し、又は当該事業者にその責任の有無を決定する権限を付与する条項
> 　四　消費者契約における事業者の債務の履行に際してされた当該事業者の不法行為（当該事業者、その代表者又はその使用する者の故意又は重大な過失によるものに限る。）により消費者に生じた損害を賠償する責任の一部を免除し、又は当該事業者にその責任の限度を決定する権限を付与する条項
> 　2　前項第1号又は第2号に掲げる条項のうち、消費者契約が有償契約である場合において、引き渡された目的物が種類又は品質に関して契約の内容に適合しないとき（当該消費者契約が請負契約である場合には、請負人が種類又は品質に関して契約の内容に適合しない仕事の目的物を注文者に引き渡したとき（その引渡しを要しない場合には、仕事が終了した時に仕事の目的物が種類又は品質に関して契約の内容に適合しないとき。）。以下この項において同じ。）に、これにより消費者に生じた損害を賠償する事業者の責任を免除し、又は当該事業者にその責任の有無若しくは限度を決定する権限を付与するものについては、次に掲げる場合に該当するときは、前項の規定は、適用しない。
> 　一　当該消費者契約において、引き渡された目的物が種類又は品質に関

156　第1編　逐条解説　第2章　消費者契約

して契約の内容に適合しないときに、当該事業者が履行の追完をする
責任又は不適合の程度に応じた代金若しくは報酬の減額をする責任を
負うこととされている場合
二　当該消費者と当該事業者の委託を受けた他の事業者との間の契約又
は当該事業者と他の事業者との間の当該消費者のためにする契約で、
当該消費者契約の締結に先立って又はこれと同時に締結されたものに
おいて、引き渡された目的物が種類又は品質に関して契約の内容に適
合しないときに、当該他の事業者が、その目的物が種類又は品質に関
して契約の内容に適合しないことにより当該消費者に生じた損害を賠
償する責任の全部若しくは一部を負い、又は履行の追完をする責任を
負うこととされている場合
3　事業者の債務不履行（当該事業者、その代表者又はその使用する者の
故意又は重大な過失によるものを除く。）又は消費者契約における事業者
の債務の履行に際してされた当該事業者の不法行為（当該事業者、その
代表者又はその使用する者の故意又は重大な過失によるものを除く。）に
より消費者に生じた損害を賠償する責任の一部を免除する消費者契約の
条項であって、当該条項において事業者、その代表者又はその使用する
者の重大な過失を除く過失による行為にのみ適用されることを明らかに
していないものは、無効とする。

Ⅰ　第1項

■1　趣旨等

(1)　趣旨

　契約条項に基づく事業者による消費者の権利の制限の例としては、現実
には、消費者が損害を受けた場合の損害賠償請求権を排除又は制限し、消
費者に不当な負担を強いる場合がある。そこで、本条においては、消費者
が損害を受けた場合に正当な額の損害賠償を請求できるように、事業者が
消費者契約において、民法、商法等の任意規定に基づき負うこととなる損

第2節 消費者契約の条項の無効（第8条～第10条）**第8条** 157

害賠償責任を特約によって免除又は制限している場合に、その特約の効力を否定することとした^(注)。

なお、事業者の損害賠償責任を制限する消費者契約の条項について、本条に該当しないものであっても、第10条により無効となることがあり得る。

(注) 民法の一部を改正する法律（平成29年法律第44号）による改正後の民法で瑕疵担保責任に関する規定が改正されたことを受けて、同改正法が施行された時点で、本項の規定も次のように改正された。

まず、改正前は、本項第5号は瑕疵担保責任に基づく損害賠償責任の免除に係る規定であったところ、民法の改正により、瑕疵担保責任の概念がなくなり、引き渡された目的物に瑕疵があった場合の損害賠償請求は、債務不履行の規定に基づいて行われるものとされた（民法第564条参照）。そこで、本項第5号は削除することとした。

また、改正前は、本条第2項で「瑕疵」との用語が用いられていたが、「目的物が種類又は品質に関して契約の内容に適合しない」との用語に改められた（民法第562条第1項参照）。

さらに、本条第2項第1号について、民法では、引き渡された目的物が契約の内容に適合しない場合には、買主が代金の減額を請求することができるものとされている（請負契約においては、注文者は報酬の減額を請求することができる）ことを踏まえ（民法第563条参照）、消費者契約において事業者が代金又は報酬の減額をする責任を負うこととされている場合についても、損害賠償責任を免除する契約条項を無効とはしないこととされた。

(2)　平成28年改正

改正前の本項第3号及び第4号は、「当該事業者の不法行為により消費者に生じた損害を賠償する『民法の規定による』責任」の全部又は一部を免除する契約条項について、一定の要件を満たす場合には無効としていた。

しかし、代表者の行為についての法人の不法行為責任に関しては、消費者契約法の立法当時は、民法第44条第1項等において規定されていたものの、その後、民法が改正され、同条が削除されたため、他の法律（一般社団法人及び一般財団法人に関する法律等）において同条に相当する規定が設けられるなどした。また、事業者の損害賠償責任を免除することの不当性は、その責任が民法の規定に基づくかどうかという法形式で異なるものではな

158　第1編　逐条解説　第2章　消費者契約

い。これらの点を踏まえると、本項第3号及び第4号の規律の対象を「民
法の規定による」不法行為責任に限定すべきではないと考えられたことか
ら、「民法の規定による」という文言を削除することとされた。

(3)　平成30年改正

　改正前の本条は、消費者が損害を受けた場合に正当な額の賠償請求をす
ることができるようにするため、事業者が任意規定に基づいて負うことと
なる損害賠償責任について、当該事業者が消費者契約において全部又は一
部を免除する契約条項を定めている場合には、その契約条項の効力を否定
する旨を規定していた。

　一方、当該事業者に当該責任の有無又は限度を決定する権限を付与する
契約条項（以下「損害賠償責任等の決定権限付与条項」という。）については、
第10条の規定により無効となる可能性があるものの、改正前の本項の規定
が無効とする契約条項には該当しないものと考えられた。しかし、損害賠
償責任等の決定権限付与条項は、当該事業者に決定権限を付与するという
契約条項の性質上、事業者が決定権限を適切に行使しないことにより消費
者が正当な額の賠償を請求できないおそれを類型的に伴っているものであ
る。このため本条の趣旨に照らすと、損害賠償責任等の決定権限付与条項
は、事業者の損害賠償責任を免除する契約条項と実質的に同じ効果を有す
るものと評価することができる。

　そこで、平成30年改正において、本条の規定により無効となる消費者契
約の条項に損害賠償責任等の決定権限付与条項を加えることとされた[注]。

　　　[注]　民法の一部を改正する法律の施行に伴う関係法律の整備等に関する法律に
　　　　　よる改正後の本条第2項は、契約不適合責任を免除する契約条項については、
　　　　　消費者に法定の救済手段があることを条件に、本条第1項の規定により無効
　　　　　とはならない旨を規定していた。この点に関し、契約不適合責任について事業
　　　　　者に決定権限を付与する契約条項についても、消費者に法定の救済手段があ
　　　　　るのであれば、本条第1項の規定により無効とはならないこととするのが適
　　　　　当であると考えられる。
　　　　　　そこで、民法の一部を改正する法律の施行に伴う関係法律の整備等に関す
　　　　　る法律による改正後の本条第2項の規定において、本条第1項を適用しない

こととなる契約条項に、「当該事業者にその責任の有無若しくは限度を決定する権限を付与する」ものを追加することとされた。

2 条文の解釈

(1) 第1号

① 「事業者の債務不履行により消費者に生じた損害を賠償する責任」

消費者契約において、事業者の民法第415条等に規定する債務不履行により消費者に損害が生じたときには、同条の規定に従い、消費者は損害賠償請求権を取得する。同条の損害賠償請求権が発生する要件としては、通説では、債務不履行の事実があり、債務者に帰責事由があり、債務不履行と因果関係のある損害が発生していることであるとされている。帰責事由とは、債務者自身の故意・過失又は信義則上これと同視しうべき事由をいう。信義則上、債務者自身の故意・過失と同視しうべき事由として考えられているのは履行補助者の過失である。履行補助者とは、債務者の意思に基づいて債務の履行のために使用される者を指し、債務者自身に故意・過失がなくても履行補助者に故意・過失がある場合には債務者自身の債務不履行として損害賠償責任を負うものとされている。なお、金銭債務については、不可抗力による抗弁はできないとされているため、無過失の場合でも損害賠償責任を負うこととなる（民法第419条第3項）。

② 「全部を免除」

「全部を免除」とは、事業者が損害賠償責任を一切負わないとすることであり、このような内容を定めた特約をその限りにおいて無効とした。したがって、損害賠償責任を一定の限度に制限し、一部のみの責任を負う旨を定める契約条項は本号には該当しない。また、立証責任を消費者に転換する契約条項も本号には該当しない。

本号に該当する契約条項の例として、

「いかなる理由があっても一切損害賠償責任を負わない」

「事業者に責に帰すべき事由があっても一切責任を負わない」

「事業者に故意又は重過失があっても一切責任を負わない」

といった、事業者の債務不履行による損害賠償責任を全て免除する旨の契約条項が考えられ、これらは本号に該当し無効となる。

160 第1編 逐条解説 第2章 消費者契約

③ 「当該事業者にその責任の有無を決定する権限を付与する」

「当該事業者にその責任の有無を決定する権限を付与する」とは、任意規定によれば事業者が損害賠償責任を負うにもかかわらず、当該事業者の決定により、当該事業者が当該責任の全部を負わないことを可能とすることである。

④ 効果

本号は、消費者契約においては、事業者が民法第415条等に規定する債務不履行による損害賠償責任の全部を免除する又はその責任の有無を決定する権限を付与する旨の契約条項をその限りにおいて無効としたものである。契約条項が無効となった結果、損害賠償責任については、何の特約もなかったこととなり、事業者は民法等の原則どおり第415条、第416条等の規定に基づき損害賠償責任を負うこととなる。すなわち、事業者に債務不履行の事実があり、事業者たる債務者に帰責事由があり、債務不履行と因果関係のある損害が発生している場合には、事業者は、当該消費者に損害賠償責任を負う。

当然のことながら、本号によって、「いかなる理由があっても一切損害賠償責任を負わない」という特約が無効となっても、事業者は、「いかなる理由があっても一切損害賠償責任を負う」ことになるわけではない。つまり、民法第415条等の規定に照らし、そもそも損害賠償責任を負わないようなケースであれば、損害賠償責任を負うことはない。

● 債務不履行とは

(1) 債務不履行とは、債務者が債務の本旨に従った履行をしないことを指すが、これは一般に契約の趣旨、取引慣行等に照らして適当な履行をしないことであるとされている。その態様としては、一般に、①履行が可能であるのに、履行期を徒過した場合（履行遅滞）、②債務成立後に履行ができなくなった場合（履行不能）、③債務の履行として給付はなされたが、それが不完全な場合（不完全履行）の3類型があるとされている。民法第415条によると、損害賠償請求権が発生する要件としては、債務不履行の事実があり、債務者に帰責事由があり、債務不履行と因果関係のある損害が発生していることであるとされている。なお、商法第560条等の規定は、通説では債務不履行責任に関する規定と考えられている。

（2）　前述のように、債務不履行とは、債務者が債務の本旨に従った履行をしないことを指し、これは一般に契約の趣旨、取引慣行等に照らして適当な履行をしないことと考えられているが、当該契約により負うこととなる債務の範囲が技術的に履行可能な範囲に限定されることが文言上明らかであるような契約内容であれば、契約上も技術的に履行不可能な行為を為す債務は負わないこととなる。債務を負わない場合には債務不履行にはならず、債務不履行責任は生じない。また、役務の性質上、技術的に履行が不可能な場合には、そもそも債務を負っていないために、債務不履行責任が発生しないと考えられる場合もあり得、その場合には、技術的に履行が不可能な一定期間について責任を免責しても、それは「債務不履行責任を免除する」契約条項に該当しない場合もある。例えば、契約書に以下のような契約条項があれば、当該事業者の提供すべきサービス（債務）の内容は、技術的に不可能な事由による一時的中断があり得る性質のものであり、債務の内容は技術的に可能な範囲に限られるので、事業者は技術的に可能な範囲でサービスを提供すれば債務を履行していることとなると考えられる。

契約条項の例

「当社の提供するサービスにおいては、以下のような事由が生じた場合は、一時的にサービスの提供を中断することがあります。

イ　技術的に不可能な事由による場合・・・・・・」

民法の一般的な考え方からすると、債務者は、契約上負っていない債務を履行する義務はない。債務の範囲が技術的に履行可能な範囲に限定される趣旨が、契約の解釈において疑義が生じないように文言上明らかになっていれば、契約の解釈により、その契約においては技術的に履行不可能な行為を為す義務は負わないこととなる。これは本法においても同様である。

例えば、運送約款上、特急・急行列車において、２時間未満の遅延の場合、乗客は特急・急行料金の払戻しを請求することができない旨規定されている。このような場合、事業者の責に帰すべき理由がある場合も含めて、合理的な一定時間内は、民法第415条等の解釈により、債務があるものとはみなされず、したがって債務不履行を構成しないことから、本号が適用されるものではない。また、例えば、電気通信サービスにおいても、天候の影響や通信環境の問題等様々な理由により通信の瞬断等が往々にして生じ得ること、また、瞬断等が発生した場合に、その原因の特定が困難といった事情・特徴があること等電

162　第1編　逐条解説　第2章　消費者契約

気通信サービスの特性に鑑みると、その約款により合理的な一定期間について責任を免責しても、同様に本号は適用されないものと考えられる。

● 　民法第416条の規定（損害賠償の範囲）

　　民法においては、債務不履行についての損害賠償の範囲は第416条（判例では、不法行為にも類推適用される。）により規定された相当因果関係の法理によって定められている。その趣旨は一般に、現実に生じた損害のうち、当該債務不履行により通常生ずべき損害である「通常損害」を原則とし、特別の事情を予見すべきであった場合のみ、その特別の事情により生じた「特別損害」をも対象とすると解されている。

(2)　第2号
①　「当該事業者、その代表者又はその使用する者」
　事業者には、法人と個人が存在するが、「その代表者」とは、事業者が法人である場合の法人の代表者（例：株式会社の代表取締役）を指す。代表者のような法人の機関の行為に対する法人の責任は、法人の機関の職務行為に対する法人自身の責任である。

　「その使用する者」とは、事業者の履行補助者を指す。履行補助者とは、債務者の意思に基づいて債務の履行のために使用される者を指し、あくまで、その者の過失が事業者自身の帰責事由となり、事業者自身が損害賠償責任を負うこととなる、そのような者という趣旨である。例としては、企業の従業員や個人商店の従業員等がこれに当たる。

②　「故意又は重大な過失」
　「故意」とは、自己の行為から一定の結果が生じることを知りながらあえてその行為をすることを意味する。

　「過失」とは、一定の事実を認識できたにもかかわらず、その人の職業、社会的地位等からみて、一般に要求される程度の注意を欠いたため、それを認識しないことを意味する。「重大な過失」とはこの注意を著しく欠いている場合である。

　重大な過失とは、相当の注意をすれば容易に有害な結果を予見すること

ができるのに、漫然看過したというような、ほとんど故意に近い著しい注意欠如の状態をいう（大判大正2年12月20日民録19輯1036頁参照）。

③　「一部を免除」

「一部を免除」とは、事業者が損害賠償責任を一定の限度に制限し、一部のみの責任を負うことであり、このような内容を定めた特約を無効とした。

無効となる契約条項の例としては、

「事業者の損害賠償責任は○○円を限度とする」

といった契約条項がある。このような契約条項は、事業者の損害賠償責任を一定の限度に制限し、一部のみの責任を負わせるものであるため、債務不履行が当該事業者、その代表者又はその使用する者の故意又は重過失（以下、本条の解説において事業者の故意又は重過失について述べる場合には、事業者、その代表者及びその使用する者の故意又は重過失を指す。）によるものである場合は、無効となる。

なお、事業者の故意又は重過失による損害賠償責任を制限する契約条項であっても、全部を免除する契約条項は、本号には該当せず、第1号に該当するものとして無効となる。

④　「当該事業者にその責任の限度を決定する権限を付与する」

「当該事業者にその責任の限度を決定する権限を付与する」とは、損害賠償責任が事業者の故意又は重過失によるものであるため、当該責任の一部を免除することは許容されない（したがって、事業者は任意規定による損害賠償責任の全部を負うことになる）にもかかわらず、当該事業者の決定により、一定の限度においてのみ責任を負うことを可能とすることである。

⑤　効果

本号は、消費者契約において、事業者が債務不履行による損害賠償責任を負う場合で、事業者に故意又は重過失があっても、損害賠償責任を制限する又は当該事業者にその責任の限度を決定する権限を付与する旨の契約条項をその限りにおいて無効とするものである。これは、単なる軽過失による債務不履行の場合と比較し、事業者に故意又は重大な過失がある場合には、その帰責性は重いものであり、そのような場合には、民法の原則どおりの責任を負わせるのが妥当であるためである。契約条項が無効となった結果、損害賠償額の限度については、何の特約もなかったこととなり、

事業者は損害賠償責任を制限することはできないこととなる。

(3) 第3号

① 「事業者の不法行為により消費者に生じた損害を賠償する責任」

「事業者の不法行為により消費者に生じた損害を賠償する責任」とは、民法第709条（不法行為による損害賠償）、第715条（使用者等の責任）、第717条（土地の工作物等の占有者及び所有者の責任）及び第718条（動物の占有者等の責任）のほか、代表者がその職務を行うについて第三者に加えた損害に関する法人の損害賠償責任の規定（一般社団法人及び一般財団法人に関する法律第78条等）、商法第690条（船舶所有者の船長等に関する賠償責任）、製造物責任法第3条（製造物責任）等が考えられる。

② 「全部を免除」

「全部を免除」とは、事業者が不法行為による損害賠償責任を一切負わないとすることであり、このような内容を定めた特約をその限りにおいて無効とした。したがって、損害賠償責任を一定の限度に制限し、一部のみの責任を負う旨を定める契約条項は本号には該当しない。また、立証責任を消費者に転換する契約条項も本号には該当しない。無効となる契約条項の例については(1)②を参照。

なお、土地の工作物等の占有者の責任を全部免除し、所有者が責任を負う旨の契約条項については、占有者が事業者である場合には、当該条項は本号に該当し無効となる。無効となった結果、占有者である事業者は民法第717条に規定する要件に従い責任を負う。一方、所有者が事業者である場合に、事業者の責任を全部免除する契約条項については、本号に該当し無効となる。

③ 「当該事業者にその責任の有無を決定する権限を付与する」

(1)③の解説を参照のこと。

④ 効果

本号は、消費者契約においては、事業者の債務の履行に際してされた当該事業者の不法行為により消費者に生じた損害を賠償するそれぞれの規定による責任の全部を免除する又は当該事業者にその責任の有無を決定する権限を付与する旨の契約条項をその限りにおいて無効としたものである。

契約条項が無効となった結果、損害賠償責任については、何の特約もなかったこととなり、事業者はそれぞれの不法行為の規定に基づく損害賠償責任を負うこととなる。

　特約が無効になった結果、事業者はあくまで、それぞれの不法行為の規定に定めるところの損害賠償責任を負うのであり、それ以上の責任を負うわけではない。例えば、民法第709条の責任についていえば、事業者に故意又は過失があり、故意又は過失と因果関係のある損害が発生している場合には、事業者は、当該消費者に損害賠償責任を負う。その立証責任は、消費者にある。当然のことながら、本号によって、「いかなる理由があっても一切損害賠償責任を負わない」という特約が無効となっても事業者は、「いかなる理由があっても一切損害賠償責任を負う」ことになるわけではない。つまり、民法第709条等の規定に照らし、そもそも損害賠償責任を負わないようなケースであれば、損害賠償責任を負うことはない。

　したがって、民法第715条の使用者の責任については、同条第1項ただし書について立証できれば、損害賠償を免れることができる。同様に民法第717条の土地の工作物等の占有者についても同条第1項ただし書について立証できれば、損害賠償を免れることができ、民法第718条の動物占有者についても同条第1項ただし書について立証できれば、損害賠償を免れることができる。

● 「消費者契約における事業者の債務の履行に際してされた当該事業者の不法行為」による損害賠償責任

　一般に、不法行為による損害賠償責任は、当事者（加害者・被害者）が契約関係にあるか否かとは関係なく生じるものである。契約関係にない者との間であらかじめ損害賠償責任を免除する約定をすることはできないので、そうした定めを事業者が一方的にした場合は本号とは関係ない（本号にかかわらず無効）。

　他方で、契約当事者間において、債務の履行に際してなされた不法行為による損害賠償責任が生じることはあり得、あらかじめ約定によってその責任を免除又は制限することは可能である。したがって、このような場合における不法行為責任に関しても本号のような規定を置き、不法行為による損害賠償責任を免責する契約条項を制限する必要がある。そこで、本号

の射程が消費者契約の事業者の債務の履行に際してなされた不法行為に限定される旨を明確にしている。

(4) 第4号

① 「当該事業者、その代表者又はその使用する者の故意又は重大な過失による」

本号においては、「故意又は重大な過失」という損害を発生させた加害行為の行為者の主観的態様の程度を要件としている。したがって、第3号に掲げたもののうち、人の加害行為によらない不法行為の類型については本号の適用はない。

民法第717条の土地の工作物等の占有者・所有者の責任及び民法第718条の動物占有者の責任は、加害行為に基づく責任ではなく、物による加害についての責任である。なかでも土地の工作物等の所有者の責任は無過失責任とされ、また、土地の工作物等の占有者と動物占有者の責任は、損害を発生させた加害についての直接の故意又は過失を要件とするのではなく、他の面についての注意義務違反を要件とし、この証明責任を転換しているとみることができるため中間責任であると解されている。そのため、これらの不法行為類型については本号の適用はない。

また、製造物責任法第3条は、引き渡した製造物の欠陥により他人の生命、身体又は財産を侵害した場合の損害賠償責任を定めたものであり、人の加害行為によらない不法行為の類型であるため、本号の適用はないと考えられる。

「当該事業者」の「故意又は重大な過失による」とは、事業者が民法第709条の規定に基づき責任を負う場合であって、加害行為者である事業者自身に故意又は重過失がある、ということである。

「その使用する者」の「故意又は重大な過失による」とは、事業者が民法第715条第1項の規定に基づき使用者責任を負う場合であって、加害行為者である被用者に故意又は重過失があるということである。本号の「その使用する者」とは、同項の「被用者」を指す。

「故意又は重大な過失」については、(2)②を参照。

② 「事業者の不法行為により消費者に生じた損害を賠償する責任」

(3)①の解説を参照のこと。

③ 「一部を免除」

「一部を免除」とは、事業者が損害賠償責任を一定の限度に制限し、一部のみの責任を負うことであり、このような内容を定めた特約を無効とした。無効となる契約条項の例は(2)③を参照。

④ 「当該事業者にその責任の限度を決定する権限を付与する」

(2)④の解説を参照のこと。

⑤ 効果

本号は、消費者契約において、事業者が不法行為による損害賠償責任を負う場合で、加害行為の行為者に故意又は重過失があっても、損害賠償責任を制限する又は当該事業者にその責任の限度を決定する権限を付与する旨の契約条項を無効としたものである。これは、単なる軽過失による加害の場合と比較し、加害行為者に故意又は重過失がある場合には、その帰責性は重いものであるため、そのような場合に限り、それぞれの不法行為の規定の原則どおりの責任を負わせるのが妥当であるためである。契約条項が無効となった結果、損害賠償額の限度については、何の特約もなかったこととなり、事業者は損害賠償責任を制限することはできず、当該不法行為と因果関係のある損害につき賠償する責任を負うこととなる。

3 　本項により無効となる可能性がある契約条項の例

〔事例8-1〕

　いかなる理由があっても一切損害賠償責任を負わない。

〔事例8-2〕

　事業者に責めに帰すべき事由があっても一切損害賠償責任を負わない。

〔事例8-3〕

　事業者に故意又は過失があっても一切損害賠償責任を負わない。

〔考え方〕

　事例8-1から8-3は、債務不履行や不法行為による損害賠償責任の「全部を免除」する契約条項であるため、本項第1号や第3号に該当し無効となる。

　契約条項が無効となった結果、損害賠償責任については、何の特約もなかっ

168　第1編　逐条解説　第2章　消費者契約

たこととなり、事業者は民法等の原則どおり損害賠償責任を負うこととなる。当然のことながら、「いかなる理由があっても一切損害賠償責任を負わない」という特約が無効となっても事業者は、「いかなる理由があっても一切損害賠償責任を負う」ことになるわけではない。民法第415条、第709条等の規定に照らし、そもそも損害賠償責任を負わないようなケースであれば、損害賠償責任を負うことはない。

〔事例8-4〕
　事業者は、天災等事業者の責に帰すべき事由によらない損害については賠償責任を負わない。
〔考え方〕
　事業者の責めに帰すべき事由がない場合には、事業者はそもそも債務不履行や不法行為に基づく損害賠償責任を負うことはない。この事例は、本来負うことがない責任を負わないということを確認的に定めたものと考えられるが、このような契約条項は無効とはならない（ただし、事業者が金銭債務を負っている場合には不可抗力による抗弁はできない。）。

〔事例8-5〕
　いかなる理由があっても事業者の損害賠償責任は○○円を限度とする。
〔事例8-6〕
　事業者は通常損害については責任を負うが、特別損害については責任を負わない。
〔考え方〕
　これらの契約条項は、損害賠償責任が事業者の故意又は重過失によるものであっても、損害賠償責任の限度を制限（事例8-5）したり、上限を通常損害の額とすることで（事例8-6）、「責任の一部を免除」する契約条項に該当し、本項第2号及び第4号に該当し無効となる。
　また、損害賠償責任の一部を免除する契約条項としては、損害賠償責任の90％を免除するような契約条項も考えられるが、これも全部を免除する契約条項ではないため、本項第1号や第3号には該当しない。しかし、事業者が損害賠償責任の90％を免除する旨の契約条項は、民法第416条の適用による場合よりも消費者の権利を制限することによって、民法の信義則に反する程度に

第2節　消費者契約の条項の無効（第8条～第10条）**第8条**　169

消費者の利益を一方的に害すると考えられるものについては、第10条に該当し無効となり得る。

なお、契約条項が無効となった結果、損害賠償額の限度については最初から何の特約もなかったこととなり、事業者は民法第416条の規定に従い責任を負うこととなる。

〔事例8-7〕

　事業者に故意又は重大な過失がある場合を除き、損害賠償責任は○○円を限度とする。

〔考え方〕

　この契約条項は、「一部を免除」する契約条項であるが、事業者に故意又は重大な過失がある場合を除外しているため、本項第2号や第4号には該当せず、無効とはならない。また、事業者に故意又は重大な過失がある場合を除いており、当該事業者の重大な過失を除く過失による行為にのみ適用されることを明らかにしていることから、本条第3項にも該当せず、無効とはならない。

〔事例8-8〕

　宿泊客がフロントにお預けになった物品又は現金並びに貴重品について滅失、毀損等の損害が生じたときは、それが不可抗力である場合を除き、当ホテルは、その損害を賠償します。ただし、現金及び貴重品について、当ホテルがその種類及び価額の明告を求めた場合であって、宿泊客がそれを行わなかったときは、当ホテルは○○円を限度としてその損害を賠償します。（ホテル宿泊契約の例）

〔考え方〕

　この契約条項は、事業者の賠償の限度を定めているが、商法第597条では、「貨幣、有価証券その他の高価品については、客がその種類及び価額を通知してこれを場屋営業者に寄託した場合を除き、場屋営業者は、その滅失又は損傷によって生じた損害を賠償する責任を負わない。」とされており、事業者の損害賠償責任を制限しているとはいえないため、本項第2号や第4号には該当せず、無効とはならない。

170　第1編　逐条解説　第2章　消費者契約

〔事例8-9〕

　事業者は、人的損害については責任を負うが、物的な損害については一切損害賠償責任を負わない。

〔考え方〕

　人的損害については責任を負うが、物的損害については責任を負わないとする契約条項は、物的損害のみが生じた場合には、一切損害賠償しないこととなるため、「全部を免除」する契約条項に当たる。したがって、本項第1号や第3号に該当し無効となる。

〔事例8-10〕

　消費者が事業者に故意又は過失があることを証明した場合には損害賠償責任を負う。

〔考え方〕

　証明責任を転換する契約条項は、本項には該当しない。ただし、証明責任を法定の場合よりも消費者に不利に定める契約条項（例えば民法415条の債務不履行責任に関し、事業者の責に帰することができる事由を消費者に証明させる契約条項）は、第10条に該当し無効となり得る。

〔事例8-11〕

　会社は一切損害賠償の責を負いません。ただし、会社の調査により会社に過失があると認めた場合には、会社は一定の補償をするものとします。

〔考え方〕

　当該契約条項は、事業者に対し、損害賠償責任の発生要件である過失の有無に係る決定権限を付与する契約条項であり、「当該事業者にその責任の有無を決定する権限を付与する条項」に該当し、本項第1号及び第3号に該当し無効となる。

〔事例8-12〕

　当社が損害賠償責任を負う場合、その額の上限は10万円とします。ただし、当社に故意又は重過失があると当社が認めたときは、全額を賠償します。

〔考え方〕

　当該契約条項は、損害賠償責任が事業者の故意又は重過失によるものであっ

ても、当該事業者が故意又は重過失によるものではないという決定をすることで、上限10万円の限度においてのみ責任を負うことを可能とするものである。したがって、当該契約条項は、「当該事業者にその責任の限度を決定する権限を付与する条項」に該当し、本項第2号及び第4号に該当し無効となる。

〔事例8-13〕
　弊社が賠償責任を負う条件は以下のとおりです。①当該商品お渡し日より60日以内に事故が判明し、お申し出頂いた場合、若しくは②弊社が事故扱いと認めた場合
〔考え方〕
　当該契約条項は、商品お渡し日から60日を超える日に事故が判明した場合には、損害賠償責任が事業者の故意又は重過失によるものであっても、当該事業者が「事故扱い」とは認めない決定をすることで、60日以内に申し出た限度においてのみ責任を負うことを可能とするものである。したがって、当該契約条項は、「当該事業者にその責任の限度を決定する権限を付与する条項」に該当し、本項第2号及び第4号に該当し無効となる。

〔事例8-14〕
　事業者は、商品の品質等に不適合があっても、一切損害賠償、交換、修理をいたしません。
〔考え方〕
　本項第1号に該当し無効となる。無効となった結果、損害賠償責任については最初から何の特約もなかったこととなり、事業者は民法第564条に基づく損害賠償責任を負うこととなる。

〔事例8-15〕
　商品の品質等の不適合による損害賠償責任については、消費者が不適合を知ってから1か月以内に事業者に申し出た場合に限り負うものとする。
〔考え方〕
　権利の行使期間を制限する契約条項は、本項第1号には該当しない。ただし、行使期間を不当に短く設定している契約条項は、民法第566条（行使期間は1年以内）に比べ、消費者の義務を加重するものとして、第10条に該当し無効と

172　第1編　逐条解説　第2章　消費者契約

なり得る。

Ⅱ　第2項

1　本項の趣旨

　本項は、第1項第1号又は第2号に該当する契約条項であっても、本項第1号又は第2号に定める場合に当たるときには、当該契約条項を無効とはしない旨を定めたものである。

　実際の契約においては、事業者が、契約不適合による損害賠償責任の全部を免除する契約条項はあるが、一方で、当該事業者が契約不適合のない物と取り換える責任又は目的物を修補する責任を負う旨定めている場合がある。このような場合には、消費者には救済の手段が残されており、消費者の正当な利益が侵害されているとはいえないため、損害賠償責任の全部を免除する契約条項を無効とはしないこととした。

　また、消費者契約において事業者が契約不適合による損害賠償責任の全部を免除する旨定めているが、当該消費者契約の締結と同時に又はこれに先立って他の事業者との間で締結された契約又は事業者と他の事業者の間で締結された消費者を第三者とする民法第537条に定める第三者のためにする契約においては、当該他の事業者が損害賠償責任の全部又は一部の責任、契約不適合のない物と取り換える責任又は目的物を修補する責任を負う旨定めている場合がある。このような場合にも、消費者には救済の手段が残されており、消費者の正当な利益が侵害されているとはいえないため、損害賠償責任の全部を免除する契約条項を無効とはしないこととした。契約不適合責任についてのみこのような除外規定を置く理由は、現代社会においては、一般的に商品の製造者と販売者が異なっている場合が多く、商品が複雑になればなるほど販売者がその製品についての知識を持つことが困難になり、商品に契約不適合がある場合に、むしろ販売者以外の製造者等が契約不適合責任を負う方が、消費者の救済に資する場合があり得るためである。具体的には、ファイナンスリース契約においては、商品の契約

第2節　消費者契約の条項の無効（第8条〜第10条）**第8条**　173

不適合責任は、ユーザーと賃貸借契約の関係にあるリース会社ではなく、実際に商品をユーザーに引き渡すサプライヤーが負うこととされている（下図参照）。

　ただし、他の契約の当事者が資力のない者である場合のように、実質的に消費者の損害賠償請求権等を排除する契約が行われるおそれがあるため、その契約の当事者は事業者たることを要することとしたものである。

ファイナンスリース契約

(1)　本項各号共通
「履行の追完」
　民法第562条第1項では、売買契約においては、引き渡された目的物が種類、品質又は数量に関して契約の内容に適合しないものであるときは、買主は、売主に対し、目的物の修補等による履行の追完を請求することができると定められているが、本項各号の「履行の追完」とは、民法第562条第1項の規定と同趣旨である。

(2)　本項第1号
「代金若しくは報酬の減額」
　民法第563条第1項では、売買契約においては、引き渡された目的物が種

174　第1編　逐条解説　第2章　消費者契約

類、品質又は数量に関して契約の内容に適合しないものであるときは、買主が相当の期間を定めて履行の追完の催告をし、その期間内に履行の追完がないときは、買主はその不適合の程度に応じて代金の減額を請求できるされているが、本号の「代金」「の減額」とは、民法第563条第1項の規定と同趣旨である。「報酬」は、消費者契約が請負契約である場合について定めたものである。

(3)　本項第2号

①　「当該事業者の委託を受けた他の事業者」

本号の「他の事業者」とは、当該消費者契約の当事者以外の事業者を指す。「当該事業者の委託を受けた」者に限る趣旨は以下のとおりである。

この責任は、本来は契約当事者である当該事業者が負うべきものであり、本号の規定は、自らが責任を負う代わりに、特にその責任を他の事業者に転嫁する場合である。したがって、他の事業者が消費者と直接契約を締結する場合には、この「他の事業者」は、当該事業者が委託をし、それを承諾した事業者であることを要することとした。

また、消費者自身が自己の負担により他の事業者に責任を請求できるような場合にまで、当該事業者の責任を免除する契約条項を有効とする必要はないと考えられることからも、他の事業者については当該事業者の委託を受けた事業者とするのが妥当である。

②　「当該事業者と他の事業者との間の当該消費者のためにする契約」

本号の当該事業者と他の事業者との間で、損害賠償責任等を消費者が直接他の事業者に請求する権利を有することとなる契約を締結すれば、民法第537条の第三者のためにする契約の規定により消費者が請求権を有することとなるため、その場合にも、消費者の権利が不当に害されていることとはならないため、事業者の責任を全部免除する契約条項は無効とならないこととした。

なお、当該消費者契約の締結と同時かそれ以前にこのような契約が成立していれば足り、その旨を消費者に通知することまでは要件とはしないが、これは、消費者が権利を有していることに変わりはなく、実態的にも、当該事業者は自らに対して損害賠償等の請求が来ないように積極的に消費者

に通知をすることとなるものと考えられるためである。

③ 「当該消費者契約の締結に先立って又はこれと同時に」

これは、前記①で述べた他の事業者が契約不適合責任を負うことを内容とする消費者と当該他の事業者との間の契約又は同じ内容の事業者と他の事業者の間で締結された消費者を第三者とする民法第537条に定める第三者のためにする契約が、当該消費者契約の締結より前か又は締結と同時に締結されるという趣旨である。当該消費者契約において、消費者に他に救済される手段があるからこそ、損害賠償責任の全部を免除する契約条項を無効とはしないのであるから、他の事業者が責任を負う旨の契約は当該消費者契約と同時又はそれより前になされている必要がある。また、反復・継続して契約がなされている場合には、通常は、契約条項は定型化されているため、当該消費者契約と同時又はそれより前としても事業者、他の事業者に過度な負担を強いることとはならない。

④ 「賠償する責任の全部若しくは一部」

本条第1項第1号の規定では、当該消費者契約の当事者たる事業者の損害賠償責任については、その全部を免除する契約条項が無効となり、その責任を制限し、その一部のみの責任を負うこととする契約条項は無効とはならない。したがって、「他の事業者」については、当該消費者契約の当事者たる事業者と同程度の責任を課すこととし、その責任の一部のみを負っている場合でもよいこととする。

2 本項により無効となる可能性がある契約条項の例

〔事例8-16〕

1か月以内に死亡した場合は、代犬をお渡ししますが、返金には応じません（ペットの販売の例）。

〔考え方〕

契約不適合のない物を提供することとしているので、本項第1号に該当し、無効とはならない。

176 第1編 逐条解説 第2章 消費者契約

〔事例8-17〕リース標準契約書の例
第15条 （略）
2 物件の規格、仕様、品質、性能その他に不適合があった場合並びに物件の選択又は決定に際して乙（賃借人）に錯誤があった場合においても、甲（賃貸人：リース業者）は、一切の責任を負いません。
3 前2項の場合、乙は売主に対し直接請求を行い、売主との間で解決するものとします。また、乙が甲に対し書面で請求し、甲が譲渡可能であると認めてこれを承諾するときは、甲の売主に対する請求権を乙に譲渡する手続をとるなどにより、甲は乙の売主への直接請求に協力するものとします。
（リース業者、サプライヤー間の標準注文請書）
第5条 物件に関する担保、期間内保証、保守サービスその他売主の便宜供与又は義務の履行については、売主が借主に対して直接その責任を負います。また、売主が自ら責任を負うべき事由による物件の引渡遅延又は引渡不能によって、借主に損害を与えたときも同様とします。
〔考え方〕
リース事業者は、消費者との契約においては契約不適合責任を免責しているが、サプライヤーとの間の売買契約において、サプライヤーが直接契約不適合責任を負うこととされており、本項第2号に該当するため無効とはならない。

〔事例8-18〕
ソフトウェアの不適合については交換・修補・代金返還のいずれかにより対応する（ソフトウェアの使用許諾契約の例）。
〔考え方〕
ソフトウェアの使用許諾契約が有償契約である場合には、ソフトウェアの契約不適合について損害賠償責任の全部を免除する旨の契約条項は、本条第1項第1号に該当し無効となる場合があると考えられる。
ただし、一般的には、この事例のように、使用許諾契約上、ソフトウェア事業者は交換・修補等により対応する旨定めている場合が多く、その場合には本項第1号に該当し、当該契約条項は無効とはならない。

Ⅲ 第3項

1 本項の趣旨

本項は、サルベージ条項のうち、事業者の損害賠償責任の一部を免除する契約条項を無効とする規定である。

サルベージ条項とは、ある契約条項が本来は強行法規に反し全部無効となる場合に、その契約条項の効力を強行法規によって無効とされない範囲に限定する趣旨の契約条項をいう。例えば、本来であれば無効となるべき契約条項に「関連法令に反しない限り」、「法律で許される範囲において」といった留保文言を付するものがこれに当たる。

本条第1項第2号及び第4号により、事業者の損害賠償責任の一部を免除する契約条項は、事業者に故意又は重大な過失がある場合に無効となるが、これらの規定では事業者に軽過失が認められる限度で契約条項を有効にするために特段の要件は設けられていない。そのため、「関連法令に反しない限り」等の留保文言によっても事業者に軽過失が認められる限度で契約条項を有効とすることが可能であった。

消費者は法的知識が十分にあるとは限られないから、このような留保文言では、事業者が損害賠償責任を負うか否かや、責任の範囲が不明確であり、消費者が本来請求可能な事業者に故意又は重大な過失がある場合の損害賠償請求が抑制されるという不当性がある。

平成30年改正により、事業者は、消費者にとって「消費者契約の内容が、その解釈について疑義が生じない明確なもので、かつ、消費者にとって平易な」契約条項を作成するよう配慮する努力義務を負うとされたこと（第3条第1項第1号）から、事業者はサルベージ条項を使用せずに具体的に契約条項を作成するよう努めるべきであるとされた（第3条第1項の解説を参照。）。しかし、同年の改正後も、例えば、「法律上許される限り賠償限度額を〇万円とする。」とする契約条項のように、主として事業者の損害賠償責任の免除に係るサルベージ条項の使用例が見られる。

そこで、留保文言の使用を抑制するとともに、損害賠償責任の一部を免除する契約条項は事業者が軽過失の場合に限り有効であることを事業者に

178　第1編　逐条解説　第2章　消費者契約

明確に記載させるため、令和4年通常国会改正において、本項に損害賠償責任の一部を免除する契約条項の有効要件に係る規定を設けることとした。

2　条文の解釈

① 「事業者の債務不履行（当該事業者、その代表者又はその使用する者の故意又は重大な過失によるものを除く。）又は消費者契約における事業者の債務の履行に際してされた当該事業者の不法行為（当該事業者、その代表者又はその使用する者の故意又は重大な過失によるものを除く。）により消費者に生じた損害を賠償する責任の一部を免除する消費者契約の条項」

本項は、本来請求可能である事業者に故意又は重大な過失がある場合の損害賠償請求すら抑制されてしまうという不当性を踏まえたものであり、事業者の損害賠償責任の一部を免除する消費者契約の条項を対象とする。

そのため、契約条項の一部が無効となる場合に、その他の部分は無効とならない旨を定める、いわゆる分離可能性条項は、損害賠償責任の一部を免除する契約条項ではないことから本項の対象とならない。

「重大な過失」については、(2)②を参照。

② 「当該条項において事業者、その代表者又はその使用する者の重大な過失を除く過失による行為にのみ適用されることを明らかにしていないもの」

本項により、損害賠償責任の一部を免除する契約条項は、「関連法令に反しない限り」等の留保文言を使用し、いわゆる軽過失の場合にのみ適用されることが明らかにされていないのであれば効力を有さないこととなる。

どのような場合に本項の要件を満たすのかについては、免責条項がいわゆる軽過失の場合のみ適用されることが一般的・平均的な消費者にとって明らかになっているか否かという基準によって判断される。

例えば、「弊社がユーザーに負う責任は、ユーザーから実際に支払いがあった検定受験料の額を超えるものではないとします。」のように事業者の損害賠償責任の一部を免除する契約条項では、「関連法令に反しない限り」や「法律上許される限り」といった記載ではなく、「弊社に軽過失がある場合に限り」や「弊社に故意又は重大な過失がある場合を除き」等の記載をする場合[注]は、一般的・平均的な消費者にとって、当該契約条項が当

該事業者の重大な過失を除く過失による行為にのみ適用されることが明らかにされていることから、本項によって契約条項は無効とはならない。

　（注）　例えば、以下のような契約条項である。
　　　　　「弊社に軽過失がある場合に限り、弊社がユーザーに負う責任は、ユーザーから実際に支払いがあった検定受験料の額を超えるものではないとします。」
　　　　　「弊社に故意又は重大な過失がある場合を除き、弊社がユーザーに負う責任は、ユーザーから実際に支払いがあった検定受験料の額を超えるものではないとします。」

● **重大な過失と重大な過失を除く過失（いわゆる軽過失）**

　ある事業者の行為が、重大な過失に該当するのか、重大な過失を除く過失（いわゆる軽過失）に該当するのかは、最終的には個別具体の事情を踏まえた裁判所での判断に委ねられるものである。

　裁判例には、陸上運送を委託された運送会社の従業員のトラック運転手が、運転中に吸っていたタバコを運転席下に落としたことに気を取られて前方不注視の過失により交通事故を起こし、運送品を焼失した事案について、運転手の過失はいまだ重過失の範ちゅうに属するとはいえないとしたものがある（神戸地判平成 6 年 7 月19日交民集27巻 4 号992頁）。また、貨物自動車による荷物の運送を委託された軽貨物自動車の運転手が、荷物が荷物室からはみ出し、後部扉を完全に閉めることができない状態で運送をして荷物を紛失した事案について、運送人に重過失を認めたものがある（東京地判平成 2 年 3 月28日判タ733号221頁）。

3　本項により無効となる可能性がある契約条項の例

〔事例 8 -19〕
　法律上許される限り、賠償限度額を○万円とする。
〔考え方〕
　一般的・平均的な消費者にとって明らかになっているか否かという基準によって判断すると、「法律上許される限り」という留保文言では、契約条項を使用する事業者の重大な過失を除く過失による行為にのみ適用されることが明らかであるとは言えないと考えられる。「関連法令により許される限り」といった留保文言でも同様である。

180　　第1編　逐条解説　第2章　消費者契約

したがって、本項に該当し無効となる。

第2節　消費者契約の条項の無効（第8条〜第10条）**第8条の2**　181

第8条の2（消費者の解除権を放棄させる条項等の無効）

> **（消費者の解除権を放棄させる条項等の無効）**
> **第8条の2**　事業者の債務不履行により生じた消費者の解除権を放棄さ
> せ、又は当該事業者にその解除権の有無を決定する権限を付与する消費
> 者契約の条項は、無効とする。

1　趣旨等

（1）　趣旨

　本条は、平成28年改正において、本法の立法当時から定められていた不
当条項の類型（事業者の損害賠償の責任を免除する契約条項（第8条）及び消費
者が支払う損害賠償の額を予定する契約条項等（第9条第1項））に加え、新た
な不当条項の類型を規定したものである。

　消費者の権利を制限する契約条項の例として、消費者の解除権を放棄さ
せる契約条項がある。特に、事業者が契約で定められた債務を履行せず、
又は、事業者から引き渡された目的物に契約不適合がある場合にも、消費
者が解除をすることができないとすると、消費者は契約に不当に拘束され
続け、既に支払った代金の返還を受けられず、又は、未払代金の支払義務
を免れることができないことになる。そこで、本条においては、消費者が
債務不履行責任の規定に基づく解除権を正当に行使することできるよう
に、消費者のこれらの解除権をあらかじめ放棄させる契約条項の効力を否
定することとした[注]。

　　（注）　なお、民法の一部を改正する法律の施行に伴う関係法律の整備等に関する
　　　　法律による改正前の民法では、引き渡された目的物に隠れた瑕疵があった場
　　　　合に契約を解除することができるとする規定があり（改正前民法第570条、第
　　　　566条）、改正前の本条では、消費者契約が有償契約である場合において、当該
　　　　消費者契約の目的物に隠れた瑕疵があること（当該消費者契約が請負契約で
　　　　ある場合には、当該消費者契約の仕事の目的物に瑕疵があること）により生じ
　　　　た消費者の解除権を放棄させ、又は当該事業者にその解除権の有無を決定す

182　第1編　逐条解説　第2章　消費者契約

る権限を付与する契約条項を無効としていた。改正後の民法では、引き渡された目的物に瑕疵があった（種類又は品質に関して契約の内容に適合しない）場合の解除は、債務不履行の規定に基づいて行われるものと整理されたことから、本条の規定も、債務不履行か瑕疵担保責任かを区別することなく、事業者の債務不履行に基づく消費者の解除権を放棄させる契約条項を無効とするというものに改正された。

(2)　平成30年改正

　消費者の解除権に係る決定権限付与条項についても、類型的に不当性が高いものと評価することができるものであり、平成30年改正において、本条の規定により無効となる消費者契約の条項に決定権限付与条項を加えることとしたものである。

2　条文の解釈

(1)　債務不履行に基づく解除権を放棄させる条項

①　「事業者の債務不履行により生じた消費者の解除権」

　事業者に債務不履行があった場合に、任意規定によって消費者に認められる解除権をいう。ここでいう任意規定の例としては、民法第541条から第543条までの規定が挙げられる。

②　「放棄させ」

　消費者の解除権を「放棄させ」るとは、事業者に債務不履行があり、民法第541条等の規定による解除の要件を満たす場合であっても、消費者に一切解除を認めないこととすることである。したがって、消費者の解除権を制限する契約条項（例えば、解除権の行使期間を限定する契約条項、解除が認められるための要件を加重する契約条項、解除をする際の方法を限定する契約条項等）は、本号には該当しない。

　本条に該当する契約条項の例として、進学塾の受講契約等において「いかなる場合でも契約後のキャンセルは一切受け付けられません」とする契約条項が挙げられる。ただし、このような契約条項であっても、当該契約において、事業者に債務不履行があったときは消費者が契約を解除することができる旨が別途明記されていた場合など、当該契約条項が債務不履行

第2節　消費者契約の条項の無効（第8条〜第10条）**第8条の2**　183

に基づく解除権を放棄させるものとは認められない場合には、本号には該当しない。

　その他の例として、携帯電話端末の購入契約等において「契約後のキャンセル・返品、返金、交換は一切できません」とする契約条項が挙げられる。ただし、このような契約条項であっても、当該契約において、商品に契約不適合があったときは消費者が契約を解除することができる旨が別途明記されていた場合など、当該契約条項が債務不履行に基づく解除権を放棄させるものとは認められない場合には、本条には該当しない。

　③　「当該事業者にその解除権の有無を決定する権限を付与する」

　「当該事業者にその解除権の有無を決定する権限を付与する」とは、任意規定によれば消費者に債務不履行に基づく解除権が生じるにもかかわらず、当該事業者の決定により、当該消費者の解除権を放棄させることを可能とすることである。

　本条に該当する契約条項の例として、「お客様は、本サービス上にて行った注文に関して、注文番号が発行された後は、弊社に過失があると弊社が認める場合を除き注文のキャンセルはできないものとします。」という旨の契約条項が挙げられる。

　④　効果

　本条は、事業者の債務不履行によって生じた消費者の解除権を放棄させる又は当該事業者にその解除権の有無を決定する権限を付与する契約条項をその限りにおいて無効としたものである。契約条項が無効となった結果、債務不履行に基づく解除については、契約には何の定めもなかったこととなり、事業者に債務不履行があった場合には、消費者は、民法第541条等の規定に従い、契約の解除をすることができることになる。

　当然のことながら、「いかなる場合でもキャンセルは一切受け付けない」という契約条項が無効となっても、消費者が「いかなる場合でもキャンセルをすることができる」ことになるわけではない。すなわち、そもそも、民法第541条等の規定によって解除をすることができない場合であれば、消費者に解除権は認められない。

(2) 本条に定めのない消費者の解除権を放棄させる条項

本条が定める債務不履行に基づくもの以外にも、任意規定によって消費者に解除権が生ずる場面はある。例えば、委任契約については、各当事者がいつでもその解除をすることができることとされている（民法第651条第1項）。このように、債務不履行に基づくもの以外の消費者の解除権を放棄させる契約条項は、本条の適用によっては無効とならない。

もっとも、そのような契約条項が、第10条の要件を満たす場合には、同条が適用されることにより無効となる。

第2節 消費者契約の条項の無効（第8条～第10条）**第8条の3** 185

第8条の3（事業者に対し後見開始の審判等による解除権を付与する条項の無効）

> **（事業者に対し後見開始の審判等による解除権を付与する条項の無効）**
> **第8条の3** 事業者に対し、消費者が後見開始、保佐開始又は補助開始の審判を受けたことのみを理由とする解除権を付与する消費者契約（消費者が事業者に対し物品、権利、役務その他の消費者契約の目的となるものを提供することとされているものを除く。）の条項は、無効とする。

1 趣旨

　事業者に対し消費者契約の解除権を付与する契約条項は、事業者が一方的に契約を打ち切ることにより、消費者が特段の理由なく契約関係からの離脱を強いられるおそれを有するものであり、任意規定の適用による場合に比して消費者の権利を制限し又は義務を加重するものである。そして、事業者に解除権を付与する契約条項の中でも、消費者が後見開始、保佐開始又は補助開始の審判を受けたことのみを理由とするもの（以下「後見開始の審判等による解除権付与条項」という。）は、以下に述べるとおり、成年後見制度の趣旨に抵触する面があり、消費者が事業者に対し消費者契約の目的となるものを提供することとされている消費者契約を除き、類型的に不当性が高く、消費者の利益を一方的に害するものであるといえる。

　平成25年には、裁判例において、建物賃貸借契約において使用された後見開始の審判等による解除権付与条項を無効とする判断が示された（大阪高判平成25年10月17日消費者法ニュース98号283頁）。また、平成28年に制定された成年後見制度の利用の促進に関する法律（平成28年法律第29号）では、基本理念に係る規定（同法第3条第1項）において、「成年被後見人等が、成年被後見人等でない者と等しく、基本的人権を享有する個人としてその尊厳が重んぜられ、その尊厳にふさわしい生活を保障されるべきこと」が定められている。こうした事情を踏まえ、平成30年改正において、後見開始の審判等による解除権付与条項を新たな不当条項の類型として規定するこ

186　第1編　逐条解説　第2章　消費者契約

ととしたものである。

❷　条文の解釈

(1)　「事業者に対し、消費者が後見開始、保佐開始又は補助開始の審判を受けたことのみを理由とする解除権を付与する消費者契約…の条項」

ア　成年後見制度の概要

　後見開始、保佐開始又は補助開始の審判（以下「後見開始の審判等」という。）に係る制度（以下「成年後見制度」という。）とは、精神上の障害により判断能力が不十分であるため契約等の法律行為における意思決定が困難である者について、成年後見人等の機関がその判断能力を補うことで、その生命、身体、自由、財産等の権利を擁護する制度である。それぞれの概要は、以下のとおりである。

（ア）　後見

　精神上の障害により事理を弁識する能力を欠く常況にある者については、家庭裁判所は、本人等の請求により、後見開始の審判をすることができる（民法第7条）。後見開始の審判を受けた者は、成年被後見人とし、これに成年後見人を付する（民法第8条）。後見開始の審判により、成年後見人に対し、本人の財産に関する法律行為についての包括的な代理権（民法第859条）と日常生活に関する行為以外の法律行為についての取消権（民法第9条）が付与される。なお、成年後見人は、その同意の有無にかかわらず、成年被後見人が行った法律行為について取消権を行使することができる。

（イ）　保佐

　精神上の障害により事理を弁識する能力が著しく不十分である者については、家庭裁判所は、本人等の請求により、保佐開始の審判をすることができる（民法第11条）。保佐開始の審判を受けた者は、被保佐人とし、これに保佐人を付する（民法第12条）。保佐開始の審判により、保佐人に対し、重要な財産に関する権利の得喪を目的とする行為等の所定の行為についての同意権及び同意を得ずに被保佐人が行った行為の取消権（民法第13条）が付与される。また、保佐開始の審判とは別個の代理権付与の審判により、特定の行為についての代理権（民法第876条の4）を保佐人に付与すること

も可能である。

（ウ） 補助

精神上の障害により事理を弁識する能力が不十分である者については、家庭裁判所は、本人等の請求により、補助開始の審判をすることができる（民法第15条）。補助開始の審判を受けた者は、被補助人とし、これに補助人を付する（民法第16条）。補助開始の審判は、同意権付与の審判又は代理権付与の審判とともにしなければならない（民法第15条第3項）。補助開始の審判及び同意権付与の審判により、補助人に対し、特定の行為についての同意権及び同意を得ずに被補助人が行った行為の取消権（民法第17条）が付与される。また、補助開始の審判及び代理権付与の審判により、補助人に対し、特定の行為についての代理権（民法第876条の9）が付与される。

イ 本要件の意義

消費者契約において後見開始の審判等による解除権付与条項が使用されると、後見開始の審判等を受けた消費者は、当該審判を受けたことによって事業者から契約を解除され、その契約によって得ていた便益を受けることができなくなるおそれがある。このように、後見開始の審判等による解除権付与条項は、後見開始の審判等を受けることが、かえって消費者に不利益を生じさせるおそれをもたらす点において、当該審判を受けた者の権利の擁護を目的とする成年後見制度の趣旨と抵触する面があり、類型的に不当性が高いものであると考えられる。

もっとも、本条は、後見開始の審判等を受けたことのみを理由として直ちに解除権を基礎付けている点に不当性を捉えるものであるから、後見開始の審判等があったことを契機に、個別に当該消費者の状況の確認等を行い、その結果、合理的な事情があるときに、最終的に解除に至ることを定めた契約条項までを一律に無効とするものではない。例えば、顧客が後見開始の審判等を受けたことを認識した事業者が、当該審判が行われたことを踏まえて、顧客にとってリスクの高い取引に係る適合性の有無の確認等を行い、その結果、取引の継続が困難であるなどの一定の場合には、当該事業者が契約を解除できる旨を定めた契約条項は、本条によっては無効とはならないものと考えられる。この点を条文の文言上も明確にするため、後見開始の審判等を受けたこと「のみを理由とする」解除権を付与する契

188　第1編　逐条解説　第2章　消費者契約

約条項を無効とする旨を規定している。

(2)　「(消費者が事業者に対し物品、権利、役務その他の消費者契約の目的となるものを提供することとされているものを除く。)」

　本条の括弧書は、消費者が事業者に対し物品、権利、役務その他の消費者契約の目的となるものを提供することとされている消費者契約については、後見開始の審判等による解除権付与条項が本条によっては無効とならないことを規定するものである。この要件は以下の理由により定めるものである。

　民法においては、準委任契約の受任者が後見開始の審判を受けたことが契約の終了事由とされている（民法第656条・第653条第3号）。このため、消費者が準委任契約の受任者となる消費者契約については、消費者が後見開始の審判を受けたときに当然に当該契約が終了することになり、事業者が解除権を行使する余地はないといえる。そのため、消費者が事業者に対し物品、権利、役務その他の消費者契約の目的となるものを提供することとされている消費者契約については、後見開始の審判を受けたことを理由とする解除権付与条項は、任意規定の適用による場合に比して、消費者の権利を制限し又は義務を加重するものではないと考えられる。

　また、前述のように、民法において準委任契約の受任者が後見開始の審判を受けたことが契約の終了事由とされていることからすると、同法は後見開始の審判を受けていない受任者が事務を処理することを想定しているものと考えられる。この点を踏まえると、消費者が事業者に対し物品、権利、役務その他の消費者契約の目的となるものを提供する場合においては、事業者が後見開始の審判等による解除権付与条項を定めることで、事業者が消費者に対して後見開始の審判等を受けていない状態で役務の提供等を行うよう求めても、類型的に不当性が高いとまでは言い難い場合もあり得るものと考えられる。

　そこで、本条により無効となる契約条項の範囲から、消費者が事業者に対し消費者契約の目的となるものを提供することとされている消費者契約の条項を除くこととしたものである。もっとも、こうした契約条項についても第10条の規定により無効とされる場合はあり得るものであると考えら

れる[注]。

> (注) なお、「提供」という文言の法制的な用法に照らすと、「消費者が事業者に対し…消費者契約の目的となるものを提供する」といえるためには、消費者が、消費者契約の目的となるものを事業者が利用し得る状態に置くことが必要であると考えられる。例えば、インターネットのプロバイダー契約においては、事業者が消費者にサービスを提供するに当たって当該消費者の個人情報を取得することがあり得るが、こうした場合は、単に消費者が自らの個人情報の事業者による利活用を許諾しているに過ぎず、「消費者が事業者に対し…消費者契約の目的となるものを提供する」とはいえないものと考えられる。

3 本条により無効とされる可能性がある契約条項の例

〔事例8-19〕建物賃貸借契約[注]

　乙（賃借人）に、次の各号のいずれかの事由が該当するときは、甲（賃貸人）は、直ちに本契約を解除できる。（中略）

(6)（略）成年被後見人、被保佐人の宣告や申立てを受けたとき。

　(注) 前述の大阪高判平成25年10月17日において法第10条の規定により無効とされた契約条項である。

〔考え方〕

　事業者に対し、消費者が後見開始又は保佐開始の審判を受けたことのみを理由とする解除権を付与するものであり、本条の規定により無効となる。

〔事例8-20〕モニター契約

　事業者が自社のサービスの利用者500人との間で1年間のモニター契約を締結した。この契約は、事業者が期間内に実施するアンケート調査にモニターが回答し、モニターは謝礼を受け取るというものであった。この契約において、モニターが後見等開始の審判を受けたときは、事業者はモニター契約を解除することができる旨の契約条項があった。

〔考え方〕

　モニターは事業として又は事業のために当該契約を締結するものではないから、モニターは「消費者」（第2条第1項）であり、当該契約は消費者契約に該当するものと考えられる。しかし、当該契約は消費者が事業者に対し役務を提供するものであるから、当該契約条項は本条の規定によっては無効とはな

らないものと考えられる。

　もっとも、簡単なアンケートでありモニターが後見等開始の審判を受けていない状態であることを求める必要はないなどの個別の事情によっては、当該契約条項が第10条の規定により無効となることもあり得る。

第 2 節　消費者契約の条項の無効（第 8 条～第10条）**第 9 条**　191

第 9 条（消費者が支払う損害賠償の額を予定する条項等の無効等）

（消費者が支払う損害賠償の額を予定する条項等の無効等）

第 9 条　次の各号に掲げる消費者契約の条項は、当該各号に定める部分について、無効とする。

　一　当該消費者契約の解除に伴う損害賠償の額を予定し、又は違約金を定める条項であって、これらを合算した額が、当該条項において設定された解除の事由、時期等の区分に応じ、当該消費者契約と同種の消費者契約の解除に伴い当該事業者に生ずべき平均的な損害の額を超えるもの　当該超える部分

　二　当該消費者契約に基づき支払うべき金銭の全部又は一部を消費者が支払期日（支払回数が 2 以上である場合には、それぞれの支払期日。以下この号において同じ。）までに支払わない場合における損害賠償の額を予定し、又は違約金を定める条項であって、これらを合算した額が、支払期日の翌日からその支払をする日までの期間について、その日数に応じ、当該支払期日に支払うべき額から当該支払期日に支払うべき額のうち既に支払われた額を控除した額に年14.6パーセントの割合を乗じて計算した額を超えるもの　当該超える部分

2　事業者は、消費者に対し、消費者契約の解除に伴う損害賠償の額を予定し、又は違約金を定める条項に基づき損害賠償又は違約金の支払を請求する場合において、当該消費者から説明を求められたときは、損害賠償の額の予定又は違約金の算定の根拠（第12条の 4 において「算定根拠」という。）の概要を説明するよう努めなければならない。

Ⅰ　第 1 項

1　趣旨

　契約条項に基づく事業者による消費者の義務の加重としては、消費者契約の解除等に伴い高額な損害賠償等を請求することを予定し、消費者に不

192　第1編　逐条解説　第2章　消費者契約

当な金銭的負担を強いる場合がある。そこで、本項においては、消費者が不当な出捐を強いられることのないよう、事業者が消費者契約において、契約の解除の際又は契約に基づく金銭の支払義務を消費者が遅延した際の損害賠償額の予定又は違約金（以下「違約金等」という。）を定めた場合、その額が一定の限度を超えるときに、その限度を超える部分の契約条項は無効とされている。

② 条文の解釈

(1)　第1号

　民法第420条によると、当事者の合意により債務不履行による違約金等を定めることができる。本号は、契約の解除に伴う違約金等の定めがある場合において契約が解除されたときに、民法第420条の適用の如何にかかわらず、当該事業者に生ずべき平均的な損害の額を超える額の支払を消費者に請求することができず、その超える部分を無効とするものである。なお、約定解除の場合の損害賠償の額に関しては、民法上の規定は存在しない。

①　「契約の解除に伴う」

　「契約の解除に伴う」とは、約定解除権を行使するケース又は法定解除権を行使するケースを指す。本号は、たとえ消費者の責に帰すべき事由により事業者が解除権を行使する場合であっても、事業者は一定の金額を超える違約金等を請求することができないということが規定されている。

②　「損害賠償の額を予定し、又は違約金を定める条項であって、これらを合算した額が」

　消費者契約において、契約の解除に伴う損害賠償額の予定と併せて、損害賠償とは趣旨が異なる違約罰的なものとして高額な違約金を定める場合があり得る。例えば、事業者が損害賠償の予定として3万円、違約金として2万円を定めており、当該事業者に生ずべき平均的な損害の額が4万円という事例では、損害賠償の予定と違約金は、それぞれ単独では平均的な損害の額である4万円を下回ることになるが、損害賠償の予定3万円と違約金2万円を合算した金額は5万円となり平均的な損害の額を超えることとなる。損害賠償額の予定と併せて違約金を定めた場合には、消費者に過

大な義務を課されるおそれがあるため、両者を合算した額が事業者に生じる平均的な損害の額を超えてはならないこととする。

③ **「当該条項において設定された解除の事由、時期等の区分に応じ、当該消費者契約と同種の消費者契約の解除に伴い当該事業者に生ずべき平均的な損害の額」**

この「平均的な損害の額」とは、同一事業者が締結する多数の同種契約事案について類型的に考察した場合に算定される平均的な損害の額という趣旨である。具体的には、解除の事由、時期等により同一の区分に分類される複数の同種の契約の解除に伴い、当該事業者に生ずべき損害の額の平均値を意味するものである。したがって、この額はあらかじめ消費者契約において算定することが可能なものである。これは、事業者には多数の事案について実際に生ずべき平均的な損害の賠償を受けさせれば足り、それ以上の賠償の請求を認める必要はないためである。また、この「平均的な損害の額」は、当該消費者契約の当事者たる個々の事業者に生ずべき損害の額について、契約の類型ごとに合理的な算出根拠に基づき算定された平均値であり、当該業種における業界の水準を指すものではない。

「解除の事由」とは具体的な解除原因を指す。解除に伴う違約金等については、事例9−1のように、具体的な解除原因によって解約手数料の額を区分している場合や、事例9−2のように解除の時期により区分している場合がある。また、売買契約の場合には、解除により商品が返品されたか否かで区分している場合があり得る。「当該条項において設定された」とは、解除に伴う違約金等の区分の仕方は、業種や契約の特性により異なるものであるところ、「平均的な損害の額」であるかどうかの判断は当該契約条項で定められた区分ごとに判断するとの意味である。ただし、「平均的な損害の額」の算定については、消費者側の「解除の事由」という要素により事業者に生ずべき損害の額が異なることは、一般的には考え難い。

● 解除の事由・時期の具体例

〔事例9−1〕語学学校等の例
　契約後、中途解約を希望される場合、下記の条件及び解約理由に設定された解約手数料をいただいた上で納入された受講料の残額をお返しいたします。

194　第1編　逐条解説　第2章　消費者契約

解 除 理 由	解約手数料
本人の転居（転居先に当校がない場合、またあっても遠距離で通学が困難と当社が判断した場合）、本人の疾病・事故等（ただし2か月以上の入院）の場合	残余受講料の20%（最高限度額2万円）
上記以外の事由の場合で本人からの申出があった場合	残余受講料の20%（最高限度額5万円）

〔事例9-2〕標準旅行業約款（募集型企画旅行契約の部)(注)
（旅行者の解除権）
第16条　旅行者は、いつでも別表第一に定める取消料を当社に支払って募集型企画旅行契約を解除することができます。（以下略）
（別表第一）取消料（第16条第1項関係）
一　国内旅行に係る取消料

区 分	取消料
(一)　次項以外の募集型企画旅行契約	
イ　旅行開始日の前日から起算してさかのぼって20日目（日帰り旅行にあっては10日目）に当たる日以降に解除する場合（ロからホまでに掲げる場合を除く。）	旅行代金の20%以内
ロ　旅行開始日の前日から起算してさかのぼって7日目に当たる日以降に解除する場合（ハからホまでに掲げる場合を除く。）	旅行代金の30%以内
ハ　旅行開始日の前日に解除する場合	旅行代金の40%以内
ニ　旅行開始当日に解除する場合（ホに掲げる場合を除く。）	旅行代金の50%以内
ホ　旅行開始後の解除又は無連絡不参加の場合	旅行代金の100%以内

(二) 貸切船舶を利用する募集型企画旅行契約	当該船舶に係る取消料の規定によります。	

備考(一) 取消料の金額は、契約書面に明示します。

（注） 旅行業法第12条の２の規定によると、旅行業者は旅行業約款を定め観光庁長官の認可を受けなければならないが、同法第12条の３の規定により観光庁長官及び消費者庁長官が定め公示した標準旅行業約款と同一の約款を定める場合には、認可を受けたものとみなされる。

(2) 第２号

民法第420条によると、当事者の合意により債務不履行による違約金等を定めことができる。本号は、遅延損害金の利率の上限を年14.6％とし、これよりも高い遅延損害金の利率が定められている場合に、民法第420条にかかわらず、年14.6％を超える部分の契約条項が無効となり、年14.6％を超える損害賠償又は違約金を消費者に請求することができないとするものである。

① 「当該消費者契約に基づき支払うべき金銭」

売買契約の目的物である商品の代金、役務提供契約における役務の対価、立替払契約における支払金等がこれに含まれる。

② 「消費者が支払期日までに支払わない場合における」

本号は、消費者が支払うべき金銭債務の支払遅延の場合の違約金等を対象とするものである。不正乗車の割増運賃のような支払期日以外の契約条項に違反したことによる違約金等は、本号の対象とはならない。

③ 「損害賠償の額を予定し、又は違約金を定める条項であって、これらを合算した額が」

本条第１項第１号の解説を参照のこと。

④ 「当該支払期日に支払うべき額」

金銭債務の支払期限に支払うこととされる金額を指す。複数回に分割して支払う場合は、それぞれの支払ごとの支払期限及び金額を指す。

⑤ 「年14.6パーセント」

上限は、消費者の損害賠償責任を、消費者が契約に基づく金銭債務の支払を遅延することによって事業者に生ずべき平均的な損害の額にとどめる、という趣旨であるが、無効とすべき限度は、業種横断的に適用されるものとして、一定の妥当な水準に制限するという目的、市場取引の実情、民事上の債権に係る遅延損害金の上限を定める他の立法例を踏まえて設定されるべきものである。

具体的には、後記の立法例として、例えば、賃金の支払の確保等に関する法律第6条第1項において、退職した労働者に対する未払賃金を支払う事業主の債務の遅延損害金の上限が年14.6％となっていること等に加え、立法当時の取引の実情をみても、実際に世間で使用されている契約書では、かなりのものにおいて年14.6％（日歩4銭）又は年14.5％とされており、民事上の契約においては、遅延損害金の限度としてこの基準が一種の慣習として定着し、一般的に許容される限度として受け入れられている。その意味でこの水準は、実際の取引を混乱させるおそれがないものであって、遅延損害金の限度として妥当性のある利率であるものと考えられた。

⑥ 計算方法

年14.6％は単利であり、当該条項が日・月等の単位で違約金等を定めているときは、これを年利に換算する。

(3) 効果

第1項第1号に該当する契約条項があった場合には、平均的な損害の額を超える部分の契約条項が無効となり、事業者は平均的な損害の額の範囲内でしか消費者に違約金等を請求することができない。

第1項第2号に該当する契約条項があった場合には、年14.6％を超える部分の契約条項が無効となり、事業者は年14.6％の範囲内でしか消費者に違約金等を請求することができない。

3 第9条第1項関連の事例

(1) 第1号関連の事例

〔事例9-3〕
　契約後にキャンセルする場合には、以下の金額を解約料として申し受けます。（結婚式場等の契約の例）
（A社の場合）
　　実際に使用される日から1年以上前の場合……………… 契約金額の80%
（B社の場合）
　　実際に使用される日の前日の場合…………………………… 契約金額の80%

〔考え方〕
　例えば、A社のように、結婚式場を実際に使用するのが1年後であるにもかかわらず、契約金額の80%を解約料として請求する場合には、通常は事業者に生ずべき平均的な損害の額を超えると考えられるので、本号に該当し、平均的な損害の額を超える部分の契約条項が無効となる。すなわち、1年前のキャンセルの場合の当該事業者に生ずべき平均的な損害の額が、仮に契約金額の5%だとすると、80%との定めのうち75%の部分の契約条項が無効となり、事業者は5%分しか請求できないこととなる。
　しかし、B社の例のように、式の前日にキャンセルする場合には解約料として契約金額の80%を請求しても、通常は平均的な損害の額を超えるとはいえず、この契約条項は無効とはならないと考えられる。

(2) 第2号関連の事例

〔事例9-4〕
　毎月の家賃（70,000円）は、当月20日までに支払うものとする。前記期限を過ぎた場合には1か月の料金に対し年30%の遅延損害金を支払うものとする。

〔考え方〕
　本号に該当し年14.6%を超える部分の契約条項が無効となる。
　例えば、代金1か月分（70,000円）を180日遅延した場合には、この契約条項どおりだと遅延損害金は、10,356円（70,000×30%×180/365）となるが、本号

198　第1編　逐条解説　第2章　消費者契約

の適用によると、5,040円（70,000×14.6%×180/365）が上限となり、5,316円について請求できないこととなる。

〔事例9-5〕電気供給約款の例

39　違約金

(1)　お客さまが36（供給の停止）(3)ロからヘ^(注)までに該当し、そのために料金の全部又は一部の支払を免れた場合には、当社は、その免れた金額の3倍に相当する金額を、違約金として申し受けます。

　(注)　電気工作物の改変等によって不正に電気を使用された場合等。

〔考え方〕

　この違約金は、金銭債務の支払遅延に対するものではなく、電気工作物の改変等によって不正に電気を使用された場合等に課されるものであるため、本号には該当しない。

● 第9条第1項第1号に関連する最高裁判決

【1】最二判平成18年11月27日（裁判集民222号275頁）

事件番号：平成17年（オ）第886号

事案概要：学校教育法所定の大学を設置するY（上告人）らが実施した入学試験に合格してYらとの間で在学契約を締結し、入学時納入金を支払ったものの、その後、他大学に入学するために同契約を解除したと主張するX（被上告人）らが、Yらに対し、入学時納入金を返還しない旨の合意は無効であるとして、不当利得に基づき各納入金相当額及びこれに対する請求（本件訴状の送達）の日の翌日から支払済みまで民法所定の年5分の割合による遅延損害金の支払を求めた事案。

判示内容：消費者契約法2条3項に規定する消費者契約を対象として損害賠償の予定等を定める条項の効力を制限する同法9条1号は、憲法29条に違反するものではない。

【2】最二判平成18年11月27日（民集60巻9号3437頁）

事件番号：平成17年（受）第1158号・平成17年（受）第1159号

事案概要：Xら（第1158号事件被上告人・第1159号事件上告人）が、それぞれ、Y大学（第1158号事件上告人・第1159号事件被上告人）への入学を

辞退してY大学との間の在学契約を解除したなどとして、Y大学に対し、不当利得返還請求権に基づき、本件学生納付金相当額及びこれらに対する遅延損害金の支払を求めた事案であり、Y大学は、Xらとの間に本件不返還特約が有効に存在することなどを主張して、Xらの各請求を争った。

判示内容：①原告らは、本件入学金の納付により、大学に入学し得る地位又は学生たる地位を取得するなどしてその対価を享受したものであるから、その後に入学を辞退してもその返還を求めることはできない。

②平均的な損害及びこれを超える部分については、事実上の推定が働く余地があるとしても、基本的には、違約金等条項である不返還特約の全部又は一部が平均的な損害を超えて無効であると主張する学生において主張立証責任を負うものと解すべき。

③一人の学生が特定の大学と在学契約を締結した後に当該在学契約を解除した場合、その解除が当該大学が合格者を決定するに当たって織り込み済みのものであれば、原則として、その解除によって当該大学に損害が生じたということはできない。

④一般に、４月１日には、学生が特定の大学に入学することが客観的にも高い蓋然性をもって予測されるものというべきである。そうすると、在学契約の解除の意思表示がその前日である３月31日までにされた場合には、原則として、大学に生ずべき平均的な損害は存しないものであって、不返還特約はすべて無効となり、在学契約の解除の意思表示が同日よりも後にされた場合には、原則として、学生が納付した授業料等及び諸会費等は、それが初年度に納付すべき範囲内のものにとどまる限り、大学に生ずべき平均的な損害を超えず、不返還特約はすべて有効となるというべき。

【3】 最二判平成18年11月27日（民集60巻９号3597頁）

事件番号：平成17年（受）第1437号・平成17年（受）第1438号

事案概要：Xら（第1437号事件被上告人・第1438号事件上告人）が、それぞれ、
　　　　　Y大学（第1437号事件上告人・第1438号事件被上告人）への入学を
　　　　　辞退してY大学との間の在学契約を解除したなどとして、Y大
　　　　　学に対し、不当利得返還請求権に基づき、本件学生納付金相当
　　　　　額及びこれらに対する遅延損害金の支払を求めた事案であり、
　　　　　Y大学は、Xらとの間に本件不返還特約が有効に存在すること
　　　　　などを主張して、Xらの各請求を争った。

判示内容：①上記判例【2】の判示内容と同旨
　　　　　②要項等に、「入学式を無断欠席した場合には入学を辞退した
　　　　　　ものとみなす」、「入学式を無断欠席した場合には入学を取り
　　　　　　消す」などと記載されている場合には、当該大学は、学生の
　　　　　　入学の意思の有無を入学式の出欠により最終的に確認し、入
　　　　　　学式を無断で欠席した学生については入学しなかったものと
　　　　　　して取り扱うこととしており、学生もこのような前提の下に
　　　　　　行動しているものということができるから、入学式の日まで
　　　　　　に在学契約が解除されることや、入学式を無断で欠席するこ
　　　　　　とにより学生によって在学契約が黙示に解除されることがあ
　　　　　　ることは、当該大学の予測の範囲内であり、入学式の日の翌
　　　　　　日に、学生が当該大学に入学することが客観的にも高い蓋然
　　　　　　性をもって予測されることになるものというべきであるか
　　　　　　ら、入学式の日までに学生が明示又は黙示に在学契約を解除
　　　　　　しても、原則として、当該大学に生ずべき平均的な損害は存
　　　　　　しないものというべき。

【4】最二判平成18年11月27日（裁判集民222号511頁）

事件番号：平成18年（受）第1130号

事案概要：X（上告人）が、Y（被上告人）大学への入学を辞退して本件在学
　　　　　契約を解除したなどとして、Y大学に対し、不当利得返還請求
　　　　　権に基づき、本件学生納付金相当額から返還済みの本件後援会
　　　　　費相当額を控除した残額及びこれに対する遅延損害金の支払を
　　　　　求めた事案であり、Y大学は、Xとの間に本件不返還特約が有
　　　　　効に存在することなどを主張して、Xの請求を争った。

第2節　消費者契約の条項の無効（第8条〜第10条）**第9条**　201

※Xの母が平成16年3月26日にY大学に電話をかけた際、電話に応対したY
大学の職員が、Xの母に対し、授業料の返還を受けるための入学辞退届
は同月25日必着で提出しなければならない旨及び入学式に出席しなけれ
ば入学辞退として取り扱う旨述べた。

判示内容：①上記判例【2】の判示内容と同旨

②被上告人大学の職員の上告人の母に対する上記発言により、
上告人は、既に入学辞退を決めていたのに、その手続を3月
31日まで執らずに4月2日の入学式に欠席することにより済
まそうとしたものと推認され、結果的に上告人において同年
3月31日までに本件在学契約を解除する機会を失わせたもの
というべきであるから、被上告人大学において、本件在学契
約が同年4月1日以降に解除されたことを理由に、本件不返
還特約が有効である旨主張して本件授業料の返還を拒むこと
は許されないものというべき。

【5】最二判平成18年12月22日（裁判集民222号721頁）

事件番号：平成17（受）第1762号

事案概要：X（上告人）が、Y（被上告人）学校（いわゆる鍼灸学校）への入学
を辞退してY学校との間の在学契約を解除したなどとして、Y
学校に対し、不当利得返還請求権に基づき、本件学生納付金等
相当額及びこれに対する遅延損害金の支払を求める事案であ
り、Y学校は、Xとの間に本件不返還特約が有効に存在するこ
となどを主張して、Xの請求を争った。

判示内容：①被上告人学校の入学試験の合格者と被上告人学校との間で締
結される在学契約の性質、上記合格者が入学手続の際に被上
告人学校に対して納付する学生納付金（入学金及び授業料等）
の性質及びその不返還特約の性質及び効力等については、い
ずれも大学における場合と基本的に異なるところはなく、大
学についての当裁判所の判例（最高裁平成17年（受）第1158号、
第1159号同18年11月27日第二小法廷判決・裁判所時報1424号11
頁※等）の説示が基本的に妥当するものというべき。

②大学の場合と同じく、入学すべき年の3月31日までは、被上

202　第1編　逐条解説　第2章　消費者契約

告人学校と在学契約を締結した学生が被上告人学校に入学することが客観的にも高い蓋然性をもって予測されるような状況にはなく、同日までの在学契約の解除について被上告人学校に生ずべき平均的な損害は存しない。

※上記【4】

【6】最三判平成22年3月30日（裁判集民233号353頁）

事件番号：平成21年（受）第1232号

事案概要：Y（上告人）の設置する大学の推薦入学試験に合格したX（被上告人）が、入学を辞退して在学契約を解除したなどと主張して、Yに対し、不当利得返還請求権に基づき、納付済みの授業料等相当額の返還を求めた事案。

※学生募集要項に、一般入学試験等の補欠者につき、4月7日までに通知がない場合に不合格となる旨の記載がある。推薦入学試験の合格者については、いわゆる専願等を資格要件とするものではなく、学生納付金の納付期限から他大学医学部の一般入学試験日まで相当の期間がある。

判示内容：①上記判例【2】の判示内容③及び④と同旨

②学生募集要項の上記の記載は、一般入学試験等の補欠者とされた者について4月7日までにその合否が決定することを述べたにすぎず、推薦入学試験の合格者として在学契約を締結し学生としての身分を取得した者について、その最終的な入学意思の確認を4月7日まで留保する趣旨のものとは解されない。

③専願等を資格要件としない推薦入学試験の合格者について特に、一般入学試験等の合格者と異なり4月1日以降に在学契約が解除されることを当該大学において織り込み済みであると解すべき理由はない。

● 　第9条第1項第2号関連の立法例

金銭債務の支払を遅延した場合における遅延損害金の利率を年14.6％としている規定の例としては以下のようなものがある。

中小企業倒産防止共済法（昭和52年法律第84号）
（共済金の貸付けの条件等）
第10条
3　機構は、共済金の貸付けを受けた者が共済金をその償還期日までに償還
　しなかつたときは、その者に対し、その延滞した額につき年14.6パーセント
　の割合で償還期日の翌日から償還の日の前日までの日数によつて計算した
　額の範囲内において、違約金を納付させることができる。
（一時貸付金の貸付け）
第10条の2
5　機構は、一時貸付金の貸付けを受けた者が一時貸付金をその償還期日ま
　でに償還しなかつたときは、その者に対し、その延滞した額につき年14.6
　パーセントの割合で償還期日の翌日から償還の日の前日までの日数によつ
　て計算した額の範囲内において、違約金を納付させることができる。
（割増金）
第16条　機構は、共済契約者が掛金をその納付期限までに納付しなかつたと
　きは、その者に対し、その延滞した額につき年14.6パーセントの割合で納付
　期限の翌日から納付の日の前日までの日数によつて計算した額の範囲内に
　おいて、割増金を納付させることができる。

賃金の支払の確保等に関する法律（昭和51年法律第34号）
（退職労働者の賃金に係る遅延利息）
第6条　事業主は、その事業を退職した労働者に係る賃金（退職手当を除く。
　以下この条において同じ。）の全部又は一部をその退職の日（退職の日後に
　支払期日が到来する賃金にあつては、当該支払期日。以下この条において同
　じ。）までに支払わなかつた場合には、当該労働者に対し、当該退職の日の
　翌日からその支払をする日までの期間について、その日数に応じ、当該退職
　の日の経過後まだ支払われていない賃金の額に年14.6パーセントを超えな
　い範囲内で政令で定める率を乗じて得た金額を遅延利息として支払わなけ
　ればならない。
　（注）　年14.6％（政令第1条）

204　第1編　逐条解説　第2章　消費者契約

建設業法（昭和24年法律第100号）
（特定建設業者の下請代金の支払期日等）
第24条の6
4　特定建設業者は、当該特定建設業者が注文者となつた下請契約に係る下
　請代金を第1項の規定により定められた支払期日又は第2項の支払期日ま
　でに支払わなければならない。当該特定建設業者がその支払をしなかつた
　ときは、当該特定建設業者は、下請負人に対して、第24条の4第2項の申出
　の日から起算して50日を経過した日から当該下請代金の支払をする日まで
　の期間について、その日数に応じ、当該未払金額に国土交通省令で定める率
　を乗じて得た金額を遅延利息として支払わなければならない。
（注）　年14.6%（省令第14条）

II　第2項

1　趣旨

　消費者契約の解除等に伴う違約金等については、契約解除時に消費者の
関心事項となるものである。しかし、令和4年通常国会改正前は、監督規
制等がない場合等、契約解除時の情報提供については事業者に明文の規定
が設けられておらず、事業者から消費者に対して、十分な情報提供がなさ
れていないことがあった。その結果、違約金が発生することが契約条項に
明記されていたとしても、違約金額が妥当なものであることについて事業
者から十分な説明がないため、消費者が判断できずに紛争が発展すること
があった。また、令和4年通常国会改正前は、監督規制等がない場合等に
おいて、違約金等を定めた契約条項に基づき損害賠償又は違約金を請求す
る際に違約金等について何ら説明をする必要がないため、高額な違約金等
を設定して不当に利益を収受している事業者も存在していたと考えられ
る。
　そこで令和4年通常国会改正により、消費者と事業者との間に生じてい
る情報の量及び質並びに交渉力の格差を解消するため、消費者からの求め
に応じて、事業者に対して違約金等の算定の根拠の概要について説明する

努力義務を規定したものである。本項は、契約締結後であっても、事業者が努力義務を負う場合があることを定めるものである（第3条第1項第4号の解説も参照のこと）。

2 条文の解釈

本項は、事業者が違約金等を定めた契約条項に基づき違約金等を請求する場合において消費者からの求めに応じて、事業者に違約金等の算定の根拠の概要について説明する努力義務を課すものである。

① 「消費者契約の解除に伴う」

本条第1項第1号の解説を参照のこと。

② 「損害賠償の額を予定し、又は違約金を定める条項」

本条第1項第1号の解説を参照のこと。

③ 「損害賠償又は違約金の支払を請求する場合において、当該消費者から説明を求められたときは」

違約金等について説明が必要となる場面については、①違約金等がトラブルとなりやすいのは実際に事業者が消費者に対して違約金等を定めた契約条項に基づき違約金等を請求する場面であること、②消費者が違約金等について事業者に対して説明を求めていない場合にまで事業者に義務を課す必要がないことを踏まえて、「損害賠償又は違約金の支払を請求する場合において、当該消費者から説明を求められたとき」に説明する努力義務を規定したものである。なお、事業者が違約金等を定める契約条項に基づき消費者から受領した契約の対価の返還を拒み、違約金等として当該対価の全部又は一部を収受するような事例についても、事業者が消費者に対して違約金等を請求して違約金等を受領した状態といえるため、「損害賠償又は違約金の支払を請求する場合」に含まれる。

④ 「損害賠償の額の予定又は違約金の算定の根拠の概要」

「損害賠償の額の予定又は違約金の算定の根拠」とは、違約金等を事業者が設定するに当たって考慮した事項、当該事項を考慮した理由、使用した算定式、金額が適正と考えた根拠など違約金等を設定した合理的な理由を意味している。違約金等を設定するに当たって考慮した事項としては、例えば、消費者契約における商品、権利、役務等の対価、解除の時期、消費

206　第1編　逐条解説　第2章　消費者契約

者契約の代替可能性、費用の回復可能性など違約金等に影響を与える事項をいう。また、事業者に求められる説明は算定の根拠の概要であるため、費用などの具体的な数字についてまでは説明する必要はなく、違約金等の設定に当たり考慮された費用項目などを説明することで足りる。

　なお、消費者からすれば、請求されている「損害賠償又は違約金」の具体的な金額と「平均的な損害の額」との関係性が説明されなければ、請求されている金額が妥当なのか判断できない。したがって、事業者は、請求する損害賠償又は違約金が平均的な損害の額を超えているか否かについて、消費者が理解し得るように説明するよう努めなければならない。

　⑤　「説明するよう努めなければならない」

　本項は努力義務であるので、本項に規定する義務違反を理由として意思表示の取消しや損害賠償責任といった私法的効力が直ちに生ずるものではない。

● 算定の根拠の概要の説明の具体例

〔事例9-6〕結婚式場利用契約の例

　挙式1か月前に契約を解除された場合は、見積額×35％のキャンセル料を頂戴いたします。

〔考え方〕

　「当社の結婚式では会場の装飾品の仕入れや司会者等の人員の手配を挙式本番の1か月前で通常は完了させており、挙式が中止になっても当該費用が発生します。そのため、当該人件費等を含めてキャンセル料を設定しています。」等と回答すれば、算定の根拠の概要を説明していることとなり努力義務を履行したこととなる。

〔事例9-7〕コンサートチケットの例

　（コンサート鑑賞をキャンセルして）チケットの払戻しを受ける場合には、解約手数料として100円かかります。

〔考え方〕

　「チケットは転売防止のために購入者の氏名を入力して印刷しており、当該チケットの印刷費やシステムにキャンセルを入力する人件費等が損害として発生しており、当該費用は100円を超えることは明らかである。そのため、解

約手数料として100円を設定している。」等と回答すれば努力義務を履行したこととなる。

● 「平均的な損害の額」の立証

　「平均的な損害の額」について、最高裁（上述の本条第1項第1号に関連する最高裁判決【2】）は、事実上の推定が働く余地があるとしても、基本的には、消費者が立証責任を負うものと判断した。しかし、「当該事業者に生ずべき平均的な損害の額」はその事業者に固有の事情であり、立証のために必要な資料は主として事業者が保有していることから、裁判や消費生活相談において、消費者による「平均的な損害の額」の立証が困難な場合もあると考えられる。

　そこで、本条第2項において消費者に対して違約金等の算定の根拠の概要を、また第12条の4第2項において適格消費者団体に対して違約金等の算定根拠を事業者が説明する努力義務を規定し、違約金等を定める際に考慮した事項や算定式などの情報を提供することとしている。事業者から提供された違約金等を定める際に考慮した事項や算定式などの情報を用いることにより、消費者や適格消費者団体は当該情報を用いて平均的な損害の額を算定しやすくなり立証責任の負担軽減につながると考えられる。

　また、第3条第1項第2号は、事業者と消費者との間に情報・交渉力の格差があることを踏まえ、消費者の理解を深めるため、事業者の努力義務として、消費者契約の締結について勧誘をするに際して、消費者の権利義務その他の消費者契約の内容についての必要な情報を消費者に提供することを定めている。その趣旨に照らすと、消費者契約の締結について勧誘する際も違約金等に関する内容が消費者にとって当該契約を締結するのに必要な情報に該当する場合は、事業者は消費者に対して違約金等の算定の根拠の概要や「平均的な損害の額」についての情報を提供するよう努めなければならないと解される[注1]。

　なお、本条第1項第1号における「当該事業者に生ずべき平均的な損害の額」に関しては、事業者が、違約金等を定める契約条項を定める際に、あらかじめ「平均的な損害の額」を十分算定していれば、紛争が生じた場合でも、算定根拠を示した説明も容易となり、違約金等を巡るトラブルも回避できるものと考えられる[注2]。また、本条第2項により違約金等の算定の根拠の概要について説明する努力義務が規定されている趣旨に照らせば、事業者においては、違

約金等を定めるに際しては、合理的な根拠を持って「平均的な損害の額」を算定しておくことが期待されている。

（注1） 民事訴訟法において、営業秘密等、文書の所持者がその提出を拒絶することができる事由があるとされるような場合（同法第220条第4号ハ）まで、その対象に含まれるという趣旨ではない。

（注2） 内閣府消費者委員会消費者契約法専門委員会報告書（平成29年8月）9頁。

第2節　消費者契約の条項の無効（第8条〜第10条）**第10条**　209

第10条（消費者の利益を一方的に害する条項の無効）

> **（消費者の利益を一方的に害する条項の無効）**
> **第10条**　消費者の不作為をもって当該消費者が新たな消費者契約の申込み
> 又はその承諾の意思表示をしたものとみなす条項その他の法令中の公の
> 秩序に関しない規定の適用による場合に比して消費者の権利を制限し又
> は消費者の義務を加重する消費者契約の条項であって、民法第1条第2
> 項に規定する基本原則に反して消費者の利益を一方的に害するものは、
> 無効とする。

1　趣旨等

(1)　趣旨

　消費者契約の実態をみると、第8条及び第9条に規定する契約条項以外
にも、消費者の利益を一方的に害する契約条項が存在する。そこで、本条
においては、消費者契約の条項が無効となる場合についての包括的なルー
ルを定めている。すなわち、本条では、任意規定の適用による場合に比べ、
消費者の権利を制限し又は消費者の義務を加重する契約条項で（第一要
件）、民法第1条第2項の基本原則に反して消費者の利益を一方的に害す
るもの（第二要件）の効力を否定することとしている。

　なお、第一要件にいう任意規定には、法律の明文の規定のみならず一般
的な法理等も含まれると解されている（最判平成23年7月15日民集65巻5号
2269頁。後掲最高裁判決【3】）。そこで、その趣旨を踏まえ、予測可能性を高
め、紛争を予防する等の観点から、平成28年改正において、第一要件に該
当する契約条項の例として、「消費者の不作為をもって当該消費者が新た
な消費者契約の申込み又はその承諾の意思表示をしたものとみなす条項」
を挙げることとした。

(2)　本条の必要性

　第8条及び第9条においては、

210　第1編　逐条解説　第2章　消費者契約

①　対象となる契約条項がどのような事項に関するものか（→例えば第
9条第1項第2号は遅延損害金に関するもの）
②　当該事項に関する契約条項がどのような場合に無効となるか（→例
えば第9条第1項第2号では遅延損害金が年14.6％を超える場合）
を定めることとしているが、消費者契約においては、それ以外にも無効と
なるべき契約条項が想定される。
　そこで、本条においては、消費者契約の条項が、
①　任意規定によれば消費者が本来有しているはずの権利を制限し、又
は任意規定によれば消費者が本来負うこととなる義務を加重している
場合（すなわち、任意規定から消費者に不利な方向に乖離している場合）で
あって、かつ、
②　当該契約条項の援用によって、民法第1条第2項で規定されている
信義則に反する程度に一方的に消費者の利益を侵害する場合（すなわ
ち、当該乖離が消費者契約において具体化される民法の信義則上許容され
る限度を超えている場合）
には、当該契約条項を無効としたものである。

2　条文の解釈

(1)　第一要件

　第一要件は、「法令中の公の秩序に関しない規定の適用による場合に比
して消費者の権利を制限し又は消費者の義務を加重する消費者契約の条
項」に該当することである。また、第一要件に該当する契約条項の例とし
て、「消費者の不作為をもって当該消費者が新たな消費者契約の申込み又
はその承諾の意思表示をしたものとみなす条項」を挙げている。

①　「法令中の公の秩序に関しない規定」

　「法令中の公の秩序に関しない規定」とは、いわゆる任意規定のことを指
す。法令中の規定には、当事者の意思の如何を問わず無条件に適用され、
その規定に反する当事者間の特約を無効とするという効力を有する規定
（いわゆる強行規定）もあるが、それとは反対に、その規定よりも当事者間
の特約が優先し、当事者がその規定と異なる意思を表示しない場合に限り
適用される規定もある。後者のような規定を任意規定という。ある規定が

第2節　消費者契約の条項の無効（第8条〜第10条）**第10条**　211

任意規定であるか否かは、個々の規定の解釈による。

　なお、前述のとおり、ここでいう任意規定の意義については、「明文の規定のみならず、一般的な法理等も含まれると解するのが相当である。」と解されている（後掲最高裁判決【3】^(注)）。「一般的な法理等」としては、賃貸借契約において特約がなければ賃借人は更新料を支払う義務は負わないということや、所有権者の意思によらずに所有権の放棄は認められないということ等が考えられる（以下、「任意規定」という場合には、一般的な法理等も含めた「任意規定」を指すものとする。）。

　　（注）　居住用建物の賃貸借契約の賃借人が、更新料の支払を約する契約条項（更新料条項）が本条により無効であると主張して、賃貸人に対し、不当利得返還請求権に基づき、支払済みの更新料の返還を求めた事案。最高裁は、本条の第一要件にいう任意規定について上記のとおり判示した上で、「賃貸借契約は、賃貸人が物件を賃借人に使用させることを約し、賃借人がこれに対して賃料を支払うことを約することによって効力を生ずる（民法601条）のであるから、更新料条項は、一般的には賃貸借契約の要素を構成しない債務を特約により賃借人に負わせるという意味において、任意規定の適用による場合に比し、消費者である賃借人の義務を加重するものに当たるというべきである。」とした。

② 　**「消費者の権利を制限し又は消費者の義務を加重する」**

　消費者と事業者との間の特約がなければ、本来任意規定によって消費者が行使することができる権利を、特約によって制限すること、又は、消費者と事業者との間の特約がなければ、本来任意規定によって消費者に課される義務を、特約によって加重することを指す。

③ 　**消費者の不作為をもって当該消費者が新たな消費者契約の申込み又はその承諾の意思表示をしたものとみなす条項**

　本条では、第一要件に該当する契約条項の例として、「消費者の不作為をもって当該消費者が新たな消費者契約の申込み又はその承諾の意思表示をしたものとみなす条項」を挙げている。これは、消費者と事業者との間で締結された消費者契約の条項において、消費者が一定の行為をしない場合に、当該消費者が明示又は黙示の意思表示をしていなくても、新たな消費者契約を締結したものとみなすこととされている場合である。

　前述のとおり、最高裁は、本条の第一要件における任意規定に明文の規

212　第1編　逐条解説　第2章　消費者契約

定のみならず一般的な法理等も含まれる旨を判示した。そこで、現行法に
明文で定められていない一般的な法理等と比較して、消費者の権利を制限
し、又は消費者の義務を加重する契約条項を例示することにより、第一要
件における任意規定には一般的な法理等も含まれるということを示すこと
としたものである。なお、この例示との関係での一般的な法理等は、当事
者の意思表示がなければ契約は成立しないということである。

　もっとも、この例示は、あくまでも第一要件に該当する契約条項の例示
にすぎない。したがって、この例示に該当する契約条項が全て無効となる
というわけではなく、それが第二要件にも該当して初めて無効となる。例
えば、建物の賃貸借契約や商品の定期購読契約等においては、往々にして、
契約期間終了前の一定期間に当事者双方から特段の申入れがなければ自動
的に同一の条件で契約が更新される旨の契約条項が設けられている。この
ような自動更新条項も、形式的にはこの例示に該当する契約条項というこ
とになるが、その契約の内容等にもよるものの、そのような契約条項の中
には、煩瑣な手続を回避することができるという点で消費者にとって便利
であり、更新により消費者が受ける不利益も小さいと評価できるものも多
く、第二要件を満たさない（無効とされない）場合も多く存在すると考えら
れる。

● ③に該当する契約条項の例

〔事例10-1〕
　通信販売で掃除機1台を購入したところ、当該掃除機が届けられた際に健
康食品のサンプルが同封されていた。当該掃除機の購入契約には、継続購入が
不要である旨の電話を消費者がしない限り、今後、当該健康食品を1か月に1
回の頻度で継続的に購入する契約を締結したものとみなす旨の契約条項が含
まれていた。

(2)　第二要件

　第二要件は、「民法第1条第2項に規定する基本原則に反して消費者の
利益を一方的に害するもの」に該当することである。

① 「民法第1条第2項に規定する基本原則に反して」

　民法第1条第2項には「権利の行使及び義務の履行は、信義に従い誠実に行わなければならない」とされている。信義誠実とは、「社会共同生活の一員として、互に相手方の信頼を裏切らないように、誠意をもって行動することである」（我妻榮『新訂民法総則（民法講義Ⅰ）』（岩波書店、1965）34頁）とされている。すなわち、民法第1条第2項では、権利の行使及び義務の履行に当たっては、相手方の信頼を裏切らないように誠意を持って行動することが要請されているということである。この信義誠実の原則（信義則）は、「権利の行使及び義務の履行」全般に関する民法の指導原理となっている。

　民法第1条第2項によって個別の契約条項に基づく権利主張を制限し得ることは、裁判実務上も定着しているが、こうした裁判例は、当該契約条項自体を無効にしているわけではなく、当該契約条項を用いた権利主張が、当該具体的事情の下においては制限されるということを企図するものと考えられる。こうした裁判例を整理すると、当該事案における一切の個別事情を考慮した上で、契約条項の内容が一方当事者に不当に不利である場合には、当該契約条項に基づく権利主張が制限されている。

　例えば、東京地判平成2年10月26日（判例時報1394号94頁）は、土地建物の売買契約において、越境建物を所有する隣地地主から越境建物の取り壊しについての承諾書を取得するとの特約に売主が反したことを理由として、買主が契約解除に伴う違約金条項に基づき2億2700万円（売買代金の2割相当額）の損害賠償を請求した事案について、売買契約締結の目的、経緯、その後の履行状況、債務不履行の程度、本件売買をめぐる当事者の利害関係等に照らすと、違約金として約定の全額を請求することができるとすることは衡平を著しく損ない、不当であって、信義誠実の原則に反するといわざるを得ないとし、約定違約金の3割に相当する額の支払を求めることができるとしている。

　これに対し、本条においては、信義則に違反する権利の行使や義務の履行を設定する契約条項については、それに基づく事業者の権利の行使を認めないこととするにとどまらず、当該契約条項を無効とし、当該契約条項において意図された法的効果を初めからなかったことにしようとするもの

である。

法文上、「民法第１条第２項に規定する基本原則に反し」と明記していることから、本条に該当し無効となる条項は、民法第１条第２項の基本原則に反するものとして当該契約条項に基づく権利の主張が認められないものである。

なお、当該契約条項が信義則に反するものか否かについては、「消費者契約法の趣旨、目的（同法１条参照）に照らし、当該条項の性質、契約が成立するに至った経緯、消費者と事業者との間に存する情報の質及び量並びに交渉力の格差その他諸般の事情を総合考量して判断されるべきである」と解されている（後掲最高裁判決【３】）。具体的には、例えば、本条の第一要件に例示されている契約条項との関係では、当該契約条項によって消費者が受ける不利益がどの程度のものか、契約締結時に当該条項の内容を十分に説明していたか等の事情も考慮し、消費者契約法の趣旨、目的に照らして判断されるものと考えられる。

② 「消費者の利益を一方的に害する」

消費者と事業者との間にある情報・交渉力の格差を背景として、当該契約条項により、任意規定によって消費者が本来有しているはずの利益を、信義則に反する程度に両当事者の衡平を損なう形で侵害することを指す。

(3) 効果

本条は、信義則に反する程度に任意規定から乖離する契約条項を、その限りにおいて無効とするものである。契約条項が無効となれば、当該契約条項は最初からなかったこととなり、任意規定に則った取扱いがなされることとなる。

3 本条により無効となる可能性がある契約条項の例

当該契約の目的となるもの、対価その他の取引条件、契約類型等にもよるが、消費者契約において、本条により、無効となる可能性のある契約条項としては、例えば、次のようなものが考えられる。

第2節　消費者契約の条項の無効（第8条～第10条）**第10条**　215

〔事例10-2〕
　事業者からの解除・解約の要件を緩和する契約条項
〔考え方〕
　例えば、民法第541条により、相当の期間を定めた履行の催告をした上で解除をすることとされている場面について、特に正当な理由もなく、消費者の債務不履行の場合に事業者が相当の期間を定めた催告なしに解除することができるとする契約条項については、無効とすべきものと考えられる（なお、保険料の払込みがされない場合に履行の催告なしに生命保険契約が失効する旨を定める約款の契約条項に関する最高裁平成24年3月16日判決（民集66巻5号2216頁。後掲最高裁判決【4】）参照）。

〔事例10-3〕
　事業者の証明責任を軽減し、又は消費者の証明責任を過重する契約条項
〔考え方〕
　証明責任を法定の場合よりも消費者に不利に定める契約条項（例えば、債務不履行に基づく損害賠償責任（民法第415条）に関し、事業者の責めに帰することができる事由を消費者に証明させる契約条項）は、無効となり得る。

〔事例10-4〕
　消費者の権利の行使期間を制限する契約条項
〔考え方〕
　契約不適合責任の権利の行使期間については、当該契約内容の特性等により任意規定と異なる定めをすることは許容されるべきであるが、正当な理由なく行使期間を法定の場合よりも不当に短く設定する契約条項は、民法第566条（権利の行使期間は事実を知ったときから1年以内）に比べ、消費者の義務を加重するものとして、無効となり得る。

〔事例10-5〕
　消費者が有する解除権の行使を制限する契約条項
〔考え方〕
　例えば、電気通信回線の利用契約において、消費者による解除権の行使の方法を電話や店舗の手続に限定する契約条項や、予備校の利用規約等において、

216 第1編 逐条解説 第2章 消費者契約

消費者の解除事由を限定するとともに、中途解約権の行使の際には解除事由が存在することを明らかにする診断書等の書類の提出を要求する契約条項の使用例が見られる。

民法第540条第1項は、解除の意思表示について法律上一定の方式によらねばらないとするものではないため、このような契約条項は本条の第一要件に該当する。

このような契約条項が使用され、消費者が解除権を容易に行使できない状態が生じる場合には、消費者に解除権が認められた趣旨が没却されかねない。他方で、事業者は、消費者が消費者契約を解除する際、本人確認や契約関係の確認を行うため、解除を書面や対面によるものに限る必要性が生じる場面も考えられる。また、解除権の行使方法をあらかじめ定めておくことで、消費者からの解除の意思表示を見逃さずに対応できることや、大量の契約について統一的な手法・手続によることで迅速な事務作業が可能になり、それによって多くの消費者に一定の品質でサービスを提供できるといった、消費者にとってのメリットもあり得ると考えられる。

これらの事情を総合考量した結果、本条の第二要件にも該当すると判断された場合には、消費者の解除権の行使を制限する契約条項は無効となり得る。

〔事例10-6〕
　消費者の生命又は身体の侵害による事業者の損害賠償責任を免除する契約条項

〔考え方〕
　事業者の損害賠償責任の全部を免除する契約条項や、事業者の損害賠償責任の一部を免除する契約条項のうち当該事業者の故意又は重過失によるものは、第8条第1項の規定により無効となる。これに対して、事業者の損害賠償責任の一部を免除する契約条項のうち、当該事業者の軽過失によるものについては、第8条第1項の規定により無効となるものではないが、生命又は身体が重要な法益であることに照らすと、消費者の生命又は身体の侵害による損害賠償責任を免除する契約条項は、本条によって無効となり得ると考えられる。

　参考になる裁判例として、事業者が損害賠償責任を負う範囲を、事業者の故意又は重過失に起因する損害以外は治療費等の直接損害に限定する契約条項

について、本条の規定により無効である疑いがある旨を判示したものがある（札幌高判平成28年5月20日判例時報2314号40頁）。

なお、旅客運送契約については、旅客の生命又は身体の侵害による運送人の損害賠償の責任を免除し又は軽減する特約は無効とする旨の規定が設けられている（商法第591条第1項）。

〔事例10-7〕
消費者の所有権等を放棄するものとみなす契約条項
〔考え方〕

例えば、建物等の一時的な利用契約において、消費者が賃借物件内に動産を残置するなどの一定の行為をしたことをもって、当該消費者が有する所有権等の権利を放棄したものとみなす契約条項や、ウェブサイト利用規約において、消費者が情報等を事業者に送付したことをもって、当該情報等に関する一切の権利を放棄したものとみなす契約条項のように、消費者の一定の行為をもって消費者が自らの権利を放棄する意思表示をしたものとみなす契約条項の使用例が見られる。

このような契約条項は、権利放棄の意思を擬制するための前提事実となる一定の行為から推認される意思と、擬制される権利放棄の意思との間の乖離の程度が大きい場合には、権利の放棄は権利者の意思によるという私法の明文の規定によらない一般的な法理と抵触するため、本条の第一要件に該当する。

他方で、賃貸借契約終了後に賃借人が廃棄物を残置した場合のように一定の社会的な必要性がある場合や、賃借人等の明示的な作為をもって意思表示が推定されるような場合、然るべき手続や段階・期間等を経ている場合や、消費者の保護の必要性がある場合等、消費者が権利を放棄する意思表示をしたものとみなす契約条項を一律に不当と評価することが適切でない場合もある。

これらの事情を総合考量した結果、本条の第二要件にも該当すると判断された場合には、消費者の所有権等を放棄するものとみなす契約条項は無効となり得る。

なお、所有権等を放棄するものとみなす契約条項には、法律上事業者に動産類の処分が認められている場合（遺失物法第20条等）について同様の規定を行う例が考えられるが、このような場合は法律に基づき動産類の処分が有効に

218 第1編 逐条解説 第2章 消費者契約

行われるのであり、契約条項の効力が問題とされなければならない場面ではないと考えられる。

● 決定権限付与条項・解釈権限付与条項

　第8条及び8条の2の規定に該当しない決定権限付与条項及び解釈権限付与条項であっても、本条の規定が適用されることにより無効となるものがある。
　例えば、消費者の権利又は義務を定める任意規定の要件に該当するか否かを決定する権限を事業者に付与する契約条項には、個別の事案によるものの、本条の規定の要件を満たし、無効となり得るものがある。

● 本条に関連する最高裁判決
【1】最一判平成23年3月24日（民集65巻2号903頁）
事件番号：平成21年（受）第1679号
事案概要：居住用建物をY（被上告人）から賃借し、賃貸借契約終了後これを明け渡したX（上告人）が、Yに対し、同契約の締結時に差し入れた保証金のうち返還を受けていない21万円及びこれに対する遅延損害金の支払を求めた事案。Yは、同契約には保証金のうち一定額を控除し、これをYが取得する旨の特約が付されていると主張したのに対し、Xは、同特約は本条により無効であるとして、これを争った。
　　　　　※契約締結から明渡しまでの経過年数に応じて18万円ないし34万円を保証金から控除。賃料は月額9万6000円。
判示内容：①消費者契約である居住用建物の賃貸借契約に付された敷引特約は、当該建物に生ずる通常損耗等の補修費用として通常想定される額、賃料の額、礼金等他の一時金の授受の有無及びその額等に照らし、敷引金の額が高額に過ぎると評価すべきものである場合には、当該賃料が近傍同種の建物の賃料相場に比して大幅に低額であるなど特段の事情のない限り、信義則に反して消費者である賃借人の利益を一方的に害するものであって、消費者契約法10条により無効となると解するのが

第2節　消費者契約の条項の無効（第8条～第10条）**第10条**　219

相当。

②本件敷引金の額は、上記経過年数に応じて上記金額の2倍弱
ないし3.5倍強にとどまっていることに加えて、上告人は、本
件契約が更新される場合に1か月分の賃料相当額の更新料の
支払義務を負うほかには、礼金等他の一時金を支払う義務を
負っていない。そうすると、本件敷引金の額が高額に過ぎる
と評価することはできず、本件特約が消費者契約法10条によ
り無効であるということはできない。

【2】最三判平成23年7月12日（裁判集民237号215頁）

事件番号：平成22年（受）第676号

事案概要：居住用建物をY（上告人）から賃借し、賃貸借契約終了後これを
明け渡したX（被上告人）が、Yに対し、同契約の締結時に差し
入れた保証金のうち返還を受けていない80万8074円及びこれに
対する遅延損害金の支払を求めた事案。Yは、同契約には保証
金のうち一定額を控除し、これをXが取得する旨の特約が付さ
れているなどと主張するのに対し、Xは、同特約は本条により
無効であるなどとして、これを争った。

※保証金は100万円、敷引金は60万円。賃料は、契約当初は月額17万5000円、
更新後は17万円。

判示内容：①上記判例【1】と同旨

②本件敷引金の額はその3.5倍程度にとどまっており、高額に
過ぎるとはいい難く、本件敷引金の額が、近傍同種の建物に
係る賃貸借契約に付された敷引特約における敷引金の相場に
比して、大幅に高額であることもうかがわれない。以上の事
情を総合考慮すると、本件特約は、信義則に反して被上告人
の利益を一方的に害するものということはできず、消費者契
約法10条により無効であるということはできない。

【3】最二判平成23年7月15日（民集65巻5号2269頁）

事件番号：平成22年（オ）第863号・平成22年（受）第1066号

事案概要：居住用建物をY（上告人）から賃借したX（被上告人）が、更新料
の支払を約する条項、定額補修分担金に関する特約は、本条に

220　第1編　逐条解説　第2章　消費者契約

よりいずれも無効であると主張して、Yに対し、不当利得返還請求権に基づき支払済みの更新料の返還を求めた事案。

※賃貸借期間は1年。更新料は賃料の2か月分。

判示内容：①消費者契約法10条が憲法29条1項に違反するものでないことは、明らかである。

②消費者契約法10条は、消費者契約の条項を無効とする要件として、当該条項が、民法等の法律の公の秩序に関しない規定、すなわち任意規定の適用による場合に比し、消費者の権利を制限し、又は消費者の義務を加重するものであることを定めるところ、ここにいう任意規定には、明文の規定のみならず、一般的な法理等も含まれると解するのが相当。

③消費者契約法10条は、消費者契約の条項を無効とする要件として、当該条項が、民法1条2項に規定する基本原則、すなわち信義則に反して消費者の利益を一方的に害するものであることをも定めるところ、当該条項が信義則に反して消費者の利益を一方的に害するものであるか否かは、消費者契約法の趣旨、目的（同法1条参照）に照らし、当該条項の性質、契約が成立するに至った経緯、消費者と事業者との間に存する情報の質及び量並びに交渉力の格差その他諸般の事情を総合考量して判断されるべきである。

④賃貸借契約書に一義的かつ具体的に記載された更新料条項は、更新料の額が賃料の額、賃貸借契約が更新される期間等に照らし高額に過ぎるなどの特段の事情がない限り、消費者契約法10条にいう「民法第1条第2項に規定する基本原則に反して消費者の利益を一方的に害するもの」には当たらないと解するのが相当。

⑤本件条項は本件契約書に一義的かつ明確に記載されているところ、その内容は、更新料の額を賃料の2か月分とし、本件賃貸借契約が更新される期間を1年間とするものであって、上記特段の事情が存するとはいえず、これを消費者契約法10条により無効とすることはできない。

第2節　消費者契約の条項の無効（第8条～第10条）**第10条**　221

【4】最二判平成24年3月16日（民集66巻5号2216頁）

事件番号：平成22年（受）第332号

事案概要：保険会社であるY（上告人）との間で生命保険等の保険契約を締
　　　　　結したX（被上告人）が、Yに対し、上記保険契約が存在するこ
　　　　　との確認を求めた事案。Yは、約定の期間内に保険料の払込み
　　　　　がないときは当然に保険契約が失効する旨の約款の条項により
　　　　　上記保険契約は失効したと主張したのに対し、Xは、上記条項
　　　　　は本条により無効であるなどとして、これを争った。

　　　　　（※1）　本件各保険契約においては、保険料は払込期月内に払い込むべき
　　　　　　　　　ものとされ、それが遅滞しても直ちに保険契約が失効するものではな
　　　　　　　　　く、この債務不履行の状態が一定期間内に解消されない場合に初めて
　　　　　　　　　失効する旨が明確に定められており、上記一定期間は、1か月とされ
　　　　　　　　　ている。また、払い込むべき保険料等の額が解約返戻金の額を超えな
　　　　　　　　　いときは、自動的に上告人が保険契約者に保険料相当額を貸し付けて
　　　　　　　　　保険契約を有効に存続させる旨の本件自動貸付条項が定められてい
　　　　　　　　　て、長期間にわたり保険料が払い込まれてきた保険契約が1回の保険
　　　　　　　　　料の不払により簡単に失効しないようにされている。

　　　　　（※2）　上告人は、本件失効条項は、保険料支払債務の不履行があった場
　　　　　　　　　合には契約失効前に保険契約者に対して保険料払込みの督促を行う実
　　　　　　　　　務上の運用を前提とするものである旨を主張した。

判示内容：本件約款において、保険契約者が保険料の不払をした場合にも、
　　　　　その権利保護を図るために一定の配慮をした上記イのような定
　　　　　め（事案概要の※1参照）が置かれていることに加え、上告人に
　　　　　おいて上記のような運用（事案概要の※2参照）を確実にした上
　　　　　で本件約款を適用していることが認められるのであれば、本件
　　　　　失効条項は信義則に反して消費者の利益を一方的に害するもの
　　　　　に当たらないものと解される。

【5】最一判令和4年12月12日（民集76巻7号1696頁）

事件番号：令和3年（受）第987号

事案概要：適格消費者団体である上告人が、賃貸住宅の賃借人の委託を受
　　　　　けて賃借人の賃料等の支払に係る債務を保証する事業を営む会
　　　　　社である被上告人に対し、本件契約書13条1項前段、18条2項

２号等の各条項（※）が第10条に規定する契約条項に当たるなど
と主張して、第12条３項本文に基づき、上記各条項を含む消費
者契約の申込み又はその承諾の意思表示の各差止め、上記各条
項が記載された契約書ひな形が印刷された契約書用紙の各廃棄
等を求めた事案。

（※）　契約条項は以下のとおり。「乙」は賃借人、「丁」は被上告人、「原契
　　　約」は賃貸人と乙との賃貸借契約を指す。

（13条１項前段）

　　丁は、乙が支払を怠った賃料等及び変動費の合計額が賃料３
か月分以上に達したときは、無催告にて原契約を解除すること
ができるものとする。

（18条２項２号）

　　丁は、乙が賃料等の支払を２か月以上怠り、丁が合理的な手
段を尽くしても乙本人と連絡がとれない状況の下、電気・ガス・
水道の利用状況や郵便物の状況等から本件建物を相当期間利用
していないものと認められ、かつ本件建物を再び占有使用しな
い乙の意思が客観的に看取できる事情が存するときは、乙が明
示的に異議を述べない限り、これをもって本件建物の明渡しが
あったものとみなすことができる

判示内容：①差止請求の訴訟において、信義則、条理等を考慮して規範的
　　　　　　な観点から契約の条項の文言を補う限定解釈をした場合に
　　　　　　は、解釈について疑義の生ずる不明確な条項が有効なものと
　　　　　　して引き続き使用され、かえって消費者の利益を損なうおそ
　　　　　　れがあることに鑑みると、本件訴訟において、無催告で原契
　　　　　　約を解除できる場合につき上記アにおいてみたとおり何ら限
　　　　　　定を加えていない本件契約書13条１項前段について上記の限
　　　　　　定解釈をすることは相当でない。

　　　　　②本件契約書13条１項前段は、賃借人が支払を怠った賃料等の
　　　　　　合計額が賃料３か月分以上に達した場合、賃料債務等の連帯
　　　　　　保証人である被上告人が何らの限定なく原契約につき無催告
　　　　　　で解除権を行使することができるものとしている点におい

第2節　消費者契約の条項の無効（第8条〜第10条）**第10条**　223

て、任意規定の適用による場合に比し、消費者である賃借人の権利を制限する。

④本件契約書13条1項前段は、所定の賃料等の支払の遅滞が生じた場合、原契約の当事者でもない被上告人がその一存で何らの限定なく原契約につき無催告で解除権を行使することができるとするものであるから、賃借人が重大な不利益を被るおそれがある。

⑤よって、本件契約書13条1項前段は、法10条に規定する消費者契約の条項に当たるというべきである。

⑥被上告人が、原契約が終了していない場合において、本件契約書18条2項2号に基づいて本件建物の明渡しがあったものとみなしたときは、賃借人は、本件建物に対する使用収益権が消滅していないのに、原契約の当事者でもない被上告人の一存で、その使用収益権が制限されることとなる。そのため、本件契約書18条2項2号は、この点において、任意規定の適用による場合に比し、消費者である賃借人の権利を制限するものというべきである。

⑦賃借人は、本件建物に対する使用収益権が一方的に制限されることになる上、本件建物の明渡義務を負っていないにもかかわらず、賃貸人が賃借人に対して本件建物の明渡請求権を有し、これが法律に定める手続によることなく実現されたのと同様の状態に置かれるのであって、著しく不当というべきである。

⑧よって、本件契約書18条2項2号は、法10条に規定する消費者契約の条項に当たるというべきである。

224 第1編 逐条解説 第2章 消費者契約

第3節 補則（第11条）

第11条（他の法律の適用）

> **（他の法律の適用）**
> **第11条** 消費者契約の申込み又はその承諾の意思表示の取消し及び消費者
> 契約の条項の効力については、この法律の規定によるほか、民法及び商
> 法（明治32年法律第48号）の規定による。
> 2 消費者契約の申込み又はその承諾の意思表示の取消し及び消費者契約
> の条項の効力について民法及び商法以外の他の法律に別段の定めがある
> ときは、その定めるところによる。

I 第1項

1 趣旨

　本項は、本法が民法及び商法に加えて、消費者契約の特性に鑑み消費者
契約の取消しを認めたり、消費者契約の条項の効力を否定したりする新た
な制度を導入するものであり、本法の規定と民法及び商法の規定が競合す
る場合には、本法が優先的に適用されること等を明らかにしている。

2 条文の解釈

① 「消費者契約の申込み又はその承諾の意思表示の取消し」
　第4条は、消費者が事業者の一定の行為により誤認又は困惑したことに
よって消費者契約の申込み又はその承諾の意思表示をした場合に、当該意
思表示を取り消すことができることを定めている。

② 「消費者契約の条項の効力」
　本法は、消費者契約においては、第8条から第10条までの規定に該当す

る契約条項については無効となることを定めている。

　③　「この法律の規定によるほか、民法及び商法の規定による。」

　契約の取消し及び契約条項の効力につき、本法に特段の定めがない事項については、民法及び商法の規定が適用されることを明らかにしているが、これには二つの内容が含まれている。

　①一つ目は、本法の規定と民法及び商法の規定が抵触する場合には、前者が優先的に適用されるという点である。

　例えば、民法第126条と本法第7条は、取消権の行使期間について異なる定めをしているところ、本法の規定が優先的に適用される。

　なお、商法は民法の特別法として、商人及び商行為に関して特則を置いているが、商法は商人間取引だけでなく、商人と商人でない者の間の取引についても適用されるため、事業者と消費者との間で適用される契約についても、商法が適用される場合がある。しかし、商法は営利主義、取引の円滑確実化、企業の維持強化をその特色としており、当事者の一方が消費者である場合でも消費者利益の確保という観点からの規定は設けられていない。そこで、両者が抵触する場合には、本法の立法趣旨に照らし、本法の定めを優先させることとしている。

　②二つ目は、本法に特段の定めがない事項について、補充的に民法及び商法の規定が適用されることを確認的に規定しているという点である。

　第4条の規定に関するものとして、民法第120条（取消権者）、第121条（取消しの効果）、第122条（取り消すことができる行為の追認）、第123条（取消し及び追認の方法）、第124条（追認の要件）及び第125条（法定追認）の規定がある。

　すなわち、取り消すことができる行為は、瑕疵ある意思表示をした者（消費者）、その代理人又は承継人に限り、取り消すことができる（民法第120条）。取り消すことができる行為の相手方が確定している場合には、その取消し又は追認は相手方に対する意思表示によってする（民法第123条）。

　また、取り消すことができる行為は、取消権者が追認した時は、初めから有効なものとみなされ、取消しができなくなる。追認は、取消しの原因となっていた状況が消滅した後にしなければ、その効力を生じない（民法

第124条第1項)。

　取消しの原因となっていた状況が消滅した後（この意義については、第7条第1項の解説を参照）に、取り消すことのできる行為につき、次の事実があったときは、追認をなしたものとみなされ（法定追認）、取消しができなくなる。ただし、消費者が異議をとどめたときは、この限りでない（民法第125条）。

　　ア　全部又は一部の履行
　　イ　履行の請求
　　ウ　更改
　　エ　担保の供与
　　オ　取り消すことができる行為によって取得した権利の全部又は一部の譲渡
　　カ　強制執行

　これらが、具体的に何を意味するかについては、民法の解釈や判例による。例えば、上記アについて、判例では、取消権者が債務者として自ら履行する場合だけでなく、債権者として相手方の履行を受領する場合をも含むとされている（大判昭和8年4月28日民集12巻1040頁）。

　また、第8条から第10条までの規定に関するものとして、商法第739条（航海に堪える能力に関する注意義務）の規定がある。

Ⅱ　第2項

1　趣旨

　民法及び商法以外の個別法の私法規定の中には、本法の規定に抵触するものが存在する。個別法は、当該業種の取引の特性や実情、契約当事者の利益等を踏まえた上で取引の適正化を図ることを目的として規定されたものであるため、本項は、消費者契約を幅広く対象とする本法の規定と個別法の私法規定とが抵触する場合には、原則として後者が優先的に適用されることを明らかにした。

第3節 補則（第11条）**第11条** 227

2 条文の解釈

① 「消費者契約の申込み又はその承諾の意思表示の取消し」
第1項の解説を参照のこと。
② 「消費者契約の条項の効力」
第1項の解説を参照のこと。
③ 「民法及び商法以外の他の法律に別段の定めがあるとき」

民法及び商法以外に、様々な分野について当該業種の取引の特性や実情、契約当事者の利益等を踏まえた個別法が制定されている。その個別法の私法規定の中には、消費者保護の観点から、契約の成立を否定したり、契約の条項の効力を否定したりする規定、あるいは、事業の特性に鑑み事業者の責任を軽減するような規定が存在する。「別段の定め」とは、このように、本法の規定と要件が重なっていることにより、抵触する個別法の私法規定を指す。これらの規定については、どちらの規定を適用するかで結論が異なる場合があるため、いずれの規定が優先的に適用されるのかを定める必要がある。一方、要件が全く重ならない個別法の規定については本法の規定と競合的に適用される。

3 本法の規定と抵触する規定の例

(1) 法第4条の規定と個別法の私法規定との関係

個別法の私法規定の中で第4条の規定と要件が重なっていることにより抵触すると考えられるものは、存在しない。したがって、第4条の規定と個別法の私法規定とは、競合的に適用される。例えば、第4条の規定における消費者の取消権については、種々の個別法（例：特定商取引法、割賦販売法）におけるクーリング・オフ権や特定継続的役務提供についての中途解約権と競合的に行使すること[注]ができるとしても、これら個別法の立法趣旨を害するものではない。したがって、前記2③にいう別段の定めには当たらない。

> [注] 例えば、ある事案において、個別法により、当該契約について契約締結後8日以内にクーリング・オフできるとの規定があれば、消費者はその個別法の規定によりクーリング・オフできる。一方、同一事案において、本法第4条の要

228　第1編　逐条解説　第2章　消費者契約

件にも該当する場合には、消費者は本法第4条に基づき取消しを主張することができる。つまり、契約締結後8日以内であれば、消費者は、クーリング・オフを選択することも、本法第4条の規定による契約の申込みの取消しを選択することも可能である。「競合的」とは、以上のような趣旨である。

　また、消費者が本法第4条の規定を適用し当該契約を取り消した後には、クーリング・オフの規定を適用することはできなくなる。逆にクーリング・オフの規定により契約を解除した後にも、本法第4条の規定を適用することはできなくなる。

(2)　第8条から第10条の規定と個別法の私法規定との関係

　個別法の私法規定のなかには、本法の規定と抵触する規定が存在する。

　個別法は、当該業種の取引の特性や実情、契約当事者の利益等を踏まえた上で対応を行うことを目的として規定されたものであり、消費者契約を幅広く対象とする本法の規定と個別法の私法規定が抵触する場合があるが、個別法が優先されるものとする。

　なお、個別法の規定は適用範囲を限定しているため、その適用範囲に含まれない部分については、消費者契約である限り、本法の規定が適用される。また、個別法の規定に抵触しない本法の規定については、個別法の適用範囲であっても、消費者契約である限り、適用される。

　例えば特定電気通信役務提供者の損害賠償責任の制限及び発信者情報の開示に関する法律には、特定電気通信役務提供者（以下「プロバイダー等」という。）の損害賠償責任に関する規定が置かれているが、消費者とプロバイダー等との契約において、プロバイダー等の債務不履行による損害賠償責任及び不法行為による損害賠償責任を免除する条項が定められていても、当該条項が同法第3条及び第6条第4項によって有効になるわけではなく、同法の規定は本法第8条には抵触しない。

第3節　補則（第11条）**第11条**　229

４　本法の規定と抵触する規定の例

（1）　具体例

ア　国際海上物品運送法（昭和32年法律第172号）

（運送品に関する注意義務）

第３条　運送人は、自己又はその使用する者が運送品の受取、船積、積付、運送、保管、荷揚及び引渡につき注意を怠ったことにより生じた運送品の滅失、損傷又は延着について、損害賠償の責を負う。

第４条　運送人は、前条の注意が尽されたことを証明しなければ、同条の責を免れることができない。

（損害賠償の額及び責任の限度の特例）

第10条　運送人は、運送品に関する損害が、自己の故意により、又は損害の発生のおそれがあることを認識しながらした自己の無謀な行為により生じたものであるときは、第８条及び前条第１項から第４項までの規定にかかわらず、一切の損害を賠償する責任を負う。

（特約禁止）

第11条　第３条から第５条まで、若しくは第７条から前条まで又は商法第585条、第759条若しくは第760条の規定に反する特約で、荷送人、荷受人又は船荷証券所持人に不利益なものは、無効とする。運送品の保険契約によって生ずる権利を運送人に譲渡する契約その他これに類似する契約も、同様とする。

　これらの規定は、運送人は自己又はその使用する者に過失がないことを証明しなければ責任を免除することができないこと、運送人に故意等があるときには損害賠償責任を制限することができないことを定め、これらに反する特約で荷送人等に不利益なものを無効とするものであり、本法第８条第１項第１号及び第２号の規定とほぼ同様の責任を課すものであるが、本法第８条の規定と要件が抵触する。

　国際海上物品運送法のこれらの規定は国際海上物品運送の特性を踏まえて設けられたものであり、この場合においては、これらの規定が優先して適用され、本法の規定は適用されないこととなる。

230　　第1編　逐条解説　第2章　消費者契約

イ　住宅の品質確保の促進等に関する法律（平成11年法律第81号）

（住宅の新築工事の請負人の瑕疵担保責任）

第94条　住宅を新築する建設工事の請負契約（以下「住宅新築請負契約」という。）においては、請負人は、注文者に引き渡した時から10年間、住宅のうち構造耐力上主要な部分又は雨水の浸入を防止する部分として政令で定めるもの（次条において「住宅の構造耐力上主要な部分等」という。）の瑕疵（構造耐力又は雨水の浸入に影響のないものを除く。次条において同じ。）について、民法（明治29年法律第89号）第415条、第541条及び第542条並びに同法第559条において準用する同法第562条及び第563条に規定する担保の責任を負う。

2　前項の規定に反する特約で注文者に不利なものは、無効とする。

3　第1項の場合における民法第637条の規定の適用については、同条第1項中「前条本文に規定する」とあるのは「請負人が住宅の品質確保の促進等に関する法律（平成11年法律第81号）第94条第1項に規定する瑕疵がある目的物を注文者に引き渡した」と、同項及び同条第2項中「不適合」とあるのは「瑕疵」とする。

　この規定は、住宅新築請負契約については、請負人は住宅の構造耐力上主要な部分等については、10年間担保責任を負うこととし、これに反する特約を無効とするものであり、本法第8条第1項第1号及び第2号の規定より厳しい責任を事業者に課す規定である。

　住宅の品質確保の促進等に関する法律第94条の規定は住宅新築請負契約の特性を踏まえて設けられたものであり、この場合においては、この規定が優先して適用され、本法の規定は適用されないこととなる。しかし、住宅の構造耐力上主要な部分等以外についての瑕疵については、本法の規定が適用され得る。

ウ　宅地建物取引業法（昭和27年法律第176号）

（損害賠償額の予定等の制限）

第38条　宅地建物取引業者がみずから売主となる宅地又は建物の売買契約において、当事者の債務の不履行を理由とする契約の解除に伴う損害賠償の額を予定し、又は違約金を定めるときは、これらを合算した額が代金の額の

第3節　補則（第11条）**第11条**　231

　10分の２をこえることとなる定めをしてはならない。

2　前項の規定に反する特約は、代金の額の10分の２をこえる部分について、無効とする。

　この規定は、宅地建物取引業者が自ら売主となる宅地又は建物の売買契約については、宅地建物取引業者は当事者の債務の不履行を理由とする契約の解除に伴う損害賠償額の予定等については代金の20％を上限とし、20％を超える部分については無効とするものであり、本法第９条第１項第１号の規定と要件が抵触する。

　宅地建物取引業法第38条の規定は宅地建物取引の特性を踏まえて設けられたものであり、この場合においては、この規定が優先して適用され、本法の規定は適用されないこととなる。

　エ　割賦販売法（昭和36年法律第159号）

（契約の解除等に伴う損害賠償等の額の制限）

第30条の3

2　包括信用購入あつせん業者は、前項の契約について第30条の２の３第１項第２号の支払分の支払の義務が履行されない場合（契約が解除された場合を除く。）には、損害賠償額の予定又は違約金の定めがあるときにおいても、当該契約に係る支払総額に相当する額から既に支払われた同号の支払分の額を控除した額にこれに対する法定利率による遅延損害金の額を加算した金額を超える額の金銭の支払を購入者又は役務の提供を受ける者に対して請求することができない。

　この規定は、包括信用購入あっせん業者は、包括信用購入あっせんに係る契約においては、購入者の支払義務が履行されない場合に一定の金額以上の損害賠償を請求することができないという趣旨であるが、本法第９条第１項第２号の規定と要件が抵触している。

　割賦販売法第30条の３第２項の規定は包括信用購入あっせんに係る契約の特性を踏まえて設けられたものであり、この場合においては、この規定が優先して適用され、本法の規定は適用されないこととなる。しかし、包括信用購入あっせんに該当しない場合、例えば、二月払購入あっせん（典

232 第1編 逐条解説 第2章 消費者契約

型的にはマンスリークリア）の場合やこの規定が適用されないリボルビング
方式の場合については、法第9条第1項第2号の規定が適用され得る。

（契約の解除等に伴う損害賠償等の額の制限）
第35条の3の18
2 個別信用購入あっせん業者は、前項の契約について第35条の3の8第3
号の支払分の支払の義務が履行されない場合（契約が解除された場合を除
く。）には、損害賠償額の予定又は違約金の定めがあるときにおいても、当
該契約に係る支払総額に相当する額から既に支払われた同号の支払分の額
を控除した額にこれに対する法定利率による遅延損害金の額を加算した金
額を超える額の金銭の支払を購入者又は役務の提供を受ける者に対して請
求することができない。

この規定は、個別信用購入あっせん業者は、個別信用購入あっせんに係
る契約においては、購入者の支払義務が履行されない場合に一定の金額以
上の損害賠償を請求することができないという趣旨であるが、本法第9条
第1項第2号の規定と要件が抵触している。割賦販売法第35条の3の18第
2項の規定は個別信用購入あっせんに係る契約の特性を踏まえて設けられ
たものであり、この場合においては、この規定が優先して適用され、本法
の規定は適用されないこととなる。

しかし、個別信用購入あっせんに該当しない場合、例えば、個別クレジッ
ト契約時から2か月以内に最終の支払期限が設定されている場合等につい
ては、本法第9条第1項第2号の規定が適用され得る。

オ 利息制限法（昭和29年法律第100号）

（賠償額の予定の制限）
第4条 金銭を目的とする消費貸借上の債務の不履行による賠償額の予定は、
その賠償額の元本に対する割合が第1条に規定する率の1.46倍[注1]を超える
ときは、その超過部分について、無効とする。
2 前項の規定の適用については、違約金は、賠償額の予定とみなす。
（注1） 元本10万円未満の場合は年29.2%、元本10万円以上100万円未満の場合は
年26.28%、元本100万円以上の場合は年21.9%となる。

第3節　補則（第11条）第11条　233

（賠償額の予定の特則）

第7条　第4条第1項の規定にかかわらず、営業的金銭消費貸借上の債務の不履行による賠償額の予定は、その賠償額の元本に対する割合が年2割を超えるときは、その超過部分について、無効とする。

2　第4条第2項の規定は、前項の賠償額の予定について準用する。

　利息制限法第4条及び第7条の規定は、金銭を目的とする消費貸借上の債務の不履行による賠償額の予定又は違約金については、元本の額に応じ一定の額を超える部分を無効とするものであり、本法第9条第1項第2号の規定と要件が抵触している。

　上記両規定は金銭を目的とする消費貸借契約の特性を踏まえてそれぞれ設けられたものであり、この場合においては、上記両規定が優先して適用され、本法の規定は適用されないことになる。

（2）　その他の例（第8条関係）

郵便法（昭和22年法律第165号）

第50条（損害賠償の範囲）　会社は、この法律若しくはこの法律に基づく総務省令の規定又は郵便約款に従つて差し出された郵便物が次の各号のいずれかに該当する場合には、その損害を賠償する。

　一　書留とした郵便物の全部又は一部を亡失し、又はき損したとき。

　二　引換金を取り立てないで代金引換とした郵便物を交付したとき。

2　前項の場合における賠償金額は、次の各号に掲げる区分に応じ、当該各号に定める額とする。

　一　書留（第45条第4項の規定によるものを除く。次号において同じ。）とした郵便物の全部を亡失したとき　申出のあつた額（同条第3項の場合は、同項の郵便約款の定める額を限度とする実損額）

　二　書留とした郵便物の全部若しくは一部をき損し、又はその一部を亡失したとき　申出のあつた額を限度とする実損額

　三　第45条第4項の規定による書留とした郵便物の全部又は一部を亡失し、又はき損したとき　同項の郵便約款の定める額を限度とする実損額

　四　引換金を取り立てないで代金引換とした郵便物を交付したとき　引換金額

234　第1編　逐条解説　第2章　消費者契約

第51条（免責）　前条第1項に規定する損害が差出人若しくは受取人の過失又は当該郵便物の性質若しくは欠陥により発生したものであるときは、会社は、同項の規定にかかわらず、その損害を賠償しない。

第52条（郵便物の無損害の推定）　郵便物を交付する際外部に破損の跡がなく、かつ、重量に変わりがないときは、その郵便物に損害が生じていないものと推定する。

第54条（郵便物受取による損害賠償請求権の消滅）　郵便物の受取人又は差出人は、その郵便物を受け取つた後、又は前条第1項の規定により受取を拒んだ場合において、同条第2項に規定する期間内に正当の事由なく同条第1項の求めに応じなかつたときは、その郵便物に生じた損害につき、損害賠償の請求をすることができない。

国際海上物品運送法（昭和32年法律第172号）
（航海に堪える能力に関する注意義務）
第5条　運送人は、発航の当時次に掲げる事項を欠いたことにより生じた運送品の滅失、損傷又は延着について、損害賠償の責任を負う。ただし、運送人が自己及びその使用する者がその当時当該事項について注意を怠らなかつたことを証明したときは、この限りでない。
一　船舶を航海に堪える状態に置くこと。
二　船員の乗組み、船舶の艤装及び需品の補給を適切に行うこと。
三　船倉、冷蔵室その他運送品を積み込む場所を運送品の受入れ、運送及び保存に適する状態に置くこと。

（責任の限度）
第9条　運送品に関する運送人の責任は、次に掲げる金額のうちいずれか多い金額を限度とする。
一　滅失、損傷又は延着に係る運送品の包又は単位の数に1計算単位の666.67倍を乗じて得た金額
二　前号の運送品の総重量について1キログラムにつき1計算単位の2倍を乗じて得た金額
2　前項各号の1計算単位は、運送人が運送品に関する損害を賠償する日において公表されている最終のものとする。
3　運送品がコンテナー、パレットその他これらに類する輸送用器具（以下こ

の項において「コンテナ等」という。）を用いて運送される場合における第1項の規定の適用については、その運送品の包若しくは個品の数又は容積若しくは重量が船荷証券又は海上運送状に記載されているときを除き、コンテナ等の数を包又は単位の数とみなす。

4　運送品に関する運送人の被用者の責任が、第16条第3項の規定により、同条第1項において準用する前3項の規定により運送人の責任が軽減される限度で軽減される場合において、運送人の被用者が損害を賠償したときは、前3項の規定による運送品に関する運送人の責任は、運送人の被用者が賠償した金額の限度において、更に軽減される。

5　前各項の規定は、運送品の種類及び価額が、運送の委託の際荷送人により通告され、かつ、船荷証券が交付されるときは、船荷証券に記載されている場合には、適用しない。

6　前項の場合において、荷送人が実価を著しく超える価額を故意に通告したときは、運送人は、運送品に関する損害については、賠償の責任を負わない。

7　第5項の場合において、荷送人が実価より著しく低い価額を故意に通告したときは、その価額は、運送品に関する損害については、運送品の価額とみなす。

8　前2項の規定は、運送人に悪意があつた場合には、適用しない。

船舶の所有者等の責任の制限に関する法律（昭和50年法律第94号）
（船舶の所有者等の責任の制限）

第3条　船舶所有者等又はその被用者等は、次に掲げる債権について、この法律で定めるところにより、その責任を制限することができる。

一　船舶上で又は船舶の運航に直接関連して生ずる人の生命若しくは身体が害されることによる損害又は当該船舶以外の物の滅失若しくは損傷による損害に基づく債権

二　運送品、旅客又は手荷物の運送の遅延による損害に基づく債権

三　前2号に掲げる債権のほか、船舶の運航に直接関連して生ずる権利侵害による損害に基づく債権（当該船舶の滅失又は損傷による損害に基づく債権及び契約による債務の不履行による損害に基づく債権を除く。）

四　前条第2項第3号に掲げる措置により生ずる損害に基づく債権（当該

236 第1編 逐条解説 第2章 消費者契約

　船舶所有者等及びその被用者等が有する債権を除く。）
　五　前条第2項第3号に掲げる措置に関する債権（当該船舶所有者等及び
　　その被用者等が有する債権並びにこれらの者との契約に基づく報酬及び
　　費用に関する債権を除く。）
2　救助者又はその被用者等は、次に掲げる債権について、この法律で定める
　ところにより、その責任を制限することができる。
　一　救助活動に直接関連して生ずる人の生命若しくは身体が害されること
　　による損害又は当該救助者に係る救助船舶以外の物の滅失若しくは損傷
　　による損害に基づく債権
　二　前号に掲げる債権のほか、救助活動に直接関連して生ずる権利侵害に
　　よる損害に基づく債権（当該救助者に係る救助船舶の滅失又は損傷によ
　　る損害に基づく債権及び契約による債務の不履行による損害に基づく債
　　権を除く。）
　三　前条第2項第3号に掲げる措置により生ずる損害に基づく債権（当該
　　救助者及びその被用者等が有する債権を除く。）
　四　前条第2項第3号に掲げる措置に関する債権（当該救助者及びその被
　　用者等が有する債権並びにこれらの者との契約に基づく報酬及び費用に
　　関する債権を除く。）
3　船舶所有者等若しくは救助者又は被用者等は、前2項の債権が、自己の故
　意により、又は損害の発生のおそれがあることを認識しながらした自己の
　無謀な行為によつて生じた損害に関するものであるときは、前2項の規定
　にかかわらず、その責任を制限することができない。
4　船舶所有者等又はその被用者等は、旅客の損害に関する債権については、
　第1項の規定にかかわらず、その責任を制限することができない。
第4条　次に掲げる債権については、船舶所有者等及び救助者は、その責任を
　制限することができない。
　一　海難の救助又は共同海損の分担に基づく債権
　二　船舶所有者等の被用者でその職務が船舶の業務に関するもの又は救助
　　者の被用者でその職務が救助活動に関するものの使用者に対して有する
　　債権及びこれらの者の生命又は身体が害されることによつて生じた第三
　　者の有する債権

第3節 補則 (第11条) **第11条** 237

質屋営業法 (昭和25年法律第158号)

(質物が滅失した場合等の措置)

第19条

3　質屋は、その責めに帰すべき事由により、質物が滅失し、若しくは毀損し、又は盗難にかかつた場合における質置主の損害賠償請求権をあらかじめ放棄させる契約をすることはできない。

駐車場法 (昭和32年法律第106号)

第16条　路外駐車場管理者は、その路外駐車場に駐車する自動車の保管に関し、善良な管理者の注意を怠らなかつたことを証明する場合を除いては、その自動車の滅失又は損傷について損害賠償の責任を免かれることができない。

鉄道営業法 (明治33年法律第65号)

第11条ノ2　要償額ノ表示アル託送手荷物又ハ運送品ノ滅失又ハ毀損ニ因ル損害ニ付賠償ノ責ニ任スル場合ニ於テハ鉄道ハ表示額ヲ限度トシテ一切ノ損害ヲ賠償スル責ニ任ス此ノ場合ニ於テ鉄道ハ損害額カ左ノ額ニ達セサルコトヲ証明スルニ非サレハ左ノ額ノ支払ヲ免ルルコトヲ得ス

一　全部滅失ノ場合ニ於テハ表示額

二　一部滅失又ハ毀損ノ場合ニ於テハ引渡アリタル日 (延著シタルトキハ引渡期間末日) ニ於ケル到達地ノ価格ニ依リ計算シタル価格ノ減少割合ヲ表示額ニ乗シタル額

2　託送手荷物、高価品又ハ動物ニ付テハ託送ノ際旅客又ハ荷送人カ要償額ノ表示ヲ為ササル場合ニ於テハ鉄道ハ鉄道運輸規程ノ定ムル最高金額ヲ超エ其ノ滅失又ハ毀損ニ因ル損害ヲ賠償スル責ニ任セス

3　前2項ノ賠償額ノ制限ハ託送手荷物又ハ運送品カ鉄道ノ悪意又ハ重大ナル過失ニ因リテ滅失又ハ毀損シタル場合ニハ之ヲ適用セス

第12条　引渡期間満了後託送手荷物又ハ運送品ノ引渡ヲ為シタル場合ニ於テハ延著トス

2　引渡期間ハ鉄道運輸規程ノ定ムル所ニ依ル

3　延著ニ因ル損害ニ付賠償ノ責ニ任スル場合ニ於テハ鉄道ハ左ノ額ヲ限度トシテ鉄道運輸規程ノ定ムル所ニ依リ一切ノ損害ヲ賠償スル責ニ任ス

238　第1編　逐条解説　第2章　消費者契約

　　一　要償額ノ表示アルトキハ其ノ表示額
　　二　要償額ノ表示ナキトキハ其ノ運賃額
　4　前項ノ賠償額ノ制限ハ託送手荷物又ハ運送品カ鉄道ノ悪意又ハ重大ナル
　　過失ニ因リテ延著シタル場合ニハ之ヲ適用セス

宅地建物取引業法（昭和27年法律第176号）
（担保責任についての特約の制限）
第40条　宅地建物取引業者は、自ら売主となる宅地又は建物の売買契約にお
　　いて、その目的物が種類又は品質に関して契約の内容に適合しない場合に
　　おけるその不適合を担保すべき責任に関し、民法（明治29年法律第89号）第
　　566条に規定する期間についてその目的物の引渡しの日から2年以上となる
　　特約をする場合を除き、同条に規定するものより買主に不利となる特約を
　　してはならない。
　2　前項の規定に反する特約は、無効とする。

住宅の品質確保の促進等に関する法律（平成11年法律第81号）
（新築住宅の売主の瑕疵担保責任）
第95条　新築住宅の売買契約においては、売主は、買主に引き渡した時（当該
　　新築住宅が住宅新築請負契約に基づき請負人から当該売主に引き渡された
　　ものである場合にあっては、その引渡しの時）から10年間、住宅の構造耐力
　　上主要な部分等の瑕疵について、民法第415条、第541条、542条、562条及び
　　563条に規定する担保の責任を負う。
　2　前項の規定に反する特約で買主に不利なものは、無効とする。
　3　第1項の場合における民法第566条の規定の適用については、同条中「種
　　類又は品質に関して契約の内容に適合しない」とあるのは「住宅の品質確保
　　の促進等に関する法律（平成11年法律第81号）第95条第1項に規定する瑕疵
　　がある」と、「不適合」とあるのは「瑕疵」とする。

(3)　その他の例（第9条関係）

ア　第1項第1号に関係するもの

割賦販売法（昭和36年法律第159号）

（個別信用購入あつせん関係受領契約の申込みの撤回等）

第35条の3の10　次の各号に掲げる場合において、当該各号に定める者（以下この条において「申込者等」という。）は、書面により、申込みの撤回等（次の各号の個別信用購入あつせん関係販売契約若しくは個別信用購入あつせん関係役務提供契約に係る個別信用購入あつせん関係受領契約の申込みの撤回又は次の各号の個別信用購入あつせん関係販売契約若しくは個別信用購入あつせん関係役務提供契約に係る個別信用購入あつせん関係受領契約の解除をいう。以下この条において同じ。）を行うことができる。ただし、前条第3項の書面を受領した日（その日前に同条第1項の書面を受領した場合にあつては、当該書面を受領した日）から起算して8日を経過したとき（申込者等が、個別信用購入あつせん関係販売業者若しくは個別信用購入あつせん関係役務提供事業者若しくは個別信用購入あつせん業者が個別信用購入あつせん関係販売契約若しくは個別信用購入あつせん関係役務提供契約に係る個別信用購入あつせん関係受領契約の締結について勧誘をするに際し、若しくは申込みの撤回等を妨げるため、申込みの撤回等に関する事項につき不実のことを告げる行為をしたことにより当該告げられた内容が事実であるとの誤認をし、又は個別信用購入あつせん関係販売業者若しくは個別信用購入あつせん関係役務提供事業者若しくは個別信用購入あつせん業者が個別信用購入あつせん関係販売契約若しくは個別信用購入あつせん関係役務提供契約に係る個別信用購入あつせん関係受領契約を締結させ、若しくは申込みの撤回等を妨げるため、威迫したことにより困惑し、これらによつて当該期間を経過するまでに申込みの撤回等を行わなかつた場合には、当該申込者等が、当該個別信用購入あつせん関係販売業者若しくは当該個別信用購入あつせん関係役務提供事業者又は当該個別信用購入あつせん業者が経済産業省令・内閣府令で定めるところにより申込みの撤回等を行うことができる旨を記載して交付した書面を受領した日から起算して8日を経過したとき）は、この限りでない。

一　個別信用購入あつせん関係販売業者又は個別信用購入あつせん関係役務提供事業者が営業所等以外の場所において個別信用購入あつせん関係

販売契約又は個別信用購入あつせん関係役務提供契約の申込みを受けた場合　当該申込みをした者

二　個別信用購入あつせん関係販売業者又は個別信用購入あつせん関係役務提供事業者が営業所等において個別信用購入あつせん関係特定顧客から個別信用購入あつせん関係販売契約又は個別信用購入あつせん関係役務提供契約の申込みを受けた場合　当該申込みをした者

三　個別信用購入あつせん関係販売業者又は個別信用購入あつせん関係役務提供事業者が個別信用購入あつせん関係電話勧誘顧客から当該個別信用購入あつせん関係販売契約又は当該個別信用購入あつせん関係役務提供契約の申込みを郵便等により受けた場合　当該申込みをした者

四　個別信用購入あつせん関係販売業者又は個別信用購入あつせん関係役務提供事業者が営業所等以外の場所において個別信用購入あつせん関係販売契約又は個別信用購入あつせん関係役務提供契約を締結した場合（個別信用購入あつせん関係販売業者又は個別信用購入あつせん関係役務提供事業者の営業所等において当該契約の申込みを受けた場合を除く。）　当該契約の相手方

五　個別信用購入あつせん関係販売業者又は個別信用購入あつせん関係役務提供事業者が営業所等において個別信用購入あつせん関係特定顧客と個別信用購入あつせん関係販売契約又は個別信用購入あつせん関係役務提供契約を締結した場合　当該契約の相手方

六　個別信用購入あつせん関係販売業者又は個別信用購入あつせん関係役務提供事業者が個別信用購入あつせん関係電話勧誘顧客と当該個別信用購入あつせん関係販売契約又は当該個別信用購入あつせん関係役務提供契約を郵便等により締結した場合　当該契約の相手方

3　申込みの撤回等があつた場合においては、個別信用購入あつせん業者は、当該申込みの撤回等に伴う損害賠償又は違約金の支払を請求することができない。

6　前項本文の規定により個別信用購入あつせん関係販売契約若しくは個別信用購入あつせん関係役務提供契約の申込みが撤回され、又は個別信用購入あつせん関係販売契約若しくは個別信用購入あつせん関係役務提供契約が解除されたものとみなされた場合においては、個別信用購入あつせん関係販売業者又は個別信用購入あつせん関係役務提供事業者は、当該契約の

申込みの撤回又は当該契約の解除に伴う損害賠償又は違約金の支払を請求することができない。

15　第1項から第3項まで、第5項から第7項まで及び第9項から前項までの規定に反する特約であつて申込者等に不利なものは、無効とする。

特定商取引法（昭和51年法律第57号）
（訪問販売における契約の申込みの撤回等）
第9条
3　申込みの撤回等があつた場合においては、販売業者又は役務提供事業者は、その申込みの撤回等に伴う損害賠償又は違約金の支払を請求することができない。

8　前各項の規定に反する特約で申込者等に不利なものは、無効とする。
（電話勧誘販売における契約の申込みの撤回等）
第24条
3　申込みの撤回等があつた場合においては、販売業者又は役務提供事業者は、その申込みの撤回等に伴う損害賠償又は違約金の支払を請求することができない。

8　前各項の規定に反する特約で申込者等に不利なものは、無効とする。
（連鎖販売契約の解除等）
第40条
連鎖販売業を行う者がその連鎖販売業に係る連鎖販売契約を締結した場合におけるその連鎖販売契約の相手方（その連鎖販売業に係る商品の販売若しくはそのあつせん又は役務の提供若しくはそのあつせんを店舗等によらないで行う個人に限る。以下この章において「連鎖販売加入者」という。）は、第37条第2項の書面を受領した日（その連鎖販売契約に係る特定負担が再販売をする商品（施設を利用し及び役務の提供を受ける権利を除く。以下この項において同じ。）の購入についてのものである場合において、その連鎖販売契約に基づき購入したその商品につき最初の引渡しを受けた日がその受領した日後であるときは、その引渡しを受けた日。次条第1項において同じ。）から起算して20日を経過したとき（連鎖販売加入者が、統括者若しくは勧誘者が第34条第1項の規定に違反し若しくは一般連鎖販売業者が同条第2項の規定に違反してこの項の規定による連鎖販売契約の解除に関する事項につき不実のことを告げる行為をしたことにより当該告げら

242　第1編　逐条解説　第2章　消費者契約

れた内容が事実であるとの誤認をし、又は統括者、勧誘者若しくは一般連鎖
販売業者が同条第3項の規定に違反して威迫したことにより困惑し、これ
らによつて当該期間を経過するまでにこの項の規定による連鎖販売契約の
解除を行わなかつた場合には、当該連鎖販売加入者が、その連鎖販売業に係
る統括者、勧誘者又は一般連鎖販売業者が主務省令で定めるところにより
この項の規定による当該連鎖販売契約の解除を行うことができる旨を記載
して交付した書面を受領した日から起算して20日を経過したとき）を除き、
書面又は電磁的記録によりその連鎖販売契約の解除を行うことができる。
この場合において、その連鎖販売業を行う者は、その連鎖販売契約の解除に
伴う損害賠償又は違約金の支払を請求することができない。

4　前3項の規定に反する特約でその連鎖販売加入者に不利なものは、無効
とする。

（特定継続的役務提供等契約の解除等）

第48条

4　第1項の規定による特定継続的役務提供等契約の解除又は第2項の規定
による関連商品販売契約の解除があつた場合においては、役務提供事業者
若しくは販売業者又は関連商品の販売を行つた者は、当該解除に伴う損害
賠償若しくは違約金の支払を請求することができない。

8　前各項の規定に反する特約で特定継続的役務提供受領者等に不利なもの
は、無効とする。

（業務提供誘引販売契約の解除）

第58条　業務提供誘引販売業を行う者がその業務提供誘引販売業に係る業務
提供誘引販売契約を締結した場合におけるその業務提供誘引販売契約の相
手方（その業務提供誘引販売業に関して提供され、又はあつせんされる業務
を事業所等によらないで行う個人に限る。以下この条から第58条の3まで
において「相手方」という。）は、第55条第2項の書面を受領した日から起算
して20日を経過したとき（相手方が、業務提供誘引販売業を行う者が第52条
第1項の規定に違反してこの項の規定による業務提供誘引販売契約の解除
に関する事項につき不実のことを告げる行為をしたことにより当該告げら
れた内容が事実であるとの誤認をし、又は業務提供誘引販売業を行う者が
同条第2項の規定に違反して威迫したことにより困惑し、これらによつて
当該期間を経過するまでにこの項の規定による業務提供誘引販売契約の解

除を行わなかつた場合には、相手方が、当該業務提供誘引販売業を行う者が主務省令で定めるところによりこの項の規定による当該業務提供誘引販売契約の解除を行うことができる旨を記載して交付した書面を受領した日から起算して20日を経過したとき）を除き、書面又は電磁的記録によりその業務提供誘引販売契約の解除を行うことができる。この場合において、その業務提供誘引販売業を行う者は、その業務提供誘引販売契約の解除に伴う損害賠償又は違約金の支払を請求することができない。

4　前3項の規定に反する特約でその相手方に不利なものは、無効とする。

預託等取引に関する法律（昭和61年法律第62号）
（預託等取引契約の解除及び損害賠償等の額の制限）
第8条　預託者は、第3条第2項の書面を受領した日から起算して14日を経過した後（預託者が、預託等取引業者等が前条第1項の規定による預託等取引契約の解除に関する事項につき不実のことを告げる行為をしたことにより当該告げられた内容が事実であるとの誤認をし、又は預託等取引業者等が威迫したことにより困惑し、これらによって当該期間を経過するまでに同項の規定による預託等取引契約の解除を行わなかった場合には、預託等取引業者が内閣府令で定めるところにより同項の規定による預託等取引契約の解除を行うことができる旨を記載した書面を交付し、当該預託者がこれを受領した日から14日を経過した後）は、将来に向かって預託等取引契約の解除を行うことができる。

2　預託等取引業者は、前項の規定により預託等取引契約が解除された場合には、損害賠償額の予定又は違約金の定めがあるときにおいても、当該預託等取引契約が締結された時における当該物品又は特定権利の価額に対する法定利率により算出した額に相当する額を超える額の金銭の支払を預託者に対して請求することができない。この場合において、第3条第2項の書面に記載された物品又は特定権利の価額は、預託等取引契約が締結された時における当該物品又は特定権利の価額と推定する。

3　前2項の規定に反する特約で預託者に不利なものは、無効とする。

244 第1編 逐条解説 第2章 消費者契約

ゴルフ場等に係る会員契約の適正化に関する法律（平成4年法律第53号）
（会員契約の解除等）
第12条 会員は、第5条第2項の書面を受領した日から起算して8日を経過
したときを除き、書面により会員契約の解除を行うことができる。この場合
において、会員制事業者は、当該会員契約の解除に伴う損害賠償又は違約金
の支払を請求することができない。
4 前3項の規定に反する特約で会員に不利なものは、無効とする。

保険業法（平成7年法律第105号）
（保険契約の申込みの撤回等）
第309条
5 保険会社等又は外国保険会社等は、保険契約の申込みの撤回等があった
場合には、申込者等に対し、その申込みの撤回等に伴う損害賠償又は違約金
その他の金銭の支払を請求することができない。ただし、第1項の規定によ
る保険契約の解除の場合における当該解除までの期間に相当する保険料と
して内閣府令で定める金額については、この限りでない。
10 第1項及び第4項から前項までの規定に反する特約で申込者等に不利な
ものは、無効とする。

金融商品取引法（昭和23年法律第25号）
（応募株主等による契約の解除）
第27条の12
3 第1項の規定により応募株主等による契約の解除があつた場合において
は、公開買付者は、当該契約の解除に伴う損害賠償又は違約金の支払を請求
することができないものとし、応募株券等（応募株主等が公開買付けに応じ
て売付け等をした株券等をいう。以下この節において同じ。）を金融商品取
引業者又は銀行等に管理させているときは、その返還に要する費用は、公開
買付者の負担とする。
（書面による解除）
第37条の6
3 金融商品取引業者等は、第1項の規定による金融商品取引契約の解除が
あつた場合には、当該金融商品取引契約の解除までの期間に相当する手数

料、報酬その他の当該金融商品取引契約に関して顧客が支払うべき対価（次項において「対価」という。）の額として内閣府令で定める金額を超えて当該金融商品取引契約の解除に伴う損害賠償又は違約金の支払を請求することができない。

5　前各項の規定に反する特約で顧客に不利なものは、無効とする。

宅地建物取引業法（昭和27年法律第176号）
（事務所等以外の場所においてした買受けの申込みの撤回等）

第37条の2　宅地建物取引業者が自ら売主となる宅地又は建物の売買契約について、当該宅地建物取引業者の事務所その他国土交通省令・内閣府令で定める場所（以下この条において「事務所等」という。）以外の場所において、当該宅地又は建物の買受けの申込みをした者又は売買契約を締結した買主（事務所等において買受けの申込みをし、事務所等以外の場所において売買契約を締結した買主を除く。）は、次に掲げる場合を除き、書面により、当該買受けの申込みの撤回又は当該売買契約の解除（以下この条において「申込みの撤回等」という。）を行うことができる。この場合において、宅地建物取引業者は、申込みの撤回等に伴う損害賠償又は違約金の支払を請求することができない。

一　買受けの申込みをした者又は買主（以下この条において「申込者等」という。）が、国土交通省令・内閣府令の定めるところにより、申込みの撤回等を行うことができる旨及びその申込みの撤回等を行う場合の方法について告げられた場合において、その告げられた日から起算して8日を経過したとき。

二　申込者等が、当該宅地又は建物の引渡しを受け、かつ、その代金の全部を支払つたとき。

4　前3項の規定に反する特約で申込者等に不利なものは、無効とする。

（手付の額の制限等）

第39条　宅地建物取引業者は、自ら売主となる宅地又は建物の売買契約の締結に際して、代金の額の10分の2を超える額の手付を受領することができない。

2　宅地建物取引業者が、自ら売主となる宅地又は建物の売買契約の締結に際して手付を受領したときは、その手付がいかなる性質のものであつても、

246　第1編　逐条解説　第2章　消費者契約

買主はその手付を放棄して、当該宅地建物取引業者はその倍額を現実に提供して、契約の解除をすることができる。ただし、その相手方が契約の履行に着手した後は、この限りでない。

3　前項の規定に反する特約で、買主に不利なものは、無効とする。

不動産特定共同事業法（平成6年法律第77号）
（書面による解除）
第26条
3　第1項の規定による解除があった場合には、当該不動産特定共同事業者は、その解除に伴う損害賠償又は違約金の支払を請求することができない。
4　前3項の規定に反する特約で事業参加者に不利なものは、無効とする。

イ　第1項第2号に関係するもの

割賦販売法（昭和36年法律第159号）
（契約の解除等に伴う損害賠償等の額の制限）
第6条
2　割賦販売業者は、前項の契約について賦払金の支払の義務が履行されない場合（契約が解除された場合を除く。）には、損害賠償額の予定又は違約金の定めがあるときにおいても、当該商品若しくは当該権利の割賦販売価格又は当該役務の割賦提供価格に相当する額から既に支払われた賦払金の額を控除した額にこれに対する法定利率による遅延損害金の額を加算した金額を超える額の金銭の支払を購入者又は役務の提供を受ける者に対して請求することができない。
（注）　法定利率については商法第514条の商事法定利率年6分が適用になる。
（契約の解除等に伴う損害賠償等の額の制限）
第30条の3
2　包括信用購入あつせん業者は、前項の契約について第30条の2の3第1項第2号の支払分の支払の義務が履行されない場合（契約が解除された場合を除く。）には、損害賠償額の予定又は違約金の定めがあるときにおいても、当該契約に係る支払総額に相当する額から既に支払われた同号の支払分の額を控除した額にこれに対する法定利率による遅延損害金の額を加算した金額を超える額の金銭の支払を購入者又は役務の提供を受ける者に対

して請求することができない。

（契約の解除等に伴う損害賠償等の額の制限）

第35条の3の18

2　個別信用購入あつせん業者は、前項の契約について第35条の3の8第3号の支払分の支払の義務が履行されない場合（契約が解除された場合を除く。）には、損害賠償額の予定又は違約金の定めがあるときにおいても、当該契約に係る支払総額に相当する額から既に支払われた同号の支払分の額を控除した額にこれに対する法定利率による遅延損害金の額を加算した金額を超える額の金銭の支払を購入者又は役務の提供を受ける者に対して請求することができない。

特定商取引法（昭和51年法律第57号）

（訪問販売における契約の解除等に伴う損害賠償等の額の制限）

第10条

2　販売業者又は役務提供事業者は、第5条第1項各号のいずれかに該当する売買契約又は役務提供契約の締結をした場合において、その売買契約についての代金又はその役務提供契約についての対価の全部又は一部の支払の義務が履行されない場合（売買契約又は役務提供契約が解除された場合を除く。）には、損害賠償額の予定又は違約金の定めがあるときにおいても、当該商品若しくは当該権利の販売価格又は当該役務の対価に相当する額から既に支払われた当該商品若しくは当該権利の代金又は当該役務の対価の額を控除した額にこれに対する法定利率による遅延損害金の額を加算した金額を超える額の金銭の支払を購入者又は役務の提供を受ける者に対して請求することができない。

（電話勧誘販売における契約の解除等に伴う損害賠償等の額の制限）

第25条

2　販売業者又は役務提供事業者は、第19条第1項各号のいずれかに該当する売買契約又は役務提供契約の締結をした場合において、その売買契約についての代金又はその役務提供契約についての対価の全部又は一部の支払の義務が履行されない場合（売買契約又は役務提供契約が解除された場合を除く。）には、損害賠償額の予定又は違約金の定めがあるときにおいても、当該商品若しくは当該権利の販売価格又は当該役務の対価に相当する額か

248 第1編 逐条解説 第2章 消費者契約

ら既に支払われた当該商品若しくは当該権利の代金又は当該役務の対価の額を控除した額にこれに対する法定利率による遅延損害金の額を加算した金額を超える額の金銭の支払を購入者又は役務の提供を受ける者に対して請求することができない。

（業務提供誘引販売契約の解除等に伴う損害賠償等の額の制限）

第58条の3

2　業務提供誘引販売業を行う者は、その業務提供誘引販売業に係る業務提供誘引販売契約の締結をした場合において、その業務提供誘引販売契約に係る商品の代金又は役務の対価の全部又は一部の支払の義務が履行されない場合（業務提供誘引販売契約が解除された場合を除く。）には、損害賠償額の予定又は違約金の定めがあるときにおいても、当該商品の販売価格又は当該役務の対価に相当する額から既に支払われた当該商品の代金又は当該役務の対価の額を控除した額にこれに対する法定利率による遅延損害金の額を加算した金額を超える額の金銭の支払を相手方に対して請求することができない。

（訪問購入における契約の解除等に伴う損害賠償等の額の制限）

第58条の16

2　購入業者は、第58条の8第1項各号のいずれかに該当する売買契約の締結をした場合において、その売買契約についての物品の引渡しの義務が履行されない場合（売買契約が解除された場合を除く。）には、損害賠償額の予定又は違約金の定めがあるときにおいても、次の各号に掲げる場合に応じ当該各号に定める額にこれに対する法定利率による遅延損害金の額を加算した金額を超える額の金銭の支払をその売買契約の相手方に対して請求することができない。

一　履行期限後に当該物品が引き渡された場合当該物品の通常の使用料の額（当該物品の購入価格に相当する額から当該物品の引渡しの時における価額を控除した額が通常の使用料の額を超えるときは、その額）

二　当該物品が引き渡されない場合当該物品の購入価格に相当する額

矯正医官修学資金貸与法（昭和36年法律第23号）

（延滞利息）

第11条　修学資金の貸与を受けた者は、正当な理由がなくて修学資金を返還

第3節　補則（第11条）**第11条**　249

すべき日までにこれを返還しなかつたときは、当該返還すべき日の翌日から返還の日までの期間の日数に応じ、返還すべき額につき年14.5パーセントの割合で計算した延滞利息を支払わなければならない。

政府契約の支払遅延防止等に関する法律（昭和24年法律第256号）
（支払遅延に対する遅延利息の額）
第8条　国が約定の支払時期までに対価を支払わない場合の遅延利息の額は、約定の支払時期到来の日の翌日から支払をする日までの日数に応じ、当該未支払金額に対し財務大臣が銀行の一般貸付利率を勘案して決定する率を乗じて計算した金額を下るものであつてはならない。但し、その約定の支払時期までに支払をしないことが天災地変等やむを得ない事由に因る場合は、特に定めない限り、当該事由の継続する期間は、約定期間に算入せず、又は遅延利息を支払う日数に計算しないものとする。
2　前項の規定により計算した遅延利息の額が百円未満であるときは、遅延利息を支払うことを要せず、その額に百円未満の端数があるときは、その端数を切り捨てるものとする。
（注）　年2.8％（昭和24年大蔵省告示第991号、平成28年3月8日財務省告示第58号改正）

ウ　第1項第1号、第2号のいずれにも関係するもの

割賦販売法（昭和36年法律第159号）
（契約の解除等に伴う損害賠償等の額の制限）
第6条　割賦販売業者は、第2条第1項第1号に規定する割賦販売の方法により指定商品若しくは指定権利を販売する契約又は指定役務を提供する契約が解除された場合（第3項及び第4項に規定する場合を除く。）には、損害賠償額の予定又は違約金の定めがあるときにおいても、次の各号に掲げる場合に応じ当該各号に定める額にこれに対する法定利率による遅延損害金の額を加算した金額を超える額の金銭の支払を購入者又は役務の提供を受ける者に対して請求することができない。
一　当該商品又は当該権利が返還された場合　当該商品の通常の使用料の額又は当該権利の行使により通常得られる利益に相当する額（当該商品又は当該権利の割賦販売価格に相当する額から当該商品又は当該権利の

250　第1編　逐条解説　第2章　消費者契約

　　返還された時における価額を控除した額が通常の使用料の額又は当該権
　　利の行使により通常得られる利益に相当する額を超えるときは、その額）
　二　当該商品又は当該権利が返還されない場合　当該商品又は当該権利の
　　割賦販売価格に相当する額
　三　当該商品又は当該権利を販売する契約又は当該役務を提供する契約の
　　解除が当該商品の引渡し若しくは当該権利の移転又は当該役務の提供の
　　開始前である場合（次号に掲げる場合を除く。）　契約の締結及び履行の
　　ために通常要する費用の額
　四　当該役務が特定商取引に関する法律（昭和51年法律第57号）第41条第2
　　項に規定する特定継続的役務に該当する場合であつて、当該役務を提供
　　する契約の同法第49条第1項の規定に基づく解除が当該役務の提供の開
　　始前である場合　契約の締結及び履行のために通常要する費用の額とし
　　て当該役務ごとに同条第2項第2号の政令で定める額
　五　当該役務を提供する契約の解除が当該役務の提供の開始後である場合
　　（次号に掲げる場合を除く。）　提供された当該役務の対価に相当する額
　　に、当該役務の割賦提供価格に相当する額から当該役務の現金提供価格
　　に相当する額を控除した額を加算した額
　六　当該役務が特定商取引に関する法律第41条第2項に規定する特定継続
　　的役務に該当する場合であつて、当該役務を提供する契約の同法第49条
　　第1項の規定に基づく解除が当該役務の提供の開始後である場合　次の
　　額を合算した額
　　イ　提供された当該役務の対価に相当する額に、当該役務の割賦提供価
　　　格に相当する額から当該役務の現金提供価格に相当する額を控除した
　　　額を加算した額
　　ロ　当該役務を提供する契約の解除によつて通常生ずる損害の額として
　　　当該役務ごとに同条第2項第1号ロの政令で定める額
（注）　法定利率については商法第514条の商事法定利率年6分が適用になる。

（契約の解除等に伴う損害賠償等の額の制限）

第30条の3　包括信用購入あつせん業者は、包括信用購入あつせん関係受領
　契約であつて第2条第3項第1号に規定する包括信用購入あつせんに係る
　ものが解除された場合には、損害賠償額の予定又は違約金の定めがあると
　きにおいても、当該契約に係る支払総額に相当する額にこれに対する法定

第3節　補則（第11条）**第11条**　251

利率による遅延損害金の額を加算した金額を超える額の金銭の支払を購入
者又は役務の提供を受ける者に対して請求することができない。

（契約の解除等に伴う損害賠償等の額の制限）

第35条の３の18　個別信用購入あつせん業者は、個別信用購入あつせん関係
受領契約が解除された場合（第35条の３の10第１項本文、第35条の３の11第
１項、第２項若しくは第３項本文又は第35条の３の12第１項本文の規定に
より解除された場合を除く。）には、損害賠償額の予定又は違約金の定めが
あるときにおいても、当該契約に係る支払総額に相当する額にこれに対す
る法定利率による遅延損害金の額を加算した金額を超える額の金銭の支払
を購入者又は役務の提供を受ける者に対して請求することができない。

特定商取引法（昭和51年法律第57号）

（訪問販売における契約の解除等に伴う損害賠償等の額の制限）

第10条　販売業者又は役務提供事業者は、第５条第１項各号のいずれかに該
当する売買契約又は役務提供契約の締結をした場合において、その売買契
約又はその役務提供契約が解除されたときは、損害賠償額の予定又は違約
金の定めがあるときにおいても、次の各号に掲げる場合に応じ当該各号に
定める額にこれに対する法定利率による遅延損害金の額を加算した金額を
超える額の金銭の支払を購入者又は役務の提供を受ける者に対して請求す
ることができない。

一　当該商品又は当該権利が返還された場合　当該商品の通常の使用料の
　額又は当該権利の行使により通常得られる利益に相当する額（当該商品
　又は当該権利の販売価格に相当する額から当該商品又は当該権利の返還
　された時における価額を控除した額が通常の使用料の額又は当該権利の
　行使により通常得られる利益に相当する額を超えるときは、その額）

二　当該商品又は当該権利が返還されない場合　当該商品又は当該権利の
　販売価格に相当する額

三　当該役務提供契約の解除が当該役務の提供の開始後である場合　提供
　された当該役務の対価に相当する額

四　当該契約の解除が当該商品の引渡し若しくは当該権利の移転又は当該
　役務の提供の開始前である場合　契約の締結及び履行のために通常要す
　る費用の額

252　第1編　逐条解説　第2章　消費者契約

（電話勧誘販売における契約の解除等に伴う損害賠償等の額の制限）

第25条　販売業者又は役務提供事業者は、第19条第1項各号のいずれかに該当する売買契約又は役務提供契約の締結をした場合において、その売買契約又はその役務提供契約が解除されたときは、損害賠償額の予定又は違約金の定めがあるときにおいても、次の各号に掲げる場合に応じ当該各号に定める額にこれに対する法定利率による遅延損害金の額を加算した金額を超える額の金銭の支払を購入者又は役務の提供を受ける者に対して請求することができない。

一　当該商品又は当該権利が返還された場合　当該商品の通常の使用料の額又は当該権利の行使により通常得られる利益に相当する額（当該商品又は当該権利の販売価格に相当する額から当該商品又は当該権利の返還された時における価額を控除した額が通常の使用料の額又は当該権利の行使により通常得られる利益に相当する額を超えるときは、その額）

二　当該商品又は当該権利が返還されない場合　当該商品又は当該権利の販売価格に相当する額

三　当該役務提供契約の解除が当該役務の提供の開始後である場合　提供された当該役務の対価に相当する額

四　当該契約の解除が当該商品の引渡し若しくは当該権利の移転又は当該役務の提供の開始前である場合　契約の締結及び履行のために通常要する費用の額

第40条の2

3　連鎖販売業を行う者は、第1項の規定により連鎖販売契約が解除されたときは、損害賠償額の予定又は違約金の定めがあるときにおいても、契約の締結及び履行のために通常要する費用の額（次の各号のいずれかに該当する場合にあつては、当該額に当該各号に掲げる場合に応じ当該各号に定める額を加算した額）にこれに対する法定利率による遅延損害金の額を加算した金額を超える額の金銭の支払を連鎖販売加入者に対して請求することができない。

一　当該連鎖販売契約の解除が当該連鎖販売取引に伴う特定負担に係る商品の引渡し後である場合　次の額を合算した額

イ　引渡しがされた当該商品（当該連鎖販売契約に基づき販売が行われたものに限り、前項の規定により当該商品に係る商品販売契約が解除

第3節　補則（第11条）**第11条**　253

されたものを除く。）の販売価格に相当する額
　　ロ　提供された特定利益その他の金品（前項の規定により解除された商品販売契約に係る商品に係るものに限る。）に相当する額
　二　当該連鎖販売契約の解除が当該連鎖販売取引に伴う特定負担に係る役務の提供開始後である場合　提供された当該役務（当該連鎖販売契約に基づき提供されたものに限る。）の対価に相当する額
4　連鎖販売業に係る商品の販売を行つた者は、第2項の規定により商品販売契約が解除されたときは、損害賠償額の予定又は違約金の定めがあるときにおいても、次の各号に掲げる場合に応じ当該各号に定める額にこれに対する法定利率による遅延損害金の額を加算した金額を超える額の金銭の支払を当該連鎖販売加入者に対して請求することができない。
　一　当該商品が返還された場合又は当該商品販売契約の解除が当該商品の引渡し前である場合　当該商品の販売価格の10分の1に相当する額
　二　当該商品が返還されない場合　当該商品の販売価格に相当する額

第49条
2　役務提供事業者は、前項の規定により特定継続的役務提供契約が解除されたときは、損害賠償額の予定又は違約金の定めがあるときにおいても、次の各号に掲げる場合に応じ当該各号に定める額にこれに対する法定利率による遅延損害金の額を加算した金額を超える額の金銭の支払を特定継続的役務の提供を受ける者に対して請求することができない。
　一　当該特定継続的役務提供契約の解除が特定継続的役務の提供開始後である場合　次の額を合算した額
　　イ　提供された特定継続的役務の対価に相当する額
　　ロ　当該特定継続的役務提供契約の解除によつて通常生ずる損害の額として第41条第2項の政令で定める役務ごとに政令で定める額
　二　当該特定継続的役務提供契約の解除が特定継続的役務の提供開始前である場合　契約の締結及び履行のために通常要する費用の額として第41条第2項の政令で定める役務ごとに政令で定める額
4　販売業者は、前項の規定により特定権利販売契約が解除されたときは、損害賠償額の予定又は違約金の定めがあるときにおいても、次の各号に掲げる場合に応じ当該各号に定める額にこれに対する法定利率による遅延損害金の額を加算した金額を超える額の金銭の支払を特定継続的役務の提供を

254　第1編　逐条解説　第2章　消費者契約

受ける権利の購入者に対して請求することができない。

一　当該権利が返還された場合　当該権利の行使により通常得られる利益に相当する額（当該権利の販売価格に相当する額から当該権利の返還されたときにおける価額を控除した額が当該権利の行使により通常得られる利益に相当する額を超えるときは、その額）

二　当該権利が返還されない場合　当該権利の販売価格に相当する額

三　当該契約の解除が当該権利の移転前である場合　契約の締結及び履行のために通常要する費用の額

6　関連商品の販売を行つた者は、前項の規定により関連商品販売契約が解除されたときは、損害賠償額の予定又は違約金の定めがあるときにおいても、次の各号に掲げる場合に応じ当該各号に定める額にこれに対する法定利率による遅延損害金の額を加算した金額を超える額の金銭の支払を特定継続的役務提供受領者等に対して請求することができない。

一　当該関連商品が返還された場合　当該関連商品の通常の使用料に相当する額（当該関連商品の販売価格に相当する額から当該関連商品の返還されたときにおける価額を控除した額が通常の使用料に相当する額を超えるときは、その額）

二　当該関連商品が返還されない場合　当該関連商品の販売価格に相当する額

三　当該契約の解除が当該関連商品の引渡し前である場合　契約の締結及び履行のために通常要する費用の額

7　前各項の規定に反する特約で特定継続的役務提供受領者等に不利なものは、無効とする。

（業務提供誘引販売契約の解除等に伴う損害賠償等の額の制限）

第58条の3　業務提供誘引販売業を行う者は、その業務提供誘引販売業に係る業務提供誘引販売契約の締結をした場合において、その業務提供誘引販売契約が解除されたときは、損害賠償額の予定又は違約金の定めがあるときにおいても、次の各号に掲げる場合に応じ当該各号に定める額にこれに対する法定利率による遅延損害金の額を加算した金額を超える額の金銭の支払をその相手方に対して請求することができない。

一　当該商品（施設を利用し及び役務の提供を受ける権利を除く。以下この項において同じ。）又は当該権利が返還された場合　当該商品の通常の使

用料の額又は当該権利の行使により通常得られる利益に相当する額（当
該商品又は当該権利の販売価格に相当する額から当該商品又は当該権利
の返還された時における価額を控除した額が通常の使用料の額又は当該
権利の行使により通常得られる利益に相当する額を超えるときは、その
額）

二　当該商品又は当該権利が返還されない場合　当該商品又は当該権利の
販売価格に相当する額

三　当該業務提供誘引販売契約の解除が当該役務の提供の開始後である場
合　提供された当該役務の対価に相当する額

四　当該業務提供誘引販売契約の解除が当該商品の引渡し若しくは当該権
利の移転又は当該役務の提供の開始前である場合　契約の締結及び履行
のために通常要する費用の額

（訪問購入における契約の解除等に伴う損害賠償等の額の制限）

第58条の16　購入業者は、第58条の8第1項各号のいずれかに該当する売買
契約の締結をした場合において、その売買契約が解除されたときは、損害賠
償額の予定又は違約金の定めがあるときにおいても、次の各号に掲げる場
合に応じ当該各号に定める額にこれに対する法定利率による遅延損害金の
額を加算した金額を超える額の金銭の支払をその売買契約の相手方に対し
て請求することができない。

一　当該売買契約の解除が当該売買契約についての代金の支払後である場
合当該代金に相当する額及びその利息

二　当該売買契約の解除が当該売買契約についての代金の支払前である場
合契約の締結及び履行のために通常要する費用の額

積立式宅地建物販売業法（昭和46年法律第111号）

（契約の解除に伴う損害賠償等の額の制限）

第35条　積立式宅地建物販売業者は、目的物である宅地又は建物並びにその
代金の額及び引渡しの時期の確定前に積立式宅地建物販売の契約が解除さ
れた場合には、損害賠償額の予定又は違約金の定めがあるときにおいても、
契約の締結及び履行のために通常要する費用（当該契約の締結に関し歩合
等の名義で支払われる報酬を含む。）の額とこれに対する法定利率による遅
延損害金の額とを加算した金額をこえる額の金銭の支払をその相手方に対

256　第1編　逐条解説　第2章　消費者契約

して請求することができない。

第3章　差止請求

第1節　差止請求権等

第12条（差止請求権）

（差止請求権）

第12条　適格消費者団体は、事業者、受託者等又は事業者の代理人若しく
は受託者等の代理人（以下この項及び第43条第2項第1号において「事
業者等」と総称する。）が、消費者契約の締結について勧誘をするに際し、
不特定かつ多数の消費者に対して第4条第1項から第4項までに規定す
る行為（同条第2項に規定する行為にあっては、同項ただし書の場合に
該当するものを除く。次項において同じ。）を現に行い又は行うおそれが
あるときは、その事業者等に対し、当該行為の停止若しくは予防又は当
該行為に供した物の廃棄若しくは除去その他の当該行為の停止若しくは
予防に必要な措置をとることを請求することができる。ただし、民法及
び商法以外の他の法律の規定によれば当該行為を理由として当該消費者
契約を取り消すことができないときは、この限りでない。

2　適格消費者団体は、次の各号に掲げる者が、消費者契約の締結につい
て勧誘をするに際し、不特定かつ多数の消費者に対して第4条第1項か
ら第4項までに規定する行為を現に行い又は行うおそれがあるときは、
当該各号に定める者に対し、当該各号に掲げる者に対する是正の指示又
は教唆の停止その他の当該行為の停止又は予防に必要な措置をとること
を請求することができる。この場合においては、前項ただし書の規定を
準用する。

258　第1編　逐条解説　第3章　差止請求

　　一　受託者等　当該受託者等に対して委託（二以上の段階にわたる委託
　　　を含む。）をした事業者又は他の受託者等
　　二　事業者の代理人又は受託者等の代理人　当該代理人を自己の代理人
　　　とする事業者若しくは受託者等又はこれらの他の代理人
3　適格消費者団体は、事業者又はその代理人が、消費者契約を締結する
　に際し、不特定かつ多数の消費者との間で第8条から第10条までに規定
　する消費者契約の条項（第8条第1項第1号又は第2号に掲げる消費者
　契約の条項にあっては、同条第2項の場合に該当するものを除く。次項
　及び第12条の3第1項において同じ。）を含む消費者契約の申込み又はそ
　の承諾の意思表示を現に行い又は行うおそれがあるときは、その事業者
　又はその代理人に対し、当該行為の停止若しくは予防又は当該行為に供
　した物の廃棄若しくは除去その他の当該行為の停止若しくは予防に必要
　な措置をとることを請求することができる。ただし、民法及び商法以外
　の他の法律の規定によれば当該消費者契約の条項が無効とされないとき
　は、この限りでない。
4　適格消費者団体は、事業者の代理人が、消費者契約を締結するに際し、
　不特定かつ多数の消費者との間で第8条から第10条までに規定する消費
　者契約の条項を含む消費者契約の申込み又はその承諾の意思表示を現に
　行い又は行うおそれがあるときは、当該代理人を自己の代理人とする事
　業者又は他の代理人に対し、当該代理人に対する是正の指示又は教唆の
　停止その他の当該行為の停止又は予防に必要な措置をとることを請求す
　ることができる。この場合においては、前項ただし書の規定を準用する。

１　趣旨

　本条は、少額でありながら高度な法的問題を孕む紛争が拡散的に多発す
るという消費者取引の特性に鑑み、同種紛争の未然防止・拡大防止を図っ
て消費者の利益を擁護することを目的として、一定の要件を満たした適格
消費者団体が、事業者による不当な行為を差し止めることができる旨を規
定するものである。

2 条文の解釈

(1) 「不特定かつ多数の消費者」

上記のような趣旨から、差止めの対象となる事業者の行為としては、拡散する蓋然性を有することが必要と考えられるから、差止めの要件としても、当該行為が特定又は少数の消費者に対して行われているだけでは足りず、「不特定かつ多数の消費者」に対して現に行われている場合又は行われるおそれのある場合であることを必要としている（第1項から第4項まで）。

ここで、「不特定かつ多数」とは、特定されていない相当数という意味であり、例えば、特定の販売組織の会員や特定の職業に従事する者を対象として勧誘するような場合においても、その対象となる者が容易に拡散し得る場合には、この要件に該当すると考えられる。

(2) 差止請求の対象となる事業者の行為

次に、差止請求の対象となる事業者の行為としては、消費者及び事業者間の消費者契約に特化して不当な行為を類型化している本法上の不当な勧誘行為（法第4条第1項から第4項までに規定する行為）及び不当な契約条項（法第8条から第10条までに規定する条項）を含む契約の締結を基本とする（一般に契約条項の「使用」と称されてきた行為は、契約法上は、当該契約条項を含む契約の申込み又は承諾の意思表示をすることと捉えられ、具体的には、当該契約条項を含む契約を締結することの差止めが請求内容になるものと考えられる。）。

ただし、法第4条第2項に規定する勧誘行為については、同項ただし書に該当する場合は取消しをすることができないため、これを差止めの対象としないこととしている（第1項本文括弧書。第2項において同じ。）。同様に、法第8条第1項第1号又は第2号に該当する契約条項についても、同条第2項に該当する場合は無効とされないため、これを差止めの対象としないこととしている（第3項本文括弧書。第4項において同じ。）。

また、本法上の不当な勧誘行為又は不当な契約条項に該当する場合であっても、個別法によれば取消事由となる行為に該当しない勧誘行為又は無効とならない契約条項を含む契約の締結については、業種の特性等を踏

まえて当該個別法上そのように規定されていることを踏まえ、差止めの対象としないこととしている（第1項ただし書及び第2項後段並びに第3項ただし書及び第4項後段）^(注)。

> （注）　これに対し、消費者契約法上も個別法上も不適正とされている勧誘行為又は契約条項は、業種の特性等に鑑みても不適正とされ、違法性が高いものであるから、消費者取引の適正化を図る観点からは差止めの対象とすることが必要となる。この場合、契約の取消し又は無効に関する消費者契約法の規定の適用がない（法第11条第2項）にもかかわらず差止めの対象とされることとなるが、契約の取消し又は無効については、個別法の私法規定の適用が優先するとしても、その効果が消費者契約法を適用した場合と同一である限り消費者取引の適正化が確保されるのに対し、差止めについては、個別法に規定がない以上、本制度の差止めの対象とするのが消費者取引の適正化及び不特定かつ多数の消費者利益の擁護の観点からは必要かつ適当と考えられる。

(3)　「現に行い又は行うおそれがあるとき」

　「おそれがあるとき」とは、現実に差止請求の対象となる不当な行為がされていることまでは必要でなく、不当な行為がされる蓋然性が客観的に存在している場合をいう。

(4)　差止請求の相手方と請求内容

　①　同種紛争の未然防止・拡大防止を図るという本制度の趣旨からすると、行為者に対する差止請求の内容としては、当該不当行為の「停止」又は「予防」が基本となるものと考えられるが、さらにその実効性を確保する観点から「停止又は予防に必要な措置」を規定することとしている。「必要な措置」の内容として一応考えられるのは、不当行為による組成物、供用物又は生成物の除却であるが、本制度において典型的に考えられるのは、いわゆる勧誘マニュアルや約款など不当行為の供用物の存在であるから、その「廃棄」又は「除去」その他の「必要な措置をとること」を請求することができるものと規定している（第1項及び第3項）。

　②　また、本法は、事業者以外に受託者等又は事業者若しくは受託者等

第1節　差止請求権等　**第12条**　261

の代理人による不当な勧誘行為についても取消事由となる旨規定している（法第5条）。不当な契約条項を含む契約の締結を行う者としては、事業者本人以外に意思表示の主体たり得る事業者の代理人が考えられる。

　これらの事業者以外の者の不当行為については、行為者自身がそのような不当行為をしてはならないだけでなく、受託者との関係で委託者である事業者、再受託者との関係で再委託者である受託者、代理人との関係で本人である事業者及び復代理人との関係で代理人である代理人については、いずれも、行為者に不当行為をさせてはならない義務を消費者契約法上の禁止規範として負っているというべきである（「差止請求の相手方と内容について」参照）ことから、行為者の不当行為を放置していれば行為者に対する是正の指示をし、行為者に対し不当行為の教唆をしていれば教唆の停止をするよう請求するなど、当該不当行為の停止又は予防に必要な措置をとることを請求することができることとしている（第2項及び第4項）。

● **差止請求の相手方と内容について**

　1　基本的な考え方

　現行の消費者契約法は、(1)事業者、受託者等（数段階の再委託の受託者を含む。以下同じ。）又は代理人（事業者又は受託者等の代理人で、数段階の復代理人を含む。後記2において同じ。）による不当な勧誘行為について契約の取消原因（法第4条・第5条）を、(2)事業者又はその代理人（数段階の復代理人を含む。後記3において同じ。）による不当な契約条項を内容とする契約締結の意思表示について契約の無効原因（法第8条～第10条）を規定している。適格消費者団体に付与された差止請求権については、契約の効力に関し定められたこれらの規定から読み取れる消費者契約法の禁止規範に対応する形で、差止請求の相手方と内容（被告と請求の趣旨。誰に対してどのような請求をすることができるか）について検討すべきことになる。

　2　不当な勧誘行為について

　上記1(1)の法第4条・第5条は、受託者等又は代理人を利用して事業活動を拡大している事業者は、それらの者の行為についても責任を負うのが適当であると考えられたことに基づくものであり、このような規定の趣旨からする

262　第1編　逐条解説　第3章　差止請求

と、
①　事業者は、㋐自ら行為者として不当な勧誘行為をしてはならないほか（法第12条第1項）、㋑行為者である受託者等又は代理人をして不当な勧誘行為をさせないようにしなければならず（同条第2項）、
②　受託者等又は代理人も、㋐自ら行為者として不当な勧誘行為をしてはならないほか（法第12条第1項）、㋑再委託又は復代理の場合には、行為者である再受託者等又は復代理人をして不当な勧誘行為をさせないようにしなければならない（同条第2項）

という禁止規範を読み取ることができる。

　差止請求の内容は、(i)上記①㋐及び②㋐の禁止規範に自ら違反した者に対して、違反行為の「停止」、「予防」又は「停止に必要な措置」、「予防に必要な措置」（供用物の廃棄又は除去等）を求め（法第12条第1項）、(ii)上記①㋑及び②㋑の禁止規範に違反した者に対して、行為者に対する是正の指示又は教唆の停止その他の違反行為の「停止に必要な措置」、「予防に必要な措置」を求めることとなる（同条第2項）。

3　不当な契約条項について

　上記1(2)の法第8条〜第10条は、不当な契約条項を内容とする意思表示の主体となる事業者又はその代理人を禁止規範の名宛人としているものと考えられるので、
①　事業者は、㋐自ら行為者として不当な契約条項を内容とする意思表示をしてはならないほか（法第12条第3項）、㋑事業者の代理人をして不当な契約条項を内容とする意思表示をさせないようにしなければならず（同条第4項）、
②　事業者の代理人も、㋐自ら行為者として不当な契約条項を内容とする意思表示をしてはらないほか（法第12条第3項）、㋑復代理の場合には、行為者である復代理人をして不当な契約条項を内容とする意思表示をさせないようにしなければならない（同条第4項）

という禁止規範を読み取ることができる。

　差止請求の内容は、(i)上記①㋐及び②㋐の禁止規範に自ら違反した者に対して、違反行為の「停止」、「予防」又は「停止に必要な措置」、「予防に必要な措置」（供用物の廃棄又は除去等）を求め（法第12条第3項）、(ii)上記①㋑及び②㋑の禁止規範に違反した者に対して、行為者に対する是正の指示又は教唆

の停止その他の違反行為の「停止に必要な措置」、「予防に必要な措置」を求めることとなる（同条第4項）。

＜不当な勧誘行為の差止請求＞

〔「事業者等」が不当な勧誘行為を現に行い又は行うおそれがある場合〕

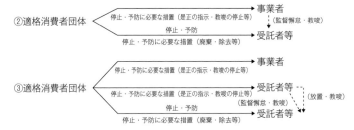

〔「受託者等」が不当な勧誘行為を現に行い又は行うおそれがある場合〕

〔「代理人（復代理人）」が不当な勧誘行為を現に行い又は行うおそれがある場合〕

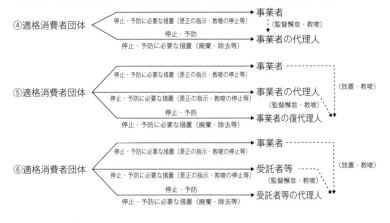

<不当な契約条項を内容とする契約の締結の差止請求>

〔「事業者等」が不当な契約条項の使用を現に行い又は行うおそれがある場合〕

〔「代理人(復代理人)」が不当な契約条項の使用を現に行い又は行うおそれがある場合〕

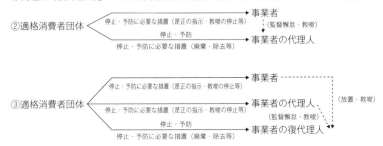

● いわゆる「推奨行為」について

　事業者団体が、事業者に対して、不当な契約条項を含む契約書を、当該事業者が消費者との間で締結する契約において用いるよう推薦したり提案したりするような場合があり、このような行為は「推奨行為」と呼ばれることがある。
　適格消費者団体制度創設当時に、「推奨行為」を差止請求の対象とすべきか議論となったものの、「推奨行為」は、消費者・事業者間の契約を直接規定するものではないほか、その主体や程度には種々様々なものがあり、これを差止請求の対象とすれば、事業者団体による自主的なルールづくり等まで萎縮させるおそれがあること、「推奨行為」を差止請求の対象としなくても、推奨された不当な契約条項を、個々の事業者が消費者に対して使用しようとする段階で差し止めることは可能であることなどから、差止請求の対象とはされなかった。

第12条の2（差止請求の制限）

> **（差止請求の制限）**
> **第12条の2**　前条、不当景品類及び不当表示防止法（昭和37年法律第134号）第30条第1項、特定商取引に関する法律（昭和51年法律第57号）第58条の18から第58条の24まで又は食品表示法（平成25年法律第70号）第11条の規定による請求（以下「差止請求」という。）は、次に掲げる場合には、することができない。
> 　一　当該適格消費者団体若しくは第三者の不正な利益を図り又は当該差止請求に係る相手方に損害を加えることを目的とする場合
> 　二　他の適格消費者団体を当事者とする差止請求に係る訴訟等（訴訟並びに和解の申立てに係る手続、調停及び仲裁をいう。以下同じ。）につき既に確定判決等（確定判決及びこれと同一の効力を有するものをいい、次のイからハまでに掲げるものを除く。以下同じ。）が存する場合において、請求の内容及び相手方が同一である場合。ただし、当該他の適格消費者団体について、当該確定判決等に係る訴訟等の手続に関し、第13条第1項の認定が第34条第1項第4号に掲げる事由により取り消され、又は同条第3項の規定により同号に掲げる事由があった旨の認定がされたときは、この限りでない。
> 　　イ　訴えを却下した確定判決
> 　　ロ　前号に掲げる場合に該当することのみを理由として差止請求を棄却した確定判決及び仲裁判断
> 　　ハ　差止請求をする権利（以下「差止請求権」という。）の不存在又は差止請求権に係る債務の不存在の確認の請求（第24条において「差止請求権不存在等確認請求」という。）を棄却した確定判決及びこれと同一の効力を有するもの
> 2　前項第2号本文の規定は、当該確定判決に係る訴訟の口頭弁論の終結後又は当該確定判決と同一の効力を有するものの成立後に生じた事由に基づいて同号本文に掲げる場合の当該差止請求をすることを妨げない。

266　第1編　逐条解説　第3章　差止請求

1　趣旨等

(1)　平成20年改正の内容

　平成20年法律第29号による改正前の法第12条第5項柱書は、「差止請求」について同条第1項から第4項までの規定による請求をいうこととしているが、これに景品表示法及び特定商取引法の規定による差止請求をも含ませることとしつつ、同条第1項から第4項までと切り分けて新第12条の2（差止請求の制限）とした。

(2)　改正の必要性等

①　同一事件に係る弊害の排除と適格消費者団体の認定・監督の在り方

　景品表示法及び特定商取引法に消費者団体訴訟制度（行政庁により認定された消費者団体が差止請求をすることができることとする制度）を導入するに際しては、同一事件において、複数の法律上の不当行為に係る差止請求権が成立することがあり得ることによる弊害（事業者の過大な応訴負担や訴訟不経済等）を可及的に排除するとともに、適格消費者団体の認定を受けようとする申請者及び認定後の適格消費者団体の事務負担を軽減し行政コストの効率化を図る仕組みとすることが制度上不可欠の要請と考えられ、かかる観点から、認定・監督及び訴訟手続を一本化（本法に基づき認定された適格消費者団体が、景品表示法及び特定商取引法上の不当行為に係る差止請求権をも行使することができることとし、それらの差止請求権については、請求権の制限についての規定や、移送・併合について規定する法第44条、第45条等の規定の規律に委ねることとする。）するのが適当である。

②　景品表示法及び特定商取引法上の不当行為に係る差止請求権の根拠規定の所在

　こうした場合、景品表示法及び特定商取引法上の不当行為に係る差止請求権の根拠規定の所在については、差止請求の対象となる不当行為がそれぞれの法に規定されていることからすると、差止請求権の根拠規定についても、それぞれの法に規定するのが適当と考えられる。

③　消費者契約法上の規律の及ぼし方

　平成20年法律第29号による改正前の法第12条第5項第2号ただし書で

は、同法第34条第１項第４号に基づき内閣総理大臣が適格消費者団体の認定を取り消すこと又は取消事由があった旨の認定をすることが請求権の制限を解除することとしていること、訴訟手続等の特例のうち、同法第41条第１項（書面による事前の請求）及び第46条第１項（訴訟手続の中止）において内閣府令への委任がされていること、訴訟手続の中止に関し、適格消費者団体の認定の取消しについて、内閣総理大臣から受訴裁判所に通知することとしていること（同法第46条第１項・第２項）等からすると、これらの規定を景品表示法及び特定商取引法に準用することとするのではなく、消費者契約法において、消費者契約法上の規律を景品表示法及び特定商取引法上の差止請求権に及ぼすための手当てをするのが適当と考えられる。

　④　「差止請求」の概念の拡張

　そこで、まず、「差止請求」の概念について、平成20年法律第29号による改正前の法第12条第５項柱書において、同条第１項から第４項までに規定する差止請求と定められていたのに加え、景品表示法及び特定商取引法上規定する差止請求をも含ませることとした[注1]。また、平成20年法律第29号による改正前の法第12条第５項第１号以下で差止請求に係る相手方として規定されている「事業者等」についても規定を改めることにより、消費者契約法上の規律を景品表示法及び特定商取引法上の差止請求権に及ぼすことができることになる。

　次に、平成20年法律第29号による改正前の法第12条第５項及び第６項の規定を第１項から第４項までの規定と切り分けて新第12条の２として規定することとし、本法中の規定において第12条第５項又は第６項と規定している箇所[注2]について所要の改正をすることとした。

　⑤　**食品表示法（平成25年法律第70号）による改正**

　なお、食品表示法の規定による差止請求についても、①～③の趣旨は当てはまることから、本条第１項柱書を改正して、「差止請求」の概念に、食品表示法の規定による差止請求にも含ませることとした。

　　（注１）　また、このように改めることにより、本法上に規定する「差止請求権」（「差止請求をする権利」をいうこととしている。法第12条の２第１項第２号ハ）、「差止請求関係業務」（「不特定かつ多数の消費者の利益のために差止請求権を行使する業務並びに当該業務の遂行に必要な消費者の被害に関する情報の収

268　第1編　逐条解説　第3章　差止請求

集並びに消費者の被害の防止及び救済に資する差止請求権の行使の結果に関
する情報の提供に係る業務」をいうこととしている。法第13条第1項）に景品
表示法及び特定商取引法上の差止請求が含まれることになり、必要な規律が
及ぶことになる。

　（注2）　法第23条第6項、第34条第1項第4号及び第5号、第34条第3項、第35条
　　　第1項及び第3項、第46条第1項の合計7箇所である。

2　条文の解釈

(1)　第1項第1号

　差止請求権の行使については、その適正を確保するために一定の制約を
設けることとしている。

　まず、当該適格消費者団体若しくは第三者の不正な利益を図り又は当該
差止請求に係る相手方に損害を加えることを目的とする場合は、差止請求
をすることができないこととしている。これは、形式的には差止請求権の
行使であっても実質的には権利の濫用（民法第1条第3項）に該当するもの
を類型化・明確化したものである（なお、訴権の濫用に該当するものの一部を
類型化・明確化した例として、株主代表訴訟に関する会社法第847条第1項ただ
し書参照）。

(2)　第1項第2号

　次に、本制度において複数の適格消費者団体が実体権としての差止請求
権を有するものとした場合、仮にその請求権の行使に何らの制約も設けな
いとすると、同一事業者等に対する同一内容の請求に係る訴えが判決の確
定後も繰り返し無制限に提起され、矛盾判決が併存するとともに、相手方
が過大な応訴の負担を負い訴訟経済に反する等の弊害を生ずることとなる
ため、このような弊害を除去するための仕組みを整備することが制度設計
における必要不可欠の要請となる。

　そこで、本制度における差止請求権自体の付与の在り方として、内閣総
理大臣による適格性の認定を受けたある適格消費者団体により差止請求権
が訴訟等（訴訟のほか、和解の申立ての手続及び仲裁・調停を含む。以下同じ。）
において行使され、当該訴訟等につき既に確定判決等（確定判決のほか、裁

判上の和解、請求の認諾・放棄、調停合意、仲裁判断など確定判決と同一の効力を有するものを含む。）が存する場合^(注)には、上記の制度的な要請に鑑み、他の適格消費者団体は同一の相手方に対する同一内容の請求について差止請求権を行使することができないものとすることが必要かつ相当であるため、そのような確定判決等の存在を差止請求権の権利行使阻止事由として規定することとしている（これは既判力の拡張とは異なり、上記の弊害を除去する観点から政策的に規定した実体権自体の制限であり、(ア)訴訟外の後続の請求も制限され、(イ)同一の相手方に対する同一内容の請求である限り、前訴の判決確定後に後訴が提起された場合のみならず、同時提訴に係る複数の訴えのうち一の訴えにつき判決が確定した場合も、同様の結論となり、いずれも後続の訴えに係る請求は棄却されることとなる。）。

> （注）　法第12条の2第1項第2号本文では「既に確定判決等…が存する場合」とされているが、この「既に存する確定判決等」とは、本規定の趣旨に従い、同号本文に該当することにより差止請求の制限効の発生原因となった実体判断を伴う確定判決等のみがこれに該当し、当該確定判決等の制限効に基づく後続の請求棄却判決はこれに含まれない。また、後述のとおり、同号ただし書は、同号本文に該当することにより差止請求の制限効の発生原因となった確定判決等に係る訴訟等に関し、その当事者であった適格消費者団体の認定が法第34条第1項第4号により取り消されれば、それによって本条第1項第2号本文の制限が解除されて一般の原則に戻るものと定めているので、当該確定判決等の制限効による後続の請求棄却判決の有無は、その解除の効果に影響を及ぼすものではない。
>
> 　したがって、例えば、A団体の棄却判決が確定した後、別の裁判所に提訴していたB団体の請求が上記確定判決を理由として棄却・確定した場合を想定すると、その後、A団体の認定が法第34条第1項第4号により取り消されたときには、B団体の当該棄却確定判決は、他の団体の請求を制限するものではない。

① 「請求の内容及び相手方が同一である場合」

「請求の内容が同一である場合」とは、民事訴訟法上の訴訟物たる差止請求権の同一性から当事者である適格消費者団体の同一性を捨象したものをいい^{(注1)(注2)}、各請求の間に、(ア)社会的事実関係の同一性と(イ)差止請求の根拠となる該当法規（消費者契約法等の条項号）の同一性が認められる場合をいう。

270 第1編 逐条解説 第3章 差止請求

　社会的事実関係の同一性については、当該消費者契約の種類・内容、勧誘の文言・態様、契約条項の内容・文言など、各請求の対象行為の諸要素を総合的に考慮したうえで、個々の事案に応じて個別具体的に判断されるべきものと考えられる。

　なお、同種被害の拡散防止の観点から不特定かつ多数の消費者に対する不当な行為を対象とする差止請求である以上、契約の種類・内容や行為の文言・態様等に同一性が認められる限り、時間的・場所的には相応の幅のある範囲で請求内容の同一性が認められ得るものと考えられる。

　　（注1）　本制度における訴訟物については、上記のような社会的事実関係の同一性を前提として、実体権の発生原因ごとに訴訟物が存在するものであり、例えば、同一の勧誘行為について、不実告知（法第4条第1項第1号）の差止請求権と断定的判断の提供（同項第2号）の差止請求権とが併存し得るものと考えられる。

　　（注2）　消費者契約法上の差止請求権、特定商取引法上の差止請求権、景品表示法上の差止請求権についても、並存し得るものと考えられる。例えば、消費者契約法上の不実告知に基づく差止請求と特定商取引法上の不実告知に基づく差止請求とは、差止請求の根拠となる該当法規が異なる以上、「請求の内容が同一」であるとはいえない。食品表示法上の差止請求権と他の差止請求権との関係も同様である。

　ただし、当該確定判決等が、(ア)訴えを却下した確定判決あるいは(イ)上記(1)の不当な目的に基づく濫用的な請求に該当することのみを理由として差止請求を棄却した確定判決及び仲裁判断である場合には、いまだ差止請求についての実体判断が示されていないので差止請求権の行使を制約すべきではないし、(ウ)差止請求権の不存在又は差止請求権に係る債務の不存在の確認の請求を棄却した確定判決及びこれと同一の効力を有するものである場合には、以後の給付請求としての差止請求の提訴等を封ずべき理由はないから、上記(ア)～(ウ)については上記の権利行使阻止事由としての「確定判決等」から除外することとしている（第1項第2号イ～ハ）。

　②　第1項第2号ただし書

　また、当該他の適格消費者団体について確定判決等が存する場合において、当該確定判決等に係る訴訟等の手続に関し、相手方と通謀して請求の放棄又は不特定かつ多数の消費者の利益を害する内容の和解をしたとき、

その他不特定かつ多数の消費者の利益に著しく反する訴訟等の追行を行ったと認められることにより当該適格消費者団体の適格性の認定が取り消される（法第34条第1項第4号）に至ったときは、差止請求権に対する制限の前提となり得る（当該事案に関する終局的な実体判断の基礎となり得る）実質を備えた訴訟上の権利行使・訴訟等の追行がいまだ行われていない状態に復することになるものと評価することができるから、上記の理由による適格性の認定の取消しを前記の権利行使阻止事由の解除事由として規定し、例外的に他の適格消費者団体による同一の相手方に対する同一内容の請求に係る差止請求権の行使を認めることとしている（第1項第2号ただし書）。

この適格性の認定の取消しは、当該事案の請求につき当該適格消費者団体による差止請求権の行使が不特定かつ多数の消費者の利益に反するものと認められることに基づくものであるが、既に他の理由により適格性の認定が取り消されたり失効事由が生じたりした後に当該事案の請求につき上記の取消事由の存在が発覚することも想定され、その場合には適格性の認定の取消しをすることができないことから、内閣総理大臣が取消事由の存在を別途に認定することができることとし（法第34条第3項）、その認定がされた場合にも上記の適格性の認定の取消しがされた場合と同様に例外的に他の適格消費者団体による差止請求権の行使を認めることとしている（第1項第2号ただし書）。

なお、上記の適格性の認定の取消処分（法第34条第1項第4号）又は認定処分（同条第3項）の取消判決等が確定し、当該取消処分又は認定処分が遡及的に無効となった場合には、他の適格消費者団体による差止請求権の行使は認められないこととなる^(注)。以上の攻撃防御方法を整理すると、差止請求権の請求原因事実に対し、上記の確定判決等の存在が抗弁、上記の取消処分又は認定処分が再抗弁、これらの処分の取消判決等の確定が再々抗弁として位置付けられることになる。

　　（注）　また、適格性の認定の取消処分又は認定処分の取消訴訟の提起に伴い、これらの処分の執行停止の決定（行政事件訴訟法第25条第2項）がされた場合にも、「取り消され、‥‥‥‥又は認定がされたとき」には該当しないこととなるから、他の適格消費者団体による差止請求権の行使は認められないこととなり、当該決定がされたことが再々抗弁として位置付けられることになる。

272　第1編　逐条解説　第3章　差止請求

(3)　第2項

　また、上記の確定判決等が存していても、当該確定判決等の基準時後に生じた事由（新事由）に基づく差止請求権の行使については、当該事由は当該確定判決等に係る訴訟等で主張・立証することがおよそ不可能であり、一般に基準時後に生じた事由に基づく請求及び主張であっても確定判決等の既判力等によって遮断されることはないことに鑑み、本条第1項第2号本文の規定による制約は及ばないこととする。

　したがって、他の適格消費者団体が後訴において新事由の主張をした場合には、裁判所はその存否について審理し、(ア)その存在が認められないときは、当該後訴の口頭弁論終結時を基準時とした上で（請求原因に理由がないとして）請求を棄却することとなり、(イ)新事由の存在及び新事由を含めた請求原因事実が認められるときは、請求を認容することとなる[注1][注2]。

> (注1)　以上のような規定の趣旨に鑑みると、どのような事実が第2項に規定する事由に該当するかは個々の事案に則して個別具体的に検討する必要があるが、例えば、具体的な事例としては、以下のような事例がその例として想定される。
>
> 　i　ある適格消費者団体が、ある相手方に対し、その勧誘行為が不当であるとして差止訴訟を提起したが、不特定かつ多数の消費者に対して当該勧誘行為を現に行い又は行うおそれがあるとは認められないとして敗訴し判決が確定した後（前訴の口頭弁論終結後）、当該相手方が同じ勧誘行為を他の地域で行い始めた場合において、他の適格消費者団体が当該相手方に対する同一内容の差止請求をすること。
>
> 　ii　ある適格消費者団体が、ある相手方に対し、その受託者等による勧誘行為が不当であるとして、是正の指示等をする差止訴訟を提起したが、当該受託者等は法第5条第1項にいう「受託者等」には該当しないとして敗訴し判決が確定した後（前訴の口頭弁論終結後）、当該受託者等が当該相手方との間で消費者契約の締結について媒介することを委託された場合において、他の適格消費者団体が当該相手方に対する同一内容の差止請求をすること。
>
> 　iii　ある適格消費者団体が、ある相手方に対し、その使用する契約条項が法第10条に該当する不当なものであるとしてその差止訴訟を提起したが、当該契約条項が同条にいう「民法第1条第2項に規定する基本原則に反して消費者の利益を一方的に害するもの」とはいえないとして敗訴し判決が確定した後（前訴の口頭弁論終結後）、社会的な事情の変更（民法第1条第2項

第1節　差止請求権等 **第12条の2** 273

に規定する基本原則に反するとの評価を基礎付ける新たな評価根拠事実の発生又はその評価を妨げていた評価障害事実の消滅等）により、当該契約条項が「民法第1条第2項に規定する基本原則に反して消費者の利益を一方的に害するもの」と認められるに至った場合において、他の適格消費者団体が当該相手方に対する同一内容の差止請求をすること。

（注2）　他方で、例えば、ある適格消費者団体が、ある相手方に対し、その勧誘行為が不当であるとして差止訴訟を提起したが、当該行為が不当なものとは認められないとして敗訴し判決が確定した後（前訴の口頭弁論終結後）、当該事業者等が同じ勧誘行為を継続していることのみを理由として同一内容の差止請求をしたにすぎないときは、当該行為の継続の事実は新事由（本条第2項にいう「口頭弁論終結後に生じた事由」）には当たらないから、確定判決等の抗弁（本条第1項第2号本文）によって請求が棄却されることになる。

274　第1編　逐条解説　第3章　差止請求

第12条の3（消費者契約の条項の開示要請）

（消費者契約の条項の開示要請）
第12条の3　適格消費者団体は、事業者又はその代理人が、消費者契約を
　締結するに際し、不特定かつ多数の消費者との間で第8条から第10条ま
　でに規定する消費者契約の条項を含む消費者契約の申込み又はその承諾
　の意思表示を現に行い又は行うおそれがあると疑うに足りる相当の理由
　があるときは、内閣府令で定めるところにより、その事業者又はその代
　理人に対し、その理由を示して、当該条項を開示するよう要請すること
　ができる。ただし、当該事業者又はその代理人が、当該条項を含む消費者
　契約の条項をインターネットの利用その他の適切な方法により公表して
　いるときは、この限りでない。
2　事業者又はその代理人は、前項の規定による要請に応じるよう努めな
　ければならない。

1　趣旨

　適格消費者団体は、消費者等から情報を得て、ある事業者が差止請求の
対象である契約条項を使用しているという疑いを持った場合には、契約条
項の差止請求に先立ち、事業者に対して任意の開示を求め、契約条項を確
認している。しかし、当該求めを受けた事業者において、どのように対応
すればよいかは必ずしも明らかではなく、開示に応じる事業者がいる一方
で、開示に応じない事業者もいるなど、実務に混乱が生じているものと考
えられる。また、開示に応じない事業者は差止請求をされないのに、開示
に応じた事業者は差止請求をされるという不公平も生じていた。
　そこで、令和4年通常国会改正により、適格消費者団体にとって契約条
項の開示を求める必要性が高く、かつ、開示が事業者に不合理な負担を強
いることにならない場合には、適格消費者団体は契約条項の開示を要請す
ることができ（第1項）、事業者は当該要請に応じるよう努めなければなら
ない旨が規定された（第2項）。

第1節　差止請求権等 **第12条の3**　275

　なお、適格消費者団体の実務では、適格消費者団体から事業者に対して本項の要件を満たさない形の要請が行われ、事業者が任意に契約条項の開示をすることもあったと考えられるところ、本条はこのような運用を否定するものではない。

2　条文の解釈

(1)　適格消費者団体の開示要請（第1項）

①　「現に行い又は行うおそれがあると疑うに足りる相当の理由があるとき」

　差止めの対象となる不当な行為（不当条項を含む消費者契約の締結）が行われる蓋然性が客観的に存在している場合には、「現に行い又は行うおそれがあるとき」に該当し、適格消費者団体は契約条項の差止めを請求することができる（第12条第3項、同条第4項）。

　「現に行い又は行うおそれがあると疑うに足りる相当の理由があるとき」とは、差止めの対象となる不当な行為が行われる疑いがあると客観的な事情に照らして認められる場合である。具体的には、単なる憶測や伝聞等ではなく、適格消費者団体が、事業者が差止めの対象となる契約条項を使用している可能性があると考えるに至った場合に、その判断を裏付ける資料や合理的根拠が存在している場合を意味する。

●　開示要請の対象となる契約条項

　開示要請の対象は、事業者又はその代理人が不特定かつ多数の消費者との間で使用している契約条項であって、第8条から第10条までに規定するものである。適格消費者団体が開示を要請するに当たっては、第8条から第10条までに規定する契約条項が含まれている約款名、商品やサービス名等を記載することにより、可能な範囲で開示対象を特定することが望ましい。なお、事業者が不特定かつ多数の消費者との間で使用している契約条項が対象として規定されているため、当該事業者が個別の消費者との間で合意した契約条項は開示の対象とはならない。

②　「内閣府令で定めるところにより」

　適格消費者団体が要請の相手方である事業者に対して本項に基づき要請するにあたっては規則第1条の3により、以下の事項を記載して書面又は電磁的記録を交付し、又は提供して行うこととされている。

ア　名称及び住所並びに代表者の氏名

イ　電話番号、電子メールアドレス（電子メールの利用者を識別するための文字、番号、記号その他の符号をいう。）及びファクシミリの番号（差止請求関係業務においてファクシミリ装置を用いて送受信しようとする場合に限る。）

ウ　当該事業者又はその代理人の氏名又は名称

エ　第12条の３第１項の規定による要請である旨

オ　要請の理由

カ　開示を要請する消費者契約の条項の要旨

キ　希望する開示の実施の方法及び開示を実施するために必要な事項

③　「その理由を示して」

　適格消費者団体は、要請の相手方である事業者について、どのような不当条項の疑いがあるのか、またそれに関係し得る契約条項・内容としてどのようなものが考えられるのか等の開示を求める理由・趣旨を示すことが想定される。

④　「インターネットの利用その他の適切な方法により公表しているときは、この限りでない」

　定型約款を使用する事業者の多くは、消費者が定型約款の内容を容易に知ることができるようにするための措置を講じているものと考えられ、この場合には、別途、定型約款の表示請求権についての情報提供を行う必要はないと考えられる。そこで、事業者に不合理な負担が生じることを避けるため、事業者が不特定かつ多数の消費者との間で使用している契約条項（不当条項の疑いがあるものを含む。）をインターネットの利用その他の適切な方法により公表しているときは、適格消費者団体は当該事業者に対し本項に基づく開示を要請することができないこととされている。

　公表は「適切な方法」によることが求められているところ、インターネットが幅広く普及している現状に鑑み、「インターネットの利用」が例示されている。具体的には、事業者のウェブサイトの分かりやすいところに掲載することが考えられる。「インターネットの利用」以外の方法としては、例えば、事業者の店舗や事務所の分かりやすい場所に掲示することが考えられる。

(2) 事業者の努力義務（第2項）

　適格消費者団体から第1項の規定による要請を受けた事業者又はその代理人は、当該要請に応じる努力義務を負うことになる。

278　第1編　逐条解説　第3章　差止請求

第12条の4　（損害賠償の額を予定する条項等に関する説明の要請等）

> **（損害賠償の額を予定する条項等に関する説明の要請等）**
>
> **第12条の4**　適格消費者団体は、消費者契約の解除に伴う損害賠償の額を予定し、又は違約金を定める条項におけるこれらを合算した額が第9条第1項第1号に規定する平均的な損害の額を超えると疑うに足りる相当な理由があるときは、内閣府令で定めるところにより、当該条項を定める事業者に対し、その理由を示して、当該条項に係る算定根拠を説明するよう要請することができる。
>
> 2　事業者は、前項の算定根拠に営業秘密（不正競争防止法（平成5年法律第47号）第2条第6項に規定する営業秘密をいう。）が含まれる場合その他の正当な理由がある場合を除き、前項の規定による要請に応じるよう努めなければならない。

1　趣旨

　適格消費者団体が事業者の定める違約金等が平均的な損害の額を超えるとの疑いを持って説明を求めたところ、当該事業者が何ら回答もせず違約金等に関する内容が当該事業者に固有の事情であるため更なる調査等が困難となり、当該違約金等が第9条第1項第1号に該当しているおそれがあると判断できなかったために差止請求の申入れを断念せざるを得なかった事例が存在する。

　また、違約金等について説明した事業者は差止請求により当該違約金等を是正する一方、一切説明しなかった事業者は不当に高額な違約金等を定めたと疑われる契約条項の使用を継続する不均衡な結果も生じている。

　そこで、令和4年通常国会改正により、適格消費者団体が事業者の定める違約金等が平均的な損害の額を超えると疑うに足りる相当な理由があるときは、違約金等の算定根拠の説明を要請することができ（第1項）、事業者は当該要請に応じるよう努めなければならない旨が規定された（第2項）。

もっとも、事業者が違約金等の算定根拠を説明できない合理的な事情が存在する場合にまで説明させることは適切ではない。そのため、違約金等の算定根拠を説明できない合理的な事情が存在する場合を除くこととしている。

なお、適格消費者団体の実務では、適格消費者団体から事業者に対して本項の要件を満たさない形の要請が行われ、事業者が任意に違約金等の算定根拠の説明をすることもあったと考えられるところ、本条は、このような運用を否定するものではない。

2 条文の解釈

(1) 適格消費者団体の説明要請（第1項）

① 「消費者契約の解除に伴う」

第9条第1項第1号の解説を参照のこと。

② 「損害賠償の額を予定し、又は違約金を定める条項におけるこれらを合算した額が」

第9条第1項第1号の解説を参照のこと。

③ 「第9条第1項第1号に規定する平均的な損害の額を超えると疑うに足りる相当な理由があるときは」

「平均的な損害の額を超えると疑うに足りる相当な理由があるとき」とは、差止請求の対象となる違約金等が平均的な損害の額を超える疑いがあると客観的な事情に照らして認められる場合である。「相当な理由」とは、単なる憶測や伝聞等ではなく、適格消費者団体が、違約金等が「平均的な損害の額」を超えている可能性があると考えるに至った場合に、その判断を裏付ける資料や合理的根拠が存在している場合などを指す。

④ 「内閣府令で定めるところにより」

適格消費者団体が要請の相手方である事業者に対して本項に基づき要請するにあたっては規則第1条の4により、以下の事項を記載して書面又は電磁的記録を交付し、又は提供して行うこととされている。

　　ア　名称及び住所並びに代表者の氏名

　　イ　電話番号、電子メールアドレス及びファクシミリの番号

　　ウ　当該事業者又はその代理人の氏名又は名称

280　第1編　逐条解説　第3章　差止請求

　　エ　第12条の４第１項の規定による要請である旨
　　オ　要請の理由
　　カ　希望する説明の実施の方法
　⑤　「その理由を示して」
　③で記載した資料や合理的根拠等を示すことが必要である。
　⑥　「当該条項に係る算定根拠を説明するよう要請することができる」
　算定根拠は、第９条第２項において定める算定の根拠と同様に解釈される。なお、適格消費者団体においては、事業者の定める違約金等が平均的な損害の額を超えており差止請求をするかどうか判断するに際して具体的な金額を用いて検証する必要がある。そこで、消費者に対する説明よりも一歩踏み込んだ内容の説明を求める必要があることから、算定根拠の概要とは規定していない。したがって、適格消費者団体は具体的な数字を含めた費用項目や算定式について事業者に説明するように要請することができる。

(2)　事業者の努力義務（第２項）
　①　「前項の算定根拠に営業秘密（不正競争防止法（平成５年法律第47号）第
　　　２条第６項に規定する営業秘密をいう。）が含まれる場合その他の正当な理
　　　由がある場合を除き」
　違約金等の算定根拠に関する情報の中には利益率や原価など事業者の営業秘密に該当する内容が含まれている場合もあり、事業者が違約金等の算定根拠を説明できない合理的な場合も存在すると考えられる。もっとも、営業秘密が含まれるかは事業者にしか判断できないため、事業者の行為規範として営業秘密が含まれるなど正当な理由が存在する場合には、事業者が説明を免れるようにしている。正当な理由については、不正競争防止法上の営業秘密に該当するとは必ずしも言えないものの、適格消費者団体に開示すると事業活動に著しい支障が生じるような機密性の高い情報が含まれる場合を想定している。営業秘密の解釈については不正競争防止法と同じである。なお、違約金等の算定根拠の中に営業秘密が含まれるからといって事業者は算定根拠を一切説明しなくてよいわけではなく、営業秘密に該当しない部分については適格消費者団体に対して説明する努力義務を負う

こととなる。

② 「前項の規定による要請に応じるよう努めなければならない」

適格消費者団体から第1項の規定による要請を受けた事業者は、当該要請に応じる努力義務を負うことになる。

不正競争防止法（平成5年法律第47号）

（定義）

第2条　この法律において「不正競争」とは、次に掲げるものをいう。

　6　この法律において「営業秘密」とは、秘密として管理されている生産方法、販売方法その他の事業活動に有用な技術上又は営業上の情報であって、公然と知られていないものをいう。

282　第1編　逐条解説　第3章　差止請求

第12条の5（差止請求に係る講じた措置の開示要請）

> **（差止請求に係る講じた措置の開示要請）**
> **第12条の5**　第12条第3項又は第4項の規定による請求により事業者又は
> その代理人がこれらの規定に規定する行為の停止若しくは予防又は当該
> 行為の停止若しくは予防に必要な措置をとる義務を負うときは、当該請
> 求をした適格消費者団体は、内閣府令で定めるところにより、その事業
> 者又はその代理人に対し、これらの者が当該義務を履行するために講じ
> た措置の内容を開示するよう要請することができる。
> 2　事業者又はその代理人は、前項の規定による要請に応じるよう努めな
> ければならない。

1　趣旨

　適格消費者団体が不当条項の差止めを請求した結果、事業者が契約条項
の改善を約束したにもかかわらず、その後の当該適格消費者団体からの契
約条項の開示請求を拒絶したため、結局、不当な契約条項が是正されたの
か否かが明らかではないという事態が発生している。

　差止請求後の措置が不明であること自体は、不当条項の差止請求のみな
らず、不当勧誘の差止請求についても生じ得る問題であるが、不当条項の
差止請求が圧倒的に多い現状に鑑み、上記の事態への対応が喫緊の課題と
なっている。

　また、不当勧誘であれば改善約束後に新たに不当な勧誘を受けたと感じ
た消費者からどのような勧誘を受けたのかについて適格消費者団体が情報
提供を受けることが期待できる一方で、不当条項については、約款の中に
不当条項があったとしても気が付かない消費者が多いため、事業者が改善
を約束した後も不当条項の使用を継続していた場合であっても、その情報
が適格消費者団体に提供されることは期待しがたい。そのため、事業者か
ら改善後の契約条項が開示されなければ、不当条項の使用をやめたのかに
ついて、適格消費者団体には分からないことがある。

そこで、令和4年通常国会改正により、適格消費者団体は自らが行った差止請求後の措置の開示を要請することができ（第1項）、事業者は当該要請に応じるよう努めなければならない旨が規定された（第2項）。

なお、適格消費者団体の実務では、適格消費者団体から事業者に対して本項の要件を満たさない形の要請が行われ、事業者が任意に差止請求後の措置を開示することもあったと考えられるところ、本条は、このような運用を否定するものではない。

2　条文の解釈

(1)　適格消費者団体の開示要請（第1項）

① 「事業者又はその代理人が…行為の停止若しくは予防又は当該行為の停止若しくは予防に必要な措置をとる義務を負うとき」

差止請求訴訟において請求が認容された場合や、適格消費者団体が訴訟外で差止請求を行った結果、事業者が停止や予防等を行う旨の和解が成立した場合等が想定される。

② 「内閣府令で定めるところにより」

適格消費者団体が要請の相手方である事業者に対して本項に基づき要請するにあたっては規則第1条の5により、以下の事項を記載して書面又は電磁的記録を交付し、又は提供して行うこととされている。

ア　名称及び住所並びに代表者の氏名

イ　電話番号、電子メールアドレス及びファクシミリの番号

ウ　当該事業者又はその代理人の氏名又は名称

エ　第12条の5第1項の規定による要請である旨

オ　当該事業者又はその代理人が負う本法第12条第3項又は第4項の規定に規定する行為の停止若しくは予防又は当該行為の停止若しくは予防に必要な措置をとる義務の内容

カ　希望する開示の実施の方法

③ 「当該義務を履行するために講じた措置」

例えば、事業者が契約条項を変更したのであれば、変更後の契約条項の内容を開示することが想定される。

284　第1編　逐条解説　第3章　差止請求

(2)　事業者の努力義務（第2項）

　適格消費者団体から第1項の規定による要請を受けた事業者又はその代理人は、当該要請に応じる努力義務を負うことになる。

第2節　適格消費者団体　第1款　適格消費者団体の認定等（第13条〜第22条）**第13条**　285

第2節　適格消費者団体

第1款　適格消費者団体の認定等（第13条〜第22条）

第13条（適格消費者団体の認定）

（適格消費者団体の認定）

第13条　差止請求関係業務（不特定かつ多数の消費者の利益のために差止
請求権を行使する業務並びに当該業務の遂行に必要な消費者の被害に関
する情報の収集並びに消費者の被害の防止及び救済に資する差止請求権
の行使の結果に関する情報の収集及び提供に係る業務をいう。以下同
じ。）を行おうとする者は、内閣総理大臣の認定を受けなければならない。

2　前項の認定を受けようとする者は、内閣総理大臣に認定の申請をしな
ければならない。

3　内閣総理大臣は、前項の申請をした者が次に掲げる要件の全てに適合
しているときに限り、第1項の認定をすることができる。

一　特定非営利活動促進法（平成10年法律第7号）第2条第2項に規定
する特定非営利活動法人又は一般社団法人若しくは一般財団法人であ
ること。

二　消費生活に関する情報の収集及び提供並びに消費者の被害の防止及
び救済のための活動その他の不特定かつ多数の消費者の利益の擁護を
図るための活動を行うことを主たる目的とし、現にその活動を相当期
間にわたり継続して適正に行っていると認められること。

三　差止請求関係業務の実施に係る組織、差止請求関係業務の実施の方
法、差止請求関係業務に関して知り得た情報の管理及び秘密の保持の
方法その他の差止請求関係業務を適正に遂行するための体制及び業務
規程が適切に整備されていること。

286　第1編　逐条解説　第3章　差止請求

四　その理事に関し、次に掲げる要件に適合するものであること。
　　イ　差止請求関係業務の執行を決定する機関として理事をもって構成
　　する理事会が置かれており、かつ、定款で定めるその決定の方法が
　　次に掲げる要件に適合していると認められること。
　　　⑴　当該理事会の決議が理事の過半数又はこれを上回る割合以上の
　　　多数決により行われるものとされていること。
　　　⑵　第41条第1項の規定による差止請求、差止請求に係る訴えの提
　　　起その他の差止請求関係業務の執行に係る重要な事項の決定が理
　　　事その他の者に委任されていないこと。
　　ロ　理事の構成が次の⑴又は⑵のいずれかに該当するものでないこ
　　と。この場合において、第2号に掲げる要件に適合する者は、次の⑴
　　又は⑵に規定する事業者に該当しないものとみなす。
　　　⑴　理事の数のうちに占める特定の事業者（当該事業者との間に発
　　　行済株式の総数の2分の1以上の株式の数を保有する関係その他
　　　の内閣府令で定める特別の関係のある者を含む。）の関係者（当該
　　　事業者及びその役員又は職員である者その他の内閣府令で定める
　　　者をいう。⑵において同じ。）の数の割合が3分の1を超えている
　　　こと。
　　　⑵　理事の数のうちに占める同一の業種（内閣府令で定める事業の
　　　区分をいう。）に属する事業を行う事業者の関係者の数の割合が2
　　　分の1を超えていること。
五　差止請求の要否及びその内容についての検討を行う部門において次
　のイ及びロに掲げる者（以下「専門委員」と総称する。）が共にその専
　門的な知識経験に基づいて必要な助言を行い又は意見を述べる体制が
　整備されていることその他差止請求関係業務を遂行するための人的体
　制に照らして、差止請求関係業務を適正に遂行することができる専門
　的な知識経験を有すると認められること。
　　イ　消費生活に関する消費者と事業者との間に生じた苦情に係る相談
　　（第40条第1項において「消費生活相談」という。）その他の消費生活
　　に関する事項について専門的な知識経験を有する者として内閣府令
　　で定める条件に適合する者

ロ　弁護士、司法書士その他の法律に関する専門的な知識経験を有する者として内閣府令で定める条件に適合する者

六　差止請求関係業務を適正に遂行するに足りる経理的基礎を有すること。

七　差止請求関係業務以外の業務を行う場合には、その業務を行うことによって差止請求関係業務の適正な遂行に支障を及ぼすおそれがないこと。

4　前項第3号の業務規程には、差止請求関係業務の実施の方法、差止請求関係業務に関して知り得た情報の管理及び秘密の保持の方法その他の内閣府令で定める事項が定められていなければならない。この場合において、業務規程に定める差止請求関係業務の実施の方法には、同項第5号の検討を行う部門における専門委員からの助言又は意見の聴取に関する措置及び役員、職員又は専門委員が差止請求に係る相手方と特別の利害関係を有する場合の措置その他業務の公正な実施の確保に関する措置が含まれていなければならない。

5　次の各号のいずれかに該当する者は、第1項の認定を受けることができない。

一　この法律、消費者の財産的被害等の集団的な回復のための民事の裁判手続の特例に関する法律（平成25年法律第96号。以下「消費者裁判手続特例法」という。）その他消費者の利益の擁護に関する法律で政令で定めるもの若しくはこれらの法律に基づく命令の規定又はこれらの規定に基づく処分に違反して罰金の刑に処せられ、その刑の執行を終わり、又はその刑の執行を受けることがなくなった日から3年を経過しない法人

二　第34条第1項各号若しくは消費者裁判手続特例法第92条第2項各号に掲げる事由により第1項の認定を取り消され、又は第34条第3項の規定により同条第1項第4号に掲げる事由があった旨の認定がされ、その取消し又は認定の日から3年を経過しない法人

三　暴力団員による不当な行為の防止等に関する法律（平成3年法律第77号）第2条第6号に規定する暴力団員又は同号に規定する暴力団員でなくなった日から5年を経過しない者（次号及び第6号ハにおいて

288　第1編　逐条解説　第3章　差止請求

「暴力団員等」という。）がその事業活動を支配する法人

四　暴力団員等をその業務に従事させ、又はその業務の補助者として使
用するおそれのある法人

五　政治団体（政治資金規正法（昭和23年法律第194号）第3条第1項に
規定する政治団体をいう。）

六　役員のうちに次のイからハまでのいずれかに該当する者のある法人

イ　禁錮以上の刑に処せられ、又はこの法律、消費者裁判手続特例法
その他消費者の利益の擁護に関する法律で政令で定めるもの若しく
はこれらの法律に基づく命令の規定若しくはこれらの規定に基づく
処分に違反して罰金の刑に処せられ、その刑の執行を終わり、又は
その刑の執行を受けることがなくなった日から3年を経過しない者

ロ　適格消費者団体が第34条第1項各号若しくは消費者裁判手続特例
法第92条第2項各号に掲げる事由により第1項の認定を取り消さ
れ、又は第34条第3項の規定により同条第1項第4号に掲げる事由
があった旨の認定がされた場合において、その取消し又は認定の日
前6月以内に当該適格消費者団体の役員であった者でその取消し又
は認定の日から3年を経過しないもの

ハ　暴力団員等

I　第1項・第2項

1　趣旨等

　本条第1項及び第2項では、差止請求関係業務（不特定かつ多数の消費者
の利益のために差止請求権を行使する業務並びに当該業務の遂行に必要な消費
者の被害に関する情報の収集並びに消費者の被害の防止及び救済に資する差止
請求権の行使の結果に関する情報の収集及び提供に係る業務をいう。）を行おう
とする者は、内閣総理大臣の認定を受けなければならないこととするとと
もに、この認定を受けようとする者は、内閣総理大臣に認定の申請をしな
ければならないこととしている。

本条の定めるところにより内閣総理大臣の認定を受けた者（適格消費者団体）は、不特定かつ多数の消費者の利益を擁護するために差止請求権という強い権利を付与される存在である。その役割の重要性に鑑み、また、その役割を担うにふさわしい実質を備えているか否かにつき、個別の団体ごとに実質的に判断する必要があることから、本法では、適格消費者団体について、内閣総理大臣の認定を受けなければならないこととしている。

また、認定の主体については、あらかじめ行政庁が認定することにより、どの消費者団体が適格消費者団体であるかが消費者及び事業者等の双方に明確となり、制度の安定及び信頼性に資すると考えられることから、個々の事案ごとに裁判所が認定するのではなく、行政庁である内閣総理大臣が認定することとしている。

● **適格消費者団体が差止請求権行使の主体となることについて**

本法においては、不特定かつ多数の消費者の利益擁護、具体的には、消費者被害の発生又は拡大の防止のために、差止請求権を法律で創設することとしているが、その際には、救済の実効化が図られるよう、その差止請求を、「差止請求に係る相手方」に対峙する側の「消費者」サイドのうち最も適切な行使主体（不特定かつ多数の消費者の利益擁護を担う適格性を有すると行政が認定した者）に付与することが適切である。

この場合、当該行使主体としては、個々の消費者や、消費者団体が候補として考えられるが、

① 個々の消費者は、一般的には、専門的知識や情報収集能力に乏しく、弁護士等の専門家に依頼する資力も十分でない場合があり、不特定かつ多数の消費者のための適切な権利行使を期待するのは困難である。

② 一方、消費者団体には、

ア 消費者の啓発、情報発信、被害救済の支援などの役割と並んで、消費者の視点に立った市場の監視者としての役割を担うことが期待できること（実際、いわゆる「110番活動」を実施したり、消費者団体相互のネットワークを構築し、また、消費生活センターで苦情相談業務に従事している消費生活相談員から情報提供を得ることなどによって消費者被害の発生を迅速かつきめ細かく察知し、弁護士や司法書士などの法律専門家の分析を踏まえて事業者に改善を申し入れるなどの活動を積極的

290 第1編 逐条解説 第3章 差止請求

に展開している団体が存在するところである。)

イ また、団体として組織化することによって、個々人の力量不足を
補い、被害の情報収集能力・ノウハウも高まり、訴訟の場において
も、事業者に対する関係で、現実的な訴訟追行能力の均衡を回復す
ることが期待できることから、一定の適格性の要件を満たす消費者
団体を、不特定多数の消費者の利益擁護を担う適格性を有する者と
して認定し、差止請求権を付与することとしている。

Ⅱ 第3項

1 趣旨

本項では、適格消費者団体として認定されるための具体的な要件につい
て規定している。

「認定することができる」と規定しているのは、本項の要件を全て満たす
と認められる場合であっても、例えば、客観的な事実又は証拠に照らして
差止請求関係業務の遂行上守るべき責務規定・行為規範に違反する危険性
が認定の段階で見込まれる場合や、既存の適格消費者団体と同一の又は紛
らわしい団体名に固執して申請をするなど、認定の要件を形式上は満たし
ているものの、制度の趣旨に照らして、認定をすることが必ずしも適切で
ないと実質的に認められる場合にも対処し得るよう内閣総理大臣に一定限
度の裁量性を認めているものである。

なお、申請者が認定の要件を満たすかどうかについては、申請書類に基
づく審査とともに、必要に応じ、申請者に対し追加して書類の提出を求め
るほか、申請者の役職員や情報提供者に対する事情聴取、実地の調査等(オ
ンライン会議システム等のデジタル技術を活用した遠隔調査を含む。)を行い、
個別具体的に判断するものとする(ガイドライン2)。

2 条文の解釈

(1) **「特定非営利活動促進法（平成10年法律第7号）第2条第2項に規定する特定非営利活動法人又は一般社団法人若しくは一般財団法人であること。」（第1号）**

本号では、適格消費者団体として差止請求権の行使を含む差止請求関係業務を適正に行うためには、権利・義務の主体たり得る者であることが必要と考えられることから、法人格を有することを必要とし、また、法人類型の中でも、不特定かつ多数の消費者の利益の擁護を図るための活動を行うことを主たる目的とする（第2号）こと及び団体として基礎的なガバナンスを確保すべきこととの関係から、営利目的や共益目的ではない法人として、特定非営利活動法人又は一般社団法人若しくは一般財団法人であることを要件としている。

(2) **「消費生活に関する情報の収集及び提供並びに消費者の被害の防止及び救済のための活動その他の不特定かつ多数の消費者の利益の擁護を図るための活動を行うことを主たる目的とし、現にその活動を相当期間にわたり継続して適正に行っていると認められること。」（第2号）**

本法における差止請求権は、自らは直接被害を被っているわけではない第三者たる適格消費者団体に付与されるものであるが、不特定かつ多数の消費者の利益を擁護する役割を担うにふさわしい実質を備えた存在に付与する必要があることから、不特定かつ多数の消費者の利益の擁護を図るための活動を行っていることを主たる目的とし、かつ、現にその活動を相当期間にわたり継続して適正に行っていると認められることを要件としている。

なお、活動実績の評価の対象となる活動は、「消費生活に関する情報の収集及び提供並びに消費者の被害の防止及び救済のための活動」を含む「不特定かつ多数の消費者の利益の擁護を図るための活動」であり、「消費生活に関する情報の収集及び提供並びに消費者の被害の防止及び救済のための活動」（差止請求関係業務の基礎となる団体の自主的な活動に相当）についての相当期間の継続的な活動実績が必須である（ガイドライン2(2)イ(ア)）。

要件の具体的な内容は以下のとおりである。

① 「不特定かつ多数の消費者の利益の擁護を図るための活動」

「消費生活に関する情報の収集及び提供、消費者被害の防止及び救済のための活動」のほか、消費生活に関する意見の表明、消費者に対する啓発及び教育その他の消費者の消費生活の安定及び向上を図るための活動が含まれる。活動を例示すると、以下のとおりである（ガイドライン2(2)ア）。

i 法第13条第3項第5号イに規定する消費生活相談、助言及びあっせん

ii いわゆる110番活動（消費生活相談や情報の収集及び提供等を目的として電話又はインターネットその他の手段により行うもの）

iii 消費生活に関する情報の分析、評価及び提供

iv 消費者啓発のための教材、パンフレット又はリーフレット等の開発又は作成

v 学校、地域等において行なわれる消費者教育への協力

vi 消費者被害の救済結果に関する事例集の作成及び公表

vii 消費者被害の防止に関する研修会、講演会、シンポジウム又はセミナーの実施

viii 事業者の不当な行為に対する改善の申入れ

ix 特定商取引に関する法律（昭和51年法律第57号）第60条に基づく主務大臣に対する申出など、事業者の不当な行為に対する行政措置の発動の申入れ

x 消費生活に関する事項について事業者又は国若しくは地方公共団体との間で行う意見交換

xi 消費生活に関する意見の表明又は政策提言

② 「主たる目的」

まず、団体の構成員の相互扶助を主たる目的としている団体は、「不特定かつ多数の消費者の利益の擁護を図るための活動を行うことを主たる目的とし」ているものとは認められない。

この要件に適合するためには、

i 定款においてこれらの活動を行う旨の定めがあること、及び

ii 申請者の活動を定款や業務計画書などを参考に総合的に考慮し

（活動の回数、従事者数又は支出額だけでなく、例えば、大量の情報の分析・検討を必要とする事業者に対する改善申入れの活動を積極的に行うことや、活動がボランティアによる無償の労務提供によって行われていることなどをも考慮する。）、量及び質の双方の観点から判断した場合に、それらの活動が申請者において主たる事業活動として行われていると認められること

が必要である。

前記ⅰの定款の定めについては、法の規定の仕方と一言一句違わず定められている必要はないが、差止請求関係業務は法第13条第3項第2号に特記している「消費生活に関する情報の収集及び提供並びに消費者の被害の防止及び救済のための活動」として行われるべきものであり、申請者が「消費生活に関する情報の収集及び提供並びに消費者の被害の防止及び救済のための活動を行うこと」を目的としていることが定款において明確に確認できるものであることが必要である（ガイドライン2⑵ア）。

③ 「相当期間」

本法における差止請求権は、不特定かつ多数の消費者の利益を擁護する役割を担うにふさわしい実質を備えた存在に付与する必要があることから、その実質判断のメルクマールの一つとして、「相当期間」の活動実績が必要であることとしている。

ここで「相当期間」とは、申請時において、申請者による上記①の活動が2年以上継続してされていることを原則として要する。

ただし、当該活動が充実して行われている場合や業務遂行体制の整備及び専門的知識経験の確保など他の要件の充実の程度によっては、継続している期間が2年には達しない場合であっても「相当期間」と評価することを否定するものではない。また、申請者が法人格を取得する前から上記の活動をしている場合は、団体としての同一性が認められる限り、法人格取得前の活動についても評価の対象とする。また、複数の団体が合併して一つの団体となったり、新たに設立した団体の構成員となっている場合は、合併前又は構成員である個々の団体の活動をも加味して考慮することとしている（ガイドライン2⑵イ(イ)）。

④ 「適正に」

例えば、消費生活相談の活動において、消費者の相談に対して誠実かつ真摯に対応し、合理的な根拠に基づいた助言を行っていること、また、事業者に対する改善申入れの活動において、合理的な根拠に基づいた申入れを行っていることなど、合理的な根拠に基づき真摯な活動を行っている場合をいい、実績作りの辻褄合わせのために合理的な根拠もなく行われた活動は評価しない趣旨である（ガイドライン２(2)イ(ウ)）。

(3) 「差止請求関係業務の実施に係る組織、差止請求関係業務の実施の方法、差止請求関係業務に関して知り得た情報の管理及び秘密の保持の方法その他の差止請求関係業務を適正に遂行するための体制及び業務規程が適切に整備されていること。」（第３号）

差止請求関係業務の適正化を図る観点から、差止請求関係業務を遂行するための体制及び業務規程が整備されることが必要であり、具体的には、以下の①及び②のとおりである。もっとも、適格消費者団体が事業者に対して不当な行為の停止等を請求することができる存在であることからすると、適格消費者団体は過度に特定の事業者に依存することがないよう留意することが望ましい。

① 体制

本項第３号に規定する「差止請求関係業務を適正に遂行するための体制…（中略）…が適切に整備されていること」とは、第一に、申請者の実態として、(ア)差止請求関係業務の遂行に関し、消費者被害等に係る情報の収集（法第12条の３から第12条の５までに規定する要請を含む。）から分析・検討を経て差止請求をし、その結果を公表するに至る一連の業務を適正に遂行できるよう、適格消費者団体に具体的な機関又は部門その他の組織が設置され、業務の適正な遂行に必要な人員が、これらの組織に必要な数だけ配置されていること（理事会及び理事、法第13条第３項第５号の検討を行う部門（以下「検討部門」という。）及び専門委員、職員、監事等）(注)、(イ)これらの組織の事務分掌、権限及び責任並びに事務の遂行に従事する役職員や専門委員等の選任・解任の基準及び方法が定款又は業務規程において適切に定められていること、(ウ)(ア)及び(イ)に従った運用がされていることをいう。

第2節　適格消費者団体　第1款　適格消費者団体の認定等（第13条〜第22条）**第13条**　295

　なお、「必要な数」については、申請者の実施しようとする差止請求関係業務の規模や業務の実施の方法（その内容や手段等）、当該人員の勤務形態（常勤か非常勤か等）などによって異なるものであり、審査に当たっては、これらの点を総合して、「必要な数」を個別に判断することとする。

　なお、以上のとおり組織及び人員等が整備されていることに加え、申請者自体の社員数（本項第1号の法人の社員数）についても、少なくとも会費を納入する等により活動に参加している者が100人存在していることを体制整備の一つの目安として斟酌する。

　第二に、差止請求関係業務に係る事務処理を行うために必要な事務所その他の施設、IT機器その他の物品等が、差止請求関係業務の規模・内容等に応じ、確保されている必要がある。

　その際、事務所については、適切に情報を管理することができる施設でなければならない。また、例えば、事業者（その者の活動内容などを考慮して客観的に差止請求の対象になることが考えられない者は除く。）が事業活動のために用いている施設内に事務所が設けられているなど、その外観、構造その他の事務所の置かれた状況からして事業者（その者の活動内容などを考慮して客観的に差止請求の対象になることが考えられない者は除く。）と混同されるものであってはならない（ガイドライン2(3)ア。令和2年4月1日から適用開始）。

　なお、適格消費者団体は、適格消費者団体である旨を、差止請求関係業務を行う事務所において見やすいように掲示しなければならず、また、適格消費者団体でない者は、その業務に関し、適格消費者団体であると誤認されるおそれのある表示をしてはならないこと等とされていることに留意する必要がある（法第16条第2項及び第3項）。

　また、申請内容（差止請求関係業務に関する業務計画書（法第14条第2項第3号）や業務規程の内容等）に整合するよう、必要な施設、物品等が整備されていなければならない（例えば、差止請求関係業務においてファクシミリ装置を用いて送受信しようとする場合には、当該装置の整備が必要である。）（ガイドライン2(3)ア）。

　　　(注)　また、例えば、複数の者を代表者とするなど、代表者や職員が「差止請求に係る相手方と特別の利害関係を有する場合」に該当するとしてその職務を行

296　第1編　逐条解説　第3章　差止請求

　　　えない場合であっても、差止請求関係業務を遂行できることが望ましい。

②　業務規程

　「業務規程が適切に整備されていること」を認定の要件としているのは、業務規程において定める事項は、当該申請者における差止請求関係業務の遂行に直接的な影響を及ぼすものであり、その内容を確定し、一定の水準に達したものとする必要があること、及び上記①の体制を整備するとともに、差止請求関係業務の実施の方法等に関する規定を明文化することにより業務の公正な実施の確保を図る必要があることによるものである。当該趣旨を踏まえ、業務規程においては、「役員及び専門委員の選任及び解任その他差止請求関係業務に係る組織、運営その他の体制に関する事項」（規則第6条第3号）が上記の体制の整備の実質を担保する内容で規定されているほか、差止請求関係業務の実施の方法その他の必要な事項（同条各号）が漏れなく、かつ、適切な内容で具体的に規定されている必要がある（業務規程に定める具体的な事項については、第4項の解説を参照）（ガイドライン2(3)イ）。

(4)　理事及び理事会（第4号）

①　第4号イ関係

　まず、本号イでは、差止請求関係業務の執行を決定する機関として理事をもって構成する理事会が置かれていることを必要としているが、これは、本制度における差止請求権の行使は事案の性質に応じ迅速かつ臨機応変になされる必要があり、機動的な機関である理事会において決定される必要性が高いこと、多種多様（事業者との関係等）・多数であり、かつ、構成も随時に、かつ容易に変わり得る構成員からなる社員総会等については、例えばその構成割合の適正・公正さを規律しようにも実態上監督困難であり、そうした社員総会等の多数決に当該業務の執行決定を委ねるのは適当でないこと、業務執行決定機関にも一定の専門性が必要（弁護士等が含まれていること等）であるところ（本項第5号の「その他…の人的体制」）、そうした規律を保つためにも理事会が適当であること等を踏まえたものである。

　定款で定める理事会の決定の方法については、(1)として、当該理事会の決議が理事の過半数又はこれを上回る割合以上の多数決により行われるも

のとされていること、(2)として、差止請求関係業務の執行に係る重要な事項の決定が理事その他の者に委任されていないことを必要としている。

　ここで、(1)に規定する「理事の過半数」とは、理事総数の過半数をいい、(2)に規定する「差止請求関係業務の執行に係る重要な事項の決定」とは、不特定かつ多数の消費者の利益のために差止請求権を行使する業務の執行に係る事項の決定のうち、法第23条第4項各号に規定する行為（規則第17条第15号に規定する行為を除き、かつ、適格消費者団体が行うものに限る。）を差止請求に係る相手方又は裁判所等に対し行うかどうかの決定をいい、消費者被害情報収集業務及び差止請求情報収集提供業務の執行に係る事項の決定を含まない。

　また、「理事その他の者に委任されていないこと」については、特定の理事に委任する場合のほか、いわゆる常任理事会など一部の理事によって構成される機関又は部門その他の組織に委任する場合であっても「委任」に該当する（ガイドライン2(4)ア）。

② 第4号ロ関係

　理事の構成については、特定の事業者の関係者又は同一の業種に属する事業を行う事業者の関係者による不当な影響を排除する観点から、(1)として、理事の数のうちに占める特定の事業者（当該事業者との間に発行済株式の総数の2分の1以上の株式の数を保有する関係その他の内閣府令で定める特別の関係のある者を含む。）の数の割合が3分の1を超えていること、(2)として、理事の数のうちに占める同一の業種（内閣府令で定める事業の区分をいう。）に属する事業を行う事業者の関係者の数の割合が2分の1を超えていること、のいずれかに該当するものでないこととしている。

　各理事が、ある法人の役職員であるとともに別の法人の役職員を兼職している場合など、当該各理事の関係する事業者（規則第8条第3項第4号）が複数ある場合には、その全ての事業者が、本項第4号ロに掲げる要件の判定の対象になる。

　また、各理事の関係する事業者が2以上の業種に属する事業を行っている場合には、主要な事業が属する業種及び各理事が担当する事業が属する業種が同号ロ(2)の「同一の業種」であるかどうかの判定の対象になるが、主要な事業が属する業種とは、過去1年間の収入額又は販売額に照らして

298 第1編 逐条解説 第3章 差止請求

主要なものと認められる第1順位及び第2順位の業種（第2順位の業種に係る収入額又は販売額が当該事業者の総収入額又は総販売額のうちに占める割合が10分の2以下である場合には、第1順位の業種）とする（ガイドライン2⑷イ）。

なお、本項第2号に掲げる要件に適合する者は、⑴又は⑵に規定する事業者に該当しないものとみなすこととしている（第4号ロ後段）。この要件に適合する者については、その目的、活動実績が当該要件に適合する消費者団体（法人格を有すると否とを問わない。）や、地方公共団体（その職員等のうち、消費生活相談に応ずる業務を主たる業務とする組織として条例、規則等に基づき地方公共団体に置かれる消費生活センターその他の組織に置かれる消費生活相談員のみが申請者の理事となっている場合における当該地方公共団体）が該当する（ガイドライン2⑷イ）。

ア 「特定の事業者」（第4号ロ⑴）

　i 当該事業者との間に発行済株式の総数の2分の1以上の株式の数を保有する関係その他の内閣府令で定める特別の関係のある者を含むこととしている。内閣府令で定める特別の関係は、次に掲げる関係としている（規則第2条第1項）。

　(a) 2の事業者のいずれか一方の事業者が他方の事業者の発行済株式又は出資（その有する自己の株式又は出資を除く。以下「発行済株式等」という。）の総数（出資にあっては、総額。以下同じ。）の2分の1以上の株式（出資を含む。以下同じ。）の数（出資にあっては金額。以下同じ。）を直接又は間接に保有する関係

　(b) 2の事業者が同一の者によってそれぞれの事業者の発行済株式等の総数の2分の1以上の株式の数を直接又は間接に保有される関係がある場合における当該2の事業者の関係（(a)に掲げる関係に該当するものを除く。）

　ii これらの場合において、一方の事業者が他方の事業者の発行済株式等の総数の2分の1以上の株式の数を直接又は間接に保有するかどうかの判定は、当該一方の事業者の他方の事業者に係る直接保有の株式の保有割合（当該一方の事業者の有する当該他方の事業者の株式の数が当該他方の事業者の発行済株式等の総数のうちに占める割合をい

う。）と当該一方の事業者の当該他方の事業者に係る間接保有の株式の保有割合（次の(a)及び(b)に掲げる場合の区分に応じ定める割合（次に掲げる場合のいずれにも該当する場合には、それぞれに定める割合の合計割合）をいう。）とを合計した割合により行うものとしている（規則第2条第2項）。また、これは、上記ⅰ(b)の関係の判定について準用されている（同条第3項）。

(a) 当該他方の事業者の株主等（株主又は合名会社、合資会社若しくは合同会社の社員その他法人の出資者をいう。以下同じ。）である法人の発行済株式等の総数の2分の1以上の株式の数が当該一方の事業者により所有されている場合　当該株主等である法人の有する当該他方の事業者の株式の数が当該他方の事業者の発行済株式等の総数のうちに占める割合（当該株主等である法人が2以上ある場合には、当該2以上の株主等である法人につきそれぞれ計算した割合の合計割合）

　　例えば、「一方の事業者」がA、「他方の事業者」がB、「他方の事業者の株主等である法人」がCであるとして、AがCの発行済株式等の総数の2分の1を所有し、CがBの発行済株式等の総数の3分の2を所有している場合、AはBの発行済株式等の3分の2を間接保有していることになる。

(b) 当該他方の事業者の株主等である法人（(a)に掲げる場合に該当する株主等である法人を除く。）と当該一方の事業者との間にこれらの者と発行済株式等の所有を通じて連鎖関係にある1又は2以上の法人（以下「出資関連法人」という。）が介在している場合（出資関連法人及び当該株主等である法人がそれぞれその発行済株式等の総数の2分の1以上の株式の数を当該一方の事業者又は出資関連法人（その発行済株式等の総数の2分の1以上の株式の数が当該一方の事業者又は他の出資関連法人によって所有されているものに限る。）によって所有されている場合に限る。）　当該株主等である法人の有する当該他方の事業者の株式の数が当該他方の事業者の発行済株式等の総数のうちに占める割合（当該株主等である法人が2以上ある場合には、当該2以上の株主等である法人につきそれぞれ計算した割

合の合計割合）

　例えば、「一方の事業者」がA、「他方の事業者」がB、「他方の事業者の株主等である法人」がC、「出資関連法人」がDであるとして、AがDの発行済株式等の総数の2分の1を所有し、DがCの発行済株式等の総数の発行済株式の総数の2分の1を所有し、CがBの発行済株式等の総数の3分の2を所有している場合、AはBの発行済株式等の3分の2を間接保有していることになる。

イ　「特定の事業者の関係者」（第4号ロ(1)）

当該事業者及びその役員又は職員である者その他の内閣府令で定める者をいうものとしている。内閣府令で定める者は、次に掲げる者としている（規則第2条第4項）。

　ⅰ　当該事業者及びその役員又は職員である者
　ⅱ　過去2年間にⅰに掲げる者であった者

ウ　「当該者の責めに帰することのできない事由」（規則第2条第5項）

なお、本項第4号ロ(1)に掲げる要件の判定に当たっては、当該者の責めに帰することのできない事由により当該要件を満たさない場合において、その後遅滞なく当該要件を満たしていると認められるときは、当該要件を継続して満たしているものとみなすこととしている（規則第2条第5項）。ここで規定する「責めに帰することのできない事由」とは、真に予測不可能な事態が生じたことにより本項第4号ロ(1)又は(2)の要件に反することとなった場合をいい、例えば、理事が急に死亡したことにより同号ロ(1)又は(2)の要件に反することになった場合などが該当する（ガイドライン2(4)ウ）。

エ　「理事の数のうちに占める同一の業種（内閣府令で定める事業の区分をいう。）」（第4号ロ(2)）

内閣府令で定める事業の区分は、原則的には、統計法第28条の規定に基づき、産業に関する分類を定める件（平成25年総務省告示第405号）に定める日本標準産業分類に掲げる中分類により分類するものとするが、「中分類72－専門サービス業（他に分類されないもの）」に属する事業にあっては、「法律事務所及び司法書士事務所」とそれ以外の専門サービス業とに分けて分類するものとする（規則第3条第1項）。

(5) 専門的な知識経験（第5号）

差止請求関係業務の適正化を図る観点から、適格消費者団体として、専門的な知識経験を有することが必要としている。

① 「差止請求関係業務を遂行するための人的体制に照らして、差止請求関係業務を適正に遂行することができる専門的な知識経験を有すると認められること」

「差止請求関係業務を適正に遂行することができる専門的な知識経験を有する」場合とは、差止請求関係業務（差止請求権を行使する業務、消費者被害情報収集業務、差止請求情報収集提供業務）を法の規定に適合して行うことができる知識経験をいい、個々の役員、職員又は専門委員等についてではなく、一つの団体としての申請者につき、差止請求関係業務を遂行するための人的体制に照らして、専門的な知識経験を有すると認められることが必要である。なお、専門的な知識経験は、差止請求関係業務を適正に遂行することができるものでなければならないことから、例えば、専門委員が、消費生活相談に応じる業務に従事する者、弁護士や司法書士等として遵守すべき規範を逸脱して業務を行っているような場合は、当該専門委員が置かれていることは、専門的な知識経験を有するか否かの判断に当たって、考慮に入れないものとする。

「人的体制」については、検討部門が同号に明記されている要件に適合するほか、

ア　検討部門以外の差止請求関係業務の実施に係る各組織（機関又は部門その他の組織）においても、当該各組織が分担する業務の適正な遂行に必要な専門的な知識経験を有する者が適切に配置されていること（具体的には、(i)消費者被害情報収集業務及び差止請求情報収集提供業務に携わる人員として、消費生活相談やいわゆる110番活動など類似の業務に一定期間以上携わった経験を有する者や消費者団体訴訟制度に精通した者が、(ii)理事会及び理事、監事及び職員には、消費者団体訴訟制度に精通した者が、業務の規模・内容等に応じ必要な数だけ置かれていること）、

イ　業務内容が専門的な見地から一定水準に保たれるよう、処理要領・マニュアルが作成されているか否か、役員、職員及び専門委員に対する研修体制が整備されているか否か

302 第1編 逐条解説 第3章 差止請求

等を総合的に考慮して判断する（ガイドライン2(5)ア）。

② 検討部門

差止請求の要否及びその内容についての検討を行う部門においては、第5号イに掲げる者（消費生活の専門家）及び同号ロに掲げる者（法律の専門家）がそれぞれ業務の規模・内容等に応じ必要な数だけ置かれている必要があるが、当該専門委員が随時検討に参画することが確保されていれば足り、申請者に雇用されているなど常駐していることまで要するものではない（ガイドライン2(5)ア）。

ア 消費生活の専門家

「消費生活に関する事項について専門的な知識経験を有する者」としては、

i 消費者安全法（平成21年法律第50号）第10条の3第1項の消費生活相談員資格試験に合格し、かつ、同条第2項に規定する消費生活相談に応ずる業務に従事した期間が通算して1年以上の者（規則第4条第1号）

ii 独立行政法人国民生活センターが付与する消費生活専門相談員、一般財団法人日本産業協会が付与する消費生活アドバイザー又は一般財団法人日本消費者協会が付与する消費生活コンサルタントのいずれかの資格を有する者であって、消費生活相談業務に1年以上従事した経験がある者（具体的には、独立行政法人国民生活センター若しくは地方公共団体の消費生活センター等又は適格消費者団体その他の継続的に消費生活相談を行っている団体において、消費生活相談に応ずる業務に従事した期間が通算して1年以上の者をいう。）（規則第4条第2号）、

iii i及びiiの条件と同等以上と内閣総理大臣が認めたもの（例えば、消費者団体において、事務職員としての勤務が相当期間に及ぶ者や、消費者向けパンフレットや商品説明書等の作成に携わるなど消費生活相談以外の消費者の利益の擁護に関する活動に従事し、消費生活に関する事項について専門的な知識経験を十分有していると認められる者が該当する。）（規則第4条第3号、ガイドライン2(5)イ）

が該当する。

イ　法律の専門家

「法律に関する専門的な知識経験を有する者」としては、

i　弁護士（規則第5条第1号）

ii　司法書士（規則第5条第2号）

iii　大学の学部、専攻科又は大学院において民事法学その他の差止請求の要否及びその内容についての検討に関する科目を担当する教授、准教授、助教又は講師（非常勤の者を除く。）の職にある者（規則第5条第3号）

iv　iからiiiまでに掲げる条件と同等以上と内閣総理大臣が認めたもの（例えば、裁判官又は検察官であった者等が該当する。）（規則第5条第4号、ガイドライン2(5)ウ）

が該当する。

(6)　「差止請求関係業務を適正に遂行するに足りる経理的基礎を有すること。」（第6号）

「経理的基礎」とは、適格消費者団体が差止請求関係業務を安定的かつ継続的に行うに足りる財政基盤を有していることをいい、一定額以上の基本財産を自ら保有している場合に限られるものではないが、当該団体の規模、想定している差止請求訴訟の件数など差止請求関係業務の内容、継続的なボランティアの参画状況、差止請求関係業務による支出が当該業務に係る収入を大きく上回ると見込まれる場合における差止請求関係業務以外の業務による収入による補填の見込み、関連する法人や個人が当該団体に対して補填又は寄附を約している状況、オンラインの利用や他の適格消費者団体との連携体制の構築による効率的な業務運営の見込み等を総合的に考慮し、差止請求関係業務の安定性及び継続性を確保する限度における経理面での基礎が確立しているか否かを判断する。既に債務超過状態に陥っている場合は、債務超過の額、債務の支払期限、債務超過状態に陥った原因、債務超過状態を解消する見込み等も踏まえて、適格消費者団体が差止請求関係業務を安定的かつ継続的に行うに足りる財政基盤を有しているか否かを判断するものとする。債務超過状態に陥ることが確実に予見される場合も、同様とする（ガイドライン2(6)ア）。

304　第1編　逐条解説　第3章　差止請求

(7)　「差止請求関係業務以外の業務を行う場合には、その業務を行うことによって差止請求関係業務の適正な遂行に支障を及ぼすおそれがないこと。」(第7号)

　本号は、適格消費者団体が物品販売や講演会の実施などの差止請求関係業務以外の業務（被害回復関係業務も含む。以下この (7) において同じ。）を行うことを認めないというのではなく、認定を受けた後、例えば専らそれらの差止請求関係業務以外の業務を行うばかりで差止請求関係業務を行わないようなことになれば、当該団体を認定した意味がないだけでなく制度の信頼性も維持できないことから、差止請求関係業務以外の業務を行うとしても、差止請求関係業務の適正な遂行に支障を及ぼすおそれがないことを認定の要件とするものである。

　「支障を及ぼすおそれ」とは、適格消費者団体が差止請求関係業務以外の業務に人員や経費の配分を集中したり、社会的に妥当でない業務を行って社会的信頼性を失うなどのことにより、適正な差止請求関係業務の遂行をすることができなくなるおそれがある場合をいい、当該適格消費者団体が遂行しようとしている差止請求関係業務及び差止請求関係業務以外の業務の内容、場所及び回数その他の実施態様、それぞれの業務に必要な人員及び支出額等を総合的に考慮して、上記のような弊害が生ずるおそれがあると客観的に認められるか否かを判断する。

　また、差止請求関係業務以外の業務の社会的妥当性については、次のような点に留意して審査することとする（なお、本号の規定が適格消費者団体の認定の段階で「支障を及ぼすおそれ」の有無を抽象的に判断するのに対し、法第29条第1項の規定は、認定後の実際の活動状況に照らし現に支障が生じているか否かを具体的に判断するものである。）（ガイドライン 2(7)ア）。

①　当該業務の内容が法令に抵触するものではないこと。
②　適格消費者団体の経理的基礎に悪影響を及ぼす投機的なものではないこと。
③　暴力団等反社会的勢力が関与しやすいものではないこと。
④　適格消費者団体としての社会的信用を損なうものではないこと。

Ⅲ　第4項

１　趣旨

本項は、業務規程の記載事項について定めるものである。

業務規程は、申請者が差止請求関係業務を遂行するための規律について定めたものであり、これを閲読すれば当該申請者の差止請求関係業務の全体像がわかるように、差止請求関係業務の実施方法等について具体的に規定されていることが必要である。

２　条文の解釈

(1)　「差止請求関係業務の実施の方法、差止請求関係業務に関して知り得た情報の管理及び秘密の保持の方法その他の内閣府令で定める事項」

規則第6条において、以下のとおり詳細に規定するとともに、ガイドラインにおいてその内容を明らかにしている（ガイドライン2(8)）。

①　差止請求関係業務の実施の方法に関する事項として次に掲げる事項（規則第6条第1号）

ア　不特定かつ多数の消費者の利益のために差止請求権を行使する業務の実施の方法に関する事項（同号イ）

「不特定かつ多数の消費者の利益のために差止請求権を行使する業務の実施の方法に関する事項」とは、消費者の被害に関する情報を分析して差止請求の要否及びその内容について検討を行い、差止請求権の行使について決定をする方法などに関する事項が該当する。

イ　消費者被害情報収集業務の実施の方法に関する事項（同号ロ）

「消費者の被害に関する情報の収集に係る業務の実施の方法に関する事項」とは、例えば、消費者契約の条項の開示要請（法第12条の3）及び損害賠償の額を予定する条項等に関する説明の要請等（法第12条の4）の要否について検討を行い、これらの要請を行うことを決定する方法、一般消費者からの情報の収集の方法（消費生活相談やいわゆる110番活動などの具体的な実施の方法）や、当該適格消費者

団体の会員からの情報の収集の方法、他の適格消費者団体との情報交換に関する方法に関する事項などが該当する。

ウ　差止請求情報収集提供業務の実施の方法に関する事項（同号ハ）

「差止請求権の行使の結果に関する情報の収集及び提供に係る業務の実施の方法に関する事項」とは、差止請求に係る講じた措置の開示要請（法第12条の5）を行う方法及び差止請求権の行使の結果に関する情報を提供する基準と方法に関する事項をいう。前者については、差止請求に係る相手方の対応等を踏まえ、差止請求に係る講じた措置の開示要請の要否について検討を行い、開示要請を行うことを決定する方法などに関する事項が該当する。後者については、法第39条第1項の規定により消費者庁長官が公表する対象以外のものに係る情報提供の扱いを含めて、情報提供に係る基準及び方法（例えば、ある事案における差止請求権の行使の状況に関し、収集された情報の数、内容、相手方等の対応状況、主な証拠関係等を斟酌した一定の合理的な基準に基づき、一定の時点で一定の内容をホームページ上の掲載事項とすること）などが該当する。

エ　検討部門における専門委員からの助言又は意見の聴取に関する措置等に関する事項（同号ニ）

規則第6条第1号ニに規定する「特別の利害関係を有する場合」とは、例えば、役員等（役員、職員及び専門委員をいう。以下このエにおいて同じ。）が現在及び過去2年の間に差止請求に係る相手方である事業者等の役員又は職員である場合や当該事業者等と取引関係を有している場合などが該当し、特別の利害関係を有する場合の「措置」とは、例えば、当該役員等の理事会等その他の機関又は部門における議決権の停止や助言又は意見の聴取の停止に係る措置などが該当する。

規則第6条第1号ニに規定する「業務の公正な実施の確保に関する措置」には、理事が事業の内容や市場の地域性等を勘案して差止請求に係る相手方である事業者と実質的に競合関係にあると認められる事業を営み又はこれに従事するものである場合、適格消費者団体が差止請求権の行使に関し理事との間で当該行使に係る相当な実

第2節　適格消費者団体　第1款　適格消費者団体の認定等（第13条〜第22条）**第13条**　307

　　　費を超える支出を伴う取引をする場合その他の理事の兼職の状況が
　　　適格消費者団体による差止請求権の行使の適正に影響を及ぼし得る
　　　場合における上記の特別の利害関係を有する場合の措置に準じた措
　　　置が該当する。
　　オ　適格消費者団体であることを疎明する方法に関する事項（同号ホ）
　　　　適格消費者団体の認定を受けていない者が適格消費者団体になり
　　　すまして差止請求関係業務に類似した行為をした場合の弊害が著し
　　　いことに鑑み、適格消費者団体が差止請求関係業務を行うに際し、
　　　適格消費者団体であることを疎明する方法を業務規程において定め
　　　るべき事項としたものであり、その方法としては、例えば、差止請
　　　求関係業務を行うに際し、相手方である事業者等からの請求があっ
　　　た場合には、内閣総理大臣が適格消費者団体の認定をした旨を通知
　　　する書面（法第16条第1項）の写しを提示することなどが該当する。
　② **適格消費者団体相互の連携協力に関する事項（規則第6条第2号）**
　　例えば、消費者の被害に関する情報の共有や差止請求権の行使の状況に
　関する意見の交換等に関する基準及び方法に関する事項が該当し、法第23
　条第4項の通知及び報告の方法に関する事項（具体的には、規則第13条に規
　定する書面によってするか、規則第15条に規定する電磁的方法を利用する措置に
　よってするか）並びに規則第17条第15号に規定する行為に係る通知及び報
　告の方針に関する事項（具体的には、どのような行為について通知及び報告の
　対象とするか）が含まれていなければならない。
　③ **差止請求関係業務に係る組織、運営その他の体制に関する事項（規則第6
　　条第3号）**
　　ア　具体的な機関又は部門その他の組織の設置及びこれらの組織に係
　　　る人員の配置の方針に関する事項、
　　イ　これらの組織の事務分掌、権限及び責任並びに事務の遂行に従事
　　　する者に関する事項（役員や専門委員等の選任・解任の基準及び方法、
　　　任期及び再任についてなど）
　等が記載されていなければならない。
　④ **情報の管理及び秘密の保持の方法に関する事項（規則第6条第4号）**
　　当該管理及び方法によれば、差止請求関係業務に関して知り得た情報が

適切に管理され、また、秘密が適切に保持される蓋然性が客観的に認められる具体的な事項をいい、例えば、当該情報及び秘密が記載されている文書等の管理及び保存の方法、責任者の設置、当該文書等の盗難防止策、当該文書等へのアクセス制御（情報を取り扱うことのできる者の範囲の特定等）、啓発・研修の実施、服務規定の整備等、情報の管理及び秘密の安全管理のための組織的、物理的、技術的な措置に関する事項が該当する。

なお、上記の事項に関しては、法第24条に規定する消費者の被害に関する情報の取扱いとの関係で、消費者から収集した消費者の被害に関する情報をその相手方その他の第三者が当該被害に係る消費者を識別することができる方法で利用する場合において、当該消費者から同意を得る方法を規定し（その際、当該情報の利用方法に関し、将来、訴訟等で利用される可能性があることや、適格消費者団体相互の連携協力を促進する観点から、他の適格消費者団体に提供することがあり得ること等について情報提供者である消費者に説明した上、包括的に同意を得ることも差し支えない。）、また、法第25条に規定する秘密保持義務との関係で、適格消費者団体の役員、職員又は専門委員との間で、在職中及び退職後も差止請求関係業務に関して知り得た秘密を保持する旨の契約を締結するなどの措置を講ずることが望ましい。

⑤　帳簿書類の管理に関する事項（規則第6条第5号）

帳簿書類の作成及び保存に関し、その方法及び責任者の設置に関する事項をいう。

⑥　法第31条第2項各号に掲げる書類の備置き及び閲覧等の方法に関する事項（規則第6条第6号）

当該書類を備え置く場所及び方法並びに閲覧等の請求の方法及び費用に関する事項をいう。

⑦　その他差止請求関係業務の実施に関し必要な事項（規則第6条第7号）

Ⅳ　第5項

1　趣旨

暴力団をはじめとする反社会的存在等を排除する必要があることから、

第2節　適格消費者団体　第1款　適格消費者団体の認定等（第13条〜第22条）**第13条**　309

本項では、欠格事由として所要の規定を整備することとしている。認定の申請者が、認定の適格要件（本条第3項各号）の全てに適合している場合であっても、本項各号に掲げる欠格事由のいずれかに該当する場合には、認定を受けることができない。

　なお、消費者裁判手続特例法第92条第2項は、被害回復裁判手続において、特定適格消費者団体がその相手方と通謀して請求の放棄又は対象消費者等の利益を害する内容の和解をしたときその他対象消費者等の利益に著しく反する訴訟その他の手続の追行を行った場合などに、内閣総理大臣が、特定認定又は適格消費者団体の認定を取り消すことができることを定めている。これは、当該（特定）適格消費者団体は、消費者の利益を代表して被害回復関係業務を担うのにふさわしくないだけでなく、差止請求関係業務を担う主体としてもふさわしくないと認められるからである。さらに、そのような団体が適格消費者団体の認定を取り消された後、短期間のうちに適格消費者団体の認定を受けられるとすれば、制度の信頼性の確保の観点から相当でない。それゆえ、消費者裁判手続特例法第92条第2項の規定により適格消費者団体の認定を取り消され3年を経過しない場合についても、適格消費者団体の認定の欠格事由とすることにし、規定することとした（第2号関係）。

　また、（特定）適格消費者団体及びその役員が、同法の規定又はその規定に基づく処分に違反して罰金の刑に処せられた場合にも本法の規定又はその規定に基づく処分に違反して罰金の刑に処せられた場合と同様に、適格消費者団体の認定の欠格事由とすることとした（第1号、第6号イ、ロ関係）。

2　条文の解釈

(1)　罰金刑に処せられたこと等に関する欠格事由（第1号）

　第1号では、この法律、消費者裁判手続特例法その他消費者の利益の擁護に関する法律の規定等に違反して罰金の刑に処せられ、その刑の執行を終わり、又はその刑の執行を受けることがなくなった日から3年を経過しない法人を欠格事由として規定している。

　「消費者の利益の擁護に関する法律で政令で定めるもの」は、特定商取引法などの法律とされている（施行令第1条各号参照）。

310　第1編　逐条解説　第3章　差止請求

(2)　適格消費者団体の認定の取消しに関する欠格事由（第2号）

　第2号では、法第34条第1項各号若しくは消費者裁判手続特例法第92条第2項各号に掲げる事由により適格消費者団体の認定を取り消され、又は法第34条第3項の規定により同条第1項第4号に掲げる事由があった旨の認定がされ、その取消し又は認定の日から3年を経過しない法人であることを欠格事由として規定している。

　適格消費者団体の認定の取消しは、当該法人が差止請求権を付与するにふさわしくないと判断される事由があることに基づくものであり、そのような法人が認定の取消し後すぐに再び認定を受けられるとすることは差止請求関係業務の適正な運営及び認定制度に対する信頼の確保の観点から適当でないため、再び認定を取得しようとしても、認定の取消しの日から一定期間を経過するまでは認めないこととしたものである。また、法第34条第3項の規定により同条第1項第4号に掲げる取消事由があった旨の認定は、既に認定が取り消され又は失効した適格消費者団体につき、その後に発覚した当該取消事由の存在を認定するものであるから、認定の失効後の当該取消事由の認定についてはこれを認定の取消しと同視することができ、また、認定の取消し後の当該取消事由の認定については、これを基準とする場合には当初の認定の取消しよりも3年の経過期間の起算点が遅れることになるが、制度の運用の適正性・信頼性の確保及び基準の明確性の観点から、一律に当該取消事由の認定の日を経過期間の起算点とすることとしたものである。

(3)　暴力団員等に関する欠格事由（第3号及び第4号）

　第3号及び第4号は、反社会的勢力の介入を許さない観点から、暴力団員等を排除するための規定である。

　本項第3号に規定する「支配する」とは、議決権を背景として当該団体の業務に重大な影響力を及ぼしている場合のみならず、融資（間接融資を含む。）、人材派遣、取引関係等を通じて当該団体の業務に重大な影響力を及ぼしていると認められる場合を含み、実質的に判断する（ガイドライン2(9)）。

第2節　適格消費者団体　第1款　適格消費者団体の認定等（第13条〜第22条）**第13条**　311

(4)　政治団体に関する欠格事由（第5号）

　第5号は、本制度が政治的に利用されることを防ぐ観点から、政治資金規正法第3条第1項に規定する政治団体を排除するための規定である。

(5)　役員に関する欠格事由（第6号）

　第6号は、適格消費者団体による差止請求関係業務に従事することとなる役員が一定の事由に該当する場合に、適格消費者団体の欠格事由を定めるものであり、上記の第1号から第4号までと同じ趣旨に基づくものである。

　本号イの「消費者の利益の擁護に関する法律で政令で定めるもの」は、特定商取引法など施行令第1条で定める法律のほか、無限連鎖講の防止に関する法律（昭和53年法律第101号）(注)である（施行令第2条）。

　　　（注）　無限連鎖講の防止に関する法律については、法人が処罰されることがないと解されることから、施行令第2条において役員に関する欠格事由としてのみ規定されている。

312　第1編　逐条解説　第3章　差止請求

第14条（認定の申請）

（認定の申請）
第14条　前条第2項の申請は、次に掲げる事項を記載した申請書を内閣総理大臣に提出してしなければならない。
一　名称及び住所並びに代表者の氏名
二　差止請求関係業務を行おうとする事務所の所在地
三　前2号に掲げるもののほか、内閣府令で定める事項
2　前項の申請書には、次に掲げる書類を添付しなければならない。
一　定款
二　不特定かつ多数の消費者の利益の擁護を図るための活動を相当期間にわたり継続して適正に行っていることを証する書類
三　差止請求関係業務に関する業務計画書
四　差止請求関係業務を適正に遂行するための体制が整備されていることを証する書類
五　業務規程
六　役員、職員及び専門委員に関する次に掲げる書類
　イ　氏名、役職及び職業を記載した書類
　ロ　住所、略歴その他内閣府令で定める事項を記載した書類
七　前条第3項第1号の法人の社員について、その数及び個人又は法人その他の団体の別（社員が法人その他の団体である場合にあっては、その構成員の数を含む。）を記載した書類
八　最近の事業年度における財産目録、貸借対照表又は次のイ若しくはロに掲げる法人の区分に応じ、当該イ若しくはロに定める書類（第31条第1項において「財産目録等」という。）その他の経理的基礎を有することを証する書類
　イ　特定非営利活動促進法第2条第2項に規定する特定非営利活動法人　同法第27条第3号に規定する活動計算書
　ロ　一般社団法人又は一般財団法人　一般社団法人及び一般財団法人に関する法律（平成18年法律第48号）第123条第2項（同法第199条に

おいて準用する場合を含む。）に規定する損益計算書（公益社団法人
及び公益財団法人の認定等に関する法律（平成18年法律第49号）第
５条に規定する公益認定を受けている場合にあっては、内閣府令で
定める書類）

九　前条第５項各号のいずれにも該当しないことを誓約する書面

十　差止請求関係業務以外の業務を行う場合には、その業務の種類及び
概要を記載した書類

十一　その他内閣府令で定める書類

1　趣旨

内閣総理大臣による適格消費者団体の認定は、その申請に基づき行うこ
ととしているが（法第13条第２項）、本条では、申請者が法定の要件（同条第
３項から第５項まで）に適合するものか否か判断するため、申請書及び添付
書類を提出しなければならない旨を定めるとともに申請書の記載事項につ
いて規定している。

2　条文の解釈

(1)　申請書（第１項）

本項では、適格消費者団体の認定の申請は、申請者の名称及び住所並び
に代表者の氏名（第１号）、認定の申請に係る差止請求関係業務を行おうと
する事務所（複数の事務所において差止請求関係業務を行おうとする場合は、
それぞれの事務所について）の所在地（第２号）のほか、内閣府令で定める事
項（第３号）を記載した申請書を提出してしなければならないこととして
いる。

内閣府令で定める事項としては、申請者の電話番号、電子メールアドレ
ス及びファクシミリの番号（差止請求関係業務においてファクシミリ装置を用
いて送受信しようとする場合に限る。規則第１条の３第２号参照。）並びに差止
請求関係業務を行おうとする事務所の電話番号、電子メールアドレス及び
ファクシミリの番号並びに行政手続における特定の個人を識別するための

314　第1編　逐条解説　第3章　差止請求

番号の利用等に関する法律（平成25年法律第27号）第2条第15項に規定する法人番号としている（規則第7条第1号から第3号まで）。これらについては公告の対象とはしないこととしている（法第15条第1項）。

(2)　添付書類（第2項）

①　定款（第1号）

　定款においては、当該申請者の目的に関し事業の内容を具体的に記載する（ガイドライン2(2)ア）とともに、法第13条第3項第4号イ(1)及び(2)に掲げる要件に適合する理事会の決定の方法や、差止請求関係業務を廃止した等の場合に積立金に残余があるときにその残余に相当する金額の帰属に関する事項（法第28条第6項）等を規定する必要がある。

②　不特定かつ多数の消費者の利益の擁護を図るための活動を相当期間にわたり継続して適正に行っていることを証する書類（第2号）

　具体的には、消費生活相談やいわゆる110番活動、消費生活に関する情報の分析及び評価、消費者啓発のための教材等の開発又は作成、消費者被害の救済結果に関する事例集又は出版物の作成、研修会・講演会・シンポジウム又はセミナーの実施、事業者に対する改善の申入れ、事業者の不当な行為に対する行政措置の発動の申入れ、消費生活に関する意見の表明又は政策提言等の、活動の概要を記載した書類とともに、当該書類の記載内容が真実であることを証する書類（例えば、代表者が当該書類の記載内容を確認し、真実であることを認めて署名又は記名押印した書面など）を提出しなければならない。

　また、申請者は、上記の活動実績の概要を記載した書類が真実であることを担保するために、裏付けとなる資料を、認定された日から6年間保存しなければならない（ガイドライン2(2)ウ）。

③　差止請求関係業務に関する業務計画書（第3号）

　具体的には、差止請求関係業務につき、できる限り定款に記載した事業の内容に対応して、事業内容の詳細並びに予定している回数、日時、場所、従業者数及び支出額等について具体的に記載しなければならない（ガイドライン2(2)ウ）。

④ **差止請求関係業務を適正に遂行するための体制が整備されていることを証する書類（第4号）**

申請者の組織運営体制を示す書類であり、例えば、

　　ア　差止請求関係業務を行う機関又は部門その他の組織が設置され、必要な人員が必要な数だけ配置されていることを示す組織図等にその記載内容が真実であることを証する書類（例えば、代表者がそれらの書類の記載内容を確認し、真実であることを認めて署名又は記名押印した書面など）を添付したもの、

　　イ　差止請求関係業務に係る事務処理を行うために必要な事務所その他の施設、IT機器その他の物品等が確保されていることを証する書類（賃貸借契約書又は使用許諾に係る契約書等の事務所の使用権限を明らかにする図書及び使用区域に関する図面等）、

　　ウ　業務規程及びこれに添付された関連する規程

等が該当する（ガイドライン2(3)ウ）。

⑤ **業務規程（第5号）**

記載事項の具体的な内容等については、法第13条第4項の解説を参照。

⑥ **役員、職員及び専門委員に関する次に掲げる書類（第6号）**

　　ア　氏名、役職及び職業を記載した書類

ここでいう「職業」とは、申請時における職業のことであり、勤務先（兼職先）、当該勤務先における役職等を具体的に記載するものとする。なお、理事については、法第13条第3項第4号ロ(1)の内閣府令で定める者に該当するものでないことを説明した書類として、過去2年間に特定の事業者及びその役員又は職員であった者に該当する場合における当該事業者の名称、主たる事務所の所在地及びその行う業務の内容等につき説明をした書類（規則第8条第3項第4号イ）の提出が別途必要となる。

　　イ　住所、略歴その他内閣府令で定める事項を記載した書類

「その他内閣府令で定める事項」とは、役員、職員及び専門委員の電話番号その他の連絡先であり（規則第8条第1項）、これを記載した書類については、個人情報又はプライバシー保護の観点から、公衆の縦覧に供しないこととしている（法第15条第1項）。

⑦　前条第3項1号の法人の社員について、その数及び個人又は法人その他の団体の別（社員が法人その他の団体である場合にあっては、その構成員の数を含む。）を記載した書類（第7号）

　構成員の数については、当該団体が差止請求関係業務を適正に遂行するための体制が整備されているか否かの判断に資するものであるとともに、消費者一般から信頼を得た存在であるか否かに関する指標とも位置付けられることから、これを記載した書類の提出を必要としている。また、個人又は法人その他の団体の別及び社員が法人その他の団体である場合にあっては、その構成員の数についても記載しなければならないこととしている。

　なお、一般財団法人については、構成員の概念がないため、本号の規定は適用されない。

⑧　最近の事業年度における財産目録、貸借対照表、法人の区分に応じて定める書類その他の経理的基礎を有することを証する書類（第8号）

　ア　認定の申請の日の属する事業年度の直前の事業年度における財産目録、貸借対照表、及び申請者の法人の区分に応じた以下の書類又はこれらに準ずるもの

　（ⅰ）　特定非営利活動法人　特定非営利活動促進法における活動計算書（同法第27条第3号）

　（ⅱ）　一般社団法人又は一般財団法人　一般社団法人及び一般財団法人に関する法律における損益計算書（同法第123条第2項。同法第199条において準用する場合を含む。）

　※　公益社団法人及び公益財団法人の認定等に関する法律の公益認定を受けている場合においては、一般社団法人及び一般財団法人に関する法律における損益計算書であって、公益社団法人及び公益財団法人の認定等に関する法律の公益認定を受けている者が作成したもの（規則第8条第2項）

　イ　認定後3年間における収支（会費、寄附金、差止請求関係業務以外の業務による収入、借入金等の収入及び役員又は専門委員の報酬、職員の賃金、弁護士報酬、事務所の賃料等の支出）の見込みとその算出根拠を具体的に記載した書類

が該当する。

第2節 適格消費者団体 第1款 適格消費者団体の認定等（第13条～第22条）**第14条** 317

　なお、イの収支見込み等は、差止請求関係業務に関する業務計画書（本条第2項第3号）並びに差止請求関係業務以外の業務を行う場合における、その業務の種類及び概要を記載した書類（同項第10号）と整合性が図られている必要がある（ガイドライン2(6)イ）。

　⑨　欠格事由（法第13条第5項各号）のいずれにも該当しないことを誓約する書面（第9号）

　⑩　差止請求関係業務以外の業務を行う場合には、その業務の種類及び概要を記載した書類（第10号）

　予定している業務の内容及び実施態様、業務に必要な人員及び支出額等をできる限り具体的に記載した書類が該当する。

　⑪　その他内閣府令で定める書類（第11号）

　以下のとおりであり、これらについては、個人情報又はプライバシー保護の観点から、公衆の縦覧に供しないこととしている（法第15条第1項）。

　ア　申請者の登記事項証明書（規則第8条第3項第1号）

　イ　差止請求関係業務を実施することとなる機関、部門その他の組織において当該組織が分掌することとなる事務に相当又は類似する活動をしていることを示す活動に係る議事録（規則第8条第3項第2号）

　ウ　役員及び専門委員の住所又は居所を証する次に掲げる書類であって、申請の日前6月以内に作成されたもの（規則第8条第3項第3号）

　　i　当該役員又は専門委員が住民基本台帳法の適用を受ける者である場合にあっては、同法第12条第1項に規定する住民票の写し又はこれに代わる書類

　　ii　当該役員又は専門委員が住民基本台帳法の適用を受けない者である場合にあっては、当該役員又は専門委員の住所又は居所を証する権限のある官公署が発給する文書（外国語で作成されている場合にあっては、翻訳者を明らかにした訳文を添付したもの）又はこれに代わる書類

　エ　理事の構成が法第13条第3項第4号ロ(1)又は(2)のいずれかに該当するものでないことを説明した次に掲げる事項の説明を含む書類（規則第8条第3項第4号）

318　第1編　逐条解説　第3章　差止請求

　　i　各理事が、事業者及びその役員若しくは職員である者又は過去
　　　2年間に事業者及びその役員若しくは職員であった者（過去の関
　　　係者）に該当するか否か並びに該当する場合における当該事業者
　　　（各理事の関係する事業者）の氏名又は名称、主たる事務所の所在
　　　地及びその行う事業の内容（規則第8条第3項第4号イ）
　　ii　各理事の関係する事業者の間の規則第2条第1項各号に掲げる
　　　特別の関係の有無及びその内容（規則第8条第3項第4号ロ）
　　iii　各理事の関係する事業者の行う事業が属する業種（当該事業者
　　　が2以上の業種に属する事業を行っている場合には、主要な事業が属
　　　する業種及び各理事が担当する事業が属する業種（各理事が過去の関
　　　係者に該当する場合にあっては、各理事が直近において担当していた
　　　事業で現に当該事業者が行っているものが属する業種））（規則第8条
　　　第3項第4号ハ）
　　iv　法第13条第3項第4号ロ後段の適用を受けようとする場合に
　　　あっては、その適用に係る各理事の関係する事業者が同項第2号
　　　に掲げる要件に適合する者であることを証する書類（規則第8条
　　　第3項第4号ニ）
　オ　専門委員が規則第4条及び第5条に定める要件に適合することを
　　証する書類（規則第8条第3項第5号）
　規則第4条第1号及び第2号に関する書類としては、例えば、これらの
号に掲げる資格を取得したことを証する書面の写し及び従事した消費生活
相談に応ずる業務の内容、勤務先及び期間について記載した勤務先の作成
に係る書面又は業務の内容等について具体的に記載し内容が真実であるこ
とを認めて署名又は記名押印した書面が該当し、規則第4条第3号に関す
る書面としては、例えば、消費生活相談に応ずる業務以外に消費者の利益
の擁護に関する業務に従事してきたことについて具体的に記載し内容が真
実であることを認めて署名又は記名押印した書面が該当する。規則第5条
第3号に関する書類としては、例えば、大学が作成する在職証明書等が該
当する（ガイドライン2(5)エ）。

第2節　適格消費者団体　第1款　適格消費者団体の認定等（第13条〜第22条）**第15条**　319

第15条（認定の申請に関する公告及び縦覧等）

> **（認定の申請に関する公告及び縦覧等）**
>
> **第15条**　内閣総理大臣は、前条の規定による認定の申請があった場合には、遅滞なく、内閣府令で定めるところにより、その旨並びに同条第1項第1号及び第2号に掲げる事項を公告するとともに、同条第2項各号（第6号ロ、第9号及び第11号を除く。）に掲げる書類を、公告の日から2週間、公衆の縦覧に供しなければならない。
>
> 2　内閣総理大臣は、第13条第1項の認定をしようとするときは、同条第3項第2号に規定する事由の有無について、経済産業大臣の意見を聴くものとする。
>
> 3　内閣総理大臣は、前条の規定による認定の申請をした者について第13条第5項第3号、第4号又は第6号ハに該当する疑いがあると認めるときは、警察庁長官の意見を聴くものとする。

I　第1項

⬛1　趣旨

　本法における差止請求権は、不特定かつ多数の消費者の利益の擁護のために、法律で適格消費者団体に特別に認めるものであり、内閣総理大臣は、適格性を有する団体を的確に認定する必要がある。また、申請者に関する情報をできる限り広く公開し、国民一般から信頼を得ることが必要である。このため、認定の申請があった場合には、一定の事項を公告するとともに、一定期間、申請書の添付書類を公衆の縦覧に供することとしている。

　なお本項の内閣総理大臣の権限については、法第48条の2において消費者庁長官に委任されている。

320 第1編 逐条解説 第3章 差止請求

2 条文の解釈

(1) 「内閣府令で定めるところにより」

　申請者の名称及び住所並びに代表者の氏名（法第14条第1項第1号）、差止請求関係業務を行おうとする事務所の所在地（同項第2号）のほか、公衆の縦覧に供すべき書類の縦覧の期間及び場所について、消費者庁の掲示板への掲示、インターネットを利用して公衆の閲覧に供する方法その他の方法により行うものとしている（規則第9条）。

(2) 公衆の縦覧の対象となる書類

　法第14条第2項各号に掲げる申請書の添付書類を公衆の縦覧の対象とするが、役員等の住所、略歴等を記載した書類（同項第6号ロ）、法第13条第5項各号のいずれにも該当しないことを誓約する書面（同項第9号）及びその他内閣府令で定める書類（同項第11号）については、個人情報又はプライバシーの保護の観点から、縦覧の対象とはしないこととしている。

　これらの書類を見た国民一般から、認定の要件（法第13条第3項各号）を満たすか、欠格事由（同条第5項各号）に該当する事由はないかといった見地はもとより、その他の規定（法第36条の政治利用の禁止等）に反する点はないかといった見地も含めて、書類の記載に虚偽があるとの指摘や適格性に欠けるのではないか等の意見や情報が提供された場合には、それも参考とし、また、必要に応じ適格消費者団体の認定の申請をした者から事情を聴取するなどしつつ、認定・不認定の判断をすることになる。なお、意見や情報の提出主体に特段の限定はなく、消費者や事業者一般のほか、学識経験者等の専門家からの提出も想定されるところである。

II 第2項

1 趣旨

　景品表示法及び特定商取引法上の不当行為に係る差止請求権を有することとなる適格消費者団体の認定の適正化を図る観点から、認定手続におい

第2節　適格消費者団体　第1款　適格消費者団体の認定等（第13条〜第22条）**第15条**　321

て、内閣総理大臣との連携に関する規定を設けることとする。

　すなわち、内閣総理大臣と他の行政機関との連携については、既に法第37条に規定があり、この規定を認定の適正化に活用することができるところであるが、内閣総理大臣からの「できる」規定にすぎないことから、知識・情報の収集を尽くして認定の適正化を図り、制度の信頼性を確保するため、特定商取引法に関し専門的知見を有する経済産業大臣から必要的に意見を聴くものとすることが適当と考えられる^(注)。

　なお、本項の内閣総理大臣の権限については、法第48条の2において消費者庁長官に委任されている。

　　（注）　消費者庁の設立に伴い、景品表示法は消費者庁に移管されたことから、景品
　　　　　表示法に関しては特段の規定をおいていない。

2　規定の内容

　消費者契約法上、適格消費者団体の認定は、申請者が法第13条第3項から第5項までに規定する要件に適合しているときに限り、内閣総理大臣がすることとしている。この要件のうち、「不特定かつ多数の消費者の利益の擁護を図るための活動を行うことを主たる目的とし、現にその活動を相当期間にわたり継続して適正に行っていると認められること。」（法第13条第3項第2号）については、特定商取引法上の不当行為の是正に関する活動など、特定商取引法に関連する活動が当該要件に適合するか否かについて、内閣総理大臣とは別の観点から経済産業大臣が適切に判断することができる要素が存在すると考えられることから、経済産業大臣の専門的知見^(注1)に基づく意見を聴取することが認定の適正化を図る観点から適当であり、内閣総理大臣は、適格消費者団体の認定をしようとするときは、同条第3項第2号に規定する事由の有無について、経済産業大臣の意見を聴くものとする^{(注2)(注3)}。

　　（注1）　消費者庁の設立に伴い、特定商取引法上の主務大臣について、内閣総理大
　　　　　臣（消費者庁長官）と経済産業大臣とが、並列的に規定されることとなった。
　　　　　内閣総理大臣（消費者庁長官）は消費者保護の観点から、経済産業大臣は、商
　　　　　取引一般の適正化の観点から、それぞれ企画立案や法の運用を行い、経済産業
　　　　　大臣には、商取引一般の適正化の観点に基づく内閣総理大臣（消費者庁長官）

322 第1編 逐条解説 第3章 差止請求

とは異なる専門的知見がなお残ることになる。経済産業大臣も、特定商取引法の解釈・適用に精通していることに加え、商取引一般の適正化の観点から、一義的には消費者保護を志向する適格消費者団体又はその認定を受けようとする申請者が、特定商取引法上のもう1つの要請たる取引の適正化との関係を考慮した消費者保護ができる主体か否かの判断をすることができ、これを認定の際に活用することができると考えられる。

（注2）　欠格事由のうち、法第13条第5項第1号及び第6号イにおいて、「消費者の利益の擁護に関する法律で政令で定めるもの」として特定商取引法が定められていることから（施行令第1条第23号）、それらの規定に該当する事由の有無についても経済産業大臣の意見を聴くことも考えられるが、欠格事由とされているのは、所定の法律等に違反して罰金刑に処せられるなどしたことであり、これは行政機関たる経済産業大臣が必ずしも把握するところではないから、その意見を聴くものとする必要はないと考えられる。

（注3）　同趣旨の規定として、本条第3項が規定されている。この規定では、内閣総理大臣は、認定の申請者について暴力団員等が事業活動を支配している等の欠格事由に該当する疑いがあると認めるときにおいて、警察庁長官の意見を聴くものとしている。これは、適格消費者団体の認定手続においては、申請事項の公告及び申請書類の縦覧をすることにより一般国民から情報提供がされ、その分認定のための基礎資料が充実・強化されるという制度設計がされていることに鑑み、疑いがあると認めるときに意見を聴くものとすることで必要にして十分と考えられたことに基づいている。

Ⅲ　第3項

1　趣旨等

本法、景品表示法、特定商取引法及び食品表示法においては、不特定かつ多数の消費者の利益を擁護するために、差止請求権を法律で新たに創設し、これを適格消費者団体に付与することとしている。

こうした権利については、その権利保有・行使主体が適切でない場合、企業恐喝等の手段として悪用されるおそれがあるため、所要の認定要件（法第13条第3項各号）及び欠格事由（同条第5項各号）を法定しているが、とりわけ暴力団等が何らかの形で本制度に関与等することは厳に排除する必要

第2節 適格消費者団体 第1款 適格消費者団体の認定等（第13条～第22条）**第15条** 323

がある。

このため、内閣総理大臣は、認定の申請をした者について、暴力団員の関与等の疑いがあると認められるときは、暴力団やその構成員、活動状況等についての情報を有する警察庁長官の意見を聴取するものとしている。

なお本項の内閣総理大臣の権限については、法第48条の2において消費者庁長官に委任されている。

324　第1編　逐条解説　第3章　差止請求

第16条（認定の公示等）

（認定の公示等）
第16条　内閣総理大臣は、第13条第1項の認定をしたときは、内閣府令で
定めるところにより、当該適格消費者団体の名称及び住所、差止請求関
係業務を行う事務所の所在地並びに当該認定をした日を公示するととも
に、当該適格消費者団体に対し、その旨を書面により通知するものとす
る。
2　適格消費者団体は、内閣府令で定めるところにより、適格消費者団体
である旨を、差止請求関係業務を行う事務所において見やすいように掲
示しなければならない。
3　適格消費者団体でない者は、その名称中に適格消費者団体であると誤
認されるおそれのある文字を用い、又はその業務に関し、適格消費者団
体であると誤認されるおそれのある表示をしてはならない。

○デジタル社会の形成を図るための規制改革を推進するためのデジタル社会
形成基本法等の一部を改正する法律（令和5年法律第63号）による改正後の規
定

（認定の公示等）
第16条　（同上）
2　適格消費者団体は、内閣府令で定めるところにより、適格消費者団体であ
る旨について、差止請求関係業務を行う事務所において見やすいように掲
示するとともに、電気通信回線に接続して行う自動公衆送信（公衆によって
直接受信されることを目的として公衆からの求めに応じ自動的に送信を行
うことをいい、放送又は有線放送に該当するものを除く。）により公衆の閲
覧に供しなければならない。
3　（同上）

第2節　適格消費者団体　第1款　適格消費者団体の認定等（第13条〜第22条）**第16条**　325

1　趣旨等

　本法における差止請求権は、現行法制上、直接被害を受けていない消費者や消費者団体に差止請求権が認められていない中で、不特定かつ多数の消費者利益の擁護のために事業者による不当な行為の差止めを求める強い権限を内閣総理大臣による認定を受けた適格消費者団体のみに付与するものであり、その適正な行使を確保する必要がある。

　その際には、適格消費者団体の認定を真に受けている団体には不断にその適格性を保持する責務が課せられているとともに、認定を受けていない者が適格消費者団体を装い、事業者に対し不当な請求をするような事態を厳に排除する必要がある。

　以上を踏まえ、内閣総理大臣が適格消費者団体の認定をしたときは、それを対外的に明らかにし、広く一般国民に周知させるため、内閣総理大臣は、適格消費者団体の名称及び住所、差止請求関係業務を行う事務所の所在地並びに当該認定をした日を官報に掲載することにより公示するとともに、後日の訴訟手続等の局面において自ら適格消費者団体であることを証明することを可能とするため、当該団体に対して認定を受けた旨を書面により通知することとしている（第1項）。なお、第1項の内閣総理大臣の権限については法48条の2において消費者庁長官に委任されている。

　また、適格消費者団体には、適格消費者団体である旨をその事務所を訪れた者が容易に視認できるような入口又は受付の付近の見やすい場所に掲示する義務を課するとともに（第2項）、適格消費者団体でない者がその名称中に適格消費者団体であると誤認されるおそれがある文字を用いること等を禁止することとしている（第3項）。

　　※　適格消費者団体である旨の掲示（第2項）については、デジタル社会の形成を図るための規制改革を推進するためのデジタル社会形成基本法等の一部を改正する法律により、掲示に加えて、電気通信回線に接続して行う自動公衆送信（公衆によって直接受信されることを目的として公衆からの求めに応じ自動的に送信を行うことをいい、放送又は有線放送に該当するものを除く。）により公衆の閲覧に供しなけれ

ばならないこととされる。

　なお、この改正の施行日は、同法の公布の日（令和5年6月16日）から起算して1年を超えない範囲内において政令で定める日とされている。

第2節　適格消費者団体　第1款　適格消費者団体の認定等（第13条〜第22条）**第17条**　327

第17条（認定の有効期間等）

> **（認定の有効期間等）**
> **第17条**　第13条第1項の認定の有効期間は、当該認定の日から起算して6年とする。
> 2　前項の有効期間の満了後引き続き差止請求関係業務を行おうとする適格消費者団体は、その有効期間の更新を受けなければならない。
> 3　前項の有効期間の更新を受けようとする適格消費者団体は、第1項の有効期間の満了の日の90日前から60日前までの間（以下この項において「更新申請期間」という。）に、内閣総理大臣に有効期間の更新の申請をしなければならない。ただし、災害その他やむを得ない事由により更新申請期間にその申請をすることができないときは、この限りでない。
> 4　前項の申請があった場合において、第1項の有効期間の満了の日までにその申請に対する処分がされないときは、従前の認定は、同項の有効期間の満了後もその処分がされるまでの間は、なお効力を有する。
> 5　前項の場合において、第2項の有効期間の更新がされたときは、その認定の有効期間は、従前の認定の有効期間の満了の日の翌日から起算するものとする。
> 6　第13条（第1項及び第5項第2号を除く。）、第14条、第15条及び前条第1項の規定は、第2項の有効期間の更新について準用する。ただし、第14条第2項各号に掲げる書類については、既に内閣総理大臣に提出されている当該書類の内容に変更がないときは、その添付を省略することができる。

1　趣旨

　本条は、法第13条第1項の認定について、制度の信頼性を確保する観点から、有効期間を設けるとともに、期間経過時に内閣総理大臣が改めて当初の認定申請時と同様の基準・方法で適格性を再審査する更新制を設けるものである。

328　第1編　逐条解説　第3章　差止請求

2　認定の有効期間と失効

認定の有効期間については、更新を受ける適格消費者団体の負担、訴えの提起から訴訟の終結までに要すると想定され得る期間等を勘案し、当該認定の日から起算して6年とし（第1項）、有効期間の満了後引き続き差止請求関係業務を行おうとする者は、認定の有効期間の更新を受けなければならず（第2項）、更新を受けない限り、当該有効期間の経過によって認定は失効する（法第22条第1号）こととしている。

3　更新の基準・手続・申請書類

更新の基準は当初の認定申請時と同様のものとするため、認定基準に関する法第13条を準用することとしているが、同条の規定のうち、第1項（差止請求関係業務を行おうとする適格消費者団体は、内閣総理大臣の認定を受けなければならないこと。）は、本条第2項と規定が重複するため準用しないこととし、法第13条第5項第2号（法第34条の規定により認定を取り消され、その取消しの日から3年を経過しない法人等であること）は、適格消費者団体の認定が取り消された以上、有効期間の更新がされる余地はないことから、更新の基準とする必要がないと考えられ、準用しないこととしている（第6項本文）。

なお、更新の基準のうち、法第17条第6項において準用される法第13条第3項第2号の「相当期間」については、当該更新がされる前の認定の有効期間の全ての期間とされている。また、法第17条第6項において準用される法第13条第3項第6号の経理的基礎に係る要件を満たしているか否かは、直近の認定又は有効期間の更新の申請の際にそれぞれ提出した収支の見込みや事業報告書に記載された翌事業年度の収支の見込み(注)と実際の収支との乖離の程度、その理由なども踏まえて判断する必要がある（ガイドライン3）。

更新の手続についても、基本的には当初の認定申請時と同様のものとするため、申請に関する法第14条、公告及び縦覧等に関する法第15条並びに公示等に関する法第16条第1項をそれぞれ準用することとしている（第6項本文）。なお、更新の手続のうち、更新の申請時期については、有効期間

第2節 適格消費者団体 第1款 適格消費者団体の認定等（第13条〜第22条）**第17条** 329

の満了までに更新又は更新拒否の決定をすることができる期間を確保する
観点から、有効期間満了の日の90日前から60日前までの間（更新申請期間）
に申請をしなければならないこととし（第3項本文）、災害その他やむを得
ない事由によるときを除き、更新申請期間後は申請をすることができない
ものとしている（同項ただし書）。

　更新に関する決定は有効期間の満了までになされるのが原則であるが、
事実関係の調査その他の事情により有効期間の満了までに決定がなされな
いこともあり得ないわけではないと想定されるので、その場合、従前の認
定の効力が継続することとして当該団体をめぐる法律関係の安定性を確保
することとしている（第4項）。この場合、従前の有効期間の満了後に更新
の決定がなされたとしても、そのことによって更新後の有効期間の満了時
がずれるのは適当でないから、その有効期間は従前の有効期間の満了の日
の翌日から起算することとしている（第5項）。

　更新手続に必要な申請書類のうち、申請書（第6項本文において準用する
法第14条第1項）に添付する書類についても、基本的には当初の認定申請時
と同様のものとするが（第6項本文において準用する法第14条第2項）、当該
添付書類の中には、変更の届出（法第18条）や内閣総理大臣への提出義務（法
第31条第5項）により既に提出されているものもあり、これらについて重ね
て提出しなければならないとするのは煩雑であることから、それらを除い
て提出すれば足りることとしている（第6項ただし書。どの書類の提出を省
略することができるかについては、以下の「法第14条第2項で規定する添付書類
と更新申請時の添付書類について」を参照）。

　　(注)　法第31条第1項に規定する事業報告書には、翌事業年度の収支（会費、寄附
　　　　金、差止請求関係業務以外の業務による収入、借入金等の収入及び役員又は専
　　　　門委員の報酬、職員の賃金、弁護士報酬、事務所の賃料等の支出）の見込みと
　　　　その算出根拠を具体的に記載しなければならないものとしている（ガイドラ
　　　　イン5(2)）。

330　第1編　逐条解説　第3章　差止請求

● 法第14条第2項で規定する添付書類と更新申請時の添付書類について

	法第14条第2項の添付書類	更新申請時の添付書類提出の是非
第1号	定款	変更の届出（法第18条）の対象であることから、既に提出されている書類の内容に変更がなければ更新申請時には省略可。
第2号	不特定かつ多数の消費者の利益の擁護を図るための活動を相当期間にわたり継続して適正に行っていることを証する書類	省略不可。
第3号	差止請求関係業務に関する業務計画書	変更の届出（法第18条）の対象であることから、既に提出されている書類の内容に変更がなければ更新申請時には省略可。
第4号	差止請求関係業務を適正に遂行するための体制が整備されていることを証する書類	同上
第5号	業務規程	同上
第6号イ	役員、職員及び専門委員の氏名、役職及び職業を記載した書類	同上
第6号ロ	役員、職員及び専門委員の住所、略歴その他内閣府令で定める事項を記載した書類	直近の認定又は更新申請の際に提出されている書類の内容に変更がなければ更新申請時には省略可。
第7号	法第13条第3項第1号の法人の社員について、その数及び個人又は法人その他の団体の別（社員が法人その他の団体である場合にあっては、その構成員の数を含む。）を記載した書類	変更の届出（法第18条）又は内閣総理大臣への提出義務（法第31条第5項）の対象であることから、既に提出されている書類の内容に変更がなければ更新申請時には省略可。

第2節　適格消費者団体　第1款　適格消費者団体の認定等（第13条〜第22条）**第17条**　331

第8号	最近の事業年度における財産目録、法人の区分に応じて定める書類その他の経理的基礎を有することを証する書類（「認定後3年間における収支の見込みとその算出根拠を具体的に記載した書類」を含む。）	変更の届出（法第18条）又は内閣総理大臣への提出義務がある財務諸表等（法第31条第1項、第2項第5号、第5項）の内容に変更がなければ更新申請時には省略可。ただし、「認定後3年間における収支の見込みとその算出根拠を具体的に記載した書類」は省略不可。
第9号	法第13条第5項各号のいずれにも該当しないことを誓約する書面	変更の届出の対象であることから（法第18条）、既に提出されている書類の内容に変更がなければ更新申請時には省略可。
第10号	差止請求関係業務以外の業務を行う場合には、その業務の種類及び概要を記載した書類	同上
第11号	その他内閣府令で定める書類（規則第8条第3項に掲げる書類）	規則第12条第2項第2号に基づき、規則第8条第3項に掲げる書類の内容に変更が生じた場合における当該変更後の内容に係る変更届出書の添付書類が既に提出されている場合において、当該添付書類の内容に変更がなければ更新申請時には省略可。

332　第1編　逐条解説　第3章　差止請求

第18条（変更の届出）

（変更の届出）
第18条　適格消費者団体は、第14条第1項各号に掲げる事項又は同条第2項各号（第2号及び第11号を除く。）に掲げる書類に記載した事項に変更があったときは、遅滞なく、内閣府令で定めるところにより、その旨を内閣総理大臣に届け出なければならない。ただし、その変更が内閣府令で定める軽微なものであるときは、この限りでない。

1　趣旨

　本条は、認定の申請時に提出した書類の記載事項の変更に係る内閣総理大臣への届出義務について定めるものである。

　適格消費者団体が、内閣総理大臣の認定を受けた後に、認定の申請時に提出した申請書（法第14条第1項）又は添付書類（同条第2項）の記載事項に変更が生じた場合には、認定制度を運営する内閣総理大臣が、これを把握する必要があるため、適格消費者団体に変更の届出を義務付けることとしている。

　ただし、特に認定時において審査に用いると考えられる書類（法第14条第2項第2号及び第11号の書類）については、変更の届出の対象外としている。

2　条文の解釈

(1)　「内閣府令で定めるところにより」

　本条の規定により変更の届出をしようとする者は、次の事項を記載した届出書を提出しなければならない（規則第12条第1項）。
　① 名称及び住所並びに代表者の氏名
　② 変更した内容
　③ 変更の年月日
　④ 変更を必要とした理由

第2節　適格消費者団体　第1款　適格消費者団体の認定等（第13条〜第22条）**第18条**　333

また、変更の届出書には、次に掲げる場合に応じ、それぞれ書類を添付しなければならない（規則第12条第2項）。

① 法第14条第2項各号に掲げる書類に記載した事項に変更があった場合は、変更後の事項を記載した当該書類

② 法第14条第1項各号に掲げる事項又は同条第2項各号に掲げる書類に記載した事項の変更に伴い規則第8条第3項に掲げる書類の内容に変更を生じた場合は、変更後の内容に係る当該書類（同項第2号に掲げる書類にあっては、役員又は専門委員が新たに就任した場合（再任された場合を除く。）に限る。）

(2) 「その変更が内閣府令で定める軽微なものであるとき」

適格消費者団体の社員及び当該社員が法人その他の団体である場合におけるその構成員の数の変更が少数の変更にすぎない場合や、適格消費者団体の役員、職員及び専門委員の住所又は電話番号が変更となる場合には、団体の適格性には影響を及ぼさないと考えられるため、内閣総理大臣が逐一把握する必要がなく、また、適格消費者団体に届出の負担を過度に負わせることを避ける観点から内閣府令で定める軽微な変更については届出の対象外としている（本条ただし書）。

内閣府令で定める軽微な変更は、次に掲げるものとしている（規則第12条第3項）。

① 法第14条第2項第6号ロの書類に記載した事項の変更

② 法第14条第2項第7号の書類に記載した事項のうち、適格消費者団体である法人の社員（個人に限る。）の数の変更（その変更後の数が、法第13条第1項の認定、法第17条第2項の有効期間の更新又は法第19条第3項若しくは法第20条第3項の認可を受けたとき、本条の規定による届出をしたとき又は法第31条第5項の規定による提出をしたときの社員（個人に限る。）の数のうち最近のものよりも10分の1以上増加し、又は減少した場合の当該変更を除く。）

③ 法第14条第2項第7号の書類に記載した事項のうち、社員が法人その他の団体である場合におけるその構成員の数の変更

334　第1編　逐条解説　第3章　差止請求

第19条（合併の届出及び認可等）

（合併の届出及び認可等）
第19条　適格消費者団体である法人が他の適格消費者団体である法人と合併をしたときは、合併後存続する法人又は合併により設立された法人は、合併により消滅した法人のこの法律の規定による適格消費者団体としての地位を承継する。

2　前項の規定により合併により消滅した法人のこの法律の規定による適格消費者団体としての地位を承継した法人は、遅滞なく、その旨を内閣総理大臣に届け出なければならない。

3　適格消費者団体である法人が適格消費者団体でない法人と合併（適格消費者団体である法人が存続するものを除く。以下この条及び第22条第2号において同じ。）をした場合には、合併後存続する法人又は合併により設立された法人は、その合併について内閣総理大臣の認可がされたときに限り、合併により消滅した法人のこの法律の規定による適格消費者団体としての地位を承継する。

4　前項の認可を受けようとする適格消費者団体である法人及び適格消費者団体でない法人は、共同して、その合併がその効力を生ずる日の90日前から60日前までの間（以下この項において「認可申請期間」という。）に、内閣総理大臣に認可の申請をしなければならない。ただし、災害その他やむを得ない事由により認可申請期間にその申請をすることができないときは、この限りでない。

5　前項の申請があった場合において、その合併がその効力を生ずる日までにその申請に対する処分がされないときは、合併後存続する法人又は合併により設立された法人は、その処分がされるまでの間は、合併により消滅した法人のこの法律の規定による適格消費者団体としての地位を承継しているものとみなす。

6　第13条（第1項を除く。）、第14条、第15条及び第16条第1項の規定は、第3項の認可について準用する。

7　適格消費者団体である法人は、適格消費者団体でない法人と合併をす

第2節　適格消費者団体　第1款　適格消費者団体の認定等（第13条〜第22条）**第19条**　335

　　る場合において、第4項の申請をしないときは、その合併がその効力を
　　生ずる日までに、その旨を内閣総理大臣に届け出なければならない。
　8　内閣総理大臣は、第2項又は前項の規定による届出があったときは、
　　内閣府令で定めるところにより、その旨を公示するものとする。

1　趣旨等

　本条は、適格消費者団体が合併をしようとする場合の内閣総理大臣に対
する届出及び認可等について定めるものである。

　適格消費者団体は、特定非営利活動法人又は一般社団法人若しくは一般
財団法人でなければならないこととされているが（法第13条第3項第1号）、
特定非営利活動法人又は一般社団法人若しくは一般財団法人については合
併がありうることとされている（特定非営利活動促進法第33条、一般社団法人
及び一般財団法人に関する法律第5章）。特定非営利活動法人が合併をした場
合の基本的な効果は消滅する法人の権利義務を包括的に承継することであ
り、その中には行政庁による許認可等も含まれる（特定非営利活動促進法第
38条）。したがって、特定非営利活動法人である適格消費者団体が合併をし
た場合、何も手当てをしなければ、合併後存続する法人又は設立される法
人に適格消費者団体の認定が承継されることとなるが、適格消費者団体で
ない法人と合併する場合は、本来適格消費者団体として認定すべきでない
法人が存続し又は新設されることも考えられるため、無条件に合併による
認定の承継を認めるのは妥当でない。

　そこで、まず、適格消費者団体と適格消費者団体とが合併する場合は、
合併によって適格消費者団体の認定は承継されることとし（第1項）、内閣
総理大臣との関係ではその旨を届け出なければならないこととし（第2
項）、内閣総理大臣はその旨を公示することとしている（第8項）。なお、第
3項を除く本条の内閣総理大臣の権限については法第48条の2において、
消費者庁長官に委任されている。

　これに対し、適格消費者団体と非適格消費者団体とが合併する場合（適
格消費者団体が存続する場合を除く。）は、その場合にまで当然に認定の承継

336　第1編　逐条解説　第3章　差止請求

を認めると、制度の潜脱に利用されるおそれがあることから、これを回避するため、当該合併について内閣総理大臣が審査し、存続する法人又は新設される法人について認定基準を満たしているものと認可された場合に限り認定の承継を認め（第3項）、認可されなければ認定は失効することとしている（法第22条第2号）。この合併の認可は合併により存続する法人又は新設される法人について新たに認定基準への適合性を審査してされるべきものであるから、その基準・手続及び申請書類については、基本的に認定の基準・手続及び申請書類に関する規定を準用することとしている（第6項）。なお、法第13条第1項の規定については、本条第4項の規定と重複するので準用しないこととし、申請書類については、認定の有効期間の更新の場合のように添付を省略することも考えられるが、合併後存続する法人又は新設される法人は、従前の法人とは役員構成や差止請求関係業務の遂行体制等が大きく変容している可能性もあることから、省略なく添付しなければならないこととしている（第6項）。

　認可に関する手続のうち、申請時期については、合併の効力が生ずる日までに認可又は不認可の決定をすることができる期間を確保する観点から、認定の有効期間の更新におけるのと同様に、合併の効力が生ずる日の90日前から60日前までの間（認可申請期間）に申請をしなければならないこととし（第4項本文）、災害その他やむを得ない事由によるときを除き、認可申請期間後は申請をすることができないものとしている（同項ただし書）。

　認可に関する処分は合併の効力が生ずるまでにされるのが原則であるが、事実関係の調査その他の事情により合併の効力が生ずるまでに処分がされないこともありえないわけではないと想定されるので、認定の有効期間の更新における規律（法第17条第4項）と同様に、処分がされるまでの間は、合併により消滅した法人のこの法律の規定による適格消費者団体としての地位が承継されているものとみなすこととして、当該合併により存続又は新設される法人をめぐる法律関係の安定性を確保することとしている（第5項）。

　また、適格消費者団体と非適格消費者団体とが合併する場合（適格消費者団体が存続する場合を除く。）において、当該適格消費者団体及び当該非適格消費者団体が、合併の認可の申請をしないときは、合併前の適格消費者

第2節　適格消費者団体　第1款　適格消費者団体の認定等（第13条〜第22条）**第19条**　337

団体の認定は失効することになるが（法第22条第2号）、内閣総理大臣もその事実を把握する必要があるので、合併前の適格消費者団体は、合併が効力を生ずる日までにその旨を内閣総理大臣に届け出なければならない（第7項）とともに、内閣総理大臣はその旨を公示することとしている（第8項）。なお、いったん当該届出をしながらその後事情の変更等により合併の認可を申請することについては特段制約は設けないこととする。

338 第1編 逐条解説 第3章 差止請求

第20条（事業の譲渡の届出及び認可等）

（事業の譲渡の届出及び認可等）

第20条 適格消費者団体である法人が他の適格消費者団体である法人に対し差止請求関係業務に係る事業の全部の譲渡をしたときは、その譲渡を受けた法人は、その譲渡をした法人のこの法律の規定による適格消費者団体としての地位を承継する。

2 前項の規定によりその譲渡をした法人のこの法律の規定による適格消費者団体としての地位を承継した法人は、遅滞なく、その旨を内閣総理大臣に届け出なければならない。

3 適格消費者団体である法人が適格消費者団体でない法人に対し差止請求関係業務に係る事業の全部の譲渡をした場合には、その譲渡を受けた法人は、その譲渡について内閣総理大臣の認可がされたときに限り、その譲渡をした法人のこの法律の規定による適格消費者団体としての地位を承継する。

4 前項の認可を受けようとする適格消費者団体である法人及び適格消費者団体でない法人は、共同して、その譲渡の日の90日前から60日前までの間（以下この項において「認可申請期間」という。）に、内閣総理大臣に認可の申請をしなければならない。ただし、災害その他やむを得ない事由により認可申請期間にその申請をすることができないときは、この限りでない。

5 前項の申請があった場合において、その譲渡の日までにその申請に対する処分がされないときは、その譲渡を受けた法人は、その処分がされるまでの間は、その譲渡をした法人のこの法律の規定による適格消費者団体としての地位を承継しているものとみなす。

6 第13条（第1項を除く。）、第14条、第15条及び第16条第1項の規定は、第3項の認可について準用する。

7 適格消費者団体である法人は、適格消費者団体でない法人に対し差止請求関係業務に係る事業の全部の譲渡をする場合において、第4項の申請をしないときは、その譲渡の日までに、その旨を内閣総理大臣に届け

出なければならない。

8　内閣総理大臣は、第2項又は前項の規定による届出があったときは、内閣府令で定めるところにより、その旨を公示するものとする。

1　趣旨等

本条は、適格消費者団体がその差止請求関係業務に係る事業の譲渡をしようとする場合の内閣総理大臣に対する届出及び認可等について定めるものである。

本法において、各適格消費者団体は、その特性に応じ、様々な分野の消費者取引における不当な勧誘行為又は不当な契約条項の使用に関して差止請求関係業務を遂行することが期待されるが、中には、特定の分野を集中的に取り扱うことによって知識・経験を積む団体や地域的な特性に応じて活動する団体などが生ずることも想定される。このような場合、適格消費者団体がその差止請求関係業務に係る事業を他の団体に譲渡することも考えられるが、本来適格消費者団体として認定すべきでない団体に譲渡されることなども考えられるため、その際の認定の承継の在り方について規律する必要がある。

そこで、本条においては、合併に関する規律に準ずることとし、適格消費者団体から他の適格消費者団体に対し事業の全部の譲渡がされる場合には、その譲渡を受けた適格消費者団体は、その譲渡をした適格消費者団体のこの法律の規定による地位を承継する（第1項）とともに、遅滞なくその旨を届け出なければならないこととし（第2項）、内閣総理大臣はその旨を公示することとしている（第8項）。なお、第3項を除く本条の内閣総理大臣の権限については法第48条の2において消費者庁長官に委任されている。

これに対し、適格消費者団体から非適格消費者団体に対し事業の全部の譲渡がされる場合には、その場合にまで当然に事業の全部の譲渡を認めると、制度の潜脱に利用されるおそれがあることから、これを回避するため、その譲渡について内閣総理大臣が審査し、その譲渡を受けた法人が、その

340　第1編　逐条解説　第3章　差止請求

譲渡について認可を受けたときに限り、その譲渡をした法人のこの法律の規定による地位を承継するものとし（第3項）、認可がされなければ適格消費者団体の認定は失効することとしている（法第22条第3号）。この事業の全部の譲渡の認可は譲受人である非適格消費者団体について新たに認定基準への適合性を審査してされるべきものであるから、その基準・手続及び申請書類については、合併の認可の場合と同様に適格消費者団体の認定の基準・手続及び申請書類に関する規定を準用することとしている（第6項）。

　認可に関する手続のうち、申請時期については、譲渡の日までに認可又は不認可の決定をすることができる期間を確保する観点から、譲渡の日の90日前から60日前までの間（認可申請期間）に申請をしなければならないこととし（第4項本文）、災害その他やむを得ない事由によるときを除き、認可申請期間後は申請をすることができないものとしている（同項ただし書）。

　認可に関する処分は譲渡までにされるのが原則であるが、事実関係の調査その他の事情により譲渡までに処分がされないこともあり得ないわけではないと想定されるので、合併の場合と同様に、処分がされるまでの間は、当該譲渡をした法人のこの法律の規定による適格消費者団体としての地位が承継されているものとみなすこととして、当該譲渡を受けた法人をめぐる法律関係の安定性を確保することとしている（第5項）。

　また、適格消費者団体が非適格消費者団体に事業を譲渡する場合において、譲渡を受けた法人が譲渡の認可の申請をしないときは、当該適格消費者団体の認定は失効することになるが（法第22条第3号）、内閣総理大臣もその事実を把握する必要があるので、当該適格消費者団体は、譲渡の日までにその旨を内閣総理大臣に届け出なければならない（第7項）とともに、内閣総理大臣はその旨を公示することとしている（第8項）。なお、いったん当該届出をしながらその後事情の変更等により譲渡の認可を申請することについては特段制約は設けないこととする。

　なお、認定の承継の原因となり得る事業の譲渡については全部の譲渡の他に一部の譲渡が考えられるが、仮に後者による承継を認めると、適格消費者団体の認定が譲渡された一部の事業ごとに区々に承継されることとなり、法律関係を複雑にするおそれがあるから、これを認めないこととし、事業の全部の譲渡についてのみ規定を設けることとしている。

第2節　適格消費者団体　第1款　適格消費者団体の認定等（第13条～第22条）**第21条**　341

第21条（解散の届出等）

（解散の届出等）
第21条　適格消費者団体が次の各号に掲げる場合のいずれかに該当することとなったときは、当該各号に定める者は、遅滞なく、その旨を内閣総理大臣に届け出なければならない。
　一　破産手続開始の決定により解散した場合　破産管財人
　二　合併及び破産手続開始の決定以外の理由により解散した場合　清算人
　三　差止請求関係業務を廃止した場合　法人の代表者
2　内閣総理大臣は、前項の規定による届出があったときは、内閣府令で定めるところにより、その旨を公示するものとする。

1　趣旨等

　本条は、適格消費者団体が解散等をした場合における内閣総理大臣に対する届出等について定めるものである。

　なお、本条の内閣総理大臣の権限については、法第48条の2において消費者庁長官に委任されている。

(1)　解散した場合

　適格消費者団体たる法人が解散した場合、それによって当該団体の法人格が直ちに消滅するわけではないものの、当該団体は清算手続に入り、新たに差止請求権を行使することを認めるべきではないから、解散と同時に適格消費者団体の認定を失効させ（法第22条第4号）、その旨を内閣総理大臣に届け出るべきものとしているとともに（第1項）、内閣総理大臣はその旨を公示するものとしている（第2項）。

　届出をすべき者については、解散事由が破産手続開始の決定であるときは破産管財人（第1項第1号）、合併及び破産手続開始の決定以外の理由であるときは清算人（同項第2号）としている。なお、合併により適格消費者

342 第1編 逐条解説 第3章 差止請求

団体である法人が消滅する場合も当該法人の解散事由となるが、別途申請又は届出がされることが予定されているため（法第19条第2項、第4項、第7項）、本条の届出をする必要はない。

(2)　差止請求関係業務を廃止した場合

　適格消費者団体の中には、差止請求関係業務以外の業務を事業内容とし、差止請求関係業務を廃止して他の業務だけを引き続き遂行する団体も想定されるが、このような場合、当該団体に差止請求権の行使を認めるべきではないから、差止請求関係業務の廃止と同時に適格消費者団体の認定を失効させ（法第22条第4号）、その旨を内閣総理大臣に届け出るべきものとしているとともに（第1項第3号）、内閣総理大臣はその旨を公示するものとしている（第2項）。

第2節　適格消費者団体　第1款　適格消費者団体の認定等（第13条～第22条）**第22条**　343

第22条（認定の失効）

（認定の失効）
第22条　適格消費者団体について、次のいずれかに掲げる事由が生じたときは、第13条第1項の認定は、その効力を失う。
　一　第13条第1項の認定の有効期間が経過したとき（第17条第4項に規定する場合にあっては、更新拒否処分がされたとき）。
　二　適格消費者団体である法人が適格消費者団体でない法人と合併をした場合において、その合併が第19条第3項の認可を経ずにその効力を生じたとき（同条第5項に規定する場合にあっては、その合併の不認可処分がされたとき）。
　三　適格消費者団体である法人が適格消費者団体でない法人に対し差止請求関係業務に係る事業の全部の譲渡をした場合において、その譲渡が第20条第3項の認可を経ずにされたとき（同条第5項に規定する場合にあっては、その譲渡の不認可処分がされたとき）。
　四　適格消費者団体が前条第1項各号に掲げる場合のいずれかに該当することとなったとき。

1　趣旨等

本条で適格消費者団体の認定が失効する事由は、以下のとおり規定している。
　①　法第13条第1項の認定の有効期間が経過したとき（その更新の申請がされ、当該有効期間の満了後に更新拒否処分がされた場合にあっては、更新拒否処分がされたとき）（第1号）。
　②　適格消費者団体である法人が適格消費者団体でない法人と合併をした場合において、その合併が法第19条第3項の認可を経ずにその効力を生じたとき（合併の効力発生日後にその不認可処分がされた場合にあっては、その合併の不認可処分がされたとき）（第2号）。
　③　適格消費者団体である法人から適格消費者団体でない法人に対し差

344　第1編　逐条解説　第3章　差止請求

止請求関係業務に係る事業の全部の譲渡をした場合において、その譲渡が法第20条第3項の認可を経ずにされたとき（当該譲渡後にその不認可処分がされた場合にあっては、その譲渡の不認可処分がされたとき）（第3号）。

④　当該適格消費者団体が解散をし、又は差止請求関係業務を廃止したとき（第4号）。

第2節　適格消費者団体　第2款　差止請求関係業務等（第23条～第29条）**第23条**　345

第2款　差止請求関係業務等（第23条～第29条）

第23条（差止請求権の行使等）

（差止請求権の行使等）

第23条　適格消費者団体は、不特定かつ多数の消費者の利益のために、差止請求権を適切に行使しなければならない。

2　適格消費者団体は、差止請求権を濫用してはならない。

3　適格消費者団体は、事案の性質に応じて他の適格消費者団体と共同して差止請求権を行使するほか、差止請求関係業務について相互に連携を図りながら協力するように努めなければならない。

4　適格消費者団体は、次に掲げる場合には、内閣府令で定めるところにより、遅滞なく、その旨を他の適格消費者団体に通知するとともに、その旨及びその内容その他内閣府令で定める事項を内閣総理大臣に報告しなければならない。この場合において、当該適格消費者団体が、当該通知及び報告に代えて、すべての適格消費者団体及び内閣総理大臣が電磁的方法（電子情報処理組織を使用する方法その他の情報通信の技術を利用する方法をいう。以下同じ。）を利用して同一の情報を閲覧することができる状態に置く措置であって内閣府令で定めるものを講じたときは、当該通知及び報告をしたものとみなす。

一　第41条第1項（同条第3項において準用する場合を含む。）の規定による差止請求をしたとき。

二　前号に掲げる場合のほか、裁判外において差止請求をしたとき。

三　差止請求に係る訴えの提起（和解の申立て、調停の申立て又は仲裁合意を含む。）又は仮処分命令の申立てがあったとき。

四　差止請求に係る判決の言渡し（調停の成立、調停に代わる決定の告知又は仲裁判断を含む。）又は差止請求に係る仮処分命令の申立てについての決定の告知があったとき。

五　前号の判決に対する上訴の提起（調停に代わる決定に対する異議の

346 第1編 逐条解説 第3章 差止請求

申立て又は仲裁判断の取消しの申立てを含む。)又は同号の決定に対する不服の申立てがあったとき。

六 第4号の判決（調停に代わる決定又は仲裁判断を含む。）又は同号の決定が確定したとき。

七 差止請求に係る裁判上の和解が成立したとき。

八 前2号に掲げる場合のほか、差止請求に係る訴訟（和解の申立てに係る手続、調停手続又は仲裁手続を含む。）又は差止請求に係る仮処分命令に関する手続が終了したとき。

九 差止請求に係る裁判外の和解が成立したときその他差止請求に関する相手方との間の協議が調ったとき、又はこれが調わなかったとき。

十 差止請求に関し、請求の放棄、和解、上訴の取下げその他の内閣府令で定める手続に係る行為であって、それにより確定判決及びこれと同一の効力を有するものが存することとなるものをしようとするとき。

十一 その他差止請求に関し内閣府令で定める手続に係る行為がされたとき。

5 内閣総理大臣は、前項の規定による報告を受けたときは、すべての適格消費者団体並びに内閣総理大臣及び経済産業大臣が電磁的方法を利用して同一の情報を閲覧することができる状態に置く措置その他の内閣府令で定める方法により、他の適格消費者団体及び経済産業大臣に当該報告の日時及び概要その他内閣府令で定める事項を伝達するものとする。

6 適格消費者団体について、第12条の2第1項第2号本文の確定判決等で強制執行をすることができるものが存する場合には、当該適格消費者団体は、当該確定判決等に係る差止請求権を放棄することができない。

I 第1項

1 趣旨等

本法において、差止請求権は、個々の適格消費者団体に実体権として付与されるものであるが、当該適格消費者団体の利益その他特定の者の利益

第2節 適格消費者団体 第2款 差止請求関係業務等（第23条〜第29条）**第23条** 347

のために付与されるものではなく、不特定かつ多数の消費者の利益を擁護するために、特別に付与されるものである。

本項では、差止請求権の行使に当たって適格消費者団体が遵守すべき規範として、こうした法の趣旨・原則を端的に規定している。

Ⅱ 第2項

1 趣旨等

本法において、差止請求権は、消費者被害の発生又は拡大の防止のために、適格消費者団体に特別に付与されるものであるが、相手方の事業活動の一環としての不当勧誘行為や不当契約条項を含む契約の締結等を停止させる強い効力を有するものであるから、仮にこれが濫用された場合には、相手方に不当な損害を被らせるとともに制度の信頼性を損なうことにもつながりかねない。

以上を踏まえ、本項では、適格消費者団体は、差止請求権を濫用してはならない旨の原則規定を置くこととしている。この規定は、差止請求権の行使が権利の濫用に該当すると認められた場合において、私法上の効力の如何とは別に内閣総理大臣による改善命令その他の監督措置を発動する根拠ともなるものである。

Ⅲ 第3項

1 趣旨等

差止請求権は、個々の適格消費者団体に実体権として付与されるが、これは不特定かつ多数の消費者利益の擁護を本旨とするものであり、各適格消費者団体は、適格性を有する者として認定された以上、不特定かつ多数の消費者の利益のために真摯かつ適切に差止請求権を行使し、消費者の利益擁護と取引の適正化に尽くす必要がある。

したがって、本項では、適格消費者団体は相互に連携を図りながら協力

348 　第1編　逐条解説　第3章　差止請求

するよう努めなければならない旨の努力義務を規定することとしている。

　連携の態様としては、適格消費者団体は、訴えが提起される以前の裁判外の交渉といった早期の段階から情報を相互に共有しており（本条第4項参照）、そうした情報を基に、①事件ごとに別の団体が訴えるというように役割分担（A団体はa事件、B団体はb事件等と分担）をしたり、②提訴した団体を他の団体が側面支援（A団体はa事件を訴訟追行し、B団体は被害情報（証拠）の提供をするなど）したり、③先行するA団体と共にB団体が共同してa事件の訴訟追行（B団体がA団体による先行する訴訟と同一裁判所に訴えを提起し、必要的併合（弁論及び裁判の併合。法第45条）がされるようにし、同一期日の審理で相互に協力するなど）をするなどのことが考えられる^(注)。

> 　（注）　なお、連携の在り方については、適格消費者団体の業務規程において具体的に規定することが必要である（規則第6条第2号）。

Ⅳ　第4項

1　趣旨

　適格消費者団体には、差止請求権の行使に関し、相互の連携協力に係る努力義務を課すこととしているが（本条第3項）、他の適格消費者団体による差止請求権の行使の状況を把握し得るようにすることにより、相互の連携協力をより消費者利益に資するよう具体的、実効性のあるものとし得ると考えられる。また、他の適格消費者団体が追行した訴訟に係る確定判決等が既にある場合において同一事業者等に対する同一内容の請求はすることができないとされており（法第12条の2第1項第2号本文）、この点からも、他の適格消費者団体の主要な行為の動向を把握し得るようにしておく必要がある。このため、本項では、適格消費者団体に対し、他の適格消費者団体への通知義務を課すこととしている。

　また、本法における差止請求権は、不特定かつ多数の消費者利益の擁護のために内閣総理大臣が認定した適格消費者団体に特別に付与されるものであり、認定制度を運営する内閣総理大臣は、差止請求権の適正な行使の確保を図る必要があり、内閣総理大臣は、適格消費者団体から節目節目で

第2節　適格消費者団体　第2款　差止請求関係業務等（第23条〜第29条）**第23条**　349

必要な報告を受けることにより、その適正な監督を期す必要があることから、適格消費者団体に対し、内閣総理大臣への報告義務を課すこととしている。

2　条文の解釈

(1)　通知及び報告をしなければならない場合

次に掲げる場合である（本項第1号から第11号まで）。

①　法第41条第1項（同条第3項において準用する場合を含む。）の規定による差止請求をしたとき（第1号）。

②　①に掲げる場合のほか、裁判外において差止請求をしたとき（第2号）。

③　差止請求に係る訴えの提起（和解の申立て、調停の申立て又は仲裁合意を含む。）又は仮処分命令の申立てがあったとき（第3号）。

④　差止請求に係る判決の言渡し（調停の成立、調停に代わる決定の告知又は仲裁判断を含む。）又は差止請求に係る仮処分命令の申立てについての決定の告知があったとき（第4号）。

⑤　④の判決に対する上訴の提起（調停に代わる決定に対する異議の申立て又は仲裁判断の取消しの申立てを含む。）又は仮処分命令の申立てについての決定に対する不服の申立てがあったとき（第5号）。

⑥　④の判決（調停に代わる決定又は仲裁判断を含む。）又は仮処分命令の申立てについての決定が確定したとき（第6号）。

⑦　差止請求に係る裁判上の和解が成立したとき（第7号）。

⑧　⑥又は⑦に掲げる場合のほか、差止請求に係る訴訟（和解の申立てに係る手続、調停手続又は仲裁手続を含む。）又は差止請求に係る仮処分命令に関する手続が終了したとき（第8号）。

　訴え又は仮処分の申立ての取下げや請求の放棄・認諾等が該当する。

⑨　差止請求に係る裁判外の和解が成立したときその他差止請求に関する相手方との協議が調ったとき、又はこれが調わなかったとき（第9号）。

　「協議が調ったとき、又はこれが調わなかったとき」とは、適格消費者団体からの差止請求に対し、事業者等が明示的に回答をした場合を

いい、例えば、適格消費者団体が改善の申入れをしたところ、事業者等が何ら回答等をせず自主的に改善をするなどの対応をした場合は該当しない。

⑩　差止請求に関し、請求の放棄、和解、上訴の取下げその他の内閣府令で定める手続に係る行為であって、それにより確定判決及びこれと同一の効力を有するものが存することとなるものをしようとするとき（第10号）。

「内閣府令で定める手続に係る行為」として規定されている行為は、次のとおりである（規則第16条各号）。

ⅰ　請求の放棄

ⅱ　請求の認諾

ⅲ　裁判上の和解

ⅳ　民事訴訟法第284条（同法第313条において準用する場合を含む。）の規定による権利の放棄

ⅴ　控訴をしない旨の合意又は上告をしない旨の合意

ⅵ　控訴、上告又は民事訴訟法第318条第1項の申立ての取下げ

ⅶ　調停における合意

ⅷ　仲裁法第38条第1項の申立て

⑪　その他差止請求に関し内閣府令で定める手続に係る行為がされたとき（第11号）。

「内閣府令で定める手続に係る行為」として規定されている行為は、次のとおりである（規則第17条各号）。

ⅰ　訴状（控訴状及び上告状を含む。）の補正命令若しくはこれに基づく補正又は却下命令

ⅱ　ⅰの却下命令に対する即時抗告、特別抗告若しくは許可抗告若しくはその即時抗告に対する抗告裁判所の決定に対する特別抗告若しくは許可抗告又はこれらの抗告についての決定の告知

ⅲ　再審の訴えの提起若しくはⅰの却下命令で確定したものに対する再審の申立て又はその再審の訴え若しくは再審の申立てについての決定の告知

ⅳ　ⅲの決定に対する即時抗告、特別抗告若しくは許可抗告若しくは

第2節　適格消費者団体　第2款　差止請求関係業務等（第23条～第29条）**第23条**　351

　　その即時抗告に対する抗告裁判所の決定に対する特別抗告若しくは
　　許可抗告又はこれらの抗告についての決定の告知

v　　再審開始の決定が確定した場合における本案の裁判

vi　　仲裁判断の取消しの申立てについての決定の告知

vii　　viの決定に対する即時抗告、特別抗告若しくは許可抗告若しくは
　　その即時抗告に対する抗告裁判所の決定に対する特別抗告若しくは
　　許可抗告又はこれらの抗告についての決定の告知

viii　保全異議又は保全取消しの申立てについての決定の告知

ix　　viiiの決定に対する保全抗告又はこれについての決定の告知

x　　訴えの変更、反訴の提起又は中間確認の訴えの提起

xi　　附帯控訴又は附帯上告の提起

xii　移送に関する決定の告知

xiii　xiiの決定に対する即時抗告、特別抗告若しくは許可抗告若しくは
　　その即時抗告に対する抗告裁判所の決定に対する特別抗告若しくは
　　許可抗告又はこれらの抗告についての決定の告知

xiv　請求の放棄若しくは認諾、裁判上の和解、調停における合意又は
　　仲裁法第38条第1項の和解の効力を争う手続の開始又は当該手続の
　　終了

　　　例えば、和解又は調停の無効確認の訴えの提起又は当該訴えに係
　　る判決の確定、和解が無効であることを理由とする期日指定の申立
　　て又は訴訟の終了宣言、和解又は調停が無効であることを理由とす
　　る請求異議の訴えの提起又は当該訴えに係る判決の確定、和解を解
　　除したことを理由とする訴えの提起又は当該訴えに係る判決の確定
　　等が該当する。

xv　攻撃又は防御の方法の提出その他の差止請求に関する手続に係る
　　行為であって、当該適格消費者団体が差止請求権の適切な行使又は
　　適格消費者団体相互の連携協力を図る見地から本項の通知及び報告
　　をすることを適当と認めたもの

　　　「攻撃又は防御の方法の提出」とは、本案の申立てを基礎付けるた
　　めにする判断資料の提出をいい、典型的には事実の主張と証拠の申
　　出が該当する。これらに関する通知及び報告は、適格消費者団体が

業務規程に定める方針（規則第6条第2号）に基づき、適格消費者団体が適当と認める限りにおいてされていれば足りるものとするが、適格消費者団体が準備書面や証拠を提出した場合など、当該差止請求に関する手続に係る適格消費者団体による行為のうち一定のものについては、業務規程において通知及び報告の対象として規定するのが本項の趣旨からは望ましい。

(2) 通知及び報告をしなければならない事項

通知は、本項各号に掲げる場合である旨について、報告は、本項各号に掲げる場合である旨及びその内容その他内閣府令で定める事項についてしなければならない(注)。

その具体的な内容については、差止請求権の行使の状況につき、内閣総理大臣による適正な監督及び他の適格消費者団体との間の相互連携のため、内閣総理大臣及び他の適格消費者団体との間で情報を共有するという本条項の趣旨からすると、提供される情報は詳しい方が良いと考えられるが、他面で、過度に詳細な情報が提供されることは必ずしも他の適格消費者団体等にとって有益とは限らず、かえって適格消費者団体の事務処理の負担を過重にすることにもなりかねない。これらのことを踏まえ、記載事項については、以下のとおり考えられる。

すなわち、「その内容」とは、本項第1号から第3号までに掲げる場合には、差止請求に係る相手方の氏名又は名称、請求の要旨及び紛争の要点並びに請求の年月日が含まれていなければならない。本項第8号に掲げる場合には、当該訴訟又は仮処分命令に関する手続が終了した事由が含まれていなければならない。また、規則第17条第15号に掲げる場合には、当事者がした攻撃又は防御の方法の提出その他の差止請求に関する手続に係る行為の概要が含まれていれば足りる（ガイドライン4(1)ア）。

「内閣府令で定める事項」としては、相手方から、本項第4号から第9号まで及び第11号に規定する行為に関連して当該差止請求に係る相手方の行為の停止若しくは予防又は当該行為の停止若しくは予防に必要な措置をとった旨の連絡を受けた場合におけるその内容及び実施時期に係る情報（改善措置情報）としている（規則第14条）。

第2節　適格消費者団体　第2款　差止請求関係業務等（第23条〜第29条）**第23条**　353

(注)　通知をしなければならない事項としては、報告をしなければならない事項
とは異なり、行為をした旨で足り、その内容等まで通知する必要はないことと
しているが、これは、通知を受けた適格消費者団体が、必要に応じ、内容等を
他の適格消費者団体に照会すれば足りると考えられることによる。なお、適格
消費者団体が、内閣総理大臣への報告を後記の電磁的方法を利用した措置を
講ずることによって行う場合には、他の適格消費者団体も内閣総理大臣と同
時に報告事項を閲覧することができることになるが、これは、適格消費者団体
相互の連携協力（本条第3項の解説を参照）を図る上で望ましいものと考えら
れる。

(3)　通知及び報告の方法等

①　本項第10号に掲げる場合（差止請求に関し、請求の放棄、和解、上訴の
取下げその他の内閣府令で定める手続に係る行為であって、それにより確
定判決及びこれと同一の効力を有するものが存することとなるものをしよ
うとするとき。）に係るものを除き、通知は、書面により（規則第13条第
1項）、報告は、法第41条第1項に規定する書面、訴状若しくは申立書、
判決書若しくは決定書、請求の放棄若しくは認諾、裁判上の和解又は
調停の調書、仲裁判断書、準備書面その他その内容を示す書面（例え
ば、内容証明郵便その他の書面によって法第23条第4項第2号に規定する
差止請求をした場合の当該書面、口頭によって同号に規定する差止請求を
した場合の請求内容を記載した書面、規則第17条第15号に規定する「攻撃又
は防御の方法の提出」としての証拠の申出に関する書面、同号に規定する「そ
の他の差止請求に関する手続に係る行為」として書証を提出した場合にお
ける当該書証、差止請求に係る判決が確定したときの証明書（民事訴訟規則
第48条第1項）、調停に代わる決定が確定したときの証明書（民事調停規則
第24条による非訟事件手続規則第46条の準用）等が該当する。）の写しを添
付した書面により（規則第13条第2項）、それぞれ行わなければならな
い。

②　本項第10号に掲げる場合に係る通知及び報告は、当該行為をしよう
とする日の2週間前までに、次に掲げる事項を記載した書面により行
わなければならない（規則第13条第3項）。また、この通知及び報告の

後、確定判決及びこれと同一の効力を有するものが存することとなるまでに、次に掲げる事項に変更があった場合（その変更が客観的に明白な誤記、誤植又は脱字に係るものその他の内容の同一性を失わない範囲のものである場合を除く。）には、その都度、変更後の事項を記載した書面により、改めて通知及び報告をしなければならない（同条第5項）。なお、「内容の同一性を失わない範囲のもの」については、この通知及び報告が、他の適格消費者団体に対して連携及び牽制の機会を与えるためのものであることから、当該和解又は合意の趣旨から明らかに変更の必要性が認められる場合のものをいう。

ⅰ 当該行為をしようとする旨

ⅱ 当該行為をしようとする日

ⅲ 裁判上の和解、調停における合意又は仲裁法第38条第1項の申立てをしようとする場合（民事訴訟法第265条第1項の申立てをしようとするときを除く。）にあっては、相手方との間で成立することが見込まれる和解又は調停における合意の内容

③ ここで、「行為をしようとする日」とは、次のとおりである（規則第13条第4項）。

ⅰ 請求の放棄、請求の認諾、裁判上の和解をしようとする場合（ⅱからⅳまでの場合を除く。） 口頭弁論等の期日（民事訴訟法第261条第3項に規定する口頭弁論等の期日をいう。）。

ⅱ 裁判上の和解をしようとする場合であって、民事訴訟法第264条の規定に基づき裁判所又は受命裁判官若しくは受託裁判官から提示された和解条項案を受諾する旨の書面を提出しようとするとき 当該書面を提出しようとする日

ⅲ 裁判上の和解をしようとする場合であって、口頭弁論等の期日に出頭してⅱの和解条項案を受諾しようとするとき 当該口頭弁論等の期日

ⅳ 裁判上の和解をしようとする場合であって、民事訴訟法第265条第1項の申立てをしようとするとき 当該申立てをしようとする日

ⅴ 民事訴訟法第284条（同法第313条において準用する場合を含む。）の規定による権利の放棄、控訴をしない旨の合意又は上告をしない旨

第2節　適格消費者団体　第2款　差止請求関係業務等（第23条〜第29条）**第23条**　355

の合意、控訴、上告又は民事訴訟法第318条第1項の申立ての取下げをしようとする場合　口頭弁論等の期日又は期日外においてそれらの行為をしようとする日

vi　調停における合意をしようとする場合　当事者間で合意をしようとする調停の期日

vii　仲裁法第38条第1項の申立てをしようとする場合　当該申立てをしようとする日

④　「成立することが見込まれる和解又は調停における合意の内容」（規則第13条第3項第3号）とは、当事者間で実質的な合意が成立し、最終的に和解調書、調停調書又は仲裁法第38条第3項に規定する決定書に記載される見込みの内容をいい、差止請求の対象とされた相手方の行為及びこれに関する当事者間の合意の内容及び当該合意の履行を確保する方法に関する事項が含まれていなければならない（ガイドライン4(1)エ）。

⑤　上記のような通知及び報告については、緊急を要する場合があること（訴えの提起等につき適格消費者団体同士で速やかに連携を図ったり、裁判外の和解の結果等を公的機関を通じ迅速に広く周知する必要のある時は、緊急性が高いと思われる。）や、複数の適格消費者団体に個別に通知する事務負担が想定されること等を踏まえ、適格消費者団体が、「すべての適格消費者団体及び内閣総理大臣が電磁的方法を利用して同一の情報を閲覧することができる状態に置く措置であって内閣府令で定めるもの」を講じたときは、通知及び報告をしたものとみなすこととしている（本項柱書後段）。

　　内閣府令では、消費者庁長官が管理する電気通信設備の記録媒体に本項柱書前段に規定する事項等を内容とする情報を記録する措置であって、全ての適格消費者団体及び消費者庁長官が当該情報を記録することができ、かつ、当該記録媒体に記録された当該情報を全ての適格消費者団体及び消費者庁長官が受信することができる方式のものとしており（規則第15条第1項）、具体的には、電子掲示版（消費者庁長官によりその利用権限を設定された全ての適格消費者団体及び消費者庁長官が読み書きできるもの）又は消費者庁長官が管理するメーリングリスト

356　第1編　逐条解説　第3章　差止請求

（消費者庁長官が一覧表（リスト）にメールアドレスを登録した全ての適格消費者団体及び消費者庁長官を利用者とするもの）の手法を用意している。なお、適格消費者団体がこの措置を利用して情報を記録する場合において、規則第13条第2項の内容を示す書面に記載された事項を記録する際は、当該書面をスキャナ（これに準ずる画像読取措置を含む。）により読み取ってできた電磁的記録を記録するほか、当該書面に記載されている事項と同一の内容に係る電磁的記録を記録するなどの方法により、当該書面に記載されている事項を正確に記録しなければならない。

　また、適格消費者団体は、上記の措置を講ずるときは、あらかじめ、又は、同時に、当該措置を講じる旨又は講じた旨を全ての適格消費者団体及び消費者庁長官に通知するための電子メールを、消費者庁長官があらかじめ指定した電子メールアドレス宛てに送信しなければならない（規則第15条第2項）。通知及び報告が上記の措置により行われたときは、消費者庁長官の管理に係る電気通信設備の記録媒体への記録がされた時に全ての適格消費者団体及び消費者庁長官に到達されたものとみなす（同条第3項）。

V　第5項

1　趣旨

(1)　本条第4項の規定に基づく通知及び報告については、

①　当初、通知元の適格消費者団体に詳細な情報を求めなかった他の適格消費者団体においても、後日、近隣地域に係る類似の被害情報が寄せられたこと等を契機に、当該詳細な情報を求める必要が生じることも想定されること、

②　後日、新たに認定を受けた適格消費者団体にとって、従前の情報（他の適格消費者団体の活動状況。特に、事前請求（本条第4項第1号参照）や訴えの提起（同項第3号参照）など、公表されていない情報）を知り得る方法が必要なこと、

第2節　適格消費者団体　第2款　差止請求関係業務等（第23条～第29条）**第23条**　357

③　内閣総理大臣による情報伝達が行われることにより、本条第4項の通知も、遅滞・遺漏なく、他の適格消費者団体に公平に行われることとなる効果が見込まれること

等を踏まえ、内閣総理大臣は、本条第4項の規定による報告を受けたときは、全ての適格消費者団体及び内閣総理大臣が電磁的方法を利用して同一の情報を閲覧することができる状態に置く措置その他の内閣府令で定める方法により、他の適格消費者団体に当該報告の日時及び概要その他内閣府令で定める事項を伝達するものとしている[注]。

> (注)　以上の趣旨から、電子掲示板上の記録等は、合理的な一定期間は記録を削除等することなく、継続することとする。

(2)　景品表示法、特定商取引法及び食品表示法上の差止請求権にも本法の規律が及ぶが、特定商取引法については、主務大臣として、内閣総理大臣（消費者庁長官）と経済産業大臣とが並列的に規定されている。経済産業大臣は、商取引一般の適正化の観点から、企画立案及び法の運用を行い、経済産業大臣には、商取引一般の適正化の観点に基づく内閣総理大臣とは異なる専門的知見が残ることになるため、認定及び監督に際し、経済産業大臣の意見を聞く必要がある（法第15条第2号、第38条第1号）。そのため、経済産業大臣が適切に意見を述べる前提として、適格消費者団体による差止請求権の行使状況に関し、適格消費者団体から報告を受けた内閣総理大臣は、他の適格消費者団体に伝達することとされているのに加え、経済産業大臣に対しても伝達することとする。

　なお、景品表示法については、消費者庁に移管されることにより、内閣総理大臣（消費者庁長官）が景品表示法の専門的知見及び行政措置権限を有し、公正取引委員会は有しないことになった。そのため、特段の規定は置いていない。

(3)　また、本項の内閣総理大臣の権限については、法第48条の2において、消費者庁長官に委任されている。

358 第1編 逐条解説 第3章 差止請求

2 条文の解釈

(1) 「内閣府令で定める方法」

全ての適格消費者団体並びに消費者庁長官及び経済産業大臣が電磁的方法を利用して同一の情報を閲覧することができる状態に置く措置のほか、書面の写しの交付、電子メールを送信する方法、ファクシミリ装置を用いた送信その他の消費者庁長官が適当と認める方法としている（規則第18条）。

(2) 「当該報告の日時及び概要その他内閣府令で定める事項」

「概要」としては、例えば、ある団体が訴えを提起した場合（本条第4項第3号）であれば、当該訴えに係る事案及び請求の具体的内容が該当する。

「内閣府令で定める事項」としては、法第39条第1項の規定による情報の公表をした旨及びその年月日としている（規則第19条）。

VI 第6項

1 趣旨等

適格消費者団体は、他の適格消費者団体を当事者とする差止請求に係る訴訟等につき確定判決等が存する場合、それが強制執行をすることができるものであるときを含め、請求の内容及び相手方が同一である差止請求をすることができない（法第12条の2第1項第2号本文）。この場合において、当該適格消費者団体が当該確定判決等に係る強制執行に必要な手続を不当に怠っているときは、その認定を取り消し（法第34条第1項第5号）、内閣総理大臣が指定する他の適格消費者団体が当該差止請求権を承継して（法第35条第1項・第2項）強制執行をすることによって不特定かつ多数の消費者の利益の擁護が図られることとなる。

ここで、仮に従前の適格消費者団体が承継の対象となる差止請求権を放棄することができるとすると、形式的には確定判決等が存するため、他の適格消費者団体は請求の内容及び相手方である事業者等が同一である差止

第2節　適格消費者団体　第2款　差止請求関係業務等（第23条～第29条）**第23条**　359

請求をすることができなくなるが、確定判決等が存するにもかかわらず強制執行の担い手がいないこととなり、不特定かつ多数の消費者の利益の擁護が図られないこととなる。

　本法において適格消費者団体に付与される差止請求権は、あくまでも不特定かつ多数の消費者の利益の擁護のため行使されるべきものであるから、当該権利が第三者の権利の目的である場合（例えば、特定多目的ダム法第23条）に類似した実質を有するものということができる。そこで、適格消費者団体について、法第12条の2第1項第2号本文の確定判決等で強制執行をすることができるものが存する場合には、当該適格消費者団体は、当該確定判決等に係る差止請求権を放棄することができないものとしている[注]。

　　　[注]　本項で直接規定されているのは当該判決確定後における差止請求権の放棄であるが、口頭弁論終結後判決確定前の時点において放棄することについても、本項の趣旨は同様に及ぼされるべきであるから、放棄後に確定した判決の内容が強制執行可能なものであるときは本項の趣旨に従い当該放棄はその効力を生じないものと解すべきである。

360　第1編　逐条解説　第3章　差止請求

第24条（消費者の被害に関する情報の取扱い）

> **（消費者の被害に関する情報の取扱い）**
> **第24条**　適格消費者団体は、差止請求権の行使（差止請求権不存在等確認
> 請求に係る訴訟を含む。第28条において同じ。）に関し、消費者から収集
> した消費者の被害に関する情報をその相手方その他の第三者が当該被害
> に係る消費者を識別することができる方法で利用するに当たっては、あ
> らかじめ、当該消費者の同意を得なければならない。

1　趣旨等

　適格消費者団体が差止請求権を行使するに当たっては、消費者被害の状
況を適切に把握することが必要となるが、そのための情報の収集方法とし
ては、

①　消費者一般を対象とした、いわゆる「110番活動」や苦情相談の実施

②　構成員（個人会員、団体会員）からの情報提供

③　消費者団体相互間のネットワーク（ネットワークを形成する消費者団
　　体は、②の団体会員となっていることが実態上は多いと考えられる。）の活
　　用

等を通じ、適格消費者団体が自ら消費者の被害に関する情報収集を行うこ
とが基本となる。

　このように収集された消費者の被害に関する情報は、訴訟等で使用され
ることが想定されるところであり、また、当該被害に係る消費者を識別す
ることができる方法で利用されることも考えられるため、その利用の方法
について適正を期す必要がある。

　すなわち、当該消費者の被害に関する情報が差止請求権の行使に利用さ
れた場合、事柄の性質上、公開法廷の場やマスメディア等に晒されること
も想定され得るが、差止請求に係る相手方その他の第三者が当該被害に係
る消費者を識別することができる方法で行われると、当該被害の事実が広
く世間に知れわたることにより精神的苦痛を生じたり、加害者である相手

第2節　適格消費者団体　第2款　差止請求関係業務等（第23条〜第29条）**第24条**　361

方が当該被害に係る消費者を察知することによりいわゆる「御礼参り」の
おそれが生ずるなど、当該被害に係る消費者が不測の不利益を被る危険性
がある。このため、本法では、上記のような弊害を回避し、当該被害に係
る消費者の利益を保護する観点から、適格消費者団体が差止請求権を行使
するに際し、消費者から収集した消費者被害情報をその相手方その他の第
三者が当該被害に係る消費者を識別することができる方法で利用するに当
たっては、あらかじめ、当該消費者の同意を得なければならないこととし
ている。

　なお、この場合における消費者の同意を得る方法としては、例えば、苦
情相談が寄せられた際に、情報の提供者たる消費者に対し、情報の利用目
的等を説明した上で同意を得ることや、情報提供者の名簿を作成しておき、
実際に訴訟等で使用する段階で同意を得ることなどが考えられる。

362 第1編 逐条解説 第3章 差止請求

第25条（秘密保持義務）

> **（秘密保持義務）**
> **第25条** 適格消費者団体の役員、職員若しくは専門委員又はこれらの職に
> あった者は、正当な理由がなく、差止請求関係業務に関して知り得た秘
> 密を漏らしてはならない。

1　趣旨

　適格消費者団体の役員、職員若しくは専門委員又はこれらの職にあった
者は、差止請求関係業務を遂行する過程、とりわけ消費者被害に関する情
報収集に関する業務を行う過程で秘密に該当する事項を知り得ることが想
定されるため、当該秘密事項を保護する観点から、秘密保持義務を課すこ
ととしている。

2　条文の解釈

(1)　「差止請求関係業務に関して知り得た秘密」

　「秘密」とは、非公知の事実で、本人が他に知られないことにつき客観的
に相当の利益を有するものをいう。「差止請求関係業務に関して知り得た
秘密」とは、差止請求関係業務を遂行する過程、例えば差止請求権の行使
に必要な消費者被害に関する情報収集を行う過程で知り得た「秘密」をい
い、例えば、差止請求権の行使に必要な消費者被害に関する情報収集を行
う過程で知り得た消費者の一身上の秘密や家計経済上の秘密が該当する
が、隣家や飲食店等でたまたま見聞きした事項のような差止請求関係業務
とは無関係に知り得た事項は該当しない。

　なお、差止請求関係業務の遂行上、差止請求に係る相手方の不当な行為
に関して知り得る情報については、立入検査等の強制権限に基づくもので
はなく任意に知り得るものである以上、基本的に非公知のものとはいえな
いと考えられ、また、当該相手方が他に知られないことにつき客観的に相
当の利益があるとはいえないと考えられるので、該当しないと考えられる。

第2節　適格消費者団体　第2款　差止請求関係業務等（第23条〜第29条）**第25条**　363

(2)　「正当な理由」

「正当な理由」としては、例えば、

① 秘密の主体である本人が承諾した場合

② 法令上の義務に基づいて秘密事項を告知する場合[注]

③ 相手方による不当行為がまさに行われようとしている場合に近接する他の適格消費者団体に当該不当行為に係る重要な消費者被害に係る情報を提供するなど、緊急に必要な個別具体的な事情がある場合

④ 被害回復関係業務を行うのに適した特定適格消費者団体が存在し、当該特定適格消費者団体が被害回復関係業務を円滑かつ効果的に実施するために、消費者被害に係る情報が必要不可欠な場合において、個人情報等の取扱いに留意した上で当該情報を提供する場合（消費者裁判手続特例法第81条第4項参照）

などが該当する。

> （注）　法令上の義務の例としては、訴訟手続において証人として証言する場合で、証言拒否事由（民事訴訟法第196条、第197条）の存在が認められない場合などが考えられる。

364 第1編 逐条解説 第3章 差止請求

第26条（氏名等の明示）

（氏名等の明示）
第26条 適格消費者団体の差止請求関係業務に従事する者は、その差止請求関係業務を行うに当たり、相手方の請求があったときは、当該適格消費者団体の名称、自己の氏名及び適格消費者団体における役職又は地位その他内閣府令で定める事項を、その相手方に明らかにしなければならない。

1 趣旨等

　本法における差止請求権は、個々人にではなく、あくまで適格消費者団体という団体に付与されるものであり、差止請求関係業務に従事する者は、正当な法的権限を有することを示すべく、自らの適格消費者団体における位置付けを相手方に明らかにする必要がある。また、差止請求権の対象は、法第4条第1項から第4項までに規定する行為又は法第8条から第10条までに規定する消費者契約の条項を含む消費者契約の申込み又はその承諾の意思表示であり（ただし、一定の例外を除く。）、当該規定に該当しない行為等についてまで法的権限があるかのように装い、相手方を誤認させて交渉に当たるのは適切でない。

　このため、適格消費者団体の差止請求関係業務に従事する者は、その差止請求関係業務を行うに当たり、相手方の請求があったときは、差止請求をする正当な法的権限を有する者であること（当該請求につき法的権限があることを含む。）を相手方に明らかにすることを義務付けることとしている。

　当該相手方に明らかにすべき具体的事項としては、
① 当該適格消費者団体の名称
② 自己（従事者）の氏名及び適格消費者団体における役職名又は地位
③ その他内閣府令で定める事項（弁護士の資格その他の自己の有する資格、法第23条第4項第2号に規定する差止請求をする場合にあっては、請求の要旨及び紛争の要点）（規則第20条）

第 2 節　適格消費者団体　第 2 款　差止請求関係業務等（第23条〜第29条）**第26条**　365

としている。

366　第1編　逐条解説　第3章　差止請求

第27条（判決等に関する情報の提供）

（判決等に関する情報の提供）

第27条　適格消費者団体は、消費者の被害の防止及び救済に資するため、消費者に対し、差止請求に係る判決（確定判決と同一の効力を有するもの及び仮処分命令の申立てについての決定を含む。）又は裁判外の和解の内容その他必要な情報を提供するよう努めなければならない。

１　趣旨等

　本法における差止請求権は、不特定かつ多数の消費者の利益の擁護、具体的には、消費者被害の発生又は拡大の防止のために、法律で適格消費者団体に認められるものである。したがって、差止請求権の行使により判決等の結果が得られた場合には、その結果（成果）を広く消費者一般に還元すべく、判決等に関する情報提供をする必要があるし、また、その情報提供により、個別事件の解決促進にも資すると考えられるところである（具体的には、差止判決に係る事件と同様の被害を受けていると認識した個別消費者が差止判決を引用しつつ相手方に救済の申入れをし、相手方が自主的に救済措置を講じたり、当該個別消費者が差止判決を裁判で証拠として提出すること等が考えられる。）。

　このための手法としては、様々なものが考えられるが、

①　適格消費者団体は、差止請求権の行使（裁判外の交渉、訴訟等）の結果に係る情報提供業務をも含めた差止請求関係業務の遂行体制及び業務規程が適切に整備されているものとして、適格消費者団体の認定を受けていること（法第13条第3項第3号）

②　適格消費者団体は、差止請求権の行使の当事者であり、判決等の結果はもちろん、判決等の理由やそれに至るまでの経過等を最も熟知している主体であること、したがって、分かりやすい情報提供など、消費者利益につながる形での情報提供が期待できること

③　もう一方の当事者である相手方に情報提供の責任を負わせることと

第2節　適格消費者団体　第2款　差止請求関係業務等（第23条〜第29条）**第27条**　367

しても、必ずしもその実効性が確保し得るとは限らないと考えられる
こと
から、適格消費者団体が必要な情報を提供するよう努めなければならない
こととしている。

　情報提供の対象としては、上記の趣旨に鑑み、判決（確定判決の有無及び
勝訴・敗訴を問わない。）に限らず、裁判上の和解又は請求の放棄若しくは認
諾、調停合意、仲裁判断等の確定判決と同一の効力を有するもののほか、
裁判外の和解や仮処分命令申立てについての決定など、差止請求権の行使
の結果は幅広く情報提供の対象とするのが望ましい。

　また、提供事項については、消費者のプライバシーの侵害のおそれ等が
ある場合を除き、判決等の概要のほか、当該判決等の内容についても、個
人情報等の取扱いに留意した上で、消費者が理解しやすい方法で提供する
ようにすることが望ましい。このほか、消費者の被害の防止及び救済に資
するために必要な情報の提供を行う場合において、当該情報に他の者（例
えば、被害回復のための活動をする弁護団など）の業務に関する情報が含まれ
ているときは、当該他の者の業務が適格消費者団体の業務と誤認されるこ
とのないように留意することが望ましい（ガイドライン4(4)）。

368　第1編　逐条解説　第3章　差止請求

第28条（財産上の利益の受領の禁止等）

> **（財産上の利益の受領の禁止等）**
> **第28条**　適格消費者団体は、次に掲げる場合を除き、その差止請求に係る相手方から、その差止請求権の行使に関し、寄附金、賛助金その他名目のいかんを問わず、金銭その他の財産上の利益を受けてはならない。
> 　一　差止請求に係る判決（確定判決と同一の効力を有するもの及び仮処分命令の申立てについての決定を含む。以下この項において同じ。）又は民事訴訟法（平成8年法律第109号）第73条第1項の決定により訴訟費用（和解の費用、調停手続の費用及び仲裁手続の費用を含む。）を負担することとされた相手方から当該訴訟費用に相当する額の償還として財産上の利益を受けるとき。
> 　二　差止請求に係る判決に基づいて民事執行法（昭和54年法律第4号）第172条第1項の規定により命じられた金銭の支払として財産上の利益を受けるとき。
> 　三　差止請求に係る判決に基づく強制執行の執行費用に相当する額の償還として財産上の利益を受けるとき。
> 　四　差止請求に係る相手方の債務の履行を確保するために約定された違約金の支払として財産上の利益を受けるとき。
> 2　適格消費者団体の役員、職員又は専門委員は、適格消費者団体の差止請求に係る相手方から、その差止請求権の行使に関し、寄附金、賛助金その他名目のいかんを問わず、金銭その他の財産上の利益を受けてはならない。
> 3　適格消費者団体又はその役員、職員若しくは専門委員は、適格消費者団体の差止請求に係る相手方から、その差止請求権の行使に関し、寄附金、賛助金その他名目のいかんを問わず、金銭その他の財産上の利益を第三者に受けさせてはならない。
> 4　前3項に規定する差止請求に係る相手方からその差止請求権の行使に関して受け又は受けさせてはならない財産上の利益には、その相手方がその差止請求権の行使に関してした不法行為によって生じた損害の賠償

第2節　適格消費者団体　第2款　差止請求関係業務等（第23条～第29条）**第28条**　369

として受け又は受けさせる財産上の利益は含まれない。

5　適格消費者団体は、第1項各号に規定する財産上の利益を受けたときは、これに相当する金額を積み立て、これを差止請求関係業務に要する費用に充てなければならない。

6　適格消費者団体は、その定款において、差止請求関係業務を廃止し、又は第13条第1項の認定の失効（差止請求関係業務の廃止によるものを除く。）若しくは取消しにより差止請求関係業務を終了した場合において、積立金（前項の規定により積み立てられた金額をいう。）に残余があるときは、その残余に相当する金額を、他の適格消費者団体（第35条の規定により差止請求権を承継した適格消費者団体がある場合にあっては、当該適格消費者団体）があるときは当該他の適格消費者団体に、これがないときは第13条第3項第2号に掲げる要件に適合する消費者団体であって内閣総理大臣が指定するもの又は国に帰属させる旨を定めておかなければならない。

I　第1項から第3項まで

1　趣旨

　本法は、消費者の被害の発生又は拡大を防止するため適格消費者団体が差止請求をすることができることとしているが、適格消費者団体が、差止請求権の行使につき不当に財産上の利益を収受することは、企業恐喝等の違法行為の温床ともなりかねないものであるとともに、本来専ら不特定かつ多数の消費者の利益の擁護のために遂行されるべき差止請求関係業務の適正・公正性及び制度の信頼性を損なうおそれのある行為であり、厳に禁止すべきである。

　このため、適格消費者団体は、下記①～④の場合を除き、その差止請求に係る相手方から、その差止請求の行使に関し、寄附金、賛助金その他名目のいかんを問わず、金銭その他の財産上の利益を受けてはならないこととしている（第1項）。

370 第1編 逐条解説 第3章 差止請求

① 差止請求に係る判決（確定判決と同一の効力を有するもの及び仮処分命令の申立てについての決定を含む。）又は民事訴訟法第73条第1項の決定により訴訟費用（和解の費用、調停手続の費用及び仲裁手続の費用を含む。）を負担することとされた相手方から当該訴訟費用に相当する額の償還として財産上の利益を受けるとき（第1号）^(注)。

② 差止請求に係る判決に基づいて民事執行法第172条第1項の規定により命じられた金銭の支払として財産上の利益を受けるとき（第2号）。

③ 差止請求に係る判決に基づく強制執行の執行費用に相当する額の償還として財産上の利益を受けるとき（第3号）。

④ 差止請求に係る相手方の債務の履行を確保するために約定された違約金の支払として財産上の利益を受けるとき（第4号）。

また、適格消費者団体自体ではなく、その役員、職員又は専門委員についても、差止請求権の行使に関し、財産上の利益を受けてはならないこととし（第2項）、第1項及び第2項の規制の潜脱を防ぐ観点から、財産上の利益を第三者に受けさせてはならないこととしている（第3項）。

　（注）　保全手続の費用は「訴訟費用」の概念に含まれるものと考えられる。

2　条文の解釈

(1)　「その差止請求権の行使に関し」

規定の趣旨に鑑み、当該適格消費者団体による差止請求権の行使の適正及び制度の信頼性に影響を及ぼし得る場合をいい、例えば、適格消費者団体が、差止請求権の行使に係る個別事案とは関係なく会費や寄附金を受領することや、不当な行為をしていた差止請求に係る相手方との間で、それによって得た利益を個々の消費者に返還したり、消費者に対する支援活動を行う者に拠出するよう合意することは該当しない^(注)。

　（注）　例えば、適格消費者団体が差止請求に係る相手方に対しある不当な勧誘行為を停止するよう求めたところ、差止請求に係る相手方との話合いが実現し、その結果、今後は不当な勧誘行為を行わないことを合意するほかに、これまでに消費者から得た代金相当額を返還すること等を合意に盛り込むことの可否については、不当な勧誘行為をしていた差止請求に係る相手方が、適格消費者

第2節　適格消費者団体　第2款　差止請求関係業務等（第23条〜第29条）**第28条**　371

団体の要求を受け入れ、不当な勧誘行為の差止めを応諾するとともに、それによって不当に得た利得を被害者である個別の消費者に返還する合意をするものであるから、当該合意は、差止請求権の行使の適正性及び制度の信頼性を損なうものではなく、差止請求権の行使又は不行使の対価として金銭の授受がされたものではない以上、「その差止請求権の行使に関し」てされた場合には該当せず、本条によって禁止されるものではないと考えられる。

(2)　「第三者」（第3項）

　第3項の趣旨は第1項及び第2項の規制の潜脱を防ぐものであり、適格消費者団体の役員、職員又は専門委員が、適格消費者団体の差止請求に係る相手方から、その差止請求権の行使に関し、第1項各号の財産上の利益を適格消費者団体に受けさせることは正当であることから、第3項の「第三者」には当該適格消費者団体を含まない（この点は、法第49条第1項の「第三者」に当該適格消費者団体を含むこととしているのと異なる。）。

II　第4項

1　趣旨等

　本条第1項から第3項までの規制に関し、適格消費者団体固有の損害賠償請求権（例えば、差止請求に係る訴訟において、相手方の不当応訴による不法行為に基づく損害賠償請求権など）の行使により財産上の利益を受けることは正当なものと位置付けられることから、本条第1項から第3項までの規制にかかわらず、そのような損害の賠償として受け又は受けさせる財産上の利益は、当該規制の対象になる財産上の利益には含まれないことを確認的に規定することとしている。

372　第1編　逐条解説　第3章　差止請求

Ⅲ　第5項・第6項

⬛1　趣旨等

　適格消費者団体に差止請求権を付与したのは、不特定かつ多数の消費者利益の擁護を図るためであることから、その実質に則して、以下の規定を設けている。
(1)　支払を受けた訴訟費用等、間接強制金、違約金の使途については、本法上、適格消費者団体の本来の業務として位置付けられる差止請求関係業務に要する費用に充てなければならないとする旨の使途制限規定を設けることとしている。
　　　具体的には、支払を受けた間接強制金等は、差止請求関係業務用の積立金として管理し、差止請求関係業務に要する費用に充てなければならないものとしている（第5項）。
(2)　適格消費者団体の認定の取消し等により差止請求関係業務を終了した場合において既に支払を受けて積み立てられた間接強制金等に残余がある場合については、①差止請求関係業務の引継ぎを伴う場合には、当該業務を引き継ぐ適格消費者団体を帰属先とし、②差止請求関係業務の引継ぎを伴わない場合には、他の適格消費者団体を帰属先とし、③それが存在しないときは、内閣総理大臣の指定する消費者団体又は国を帰属先とする旨を定款に定めておくものとしている（第6項）(注)。
(3)　以上に係る財産上の利益の受領について、適格消費者団体は、法第30条に規定する帳簿書類として記録しなければならない（規則第21条第1項第9号）とともに、法第31条第1項に規定する財務諸表等にもその収入及び支出の状況が明瞭に記載されていなければならない（ガイドライン5(2)）。

　　(注)　なお、特定非営利活動促進法第11条第3項は、残余財産の帰属すべき者として、特定非営利活動法人、国又は地方公共団体、公益社団法人又は公益財団法人、学校法人、社会福祉法人、更生保護法人を定めており、一般社団法人又は一般財団法人は定められていない。そこで、本項における積立金に残余がある場合に、一般社団法人又は一般財団法人である適格消費者団体に帰属させる

第2節　適格消費者団体　第2款　差止請求関係業務等（第23条～第29条）**第28条**　373

旨定めることができるか問題となるが、本項が、積立金を他の適格消費者団体
等に帰属させることの趣旨（差止請求関係業務によって得た財産上の利益は、
他の適格消費者団体に帰属させることにより差止請求関係業務を継続させて
消費者全体の利益擁護を図る。）を踏まえると、積立金の承継は法人の残余財
産が形成される前の財産処分行為（債務の弁済に類するもの）と考えられる。
そのため、積立金の承継に関する規定と残余財産の承継に関する規定とを区
別した上、前者は法第28条第6項の規律に適合させ、後者は特定非営利活動促
進法第11条第3項の規律に適合させることで必要十分である。

374　第1編　逐条解説　第3章　差止請求

第29条（業務の範囲及び区分経理）

> **（業務の範囲及び区分経理）**
>
> **第29条**　適格消費者団体は、その行う差止請求関係業務に支障がない限り、定款の定めるところにより、差止請求関係業務以外の業務を行うことができる。
>
> 2　適格消費者団体は、次に掲げる業務に係る経理をそれぞれ区分して整理しなければならない。
>
> 一　差止請求関係業務
>
> 二　不特定かつ多数の消費者の利益の擁護を図るための活動に係る業務（前号に掲げる業務を除く。）
>
> 三　前2号に掲げる業務以外の業務

I　第1項

1　趣旨

　適格消費者団体が、差止請求関係業務以外の業務を積極的に展開する場合には、

　①　当該業務の繁忙期に、差止請求関係業務に専従すべき職員が、当該業務の要員として充てられる、

　②　当該業務の積極的な展開により同業者との競合が生じ、それを原因として不当な訴えが提起されるおそれが生ずる

などの弊害が想定されるほか、当該業務の内容が法令に違反する等の場合には、社会一般から差止請求権行使の適正・公正性についてまで疑念を生じさせる可能性がある。

　適格消費者団体は、差止請求関係業務を本来業務とするものであるが、差止請求権の行使は、間接強制金、違約金、訴訟費用等を除き金銭の授受を本来伴わないものである。また、適格消費者団体は、会費、寄附金のみならず、差止請求関係業務以外の業務（例えば、シンポジウムの開催や消費者

第2節　適格消費者団体　第2款　差止請求関係業務等（第23条～第29条）**第29条**　375

問題関連の出版事業等）によっても、その活動資金を確保する必要性が想定されるところである。さらに、活動資金の確保に寄与しない事業（例えば、環境保全活動等の公益的な事業）であっても、差止請求関係業務に弊害のない場合には、これを禁止することまでは必要ないと考えられる。

　以上を踏まえ、「差止請求関係業務に支障がない限り」において、差止請求関係業務以外の業務を行うことができることとしている。

　また、差止請求関係業務以外の業務を行うに際しては、内閣総理大臣の監督はもとより、国民監視のもとで適切な自己規律が働くよう、定款の定めるところにより、行うことができることとしている。

　なお、特定適格消費者団体である適格消費者団体も、同様に、その行う差止請求関係業務及び被害回復関係業務（消費者裁判手続特例法第71条第2項）に支障がない限り、定款の定めるところにより、差止請求関係業務及び被害回復関係業務以外の業務を行うことができることとしている（消費者裁判手続特例法第94条及び本項）。

② 条文の解釈

「差止請求関係業務に支障がない限り」

　「差止請求関係業務に支障が」生じている場合とは、適格消費者団体が差止請求関係業務以外の業務に人員や経費の配分を集中していたり、社会的に妥当でない業務を行っていることにより、適正な差止請求関係業務の遂行を現に行うことができなくなっている状況にある場合をいい、適格消費者団体の実際の活動状況に照らし現に差止請求関係業務に支障が生じているか否かが具体的に判断されることとなる。特定適格消費者団体である適格消費者団体についても、差止請求関係業務及び被害回復関係業務に支障が生じているか否かについて、同様に判断する。なお、ここでいう「社会的に妥当でない業務」としては、①当該業務の内容が法令に抵触するものであること、②適格消費者団体の経理的基礎に悪影響を及ぼす投機的なものであること、③暴力団等反社会的勢力が一定の関与をするものであること等の適格消費者団体としての社会的信頼性を損なうものである活動が該当する（以上については、法第13条第3項第7号の解説を参照）。

376 第1編 逐条解説 第3章 差止請求

Ⅱ 第2項

1 趣旨等

　適格消費者団体は、その行う業務に係る経理の明確な整理を行う必要が
あるとともに、特に、法第28条第1項各号に掲げる訴訟費用等、間接強制
金、違約金等については、適格消費者団体がその支払を受けた場合には、
差止請求関係業務に要する費用に充てなければならないとする旨の使途制
限規定（法第28条第5項）が設けられていることからも、収支等の適正な区
分をすることが必要である。そこで、

①　差止請求関係業務

②　不特定かつ多数の消費者の利益の擁護を図るための活動に係る業務
　　（差止請求関係業務を除く。）

③　①・②の業務以外の業務

の経理を区分して整理しなければならないこととしている。もっとも、適
格消費者団体が区分経理を適切に行い、経理の明確な整理が図られている
限り、②又は③の業務を行うことによって得られた収益を差止請求関係業
務に充てることは否定されない。

第2節　適格消費者団体　第3款　監督（第30条〜第35条）**第30条**　377

第3款　監督（第30条〜第35条）

第30条（帳簿書類の作成及び保存）

> **（帳簿書類の作成及び保存）**
> **第30条**　適格消費者団体は、内閣府令で定めるところにより、その業務及び経理に関する帳簿書類を作成し、これを保存しなければならない。

１　趣旨

　本条は、適格消費者団体の業務の適正な運営を確保するとともに、内閣総理大臣による適切な監督（的確かつ効率的な報告徴収・立入検査等の事後チェック）を担保するため、適格消費者団体に、帳簿書類の作成・保存を義務付けるものである。また、本条の規定に違反して、帳簿書類の作成若しくは保存をせず、又は虚偽の帳簿書類の作成をした者は、50万円以下の罰金に処せられる（法第51条第3号）。

２　条文の解釈

「内閣府令で定めるところにより、その業務及び経理に関する帳簿書類を作成し、これを保存しなければならない。」

　帳簿書類としては、「業務日誌的な書類」（業務に関する帳簿書類）と「会計簿」（経理に関する帳簿書類）が必要であり、具体的には次の(1)に掲げるものとする（規則第21条第1項各号）。適格消費者団体が特定認定（消費者裁判手続法第65条第1項）を受けて被害回復関係業務を行う場合には、次の(2)に掲げるものも作成し保存する必要があるが、(1)に掲げる帳簿書類と同一のものを重複して作成し保存する必要はない（規則第21条第2項ただし書）。適格消費者団体は、これらの帳簿書類を、各事業年度の末日をもって閉鎖するものとし、閉鎖後5年間当該帳簿書類を保存しなければならない（同条

378　第1編　逐条解説　第3章　差止請求

第3項）。

(1)　規則第21条第1項各号に掲げる帳簿書類

①　差止請求権の行使に関し、相手方との交渉の経過を記録したもの（規則第21条第1項第1号）

適格消費者団体が差止請求権を行使した事案ごとに作成され、おおむね以下の事項が時系列的に記載されていなければならない（ガイドライン5(1)イ）。

　　i　交渉の相手方の氏名又は名称
　　ii　事案の概要及び主な争点
　　iii　交渉日時（法第41条第1項に規定する書面を発送した場合の発送日を含む。）、場所及び手法（電話、訪問、電子メール及び書面発送等の別）
　　iv　交渉担当者（同席者等を含む。）
　　v　交渉内容及び相手方の対応

②　差止請求権の行使に関し、適格消費者団体が訴訟、調停、仲裁、和解、強制執行、仮処分命令の申立てその他の手続の当事者となった場合、その概要及び結果を記録したもの（規則第21条第1項第2号）

「当事者となった場合」とは、適格消費者団体が法的手続を起こした場合と起こされた場合の双方を含む。この帳簿書類は、適格消費者団体が法的手続の当事者となった場合ごとに作成され、おおむね以下の事項が記載されていなければならない。

なお、規則第21条第1項第1号（上記①関係）の相手方との交渉を経て、同項第2号の訴えの提起等に至った場合には、その旨を下記vi（訴え提起等後の経緯及び結果）の冒頭に付記するものとする（ガイドライン5(1)ウ）。

　　i　訴え提起等の相手方の氏名又は名称
　　ii　事案の概要及び主な争点
　　iii　法的手続の種類
　　iv　訴え提起等の日
　　v　係属裁判所（部）
　　vi　訴え提起等後の経緯及び結果

③ 消費者被害情報収集業務の概要を記録したもの（規則第21条第1項第3号）

④ 差止請求情報収集提供業務の概要を記録したもの（規則第21条第1項第4号）

　規則第21条第1項第3号（消費者被害情報収集業務のうち、法第12条の3及び第12条の4に基づく事業者等に対する要請に係る業務を除く。）及び第4号（差止請求情報収集提供業務のうち、情報提供に係る業務）に規定する帳簿書類は、当該業務の概要に関し、おおむね以下の事項が記載されていなければならない（ガイドライン5(1)エ）。

　　i　当該業務をした日時、場所及び方法
　　ii　当該業務をした結果

　規則第21条第1項第3号（消費者被害情報収集業務のうち、法第12条の3及び第12条の4に基づく事業者等に対する要請に係る業務）に規定する帳簿書類は、適格消費者団体が事業者等に対する要請を行った事案ごとに作成され、当該業務の概要に関し、おおむね以下の事項が記載されていなければならない。

　　i　要請の相手方の氏名又は名称
　　ii　要請を行った日時及び方法
　　iii　要請の理由及び要請内容の概要
　　iv　要請後の経緯及び結果

　規則第21条第1項第4号（差止請求情報収集提供業務のうち、情報収集に係る業務）に規定する帳簿書類は、適格消費者団体が差止請求に係る講じた措置の開示要請（法第12条の5）を行った事案ごとに作成され、おおむね以下の事項が記載されていなければならない。なお、第1号（上記①関係）の相手方との交渉又は第2号（上記②関係）の訴え提起等を経た結果、相手方が差止請求に係る措置をとる義務を負い、講じた措置の開示要請に至った場合には、その旨ivの冒頭に付記するものとする。

　　i　開示要請の相手方の氏名又は名称
　　ii　相手方が負う義務の内容
　　iii　開示要請を行った日時及び方法
　　iv　開示要請の内容の概要

380 第1編 逐条解説 第3章 差止請求

 ⅴ 開示要請後の経緯及び結果

⑤ ①〜④の帳簿書類の作成に用いた関係資料のつづり（規則第21条第1項第5号）

「関係資料」とは、例えば、第1号に規定する帳簿書類（上記①関係）との関係では、差止請求に係る相手方との交渉の際の手控えのうち交渉の経過が分かる主要なもの、第2号に規定する帳簿書類（上記②関係）との関係では、適格消費者団体が訴訟の当事者となった場合の訴状、準備書面その他の関係する法的手続の記録一式、第3号及び第4号に規定する帳簿書類（上記③・④関係）との関係では、業務の概要が分かる主要な手控え等が該当する（ガイドライン5⑴オ）。

⑥ 理事会の議事録並びに法第13条第3項第5号の検討を行う部門における検討の経過及び結果等を記録したもの（規則第21条第1項第6号）

⑦ 会計簿（規則第21条第1項第7号）

適格消費者団体の資産及び負債並びに収入及び支出に関する取引を記載したものをいい、例えば、仕訳帳、総勘定元帳、残高試算表、精算表等の書類が該当する。また、領収書などの証憑書類については、できる限り分類して保存しておくことが望ましい（ガイドライン5⑴カ）。

⑧ 会費、寄附金その他これらに類するもの（会費等）について、次に掲げる事項を記録したもの（規則第21条第1項第8号）

 ⅰ 会費等（ⅱに規定する寄附金を除く。）の納入、寄附その他これらに類するもの（納入等）をした者の氏名、住所及び職業（納入等をした者が法人その他の団体である場合には、その名称、主たる事務所の所在地及び当該団体の業務の種類）並びに当該会費等の金額及び納入等の年月日

 ⅱ 寄附金であってその寄附をした者の氏名を知ることができないもの（その寄附金を受け入れた時点における事業年度中の寄附をした者の氏名を知ることができない寄附金の総額が前事業年度の収入の総額の十分の一を超えない場合におけるものに限る。）を受け入れた年月日、当該年月日において受け入れた寄附金の募集の方法及びその金額

 ⅲ 会費等について定めた定款、規約その他これらに類するものの規定（会費等関係規定）

「会費、寄附金その他これらに類するもの」（会費等）とは、法人の社員として社員総会における表決権を有する者のほか、定款等に基づき当該団体の会員とされる者の地位に基づき納入等されるもの（会費）及び納入等をする者の任意に基づき直接の反対給付がなく納入等されるもの（寄附金）その他これらに類するものをいい、「正会費」、「賛助会費」、「支援金」、「カンパ」、「賛同金」など名称のいかんを問わない。本号に規定する帳簿書類は、会費等について、規則第21条第1項第7号に規定する会計簿とは別途、本号に規定する内容の明細を記録したものをいう。

なお、上記ⅱの「寄附金であってその寄附をした者の氏名を知ることができないもの」とは、例えば、シンポジウムの会場において募金箱を設置する、寄附者が明らかにならないクラウド・ファンディングを利用する等の寄附金を募集する方法の性質上、寄附をした者を適格消費者団体が知ることができない寄附金をいう。このような寄附金は、寄附金を受け入れた時点における事業年度中の総額が前事業年度の収入の総額の十分の一を超えない限度において受け入れた年月日、当該年月日において受け入れた寄附金を集めた方法及びその金額を記録すれば足り、十分の一を超える可能性がある場合には、寄附をした者を知ることができない方法により寄附を募集してはならない（ガイドライン5(1)キ）。

⑨　法第28条第1項各号に規定する財産上の利益の受領について記録したもの（規則第21条第1項第9号）

規則第21条第1項第9号に規定する帳簿書類は、法第28条第1項各号に規定する財産上の利益の受領について、規則第21条第1項第7号に規定する会計簿とは別途、作成されたものをいう（ガイドライン5(1)ク）。

(2)　規則第21条第2項各号に掲げる帳簿書類

①　被害回復関係業務に関し、相手方との交渉の経過を記録したもの

前記(1)①の「差止請求権の行使に関し、相手方との交渉の経過を記録したもの」に準じて作成される必要がある。

②　被害回復裁判手続の概要及び結果を記録したもの

被害回復裁判手続の事案ごとに、時系列に従って以下の事項を記載するものとされている。

382　第1編　逐条解説　第3章　差止請求

i　仮差押命令の申立てをした場合は、係属裁判所、事件番号、申立日、債務者の氏名又は名称、当該申立てに係る保全すべき権利（対象債権及び対象消費者の範囲並びに特定適格消費者団体が取得する可能性のある債務名義に係る対象債権の総額）及び仮に差し押さえるべき物

　なお、仮差押命令の申立書の写しに事件番号を付記したもので代えることができるものとする。

ii　仮差押命令の申立てに係る決定があった場合は、決定をした裁判所、事件番号、事件の表示（事件名）、決定日及び決定の主文

　なお、仮差押命令の申立てに係る決定書の写しを添付することで代えることができるものとする。

　また、独立行政法人国民生活センターが仮差押命令の担保を立てたときは、その旨、担保の額及び担保を立てた方法も記載するものとする。

iii　ii以外の理由で仮差押命令の申立てに係る手続が終了した場合は、その旨及び理由並びに終了した日時

iv　共通義務確認の訴えを提起した場合は、係属裁判所、事件番号、訴え提起日、被告の氏名又は名称、請求の趣旨（対象債権及び対象消費者の範囲を含む。）及び請求の原因の概要

　なお、共通義務確認訴訟の訴状の写しに事件番号を付記したもので代えることができる。

v　共通義務確認訴訟における当事者の主張の概要

　なお、共通義務確認訴訟における準備書面（答弁書を含む。）で代えることができるものとする。

vi　共通義務確認訴訟において第一審判決があった場合には、判決をした裁判所、事件番号、判決日、被告の氏名又は名称、主文、対象債権及び対象消費者の範囲並びに理由の概要

　なお、判決書の写しで代えることができるものとする。

vii　共通義務確認訴訟において上訴があった場合には、ivからviまでに準じて作成された書類

viii　共通義務確認訴訟の係属中に中間合意をした場合には、その旨

第2節　適格消費者団体　第3款　監督（第30条～第35条）**第30条**　383

ix　判決以外の理由により共通義務確認訴訟が終了した場合は、その旨及び理由並びに終了した日時

x　簡易確定手続開始決定があった場合は、決定をした裁判所、事件番号、決定日、主文、対象債権及び対象消費者の範囲（共通義務確認訴訟において消費者裁判手続特例法第2条第4号に規定する義務が認められたとき）又は和解金債権に係る同法第11条第2項第1号及び第3号に掲げる事項（共通義務確認訴訟において和解金債権が存する旨を認める和解をしたとき）、債権届出をすべき期間並びに認否をすべき期間

なお、簡易確定手続開始決定書の写しで代えることができるものとする。

xi　対象消費者等ごとに、その氏名、住所、請求の趣旨（債権届出をした金額）及び届出債権の帰すうが表示された一覧表

なお、届出債権の帰すうは、特定適格消費者団体が知り得る範囲で、相手方による認否の結果、認否を争う旨の申出をしたか否か、認否を争う旨の申出をした場合は簡易確定決定の結果、簡易確定決定があった場合は異議の申出があったか否か、異議の申出があった場合は特定適格消費者団体が訴訟授権契約を締結したか否か、特定適格消費者団体が訴訟授権契約を締結した場合は異議後の訴訟の結果、裁判上又は裁判外の和解が成立した場合はその結果、上記以外に手続が終了した場合はその理由を記載するものとする。

xii　共通義務確認訴訟の係属中にされた中間合意や共通義務確認訴訟における和解に基づいて、裁判手続外で当該合意又は和解の内容の実現が図られた場合には、特定適格消費者団体が知り得る範囲で、当該合意又は和解により被害回復を受けた消費者の人数、氏名、住所、被害回復の内容（金銭支払請求の場合の金額等）

xiii　被害回復裁判手続に係る相手方との間で消費者裁判手続特例法第98条第2項第2号に規定する合意をした場合には、その旨

③　**被害回復裁判手続に関する業務の遂行に必要な消費者被害に関する情報の収集に係る業務の概要を記録したもの**

消費者契約法施行規則第21条第1項第3号に規定する「消費者被害情報

収集業務の概要を記録したもの」（消費者被害情報収集業務のうち、法第12条の３及び第12条の４に基づく事業者に対する要請に係る業務に関するものを除く。）に準じて作成される必要がある。

④　被害回復裁判手続に関する業務に付随する対象消費者等に対する情報の提供に係る業務の概要を記録したもの

消費者契約法施行規則第21条第１項第４号に規定する「差止請求情報収集提供業務の概要を記録したもの」（差止請求情報収集提供業務のうち、情報提供に係る業務に関するもの）に準じて作成される必要がある。

⑤　①から④までの帳簿書類の作成に用いた関係資料のつづり

例えば、相手方との交渉の際の手控えのうち交渉の経過が分かる主要なもの、法的手続の記録一式、業務の概要が分かる主要な手控え等が該当する。

⑥　検討部門における検討の経過及び結果等を記録したもの

⑦　消費者裁判手続特例法第35条（同法第57条第８項において準用する場合を含む。）により交付した書面の写し（電磁的記録を提供した場合は、その電磁的記録に記録された事項を記載した書面）

⑧　簡易確定手続授権契約及び訴訟授権契約に関する契約書のつづり

⑨　消費者裁判手続特例法施行規則第８条第１号ホに掲げる行為をすることについて、法第34条第１項及び第57条第１項の授権をした者の意思の表明があったことを証する書面（当該意思を確認するための措置を電磁的方法によって実施した場合にあっては、当該電磁的方法により記録された当該意思の表明があったことを証する情報を記載した書面）のつづり

⑩　消費者裁判手続特例法第82条第２項に規定する契約に関する契約書その他の報酬の額又は算定方法及び支払方法を証する資料（当該資料が電磁的記録をもって作成されている場合は、その電磁的記録に記録された事項を記載した書面）のつづり

⑪　被害回復裁判手続に係る金銭その他財産の管理について記録したもの

事案ごとの預り金及び預り金以外の金員に関する預金口座の入出金記録及び現金の出納記録が、これに該当する。

第2節 適格消費者団体 第3款 監督（第30条〜第35条）第30条 385

⑫ 被害回復関係業務の一部を委託した場合にあっては、事案ごとに、①委託を受けた者の氏名又は名称、②その者を選定した理由、③委託した業務の内容及び④委託に要した費用を支払った場合にあってはその額

なお、消費者団体訴訟等支援法人に委託する場合は、上記②について記載する必要はない。

また、消費者団体訴訟等支援法人以外の第三者に裁量の余地の乏しい業務及び被害回復裁判手続との関連性が乏しい業務について委託した場合には、記載する必要はない。

386 第1編 逐条解説 第3章 差止請求

第31条（財務諸表等の作成、備置き、閲覧等及び提出等）

（財務諸表等の作成、備置き、閲覧等及び提出等）

第31条 適格消費者団体は、毎事業年度終了後3月以内に、その事業年度の財産目録等及び事業報告書（これらの作成に代えて電磁的記録（電子的方式、磁気的方式その他人の知覚によっては認識することができない方式で作られる記録であって、電子計算機による情報処理の用に供されるものをいう。以下この条において同じ。）の作成がされている場合における当該電磁的記録を含む。次項第5号及び第53条第6号において「財務諸表等」という。）を作成しなければならない。

2 適格消費者団体の事務所には、内閣府令で定めるところにより、次に掲げる書類を備え置かなければならない。

　一　定款

　二　業務規程

　三　役職員等名簿（役員、職員及び専門委員の氏名、役職及び職業その他内閣府令で定める事項を記載した名簿をいう。）

　四　適格消費者団体の社員について、その数及び個人又は法人その他の団体の別（社員が法人その他の団体である場合にあっては、その構成員の数を含む。）を記載した書類

　五　財務諸表等

　六　収入の明細その他の資金に関する事項、寄附金に関する事項その他の経理に関する内閣府令で定める事項を記載した書類

　七　差止請求関係業務以外の業務を行う場合には、その業務の種類及び概要を記載した書類

3 何人も、適格消費者団体の業務時間内は、いつでも、次に掲げる請求をすることができる。ただし、第2号又は第4号に掲げる請求をするには、当該適格消費者団体の定めた費用を支払わなければならない。

　一　前項各号に掲げる書類が書面をもって作成されているときは、当該書面の閲覧又は謄写の請求

　二　前号の書面の謄本又は抄本の交付の請求

第2節　適格消費者団体　第3款　監督（第30条～第35条）**第31条**　387

　　三　前項各号に掲げる書類が電磁的記録をもって作成されているとき
　　　は、当該電磁的記録に記録された事項を内閣府令で定める方法により
　　　表示したものの閲覧又は謄写の請求
　　四　前号の電磁的記録に記録された事項を電磁的方法であって内閣府令
　　　で定めるものにより提供することの請求又は当該事項を記載した書面
　　　の交付の請求
　4　適格消費者団体は、前項各号に掲げる請求があったときは、正当な理
　　由がある場合を除き、これを拒むことができない。
　5　適格消費者団体は、毎事業年度終了後3月以内に、第2項第3号から
　　第6号までに掲げる書類を内閣総理大臣に提出しなければならない。

I　第1項

1　趣旨等

　適格消費者団体の業務の適正な運営を確保する観点から、適格消費者団
体は、その財産状況及び活動状況に関する書類として、財産目録、貸借対
照表、活動計算書又は損益計算書（法第14条第2項第8号）及び事業報告書
（財務諸表等）を作成しなければならないこととしている。
　適格消費者団体は、法人の区分に応じて作成される活動計算書又は損益
計算書を、法第29条第2項に規定するところに従い、区分して作成しなけ
ればならない。また、法第28条第1項各号に掲げる財産上の利益について
は、その収入及び支出の状況が明瞭に記載されていなければならない。加
えて、事業報告書には、翌事業年度の収支（会費、寄附金、差止請求関係業務
以外の業務による収入、借入金等の収入及び役員又は専門委員の報酬、職員の賃
金、弁護士報酬、事務所の賃料等の支出）の見込みとその算出根拠を具体的に
記載しなければならないものとしている（ガイドライン5(2)）。
　特定適格消費者団体は、事業報告書に、以上の事項のほか以下の事項を
記載する必要がある（特定適格消費者団体の認定、監督に関するガイドライン
5(2)イ）。

① 特定適格消費者団体が第三者に被害回復関係業務の一部を委託した場合（消費者団体訴訟等支援法人以外の第三者に郵便の送付など裁量の余地が乏しい業務及び被害回復裁判手続との関連性が乏しい業務を委託した場合を除く。）は、事案ごとに以下の事項（規則第21条第2項第11号に規定する事項）

ア　委託を受けた者の氏名又は名称及びその者を選定した理由

イ　委託した業務の内容

ウ　委託に要した費用を支払った場合にあっては、その額

　　なお、消費者団体訴訟等支援法人に委託した場合は、上記アの選定した理由について記載する必要はない。

② 被害回復裁判手続及びこれに付随する金銭の分配等に関する業務が終了した日（行方不明等のやむを得ない事由により金銭の分配等することができない者がいる場合には、その者以外に対する金銭の分配等に関する業務が終了した日）を含む事業年度の事業報告書については、当該終了した事案に関する以下の事項

ア　規則第21条第2項第2号の書類（被害回復裁判手続の概要及び結果を記録したもの）に記載された事項（ただし、消費者の氏名及び住所を匿名化したもの）

イ　授権をした対象消費者等又は消費者裁判手続特例法第82条第2項に規定する契約を締結した消費者から支払われた報酬及び費用の総額並びに当該事案に要した費用の総額

ウ　簡易確定手続を利用した場合の報酬及び費用に関する以下の事項

　　i　手続参加のための費用に関する以下の事項

　　①　授権をした対象消費者等から支払われた手続参加のための費用の総額

　　②　消費者裁判手続特例法第26条第1項の規定による公告等において記載した債権届出までに要する費用の見込み及びその内訳

　　③　債権届出までに要した費用の総額及びその内訳

　　ii　債権届出より後の報酬及び費用に関する以下の事項

　　①　授権をした対象消費者等から支払われた債権届出より後の報酬及び費用の総額

② 債権届出より後に要した費用の総額及びその内訳

エ　簡易確定手続を利用しない場合の報酬及び費用に関する以下の事項

　　i　手続参加のための費用に関する以下の事項

　　　①　消費者裁判手続特例法第82条第2項に規定する契約を締結した消費者から支払われた手続参加のための費用の総額

　　　②　情報提供等において記載した参加受付までに要する費用の見込み及びその内訳

　　　③　参加受付までに要した費用の総額及びその内訳

　　ii　参加受付より後の報酬・費用に関する以下の事項

　　　①　消費者裁判手続特例法第82条第2項に規定する契約を締結した消費者から支払われた参加受付より後の報酬及び費用の総額

　　　②　参加受付より後に要した費用の総額及びその内訳

オ　消費者のために被害回復関係業務の相手方（事業者等）から支払を受け若しくは回収した総額又は提供を受けた財産的利益の内容

カ　金銭の分配等として消費者に引き渡した総額又は提供した財産的利益の内容

　財務諸表等は、適格消費者団体の事務所に備え置かなければならないとともに（本条第2項第5号）、閲覧又は謄写等の対象となり（本条第3項及び第4項）、毎事業年度終了後3月以内に内閣総理大臣に提出しなければならない（本条第5項）。また、これらの規定に違反した場合は、30万円以下の過料に処せられる（法第53条第6号、第7号、第8号、第9号）。

II　第2項から第5項まで

1　趣旨

　適格消費者団体の業務の適正な運営の確保を図る観点から、適格消費者団体の財産状況及び活動状況に関する書類として、財務諸表等を作成しなければならないこととしている（本条第1項）。これに加え、適格消費者団体に関する情報を広く国民一般に開示し、適格消費者団体にふさわしい規

390　第1編　逐条解説　第3章　差止請求

律（本制度の基本原則・理念的な規定から、具体的な責務規定・行為規範に適合すること）を前提にした自律機能の適切な発揮を促すとともに、適格消費者団体が、不特定多数者から寄附や労務（ボランティア）の提供を受けることも想定され、その活動を広く国民一般に対し説明する必要がある。また、このような情報開示を通じて、適格消費者団体に消費者一般が信頼を寄せ、積極的に被害情報を適格消費者団体に提供する、あるいは、事業者も適格消費者団体を交渉の相手方として受け入れ、真摯な態度で交渉を行うというように、差止請求関係業務が実効的・円滑に遂行されていくようになると考えられる。以上を踏まえ、個人情報又はプライバシーの保護に配慮しつつも、徹底した情報開示措置を適格消費者団体に義務付けることとし、一定の書類の備置き、閲覧等及び提出等について規定する。

2　条文の解釈

(1)　備置き等の対象となる書類

次に掲げる書類を事務所に備え置かなければならないとともに（第2項）、閲覧等の対象とすることとしている（第3項）。なお、適格消費者団体がいかなる団体なのか、国民一般が適切に監視しうるためには、これらの書類について、複数年分を閲覧可能とすることが適当と考えられるため、内閣府令で定めるところにより、5年間事務所に備え置かなければならないこととしている（規則第23条）。

① 定款（第2項第1号）
② 業務規程（第2項項第2号）
③ 役職員等名簿（役員、職員及び専門委員の氏名、役職及び職業その他内閣府令で定める事項を記載した名簿をいう。）（第2項第3号）

内閣府令で定める事項としては、前事業年度における報酬の有無及び役職員等が差止請求の相手方又は被害回復裁判手続の相手方と特別の利害関係を有する場合の措置が講じられた場合における当該措置の内容としている（規則第24条）。

④ 適格消費者団体の社員について、その数及び個人又は法人その他の団体の別（社員が法人その他の団体である場合にあっては、その構成員の数を含む。）を記載した書類（第2項第4号）

第2節　適格消費者団体　第3款　監督（第30条〜第35条）**第31条**　391

⑤　財務諸表等（第2項第5号）

⑥　収入の明細その他の資金に関する事項、寄附金に関する事項その他の経理に関する内閣府令で定める事項を記載した書類（第2項第6号）

　ア　内閣府令で定める事項としては、以下のとおりである。

　　(ア)　全ての収入について、その総額及び会費等、事業収入、借入金、その他の収入別の金額並びに次のi〜ivに掲げる事項（規則第25条第1項第1号）

　　　i　規則第21条第1項第8号イに規定する会費等については、その種類及び当該種類ごとの総額、会費等関係規定、納入等をした者の総数及び個人又は法人その他の団体の別、納入等をした者（その納入等をした会費等の金額の事業年度中の合計額が5万円を超える者に限る。）の氏名又は名称及び当該会費等の金額並びに納入等の年月日

　　　ii　規則第21条第1項第8号ロに規定する寄附金については、総額、会費等関係規定、寄附金を受け入れた年月日、当該年月日において受け入れた寄附金の募集の方法及びその金額

　　　iii　事業収入については、その事業の種類及び当該種類ごとの金額並びに当該種類ごとの収入の生ずる取引について、取引金額の最も多いものから順次その順位を付した場合におけるそれぞれ第1順位から第5順位までの取引に係る取引先、取引金額その他その内容に関する事項

　　　iv　借入金については、借入先及び当該借入先ごとの金額

　　(イ)　全ての支出について、その総額及び支出の生ずる取引について、取引金額の最も多いものから順次その順位を付した場合におけるそれぞれ第1順位から第5順位までの取引に係る取引先、取引金額その他その内容に関する事項（規則第25条第1項第2号）

　イ　適格消費者団体が特定認定を受けて被害回復関係業務を行う場合における内閣府令で定める事項は、前記アにかかわらず、次のとおりである。

　　(ア)　全ての収入について、その総額及び会費等、被害回復関係業務による事業収入、被害回復関係業務以外の業務による事業収入、

借入金、その他の収入別の金額並びに次のⅰ～ⅲに掲げる事項（規則第25条第2項第1号）

ⅰ　前記ア(ア)ⅰ、ⅱ及びⅳに掲げる事項

ⅱ　被害回復関係業務による事業収入については、その種類及び当該種類ごとの金額

　　ここで、「その種類」は、事案ごとに、消費者からの収入、被害回復関係業務の相手方（事業者等）からの収入、被害回復関係業務によるその他の収入に区分し、消費者からの収入については、簡易確定手続を利用した場合の手続参加のための費用、債権届出より後の報酬、債権届出より後の費用、簡易確定手続を利用しない場合の手続参加のための費用、参加受付より後の報酬、参加受付より後の費用に細分するものとする。

ⅲ　被害回復関係業務以外の業務による事業収入については、その事業の種類及び当該種類ごとの金額並びに当該種類ごとの収入の生ずる取引について、取引金額の最も多いものから順次その順位を付した場合におけるそれぞれ第1順位から第5順位までの取引の相手方、取引金額その他その内容に関する事項

(イ)　全ての支出について、その総額及び被害回復関係業務に関する支出、その他の業務による支出別の金額並びに次のⅰ及びⅱに掲げる事項（規則第25条第2項第2号）

ⅰ　被害回復関係業務に関する支出については、その種類及び当該種類ごとの金額並びに対象消費者等に対する支出を除く支出について、支出金額の最も多いものから順次その順位を付した場合におけるそれぞれ第1順位から第5順位までの支出の相手方、支出金額その他その内容に関する事項

　　被害回復関係業務に関する支出に関し、「その種類」は、事案ごとに、消費者に対する支出とその他の被害回復関係業務に関する支出に区分し、消費者に対する支出は、さらに消費者に対する回収金の分配と消費者に対するその他の支出に細分するものとする。

ⅱ　その他の業務による支出については、支出金額の最も多いも

のから順次その順位を付した場合におけるそれぞれ第1順位から第5順位までの支出の相手方、支出金額その他その内容に関する事項

⑦　差止請求関係業務以外の業務を行う場合には、その業務の種類及び概要を記載した書類（第2項第7号）

(2)　閲覧等の請求

　第2項各号に掲げる書類等に係る閲覧や謄写の請求等については、他法令においては、一般に、一定範囲の利害関係者等に、請求権者を限定しているが、本法においては、差止請求権の適正な行使につき消費者、事業者一般を利害関係者と捉えることができ、また、請求権者に限定をしないことで国民一般による監視を徹底することにより、適格消費者団体の信頼性を向上させる観点から、「何人も」閲覧等を請求できることとしている（第3項）。

　これに関し、閲覧等の請求に応じなければならない適格消費者団体の事務処理上の負担の増大も懸念されることから、この点については、以下のとおり所要の対応措置を講ずることとしている。

①　閲覧等の対象となるべき書類が電磁的記録（例えば、パソコンのワードファイル等）をもって作成されているときは、当該電磁的記録に記録された事項を内閣府令で定める方法（当該電磁的記録に記録された事項を紙面又は映像面に表示する方法。規則第26条）により表示したものの閲覧又は謄写をすること（第3項第3号）や、電磁的記録に記録された事項を電磁的方法（電子情報処理組織を使用する方法その他の情報通信の技術を利用する方法をいう。）であって内閣府令で定めるもの（適格消費者団体の使用に係る電子計算機と閲覧等の請求者の使用に係る電子計算機とを電気通信回線で接続した電子情報処理組織を使用する方法であって、当該電気通信回線を通じて情報が送信され、請求者の使用に係る電子計算機に備えられたファイルに当該情報が記録されるもの（例えば、電子メールによる送信）等。規則第27条第1項）により提供すること（第3項第4号）等により、相当の軽減が図られるものと考えられる。

②　「正当な理由」のない請求（例えば、同一の請求を合理的な理由もなく

394 第1編　逐条解説　第3章　差止請求

繰り返すなど、当該請求が自己若しくは第三者の不正な利益を図り又は当該適格消費者団体に損害を加える目的でされる場合や、請求が集中することにより当該適格消費者団体の業務活動に支障が生ずるなどの場合）については、これを拒むことができるものとすることが適当と考えられるため、本条においても、適格消費者団体は、閲覧等の請求があったときは、正当な理由がある場合を除き、これを拒むことができないこととしている（第4項）。なお、過料の規定においても、「正当な理由」なく請求を拒んだときのみを過料の対象となる旨明記することとしている（法第53条第8号）。

(3)　内閣総理大臣への書類の提出

　備置き等の対象となる書類については、毎事業年度終了後3月以内に内閣総理大臣に提出しなければならない。ただし、定款（第2項第1号）、業務規程（同項第2号）並びに差止請求関係業務以外の業務の種類及び概要を記載した書類（同項第7号）については、内容に変更があったときに提出を求めることとしているため（法第18条）、毎事業年度の提出を要しないこととしている（第5項）。

　内閣総理大臣は、提出されたこれらの書類等を監督の用に供するほか、必要な情報については、内閣総理大臣又は独立行政法人国民生活センターを通じて、国民にも一覧性のある形で情報提供することとしている（法第39条第2項及び第3項、規則29条2号イ）。

第32条（報告及び立入検査）

> **（報告及び立入検査）**
> **第32条** 内閣総理大臣は、この法律の実施に必要な限度において、適格消費者団体に対し、その業務若しくは経理の状況に関し報告をさせ、又はその職員に、適格消費者団体の事務所に立ち入り、業務の状況若しくは帳簿、書類その他の物件を検査させ、若しくは関係者に質問させることができる。
> 2　前項の規定により職員が立ち入るときは、その身分を示す証明書を携帯し、関係者に提示しなければならない。
> 3　第1項に規定する立入検査の権限は、犯罪捜査のために認められたものと解してはならない。

1　趣旨

　本条は、内閣総理大臣による適格消費者団体の認定制度を的確に運営し、差止請求関係業務が適正に行われることを維持・確保する観点から、本法の実施に必要な限度において、報告・検査についての権限を内閣総理大臣に認めるものである。特定適格消費者団体である適格消費者団体に対しては、この法律又は消費者裁判手続特例法の実施に必要な限度において、報告・検査の権限が認められる（消費者裁判手続特例法第94条及び本条第1項）。

　なお、本条の内閣総理大臣の権限については、法第48条の2において消費者庁長官に委任されている。

2　報告・検査の具体的内容について

　本条に基づく内閣総理大臣による報告・検査としては、①定例的な報告・検査と、②適格消費者団体の運営に具体的な問題があると認められる場合の臨時的な報告・検査とが考えられる。

　① 定例的な報告・検査については、全ての適格消費者団体を対象に定例的に行うものであり、事前に対象となる適格消費者団体に通知のう

え、実施することとなる。

　具体的には、適格消費者団体の事務所に赴いて、その業務全般（差止請求関係業務以外の業務を含む。）について報告徴収及び検査を行うものであり、帳簿書類（法第30条）や関係書類の調査、役職員に対する質問調査等を行うことになる。また、必要に応じ、差止請求の相手方事業者や寄附金拠出者等の協力を得てその事情聴取を行うなどの反面調査も行うことが考えられる^(注)。

> （注）　なお、現状では、適格消費者団体の活動の適正化を図る観点から、毎事業年度に作成される財務諸表等の提出を受け、適格消費者団体の活動状況等について定例的に調査を行うこととしている。定例的な調査は、任意で行うことを原則としつつ、適格消費者団体が応じない場合において、本条の報告の聴取又は立入検査の実施を検討することとしている。

　②　臨時的な報告・検査については、問題となっている事項について重点的に濃密な書類調査及び質問調査等を行い、徹底した反面調査をも実施することが考えられる。

❸　報告・検査の結果問題があった場合について

　報告・検査の結果、問題点があった場合には、当該問題点（例えば、帳簿への記載漏れ等）を指摘し、自主的に改善措置を講ずることを求めるとともに、法令違反行為又は法令違反につながるおそれがあると認められる事項が判明した場合には、自主的改善措置の有無も考慮しつつ、行政処分（適合命令・改善命令（法第33条）及び認定の取消し（法第34条））の要否について検討し、所要の措置をとることになる。

　なお、適格消費者団体には、報告・検査に対する受忍義務を課すこととし、違反した場合の罰則規定（法第51条第4号）を設けることとしている。

第33条（適合命令及び改善命令）

> **（適合命令及び改善命令）**
> **第33条**　内閣総理大臣は、適格消費者団体が、第13条第3項第2号から第7号までに掲げる要件のいずれかに適合しなくなったと認めるときは、当該適格消費者団体に対し、これらの要件に適合するために必要な措置をとるべきことを命ずることができる。
> 2　内閣総理大臣は、前項に定めるもののほか、適格消費者団体が第13条第5項第3号から第6号までのいずれかに該当するに至ったと認めるとき、適格消費者団体又はその役員、職員若しくは専門委員が差止請求関係業務の遂行に関しこの法律の規定に違反したと認めるとき、その他適格消費者団体の業務の適正な運営を確保するため必要があると認めるときは、当該適格消費者団体に対し、人的体制の改善、違反の停止、業務規程の変更その他の業務の運営の改善に必要な措置をとるべきことを命ずることができる。

1　趣旨

　本法は、差止請求権という強い効力を有する実体権を適格消費者団体に対して付与するものであるから、適格消費者団体の認定の要件は相応に厳格でなければならず、認定後においても当該要件を満たし続けることが求められるとともに、当該適格消費者団体が遵守すべき一定の責務規定・行為規範を法定し、これが遵守されないような場合には是正のための所要の監督措置が講じられる必要がある。

　これを踏まえ、本条では、適格消費者団体に適格要件の維持や業務適正化のための是正措置をとる機会を付与するため、内閣総理大臣が適合命令又は改善命令をすることができる旨の規定を設けている[注]。

> 　（注）　適格消費者団体に対する不利益処分等の選択及び適用に当たっては、不利益処分等の原因となる事実について、その経緯、動機・原因、手段・方法、故意・過失の別、被害の程度、社会的影響、再発防止の対応策等を総合的に考慮

398 第1編 逐条解説 第3章 差止請求

して、報告若しくは立入検査（法第32条）、適合命令若しくは改善命令（本条）
又は認定の取消し（法第34条）の別を決するものとするが、適合命令又は改善
命令によって是正が図られる場合には、原則としてそれらの命令を発し、それ
でも是正が図られないときに認定の取消しを選択する。また、報告若しくは立
入検査、適合命令若しくは改善命令又は認定の取消しを実施した場合には、法
令違反又はそのおそれの内容、程度及び自主的な改善措置の状況などを考慮
しつつ、消費者庁のウェブサイトに公表することとしている（ガイドライン5
⑷ア）。

　なお、本条の内閣総理大臣の権限については、法第48条の2において消
費者庁長官に委任されている。

② 条文の解釈

⑴ 適合命令（第1項）

　適格消費者団体が、法第13条第3項各号に掲げる認定要件（不特定かつ多
数の消費者の利益の擁護を図るための活動を行うことを主たる目的とし、現にそ
の活動を相当期間にわたり継続して適正に行っていること等）のいずれかに適
合しなくなったと認められる場合に、内閣総理大臣は、当該適格消費者団
体に対して、当該要件を充足させるために必要な措置をとるべきことを命
ずることができることとしている。

　ただし、認定要件のうち、特定非営利活動法人又は一般社団法人若しく
は一般財団法人であること（法第13条第3項第1号）については、それらの
法人でなくなった場合は、もはや同一の法人格を再度取得する余地はなく、
仮に適合命令を発しても無意味であるため、適合命令の対象となる事由か
ら除外することとしている。

⑵ 改善命令（第2項）

　適格消費者団体が、㋐法第13条第5項各号に掲げる欠格事由（役員に暴
力団員が含まれていること、政治団体であること等。ただし、欠格事由のうち、
法律の規定等に違反して罰金の刑に処せられてから一定の期間が経過していな
いこと（同項第1号）及び認定の取消し等から一定の期間が経過していないこと
（同項第2号）については、当該期間が経過しない限りおよそ改善の余地のない

ものであるため、除外することとしている。）のいずれかに該当すること、(イ)適格消費者団体又はその役員等が差止請求関係業務の遂行に関しこの法律の規定に違反したと認められること等によりその業務の適正な運営を確保する必要があると認められる場合に、内閣総理大臣は、当該適格消費者団体に対して、当該業務の運営の改善に必要な措置をとるべきことを命ずることができることとしている。

① 「その他適格消費者団体の業務の適正な運営を確保するため必要があると認めるとき」

適格消費者団体が法令違反の業務運営を行っている場合のみならず、およそ適格消費者団体として適正な業務運営を確保し得ないおそれのある場合を含み、例えば、次のような場合が該当する（ガイドライン5(4)イ）。

ア　理事会及び理事に関し法第13条第3項第4号に規定する要件を満たしていたとしても、特定の事業者からの指示若しくは委託を受けて当該事業者と競合関係にある事業者に対して差止請求をし又は特定の事業者と競合関係にある事業者に対して損害を加えることを目的として差止請求をする（典型的には、競合関係にある事業者の営業上の信用を害する目的で差止請求をすることが想定される。）など、実質的に同号の規定を潜脱するような差止請求関係業務を行う場合（もっとも、特定の事業者から寄附を受けたり、事業の委託を受けたとしても、直ちに同号の規定を潜脱するものと認めるわけではない。）

イ　適格消費者団体又はその役員、職員若しくは専門委員が、第三者に明らかにしない条件の下で取得した情報を第三者へ開示するなど、差止請求関係業務に関して知り得た情報の管理及び秘密の保持に関し、適格消費者団体に対する信頼を損なう行為をする場合

ウ　消費者の被害の防止及び救済に資することを目的とせずに、事業者その他の者を誹謗・中傷し又は特定の事業者による営利事業の広告若しくは宣伝をすることを目的として、消費者に対する情報の提供を行う場合

エ　適格消費者団体が独立行政法人国民生活センター及び地方公共団体の有する消費生活相談に関する情報のみに依存して差止請求関係業務を行う常態となり、消費者からの情報収集を行っていない場合

オ　独立行政法人国民生活センター及び地方公共団体が情報の提供を
するに際して付した必要な条件に違反して情報を利用した場合

カ　適格消費者団体の役員が、特定商取引に関する法律に基づく指示
若しくは業務停止命令、不当景品類及び不当表示防止法（昭和37年
法律第134号）に基づく措置命令若しくは課徴金納付命令又は食品表
示法（平成25年法律第70号）に基づく指示若しくは命令を受けた事業
者であって、これらの指示又は命令を受けた日から１年を経過しな
いものの役員又は職員に該当する場合であって、当該役員又は職員
の当該事業者における地位及びこれらの指示又は命令を受けること
となった当該事業者の行為への関与の度合いなどを考慮して、当該
適格消費者団体が差止請求関係業務を適正に遂行できるとはいえな
い場合

キ　適格消費者団体は、法に基づき、事業者等に対して、消費者契約
の条項の開示要請、損害賠償の額を予定する条項等に関する説明の
要請及び差止請求に係る講じた措置の開示要請を行うことができ、
事業者等はこれに応じる努力義務を負うところ（法第12条の３から第
12条の５）、およそ要件を満たさないことが明らかであるにもかかわ
らず、これらの法に基づく要請として、これに応じることを繰り返
し求めるなど、法第12条の３から第12条の５の趣旨に反する行為を
する場合

②　「人的体制の改善、違反の停止、業務規程の変更その他の業務の運営の改
善に必要な措置」

「業務の運営の改善に必要な措置」の内容としては、㋐違法行為を主導し
た役員の解任を始めとする人的体制の改善、㋑違反の停止、㋒業務規程の
変更（例えば、法第24条違反が発生した場合における消費者被害情報の利用に係
る手続規定の追加的な整備（適格消費者団体内における二重のチェック体制の構
築）等の業務規程の変更）などが想定され、これらを例示的に規定すること
としている。

第34条（認定の取消し等）

> **（認定の取消し等）**
>
> **第34条** 内閣総理大臣は、適格消費者団体について、次の各号のいずれかに掲げる事由があるときは、第13条第1項の認定を取り消すことができる。
>
> 一 偽りその他不正の手段により第13条第1項の認定、第17条第2項の有効期間の更新又は第19条第3項若しくは第20条第3項の認可を受けたとき。
>
> 二 第13条第3項各号に掲げる要件のいずれかに適合しなくなったとき。
>
> 三 第13条第5項各号（第2号を除く。）のいずれかに該当するに至ったとき。
>
> 四 第12条の2第1項第2号本文の確定判決等に係る訴訟等の手続に関し、当該訴訟等の当事者である適格消費者団体が、差止請求に係る相手方と通謀して請求の放棄又は不特定かつ多数の消費者の利益を害する内容の和解をしたとき、その他不特定かつ多数の消費者の利益に著しく反する訴訟等の追行を行ったと認められるとき。
>
> 五 第12条の2第1項第2号本文の確定判決等に係る強制執行に必要な手続に関し、当該確定判決等に係る訴訟等の当事者である適格消費者団体がその手続を怠ったことが不特定かつ多数の消費者の利益に著しく反するものと認められるとき。
>
> 六 前各号に掲げるもののほか、この法律若しくはこの法律に基づく命令の規定又はこれらの規定に基づく処分に違反したとき。
>
> 七 当該適格消費者団体の役員、職員又は専門委員が第28条第2項又は第3項の規定に違反したとき。
>
> 2 適格消費者団体が、第23条第4項の規定に違反して同項の通知又は報告をしないで、差止請求に関し、同項第10号に規定する行為をしたときは、内閣総理大臣は、当該適格消費者団体について前項第4号に掲げる事由があるものとみなすことができる。

402　第1編　逐条解説　第3章　差止請求

3　第12条の2第1項第2号本文に掲げる場合であって、当該他の適格消費者団体に係る第13条第1項の認定が、第22条各号に掲げる事由により既に失効し、又は第1項各号に掲げる事由（当該確定判決等に係る訴訟等の手続に関する同項第4号に掲げる事由を除く。）若しくは消費者裁判手続特例法第92条第2項各号に掲げる事由により既に取り消されている場合においては、内閣総理大臣は、当該他の適格消費者団体につき当該確定判決等に係る訴訟等の手続に関し第1項第4号に掲げる事由があったと認められるとき（前項の規定により同号に掲げる事由があるものとみなすことができる場合を含む。）は、当該他の適格消費者団体であった法人について、その旨の認定をすることができる。

4　前項に規定する場合における当該他の適格消費者団体であった法人は、清算が結了した後においても、同項の規定の適用については、なお存続するものとみなす。

5　内閣総理大臣は、第1項各号に掲げる事由により第13条第1項の認定を取り消し、又は第3項の規定により第1項第4号に掲げる事由があった旨の認定をしたときは、内閣府令で定めるところにより、その旨及びその取消し又は認定をした日を公示するとともに、当該適格消費者団体又は当該他の適格消費者団体であった法人に対し、その旨を書面により通知するものとする。

I　第1項

1　趣旨

本項は、適格消費者団体の認定を取り消すことができる事由について規定する。認定の取消しは、適格消費者団体にとって最も重い行政処分であることから、不特定かつ多数の消費者の利益を擁護する活動を行うことが期待できず、差止請求権を付与するに相応しくないと認められる場合に限って取消事由とするとともに、適合命令・改善命令（法第33条）その他の行政処分による改善の余地を残すため、裁量的な取消事由としている[注]。

第2節　適格消費者団体　第3款　監督（第30条～第35条）**第34条**　403

　具体的には、まず、偽りその他不正の手段により適格消費者団体の認定
又は認定の有効期間の更新、合併の認可若しくは事業の譲渡の認可を受け
たとき（第1号）については、本来認定を受けるべきではなかった場合とい
うことができるし、そのような認定を維持すれば制度の信頼性が損なわれ
ることから、認定の取消事由としている。

　次に、適格消費者団体は、認定基準に適合しているから認定されたもの
であるが、認定後も認定基準を維持していなければ不特定かつ多数の消費
者の利益を擁護することが期待できるとはいえない。このため、認定基準
に適合しなくなったとき（第2号）及び欠格事由に該当するに至ったとき
（第3号）は、認定の取消事由としている。

　適格消費者団体による差止請求権の行使は、あくまでも不特定かつ多数
の消費者の利益の擁護のためにされるべきものである。これに反する形で
差止請求権が行使され確定判決及びこれと同一の効力を有するものが存す
るに至った場合、他の適格消費者団体による同一の相手方に対する同一の
請求内容に係る差止請求権の行使は制約されることになるが（法第12条の
2第1項第2号本文）、当該適格消費者団体が、差止請求に係る相手方と通
謀して請求の放棄又は不特定かつ多数の消費者の利益に著しく反する訴訟
等の追行を行ったと認められるときは、当該適格消費者団体は不特定かつ
多数の消費者の利益を代表して差止請求権を行使するに相応しくない存在
といえるから、認定の取消事由とする（第4号）とともに、認定が取り消さ
れた場合には例外的に他の適格消費者団体による差止請求権の行使を制約
しないこととしている（第12条の2第1項第2号ただし書）。

　また、ある適格消費者団体による差止請求に係る訴訟等につき既に確定
判決等が存する場合には、それが強制執行をすることができるもの（勝訴
判決等）であるときでも、他の適格消費者団体による同一の相手方に対す
る同一の請求内容に係る差止請求権の行使は制約されることになり（法第
12条の2第1項第2号本文）、相手方が差止判決に違反していたとしても、
当該適格消費者団体以外に強制執行をすることができる者はいないことに
なる。しかるに、当該適格消費者団体が当該確定判決等に係る強制執行に
必要な手続を怠ったことが不特定かつ多数の消費者の利益に著しく反する
ものと認められるときは、当該適格消費者団体は不特定かつ多数の消費者

404　第1編　逐条解説　第3章　差止請求

の利益を代表して差止請求権を行使するに相応しくない存在というべきで
あるから、認定の取消事由とし（第5号）、この事由により認定が取り消さ
れた場合は、内閣総理大臣の指定を受けた他の適格消費者団体が当該確定
判決等に係る差止請求権を承継し、強制執行に必要な手続を行うものとし
ている（法第35条）。

　そのほか、この法律若しくはこの法律に基づく命令の規定又はこれらの
規定に基づく処分に違反したとき（第6号）についても、適格消費者団体が
適正に差止請求権を行使するうえで遵守すべき規定に違反し、又は是正の
機会を与えるための適合命令・改善命令（法第33条）に違反した場合である
から、認定の取消事由としている。

　さらに、適格消費者団体自らの違反行為に加え、当該適格消費者団体の
役員、職員又は専門委員による法第28条第2項又は第3項の違反行為（第
7号）についても、適格消費者団体の認定の取消事由として規定している。

> 　（注）　本条項各号に掲げる事項に該当する場合のうち、以下の場合には、原則とし
> 　　て直ちに認定を取り消すこととしている（ガイドライン5⑷ウ㋐）。
> ①　偽りその他不正の手段により法第13条第1項の認定、法第17条第2
> 　項の有効期間の更新又は法第19条第3項若しくは法第20条第3項の認
> 　可を受けた場合
> ②　暴力団員等と知りつつ適格消費者団体の業務に従事させ、又は業務
> 　の補助者として使用した場合
> ③　不特定かつ多数の消費者の利益に著しく反する訴訟等の追行を行っ
> 　たと認められる場合
> ④　適格消費者団体が法第28条第1項の規定に違反した場合

２　条文の解釈

⑴　「第12条の2第1項第2号本文の確定判決等に係る訴訟等の手続に関
　し、当該訴訟等の当事者である適格消費者団体が、差止請求に係る相手
　方と通謀して請求の放棄又は不特定かつ多数の消費者の利益を害する
　内容の和解をしたとき、その他不特定かつ多数の消費者の利益に著し
　く反する訴訟等の追行を行ったと認められるとき」（第4号）

　まず、「不特定かつ多数の消費者の利益を害する内容の和解」とは、適格

第2節　適格消費者団体　第3款　監督（第30条〜第35条）**第34条**　405

消費者団体が差止請求に係る相手方と通謀し、不特定かつ多数の消費者の利益の観点からは本来譲歩すべきでない重要な事項であることが関係証拠等により明らかであるにもかかわらずあえて一方的に譲歩して和解をした場合や、差止請求に係る相手方との通謀はなくても、本来譲歩すべきでない重要な事項であることを関係証拠等により認識しながらあえて一方的に譲歩して和解をした場合をいい、例えば、ある勧誘行為又は契約条項について、差止請求に係る相手方から見返りとなる譲歩が得られないにもかかわらず、あえて消費者契約法上明らかに不当な勧誘行為又は契約条項に該当するものに変更する内容の和解等が該当する。

　なお、適格消費者団体は民事実体法上の差止請求権を固有に有するものであり、紛争の早期解決の観点から差止請求に係る相手方と任意に交渉し和解をすることは当然に可能であり、和解とは当事者双方の互譲に基づき成立するものであることから、適格消費者団体が差止請求をし、真摯な折衝の結果として請求内容の一部を譲歩したとしても、上記のような「不特定かつ多数の消費者の利益を害する内容の和解」に該当するものではない。また、和解は請求の対象以外の事情をも考慮してされることもあることに鑑みると、部分的には消費者に有利とはいえない内容を含むものであっても、当該請求の対象以外の事情をも含めて全体として見れば不特定かつ多数の消費者の利益の擁護に資する和解も想定されるが、このような場合は「不特定かつ多数の消費者の利益を害する内容の和解」に該当するとはいえない（ガイドライン5(4)ウ(イ)(a)）。

　また、「不特定かつ多数の消費者の利益に著しく反する訴訟等の追行」とは、差止請求に係る相手方と通謀し、又はそうでなくても不特定かつ多数の消費者の利益に著しく反する訴訟等の追行であることを認識しながら敢えて消費者に不利な訴えの提起、陳述、証拠の提出等の訴訟等の追行をした場合をいい、例えば、次のような場合が該当する。なお、適格消費者団体が差止請求をし、真摯な訴訟等の追行の結果、敗訴するなどしたとしても、上記のような「不特定かつ多数の消費者の利益に著しく反する訴訟等の追行」に該当するものではない（ガイドライン5(4)ウ(イ)(b)）。

　ⅰ　重要な争点について、消費者に不利な虚偽の陳述をすること。
　ⅱ　差止請求に係る訴訟の口頭弁論期日に故意に欠席を繰り返して当

406　第1編　逐条解説　第3章　差止請求

　　　該訴訟を終結させること。
　iii　消費者に不利な証拠を新たに作出したり、消費者に明らかに有利
　　　で重要な証拠を改ざんして不利な証拠として提出すること。
　iv　重要な争点について、証人に対し、虚偽の証言をさせること。
　v　適格消費者団体に対する差止請求権不存在等確認請求の訴えにお
　　　いて、相手方と通謀して請求原因事実を認める旨の答弁書を提出し
　　　て欠席すること。
　vi　当該差止請求権を根拠付ける重要な事実関係を仮装して差止請求
　　　に係る訴えを提起すること。

(2)　「第12条の2第1項第2号本文の確定判決等に係る強制執行に必要な
　　手続に関し、当該確定判決等に係る訴訟等の当事者である適格消費者
　　団体がその手続を怠ったことが不特定かつ多数の消費者の利益に著し
　　く反するものと認められるとき」（第5号）

　「当該確定判決等に係る訴訟等の当事者である適格消費者団体がその手
続を怠ったことが不特定かつ多数の消費者の利益に著しく反するもの」と
は、法第12条の2第1項第2号本文の確定判決等が存するにもかかわらず
相手方が当該確定判決等に従わない場合において、適格消費者団体が同号
本文の確定判決等に係る強制執行に必要な手続をとることが可能であるに
もかかわらず、他の手段を講ずることもなく敢えて怠っている場合をいう
（ガイドライン5(4)ウ(ウ)）。

Ⅱ　第2項

1　趣旨等

　法第12条の2第1項第2号本文の差止請求権の行使の制約に対する例外
としての本条第1項第4号に掲げる取消事由の重要性に鑑み、当該適格消
費者団体が法第23条第4項の規定に違反して同項の通知又は報告をしない
で請求の放棄、和解その他の同項第10号に規定する行為を行い、それによ
り確定判決及びこれと同一の効力を有するものを存するに至らしめた場合

には、内閣総理大臣は、当該適格消費者団体について当該取消事由があるものとみなすことができることとしている。

もっとも、およそ勝訴の見込みがない訴訟における請求の放棄等の前段階で過失により通知又は報告がされなかった場合のように、個々の事案における諸事情によっては本条第1項第4号に掲げる事由があるものと一律にみなすことが妥当でない場合もあるから、当該みなしをするのが適当か否かについては、個々の事案ごとに個別具体的に判断し、内閣総理大臣において適正に運用する必要がある。

また、和解に関し、本条項の規定により、内閣総理大臣が適格消費者団体について本条第1項第4号に掲げる事由があるものとみなすことができるのは、当該適格消費者団体が規則第13条第3項第3号に規定する「成立することが見込まれる和解又は調停における合意の内容」に関する事項について通知又は報告をしなかった場合とすることとしている（ガイドライン5(4)ウ(イ)(c)）。

Ⅲ　第3項・第4項

1　趣旨等

本条第1項第4号の取消事由による認定の取消しは、当該事案の請求につき当該適格消費者団体による差止請求権の行使が不特定かつ多数の消費者の利益に反するものと認められることに基づくものであるが、既に認定が取り消されたり失効事由が生じたりした後に当該事案の請求につき同号に該当する事由の存在が発覚することも想定され、その場合には認定の取消しをすることができないため、他の適格消費者団体による同一の相手方に対する同一の請求内容に係る差止請求権の行使が制約されたままになる。そこで、内閣総理大臣が当該取消事由の存在を（本条第2項の規定によりその存在をみなすことができる場合を含めて）別途に認定することができることとし（第3項）、その場合にも上記の認定の取消しがされた場合と同様に例外的に他の適格消費者団体による差止請求権の行使を認めることとしている（法第12条の2第1項第2号ただし書）。

また、この認定は、既に適格要件を喪失している他の適格消費者団体を名宛人とする行政処分としての性質を有するものと捉えられるから、その認定との関係では、当該他の適格消費者団体は、清算が結了した後においてもなお存続するものとみなすこととする（第4項）。

なお、消費者裁判手続特例法第92条第2項は、被害回復裁判手続において、特定適格消費者団体がその相手方と通謀して請求の放棄又は対象消費者等の利益を害する内容の和解をしたときその他対象消費者等の利益に著しく反する訴訟その他の手続の追行を行なった場合などに、内閣総理大臣は、特定認定又は適格消費者団体の認定を取り消すことができるとしている。それゆえ、消費者裁判手続特例法第92条第2項の規定により適格消費者団体の認定が取り消された場合についても、規定することとした。

IV　第5項

1　趣旨等

本条第1項の規定により認定が取り消され、又は本条第3項の規定により取消事由の認定がされたときは、当該適格消費者団体の差止請求権の消長等にかかわる事項であることから、その旨及びその取消し又は認定をした日を公示するとともに、当該適格消費者団体に対しその旨を書面により通知することとしている。

本項の内閣総理大臣の権限については、法第48条の2において消費者庁長官に委任されている。

なお、消費者裁判手続特例法第92条第2項の規定により、適格消費者団体の認定が取り消された場合には、同条第4項において、公示及び当該団体への通知について規定されている。

第35条（差止請求権の承継に係る指定等）

（差止請求権の承継に係る指定等）

第35条 適格消費者団体について、法第12条の2第1項第2号本文の確定判決等で強制執行をすることができるものが存する場合において、第13条第1項の認定が、第22条各号に掲げる事由により失効し、若しくは前条第1項各号若しくは消費者裁判手続特例法第92条第2項各号に掲げる事由により取り消されるとき、又はこれらの事由により既に失効し、若しくは既に取り消されているときは、内閣総理大臣は、当該適格消費者団体の有する当該差止請求権を承継すべき適格消費者団体として他の適格消費者団体を指定するものとする。

2　前項の規定による指定がされたときは、同項の差止請求権は、その指定の時において（その認定の失効又は取消しの後にその指定がされた場合にあっては、その認定の失効又は取消しの時にさかのぼって）その指定を受けた適格消費者団体が承継する。

3　前項の場合において、同項の規定により当該差止請求権を承継した適格消費者団体が当該差止請求権に基づく差止請求をするときは、第12条の2第1項第2号本文の規定は、当該差止請求については、適用しない。

4　内閣総理大臣は、次の各号のいずれかに掲げる事由が生じたときは、第1項、第6項又は第7項の規定による指定を受けた適格消費者団体（以下この項から第7項までにおいて「指定適格消費者団体」という。）に係る指定を取り消さなければならない。

一　指定適格消費者団体について、第13条第1項の認定が、第22条各号に掲げる事由により失効し、若しくは既に失効し、又は前条第1項各号若しくは消費者裁判手続特例法第92条第2項各号に掲げる事由により取り消されるとき。

二　指定適格消費者団体が承継した差止請求権をその指定前に有していた者（以下この条において「従前の適格消費者団体」という。）のうち当該確定判決等の当事者であったものについて、第13条第1項の認定の取消処分、同項の認定の有効期間の更新拒否処分若しくは合併若し

410 第1編 逐条解説 第3章 差止請求

くは事業の全部の譲渡の不認可処分（以下この条において「認定取消
処分等」という。）が取り消され、又は認定取消処分等の取消し若しく
はその無効若しくは不存在の確認の判決（次項第2号において「取消
判決等」という。）が確定したとき。

5　内閣総理大臣は、次の各号のいずれかに掲げる事由が生じたときは、
指定適格消費者団体に係る指定を取り消すことができる。

一　指定適格消費者団体が承継した差止請求権に係る強制執行に必要な
手続に関し、当該指定適格消費者団体がその手続を怠ったことが不特
定かつ多数の消費者の利益に著しく反するものと認められるとき。

二　従前の適格消費者団体のうち指定適格消費者団体であったもの（当
該確定判決等の当事者であったものを除く。）について、前項第1号の
規定による指定の取消しの事由となった認定取消処分等が取り消さ
れ、若しくはその認定取消処分等の取消判決等が確定したとき、又は
前号の規定による指定の取消処分が取り消され、若しくはその取消処
分の取消判決等が確定したとき。

6　内閣総理大臣は、第4項第1号又は前項第1号に掲げる事由により指
定適格消費者団体に係る指定を取り消し、又は既に取り消しているとき
は、当該指定適格消費者団体の承継していた差止請求権を承継すべき適
格消費者団体として他の適格消費者団体を新たに指定するものとする。

7　内閣総理大臣は、第4項第2号又は第5項第2号に掲げる事由により
指定適格消費者団体に係る指定を取り消すときは、当該指定適格消費者
団体の承継していた差止請求権を承継すべき適格消費者団体として当該
従前の適格消費者団体を新たに指定するものとする。

8　前2項の規定による新たな指定がされたときは、前2項の差止請求権
は、その新たな指定の時において（従前の指定の取消し後に新たな指定
がされた場合にあっては、従前の指定の取消しの時（従前の適格消費者
団体に係る第13条第1項の認定の失効後に従前の指定の取消し及び新た
な指定がされた場合にあっては、その認定の失効の時）にさかのぼって）
その新たな指定を受けた適格消費者団体が承継する。

9　第3項の規定は、前項の場合において、同項の規定により当該差止請
求権を承継した適格消費者団体が当該差止請求権に基づく差止請求をす

るときについて準用する。

10　内閣総理大臣は、第1項、第6項又は第7項の規定による指定をした
　　ときは、内閣府令で定めるところにより、その旨及びその指定の日を公
　　示するとともに、その指定を受けた適格消費者団体に対し、その旨を書
　　面により通知するものとする。第4項又は第5項の規定により当該指定
　　を取り消したときも、同様とする。

1　趣旨

　ある適格消費者団体による差止請求権の行使により確定判決等が存する
に至った後、当該適格消費者団体の認定が失効又は取り消されるなどした
場合、以後は当該適格消費者団体が当該確定判決等に基づいて強制執行を
することはできないが、他方で他の適格消費者団体が同一の相手方に対す
る同一事案に係る差止請求権の行使をすることはできない（法第12条の2
第1項第2号本文）ことから、不特定かつ多数の消費者の利益を擁護する制
度目的を達成することができなくなる。そこで、このような場合には、内
閣総理大臣の指定によって他の適格消費者団体が当該差止請求権を承継す
ることとし、その承継した適格消費者団体が強制執行をすることを可能と
することとしている。

　なお、第1項及び第4項から第7項までを除く本条の内閣総理大臣の権
限については、法第48条の2において消費者庁長官に委任されている。

　また、消費者裁判手続特例法第92条第2項は、被害回復裁判手続におい
て、特定適格消費者団体がその相手方と通謀して請求の放棄又は対象消費
者等の利益を害する内容の和解をしたときその他対象消費者等の利益に著
しく反する訴訟その他の手続の追行を行った場合などに、内閣総理大臣が、
特定認定又は適格消費者団体の認定を取り消すことができることを定めて
いる。それゆえ、消費者裁判手続特例法第92条第2項の規定により適格消
費者団体の認定が取り消された場合についても、規定することとした。

412　第1編　逐条解説　第3章　差止請求

2　基本形態

　まず、認定の喪失事由としては、内閣総理大臣による認定の取消し（法第34条第1項各号、消費者裁判手続特例法第92条第2項）のほか、その失効（法第22条）がある。適格消費者団体について、確定判決等で強制執行をすることができるもの（勝訴の確定判決等）が存する場合において、これらの認定の喪失事由が発生したとき、又は既にこれらの喪失事由が発生しているときは、内閣総理大臣は、当該適格消費者団体の当該確定判決等に係る差止請求権を承継すべき適格消費者団体を指定する（第1項）。この指定は、差止請求権を承継する適格消費者団体の申請を要しない職権による行政処分としての性質を有するものであるが、当該適格消費者団体の活動、組織及び経理的基礎等の状況により、本条第4項第2号に規定する従前の適格消費者団体との差止請求関係業務に係る活動状況や活動地域の類似性をも勘案し、当該従前の適格消費者団体が当事者である法第12条の2第1項第2号本文の確定判決等に係る強制執行に必要な手続を適正にすると認められるものに対してすることとしている（ガイドライン5(5)）。

　この指定がされたときは、当該確定判決等に係る差止請求権は、その指定の時において指定を受けた適格消費者団体が承継する（第2項）。もっとも、適格消費者団体の認定の喪失事由が発生した後に指定がされた場合、当該認定の喪失と差止請求権の承継との間に時間的間隔が生ずることとなるのは妥当でないから、その場合は当該認定の喪失事由が発生した時にさかのぼって当該差止請求権が承継されることとしている（同項括弧書）。これにより、指定を受けた適格消費者団体による当該差止請求権の行使が可能となるが、法第12条の2第1項第2号本文の規定との関係が問題となるため、当該規定は適用されないものとしている（第3項）。

　指定を受けた適格消費者団体は、当該確定判決等に基づき承継執行文を得たうえで強制執行をすることができることになるが、承継執行文を得る際、当該適格消費者団体が承継人であることを執行文付与機関に対して証明しなければならないことから、内閣総理大臣は、当該指定について文書により通知するとともに、不特定かつ多数の消費者の利益擁護のために強制執行をすることに鑑み、当該指定について内閣府令で定めるところによ

りその旨及びその指定の日を公示する（第10項前段）。

3 差止請求権が新たな指定を受けた適格消費者団体に承継される場合

指定適格消費者団体が差止請求権を承継するに相応しくない場合、指定を取り消して新たに当該差止請求権を承継すべき適格消費者団体を指定する必要性がある。

すなわち、指定適格消費者団体について、①適格消費者団体の認定が失効し若しくは既に失効しているとき、又は取り消されるとき、内閣総理大臣は当該団体に係る指定を取り消さなければならないこととし（第4項第1号）、②当該指定適格消費者団体がその承継した差止請求権に係る強制執行に必要な手続を怠ったことが不特定かつ多数の消費者の利益に著しく反するものと認められるときは、内閣総理大臣は、当該団体に係る指定を取り消すことができることとしている（第5項第1号）。

いずれにしても、当該指定適格消費者団体に係る指定が取り消され、又は既に取り消されているときは、内閣総理大臣は、当該指定適格消費者団体の承継していた差止請求権を承継すべき適格消費者団体を新たに指定し（第6項）、この新たな指定がされたときは、当該差止請求権は、その新たな指定の時において新たな指定を受けた適格消費者団体が承継する（第8項）。もっとも、指定の取消し後に新たな指定がされた場合、その指定の取消しと差止請求権の承継との間に時間的間隔が生ずるのは妥当でないから、その場合はその指定の取消しの時にさかのぼって（さらに、その指定の取消しが第4項第1号に掲げる事由に基づく場合は、適格消費者団体の認定の失効と従前の指定の取消し及び新たな指定との間に時間的間隔が生ずる可能性があるが、この場合も差止請求権の承継との間に時間的間隔が生ずるのは妥当でないから、当該認定の失効の時にさかのぼって）、新たな指定を受けた適格消費者団体が承継するものとする（同項括弧書）。これにより、新たに指定を受けた適格消費者団体による当該差止請求権の行使を可能とすべきであるが、法第12条の2第1項第2号本文の規定との関係が問題となるため、当該規定は適用されないものとしている（第9項）。

指定を受けた適格消費者団体は、当該確定判決に基づき承継執行文を得

414 第1編 逐条解説 第3章 差止請求

た上で強制執行をすることができることになるが、承継執行文を得る際、当該適格消費者団体が承継人であることを執行文付与機関に対して証明しなければならないことから、内閣総理大臣は、当該指定について文書により通知することとするとともに、不特定かつ多数の消費者の利益擁護のために強制執行をすることに鑑み、当該指定について内閣府令で定めるところによりその旨及びその指定の日を公示する（第10項前段）。また、内閣総理大臣は、当該指定を取り消したことについて、内閣府令で定めるところにより、その旨及びその取消しの日を公示するとともに、その指定を取り消された適格消費者団体に対し、その旨を書面により通知する（第10項後段）。

４ 差止請求権が従前の適格消費者団体に再び承継される場合

適格消費者団体の差止請求権の喪失事由のうち、適格消費者団体の認定の取消処分、有効期間の更新拒否及び合併又は事業の全部の譲渡の不認可（「認定取消処分等」と総称する。）は、いずれも行政処分であり、自庁取消し又は取消判決等の確定によってその効果は遡及的に消滅することになる。この場合、第１項の指定はその根拠を失うことになるが、既に指定された適格消費者団体により強制執行手続が開始されていることも想定されるため、当該強制執行手続を無効とするよりも、これを利用してさらに手続を進行させる方が不特定かつ多数の消費者の利益の擁護及び訴訟経済の観点からは適当である。そこで、指定を受けた適格消費者団体が承継した差止請求権をその指定前に有していた適格消費者団体（「従前の適格消費者団体」と略称する。）について、認定取消処分等が取り消され、又はその取消判決等が確定したときは、①従前の適格消費者団体が当該確定判決等の当事者である場合には（強制執行の実効性等の観点から復帰的承継を必要的なものとして）内閣総理大臣は当該指定を取り消さなければならないこととし（第４項第２号）、②従前の適格消費者団体が当該確定判決等の当事者以外のものである場合には（強制執行の実効性等の観点から復帰的承継を裁量的なものとして）内閣総理大臣は当該指定を取り消すことができることとし（第５項第２号）、①又は②の指定の取消しがされたときは、内閣総理大臣は当該指定適格消費者団体の承継していた差止請求権を承継すべき適格消費者団体

第2節　適格消費者団体　第3款　監督（第30条〜第35条）**第35条**　415

として当該従前の適格消費者団体を指定するとともに（第7項）、当該指定
適格消費者団体の承継していた差止請求権はその指定の取消しの時におい
て（従前の指定の取消し後に新たな指定がされた場合にあっては、従前の指定の
取消しの時にさかのぼって）従前の適格消費者団体が承継する（第8項）。こ
れらの指定の取消しについても、内閣府令で定めるところによりその旨及
びその取消しの日を公示するとともに、その指定を取り消された適格消費
者団体に対しその旨を書面により通知するものとし（第10項後段）、新たな
指定について、内閣府令で定めるところによりその旨及びその指定の日を
公示するとともに、その指定を受けた適格消費者団体に対しその旨を書面
により通知する（第10項前段）[注1][注2]。

(注1)　認定の有効期間の更新拒否又は合併若しくは事業の全部の譲渡の不認可
　　　の取消し又は取消判決等の確定により、当該適格消費者団体は更新拒否又は
　　　合併若しくは事業の全部の譲渡の不認可を受ける前の状態に戻るとともに、
　　　従前の認定は当該有効期間の満了後も改めて更新又は認可の処分がされるま
　　　での間は効力を有することとされるから（法第17条第4項並びに法第19条第
　　　5項及び法第20条第5項）、認定の取消処分の取消し又は取消判決等の確定の
　　　場合と同様の規律とすることができるものと考えられる。

(注2)　差止請求権が従前の適格消費者団体に承継される場合においては、従前
　　　の適格消費者団体について、2回以上にわたり認定取消処分等が取り消され、
　　　又は取消判決等が確定することも想定される。そこで、従前の適格消費者団体
　　　の範囲につき、第4項第2号（必要的に復帰的承継をする場合）においては、
　　　過去に指定適格消費者団体であったものを含むことを前提として、従前の適
　　　格消費者団体のうち当該確定判決等の当事者であったものに限ることとし、
　　　第5項第2号（裁量的に復帰的承継をする場合）においては、従前の適格消費
　　　者団体のうち過去に指定適格消費者団体であったものに限るとともに当該確
　　　定判決等の当事者であったものを除くこととしている。
　　　　また、従前の指定適格消費者団体から新たな指定を受けた適格消費者団体
　　　に差止請求権が承継された場合であっても、当該従前の指定適格消費者団体
　　　について、指定の取消処分が取り消され、又は指定の取消処分の取消判決等が
　　　確定することもあり得るが、この場合には、当該従前の適格消費者団体は常に
　　　当該確定判決等の当事者以外のものであるから（強制執行の実効性等の観点
　　　から復帰的承継を裁量的なものとして）内閣総理大臣は新たな指定を取り消
　　　すことができることとし（第5項第2号）、当該新たな指定適格消費者団体の

416　第1編　逐条解説　第3章　差止請求

　承継していた差止請求権を承継すべき適格消費者団体として、当該従前の適格消費者団体を新たに指定するとともに（第7項）、当該差止請求権は、その新たな指定の取消しの時において当該従前の指定適格消費者団体が承継する（第8項）。これらの指定の取消しについても内閣府令で定めるところによりその旨及びその取消しの日を公示するとともに、その指定を取り消された適格消費者団体に対し、その旨を書面により通知し（第10項後段）、新たな指定について内閣府令で定めるところによりその旨及びその指定の日を公示するとともに、その指定を受けた適格消費者団体に対し、その旨を書面により通知する（第10項前段）。

第2節　適格消費者団体　第4款　補則（第36条〜第40条）**第36条**　417

第4款　補則（第36条〜第40条）

第36条（規律）

> **（規律）**
> **第36条**　適格消費者団体は、これを政党又は政治的目的のために利用して
> はならない。

１　趣旨

　本法における差止請求権は、不特定かつ多数の消費者の利益擁護を担う
適格性を有する者として内閣総理大臣が認定した適格消費者団体に対し、
法律により、特別に付与されるものである。したがって、適格消費者団体
は、特定の政治的勢力に影響・支配されることなく、差止請求権を、不特
定かつ多数の消費者利益の擁護を図ることを本旨として、消費者契約法の
規定に基づき、適切・公正に行使すべき責務を有する。

　また、本制度が国民の信頼を得て適切に運用されていくためには、個別
具体的な事案において差止請求権を適切・公正に行使すべきなのは当然の
こととして、適格消費者団体が行う差止請求関係業務以外の日常的な活動
についても、政治的勢力からは一線を画しており公正であると広く国民一
般から受け取られるような規律を保持することが求められている。そうで
なければ、いかに公正な訴訟追行等を行うつもりであっても、国民からは、
政治的意図等を有した不公正なものと受け取られることになり、その結果、
消費者が適格消費者団体に信頼を寄せ、消費者被害情報を提供することも
期待できないほか、適格消費者団体から裁判外の交渉や事前の請求をされ
た者が、警戒感を抱き、交渉・請求に応じなくなるなど、制度が円滑・適
正に機能しなくなるおそれがある。

　こうしたことから、本条では、適格消費者団体に係る政治活動の制限に

418　第1編　逐条解説　第3章　差止請求

ついて所要の規定を設けている（注）。

> (注)　本法では、適格消費者団体の認定の要件として、「政治団体」（政治資金規正
> 法第3条第1項に規定する政治団体をいう。）でないことが規定されているが
> （法第13条第5項第5号）、そこでいう「政治団体」とは、「政治上の主義若しく
> は施策を推進し、支持し、又はこれに反対すること」、「特定の公職の候補者を
> 推薦し、支持し、又はこれに反対すること」を本来の目的とする団体やそれら
> をその主たる活動として組織的かつ継続的に行う団体をいうものとされてい
> る。普段は単発的にしか政治活動を行わないような団体であっても、例えば、
> 選挙の際に支持する候補者を総会で決議するといった弊害事象が想定される
> ところであり、認定要件の規律とは別に本条を規定する必要がある。

② 条文の解釈

(1)　「政党又は政治的目的のために利用してはならない」

「政党のための利用」とは、特定の政党を支持し、又はこれに反対することをいう。

「政治的目的のための利用」とは、公職の選挙において特定の候補者を支持し、又はこれに反対すること、特定の政治的団体を支持し、又はこれに反対すること、政策の提言や意見の表明であっても特定の政党や特定の候補者の支持等上記の禁止行為と同視できるものをすることをいう。

ここで、「政治的団体」とは、「政党」以外の団体で政治上の主義若しくは施策を支持し、若しくはこれに反対し、又は公職の候補者を推薦し、支持し若しくはこれに反対する目的を有するものという。また、特定の政党又は特定の政治的団体を「支持し又は反対する」とは、特定の政党又は特定の政治的団体につき、それらの団体の勢力を維持拡大するように若しくは維持拡大しないように、又はそれらの団体の有する綱領、主張、主義若しくは施策を実現するように若しくは実現しないように又はそれらの団体に属する者が公職に就任し若しくは就任しないように影響を与えることをいう（ガイドライン6イ）。

政策の提言や意見の表明のうち、消費者団体訴訟制度に関する制度の改善・運用の改善等に関する提言等は、本条の規定によって制約されるものではない。

第2節　適格消費者団体　第4款　補則（第36条〜第40条）**第36条**　419

　このほかの政策の提言や意見の表明については、本条の規定によって直ちに制約されるものではないが、特定の政党や特定の候補者等からの指示又は委託を受けて当該政策の提言や意見の表明を行っているなど、特定の政党や特定の候補者の支持又は反対等と同視できるような場合であれば、本条の禁止行為に該当する（ガイドライン6ウ）。

● **本条の規定に違反する場合等の取扱い**

　既に法第13条第1項の認定を受けた適格消費者団体が本条の規定に違反する場合には、適合命令及び改善命令など不利益処分等（法第32条、第33条及び第34条）の対象となるほか、認定の申請の段階で、当該申請者が法第13条第5項第5号に規定する「政治団体」そのものには該当しなくても、当該申請者が特定の政党若しくは政治的団体又は特定の候補者から多額の融資を受け活動資金を依存している場合、その指揮命令下にある人物が役員、職員若しくは専門委員の大半を占め当該申請者の意思決定又は業務執行を実質的に決定している場合その他特定の政党若しくは政治的団体又は特定の候補者が当該申請者の意思決定又は業務執行に重大な影響を及ぼしていると認められる場合には、認定をしないことになる（ガイドライン6エ）。

420 第1編 逐条解説 第3章 差止請求

第37条（官公庁等への協力依頼）

（官公庁等への協力依頼）
第37条 内閣総理大臣は、この法律の実施のため必要があると認めるとき
は、官庁、公共団体その他の者に照会し、又は協力を求めることができ
る。

1 趣旨

　内閣総理大臣による適格消費者団体の認定制度を的確に運営し、差止請
求関係業務が適正に行われることを確保するためには、官庁等が有する情
報等を必要とする場合が考えられることから、内閣総理大臣の官庁等に対
する照会及び協力依頼の規定を置くこととしている。

　なお、本条の内閣総理大臣の権限については、法第48条の2において消
費者庁長官に委任されている。

2 条文の解釈

(1)　「この法律の実施のため必要があると認めるとき」

　例えば、本法では、適格消費者団体の認定要件の1つとして、特定非営
利活動法人又は一般社団法人若しくは一般財団法人であることを必要とし
ているが（法第13条第3項第1号）、特定非営利活動法人から認定の申請が
あった場合に、所轄庁^(注)から、法人としてのガバナンスの程度（同項第3号
の業務遂行体制の整備関係）や、活動実績の状況（同項第2号関係）について、
情報を得るなどのことが考えられる。

> （注）　特定非営利活動法人については、特定非営利活動促進法第9条に基づき、主
> たる事務所が所在する都道府県の知事（事務所が1の指定都市（地方自治法（昭
> 和22年法律第67号）第252条の19第1項）の区域内のみに所在する特定非営利
> 活動法人にあっては、当該指定都市の長）が、所轄庁となっている。

⑵ 「官庁、公共団体その他の者」

「その他の者」には、官庁及び公共団体以外の全ての者（個人も含まれる。）が含まれるが、例えば、大学等の研究者、消費者団体、弁護士会等が考えられる。

⑶ 「照会し、又は協力を求めることができる。」

例えば、上記のように法人に関する情報の提供を求めること等が考えられる[注]。

> [注]　なお、依頼を受けた者は、これに応ずる一般的義務を負うと解されるが、これに応じなかったとしても、直ちに具体的な義務違反を生ずるものではないと考えられる。

422　第1編　逐条解説　第3章　差止請求

第38条（内閣総理大臣への意見）

（内閣総理大臣への意見）

第38条　次の各号に掲げる者は、適格消費者団体について、それぞれ当該
各号に定める事由があると疑うに足りる相当な理由があるため、内閣総
理大臣が当該適格消費者団体に対して適当な措置をとることが必要であ
ると認める場合には、内閣総理大臣に対し、その旨の意見を述べること
ができる。

一　経済産業大臣　第13条第3項第2号に掲げる要件に適合しない事由
又は第34条第1項第4号に掲げる事由

二　警察庁長官　第13条第5項第3号、第4号又は第6号ハに該当する
事由

1　趣旨等

(1)　第1号関係

　特定商取引法上の不当行為に係る差止請求権を有することとなる適格消
費者団体の監督の適正化を図る観点から、監督に関しても、内閣総理大臣
と経済産業大臣との連携に関する規定を設けることとするのが、本号の趣
旨である。

　前述のとおり（法第15条第2項関係）、認定要件のうち、法第13条第3項第
2号の要件については、認定に際し、内閣総理大臣から経済産業大臣の意
見を聴くものとされている。

　当該要件は、これに適合しなくなったと認められる場合には適合命令（法
第33条第1項）や認定の取消し（法第34条第1項第2号）といった監督の対象
となるものである。当該要件の適合性については、経済産業大臣において
適切に判断することができると考えられる場合もあることから、経済産業
大臣は、適格消費者団体について、当該要件に適合しない事由があると疑
うに足りる相当な理由があるため、内閣総理大臣が当該適格消費者団体に
対して適当な措置をとることが必要であると認める場合には、内閣総理大

臣に対し、その旨の意見を述べることができることとする。

　また、認定を取り消すことができる事由として、適格消費者団体による差止請求権の行使が不適正であり不特定かつ多数の消費者の利益に著しく反する訴訟等の追行を行ったと認められるときが規定されているが（法第34条第1項第4号）、特定商取引法上の差止請求権の行使が不適正であるか否かについては、経済産業大臣において適切に判断することが期待できることから、経済産業大臣は、適格消費者団体について、当該事由があると疑うに足りる相当な理由があるため、内閣総理大臣が当該適格消費者団体に対して適当な措置をとることが必要であると認める場合にも、内閣総理大臣に対し、その旨の意見を述べることができることとする。

(2)　第2号関係

　本法においては、暴力団員の関与等がある場合を欠格事由として規定するとともに（法第13条第5項第3号、第4号及び第6号ハ）、内閣総理大臣は、適格消費者団体の認定の申請をした者について、暴力団員の関与等の疑いがあると認めるときは、暴力団やその構成員、活動状況等についての情報を有する警察庁長官の意見を聴くものとし（法第15条第3項）、誤って欠格事由がある者を認定することがないような運用を期しているところであるが、認定をした後、内閣総理大臣において、常に暴力団員が関与等していないかといった点について詳細かつ正確な情報を把握することは、現実には困難である。

　そこで、警察庁長官は、適格消費者団体について、暴力団員の関与等の事実があると疑うに足りる相当の理由があるため、内閣総理大臣が当該適格消費者団体に対して適当な措置をとることが必要であると認める場合には、内閣総理大臣に対してその旨の意見を述べることができることとしている。

　なお、この意見に法的拘束力はないが、内閣総理大臣は、この意見に応じて、報告徴収及び立入検査（法第32条）、適合命令及び改善命令（法第33条）、認定の取消し（法第34条）等の措置をとることになるものと考えられる。

424　第1編　逐条解説　第3章　差止請求

第39条（判決等に関する情報の公表）

> **（判決等に関する情報の公表）**
> **第39条**　内閣総理大臣は、消費者の被害の防止及び救済に資するため、適
> 格消費者団体から第23条第4項第4号から第9号まで及び第11号の規定
> による報告を受けたときは、インターネットの利用その他適切な方法に
> より、速やかに、差止請求に係る判決（確定判決と同一の効力を有するも
> の及び仮処分命令の申立てについての決定を含む。）又は裁判外の和解の
> 概要、当該適格消費者団体の名称及び当該差止請求に係る相手方の氏名
> 又は名称その他内閣府令で定める事項を公表するものとする。
> 2　前項に規定する事項のほか、内閣総理大臣は、差止請求関係業務に関
> する情報を広く国民に提供するため、インターネットの利用その他適切
> な方法により、適格消費者団体の名称及び住所並びに差止請求関係業務
> を行う事務所の所在地その他内閣府令で定める必要な情報を公表するこ
> とができる。
> 3　内閣総理大臣は、独立行政法人国民生活センターに、前2項の情報の
> 公表に関する業務を行わせることができる。

I　第1項

1　趣旨

　本法における差止請求権は、不特定かつ多数の消費者の利益の擁護、具
体的には、消費者被害の発生又は拡大の防止のために、法律で適格消費者
団体に認められるものである。

　したがって、差止請求権の行使により判決等の結果が得られた場合には、
その結果（成果）を広く消費者一般に還元すべく、公表することとする必要
がある。

　また、公表措置により、個別事件の解決促進にも資すると考えられると
ころである（具体的には、差止判決に係る事件と同様の被害を受けていると認

第2節　適格消費者団体　第4款　補則（第36条～第40条）**第39条**　425

識した個別消費者が差止判決を引用しつつ事業者に救済申入れをし、事業者が自主的に救済措置を講じたり、当該個別消費者が差止判決を裁判で証拠として提出する等が考えられる。）。

　このための手法としては様々なものが考えられ、まずは適格消費者団体が消費者への情報提供を自主的に行うことが考えられるが、こうした自主的活動を基本としつつも、差止判決等の概要が、できる限り多くの消費者に、また、勝訴敗訴を問わず確実に周知され、被害の発生又は拡大の防止や個別事件の解決促進につながるよう、公的機関による公表の仕組みを導入する必要がある。

　なお、本項の内閣総理大臣の権限については、法第48条の2において消費者庁長官に委任されている。

② 条文の解釈

(1)　「インターネットの利用その他適切な方法」

　ホームページ上の掲載のほか、パンフレット等の作成配布等が考えられる。

(2)　「差止請求に係る判決（確定判決と同一の効力を有するもの及び仮処分命令の申立てについての決定を含む。）又は裁判外の和解の概要、当該適格消費者団体の名称及び当該差止請求に係る相手方の氏名又は名称その他内閣府令で定める事項」

　上記の趣旨に鑑み、公表の対象は、適格消費者団体による差止請求権の行使の成果といえるもの、すなわち、差止請求に係る判決（確定の有無及び勝訴・敗訴を問わない。）に限らず、裁判上の和解、調停合意又は仲裁判断等の確定判決と同一の効力を有するもののほか、裁判外の和解又は仮処分命令の申立てについての決定等一定の結論が出されたものについて幅広く公表するものとしている。

　また、公表事項は、差止請求に係る判決、裁判外の和解又はこれらに当たらない事案であって当該差止請求に関する相手方との間の協議が調ったと認められるもの（規則第28条第1号）の当事者名（適格消費者団体及び差止請求に係る相手方の名称等）及びその概要並びに改善措置情報の概要（規則

第28条第2号）を公表することとしている。なお、改善措置情報とは、「当該差止請求に係る相手方の行為の停止若しくは予防又は当該行為の停止若しくは予防に必要な措置をとった旨の連絡を受けた場合におけるその内容及び実施時期に係る情報」をいうところ（規則第14条）、差止請求の内容になっている「行為の停止若しくは予防又は当該行為の停止若しくは予防に必要な措置」もそれ以外のものも含まれる。

　ただし、差止請求の内容になっている「行為の停止若しくは予防又は当該行為の停止若しくは予防に必要な措置」については、「差止請求に係る判決又は裁判外の和解の概要」又は「当該差止請求に関する相手方との間の協議が調ったと認められるものの概要」に含まれる場合があり、そうすると、改善措置情報として公開する情報には、当該差止請求に係る相手方が、適格消費者団体による差止請求の内容とは別途、不当行為の改善のために講ずる措置、例えば、不当な契約条項に関する差止請求の事案において、当該契約条項以外の条項も含めた約款全体の見直しをすること等が該当することとなる。

Ⅱ　第2項

1　趣旨

　適格消費者団体の存在及び活動状況等が広く周知され、消費者が適格消費者団体に対し積極的に消費者被害に関する情報を提供するようになる等、差止請求関係業務が実効的かつ円滑に遂行されていくようにするためには、本条第1項の規定に基づく差止請求権の行使の結果の公表のほか、適格消費者団体の名称及び住所並びに差止請求関係業務を行う事務所の所在地を始めとした差止請求関係業務に関する情報も広く国民に提供される必要がある。

　こうした情報の提供については、もとより、個々の適格消費者団体が個別・自主的に行うものと考えられるが、複数の適格消費者団体に関する情報を一元的かつ一覧性のある形で提供する観点から、それらの情報を保持する内閣総理大臣において公表することができることとしている。

第2節　適格消費者団体　第4款　補則（第36条～第40条）**第39条**　427

　なお、本項の内閣総理大臣の権限については、法第48条の2において消費者庁長官に委任されている。

2　条文の解釈

(1)　「インターネットの利用その他適切な方法」

　ホームページ上の掲載のほか、パンフレット等の作成配布等が考えられる。

(2)　「適格消費者団体の名称及び住所並びに差止請求関係業務を行う事務所の所在地その他内閣府令で定める必要な情報」

　「内閣府令で定める必要な情報」は以下の事項に係る情報である。

　① **法の規定により公示した事項に係る情報（規則第29条第1号）**
　　i　適格消費者団体の認定をしたときにおける当該適格消費者団体の名称及び住所、差止請求関係業務を行う事務所の所在地並びに当該認定をした日
　　ii　適格消費者団体である法人が他の適格消費者団体である法人と合併をしたこと又は適格消費者団体である法人が適格消費者団体でない法人と合併をし、合併の認可の申請をしない旨の届出があった旨
　　iii　適格消費者団体である法人が他の適格消費者団体である法人に対し差止請求関係業務に係る事業の全部の譲渡をしたこと又は適格消費者団体である法人が適格消費者団体でない法人に対し差止請求関係業務に係る事業の全部の譲渡をし、事業の譲渡の認可の申請をしない旨の届出があった旨
　　iv　適格消費者団体が解散又は差止請求関係業務を廃止した旨の届出があった旨
　　v　適格消費者団体の認定を取り消し、又は法第34条第1項第4号に掲げる事由があった旨の認定をした旨及びその取消し又は認定をした日
　　vi　法第35条第1項、第6項又は第7項の規定による指定をした旨及びその指定の日、当該指定を取り消した旨及びその指定を取り消した日

428 第1編 逐条解説 第3章 差止請求

② 次に掲げる書類に記載された事項に係る情報（規則第29条第2号）

i 法第31条第5項の規定により提出された書類（役職員等名簿、適格消費者団体の社員数及び個人又は法人その他の団体の別等を記載した書類、財務諸表等、収入の明細その他の資金に関する事項等を記載した書類）

ii 定款

iii 業務規程

iv 差止請求関係業務以外の業務の種類及び概要を記載した書類

ただし、iのうち事業報告書については、被害回復関係業務の一部の委託に係る報酬の額が記載されている場合において、その額を公表することにより当該委託を受けた者の業務の遂行に支障を生ずるおそれのあるときにあっては、当該委託を受けた者の氏名又は名称を除いたものをもって足りるものとしている（規則第29条本文）。

ここで、「その額を公表することにより当該委託を受けた者の業務の遂行に支障を生ずるおそれのあるとき」とは、例えば、弁護士など専門的な知識経験を有する者に業務を委託した場合において、委託を受けた者に支払った報酬の額を公表することにより、その者の業務の遂行に支障を及ぼすおそれがあるときをいう。この場合には、匿名で公表するものとする（ガイドライン7）。

Ⅲ 第3項

1 趣旨

本条第1項及び第2項の規定に基づく情報の公表については、認定制度を所掌し、各種情報を保持する内閣総理大臣が自ら行うほか、独立行政法人国民生活センター（消費者基本法第25条において「国民の消費生活に関する情報の提供における中核的な機関」と位置付けられている機関）においても行わせることができるようにしている。

なお、本項の内閣総理大臣の権限については、法第48条の2において消費者庁長官に委任されている。

第2節　適格消費者団体　第4款　補則（第36条〜第40条）**第40条**　429

第40条（適格消費者団体への協力等）

（適格消費者団体への協力等）

第40条　独立行政法人国民生活センター及び地方公共団体は、内閣府令で
定めるところにより、適格消費者団体の求めに応じ、当該適格消費者団
体が差止請求権を適切に行使するために必要な限度において、当該適格
消費者団体に対し、消費生活相談及び消費者紛争（独立行政法人国民生
活センター法（平成14年法律第123号）第1条の2第1項に規定する消費
者紛争をいう。）に関する情報で内閣府令で定めるものを提供することが
できる。

2　前項の規定により情報の提供を受けた適格消費者団体は、当該情報を
当該差止請求権の適切な行使の用に供する目的以外の目的のために利用
し、又は提供してはならない。

I　第1項

１　趣旨

　適格消費者団体が差止請求権を行使するに当たっては、消費者被害の状
況を適切に把握することが前提となる。そのための情報の収集方法として
は、

　　①　会員（構成員）からの情報提供、いわゆる「110番活動」の実施、消
　　　費者団体相互間のネットワーク等を通じ、適格消費者団体が自ら消費
　　　者被害の情報収集を行うこと（法第13条第3項第2号）

を基本としつつ、

　　②　上記①で収集した被害案件につき、不特定かつ多数の消費者に対す
　　　る被害の広がりの状況を把握するなど必要な場合には、独立行政法人
　　　国民生活センターや地方公共団体の消費生活センター・消費生活相談
　　　窓口等が保有する消費生活相談に関する情報の提供を受けること

が想定され、上記①及び②のいずれも、訴訟で証拠として使用されること

430 第1編 逐条解説 第3章 差止請求

が想定される。

　そこで、独立行政法人国民生活センター及び地方公共団体は、適格消費者団体の求めに応じ、適格消費者団体が、不特定かつ多数の消費者の利益の擁護をするために差止請求権を適切に行使するうえで必要な限度において、消費生活相談及び消費者紛争（独立行政法人国民生活センター法（平成14年法律第123号）第1条の2第1項）に関する情報を適格消費者団体に提供することを可能とする法令上の根拠規定を置くこととしている。

2　条文の解釈

(1)　「内閣府令で定めるところにより」

　情報の提供を受けようとする適格消費者団体から独立行政法人国民生活センター又は地方公共団体への請求に関する手続規定（規則第30条）を定めている。

　独立行政法人国民生活センター又は地方公共団体に提出しなければならない申請書には、「当該適格消費者団体の名称及び住所並びに代表者の氏名」、「提供を受けようとする情報に係る事業者又は消費者紛争を特定するために必要な事項」、「申請理由」、「提供される情報の利用目的並びに当該情報の管理の方法及び当該情報を取り扱う者の範囲」、「希望する情報提供の範囲」、「希望する情報提供の実施の方法」について記載しなければならない（規則第30条第1項各号）。ただし、当該適格消費者団体が、独立行政法人国民生活センターから全国消費生活情報ネットワークシステムに蓄積された情報を利用して作成された統計その他の情報（規則第31条第1項第1号ロ）の提供を受けようとする場合にあっては、「提供を受けようとする情報に係る事業者又は消費者紛争を特定するために必要な事項」の記載は不要である（規則第30条第1項本文）。

　このうち、「申請理由」には、当該適格消費者団体が収集した情報の概要その他の申請を理由付ける事実等を具体的に記載しなければならない（規則第30条第2項）。「提供される情報の利用目的」は、当該情報を当該差止請求権の適切な行使の用に供する目的以外のものであってはならない（法第40条第2項）。「当該情報の管理の方法及び当該情報を取り扱う者の範囲」は、業務規程の記載事項（規則第6条第4号参照）と整合していなければな

第2節　適格消費者団体　第4款　補則（第36条〜第40条）**第40条**　431

らない。「希望する情報提供の範囲」は、被害案件の発生時期又は地域等、情報提供の範囲について希望するところを記載しなければならない。「希望する情報提供の実施の方法」は、口頭や書面（電子メールにより送付する場合を含む。）等、情報提供の実施の方法について希望するところを記載しなければならない。

　独立行政法人国民生活センター又は地方公共団体は、適格消費者団体から申請書の提出があった場合において、当該申請に相当の理由があると認めるときは、規則第31条第1項各号に定める情報のうち必要と認められる範囲の情報を提供するものとし（規則第30条第3項）、消費生活相談に関する情報の提供をするに際しては、当該消費生活相談に関する情報が消費者の申出を要約したものであり、事実関係が必ずしも確認されたものではない旨を明らかにするものとする（同条第4項）。独立行政法人国民生活センター又は地方公共団体は、情報の提供をするに際しては、利用目的を制限し、提供された情報の活用の結果を報告することその他の必要な条件を付することができることとし（同条第5項）、当該情報が、本条第2項の規定又は規則第30条第5項の規定により付そうとする制限又は条件に違反して使用されるおそれがあると認めるときは、当該情報を提供しないものとしている（同条第6項）。また、独立行政法人国民生活センター又は地方公共団体は、情報の提供に当たっては、消費者の個人情報の保護に留意しなければならないこととしている（同条第7項）。

　適格消費者団体が、独立行政法人国民生活センターに対し、電子メールを送信する方法（当該送信を受けた独立行政法人国民生活センターが当該電子メールを出力することにより書面を作成することができるものに限る。）により、本条第1項の規定による情報の提供を希望する旨及び規則第30条第1項各号に掲げる事項を通知したときは、同項の申請書が独立行政法人国民生活センターに提出されたものとみなすこととしている（同条第8項）。電子メールにより申請する場合は、当該適格消費者団体は、規則第30条第1項各号に掲げる情報に電子署名を行い、当該電子署名を行った者を確認するために必要な事項を証する電子証明書（独立行政法人国民生活センターの使用に係る電子計算機から認証できるもの）と併せてこれを送信しなければならない（同条第9項）。

(2)　「差止請求権を適切に行使するために必要な限度」

　本条の規定に基づく情報の提供は、適格消費者団体が、不特定かつ多数の消費者の利益を擁護するために差止請求権を適切に行使するうえで必要であることに基づくものであることから、「差止請求権を適切に行使するために必要な限度において」することができることとしている（第1項）。例えば、以下のような情報は、差止請求権の適切な行使に必要ではないものと考えられる。

　①　情報提供の必要性について適格消費者団体から適切な説明のない場合の当該情報
　②　目的外利用のおそれが強い情報
　③　差止請求権の行使とはおよそ関係がなく、ある業者についての興味本位に収集しようとする情報等

(3)　「消費生活相談及び消費者紛争（独立行政法人国民生活センター法（平成十四年法律第百二十三号）第一条の二第一項に規定する消費者紛争をいう。）に関する情報で内閣府令で定めるもの」

　消費生活相談に関する情報で、以下の区分に従ったものである。
　①　独立行政法人国民生活センターの消費生活に関する情報
　　　i　全国消費生活情報ネットワークシステム（通称「PIO-NET」）に蓄積されたもの（いわゆる「PIO-NET情報」）のうち、全国又は複数の都道府県を含む区域を単位とした情報（都道府県別の情報その他これに類する情報を除く。）
　　　ii　消費者の被害の実態を早期に把握するための基準に基づき、「PIO-NET情報」を利用して作成された統計その他の情報
　②　独立行政法人国民生活センターの消費紛争に関する情報
　　　独立行政法人国民生活センター法第3章第2節第2款の規定による和解の仲介の手続又は同節第3款の規定による仲裁の手続が終了した事案における経過及び結果の概要、当事者の主張の要旨その他の当該事案についての情報並びに当事者の氏名若しくは名称、住所又は連絡先についての情報であって、これらの手続の実施に支障を及ぼすおそれがないと認められるもの

第2節　適格消費者団体　第4款　補則（第36条〜第40条）**第40条**　433

③　地方公共団体の消費生活相談に関する情報

「PIO-NET情報」のうち、当該地方公共団体から独立行政法人国民生活センターに提供（都道府県を経由して行われる提供を含む。）された情報（他の地方公共団体から独立行政法人国民生活センターに提供（都道府県を経由して行われる提供を含む。）された情報のうち、当該地方公共団体が当該地方公共団体に係る情報と併せて本項の規定による情報の提供を行うことを適当と認め、かつ、当該他の地方公共団体の同意を得ることができたものを含む。）

Ⅱ　第2項

1　趣旨等

本条第1項により情報の提供を受けた適格消費者団体が当該情報を当該差止請求権の適切な行使の用に供する目的以外の目的のために利用し、又は提供してはならないこととしている。

この規定に違反し、目的外の利用、又は提供した者は、30万円以下の過料の対象としている（法第53条第10号）。

434　第1編　逐条解説　第3章　差止請求

第3節　訴訟手続等の特例（第41条〜第47条）

第41条（書面による事前の請求）

> **（書面による事前の請求）**
>
> **第41条**　適格消費者団体は、差止請求に係る訴えを提起しようとするときは、その訴えの被告となるべき者に対し、あらかじめ、請求の要旨及び紛争の要点その他の内閣府令で定める事項を記載した書面により差止請求をし、かつ、その到達した時から1週間を経過した後でなければ、その訴えを提起することができない。ただし、当該被告となるべき者がその差止請求を拒んだときは、この限りでない。
>
> 2　前項の請求は、その請求が通常到達すべきであった時に、到達したものとみなす。
>
> 3　前2項の規定は、差止請求に係る仮処分命令の申立てについて準用する。

1　趣旨

　本法における差止請求権の行使については、事業者等に対し、早期に取引の実情を把握して自ら是正する機会を与えるとともにこれにより紛争の早期解決と取引の適正化を図る観点から、適格消費者団体は、被告となるべき者に対し、訴訟外で差止請求をし、かつ、それから一定の期間が経過した後でなければ訴えを提起することができないこととし、これに違反して提起された訴えは訴訟要件を欠くものとして却下されるものとしている（第1項本文）。この趣旨は差止請求に係る仮処分命令の申立てについても同様に当てはまることから、訴えの提起に関する規定を準用して同様に規律することとしている（第3項）。

第3節　訴訟手続等の特例（第41条～第47条）**第41条**　435

2　条文の解釈

(1)　「請求の要旨及び紛争の要点その他の内閣府令で定める事項を記載した書面」

　この訴訟外における事前請求の方法については、請求内容を明確化するとともに後日における訴訟において証拠となるべきことも踏まえ、書面によってされなければならないこととしている（第1項本文）。

　その書面の記載内容としては、被告となるべき者が自ら不当行為の是正をすることが可能な程度に請求の内容が明らかにされるべきであるが、適格消費者団体も提訴段階では必ずしも被告となるべき者の行為の詳細を把握したうえで差止請求権を行使できるとは限らないことをも勘案し、請求の要旨及び紛争の要点その他の内閣府令で定める事項で足りることとしている[注1]。

　ここで「請求の要旨」とは、被告となるべき者に対し、どのような訴えを提起することになりそうかを示す程度の事項の記載をいい、「紛争の要点」とは、争いになっている実情についてまとめて表示したものをいう。

　次に、「内閣府令で定める事項」（第1項本文）としては、差止請求をする適格消費者団体の所在や当該差止請求の内容を明らかにする観点から、以下のとおり規定している（規則第32条第1項）。

① 名称及び住所並びに代表者の氏名
② 電話番号、電子メールアドレス及びファクシミリの番号（差止請求関係業務においてファクシミリ装置を用いて送受信しようとする場合に限る。規則第1条の3第2号参照）
③ 被告となるべき者の氏名又は名称及び住所
④ 請求の年月日
⑤ 本条第1項の請求である旨
⑥ 請求の要旨及び紛争の要点

　また、法第43条第2項で行為地に関する管轄裁判所が規定されていることに鑑み、訴訟において被告となるべき者の予測可能性を過度に害さない観点から、できる限り、訴えを提起し、又は仮処分命令を申し立てる場合における当該訴えを提起し、又は仮処分命令を申し立てる予定の裁判所を

436　第1編　逐条解説　第3章　差止請求

明らかにしなければならないこととしている（規則第32条第2項）[注2]。

> （注1）　この事前請求と民事訴訟法第132条の2の提訴予告通知との関係について
> は、それぞれ趣旨を異にしているため、本条に定める事前通知をしたことに
> よって直ちに民事訴訟法上の提訴予告通知に当たるものとは解されないが、
> 本条に定める事前請求の書面における記載事項は民事訴訟法上の提訴予告通
> 知の書面の記載事項（同条第3項及び民事訴訟規則第52条の2）と重なってい
> ることから、民事訴訟法上の提訴予告通知をすれば本制度の事前請求も併せ
> てされたことになることが多いものと考えられる。なお、本条の事前請求を訴
> 訟要件とする趣旨は、事業者等の自発的な是正の機会を確保することにある
> 以上、当該事前請求の書面の記載が主たる記載事項である「請求の趣旨及び紛
> 争の要点」について適式な記載を充たしており、事業者等の側にその機会を保
> 障するに足りるものである限り、付加的な記載事項である「内閣府令で定める
> 事項」の一部の記載に不十分な点があっても、そのことによって直ちに当該請
> 求に係る訴えが訴訟要件を欠くことにはならないと解される。
>
> （注2）　規則第32条第2項は、いわゆる訓示規定である。なお、提訴予定裁判所を
> 記載事項とする趣旨に照らせば、その記載を欠く場合又はその記載と実際の
> 提訴裁判所が異なったとしても、不適法となるものではない。

(2)　「その到達した時から1週間を経過した後でなければ、その訴えを提起することができない。

　訴訟外での事前請求から訴えの提起又は仮処分命令の申立てまでに必要な一定の期間については、被告となるべき者が自発的な是正をするに必要な最小限の期間を確保するとともに、不当に長期間の経過を要することとして不特定かつ多数の消費者に被害が拡散する弊害が生じないようにする観点から、1週間としている（第1項本文）。

　ただし、この訴訟外での請求は、実体法上の差止請求権の行使そのものであり、被告となるべき者に自発的な是正の機会を与えることを目的として提訴前の要件とするものであるから、被告となるべき者が当該請求を拒んだときには、上記の期間の経過前であっても直ちに差止めに係る訴えを提起し又は仮処分の申立てをすることができるものとしている（第1項ただし書及び第3項）。この「差止請求を拒んだとき」には、解釈上、被告となるべき者が是正拒絶の意思を当該適格消費者団体に対し明示的に表示した

場合のみならず、当該請求後の被告となるべき者の行為その他の事情（当該請求に係る不当行為の拡大など）に照らして被告となるべき者の是正拒絶の意思が明確にされた場合など、黙示の是正拒絶の場合（客観的な諸事情から被告となるべき者が是正をしないことが明らかである場合）も含まれるものと解される。

　また、訴訟外の事前請求を訴訟要件とした趣旨に鑑み、上記の一定の期間の起算点は事前請求の到達時とするが（第1項）、被告となるべき者の主たる事務所又は営業所の所在地にあてて発すれば足り、その請求が通常到達すべき時に到達したものとみなすこととしている（第2項。類似の例として、会社法第59条第7項参照）。

438 第1編 逐条解説 第3章 差止請求

第42条（訴訟の目的の価額）

> **（訴訟の目的の価額）**
> **第42条** 差止請求に係る訴えは、訴訟の目的の価額の算定については、財産権上の請求でない請求に係る訴えとみなす。

1 趣旨等

　差止請求に係る訴えについては、相手方が事業活動の一環として行う消費者契約に係る勧誘行為や契約条項の使用、景品表示法又は特定商取引法に規定する不当な行為の一部を対象とするものであるから、一応、経済的利益をその目的とするものと考えられ、財産権上の請求と位置付けられる。

　しかしながら、その訴えで主張する利益は、不当な勧誘行為や不当な表示、契約条項の使用が差し止められることによって不特定かつ多数の消費者の受けるべき利益をいうものと解されるところ、その場合における不特定かつ多数の消費者の受けるべき利益は、上記行為の差止請求という事柄の性質を併せ考えると、これを算定する客観的・合理的基準を見い出すことは極めて困難であり、これを算定することは著しく困難であると考えられる。

　したがって、消費者団体訴訟の差止請求についても、上記の考慮に基づき、後記（訴額につき特則規定を置く立法例）と同様に、この点に関する解釈上の疑義が生ずる余地のないように、非財産権上の請求とみなす旨の規定を設けている（この結果、訴額は160万円とみなされる（民事訴訟費用等に関する法律第4条第2項）。）。

● **訴額につき特則規定を置く立法例**

　本来は財産権上の請求であるものの、個別法において、非財産権上の請求とみなす旨が規定されている例としては、①株式会社における株主代表訴訟（会社法第847条の4第1項）、②一般社団法人における責任追及の訴え（一般社団法人及び一般財団法人に関する法律第278条第5項）がある。

第3節　訴訟手続等の特例（第41条〜第47条）**第43条**　439

第43条（管轄）

> **（管轄）**
> **第43条**　差止請求に係る訴訟については、民事訴訟法第5条（第5号に係る部分を除く。）の規定は、適用しない。
> 2　次の各号に掲げる規定による差止請求に係る訴えは、当該各号に定める行為があった地を管轄する裁判所にも提起することができる。
> 　一　第12条　同条に規定する事業者等の行為
> 　二　不当景品類及び不当表示防止法第30条第1項　同項に規定する事業者の行為
> 　三　特定商取引に関する法律第58条の18から第58条の24まで　これらの規定に規定する当該差止請求に係る相手方である販売業者、役務提供事業者、統括者、勧誘者、一般連鎖販売業者、関連商品の販売を行う者、業務提供誘引販売業を行う者又は購入業者（同法第58条の21第2項の規定による差止請求に係る訴えにあっては、勧誘者）の行為
> 　四　食品表示法第11条　同条に規定する食品関連事業者の行為

Ⅰ　第1項

1　趣旨等

　本法における差止請求は民事訴訟制度を利用して実現されるものであるから、管轄裁判所についても、民事訴訟法の規定を適用することを基本とする。

　しかしながら、本制度における差止請求権は政策的に新たに創設されるものであるところ、仮に管轄裁判所について民事訴訟法の規定の適用に委ねることのみとした場合には解釈上の疑義を生じ制度の円滑な運営が図れないおそれがあり、また、本制度の趣旨に照らし公平かつ適切な管轄裁判所を明確化する必要があることから、民事訴訟法の原則に所要の修正を施す特則の規定を設けることとしている。

440 第1編 逐条解説 第3章 差止請求

　まず、本項では、差止請求に係る訴訟の管轄裁判所について、民事訴訟法第5条で規定されている特別裁判籍のうち、事務所又は営業所の所在地（同条第5号）についてのみ認めることとしている。事務所又は営業所の所在地についてのみ認めることとするのは、当該事務所又は営業所における業務として特定の勧誘行為がされ又は特定の契約条項を含む契約の締結がされる限り、消費者及び事業者の双方にとって当該事務所又は営業所の所在地は当該行為に密接に関連する地ということができ、実体のある事務所又は営業所の所在地に限定される以上、相手方の予測可能性を害することもないし、相手方は事務所又は営業所を設置して事業活動を拡張することによって利益を拡大させている以上、その事務所又は営業所の所在地の特別裁判籍が認められたとしても不当に過大な負担になるものとはいえず当事者双方にとって公平と考えられるからである。

　これに対し、不法行為地（民事訴訟法第5条第9号）については、本制度の差止請求に係る訴えにも適用されるか否かは解釈の分かれ得るところであるし、その他の同条に規定する管轄裁判所についても、本制度の差止請求に係る訴えに適用される余地がないと考えられるものもあるが、不動産に関する訴えにおける不動産の所在地（同条第12号）等のように適用される余地がないとまではいえないものも規定されているため、全体として解釈上の疑義をなくす観点から、確認的な趣旨も含め、本項は、民事訴訟法第5条の規定は、同条第5号に係る部分を除き適用されない旨を規定することとしている。

Ⅱ　第2項

1　趣旨

　差止請求に係る相手方が不当な行為を行った後に事務所又は営業所の移転を転々と繰り返すような悪質・濫用的な事例においては、当該行為地を管轄する裁判所に訴えを提起することができず、消費者被害の拡大を未然に防止するという本制度の実効性の確保の観点から必ずしも十分ではないと考えられることから、本項第1号では、法第12条に規定する事業者等の

行為があった地も管轄裁判所として認めることとしている。

　本項第2号、第3号では、「差止請求」の概念を拡張することに伴い、景品表示法及び特定商取引法上の差止請求権に消費者契約法上の規律を及ぼす観点から、管轄について規定する本項第1号に「第12条に規定する事業者等の行為」とあるのと平仄をとりつつ、景品表示法及び特定商取引法上の不当行為に関する管轄を規定することとする。さらに、食品表示法上の差止請求権についても、同様に規定することとする。

　特定商取引法上の差止請求権の根拠規定は以下のとおり整理される。特定商取引法第58条の21第2項を除き、行為の主体と差止請求に係る相手方が一致していることから、当該差止請求に係る相手方である販売業者等の行為があった地の管轄裁判所について規定し、同項については、行為の主体である勧誘者の行為があった地の管轄裁判所について規定することとする。

条	項	特定商取引類型	行為類型	行為の主体
第58条の18	第1項	訪問販売	勧誘	販売業者、役務提供事業者
	第2項		特約	販売業者、役務提供事業者
第58条の19		通信販売	広告、特定申込みに係る表示	販売業者、役務提供事業者
第58条の20	第1項	電話勧誘販売	勧誘	販売業者、役務提供事業者
	第2項		特約	販売業者、役務提供事業者
第58条の21	第1項	連鎖販売取引	勧誘、広告	統括者、勧誘者、一般連鎖販売業者
	第2項		勧誘	勧誘者（ただし、差止請求の相手方は統括者）
	第3項		特約	統括者、勧誘者、一般連鎖販売業者

442　第1編　逐条解説　第3章　差止請求

第58条の22	第1項	特定継続的役務提供	広告、勧誘	役務提供事業者、販売業者
	第2項		特約	役務提供事業者、販売業者、関連商品の販売を行う者
第58条の23	第1項	業務提供誘引販売取引	勧誘、広告	業務提供誘引販売業を行う者
	第2項		特約	業務提供誘引販売業を行う者
第58条の24	第1項	訪問購入	勧誘	購入業者
	第2項		特約	購入業者

（注1）　特定商取引法第58条の18、第58条の19、第58条の20及び第58条の22にいう「販売業者」、「役務提供事業者」はいずれも同じ意味である（「役務提供事業者」は同法第2条第1項第1号で定義付けられている。）。

（注2）　特定商取引法第58条の22第2項においては、行為の主体として、役務提供事業者及び販売業者のほか、さらに「関連商品の販売を行う者」が想定される（同法第49条第6項参照）。

2　条文の解釈

(1)　「同条に規定する事業者等の行為があった地」（第1号）

　不特定かつ多数の消費者に対して不当な行為（本法に規定する不当な行為をいう。）が現に行われた地又はそのおそれを推認させる不当な行為が行われた地を意味するものであり、要するに、①差止請求の内容が現に行われている不当な行為の差止めである場合には、不特定かつ多数の消費者に対して不当な行為が現に行われた地を意味し（単発的に行為がされた地は含まれない。）、②差止請求の内容が将来行われるおそれのある不当な行為の差止めである場合には、そのおそれを推認させる不当な行為が行われた地を意味する（1回の行為がされた地であってもそのおそれを推認させる行為であれば含まれる。）ものと解される^(注)。

　　（注）　隔地的契約において、事業者等の意思表示が到達した地は、その発信地と同様、事業者等の行為があった地となり得ると考えられるが、その地を管轄する裁判所が管轄裁判所となり得るかについては、上記のとおり、その地が、不特定かつ多数の消費者に対して不当な行為が現に行われた地又はそのおそれを

第3節　訴訟手続等の特例（第41条～第47条）**第43条**　443

推認させる不当な行為が行われた地に該当すると判断されるか否かによるものと解される。

(2)　「同条に規定する事業者の行為があった地」（第2号）

　問題となる表示が一般消費者の目に触れる場所を意味するものであり、表示物が広告、チラシ類である場合には、それらが並べられた小売店の所在地、配布された地がこれに当たると考えられる。また、テレビやラジオの広告であれば、これを受信した地、インターネット広告であれば、当該インターネット画像を受信した地がこれに当たると考えられる。

(3)　「同条に規定する食品関連事業者の行為があった地」（第4号）

　条文解釈については、表示に関係する横断的な法律であり、すでに差止請求制度が実施されている景品表示法を参考とし、食品の容器包装に表示がされている場合には、当該食品が並べられた小売店の所在地がこれに当たると考えられる。なお、食品に関する表示の方法については、食品表示基準において定められることになる（食品表示法第4条第1項第2号）。

3　差止請求権等の不存在の確認の請求に係る訴えについて

　差止請求権又は差止請求権に係る債務の不存在の確認の請求に係る訴えの管轄裁判所についても、本条第1項では、被告となる適格消費者団体の普通裁判籍を基本としつつ、例外的にその事務所の所在地の管轄裁判所を認めることとしており、第2項の追加により、原告の行為地も管轄裁判所として認められることとなる。

444　第1編　逐条解説　第3章　差止請求

第44条（移送）

> **（移送）**
> **第44条**　裁判所は、差止請求に係る訴えが提起された場合であって、他の裁判所に同一又は同種の行為の差止請求に係る訴訟が係属している場合においては、当事者の住所又は所在地、尋問を受けるべき証人の住所、争点又は証拠の共通性その他の事情を考慮して、相当と認めるときは、申立てにより又は職権で、当該訴えに係る訴訟の全部又は一部について、当該他の裁判所又は他の管轄裁判所に移送することができる。

１　趣旨等

　本法では、複数の適格消費者団体により同一の相手方に対する同一の行為を対象とする請求に係る訴えが同時に提起される可能性があり、訴訟経済や相手方の応訴負担の合理化、判決内容の抵触の防止等の観点からは、できる限り審理を集中する必要性がある。また、必ずしも同一の相手方ないし行為を対象とする訴えでなくても、類似した勧誘行為又は契約条項の使用に関する訴えについては、実質的に事実上又は法律上の争点が重複することも考えられ、その場合、審理を共通にすることによる利益は同様に認められる。そこで、同一又は同種の行為の差止請求に係る訴訟について、弁論の併合を可能とするため、当事者の住所又は所在地、尋問を受けるべき証人の住所、争点又は証拠の共通性その他の事情を考慮して、相当と認めるときは、裁判所の裁量によって移送することを可能としている。

　これにより、例えば、法第12条の差止請求において、受託者等の営業所の管轄裁判所に受託者等と事業者の双方を被告とする差止請求の訴えが併合提起された場合でも、上記の諸事情を考慮して相当と認められるときであれば、事業者を被告とする事件を分離したうえで当該事件のみを事業者の本店所在地の管轄裁判所に移送することも可能となる。なお、複数の適格消費者団体による同一の相手方に対する同一の請求に係る訴えが、審級を異にする複数の裁判所に係属している場合、裁判所はそれらの複数の訴

第3節 訴訟手続等の特例（第41条～第47条）**第44条** 445

訟の弁論を併合することはできないが、同じ審級に係属するようになった時点で適宜移送により同一の裁判所に係属させた上で弁論を併合し（法第45条）、適切に対処することが可能になると考えられる。

446　第1編　逐条解説　第3章　差止請求

第45条（弁論等の併合）

> **（弁論等の併合）**
> **第45条**　請求の内容及び相手方が同一である差止請求に係る訴訟が同一の第1審裁判所又は控訴裁判所に数個同時に係属するときは、その弁論及び裁判は、併合してしなければならない。ただし、審理の状況その他の事情を考慮して、他の差止請求に係る訴訟と弁論及び裁判を併合してすることが著しく不相当であると認めるときは、この限りでない。
> 2　前項本文に規定する場合には、当事者は、その旨を裁判所に申し出なければならない。

I　第1項

1　趣旨等

　適格消費者団体は、それぞれ実体権としての差止請求権を有するが（法第12条、景品表示法第10条、特定商取引法第58条の18から第58条の24まで、食品表示法第11条）、他の適格消費者団体を当事者とする差止請求に係る訴訟等につき確定判決等が存する場合において、請求の内容及び相手方が同一である場合には、差止請求をすることができないこととしている（法第12条の2第1項第2号本文）。これは、それぞれの適格消費者団体が有する差止請求権の行使に何らの制約も設けないとすると、同一の相手方に対する同一内容の請求に係る訴えが判決の確定後も繰り返し無制限に提起されることによる弊害が想定されるため、これを除去するために請求権行使の制約事由として規定しているものである。

　このような請求権行使の制約の下では、複数の適格消費者団体により同一の相手方に対する同一内容の請求に係る訴えが提起される場合には、できる限り判決内容を合一的に確定するのが望ましい。そこで、本条において、請求の内容及び相手方が同一である差止請求に係る訴訟が同一の第1審裁判所又は控訴裁判所に数個同時に係属するときは、その弁論及び裁判

第3節　訴訟手続等の特例（第41条〜第47条）**第45条**　447

は、併合してしなければならないこととしたものである（本項本文）。ここで、同一の第1審裁判所又は控訴審裁判所に係属しているときとしているのは、同一審級である同一の訴訟上の又は官署としての裁判所に係属している訴訟についてのみ併合することとするものである。

　ただし、できる限り判決内容を合一的に確定するのが望ましいといっても、先行する訴訟が終局判決をするに熟している一方で、不当な目的に基づく訴えや当初から引き延ばし的な態様で請求理由の薄弱な訴えが提起されたなどの場合、弁論及び裁判を併合することにより、先行する訴訟が不当に遅延することもあり得ることから、併合することが著しく不相当と認める場合には、裁判所は併合しないことができることとしている（本項ただし書）^(注)。

　　（注）　訴えが不適法なものとして却下されるような場合についても、上記のような合一確定の必要性が認められないので、本項ただし書にいう「他の差止請求に係る訴訟と弁論及び裁判を併合してすることが著しく不相当である」場合に該当するものと考えられる。

II　第2項

1　趣旨等

　請求の内容及び相手方が同一である訴訟が複数係属していることについては、裁判所においても必ずしもその全てを把握しうるとは限らない一方で、当事者は制度上、複数の訴訟が同時に係属していることや当該訴訟における請求の内容等を容易に知り得る立場にあるため（適格消費者団体に対する通知等につき法第23条第4項及び第5項参照）、当事者はその旨を裁判所に申し出なければならないこととしている^{(注1)(注2)}。この規定は、いわゆる訓示規定であり、違反したからといって訴訟行為の効力に影響を及ぼすものではない。

　　（注1）　本項の申出は、同一の内容の訴訟が数個同時に係属するときにすることとされているから、訴え提起の時において既に他の訴訟が係属している場合にはその時点において、訴訟の係属中に新たに他の訴えが提起された場合（控

448　　第1編　逐条解説　第3章　差止請求

　訴裁判所に訴訟が係属中に新たな控訴が提起された場合を含む。）にはその都
　度、それぞれ申出をすることになる。
（注2）　本項は、請求の内容及び相手方が同一である差止請求に係る訴訟が同一
　　の管轄裁判所に係属したときに、当事者がその旨を申し出るべき旨を定める
　　ものであるが、同種の訴訟についても弁論の併合を可能とするため移送の規
　　定（法第44条）が設けられている趣旨に鑑み、実務上は、移送により同種の事
　　件が係属したときにも同様の申出がされることが望ましい。

第3節　訴訟手続等の特例（第41条～第47条）**第46条**　449

第46条（訴訟手続の中止）

> **（訴訟手続の中止）**
> **第46条**　内閣総理大臣は、現に係属する差止請求に係る訴訟につき既に他の適格消費者団体を当事者とする第12条の2第1項第2号本文の確定判決等が存する場合において、当該他の適格消費者団体につき当該確定判決等に係る訴訟等の手続に関し第34条第1項第4号に掲げる事由があると疑うに足りる相当な理由がある場合（同条第2項の規定により同号に掲げる事由があるものとみなすことができる場合を含む。）であって、同条第1項の規定による第13条第1項の認定の取消し又は第34条第3項の規定による認定（次項において「認定の取消し等」という。）をするかどうかの判断をするため相当の期間を要すると認めるときは、内閣府令で定めるところにより、当該差止請求に係る訴訟が係属する裁判所（以下この条において「受訴裁判所」という。）に対し、その旨及びその判断に要すると認められる期間を通知するものとする。
> 2　内閣総理大臣は、前項の規定による通知をした場合には、その通知に係る期間内に、認定の取消し等をするかどうかの判断をし、その結果を受訴裁判所に通知するものとする。
> 3　第1項の規定による通知があった場合において、必要があると認めるときは、受訴裁判所は、その通知に係る期間を経過する日まで（その期間を経過する前に前項の規定による通知を受けたときは、その通知を受けた日まで）、訴訟手続を中止することができる。

1　趣旨

　本制度においては、同一の相手方に対する同一内容の請求に係る先行する事件について法第12条の2第1項第2号本文の確定判決等が存することとなると、他の適格消費者団体は以後は後続の事件について差止請求権を行使することができなくなり、その例外は、内閣総理大臣が法第34条第1項第4号に掲げる取消事由により適格消費者団体の認定を取り消すか又は

450　第1編　逐条解説　第3章　差止請求

同条第3項の規定による当該取消事由の認定処分をするかのいずれかの場合となる（法第12条の2第1項第2号ただし書）が、客観的には当該取消事由が存在する場合でも内閣総理大臣がこれらの処分をするまでの調査・検討の期間中に後続の事件につき請求棄却の判決がされることがあり得ることから、後続の事件の当事者である他の適格消費者団体につきその差止請求権の正当な行使の途を確保するため、本条において、内閣総理大臣の受訴裁判所に対する通知を要件とする訴訟手続の中止の制度を設けることとしたものである（本条は内閣総理大臣による処分と訴訟手続との関係について規定したものであるが、審判と訴訟との関係について規定したものとしては、特許法第168条がある。）。

　本条の内閣総理大臣の権限については、法第48条の2において消費者庁長官に委任されている。

2　条文の解釈

(1)　「内閣府令で定めるところにより」（第1項）

　本条第1項の規定による通知は、内閣総理大臣から受訴裁判所に対し、既に存する確定判決等の内容を明確に通知する観点から、他の適格消費者団体を当事者とする法第12条の2第1項第2号本文の確定判決等の内容を証する書面（具体的には、判決書、決定書又は裁判上の和解若しくは調停の調書等）の写し（規則第15条第1項に規定する措置が講じられた場合にあっては、同項の記録媒体に記録された情報のうち当該書面に記載された事項に係るものを出力することにより作成された書面）を添付してするものとしている（規則第33条）。

(2)　「中止することができる」（第3項）

　この訴訟手続の中止をするか否かは法律上は受訴裁判所の合理的な裁量に委ねられる事柄ではあるが、上記のような規定の趣旨に鑑みると、受訴裁判所としては、内閣総理大臣から上記の通知があった場合には、①書面による事前の請求（法第41条第1項）を欠くなどして訴えを却下すべき場合、②不当目的（法第12条の2第1項第1号）に基づくものとして請求を棄却すべき場合、③請求原因事実が認められないとして請求を棄却すべき場合な

第3節　訴訟手続等の特例（第41条〜第47条）**第46条**　451

ど、訴えの却下又は当該確定判決等の存在以外の理由による請求の棄却が
確実に見込まれる場合（当該適格消費者団体の認定の取消処分等がされるか否
かによって係属中の訴訟の帰趨が変わる余地がない場合）を除き、実務上は、
内閣総理大臣による適格消費者団体の認定の取消処分等がされるか否か
（当該確定判決等による差止請求権の行使の制約が解除されるか否か）の帰趨を
見極める観点から、訴訟手続を中止することとなる場合が多いのではない
かと想定される（もっとも、特に上記②の場合には、個々の事案に応じて訴訟
手続の中止の要否・適否を個別具体的に判断することが必要となるものと考えら
れる。）。

452　第1編　逐条解説　第3章　差止請求

第47条（間接強制の支払額の算定）

（間接強制の支払額の算定）
第47条　差止請求権について民事執行法第172条第1項に規定する方法により強制執行を行う場合において、同項又は同条第2項の規定により債務者が債権者に支払うべき金銭の額を定めるに当たっては、執行裁判所は、債務不履行により不特定かつ多数の消費者が受けるべき不利益を特に考慮しなければならない。

１　趣旨等

　本法における差止判決は、不当行為を停止又は予防する不作為のほか、当該不当行為の用に供する物の除去等の一定の作為が内容になるものと考えられる。その強制執行は、不作為を内容とするものはもとより、作為を内容とするものについても、第三者が代替的になし得るものでない限り、間接強制によってすべきものと考えられる（民事執行法第172条第1項）。

　その際の強制金の額は、民事執行法第172条第1項の規定に従い、諸般の事情を総合考慮した裁判所の合理的な裁量により「債務の履行を確保するために相当と認める一定の額」が定められることになる。債務者の不履行によって債権者が受ける損害を観念し得る通常の事例においては、その債権者が受ける損害のほか、執行債権の性質、債務者の不履行の態様、履行の難易、不履行による債務者の利益、不履行による社会的影響、債務者の資力等の一切の事情が総合的に考慮される。しかし、本法の差止請求の間接強制においては、通常の事例とは異なり、債権者である適格消費者団体自体には差止請求に係る相手方の不当な行為によって受ける固有の損害が観念されないという特殊性が存する。

　そこで、本条では、本法の差止請求の間接強制における適正な強制金の額の算定を図る観点から、執行裁判所は、上記の通常の考慮事情のほか、債権者が受ける損害に代わる考慮事情として、相手方による差止判決に係る債務の不履行によって不特定かつ多数の消費者が受けるべき不利益を特

第3節　訴訟手続等の特例（第41条〜第47条）**第47条**　453

に考慮すべきものとしている。

● **不作為を目的とする債務に係る間接強制の決定について**

　なお、裁判例においては、不作為を目的とする債務の強制執行として民事執行法第172条第1項所定の間接強制決定をするには、債権者において、債務者がその不作為義務に違反するおそれがあることを立証すれば足り、債務者が現にその不作為義務に違反していることを立証する必要はないとし、債務者による不作為義務違反のおそれの立証については、高度の蓋然性や急迫性に裏付けられたものである必要はないと解するのが相当としたものがある（最二決平成17年12月9日民集第59巻10号2889頁）。

454 　第1編　逐条解説　第4章　雑則（第48条・第48条の2）

第4章　雑則（第48条・第48条の2）

第48条（適用除外）

> （適用除外）
> **第48条**　この法律の規定は、労働契約については、適用しない。

1　趣旨

　労働契約^(注)については、雇用主が事業のためになす契約であり、その一方で従業員が労務の提供に服することを約する契約（労務に服する側にとっては事業として締結するものではなく、事業のために締結するものでもない契約）であるため、法第2条の文言上から形式的に判断すると、「消費者契約」とみなされ、本法の適用範囲に入る。

　しかし、労働契約なる概念は、資本主義社会における労使間の著しい経済的優劣関係とこれによる労働者の資本への隷属状態に着目してこれに規制を加えんとする労働者保護法規の発展とともに確立された契約概念であり、自由対等な人間間を規制する市民法上の契約概念たる民法における雇用契約とは異なる角度から労使間の契約を把握する特殊な契約類型であり、その意味で労働契約は、消費者契約に含めることは適当ではない。

　また、労働契約については、労働契約の特殊性に鑑みて既に労働基準法等の労働法の分野において契約締結過程及び契約条項について民法の特則が定められていることから、労働契約については、本法の適用範囲に含めないこととする。

　（注）　労働契約

　　　　労働契約は労務の提供に服することを約する契約であるが、自己の危険と計算とにおいて独立的に行われる両当事者間の契約と異なり、両当事者間に

おいて、一方が自己の危険と計算によらず他人の指揮命令に服し、他方が自己の危険と計算において他人を自己の指揮命令下におく関係の契約である。

2 具体的事例等

〔事例48-1〕
家内労働

(1) 家内労働については、家内労働法第2条第2項で、物品の製造・加工業者や販売業者（問屋等）又はこれらの請負業者その他省令で定めるものから、「主として労働の対償を得るために」その業務の目的物たる物品について「委託」を受けて、物品の製造又は加工等に従事する者であって、「同居の親族以外の者を使用しないことを常態とするもの」を家内労働者として定義している。これは、家内労働者がその経済的実態からみれば委託者に従属し、使用者の労働者に対する関係と類似していることから労働者に準じたものとして保護しているものであるが、同時に、家内労働者は「自営業者」的性格をもつものであり、労働基準法等の労働者には当たらないものとして整理している。

(2) したがって、家内労働者は「事業として」経済的利益をあげることを目的としているため、「事業者」として扱うのが妥当であり、当該契約関係は事業者間の契約となるために、本法の適用対象とはならないものと考えられる（ただし、家内労働者が、物品の加工等に用いる器具（例えばパソコン）等の購入等をすることについては、購入目的につき客観的、外形的に家内労働としての委託作業のためと判断することが現実的に困難であり、又は、その用途が家内労働としての委託作業に「主として」限定されない場合には、原則的には消費者とみなし、したがって本法の適用範囲に入ることが考えられうる）。

(3) ただし、家内労働を始めようとする者が、委託者等から、相当の工賃収入が得られるとの不適切な説明を受けたことにより、①高額の機械を市価の倍額で売りつけられたり、②家内労働の講習会として多額の受講料等を支払ったが、仕事の委託が行われない場合等のように、「実体のない委託関係」にあると考えられる場合の家内労働者については、当該家内労働者は事業者でないということになる。ゆえに、事業者（委託者）と消費者（家内労働者）との間の契約関係となるため、当該ケースについては本

法の対象になることが考えられる。

(4) さらに、在宅就労者の在宅就労については、情報通信機器を活用するなどにより、在宅形態で、

① 雇用関係には基づかず自営的に行われる労働形態

② 基本的には雇用関係に基づく非自営的労働形態

という2つの性格が考えられるが、これについても上記の考え方により、①は「事業」として上記家内労働に係る(2)及び(3)の考え方と同様に扱い、②は労働契約として扱うことが適当であると考える。

〔事例48-2〕

家事労働

(1) 家事使用人（いわゆるお手伝いさん）となることを目的とした個人が、紹介会社等からの派遣等によらずに個人の消費者と契約する場合（第三者に紹介された場合も、労働派遣と違い、第三者は紹介しただけであるので、基本的関係は家事使用人と家事使用者になると考えられる。）についても基本的には労働契約に基づく雇用関係にあることには間違いがなく、個人宅で労務に服する側は上記考え方と同様に業として契約するわけではない（したがって労働契約に準拠して消費者契約法の適用外になる）し、その以前にそもそもの問題として、雇う側である個人宅の方も事業ではないために、消費者間契約となり、適用範囲から外れることが考えられる。

(2) したがって、家事使用人が家事に使用するエプロンを購入する等の場合については、家事労働契約が上記いずれの考え方をとっても、家事使用人にとって「事業のため」にする契約とはならないため、本法の適用範囲に入ると考えられる。

〔事例48-3〕

アルバイト、家庭教師

(1) 事業者が学生等をアルバイトとして雇用し、契約するケースについては、本条に規定する労働契約に該当するため、本法の適用はない。

(2) 事業者が求人広告等を通じて、学生等を募集し、学生等に対して顧客を紹介し、学生等が対価を得て、当該顧客に対して役務を提供するケース（例えば家庭教師派遣における家庭教師派遣会社と家庭教師の関係）につい

第48条 457

ては、労働者派遣事業の適正な運営の確保及び派遣労働者の保護等に関する法律の考え方に従って判断すれば、法第48条に規定する労働契約と考えることができるため、本法の適用はない。

(3) 学生やいわゆるフリーター等が継続的に、かつ個別に一般消費者と契約する役務契約（例えば家庭教師等）については、一般消費者は本法における「消費者」であり、家庭教師は「消費者」との間に準委任契約を締結する「事業者（＝事業として契約の当事者となる個人）」となることから、本法の適用がある。

〔事例48-4〕

労働者の労働に付随する契約関係

労働に関係するケースについて考えると、労働契約の考え方に従い、労働者にとって「事業のための契約」には該当しないことから、以下のように考えるのが適当である。

(1) サラリーマンが、自己の営業用の名刺や背広を買う場合

労働契約におけるサラリーマンは、当該契約を「事業のために」しているものではない（社会通念上、サラリーマンが事業主との間で締結する労働契約に基づく労働は、サラリーマンの「事業」ではないと考えられる。）ため、自己の営業用の名刺や背広を買う場合は、サラリーマンの「事業のため」の契約とはならない。したがって、その場合は、本法の適用範囲に含まれることとなる。

(2) 従業員が自分のスーツを購入するケース

例えば、雇用主との間で労働契約を締結した従業員が、自分の労働のためにスーツを購入する場合については、労働契約に基づく労働が「事業」には当たらないため、労働を行う個人は「事業を行う個人」には該当せず、したがって「事業を行う個人以外の個人」となるため、本法においては「消費者」として締結する契約となる。

(3) 従業員が自分の定期券を購入する場合

基本的には(1)と同じと考えられるが、(1)と異なる部分があるとすれば、事業者が定期券の資金を通勤手当等として拠出することが考えられる点である。

この点、通勤手当は、負担の割合にかかわらず、通常労働基準法上の賃

金と解されており、事業者が従業員のために定期券の購入費を拠出している場合においても、従業員が自分の名目（主体）、資金（賃金）によって購入するので、契約主体や社会通念上の判断も含めて、消費者が事業者による拠出を受けずに定期券を購入する場合と同様、本法の適用範囲に含まれる。

(4)　従業員が自分の食事のために食料を（反復継続的に）購入する場合

　　食料を買うのは、人間の基本的生存を維持するための行為であると判断される（たとえ労働契約を事業とみなしたとしても「事業のため」の行為とはいえない）ため、消費者として本法の適用範囲に含まれる。

(5)　モニター又は外交員の登録（契約）

　　モニター又は外交員という名目のもとで事業者と登録（契約）し、月１～２回程度都合のよい日に事業者の指定する場所に出勤し、展示会場等で物品の販売業務を行う場合（業務の実態及び給料（謝礼）の支払実態はある）、当該モニター又は外交員となる契約の一環として業務上必要であるとして契約された制服や物品の販売又は有償貸与が本法の適用範囲に入るかどうかという問題がある。

　　この場合、名目はどうであれモニター又は外交員としての登録（契約）の実質が労働契約であれば、労働契約である。また、モニター又は外交員としての登録（契約）が、実質として労働契約でなく、委託関係にあるのであれば、当該登録（契約）は事業者間契約ということになる。

　　この前提に立つと、業務上必要であるとして事業者との間に制服（又は物品）の販売又は有償貸与について契約を締結した場合は、事業者が事業のための契約となり、モニター又は外交員については、その登録（契約）が実質として労働契約であれば、事業のためではない契約となるため、本法の適用範囲に含まれることが考えられるし、その登録（契約）が実質として委託関係にあるのであれば、事業のための契約となるため、本法の適用範囲に含まれないことになる。

　　また、モニター又は外交員としての給与（謝礼）体系の違い（例えば、完全歩合制と一定の基本給＋歩合給の違い等）は、本法における当該モニター又は外交員の取扱いに変更を与えるものではない。

第48条の2 （権限の委任）

> **（権限の委任）**
> **第48条の2**　内閣総理大臣は、前章の規定による権限（政令で定めるもの
> 　を除く。）を消費者庁長官に委任する。

1　改正の趣旨

　消費者契約法は適格消費者団体の認定や監督等に関し、内閣総理大臣に
種々の権限を付与している。これは、それらの認定・監督等に関する国家
意思を形成し表明する機関としては、消費者契約法を所管する内閣府の長
たる内閣総理大臣（内閣府設置法第6条第1項）が相応しいと考えられるこ
とに基づくものである。

　消費者庁は内閣府の外局として設置され、長として消費者庁長官が置か
れているが、

① 「外局」とは、内閣府の部内にあって特殊な事務をつかさどらせるた
めに設置される行政機関であり、外局たる「庁」の長たる長官は、通
常、国のために意思決定をし、これを外部に表示する行政官庁たる性
格を有しているものと考えられること（吉国一郎ほか共編『法令用語辞
典〔第8次改訂版〕』（学陽書房、2001）49頁参照）。

② 内閣総理大臣の権限を消費者庁長官に委任することにより、内閣総
理大臣をより重要な職務に専念させ行政の効率的な運営に資すること
ができること

を踏まえると、消費者契約法を消費者庁に移管するに際しては、消費者契
約法上の内閣総理大臣の権限は、原則として消費者庁長官に委任すること
とするのが適当と考えられる。

2　例外について

　ただし、その事柄の重要性に鑑み、内閣総理大臣の権限として残すこと
が適当と考えられる権限については、内閣総理大臣の権限として残すこと

460 第1編 逐条解説 第4章 雑則（第48条・第48条の2）

とし、政令において規定することとした。政令においては、適格消費者団
体の認定や取消しそれらに類する行為にかかる権限を規定している。

　具体的には、法第13条第1項（適格消費者団体の認定）、第17条第2項（認
定の有効期間の更新）、第19条第3項（合併の認可）、第20条第3項（事業の譲
渡の認可）、第34条第1項（認定の取消し）及び第3項（取消し事由の認定）並
びに第35条第1項（差止請求権の承継に係る指定）及び第4項から第7項ま
で（差止請求権の承継に係る指定の取消し、新たな指定、新たな指定の取消し）
の規定による権限である（施行令第3条）。

第49条　461

第５章　罰則（第49条～第53条）

第49条

> **第49条**　適格消費者団体の役員、職員又は専門委員が、適格消費者団体の
> 差止請求に係る相手方から、寄附金、賛助金その他名目のいかんを問わ
> ず、当該適格消費者団体においてその差止請求権の行使をしないこと若
> しくはしなかったこと、その差止請求権の放棄をすること若しくはした
> こと、その相手方との間でその差止請求に係る和解をすること若しくは
> したこと又はその差止請求に係る訴訟その他の手続を他の事由により終
> 了させること若しくは終了させたことの報酬として、金銭その他の財産
> 上の利益を受け、又は第三者（当該適格消費者団体を含む。）に受けさせ
> たときは、３年以下の懲役又は300万円以下の罰金に処する。
> 2　前項の利益を供与した者も、同項と同様とする。
> 3　第１項の場合において、犯人又は情を知った第三者が受けた財産上の
> 　利益は、没収する。その全部又は一部を没収することができないときは、
> 　その価額を追徴する。
> 4　第１項の罪は、日本国外においてこれらの罪を犯した者にも適用する。
> 5　第２項の罪は、刑法（明治40年法律第45号）第２条の例に従う。

１　趣旨

　本法における差止請求権は、不特定かつ多数の消費者の利益擁護を図る
ため、法定の要件に適合し、不特定かつ多数の消費者の利益を代表し真摯
に差止請求権を行使することが期待できる存在であると内閣総理大臣によ
り判断された適格消費者団体に付与されるものである。仮にこれが当該団
体の私的な利益を図るためなど不適正に行使されると、本来擁護されるべ

462　第１編　逐条解説　第５章　罰則（第49条〜第53条）

き不特定かつ多数の消費者の利益が擁護されず、差止請求に係る相手方の正当な事業活動が阻害され（企業恐喝の温床にもつながりかねない。）、制度の信頼性が著しく損なわれるという弊害が生ずることになる。

　このような弊害は、適格消費者団体の差止請求権の行使に関与する役員、職員又は専門委員が、当該適格消費者団体による差止請求権の不適正な行使の報酬として金銭その他の財産上の利益を受ける場合において特に生ずることが懸念されるが、その場合は、差止請求権の不適正な行使によって不特定かつ多数の消費者の利益の侵害という法益侵害が現に発生し、制度に対する信頼が著しく損なわれる等の弊害が生じているというべきであることから、刑罰に処することとしている。

②　条文の解釈

(1)　適格消費者団体の役員等の利益収受の罪（第１項）

①　主体

　適格消費者団体による差止請求権の行使に関与する者である役員、職員又は専門委員が構成要件の主体となる。

②　行為類型

　不適正な差止請求権の行使としては、作為によるものと不作為によるものが考えられるが、作為によるものについては、何が不適正かの判断は実際には非常に困難であることから、これに刑罰を科すのは適当ではなく、専ら不作為を刑罰の対象とすることとしている。

　すなわち、不適正な差止請求権の行使として典型的なのは、差止請求に係る相手方から金銭その他の財産上の利益を受けることの見返りとして、本来差止請求権を行使すべき場合であるにもかかわらず敢えて行使しない場合であると考えられることから、これを構成要件の行為類型として捉えることとし、事前に財産上の利益を受けて差止請求権を行使しなかった場合だけでなく、差止請求権を行使しなかった後にその見返りとして財産上の利益を受けた場合についても同様に処罰の対象とする。

　また、

　　ア　その差止請求権の放棄をする場合又はした場合

　　イ　その相手方との間でその差止請求に係る和解をする場合又はした

場合

　　ウ　その差止請求に係る訴訟その他の手続を他の事由により終了させ
　　　る場合又は終了させた場合

についても、同様に処罰の対象としている。ここで、「和解」とは裁判上又
は裁判外の和解をいい、「差止請求に係る訴訟その他の手続」とは、具体的
には、和解の申立てに係る手続、調停手続、仲裁手続、仮処分命令に関す
る手続等の差止請求に係る手続をいう。「他の事由」とは、差止請求権の放
棄又は和解以外の事由をいう。

　③　適格消費者団体の差止請求に係る相手方から財産上の利益を報酬として
　　受けること

　財産上の利益の授受によって不適正な差止請求権の行使が誘発されるの
は、特に差止請求に係る相手方から財産上の利益を受ける場合において類
型的に弊害が生じやすいと考えられることから、構成要件上これを財産上
の利益を受ける相手方として捉えることとしている。

　また、財産上の利益の収受については、差止請求権の行使への対価性を
有した報酬として受ける場合において特に弊害が生じやすいと考えられる
ことから、そのような場合を処罰の対象としている。

　④　財産上の利益を第三者（適格消費者団体を含む。）に受けさせた場合につ
　　いて

　以上の①から③までに該当する行為について、財産上の利益を役員等本
人ではなく第三者（適格消費者団体を含む。）に受けさせることにより処罰
を免れることがあれば規制の潜脱を許すことになり、そのような場合に生
ずる弊害は同様であることから、同様に処罰の対象としている。

　⑤　法定刑

　以上のような行為については、差止請求権の適正な行使を阻害し制度の
信頼性を著しく損なう弊害及び不特定かつ多数の消費者に対する法益侵害
の重大性に鑑み、3年以下の懲役又は300万円以下の罰金に処することと
している。

(2)　適格消費者団体の役員等に対する利益供与の罪（第2項）

　第1項に規定する罪と対向犯の関係にある財産上の利益を供与した行為

についても、生ずる弊害及び法益侵害の程度は同じであることから、同様
に処罰することとしている。

(3) 必要的没収・追徴（第3項）

　第1項の場合において、犯人又は情を知った第三者が受けた財産上の利
益については、その保持を認めるべきでなく、また、役員等のとく職のた
めに供されたものである以上その財産上の利益を供与した者に返還すべき
ものでもないことから、必要的に没収することとし、没収することができ
ないときは追徴することとしている。

(4) 国外犯（第4項及び第5項）

　適格消費者団体による差止請求権の行使は、国内の差止請求に係る相手
方に対してのみされるとは限らず、国外において、国外の差止請求に係る
相手方に対して差止請求権の行使がされ、当該国外の差止請求に係る相手
方との間で不当な財産上の利益の授受がされることも想定されるところで
ある。この場合、差止請求権の行使の適正の確保等を図るべき必要性は国
内犯の場合と同じく認められることから、国外犯の処罰に関する規定を設
けることによって差止請求権の行使の適正の確保等を図ることとしてい
る。

第50条　465

第50条

> **第50条**　偽りその他不正の手段により第13条第1項の認定、第17条第2項の有効期間の更新又は第19条第3項若しくは第20条第3項の認可を受けたときは、当該違反行為をした者は、100万円以下の罰金に処する。
> 2　第25条の規定に違反して、差止請求関係業務に関して知り得た秘密を漏らした者は、100万円以下の罰金に処する。

１　趣旨

　本条は、偽りその他不正の手段により認定等を受けた場合又は秘密保持義務に違反した場合の罰則規定を定めるものである。

２　条文の解釈

(1)　偽りその他不正の手段により適格消費者団体の認定等を受けること（第1項）

　「偽りその他不正の手段」としては、虚偽の申請書又は添付書類を提出したり、行政庁の職員に対し詐言を弄すること等が考えられる。そのような手段により適格消費者団体の認定又は認定の有効期間の更新、合併若しくは事業の譲渡の認可を受けた場合は、本来適格消費者団体の認定を受けるべきでない者により本法の差止請求権が行使されることになり、本制度の信頼性を著しく損なうだけでなく、差止請求に係る相手方はもとより不特定かつ多数の消費者の利益をも侵害するおそれがあることから、これを罰金刑の対象として処罰するものとしている。

　なお、本法における罰則規定は基本的に秩序罰としての性質を有しているものと考えられることから、本罪についても懲役刑ではなく専ら罰金刑に処することとするが、制度の信頼性を損なう度合いが大きいことに鑑み、その金額は100万円とする。また、法第51条第1号の罪（適格消費者団体の認定等の申請書等に虚偽の記載をして提出した場合）は、本罪に吸収されるものと考えられる。

466　第1編　逐条解説　第5章　罰則（第49条〜第53条）

(2)　秘密保持義務違反（第2項）

　適格消費者団体の役員等が、法第25条の規定に違反して、差止請求関係業務に関して知り得た秘密を漏らすことは、当該適格消費者団体を信頼して情報を提供するなどした当該秘密を有する者のプライバシー等を侵害するものであり、また、本制度の信頼性を著しく損なうものであることから、これを罰金刑の対象として処罰するものとしている。

第51条　467

第51条

> 第51条　次の各号のいずれかに該当する場合には、当該違反行為をした者
> は、50万円以下の罰金に処する。
> 一　第14条第1項（第17条第6項、第19条第6項及び第20条第6項にお
> 　いて準用する場合を含む。）の申請書又は第14条第2項各号（第17条第
> 　6項、第19条第6項及び第20条第6項において準用する場合を含む。）
> 　に掲げる書類に虚偽の記載をして提出したとき。
> 二　第16条第3項の規定に違反して、適格消費者団体であると誤認され
> 　るおそれのある文字をその名称中に用い、又はその業務に関し、適格
> 　消費者団体であると誤認されるおそれのある表示をしたとき。
> 三　第30条の規定に違反して、帳簿書類の作成若しくは保存をせず、又
> 　は虚偽の帳簿書類の作成をしたとき。
> 四　第32条第1項の規定による報告をせず、若しくは虚偽の報告をし、
> 　又は同項の規定による検査を拒み、妨げ、若しくは忌避し、若しくは同
> 　項の規定による質問に対して陳述をせず、若しくは虚偽の陳述をした
> 　とき。

1　趣旨

　本条は、認定等の申請書若しくは添付書類に虚偽の記載をして提出した
場合、適格消費者団体の名称の使用禁止を定めた法第16条第3項に違反し
た場合、帳簿書類の作成義務等に違反した場合、又は内閣総理大臣への虚
偽報告等若しくは内閣総理大臣による検査・質問に対する拒否等をした場
合の罰則規定を定めるものである。

2　条文の解釈

（1）　適格消費者団体の認定等の申請書又は添付書類に虚偽の記載をして
提出すること（第1号）

　例えば、適格消費者団体の認定の申請書に添付する不特定かつ多数の消

費者の利益の擁護を図るための活動を相当期間にわたり継続して適正に行っていることを証する書類（法第14条第2項第2号）に虚偽の記載をしたり、役員等に関する書類（同項第6号）に真実は役員でない者を役員として記載するなどして申請をした場合、当該虚偽の記載を前提として内閣総理大臣による認定がされ、本来認定されるべきでない者を認定するなどの弊害が生ずるおそれがある。これは本制度の信頼性を著しく損なうものであることから、罰金刑の対象として処罰することとしている。なお、本罪に該当する行為により適格性の認定等を受けた場合については、法第50条第1項第1号の罪が成立し、本罪はこれに吸収されるものと考えられる。

(2) 名称の使用禁止違反（第2号）

　適格消費者団体でない者が適格消費者団体であると誤認されるおそれのある文字をその名称中に使用するなどすることは、差止請求に係る相手方が当該者を適格消費者団体であると誤認し、当該者から不当な要求がされること等により損害を被るなどの弊害が生ずるおそれがある。特に、本制度の場合、差止請求権という強い効力を有する権利を付与された団体であるかのように振る舞うことの違法性は強いといえ、制度の信頼性を著しく損なうものであることから、罰金刑の対象として処罰することとしている。

(3) 帳簿書類の作成義務等の違反（第3号）

　適格消費者団体は、その業務及び経理に関する帳簿書類を作成し、保存しなければならないこととされている（法第30条）。この書類は、当該適格消費者団体の業務及び経理に関する状況を把握するために作成される財務諸表等（法第31条第1項）の原資料となるなど、適格消費者団体の業務及び経理の適正を確保する上で特に重要性を有するものである。したがって、その作成若しくは保存がされず、又は虚偽の帳簿書類の作成がされる場合の弊害は、適格消費者団体に課せられた行為規範に違反する場合のなかでも特に大きいものということができるから、罰金刑の対象として処罰することとしている。

⑷　報告義務違反・検査拒否等（第 4 号）

　内閣総理大臣は、本制度の適正を確保する観点から、法律の実施に必要な限度において適格消費者団体に対し所定の報告をさせ、又はその職員に立入検査をさせるなどすることができることとされている（法第32条第 1 項）。これは当該適格消費者団体に対する行政処分としてされるものであり、その実効性を確保する必要性は高いというべきであるから、罰金刑の対象として処罰することとしている。

470 第1編 逐条解説 第5章 罰則（第49条～第53条）

第52条

> **第52条** 法人（法人でない団体で代表者又は管理人の定めのあるものを含む。以下この項において同じ。）の代表者若しくは管理人又は法人若しくは人の代理人、使用人その他の従業者が、その法人又は人の業務に関して、第49条、第50条第1項又は前条の違反行為をしたときは、行為者を罰するほか、その法人又は人に対しても、各本条の罰金刑を科する。
>
> 2 法人でない団体について前項の規定の適用がある場合には、その代表者又は管理人が、その訴訟行為につき法人でない団体を代表するほか、法人を被告人又は被疑者とする場合の刑事訴訟に関する法律の規定を準用する。

1 趣旨等

　法人の代表者等が、その法人等の業務に関して、法第49条第1項及び第2項、第50条第1項並びに第51条各号の違反行為をしたときは、その行為者を罰するほか、法人等に対しても、各本条の罰金刑を科することとし、両罰規定を設けるものである（第1項）。

　また、法第50条第1項並びに第51条第1号及び第2号の罪に関しては、法人でない団体の代表者等によりされることも想定されることから、当該代表者等が訴訟行為につき当該法人でない団体を代表するほか、法人を被告人又は被疑者とする場合の刑事訴訟に関する法律の規定を準用する旨を規定することとしている（第2項）。

第53条

> **第53条** 次の各号のいずれかに該当する者は、30万円以下の過料に処する。
> 一 第16条第2項の規定による掲示をせず、又は虚偽の掲示をした者
> 二 第18条、第19条第2項若しくは第7項、第20条第2項若しくは第7項又は第21条第1項の規定による届出をせず、又は虚偽の届出をした者
> 三 第23条第4項前段の規定による通知若しくは報告をせず、又は虚偽の通知若しくは報告をした者
> 四 第24条の規定に違反して、消費者の被害に関する情報を利用した者
> 五 第26条の規定に違反して、同条の請求を拒んだ者
> 六 第31条第1項の規定に違反して、財務諸表等を作成せず、又はこれに記載し、若しくは記録すべき事項を記載せず、若しくは記録せず、若しくは虚偽の記載若しくは記録をした者
> 七 第31条第2項の規定に違反して、書類を備え置かなかった者
> 八 第31条第4項の規定に違反して、正当な理由がないのに同条第3項各号に掲げる請求を拒んだ者
> 九 第31条第5項の規定に違反して、書類を提出せず、又は書類に虚偽の記載若しくは記録をして提出した者
> 十 第40条第2項の規定に違反して、情報を同項に定める目的以外の目的のために利用し、又は提供した者

1 趣旨

　本法における適格消費者団体の認定は内閣総理大臣によってされる行政処分であり、適格消費者団体は、監督官庁である内閣総理大臣に対する届出や報告等の一定の義務を負う。当該義務違反の行為のうち、違法性の程度が重大なものについては刑罰をもって対処することとし、それ以外のものについては秩序罰として過料に処することとしている。

472　第1編　逐条解説　第5章　罰則（第49条～第53条）

2　条文の解釈

（1）　法第16条第2項の規定による掲示をせず、又は虚偽の掲示をした者（第1号）

　法第16条第2項の掲示は、一般人に対し当該団体が適格消費者団体であることを自ら表示することによって、適格消費者団体でない者との識別を可能にするものである。これがされなかったり、虚偽の掲示がされると、一般人による誤認や混同が生じるおそれがあることから、過料に処することとしている。

（2）　法第18条等の規定による届出をせず、又は虚偽の届出をした者（第2号）

　法第18条（変更の届出）、第19条第2項（適格消費者団体である法人が他の適格消費者団体である法人と合併した場合の届出）若しくは第7項（適格消費者団体である法人が適格消費者団体でない法人と合併した場合で合併の認可の申請をしないときの届出）、第20条第2項（適格消費者団体である法人が他の適格消費者団体である法人に対し事業の譲渡をした場合の届出）若しくは第7項（適格消費者団体である法人が適格消費者団体でない法人に対し事業の譲渡をした場合で事業の譲渡の認可の申請をしないときの届出）又は第21条第1項（解散の届出等）の規定による届出については、これらがされなかったり、虚偽の届出がされると、内閣総理大臣が当該届出に係る事実を把握することができず、制度の適正な運営が図られないことから、過料に処することとしている。

（3）　法第23条第4項前段の規定による通知等をせず、又は虚偽の通知等をした者（第3号）

　法第23条第4項前段の規定による通知又は報告は、適格消費者団体が他の適格消費者団体と共同して差止請求権を行使するほか相互に連携を図りながら協力すること（同条第3項）を実効的にし、それぞれが有する差止請求権を行使する機会を確保する観点から、法第41条第1項の規定による差止請求をしたとき（法第23条第4項第1号）や差止請求に係る訴えの提起等

第53条　473

があったとき（同項第3号）など、差止請求権の行使に係る重要な局面について、適格消費者団体が相互に情報を共有するとともに内閣総理大臣も当該事実を把握することを可能にする観点から義務付けられているものである。これらの通知又は報告がされなかったり、虚偽の通知又は報告がされると、前述した適格消費者団体相互の情報の共有や内閣総理大臣による当該事実の把握ができないことになることから、過料に処することとしている。

(4)　法第24条の規定に違反して、消費者の被害に関する情報を利用した者（第4号）

　法第24条は、適格消費者団体が差止請求権の行使に関し、消費者から収集した消費者の被害に関する情報をその相手方その他の第三者が当該被害に係る消費者を識別することができる方法で利用した場合、消費者に精神的苦痛が生じたりいわゆる「御礼参り」の弊害が生ずるおそれがあることから、あらかじめ当該消費者の同意を得なければならないこととしたものである。当該情報は、本来、不特定かつ多数の消費者の利益擁護という目的に資するため利用されるべきものであるにもかかわらず、同意を得ずに消費者の被害に関する情報が利用されると、当該消費者に損害が生ずるほか、消費者から他の適格消費者団体に対する情報提供がされなくなるおそれが生ずるなど、制度の適正な運営が図られないことから、過料に処することとしている。

(5)　法第26条の規定に違反して、同条の請求を拒んだ者（第5号）

　法第26条は、適格消費者団体による差止請求権の行使に関し、真に認定された適格消費者団体の関係者によるものか否か等の一定の事実関係について相手方が認識することができるようにするため、差止請求関係業務に従事する者につき、相手方の請求があったときは当該適格消費者団体の名称や自己の氏名等をその相手方に明らかにしなければならないこととするものである。これらが明らかにされない場合、相手方は当該請求をする者が真正な適格消費者団体であるか否か等につき確認することができず、制度の信頼性を損なうことにもつながりかねないものであることから、過料

474　第1編　逐条解説　第5章　罰則（第49条〜第53条）

に処することとしている。

(6)　法第31条第1項の規定に違反して、財務諸表等の作成をしない等の者（第6号）

　財務諸表等については、当該適格消費者団体の財産及び収支状況や活動状況を把握する上で不可欠な書類であり、その作成若しくは記載・記録がされず、又は虚偽の記載・記録がされた場合には、内閣総理大臣だけでなく一般人においても適格消費者団体の活動状況を確認することができないこととなり、本制度の適正な運営が図られないことから、過料に処することとしている。

(7)　法第31条第2項の規定に違反して、書類を備え置かず（第7号）、又は同条第4項の規定に違反して、正当な理由がないのに同条第3項各号に掲げる請求を拒んだ者（第8号）

　財務諸表等については、適格消費者団体の事務所に備え置いて一般人による閲覧等の請求を可能とし、一般人の監視下においてその活動状況の適正を確保することとしていることから、書類を備え置かず、正当な理由がないのに閲覧等の請求を拒んだ場合については、過料に処することとしている。なお、ここでいう正当な理由としては、専ら適格消費者団体に負担を生じさせることを目的として同種の請求を繰り返す場合など、当該請求の目的及び態様に鑑み請求権の濫用と認められる相当の事情のある場合などがこれに該当するものと考えられる。

(8)　法第31条第5項の規定に違反して、書類を提出しない等の者（第9号）

　財務諸表等を始めとする法第31条第2項第3号から第6号に掲げる書類については、内閣総理大臣が適格消費者団体の活動状況を把握することを可能とする観点から、毎事業年度ごとに内閣総理大臣に提出しなければならないこととしている。その提出がされず又は虚偽の記載・記録による提出がされると、制度の適正な運営が図られないことから、過料に処することとしている。

第53条　475

(9)　法第40条第2項の規定に違反して、情報を同項に定める目的以外の
　　目的のために利用し、又は提供した者（第10号）

　法第40条第1項（独立行政法人国民生活センター及び地方公共団体からの消
費生活相談及び消費者紛争に関する情報の提供）の規定による情報の提供は、
差止請求権の適切な行使に供し、不特定かつ多数の消費者の利益擁護を図
る観点からされるものであり、当該情報がその目的以外のために利用され
又は提供されること（同条第2項）があれば、制度の信頼性が損なわれるこ
とから、過料に処することとしている。

476　第1編　逐条解説

附則（平成12年法律第61号）

> **附　　則**
> 　この法律は、平成13年4月1日から施行し、この法律の施行後に締結された消費者契約について適用する。

1　趣旨

　本法の規定は、平成13年4月1日以降に締結された消費者契約にのみ適用される。平成13年3月31日までに締結される消費者契約については、既存の法令の規定が適用される。

2　条文の解釈

(1)　「平成13年4月1日から施行」

　本法の施行期日を、平成13年4月1日とすることを規定している。

　本法の周知・対応準備期間については、消費者契約という事業者と消費者の広範な行為を対象とした規定を新たに設けること、事業者において約款の見直し等の作業が必要となる場合もあることから、社会一般に広範な影響を与えるものであり、早い段階から関係者に新しい制度の内容の周知及び対応準備のための期間を示すことが必要となる。したがって、施行期日を法律の附則で確定することとしたものである。

　ところで、製造物責任法（平成6年法律第85号）は、製造物責任という新たな損害賠償責任制度を法制化したものであるが、その施行期日は、その附則第1項において、「公布の日から起算して1年を経過した日」と定められており、周知・対応準備期間として1年を設けている。同様に、契約締結過程及び契約内容に関し、消費者が契約の全部又は一部の効力を否定することができるようにする場合を定めた新たな制度が円滑に導入されるためには、公布から施行までの間に1年程度の期間を置くことが適当である。したがって、本法の周知・対応準備期間についても、1年程度を設けることが適当と思われる。

他方、金融市場における規制の緩和・撤廃を始めとする一連の金融システム改革（いわゆる日本版ビッグバン）が、平成13年4月までにほぼ完了する予定とされているが、それに伴い、金融市場において公正で自由な競争が行われる環境が整い、更に多種多様な金融商品・サービスが取引されるものと考えられる。金融取引は重要な消費者契約の一つであり、かつ、金融システム改革の完了もあいまって、消費者契約に関するトラブルの更なる発生も予想されることから、それに対する手当てを講ずることが重要となる。

以上のことから、本法の施行期日については、平成12年5月12日の公布の日から施行までの周知・対応準備期間として1年程度を確保しつつ、金融システム改革がほぼ完了されることとの整合性に鑑み、平成13年4月1日と確定することが適当とされたものである。

(2) 「この法律の施行後に締結された消費者契約について適用する」

一般的に、民事法においては、行為者に義務を課すもの、又は人の権利を制限するものは、法の適用について不遡及とするのが原則である。したがって、本法においても、その規定が適用されるのは、施行後に締結された消費者契約に限定するものである。

ただし、平成13年4月1日以後に締結された消費者契約である限り、勧誘が平成13年3月31日以前に行われたとしても、本法の規定は適用されることとなる。

478 第1編 逐条解説

附則（平成18年法律第56号）

I 第1項（施行期日）

> （施行期日）
> 1 この法律は、公布の日から起算して1年を経過した日から施行する。

1 趣旨等

附則において、消費者契約法の一部を改正する法律（平成19年法律第56号）の施行期日を公布の日（平成18年6月7日）から起算して1年を経過した日（平成19年6月7日）から施行することを規定している。

改正法は、事業者が不特定かつ多数の消費者に対して消費者契約法違反の行為（不当勧誘行為、不当契約条項を含む契約の締結）を行う場合に、適格消費者団体がその差止請求をすることができることとするものである。社会一般に広範な影響を与えるものであるとともに、早い段階から消費者及び事業者を始めとする関係者に新たな制度の内容の周知及び対応準備のための期間を示すことが必要である。また、本改正法の委任等に基づく関係法令の整備及びその周知を行うための一定の期間を確保することについても考慮に入れる必要がある。したがって、期間を法律の附則で確定するとともに、その期間を1年とするものである。

II 第2項（検討）

> （検討）
> 2 政府は、消費者の被害の状況、消費者の利益の擁護を図るための諸施策の実施の状況その他社会経済情勢の変化を勘案しつつ、この法律による改正後の消費者契約法の施行の状況について検討を加え、必要があると認めるときは、その結果に基づいて所要の措置を講ずるものとする。

附則（平成18年法律第56号）　479

1　趣旨等

　適格消費者団体が事業者等に対し差止請求をすることができることとしている本法の施行により、消費者契約法の実効性が高まり、消費者被害の発生又は拡大の防止につながることが期待されるところである。

　また、消費者被害の発生又は拡大の防止を図るためには、民事ルール（消費者契約法）の実効性確保措置である適格消費者団体による差止請求権の行使のみではなく、行政庁が業法等を通じ個別業種や商取引の特性を踏まえた行政規制・指導監督措置を構ずること等各般の消費者施策が総合的に講じられることが必要であり、重要である。

　さらに、消費者被害の動向や社会経済情勢の変化を踏まえた対応が今後とも必要である。

　以上を踏まえ、政府は、

①　消費者の被害の状況、

②　消費者の利益の擁護を図るための諸施策（国・地方公共団体による各種の取組等を広く含む。）の実施の状況、

③　社会経済情勢の変化（例えば、規制緩和の進展、高齢社会化など）

を勘案しつつ、改正後の消費者契約法の施行の状況について検討を加え、必要があると認めるときは、その結果に基づいて所要の措置を講ずるものとしている。

480　第1編　逐条解説

附則（平成20年法律第29号）

Ⅰ　第1項（施行期日）

（施行期日）

1　この法律は、平成21年4月1日から施行する。ただし、第2条及び第4条の規定は、特定商取引に関する法律及び割賦販売法の一部を改正する法律（平成20年法律第74号）の施行の日から施行する。

1　趣旨等

（1）　基本的な考え方

　制度の周知及び法改正に伴う内閣府令の見直し等の施行準備をするために必要十分な期間を確保しつつ、できる限り早期に施行することとするのが適当である。

（2）　景品表示法関係

　適格消費者団体による差止請求の対象となる景品表示法上の不当行為としては、同法第4条第1項第1号及び第2号に規定する表示（いわゆる優良誤認及び有利誤認表示）が想定されており、その内容に改正等はない。したがって、上記のとおり制度の周知及び施行準備に必要な期間を確保しつつ、できる限り早期に施行することとするのが適当である。

　そこで、施行準備として必要と考えられるのは、法第23条第5項の改正に伴う消費者契約法施行規則の改正[注1]や、内閣総理大臣と公正取引委員会との連携措置（法第15条第2項及び第38条）に関する運用上の整備、「差止請求関係業務」（法第13条第1項）の概念の拡張に伴う適格消費者団体の定款[注2]・業務規程等の見直し等である[注3]。

　　（注1）　規則第15条第1項は、「法第23条第4項に規定するすべての適格消費者団体及び内閣総理大臣が電磁的方法を利用して同一の情報を閲覧することができる状態に置く措置であって内閣府令で定めるものは、内閣総理大臣が管理

附則（平成20年法律第29号）　481

する電気通信設備の記録媒体に法第23条第4項前段に規定する事項、第13条第2項の内容を示す書面に記載された事項及び第13条第3項（同条第5項において準用する場合を含む。）各号に掲げる事項を内容とする情報を記録する措置であって、すべての適格消費者団体及び内閣総理大臣が当該情報を記録することができ、かつ、当該記録媒体に記録された当該情報をすべての適格消費者団体及び内閣総理大臣が受信することができる方式のものとする。」としており、これに公正取引委員会との連携を反映した改正をする必要がある。同様に、規則第18条第1号「すべての適格消費者団体及び内閣総理大臣が電磁的方法を利用して同一の情報を閲覧することができる状態に置く措置」についても改正をする必要がある。

(注2)　特定非営利活動法人の場合、定款の変更の認証を得るには、通常、申請から4か月程度を要するのが実務上の運用である（特定非営利活動促進法第25条第5項、第10条第2項、第12条第2項）。

(注3)　なお、消費者庁及び消費者委員会設置法の施行に伴う関係法律の整備に関する法律（平成21年法律第49号）により景品表示法の消費者庁移管に伴い、法第15条、第23条第5項、第38条が改正されたことから、(注1)記載の公正取引委員会との連携を規定した部分は削除された。

　また、「差止請求関係業務」の概念の拡張に伴い、経理の整理方法が変わることになることから、できる限り適格消費者団体の事務負担を軽減する観点も必要である。

　以上を踏まえ、改正当時既に認定されていた適格消費者団体は、いずれも事業年度を4月1日から3月末日までとしていることに鑑み、景品表示法関係の改正規定の施行期日は、平成21年4月1日とした。

(3)　特定商取引法関係

　今次の特定商取引法改正では、「訪問販売」、「通信販売」、「電話勧誘販売」（同法第2条第1項から第3項まで）に関するいわゆる指定商品・指定役務制（同条第4項）の見直し（規制の対象となる商品・役務を政令で定めることとしていたのを、原則として全ての商品・役務を対象としつつ、一定の適用除外を設けることとする。）等、実体法部分の改正がされるとともに、その施行日としては、当該改正法公布の日から起算して1年6月を超えない範囲内で政令で定める日[注]とされた。この指定商品・指定役務制の見直しにより、特

482　第1編　逐条解説

定商取引法上の差止請求権の適用対象も拡張されることになるが、改正法
の周知の観点からは、特定商取引法上の実体法部分に関する改正と同時に
差止請求権の適用対象を拡張するのが望ましいと考えられることから、特
定商取引法関係の改正規定の施行期日は、同法改正法の施行期日とした。

> （注）　特定商取引に関する法律及び割賦販売法の一部を改正する法律の当該部分
> は、平成21年12月１日に施行された。

II　第２項（認定手続等に関する経過措置）

（経過措置）

2　第１条又は第２条の規定の施行前にされた消費者契約法第13条第１項
の認定の申請並びに同法第19条第３項及び第20条第３項の認可の申請に
係る認定及び認可に関する手続については、それぞれ第１条又は第２条
の規定による改正後の同法の規定にかかわらず、なお従前の例による。

1　趣旨等

(1)　適格消費者団体の認定手続として、公正取引委員会及び経済産業大
臣からの意見聴取に関する規定を新設する（法第15条第２項）ことに関
し、経過措置を設ける必要があると考えられるが、施行期日を景品表
示法関係と特定商取引法関係との二つに分けることとする（附則第１
項）こととの関係から、この経過措置についても二つに分けて考える
必要がある[注]。

> （注）　消費者庁設置に伴い景品表示法が消費者庁に移管されたことから、第15条
> は改正され公正取引委員会からの意見聴取の規定は削除された。

(2)　景品表示法関係の改正法施行日前にされた申請について

①　適格消費者団体の認定手続として、内閣総理大臣から公正取引委員
会の意見を聴くことになるところ、これに関し、景品表示法関係の改
正法施行日前に認定の申請をしていたが、当該改正法施行日までに認

定又は不認定の決定がされず、当該改正法施行日以後に決定がされることとなった場合、改めて公正取引委員会の意見を聴くものとすべきか否か問題となる（下記①及び②共に問題状況は同じ。）。

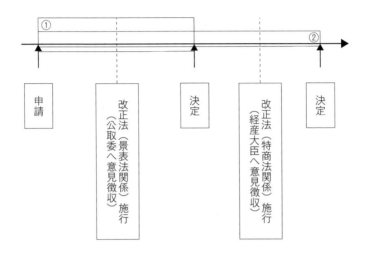

　改めて公正取引委員会の意見を聴くものとすると、新たな手続を履践することにより、認定・不認定の決定が遅れることがあり得るところ、これは申請者にとって自ら預かり知らないことによる不利益であること、そもそも、改正法によっても現在の消費者契約法上の認定要件は変わらず、改正前に認定された適格消費者団体も改正景品表示法上の差止請求権を行使することができること、認定された適格消費者団体の適格性については、公正取引委員会から意見を述べることができる旨の規定を新設し（法第38条第1号）、これを活用することも可能であることからすると、認定手続はなお従前の例によることとする経過措置を設けるのが適当と考えられる。
② 　上述したところは、合併及び事業譲渡の認可（法第19条第6項及び第20条第6項で準用される第15条第2項）に関する手続についても同様であることから、なお従前の例によることとする経過措置を設けるのが適当と考えられる。

これに対し、認定の有効期間の更新は、改正法施行までに現在既に認定されている適格消費者団体の認定の有効期間の更新の申請が経過することが想定されないので(注)、経過措置を設けないものとした。

(注) 現在既に認定されている適格消費者団体のうち、最も早く認定されたのは平成19年8月23日(「消費者機構日本」及び「消費者支援機構関西」の2団体)であり、当該認定の有効期間である3年間(法第17条第1項)が経過する平成22年8月22日の90日前(平成22年5月25日)から60日前(平成22年6月24日)まで(同条第3項)に更新の申請がされ得ることになる。

(3) 景品表示法関係の改正法施行日以後特定商取引法関係の改正法施行日前にされた申請について

① 適格消費者団体の認定手続として、内閣総理大臣から公正取引委員会及び経済産業大臣の意見を聴くことになるところ、これに関し、景品表示法関係の改正法施行日以後に認定の申請をしていたが、特定商取引法関係の改正法施行日までに認定又は不認定の決定がされず、特定商取引法関係の改正法施行日以後に決定がされることとなった場合、改めて経済産業大臣の意見を聴くものとすべきか否か問題となる(下記④においてのみ問題となる。)。

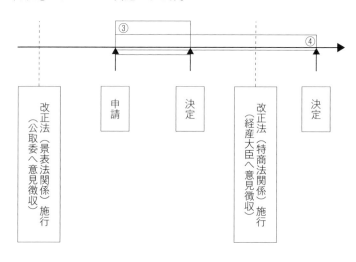

附則（平成20年法律第29号）　485

　　この場合の問題状況は、上記２において検討したところと同じであ
ることから、認定手続はなお従前の例によることとする（すなわち、公
正取引委員会からのみ意見を聴く。）のが適当と考えられる。
　　もっとも、消費者庁設置に伴い景品表示法が消費者庁に移管された
ことから、法第15条は改正され公正取引委員会からの意見聴取の規定
は削除されたので、消費者庁及び消費者委員会設置法施行後に申請が
なされた場合には、公正取引委員会から意見を聴く必要はない。
　②　合併及び事業譲渡の認可についても同様である。

Ⅲ　第３項（罰則に関する経過措置）

> 3　第１条又は第２条の規定の施行前にした行為に対する罰則の適用につ
> いては、それぞれ第１条又は第２条の規定による改正後の消費者契約法
> の規定にかかわらず、なお従前の例による。

１　趣旨等

(1)　法第12条の２柱書により「差止請求」の概念が拡張し、「差止請求関
　係業務」（法第13条第１項）の概念も拡張することに関し、経過措置を
　設けるのが適当と考えられる。
(2)　すなわち、平成20年法律第29号による改正前の法第12条第５項柱書
　は、同改正前の法第12条第１項から第４項までに規定する請求のみを
　「差止請求」としていたところ、同改正後の法第12条の２柱書において、
　景品表示法及び特定商取引法上規定される差止請求をも含んでいる。
　これに伴い、「差止請求権」（改正前の法第12条第５項第２号ハ）及び「差
　止請求関係業務」（法第13条第１項）の概念も拡張することになる。
(3)　これを前提に、法第53条第11号の適用について考えると、同号は、法
　第40条第２項の規定に違反して、情報を同項に定める目的以外の目的
　のために利用し、又は提供した者について30万円以下の過料に処する
　こととし、同項は、独立行政法人国民生活センター等から情報の提供

486　第1編　逐条解説

を受けた適格消費者団体は、当該情報を当該差止請求権の適切な行使
の用に供する目的以外の目的のために利用し、又は提供してはならな
いこととしている。改正法の施行により「差止請求権」の概念が拡張
することに伴い、例えば、改正法施行前、「差止請求権」に該当しない
景品表示法に関する事項について情報を利用した場合、この罰則が適
用されなければならないが、改正法の施行により「差止請求権」の概
念に景品表示法に関する事項が含まれることにより、そのままでは罰
則が適用されなくなる。これは不均衡であり、改正法施行後の罰則の
適用について、なお従前の例によることとする経過措置を設ける必要
がある。

附則（平成21年法律第49号）抄

（施行期日）
第1条 この法律は、消費者庁及び消費者委員会設置法（平成21年法律第48号）の施行の日から施行する。ただし、次の各号に掲げる規定は、当該各号に定める日から施行する。
（以下　略）

1　趣旨等

　消費者庁及び消費者委員会設置法の施行に伴う関係法律の整備に関する法律により、消費者契約法及び消費者契約法等の一部を改正する法律（平成20年法律第29号）が改正された。
　その内容は以下のとおり。
　①　景品表示法が消費者庁へ移管されるに際し、所要の改正をすることに伴い、同法上の不当表示に関する適格消費者団体による差止請求権について規定している同法第11条の2の条項が条ずれにより変更されたため、同条を規定している消費者契約法第12条の2及び第43条第2項第2号についても所要の改正をすることとした。
　②　第15条第2項、第23条第5項及び第38条関係（内閣総理大臣と公正取引委員会及び経済産業大臣との間の連携及び情報共有）について景品表示法が消費者庁へ移管されることにより、所要の改正をすることとした（法第15条第2項、第23条第5項の解説参照）。
　③　第48条の2を新設し、内閣総理大臣の権限の消費者庁長官への委任について規定することとした。
　なお、消費者庁及び消費者委員会設置法は、同法附則第1項において、「公布の日から起算して1年を超えない範囲内において政令で定める日から施行する」とされており、平成21年9月1日に施行されたため（消費者庁及び消費者委員会設置法の施行期日を定める政令（平成21年政令第214号））、消費者庁及び消費者委員会設置法の施行に伴う関係法律の整備に関する法律

488　　第1編　逐条解説

は同日施行された。

附則（平成28年法律第61号）

第1条（施行期日）

> **（施行期日）**
> **第1条** この法律は、公布の日から起算して1年を経過した日から施行する。ただし、次の各号に掲げる規定は、当該各号に定める日から施行する。
> 一 附則第4条の規定 公布の日
> 二 第5条第2項の改正規定（「及び第7条」を「から第7条まで」に改める部分に限る。）、第6条の次に1条を加える改正規定及び附則第3条の規定 民法の一部を改正する法律（平成29年法律第44号）の施行の日
> 三 附則第6条の規定 民法の一部を改正する法律の施行に伴う関係法律の整備等に関する法律（平成29年法律第45号）の公布の日又はこの法律の公布の日のいずれか遅い日

1 趣旨等

　平成28年改正は、取消しの対象となる消費者契約の範囲を拡大するとともに、無効とする消費者契約の条項の類型を追加する措置を講ずるといった民事ルールの拡充を図るものである。消費者契約法は労働契約を除く全ての消費者契約を対象として、広く横断的に適用される法律であることから（第2条第3項、第48条）、今回の改正を踏まえて事業者が使用している契約条項の見直しが必要な場合もあり得るなど、今回の改正により社会一般に対する影響があると考えられる。

　したがって、今回の改正内容についての周知及び対応のために一定の期間を設けるべきであることから、あらかじめその期間を明確に示す必要がある。具体的には、公布から施行まで1年の期間を設けることを明示的に規定している^(注1)。なお、消費者契約法の制定時及び過去の改正時におい

490　第1編　逐条解説

ても、同様の観点から、公布から施行までに1年程度の期間^(注2)が設けられている。

> （注1）　消費者契約法の一部を改正する法律（平成28年法律第61号）は平成28年6月3日に公布されていることから、施行日は平成29年6月3日となる。
>
> （注2）　消費者契約法（平成12年法律第61号）の施行は、公布の日（平成12年5月12日）から約1年後の平成13年4月1日とされている。また、消費者契約法の一部を改正する法律（平成18年法律第56号）の施行は、公布の日（平成18年6月7日）から起算して1年を経過した日（平成19年6月7日）とされている。

ただし、民法の改正に関連する規定、具体的には、①民法改正法を踏まえ、取消権を行使した消費者の返還義務について規定する第6条の2等、②今回の改正を踏まえ、民法改正整備法の関係規定の所要の整備を行う附則第6条については、それぞれ①民法改正法の施行の日、②民法改正整備法の公布の日^(注3)から施行することとする。

なお、附則第4条については、政令で経過措置を設けることは想定していないが、仮に施行までに経過措置を設ける必要性が生じるような事態が発生する可能性もあることも踏まえ、公布の日から施行することとしている。

> （注3）　民法改正整備法は平成29年6月2日に公布された。

附則（平成28年法律第61号）　491

第２条から第４条まで（経過措置等）

> **（経過措置）**
> **第２条**　この法律による改正後の消費者契約法（以下「新法」という。）第
> 　４条第４項及び第５項（第３号に係る部分に限る。）（これらの規定を新
> 　法第５条第１項において準用する場合を含む。）の規定は、この法律の施
> 　行前にされた消費者契約の申込み又はその承諾の意思表示については、
> 　適用しない。
> 　２　この法律の施行前にされた消費者契約の申込み又はその承諾の意思表
> 　示に係る取消権については、新法第７条第１項の規定にかかわらず、な
> 　お従前の例による。
> 　３　この法律の施行前に締結された消費者契約の条項については、新法第
> 　８条第１項第３号及び第４号の規定にかかわらず、なお従前の例による。
> 　４　新法第８条の２の規定は、この法律の施行前に締結された消費者契約
> 　の条項については、適用しない。
> **第３条**　附則第１条第２号に掲げる規定による改正後の消費者契約法第６
> 　条の２の規定は、同号に掲げる規定の施行前に消費者契約に基づく債務
> 　の履行として給付がされた場合におけるその給付を受けた消費者の返還
> 　の義務については、適用しない。
> **（政令への委任）**
> **第４条**　前２条に定めるもののほか、この法律の施行に伴い必要な経過措
> 　置は、政令で定める。

１　趣旨等

　平成28年改正においては、一般的に法の適用については不遡及であると
されている点を踏まえ、改正後の規定についても、その規定が適用される
のは、改正法の施行後に締結された消費者契約に限定するものである。

　具体的には、附則第２条においては、施行日が公布の日から起算して１
年（すなわち、平成29年６月３日）とされている規定について、①消費者契約

の申込み又はその承諾の意思表示の取消しに係るもの^(注)を第1項及び第2項に、②消費者契約の条項の無効に係るものを第3項及び第4項に、それぞれ規定している。また、附則第3条においては、施行日が民法改正法の施行の日とされている規定（取消権を行使した消費者の返還義務）について、規定している。

　　（注）　意思表示の取消しの規定であることから、意思表示がなされた時点を基準としている。

　なお、附則第4条については、政令で経過措置を設けることは想定していないが、仮に施行の日までに経過措置を設ける必要性が生じるような事態が発生する可能性もあることも踏まえた規定である。

附則（平成28年法律第61号）　493

第5条（検討）

> **（検討）**
> **第5条**　政府は、消費者の被害の状況、消費者の利益の擁護を図るための諸施策の実施の状況その他社会経済情勢の変化を勘案しつつ、新法の施行の状況について検討を加え、必要があると認めるときは、その結果に基づいて所要の措置を講ずるものとする。

1　趣旨等

　平成28年改正は、取消しの対象となる消費者契約の範囲を拡大するとともに、無効とする消費者契約の条項の類型を追加する措置を講じるといった民事ルールの拡充を図るものである。しかし、現在は想定していない新たな類型の消費者被害が発生する可能性もあることから、消費者の利益の擁護を図るため、今後も必要に応じ、今回の改正で措置されていない事項についても検討を行う必要がある。

　したがって、政府においては、今後の消費者被害の状況、関連する消費者施策の実施の状況(注)を始めとした社会経済情勢の変化を踏まえ、改正後の状況を検討した上で、必要があると認められる場合には、今回の改正で措置されていない事項についても適切な措置を講ずることとしたものである。本条の規定においては、「新法」（＝改正後の消費者契約法）と規定しており、改正後の消費者契約法には今回の改正で措置されていない規定（例えば、消費者が支払う損害賠償の額を予定する条項等の無効を定める第9条）も含まれていることから、当該規定についても検討の対象となる。

　なお、内閣府消費者委員会の答申（平成28年1月7日）においては、今後の検討課題として引き続き検討を行うべきとされている論点について、消費者委員会において更なる検討を加えた上でできる限り早く答申を行うこととされている。また、消費者契約法の一部を改正する法律案に対する国会の附帯決議においては、今後の検討課題とされた論点について、引き続き検討を行い、改正法の成立後3年以内に必要な措置を講ずることとされ

ている。

（注）　具体的には、消費者裁判手続特例法に基づく消費者団体訴訟制度（被害回復）（平成28年10月1日施行）等が挙げられる。

附則（平成28年法律第61号）　495

第6条（民法の一部を改正する法律の施行に伴う関係法律の整備等に関する法律の一部改正）

> （民法の一部を改正する法律の施行に伴う関係法律の整備等に関する法律の一部改正）
>
> **第6条**　民法の一部を改正する法律の施行に伴う関係法律の整備等に関する法律の一部を次のように改正する。
>
> 　第98条のうち、消費者契約法第4条第5項の改正規定中「第4条第5項」を「第4条第6項」に改め、同法第8条の改正規定の次に次のように加える。
>
> 　　第8条の2を次のように改める。
>
> 　（消費者の解除権を放棄させる条項の無効）
>
> 　第8条の2　事業者の債務不履行により生じた消費者の解除権を放棄させる消費者契約の条項は、無効とする。
>
> 　第99条第1項中「第4条第5項」を「第4条第6項」に改め、同条第2項中「第8条」の下に「、第8条の2」を加える。

1　趣旨等

民法改正整備法の関係規定について所要の整備を行うものである。

具体的には、

① 　民法改正法による改正後の民法では、引き渡された目的物に瑕疵があった（種類又は品質に関して契約の内容に適合しない）場合の解除は債務不履行の規定に基づいて行われるものと整理されている。このため、改正後の民法が施行された時点で、第8条の2の規定について、債務不履行か瑕疵担保責任かを区別することなく、事業者の債務不履行に基づく消費者の解除権を放棄させる消費者契約の条項を無効とするものに改正する

② 　その他、条文番号の修正等の所要の整備を行う

ことを規定している。

496　　第1編　逐条解説

附則（平成30年法律第54号）

第1条（施行期日）

> **（施行期日）**
> **第1条**　この法律は、公布の日から起算して1年を経過した日から施行する。ただし、附則第3条及び第5条の規定は、公布の日から施行する。

1　趣旨等

　平成30年改正は、取消しの対象となる消費者契約の範囲を拡大するとともに、無効とする消費者契約の条項の類型を追加する措置を講ずるといった民事ルールの拡充を図るものである。消費者契約法は労働契約を除く全ての消費者契約を対象として、広く横断的に適用される法律であることから（第2条第3項、第48条）、今回の改正を踏まえて事業者が使用している契約条項の見直しが必要な場合もあり得るなど、今回の改正により社会一般に対する影響があると考えられる。

　したがって、今回の改正内容についての周知及び対応のために一定の期間を設けるべきであることから、あらかじめその期間を明確に示す必要がある。具体的には、公布から施行まで1年の期間を設けることを明示的に規定している[注1]。なお、消費者契約法の制定時及び過去の改正時においても、同様の観点から、公布から施行までに1年程度の期間[注2]が設けられている。

　　（注1）　消費者契約法の一部を改正する法律（平成30年法律第54号）は平成30年6月15日に公布されていることから、施行日は2019年6月15日となる。

　　（注2）　消費者契約法（平成12年法律第61号）の施行は、公布の日（平成12年5月12日）から約1年後の平成13年4月1日とされている。また、消費者契約法の一部を改正する法律（平成18年法律第56号）の施行は、公布の日（平成18年6月7日）から起算して1年を経過した日（平成19年6月7日）とされている。消費者契約法の一部を改正する法律（平成28年法律第61号）の施行は、公布の

日（平成28年6月3日）から起算して1年を経過した日（平成29年6月3日）とされている。

　ただし、民法改正整備法の関係規定の所要の整備を行う附則第5条の規定については、公布の日から施行することとしている。また、附則第3条の規定については、政令で経過措置を設けることは想定していないが、仮に施行までに経過措置を設ける必要性が生じるような事態が発生する可能性もあることも踏まえ、公布の日から施行することとしている。

498　第1編　逐条解説

第2条及び第3条（経過措置等）

（経過措置）
第2条　この法律の施行前にされた消費者契約の申込み又はその承諾の意
　思表示については、この法律による改正後の消費者契約法（以下「新法」
　という。）第4条第2項（新法第5条第1項において準用する場合を含
　む。）の規定にかかわらず、なお従前の例による。
2　新法第4条第3項第3号から第8号まで（これらの規定を新法第5条
　第1項において準用する場合を含む。）の規定は、この法律の施行前にさ
　れた消費者契約の申込み又はその承諾の意思表示については、適用しな
　い。
3　この法律の施行前に締結された消費者契約の条項については、新法第
　8条第1項及び第8条の2の規定にかかわらず、なお従前の例による。
4　新法第8条の3の規定は、この法律の施行前に締結された消費者契約
　の条項については、適用しない。
（政令への委任）
第3条　前条に定めるもののほか、この法律の施行に伴い必要な経過措置
　は、政令で定める。

1　趣旨等

　平成30年改正においては、一般的に法の適用については不遡及であると
されている点を踏まえ、改正後の規定についても、その規定が適用される
のは、改正法の施行後に締結された消費者契約に限定するものである。
　具体的には、附則第2条においては、施行日が公布の日から起算して1
年（すなわち、2019年6月15日）とされている規定について、①消費者契約の
申込み又はその承諾の意思表示の取消しに係るもの[注]を第1項及び第2
項に、②消費者契約の条項の無効に係るものを第3項及び第4項に、それ
ぞれ規定している。
　　（注）　意思表示の取消しの規定であることから、意思表示がなされた時点を基準

附則（平成30年法律第54号）　499

としている。

　なお、附則第3条の規定については、政令で経過措置を設けることは想定していないが、仮に施行の日までに経過措置を設ける必要性が生じるような事態が発生する可能性もあることも踏まえた規定である。

500　第1編　逐条解説

第4条（検討）

> **（検討）**
> **第4条**　政府は、消費者の被害の状況、消費者の利益の擁護を図るための諸施策の実施の状況その他社会経済情勢の変化を勘案しつつ、新法の施行の状況について検討を加え、必要があると認めるときは、その結果に基づいて所要の措置を講ずるものとする。

1　趣旨等

　平成30年改正は、取消しの対象となる消費者契約の範囲を拡大するとともに、無効とする消費者契約の条項の類型を追加する措置を講じるといった民事ルールの拡充を図るものである。しかし、現在は想定していない新たな類型の消費者被害が発生する可能性もあることから、消費者の利益の擁護を図るため、今後も必要に応じ、今回の改正で措置されていない事項についても検討を行う必要がある。

　したがって、政府においては、今後の消費者被害の状況、関連する消費者施策の実施の状況を始めとした社会経済情勢の変化を踏まえ、改正後の状況を検討した上で、必要があると認められる場合には、今回の改正で措置されていない事項についても適切な措置を講ずることとしたものである。本条の規定においては、「新法」（＝改正後の消費者契約法）と規定しており、改正後の消費者契約法には今回の改正で措置されていない規定（例えば、消費者が支払う損害賠償の額を予定する条項等の無効を定める第9条）も含まれていることから、当該規定についても検討の対象となる。

附則（平成30年法律第54号）　501

第 5 条（民法の一部を改正する法律の施行に伴う関係法律の整備等に関する法律の一部改正）

（民法の一部を改正する法律の施行に伴う関係法律の整備等に関する法律の一部改正）

第 5 条　民法の一部を改正する法律の施行に伴う関係法律の整備等に関する法律（平成29年法律第45号）の一部を次のように改正する。

　　第98条のうち、消費者契約法第 8 条第 2 項の改正規定中「免除する」を「免除し、又は当該事業者にその責任の有無若しくは限度を決定する権限を付与する」に改め、同法第 8 条の 2 の改正中「条項の」を「条項等の」に、「放棄させる消費者契約」を「放棄させ、又は当該事業者にその解除権の有無を決定する権限を付与する消費者契約」に改める。

1　趣旨等

　平成30年改正により、無効とする消費者契約の条項の類型が追加されたことに伴い、民法改正整備法の消費者契約法に関係する規定について所要の整備を行うものである。

502　　第1編　逐条解説

附則（令和4年法律第59号）抄

第1条（施行期日）

（施行期日）
第1条　この法律は、公布の日から起算して1年を経過した日から施行する。ただし、次の各号に掲げる規定は、当該各号に定める日から施行する。
　一　第1条中消費者契約法第13条第5項の改正規定、同法第14条第2項第8号の改正規定、同法第18条の改正規定、同法第19条の改正規定、同法第20条第4項の改正規定、同法第31条の改正規定、同法第34条の改正規定、同法第35条の改正規定、同法第50条の改正規定、同法第51条の改正規定、同法第52条第1項の改正規定及び同法第53条の改正規定並びに第2条の規定並びに次条第5項から第7項まで並びに附則第3条、第4条及び第7条から第9条までの規定　公布の日から起算して1年6月を超えない範囲内において政令で定める日
　二　附則第5条の規定　公布の日

1　趣旨等

　消費者契約法及び消費者の財産的被害の集団的な回復のための民事の裁判手続の特例に関する法律の一部を改正する法律（令和4年法律第59号）（令和4年通常国会改正）により、消費者契約法については、①取消しの対象となる消費者契約の範囲を拡大、無効とする消費者契約の条項の類型を追加といった民事ルールの拡充、②適格消費者団体が事業者に対して行う照会制度の創設、③適格消費者団体の認定監督に関する規定の改正が行われた。
　上記①及び②について、消費者契約法は労働契約を除く全ての消費者契約を対象として、広く横断的に適用される法律であることから（第2条第3項、第48条）、令和4年通常国会改正を踏まえて事業者が使用している契約条項の見直しが必要な場合もあり得るなど、社会一般に対する影響があ

ると考えられる。

　したがって、令和4年通常国会改正内容についての周知及び対応のために一定の期間を設けるべきであることから、あらかじめその期間を明確に示す必要がある。具体的には、公布から施行まで1年の期間を設けることを明示的に規定している[注1]（附則第1条柱書本文）。

　　（注1）　消費者契約法及び消費者の財産的被害の集団的な回復のための民事の裁判手続の特例に関する法律の一部を改正する法律は令和4年6月1日に公布されていることから、施行日は令和5年6月1日となる。

　上記③については、消費者の財産的被害の集団的な回復のための民事の裁判手続の特例に関する法律（以下「消費者裁判手続特例法」という。）と相互に関連するものである。また、適格消費者団体において、改正に対応する準備に時間がかかることが想定され、消費者契約法における適格消費者団体の認定監督に関する規定の改正と消費者裁判手続特例法における特定適格消費者団体の認定監督に関する規定の改正の施行日が異なることとなれば、実務上の混乱が生じるおそれもあるから、消費者裁判手続特例法の改正と同じ日に施行することとした（附則第1条第1号）[注2]。

　　（注2）　消費者契約法及び消費者の財産的被害の集団的な回復のための民事の裁判手続の特例に関する法律の一部を改正する法律の一部の施行期日を定める政令（令和5年政令第4号）により、施行日は令和5年10月1日となる。

　附則第5条の規定については、政令で経過措置を設けることは想定していないが、仮に施行の日までに経過措置を設ける必要性が生じるような事態が発生する可能性もあることも踏まえ、公布の日から施行することとしている（附則第1条第2号）。

504　第1編　逐条解説

第2条（消費者契約法の一部改正に伴う経過措置）

（経過措置）
第2条　第1条の規定による改正後の消費者契約法（以下この条において
「新消費者契約法」という。）第4条第3項第3号及び第4号（これらの規
定を消費者契約法第5条第1項において準用する場合を含む。）の規定
は、この法律の施行の日（次項から第4項までの規定において「施行日」
という。）以後にされる消費者契約（消費者契約法第2条第3項に規定す
る消費者契約をいう。次項及び第3項において同じ。）の申込み又はその
承諾の意思表示について適用する。

2　新消費者契約法第4条第3項第9号（消費者契約法第5条第1項にお
いて準用する場合を含む。）の規定は、施行日以後にされる消費者契約の
申込み又はその承諾の意思表示について適用し、施行日前にされた消費
者契約の申込み又はその承諾の意思表示については、なお従前の例によ
る。

3　新消費者契約法第8条第3項の規定は、施行日以後に締結される消費
者契約の条項について適用する。

4　新消費者契約法第12条の5の規定は、施行日以後にされる新消費者契
約法第12条第3項又は消費者契約法第12条第4項の規定による請求につ
いて適用する。

5　新消費者契約法第19条第4項の規定は、前条第1号に掲げる規定の施
行の日（以下この条から附則第4条までにおいて「第1号施行日」とい
う。）以後にされる同項の申請について適用し、第1号施行日前にされた
第1条の規定による改正前の消費者契約法（次項において「旧消費者契
約法」という。）第19条第4項の申請については、なお従前の例による。

6　新消費者契約法第20条第4項の規定は、第1号施行日以後にされる同
項の申請について適用し、第1号施行日前にされた旧消費者契約法第20
条第4項の申請については、なお従前の例による。

7　新消費者契約法第31条第1項、第2項及び第5項の規定は、第1号施
行日以後に開始する事業年度に係る同条第1項に規定する書類について

適用し、第1号施行日前に開始した事業年度に係る書類については、なお従前の例による。

1 趣旨等

令和4年通常国会改正においては、一般的に法の適用については不遡及であるとされている点を踏まえ、改正後の規定についても、その規定が適用されるのは、改正法の施行後に締結された消費者契約に限定するものである。

具体的には、附則第2条においては、施行日が公布の日から起算して1年（すなわち、令和5年6月1日）とされている規定について、①消費者契約の申込み又はその承諾の意思表示の取消しに係るもの^(注)を第1項及び第2項に、②消費者契約の条項の無効に係るものを第3項に、それぞれ規定している。

また、改正後の消費者契約法第12条の5により、契約条項の差止請求により行為の停止や予防等に係る義務を負う事業者又はその代理人は、適格消費者団体の要請に応じて、講じた措置の内容を開示する努力義務を負うこととなる。改正施行前に差止請求を受けた事業者等も、講じた措置の内容を開示するよう努めなければならないとすると、事業者等に想定外の負担を強いるおそれがあるため、附則第2条第4項は、改正後の消費者契約法第12条の5については、改正施行後に適格消費者団体が差止めを請求した場合のみに適用されることとした。

　（注）　意思表示の取消しの規定であることから、意思表示がなされた時点を基準としている。

改正後の消費者契約法第19条第4項及び第20条第4項により、適格消費者団体が適格消費者団体でない法人との間で行う合併（適格消費者団体が存続会社となるものを除く。）及び事業譲渡に係る認可については、各当事者が共同して申請することとなる。そこで、附則第2条第5項及び第6項は、改正後の消費者契約法第19条第4項及び第20条第4項については、第1号施行日（令和5年10月1日）以後にされる申請について適用し、第1号施行

日前にされた申請については、なお従前の例によることとした。

　また、改正後の消費者契約法第31条第1項により、適格消費者団体が毎事業年度作成すべき書類（財務諸表等）のうち「収支計算書」が「活動計算書」又は「損益計算書」（改正後の消費者契約法第14条第2項第8号イ及びロ参照）に変更されることとなり、これに伴って備置書類（改正後の消費者契約法第31条第2項）及び提出書類（同条第5項）も置き換わることとなる。そこで、附則第2条第7項は、改正後の消費者契約法第31条第1項、第2項及び第5項については、第1号施行日以後に開始する事業年度に係る作成書類に適用し、第1号施行日前に開始する事業年度に係る作成書類については、なお従前の例によることとした。

附則（令和 4 年法律第59号）抄　507

第 4 条（罰則に関する経過措置）

> **（罰則に関する経過措置）**
> **第 4 条**　第 1 号施行日前にした行為及びこの附則（附則第 2 条第 2 項を除く。）の規定によりなお従前の例によることとされる場合における第 1 号施行日以後にした行為に対する罰則の適用については、なお従前の例による。

1　趣旨等

　改正後の消費者契約法では、学識経験者の調査を受ける義務（改正前の消費者契約法第31条第 2 項）を廃止するところ、第 1 号施行日（令和 5 年10月 1 日）前に当該義務違反があったような場合には、当該違反行為を処罰する必要がある。

　また、附則第 2 条第 5 項によって、なお従前の例によることとした書類（収支報告書）の備え置き・提出義務について、第 1 号施行日以後に違反行為がされたような場合についても、当該違反行為を処罰する必要がある。

　そこで、①第 1 号施行日前にした行為及び②この附則（附則第 2 条第 2 項を除く。）の経過措置によってなお従前の例によることとされる場合における第 1 号施行日後にした行為に対する罰則の適用については、なお従前の例によることとした。

508　第1編　逐条解説

第5条（政令への委任）

> （政令への委任）
> **第5条**　前3条に定めるもののほか、この法律の施行に伴い必要な経過措置（罰則に関する経過措置を含む。）は、政令で定める。

1　趣旨等

　政令で経過措置を設けることは想定していないが、仮に施行の日までに経過措置を設ける必要性が生じるような事態が発生する可能性もあることも踏まえた規定である。

附則（令和4年法律第59号）抄　509

第6条（検討）

> **（検討）**
> **第6条**　政府は、この法律の施行後5年を経過した場合において、この法律による改正後の規定の施行の状況について検討を加え、必要があると認めるときは、その結果に基づいて必要な措置を講ずるものとする。

1　趣旨等

　現在は想定していない新たな類型の消費者被害が発生する可能性もあることから、消費者の利益の擁護を図るため、今後も必要に応じて今回の改正で措置されていない事項についても検討を行う必要がある。したがって、政府においては、施行後5年を経過した場合において、この法律による改正後の規定の施行の状況について検討を加え、必要があると認めるときは、その結果に基づいて必要な措置を講じることとしたものである。

510　第1編　逐条解説

附則（令和4年法律第99号）抄

第1条（施行期日）

> （施行期日）
> **第1条**　この法律は、公布の日から起算して20日を経過した日から施行する。

1　趣旨等

　令和4年臨時国会改正は、霊感等による知見を用いた告知に係る勧誘に対する取消権についての改正等を内容とするところ、これによって混乱が生じないように同改正の公布から施行までに一定の期間を確保する必要がある。

　他方で、霊感等による知見を用いた告知に係る勧誘による消費者被害への対応が急務であり、消費者被害の救済の強化を図るためには、可能な限り速やかに施行する必要がある。そこで、法の適用に関する通則法（平成18年法律第78号）第2条の規定[注1]も参考として、公布の日から起算して20日を経過した日から施行することとする[注2]。

> （注1）　具体的には「法律は、公布の日から起算して二十日を経過した日から施行する。ただし、法律でこれと異なる施行期日を定めたときは、その定めによる。」と規定されている。
>
> （注2）　消費者契約法及び独立行政法人国民生活センター法の一部を改正する法律（令和4年法律第99号）は令和4年12月16日に公布されていることから、施行日は令和5年1月5日となる。

附則（令和 4 年法律第99号）抄　511

第 2 条（消費者契約法の一部改正に伴う経過措置）

> **（消費者契約法の一部改正に伴う経過措置）**
> **第 2 条**　第 1 条の規定による改正後の消費者契約法（以下この条において「新法」という。）第 4 条第 3 項第 6 号（消費者契約法第 5 条第 1 項において準用する場合を含む。）の規定は、この法律の施行の日以後にされる消費者契約の申込み又はその承諾の意思表示について適用し、同日前にされた消費者契約の申込み又はその承諾の意思表示については、なお従前の例による。
> 2　新法第 7 条第 1 項の規定は、この法律の施行前にされた消費者契約の申込み又はその承諾の意思表示に係る取消権についても、適用する。ただし、第 1 条の規定による改正前の消費者契約法第 7 条第 1 項に規定する取消権の時効がこの法律の施行の際既に完成していた場合は、この限りでない。

1　趣旨等

　附則第 2 条第 1 項においては、令和 4 年臨時国会改正による改正後の第 4 条第 3 項第 6 号（令和 4 年通常国会改正後の第 8 号）は、同改正の施行後にされる消費者契約の申込み又はその承諾の意思表示について適用されることを規定している。

　また、霊感等による知見を用いた告知に係る勧誘については、霊感等による正常な判断を行うことができない状態から抜け出すためには相当程度の時間を要し、かつ、その間は他人からは通常の状態に見えるが、本人には葛藤が続いているとする指摘などを踏まえると、令和 4 年臨時国会改正前の規定により取消権の対象となる行為があった場合において、当該行為と同改正との先後関係で取消権の行使により救済される期間に差異を設けることは適切ではなく、同改正後の取消権の行使期間がより広く適用されることが適切と考えられる。

　そこで、附則第 2 条第 2 項においては、消費者被害の救済の実効性を向

512　第1編　逐条解説

上させる観点から、令和4年臨時国会改正前に発生した取消権のうち、時効が完成していないものには、同改正後の取消権の行使期間が適用されることを規定している。これに対し、同改正の施行の際に既に取消権の消滅時効が完成している場合にも適用されるとすることは、既に安定的に形成された当事者間の権利義務関係を著しく損なうことから、この場合には同改正後の取消権の行使期間は適用されないこととしている。

第3条（検討）

> **（検討）**
> **第3条**　政府は、この法律の施行後5年を経過した場合において、この法律による改正後の規定の施行の状況について検討を加え、必要があると認めるときは、その結果に基づいて必要な措置を講ずるものとする。

1　趣旨等

　今後の消費者被害の状況を始めとした社会経済情勢の変化を踏まえ、令和4年臨時国会改正の施行後5年を経過した場合において、同改正による改正後の規定の施行の状況について検討を加え、必要があると認めるときは、その結果に基づいて必要な措置を講ずることとする。

第 2 編

関係法令等

第1章　消費者契約法（平成12年法律第61号）

目次
　第1章　総則（第1条－第3条）
　第2章　消費者契約
　　第1節　消費者契約の申込み又はその承諾の意思表示の取消し（第4条－第7条）
　　第2節　消費者契約の条項の無効（第8条－第10条）
　　第3節　補則（第11条）
　第3章　差止請求
　　第1節　差止請求権等（第12条－第12条の5）
　　第2節　適格消費者団体
　　　第1款　適格消費者団体の認定等（第13条－第22条）
　　　第2款　差止請求関係業務等（第23条－第29条）
　　　第3款　監督（第30条－第35条）
　　　第4款　補則（第36条－第40条）
　　第3節　訴訟手続等の特例（第41条－第47条）
　第4章　雑則（第48条・第48条の2）
　第5章　罰則（第49条－第53条）
　附則

第1章　総則

（目的）

第1条　この法律は、消費者と事業者との間の情報の質及び量並びに交渉力の格差に鑑み、事業者の一定の行為により消費者が誤認し、又は困惑した場合等について契約の申込み又はその承諾の意思表示を取り消すことができることとするとともに、事業者の損害賠償の責任を免除する条項その他の消費者の利益を不当に害することとなる条項の全部又は一部を無効とするほか、消費者の被害の発生又は拡大を防止するため適格消費者団体が事業者等に対し差止請求

517

をすることができることとすることにより、消費者の利益の擁護を図り、もっ
て国民生活の安定向上と国民経済の健全な発展に寄与することを目的とする。

（定義）

第2条　この法律において「消費者」とは、個人（事業として又は事業のために
契約の当事者となる場合におけるものを除く。）をいう。

2　この法律（第43条第2項第2号を除く。）において「事業者」とは、法人その
他の団体及び事業として又は事業のために契約の当事者となる場合における
個人をいう。

3　この法律において「消費者契約」とは、消費者と事業者との間で締結される
契約をいう。

4　この法律において「適格消費者団体」とは、不特定かつ多数の消費者の利益
のためにこの法律の規定による差止請求権を行使するのに必要な適格性を有
する法人である消費者団体（消費者基本法（昭和43年法律第78号）第8条の消
費者団体をいう。以下同じ。）として第13条の定めるところにより内閣総理大
臣の認定を受けた者をいう。

（事業者及び消費者の努力）

第3条　事業者は、次に掲げる措置を講ずるよう努めなければならない。

一　消費者契約の条項を定めるに当たっては、消費者の権利義務その他の消費
者契約の内容が、その解釈について疑義が生じない明確なもので、かつ、消
費者にとって平易なものになるよう配慮すること。

二　消費者契約の締結について勧誘をするに際しては、消費者の理解を深める
ために、物品、権利、役務その他の消費者契約の目的となるものの性質に応
じ、事業者が知ることができた個々の消費者の年齢、心身の状態、知識及び
経験を総合的に考慮した上で、消費者の権利義務その他の消費者契約の内容
についての必要な情報を提供すること。

三　民法（明治29年法律第89号）第548条の2第1項に規定する定型取引合意
に該当する消費者契約の締結について勧誘をするに際しては、消費者が同項
に規定する定型約款の内容を容易に知り得る状態に置く措置を講じている
ときを除き、消費者が同法第548条の3第1項に規定する請求を行うために
必要な情報を提供すること。

四　消費者の求めに応じて、消費者契約により定められた当該消費者が有する
解除権の行使に関して必要な情報を提供すること。

518　第2編　関係法令等　第1章　消費者契約法（平成12年法律第61号）

2　消費者は、消費者契約を締結するに際しては、事業者から提供された情報を活用し、消費者の権利義務その他の消費者契約の内容について理解するよう努めるものとする。

第2章　消費者契約

第1節　消費者契約の申込み又はその承諾の意思表示の取消し

（消費者契約の申込み又はその承諾の意思表示の取消し）

第4条　消費者は、事業者が消費者契約の締結について勧誘をするに際し、当該消費者に対して次の各号に掲げる行為をしたことにより当該各号に定める誤認をし、それによって当該消費者契約の申込み又はその承諾の意思表示をしたときは、これを取り消すことができる。

一　重要事項について事実と異なることを告げること。当該告げられた内容が事実であるとの誤認

二　物品、権利、役務その他の当該消費者契約の目的となるものに関し、将来におけるその価額、将来において当該消費者が受け取るべき金額その他の将来における変動が不確実な事項につき断定的判断を提供すること。当該提供された断定的判断の内容が確実であるとの誤認

2　消費者は、事業者が消費者契約の締結について勧誘をするに際し、当該消費者に対してある重要事項又は当該重要事項に関連する事項について当該消費者の利益となる旨を告げ、かつ、当該重要事項について当該消費者の不利益となる事実（当該告知により当該事実が存在しないと消費者が通常考えるべきものに限る。）を故意又は重大な過失によって告げなかったことにより、当該事実が存在しないとの誤認をし、それによって当該消費者契約の申込み又はその承諾の意思表示をしたときは、これを取り消すことができる。ただし、当該事業者が当該消費者に対し当該事実を告げようとしたにもかかわらず、当該消費者がこれを拒んだときは、この限りでない。

3　消費者は、事業者が消費者契約の締結について勧誘をするに際し、当該消費者に対して次に掲げる行為をしたことにより困惑し、それによって当該消費者契約の申込み又はその承諾の意思表示をしたときは、これを取り消すことができる。

一　当該事業者に対し、当該消費者が、その住居又はその業務を行っている場

所から退去すべき旨の意思を示したにもかかわらず、それらの場所から退去
しないこと。

二　当該事業者が当該消費者契約の締結について勧誘をしている場所から当
該消費者が退去する旨の意思を示したにもかかわらず、その場所から当該消
費者を退去させないこと。

三　当該消費者に対し、当該消費者契約の締結について勧誘をすることを告げ
ずに、当該消費者が任意に退去することが困難な場所であることを知りなが
ら、当該消費者をその場所に同行し、その場所において当該消費者契約の締
結について勧誘をすること。

四　当該消費者が当該消費者契約の締結について勧誘を受けている場所にお
いて、当該消費者が当該消費者契約を締結するか否かについて相談を行うた
めに電話その他の内閣府令で定める方法によって当該事業者以外の者と連
絡する旨の意思を示したにもかかわらず、威迫する言動を交えて、当該消費
者が当該方法によって連絡することを妨げること。

五　当該消費者が、社会生活上の経験が乏しいことから、次に掲げる事項に対
する願望の実現に過大な不安を抱いていることを知りながら、その不安をあ
おり、裏付けとなる合理的な根拠がある場合その他の正当な理由がある場合
でないのに、物品、権利、役務その他の当該消費者契約の目的となるものが
当該願望を実現するために必要である旨を告げること。

　　イ　進学、就職、結婚、生計その他の社会生活上の重要な事項

　　ロ　容姿、体型その他の身体の特徴又は状況に関する重要な事項

六　当該消費者が、社会生活上の経験が乏しいことから、当該消費者契約の締
結について勧誘を行う者に対して恋愛感情その他の好意の感情を抱き、か
つ、当該勧誘を行う者も当該消費者に対して同様の感情を抱いているものと
誤信していることを知りながら、これに乗じ、当該消費者契約を締結しなけ
れば当該勧誘を行う者との関係が破綻することになる旨を告げること。

七　当該消費者が、加齢又は心身の故障によりその判断力が著しく低下してい
ることから、生計、健康その他の事項に関しその現在の生活の維持に過大な
不安を抱いていることを知りながら、その不安をあおり、裏付けとなる合理
的な根拠がある場合その他の正当な理由がある場合でないのに、当該消費者
契約を締結しなければその現在の生活の維持が困難となる旨を告げること。

八　当該消費者に対し、霊感その他の合理的に実証することが困難な特別な能

力による知見として、当該消費者又はその親族の生命、身体、財産その他の重要な事項について、そのままでは現在生じ、若しくは将来生じ得る重大な不利益を回避することができないとの不安をあおり、又はそのような不安を抱いていることに乗じて、その重大な不利益を回避するためには、当該消費者契約を締結することが必要不可欠である旨を告げること。

九　当該消費者が当該消費者契約の申込み又はその承諾の意思表示をする前に、当該消費者契約を締結したならば負うこととなる義務の内容の全部若しくは一部を実施し、又は当該消費者契約の目的物の現状を変更し、その実施又は変更前の原状の回復を著しく困難にすること。

十　前号に掲げるもののほか、当該消費者が当該消費者契約の申込み又はその承諾の意思表示をする前に、当該事業者が調査、情報の提供、物品の調達その他の当該消費者契約の締結を目指した事業活動を実施した場合において、当該事業活動が当該消費者からの特別の求めに応じたものであったことその他の取引上の社会通念に照らして正当な理由がある場合でないのに、当該事業活動が当該消費者のために特に実施したものである旨及び当該事業活動の実施により生じた損失の補償を請求する旨を告げること。

4　消費者は、事業者が消費者契約の締結について勧誘をするに際し、物品、権利、役務その他の当該消費者契約の目的となるものの分量、回数又は期間（以下この項において「分量等」という。）が当該消費者にとっての通常の分量等（消費者契約の目的となるものの内容及び取引条件並びに事業者がその締結について勧誘をする際の消費者の生活の状況及びこれについての当該消費者の認識に照らして当該消費者契約の目的となるものの分量等として通常想定される分量等をいう。以下この項において同じ。）を著しく超えるものであることを知っていた場合において、その勧誘により当該消費者契約の申込み又はその承諾の意思表示をしたときは、これを取り消すことができる。事業者が消費者契約の締結について勧誘をするに際し、消費者が既に当該消費者契約の目的となるものと同種のものを目的とする消費者契約（以下この項において「同種契約」という。）を締結し、当該同種契約の目的となるものの分量等と当該消費者契約の目的となるものの分量等とを合算した分量等が当該消費者にとっての通常の分量等を著しく超えるものであることを知っていた場合において、その勧誘により当該消費者契約の申込み又はその承諾の意思表示をしたときも、同様とする。

5 第1項第1号及び第2項の「重要事項」とは、消費者契約に係る次に掲げる事項（同項の場合にあっては、第3号に掲げるものを除く。）をいう。

一 物品、権利、役務その他の当該消費者契約の目的となるものの質、用途その他の内容であって、消費者の当該消費者契約を締結するか否かについての判断に通常影響を及ぼすべきもの

二 物品、権利、役務その他の当該消費者契約の目的となるものの対価その他の取引条件であって、消費者の当該消費者契約を締結するか否かについての判断に通常影響を及ぼすべきもの

三 前2号に掲げるもののほか、物品、権利、役務その他の当該消費者契約の目的となるものが当該消費者の生命、身体、財産その他の重要な利益についての損害又は危険を回避するために通常必要であると判断される事情

6 第1項から第4項までの規定による消費者契約の申込み又はその承諾の意思表示の取消しは、これをもって善意でかつ過失がない第三者に対抗することができない。

（媒介の委託を受けた第三者及び代理人）

第5条 前条の規定は、事業者が第三者に対し、当該事業者と消費者との間における消費者契約の締結について媒介をすることの委託（以下この項において単に「委託」という。）をし、当該委託を受けた第三者（その第三者から委託（2以上の段階にわたる委託を含む。）を受けた者を含む。以下「受託者等」という。）が消費者に対して同条第1項から第4項までに規定する行為をした場合について準用する。この場合において、同条第2項ただし書中「当該事業者」とあるのは、「当該事業者又は次条第1項に規定する受託者等」と読み替えるものとする。

2 消費者契約の締結に係る消費者の代理人（復代理人（2以上の段階にわたり復代理人として選任された者を含む。）を含む。以下同じ。）、事業者の代理人及び受託者等の代理人は、前条第1項から第4項まで（前項において準用する場合を含む。次条から第7条までにおいて同じ。）の規定の適用については、それぞれ消費者、事業者及び受託者等とみなす。

（解釈規定）

第6条 第4条第1項から第4項までの規定は、これらの項に規定する消費者契約の申込み又はその承諾の意思表示に対する民法第96条の規定の適用を妨げるものと解してはならない。

522　第2編　関係法令等　第1章　消費者契約法（平成12年法律第61号）

（取消権を行使した消費者の返還義務）

第6条の2　民法第121条の2第1項の規定にかかわらず、消費者契約に基づく債務の履行として給付を受けた消費者は、第4条第1項から第4項までの規定により当該消費者契約の申込み又はその承諾の意思表示を取り消した場合において、給付を受けた当時その意思表示が取り消すことができるものであることを知らなかったときは、当該消費者契約によって現に利益を受けている限度において、返還の義務を負う。

（取消権の行使期間等）

第7条　第4条第1項から第4項までの規定による取消権は、追認をすることができる時から1年間（同条第3項第8号に係る取消権については、3年間）行わないときは、時効によって消滅する。当該消費者契約の締結の時から5年（同号に係る取消権については、10年）を経過したときも、同様とする。

2　会社法（平成17年法律第86号）その他の法律により詐欺又は強迫を理由として取消しをすることができないものとされている株式若しくは出資の引受け又は基金の拠出が消費者契約としてされた場合には、当該株式若しくは出資の引受け又は基金の拠出に係る意思表示については、第4条第1項から第4項までの規定によりその取消しをすることができない。

第2節　消費者契約の条項の無効

（事業者の損害賠償の責任を免除する条項等の無効）

第8条　次に掲げる消費者契約の条項は、無効とする。

一　事業者の債務不履行により消費者に生じた損害を賠償する責任の全部を免除し、又は当該事業者にその責任の有無を決定する権限を付与する条項

二　事業者の債務不履行（当該事業者、その代表者又はその使用する者の故意又は重大な過失によるものに限る。）により消費者に生じた損害を賠償する責任の一部を免除し、又は当該事業者にその責任の限度を決定する権限を付与する条項

三　消費者契約における事業者の債務の履行に際してされた当該事業者の不法行為により消費者に生じた損害を賠償する責任の全部を免除し、又は当該事業者にその責任の有無を決定する権限を付与する条項

四　消費者契約における事業者の債務の履行に際してされた当該事業者の不法行為（当該事業者、その代表者又はその使用する者の故意又は重大な過失

によるものに限る。）により消費者に生じた損害を賠償する責任の一部を免除し、又は当該事業者にその責任の限度を決定する権限を付与する条項

2　前項第1号又は第2号に掲げる条項のうち、消費者契約が有償契約である場合において、引き渡された目的物が種類又は品質に関して契約の内容に適合しないとき（当該消費者契約が請負契約である場合には、請負人が種類又は品質に関して契約の内容に適合しない仕事の目的物を注文者に引き渡したとき（その引渡しを要しない場合には、仕事が終了した時に仕事の目的物が種類又は品質に関して契約の内容に適合しないとき。）。以下この項において同じ。）に、これにより消費者に生じた損害を賠償する事業者の責任を免除し、又は当該事業者にその責任の有無若しくは限度を決定する権限を付与するものについては、次に掲げる場合に該当するときは、前項の規定は、適用しない。

　一　当該消費者契約において、引き渡された目的物が種類又は品質に関して契約の内容に適合しないときに、当該事業者が履行の追完をする責任又は不適合の程度に応じた代金若しくは報酬の減額をする責任を負うこととされている場合

　二　当該消費者と当該事業者の委託を受けた他の事業者との間の契約又は当該事業者と他の事業者との間の当該消費者のためにする契約で、当該消費者契約の締結に先立って又はこれと同時に締結されたものにおいて、引き渡された目的物が種類又は品質に関して契約の内容に適合しないときに、当該他の事業者が、その目的物が種類又は品質に関して契約の内容に適合しないことにより当該消費者に生じた損害を賠償する責任の全部若しくは一部を負い、又は履行の追完をする責任を負うこととされている場合

3　事業者の債務不履行（当該事業者、その代表者又はその使用する者の故意又は重大な過失によるものを除く。）又は消費者契約における事業者の債務の履行に際してされた当該事業者の不法行為（当該事業者、その代表者又はその使用する者の故意又は重大な過失によるものを除く。）により消費者に生じた損害を賠償する責任の一部を免除する消費者契約の条項であって、当該条項において事業者、その代表者又はその使用する者の重大な過失を除く過失による行為にのみ適用されることを明らかにしていないものは、無効とする。

（消費者の解除権を放棄させる条項等の無効）

第8条の2　事業者の債務不履行により生じた消費者の解除権を放棄させ、又は当該事業者にその解除権の有無を決定する権限を付与する消費者契約の条項

524　第2編　関係法令等　第1章　消費者契約法（平成12年法律第61号）

は、無効とする。

（事業者に対し後見開始の審判等による解除権を付与する条項の無効）

第8条の3　事業者に対し、消費者が後見開始、保佐開始又は補助開始の審判を
　受けたことのみを理由とする解除権を付与する消費者契約（消費者が事業者に
　対し物品、権利、役務その他の消費者契約の目的となるものを提供することと
　されているものを除く。）の条項は、無効とする。

（消費者が支払う損害賠償の額を予定する条項等の無効等）

第9条　次の各号に掲げる消費者契約の条項は、当該各号に定める部分につい
　て、無効とする。

　一　当該消費者契約の解除に伴う損害賠償の額を予定し、又は違約金を定める
　　条項であって、これらを合算した額が、当該条項において設定された解除の
　　事由、時期等の区分に応じ、当該消費者契約と同種の消費者契約の解除に伴
　　い当該事業者に生ずべき平均的な損害の額を超えるもの　当該超える部分

　二　当該消費者契約に基づき支払うべき金銭の全部又は一部を消費者が支払
　　期日（支払回数が2以上である場合には、それぞれの支払期日。以下この号
　　において同じ。）までに支払わない場合における損害賠償の額を予定し、又
　　は違約金を定める条項であって、これらを合算した額が、支払期日の翌日か
　　らその支払をする日までの期間について、その日数に応じ、当該支払期日に
　　支払うべき額から当該支払期日に支払うべき額のうち既に支払われた額を
　　控除した額に年14.6パーセントの割合を乗じて計算した額を超えるもの　当
　　該超える部分

2　事業者は、消費者に対し、消費者契約の解除に伴う損害賠償の額を予定し、
　又は違約金を定める条項に基づき損害賠償又は違約金の支払を請求する場合
　において、当該消費者から説明を求められたときは、損害賠償の額の予定又は
　違約金の算定の根拠（第12条の4において「算定根拠」という。）の概要を説明
　するよう努めなければならない。

（消費者の利益を一方的に害する条項の無効）

第10条　消費者の不作為をもって当該消費者が新たな消費者契約の申込み又は
　その承諾の意思表示をしたものとみなす条項その他の法令中の公の秩序に関
　しない規定の適用による場合に比して消費者の権利を制限し又は消費者の義
　務を加重する消費者契約の条項であって、民法第1条第2項に規定する基本原
　則に反して消費者の利益を一方的に害するものは、無効とする。

525

第3節　補則

（他の法律の適用）

第11条　消費者契約の申込み又はその承諾の意思表示の取消し及び消費者契約の条項の効力については、この法律の規定によるほか、民法及び商法（明治32年法律第48号）の規定による。

2　消費者契約の申込み又はその承諾の意思表示の取消し及び消費者契約の条項の効力について民法及び商法以外の他の法律に別段の定めがあるときは、その定めるところによる。

第3章　差止請求

第1節　差止請求権等

（差止請求権）

第12条　適格消費者団体は、事業者、受託者等又は事業者の代理人若しくは受託者等の代理人（以下この項及び第43条第2項第1号において「事業者等」と総称する。）が、消費者契約の締結について勧誘をするに際し、不特定かつ多数の消費者に対して第4条第1項から第4項までに規定する行為（同条第2項に規定する行為にあっては、同項ただし書の場合に該当するものを除く。次項において同じ。）を現に行い又は行うおそれがあるときは、その事業者等に対し、当該行為の停止若しくは予防又は当該行為に供した物の廃棄若しくは除去その他の当該行為の停止若しくは予防に必要な措置をとることを請求することができる。ただし、民法及び商法以外の他の法律の規定によれば当該行為を理由として当該消費者契約を取り消すことができないときは、この限りでない。

2　適格消費者団体は、次の各号に掲げる者が、消費者契約の締結について勧誘をするに際し、不特定かつ多数の消費者に対して第4条第1項から第4項までに規定する行為を現に行い又は行うおそれがあるときは、当該各号に定める者に対し、当該各号に掲げる者に対する是正の指示又は教唆の停止その他の当該行為の停止又は予防に必要な措置をとることを請求することができる。この場合においては、前項ただし書の規定を準用する。

一　受託者等　当該受託者等に対して委託（2以上の段階にわたる委託を含む。）をした事業者又は他の受託者等

526　第2編　関係法令等　第1章　消費者契約法（平成12年法律第61号）

二　事業者の代理人又は受託者等の代理人　当該代理人を自己の代理人とする事業者若しくは受託者等又はこれらの他の代理人

3　適格消費者団体は、事業者又はその代理人が、消費者契約を締結するに際し、不特定かつ多数の消費者との間で第8条から第10条までに規定する消費者契約の条項（第8条第1項第1号又は第2号に掲げる消費者契約の条項にあっては、同条第2項の場合に該当するものを除く。次項及び第12条の3第1項において同じ。）を含む消費者契約の申込み又はその承諾の意思表示を現に行い又は行うおそれがあるときは、その事業者又はその代理人に対し、当該行為の停止若しくは予防又は当該行為に供した物の廃棄若しくは除去その他の当該行為の停止若しくは予防に必要な措置をとることを請求することができる。ただし、民法及び商法以外の他の法律の規定によれば当該消費者契約の条項が無効とされないときは、この限りでない。

4　適格消費者団体は、事業者の代理人が、消費者契約を締結するに際し、不特定かつ多数の消費者との間で第8条から第10条までに規定する消費者契約の条項を含む消費者契約の申込み又はその承諾の意思表示を現に行い又は行うおそれがあるときは、当該代理人を自己の代理人とする事業者又は他の代理人に対し、当該代理人に対する是正の指示又は教唆の停止その他の当該行為の停止又は予防に必要な措置をとることを請求することができる。この場合においては、前項ただし書の規定を準用する。

（差止請求の制限）

第12条の2　前条、不当景品類及び不当表示防止法（昭和37年法律第134号）第30条第1項、特定商取引に関する法律（昭和51年法律第57号）第58条の18から第58条の24まで又は食品表示法（平成25年法律第70号）第11条の規定による請求（以下「差止請求」という。）は、次に掲げる場合には、することができない。

一　当該適格消費者団体若しくは第三者の不正な利益を図り又は当該差止請求に係る相手方に損害を加えることを目的とする場合

二　他の適格消費者団体を当事者とする差止請求に係る訴訟等（訴訟並びに和解の申立てに係る手続、調停及び仲裁をいう。以下同じ。）につき既に確定判決等（確定判決及びこれと同一の効力を有するものをいい、次のイからハまでに掲げるものを除く。以下同じ。）が存する場合において、請求の内容及び相手方が同一である場合。ただし、当該他の適格消費者団体について、当該確定判決等に係る訴訟等の手続に関し、第13条第1項の認定が第34条第1項

第4号に掲げる事由により取り消され、又は同条第3項の規定により同号に掲げる事由があった旨の認定がされたときは、この限りでない。

　イ　訴えを却下した確定判決

　ロ　前号に掲げる場合に該当することのみを理由として差止請求を棄却した確定判決及び仲裁判断

　ハ　差止請求をする権利（以下「差止請求権」という。）の不存在又は差止請求権に係る債務の不存在の確認の請求（第24条において「差止請求権不存在等確認請求」という。）を棄却した確定判決及びこれと同一の効力を有するもの

2　前項第2号本文の規定は、当該確定判決に係る訴訟の口頭弁論の終結後又は当該確定判決と同一の効力を有するものの成立後に生じた事由に基づいて同号本文に掲げる場合の当該差止請求をすることを妨げない。

（消費者契約の条項の開示要請）

第12条の3　適格消費者団体は、事業者又はその代理人が、消費者契約を締結するに際し、不特定かつ多数の消費者との間で第8条から第10条までに規定する消費者契約の条項を含む消費者契約の申込み又はその承諾の意思表示を現に行い又は行うおそれがあると疑うに足りる相当の理由があるときは、内閣府令で定めるところにより、その事業者又はその代理人に対し、その理由を示して、当該条項を開示するよう要請することができる。ただし、当該事業者又はその代理人が、当該条項を含む消費者契約の条項をインターネットの利用その他の適切な方法により公表しているときは、この限りでない。

2　事業者又はその代理人は、前項の規定による要請に応じるよう努めなければならない。

（損害賠償の額を予定する条項等に関する説明の要請等）

第12条の4　適格消費者団体は、消費者契約の解除に伴う損害賠償の額を予定し、又は違約金を定める条項におけるこれらを合算した額が第9条第1項第1号に規定する平均的な損害の額を超えると疑うに足りる相当な理由があるときは、内閣府令で定めるところにより、当該条項を定める事業者に対し、その理由を示して、当該条項に係る算定根拠を説明するよう要請することができる。

2　事業者は、前項の算定根拠に営業秘密（不正競争防止法（平成5年法律第47号）第2条第6項に規定する営業秘密をいう。）が含まれる場合その他の正当

528　第2編　関係法令等　第1章　消費者契約法（平成12年法律第61号）

な理由がある場合を除き、前項の規定による要請に応じるよう努めなければならない。

（差止請求に係る講じた措置の開示要請）

第12条の5　第12条第3項又は第4項の規定による請求により事業者又はその代理人がこれらの規定に規定する行為の停止若しくは予防又は当該行為の停止若しくは予防に必要な措置をとる義務を負うときは、当該請求をした適格消費者団体は、内閣府令で定めるところにより、その事業者又はその代理人に対し、これらの者が当該義務を履行するために講じた措置の内容を開示するよう要請することができる。

2　事業者又はその代理人は、前項の規定による要請に応じるよう努めなければならない。

第2節　適格消費者団体

第1款　適格消費者団体の認定等

（適格消費者団体の認定）

第13条　差止請求関係業務（不特定かつ多数の消費者の利益のために差止請求権を行使する業務並びに当該業務の遂行に必要な消費者の被害に関する情報の収集並びに消費者の被害の防止及び救済に資する差止請求権の行使の結果に関する情報の収集及び提供に係る業務をいう。以下同じ。）を行おうとする者は、内閣総理大臣の認定を受けなければならない。

2　前項の認定を受けようとする者は、内閣総理大臣に認定の申請をしなければならない。

3　内閣総理大臣は、前項の申請をした者が次に掲げる要件の全てに適合しているときに限り、第1項の認定をすることができる。

　一　特定非営利活動促進法（平成10年法律第7号）第2条第2項に規定する特定非営利活動法人又は一般社団法人若しくは一般財団法人であること。

　二　消費生活に関する情報の収集及び提供並びに消費者の被害の防止及び救済のための活動その他の不特定かつ多数の消費者の利益の擁護を図るための活動を行うことを主たる目的とし、現にその活動を相当期間にわたり継続して適正に行っていると認められること。

　三　差止請求関係業務の実施に係る組織、差止請求関係業務の実施の方法、差止請求関係業務に関して知り得た情報の管理及び秘密の保持の方法その他

の差止請求関係業務を適正に遂行するための体制及び業務規程が適切に整備されていること。

四　その理事に関し、次に掲げる要件に適合するものであること。

　イ　差止請求関係業務の執行を決定する機関として理事をもって構成する理事会が置かれており、かつ、定款で定めるその決定の方法が次に掲げる要件に適合していると認められること。

　　⑴　当該理事会の決議が理事の過半数又はこれを上回る割合以上の多数決により行われるものとされていること。

　　⑵　第41条第１項の規定による差止請求、差止請求に係る訴えの提起その他の差止請求関係業務の執行に係る重要な事項の決定が理事その他の者に委任されていないこと。

　ロ　理事の構成が次の⑴又は⑵のいずれかに該当するものでないこと。この場合において、第２号に掲げる要件に適合する者は、次の⑴又は⑵に規定する事業者に該当しないものとみなす。

　　⑴　理事の数のうちに占める特定の事業者（当該事業者との間に発行済株式の総数の２分の１以上の株式の数を保有する関係その他の内閣府令で定める特別の関係のある者を含む。）の関係者（当該事業者及びその役員又は職員である者その他の内閣府令で定める者をいう。⑵において同じ。）の数の割合が３分の１を超えていること。

　　⑵　理事の数のうちに占める同一の業種（内閣府令で定める事業の区分をいう。）に属する事業を行う事業者の関係者の数の割合が２分の１を超えていること。

五　差止請求の要否及びその内容についての検討を行う部門において次のイ及びロに掲げる者（以下「専門委員」と総称する。）が共にその専門的な知識経験に基づいて必要な助言を行い又は意見を述べる体制が整備されていることその他差止請求関係業務を遂行するための人的体制に照らして、差止請求関係業務を適正に遂行することができる専門的な知識経験を有すると認められること。

　イ　消費生活に関する消費者と事業者との間に生じた苦情に係る相談（第40条第１項において「消費生活相談」という。）その他の消費生活に関する事項について専門的な知識経験を有する者として内閣府令で定める条件に適合する者

530 第2編 関係法令等 第1章 消費者契約法（平成12年法律第61号）

　　　ロ　弁護士、司法書士その他の法律に関する専門的な知識経験を有する者と
　　　して内閣府令で定める条件に適合する者
　六　差止請求関係業務を適正に遂行するに足りる経理的基礎を有すること。
　七　差止請求関係業務以外の業務を行う場合には、その業務を行うことによっ
　　て差止請求関係業務の適正な遂行に支障を及ぼすおそれがないこと。
4　前項第3号の業務規程には、差止請求関係業務の実施の方法、差止請求関係
　業務に関して知り得た情報の管理及び秘密の保持の方法その他の内閣府令で
　定める事項が定められていなければならない。この場合において、業務規程に
　定める差止請求関係業務の実施の方法には、同項第5号の検討を行う部門にお
　ける専門委員からの助言又は意見の聴取に関する措置及び役員、職員又は専門
　委員が差止請求に係る相手方と特別の利害関係を有する場合の措置その他業
　務の公正な実施の確保に関する措置が含まれていなければならない。
5　次の各号のいずれかに該当する者は、第1項の認定を受けることができな
　い。
　一　この法律、消費者の財産的被害等の集団的な回復のための民事の裁判手続
　　の特例に関する法律（平成25年法律第96号。以下「消費者裁判手続特例法」
　　という。）その他消費者の利益の擁護に関する法律で政令で定めるもの若し
　　くはこれらの法律に基づく命令の規定又はこれらの規定に基づく処分に違
　　反して罰金の刑に処せられ、その刑の執行を終わり、又はその刑の執行を受
　　けることがなくなった日から3年を経過しない法人
　二　第34条第1項各号若しくは消費者裁判手続特例法第92条第2項各号に掲
　　げる事由により第1項の認定を取り消され、又は第34条第3項の規定により
　　同条第1項第4号に掲げる事由があった旨の認定がされ、その取消し又は認
　　定の日から3年を経過しない法人
　三　暴力団員による不当な行為の防止等に関する法律（平成3年法律第77号）
　　第2条第6号に規定する暴力団員又は同号に規定する暴力団員でなくなっ
　　た日から5年を経過しない者（次号及び第6号ハにおいて「暴力団員等」と
　　いう。）がその事業活動を支配する法人
　四　暴力団員等をその業務に従事させ、又はその業務の補助者として使用する
　　おそれのある法人
　五　政治団体（政治資金規正法（昭和23年法律第194号）第3条第1項に規定す
　　る政治団体をいう。）

六　役員のうちに次のイからハまでのいずれかに該当する者のある法人

　　イ　禁錮以上の刑に処せられ、又はこの法律、消費者裁判手続特例法その他消費者の利益の擁護に関する法律で政令で定めるもの若しくはこれらの法律に基づく命令の規定若しくはこれらの規定に基づく処分に違反して罰金の刑に処せられ、その刑の執行を終わり、又はその刑の執行を受けることがなくなった日から３年を経過しない者

　　ロ　適格消費者団体が第34条第１項各号若しくは消費者裁判手続特例法第92条第２項各号に掲げる事由により第１項の認定を取り消され、又は第34条第３項の規定により同条第１項第４号に掲げる事由があった旨の認定がされた場合において、その取消し又は認定の日前６月以内に当該適格消費者団体の役員であった者でその取消し又は認定の日から３年を経過しないもの

　　ハ　暴力団員等

（認定の申請）

第14条　前条第２項の申請は、次に掲げる事項を記載した申請書を内閣総理大臣に提出してしなければならない。

一　名称及び住所並びに代表者の氏名

二　差止請求関係業務を行おうとする事務所の所在地

三　前２号に掲げるもののほか、内閣府令で定める事項

2　前項の申請書には、次に掲げる書類を添付しなければならない。

一　定款

二　不特定かつ多数の消費者の利益の擁護を図るための活動を相当期間にわたり継続して適正に行っていることを証する書類

三　差止請求関係業務に関する業務計画書

四　差止請求関係業務を適正に遂行するための体制が整備されていることを証する書類

五　業務規程

六　役員、職員及び専門委員に関する次に掲げる書類

　　イ　氏名、役職及び職業を記載した書類

　　ロ　住所、略歴その他内閣府令で定める事項を記載した書類

七　前条第３項第１号の法人の社員について、その数及び個人又は法人その他の団体の別（社員が法人その他の団体である場合にあっては、その構成員の

532　第2編　関係法令等　第1章　消費者契約法（平成12年法律第61号）

数を含む。）を記載した書類

八　最近の事業年度における財産目録、貸借対照表又は次のイ若しくはロに掲げる法人の区分に応じ、当該イ若しくはロに定める書類（第31条第1項において「財産目録等」という。）その他の経理的基礎を有することを証する書類

イ　特定非営利活動促進法第2条第2項に規定する特定非営利活動法人　同法第27条第3号に規定する活動計算書

ロ　一般社団法人又は一般財団法人　一般社団法人及び一般財団法人に関する法律（平成18年法律第48号）第123条第2項（同法第199条において準用する場合を含む。）に規定する損益計算書（公益社団法人及び公益財団法人の認定等に関する法律（平成18年法律第49号）第5条に規定する公益認定を受けている場合にあっては、内閣府令で定める書類）

九　前条第5項各号のいずれにも該当しないことを誓約する書面

十　差止請求関係業務以外の業務を行う場合には、その業務の種類及び概要を記載した書類

十一　その他内閣府令で定める書類

（認定の申請に関する公告及び縦覧等）

第15条　内閣総理大臣は、前条の規定による認定の申請があった場合には、遅滞なく、内閣府令で定めるところにより、その旨並びに同条第1項第1号及び第2号に掲げる事項を公告するとともに、同条第2項各号（第6号ロ、第9号及び第11号を除く。）に掲げる書類を、公告の日から2週間、公衆の縦覧に供しなければならない。

2　内閣総理大臣は、第13条第1項の認定をしようとするときは、同条第3項第2号に規定する事由の有無について、経済産業大臣の意見を聴くものとする。

3　内閣総理大臣は、前条の規定による認定の申請をした者について第13条第5項第3号、第4号又は第6号ハに該当する疑いがあると認めるときは、警察庁長官の意見を聴くものとする。

（認定の公示等）

第16条　内閣総理大臣は、第13条第1項の認定をしたときは、内閣府令で定めるところにより、当該適格消費者団体の名称及び住所、差止請求関係業務を行う事務所の所在地並びに当該認定をした日を公示するとともに、当該適格消費者団体に対し、その旨を書面により通知するものとする。

2　適格消費者団体は、内閣府令で定めるところにより、適格消費者団体である

旨を、差止請求関係業務を行う事務所において見やすいように掲示しなければ
ならない。

3　適格消費者団体でない者は、その名称中に適格消費者団体であると誤認され
るおそれのある文字を用い、又はその業務に関し、適格消費者団体であると誤
認されるおそれのある表示をしてはならない。

（認定の有効期間等）

第17条　第13条第１項の認定の有効期間は、当該認定の日から起算して６年とす
る。

2　前項の有効期間の満了後引き続き差止請求関係業務を行おうとする適格消
費者団体は、その有効期間の更新を受けなければならない。

3　前項の有効期間の更新を受けようとする適格消費者団体は、第１項の有効期
間の満了の日の90日前から60日前までの間（以下この項において「更新申請期
間」という。）に、内閣総理大臣に有効期間の更新の申請をしなければならな
い。ただし、災害その他やむを得ない事由により更新申請期間にその申請をす
ることができないときは、この限りでない。

4　前項の申請があった場合において、第１項の有効期間の満了の日までにその
申請に対する処分がされないときは、従前の認定は、同項の有効期間の満了後
もその処分がされるまでの間は、なお効力を有する。

5　前項の場合において、第２項の有効期間の更新がされたときは、その認定の
有効期間は、従前の認定の有効期間の満了の日の翌日から起算するものとす
る。

6　第13条（第１項及び第５項第２号を除く。）、第14条、第15条及び前条第１項
の規定は、第２項の有効期間の更新について準用する。ただし、第14条第２項
各号に掲げる書類については、既に内閣総理大臣に提出されている当該書類の
内容に変更がないときは、その添付を省略することができる。

（変更の届出）

第18条　適格消費者団体は、第14条第１項各号に掲げる事項又は同条第２項各号
（第２号及び第11号を除く。）に掲げる書類に記載した事項に変更があったとき
は、遅滞なく、内閣府令で定めるところにより、その旨を内閣総理大臣に届け
出なければならない。ただし、その変更が内閣府令で定める軽微なものである
ときは、この限りでない。

534　第2編　関係法令等　第1章　消費者契約法（平成12年法律第61号）

（合併の届出及び認可等）

第19条　適格消費者団体である法人が他の適格消費者団体である法人と合併を
　したときは、合併後存続する法人又は合併により設立された法人は、合併によ
　り消滅した法人のこの法律の規定による適格消費者団体としての地位を承継
　する。

2　前項の規定により合併により消滅した法人のこの法律の規定による適格消
　費者団体としての地位を承継した法人は、遅滞なく、その旨を内閣総理大臣に
　届け出なければならない。

3　適格消費者団体である法人が適格消費者団体でない法人と合併（適格消費者
　団体である法人が存続するものを除く。以下この条及び第22条第2号において
　同じ。）をした場合には、合併後存続する法人又は合併により設立された法人
　は、その合併について内閣総理大臣の認可がされたときに限り、合併により消
　滅した法人のこの法律の規定による適格消費者団体としての地位を承継する。

4　前項の認可を受けようとする適格消費者団体である法人及び適格消費者団
　体でない法人は、共同して、その合併がその効力を生ずる日の90日前から60日
　前までの間（以下この項において「認可申請期間」という。）に、内閣総理大臣
　に認可の申請をしなければならない。ただし、災害その他やむを得ない事由に
　より認可申請期間にその申請をすることができないときは、この限りでない。

5　前項の申請があった場合において、その合併がその効力を生ずる日までにそ
　の申請に対する処分がされないときは、合併後存続する法人又は合併により設
　立された法人は、その処分がされるまでの間は、合併により消滅した法人のこ
　の法律の規定による適格消費者団体としての地位を承継しているものとみな
　す。

6　第13条（第1項を除く。）、第14条、第15条及び第16条第1項の規定は、第3
　項の認可について準用する。

7　適格消費者団体である法人は、適格消費者団体でない法人と合併をする場合
　において、第4項の申請をしないときは、その合併がその効力を生ずる日まで
　に、その旨を内閣総理大臣に届け出なければならない。

8　内閣総理大臣は、第2項又は前項の規定による届出があったときは、内閣府
　令で定めるところにより、その旨を公示するものとする。

（事業の譲渡の届出及び認可等）

第20条　適格消費者団体である法人が他の適格消費者団体である法人に対し差

止請求関係業務に係る事業の全部の譲渡をしたときは、その譲渡を受けた法人は、その譲渡をした法人のこの法律の規定による適格消費者団体としての地位を承継する。

2　前項の規定によりその譲渡をした法人のこの法律の規定による適格消費者団体としての地位を承継した法人は、遅滞なく、その旨を内閣総理大臣に届け出なければならない。

3　適格消費者団体である法人が適格消費者団体でない法人に対し差止請求関係業務に係る事業の全部の譲渡をした場合には、その譲渡を受けた法人は、その譲渡について内閣総理大臣の認可がされたときに限り、その譲渡をした法人のこの法律の規定による適格消費者団体としての地位を承継する。

4　前項の認可を受けようとする適格消費者団体である法人及び適格消費者団体でない法人は、共同して、その譲渡の日の90日前から60日前までの間（以下この項において「認可申請期間」という。）に、内閣総理大臣に認可の申請をしなければならない。ただし、災害その他やむを得ない事由により認可申請期間にその申請をすることができないときは、この限りでない。

5　前項の申請があった場合において、その譲渡の日までにその申請に対する処分がされないときは、その譲渡を受けた法人は、その処分がされるまでの間は、その譲渡をした法人のこの法律の規定による適格消費者団体としての地位を承継しているものとみなす。

6　第13条（第1項を除く。）、第14条、第15条及び第16条第1項の規定は、第3項の認可について準用する。

7　適格消費者団体である法人は、適格消費者団体でない法人に対し差止請求関係業務に係る事業の全部の譲渡をする場合において、第4項の申請をしないときは、その譲渡の日までに、その旨を内閣総理大臣に届け出なければならない。

8　内閣総理大臣は、第2項又は前項の規定による届出があったときは、内閣府令で定めるところにより、その旨を公示するものとする。

　（解散の届出等）

第21条　適格消費者団体が次の各号に掲げる場合のいずれかに該当することとなったときは、当該各号に定める者は、遅滞なく、その旨を内閣総理大臣に届け出なければならない。

一　破産手続開始の決定により解散した場合　破産管財人

二　合併及び破産手続開始の決定以外の理由により解散した場合　清算人

536　第2編　関係法令等　第1章　消費者契約法（平成12年法律第61号）

　　三　差止請求関係業務を廃止した場合　法人の代表者
2　内閣総理大臣は、前項の規定による届出があったときは、内閣府令で定める
　ところにより、その旨を公示するものとする。

　（認定の失効）
第22条　適格消費者団体について、次のいずれかに掲げる事由が生じたときは、
　第13条第1項の認定は、その効力を失う。
　　一　第13条第1項の認定の有効期間が経過したとき（第17条第4項に規定する
　　　場合にあっては、更新拒否処分がされたとき）。
　　二　適格消費者団体である法人が適格消費者団体でない法人と合併をした場
　　　合において、その合併が第19条第3項の認可を経ずにその効力を生じたとき
　　　（同条第5項に規定する場合にあっては、その合併の不認可処分がされたと
　　　き）。
　　三　適格消費者団体である法人が適格消費者団体でない法人に対し差止請求
　　　関係業務に係る事業の全部の譲渡をした場合において、その譲渡が第20条第
　　　3項の認可を経ずにされたとき（同条第5項に規定する場合にあっては、そ
　　　の譲渡の不認可処分がされたとき）。
　　四　適格消費者団体が前条第1項各号に掲げる場合のいずれかに該当するこ
　　　ととなったとき。
　　　　第2款　差止請求関係業務等
　（差止請求権の行使等）
第23条　適格消費者団体は、不特定かつ多数の消費者の利益のために、差止請求
　権を適切に行使しなければならない。
2　適格消費者団体は、差止請求権を濫用してはならない。
3　適格消費者団体は、事案の性質に応じて他の適格消費者団体と共同して差止
　請求権を行使するほか、差止請求関係業務について相互に連携を図りながら協
　力するように努めなければならない。
4　適格消費者団体は、次に掲げる場合には、内閣府令で定めるところにより、
　遅滞なく、その旨を他の適格消費者団体に通知するとともに、その旨及びその
　内容その他内閣府令で定める事項を内閣総理大臣に報告しなければならない。
　この場合において、当該適格消費者団体が、当該通知及び報告に代えて、すべ
　ての適格消費者団体及び内閣総理大臣が電磁的方法（電子情報処理組織を使用
　する方法その他の情報通信の技術を利用する方法をいう。以下同じ。）を利用

して同一の情報を閲覧することができる状態に置く措置であって内閣府令で定めるものを講じたときは、当該通知及び報告をしたものとみなす。

一　第41条第1項（同条第3項において準用する場合を含む。）の規定による差止請求をしたとき。

二　前号に掲げる場合のほか、裁判外において差止請求をしたとき。

三　差止請求に係る訴えの提起（和解の申立て、調停の申立て又は仲裁合意を含む。）又は仮処分命令の申立てがあったとき。

四　差止請求に係る判決の言渡し（調停の成立、調停に代わる決定の告知又は仲裁判断を含む。）又は差止請求に係る仮処分命令の申立てについての決定の告知があったとき。

五　前号の判決に対する上訴の提起（調停に代わる決定に対する異議の申立て又は仲裁判断の取消しの申立てを含む。）又は同号の決定に対する不服の申立てがあったとき。

六　第4号の判決（調停に代わる決定又は仲裁判断を含む。）又は同号の決定が確定したとき。

七　差止請求に係る裁判上の和解が成立したとき。

八　前2号に掲げる場合のほか、差止請求に係る訴訟（和解の申立てに係る手続、調停手続又は仲裁手続を含む。）又は差止請求に係る仮処分命令に関する手続が終了したとき。

九　差止請求に係る裁判外の和解が成立したときその他差止請求に関する相手方との間の協議が調ったとき、又はこれが調わなかったとき。

十　差止請求に関し、請求の放棄、和解、上訴の取下げその他の内閣府令で定める手続に係る行為であって、それにより確定判決及びこれと同一の効力を有するものが存することとなるものをしようとするとき。

十一　その他差止請求に関し内閣府令で定める手続に係る行為がされたとき。

5　内閣総理大臣は、前項の規定による報告を受けたときは、すべての適格消費者団体並びに内閣総理大臣及び経済産業大臣が電磁的方法を利用して同一の情報を閲覧することができる状態に置く措置その他の内閣府令で定める方法により、他の適格消費者団体及び経済産業大臣に当該報告の日時及び概要その他内閣府令で定める事項を伝達するものとする。

6　適格消費者団体について、第12条の2第1項第2号本文の確定判決等で強制執行をすることができるものが存する場合には、当該適格消費者団体は、当該

538　第2編　関係法令等　第1章　消費者契約法（平成12年法律第61号）

確定判決等に係る差止請求権を放棄することができない。

（消費者の被害に関する情報の取扱い）

第24条　適格消費者団体は、差止請求権の行使（差止請求権不存在等確認請求に係る訴訟を含む。第28条において同じ。）に関し、消費者から収集した消費者の被害に関する情報をその相手方その他の第三者が当該被害に係る消費者を識別することができる方法で利用するに当たっては、あらかじめ、当該消費者の同意を得なければならない。

（秘密保持義務）

第25条　適格消費者団体の役員、職員若しくは専門委員又はこれらの職にあった者は、正当な理由がなく、差止請求関係業務に関して知り得た秘密を漏らしてはならない。

（氏名等の明示）

第26条　適格消費者団体の差止請求関係業務に従事する者は、その差止請求関係業務を行うに当たり、相手方の請求があったときは、当該適格消費者団体の名称、自己の氏名及び適格消費者団体における役職又は地位その他内閣府令で定める事項を、その相手方に明らかにしなければならない。

（判決等に関する情報の提供）

第27条　適格消費者団体は、消費者の被害の防止及び救済に資するため、消費者に対し、差止請求に係る判決（確定判決と同一の効力を有するもの及び仮処分命令の申立てについての決定を含む。）又は裁判外の和解の内容その他必要な情報を提供するよう努めなければならない。

（財産上の利益の受領の禁止等）

第28条　適格消費者団体は、次に掲げる場合を除き、その差止請求に係る相手方から、その差止請求権の行使に関し、寄附金、賛助金その他名目のいかんを問わず、金銭その他の財産上の利益を受けてはならない。

一　差止請求に係る判決（確定判決と同一の効力を有するもの及び仮処分命令の申立てについての決定を含む。以下この項において同じ。）又は民事訴訟法（平成8年法律第109号）第73条第1項の決定により訴訟費用（和解の費用、調停手続の費用及び仲裁手続の費用を含む。）を負担することとされた相手方から当該訴訟費用に相当する額の償還として財産上の利益を受けるとき。

二　差止請求に係る判決に基づいて民事執行法（昭和54年法律第4号）第172

条第１項の規定により命じられた金銭の支払として財産上の利益を受けるとき。

三　差止請求に係る判決に基づく強制執行の執行費用に相当する額の償還として財産上の利益を受けるとき。

四　差止請求に係る相手方の債務の履行を確保するために約定された違約金の支払として財産上の利益を受けるとき。

2　適格消費者団体の役員、職員又は専門委員は、適格消費者団体の差止請求に係る相手方から、その差止請求権の行使に関し、寄附金、賛助金その他名目のいかんを問わず、金銭その他の財産上の利益を受けてはならない。

3　適格消費者団体又はその役員、職員若しくは専門委員は、適格消費者団体の差止請求に係る相手方から、その差止請求権の行使に関し、寄附金、賛助金その他名目のいかんを問わず、金銭その他の財産上の利益を第三者に受けさせてはならない。

4　前３項に規定する差止請求に係る相手方からその差止請求権の行使に関して受け又は受けさせてはならない財産上の利益には、その相手方がその差止請求権の行使に関してした不法行為によって生じた損害の賠償として受け又は受けさせる財産上の利益は含まれない。

5　適格消費者団体は、第１項各号に規定する財産上の利益を受けたときは、これに相当する金額を積み立て、これを差止請求関係業務に要する費用に充てなければならない。

6　適格消費者団体は、その定款において、差止請求関係業務を廃止し、又は第13条第１項の認定の失効（差止請求関係業務の廃止によるものを除く。）若しくは取消しにより差止請求関係業務を終了した場合において、積立金（前項の規定により積み立てられた金額をいう。）に残余があるときは、その残余に相当する金額を、他の適格消費者団体（第35条の規定により差止請求権を承継した適格消費者団体がある場合にあっては、当該適格消費者団体）があるときは当該他の適格消費者団体に、これがないときは第13条第３項第２号に掲げる要件に適合する消費者団体であって内閣総理大臣が指定するもの又は国に帰属させる旨を定めておかなければならない。

（業務の範囲及び区分経理）

第29条　適格消費者団体は、その行う差止請求関係業務に支障がない限り、定款の定めるところにより、差止請求関係業務以外の業務を行うことができる。

540　　第2編　関係法令等　第1章　消費者契約法（平成12年法律第61号）

2　適格消費者団体は、次に掲げる業務に係る経理をそれぞれ区分して整理しなければならない。

一　差止請求関係業務

二　不特定かつ多数の消費者の利益の擁護を図るための活動に係る業務（前号に掲げる業務を除く。）

三　前2号に掲げる業務以外の業務

第3款　監督

（帳簿書類の作成及び保存）

第30条　適格消費者団体は、内閣府令で定めるところにより、その業務及び経理に関する帳簿書類を作成し、これを保存しなければならない。

（財務諸表等の作成、備置き、閲覧等及び提出等）

第31条　適格消費者団体は、毎事業年度終了後3月以内に、その事業年度の財産目録等及び事業報告書（これらの作成に代えて電磁的記録（電子的方式、磁気的方式その他人の知覚によっては認識することができない方式で作られる記録であって、電子計算機による情報処理の用に供されるものをいう。以下この条において同じ。）の作成がされている場合における当該電磁的記録を含む。次項第5号及び第53条第6号において「財務諸表等」という。）を作成しなければならない。

2　適格消費者団体の事務所には、内閣府令で定めるところにより、次に掲げる書類を備え置かなければならない。

一　定款

二　業務規程

三　役職員等名簿（役員、職員及び専門委員の氏名、役職及び職業その他内閣府令で定める事項を記載した名簿をいう。）

四　適格消費者団体の社員について、その数及び個人又は法人その他の団体の別（社員が法人その他の団体である場合にあっては、その構成員の数を含む。）を記載した書類

五　財務諸表等

六　収入の明細その他の資金に関する事項、寄附金に関する事項その他の経理に関する内閣府令で定める事項を記載した書類

七　差止請求関係業務以外の業務を行う場合には、その業務の種類及び概要を記載した書類

3 何人も、適格消費者団体の業務時間内は、いつでも、次に掲げる請求をすることができる。ただし、第2号又は第4号に掲げる請求をするには、当該適格消費者団体の定めた費用を支払わなければならない。

一 前項各号に掲げる書類が書面をもって作成されているときは、当該書面の閲覧又は謄写の請求

二 前号の書面の謄本又は抄本の交付の請求

三 前項各号に掲げる書類が電磁的記録をもって作成されているときは、当該電磁的記録に記録された事項を内閣府令で定める方法により表示したものの閲覧又は謄写の請求

四 前号の電磁的記録に記録された事項を電磁的方法であって内閣府令で定めるものにより提供することの請求又は当該事項を記載した書面の交付の請求

4 適格消費者団体は、前項各号に掲げる請求があったときは、正当な理由がある場合を除き、これを拒むことができない。

5 適格消費者団体は、毎事業年度終了後3月以内に、第2項第3号から第6号までに掲げる書類を内閣総理大臣に提出しなければならない。

（報告及び立入検査）

第32条 内閣総理大臣は、この法律の実施に必要な限度において、適格消費者団体に対し、その業務若しくは経理の状況に関し報告をさせ、又はその職員に、適格消費者団体の事務所に立ち入り、業務の状況若しくは帳簿、書類その他の物件を検査させ、若しくは関係者に質問させることができる。

2 前項の規定により職員が立ち入るときは、その身分を示す証明書を携帯し、関係者に提示しなければならない。

3 第1項に規定する立入検査の権限は、犯罪捜査のために認められたものと解してはならない。

（適合命令及び改善命令）

第33条 内閣総理大臣は、適格消費者団体が、第13条第3項第2号から第7号までに掲げる要件のいずれかに適合しなくなったと認めるときは、当該適格消費者団体に対し、これらの要件に適合するために必要な措置をとるべきことを命ずることができる。

2 内閣総理大臣は、前項に定めるもののほか、適格消費者団体が第13条第5項第3号から第6号までのいずれかに該当するに至ったと認めるとき、適格消費

542　第2編　関係法令等　第1章　消費者契約法（平成12年法律第61号）

者団体又はその役員、職員若しくは専門委員が差止請求関係業務の遂行に関し
この法律の規定に違反したと認めるとき、その他適格消費者団体の業務の適正
な運営を確保するため必要があると認めるときは、当該適格消費者団体に対
し、人的体制の改善、違反の停止、業務規程の変更その他の業務の運営の改善
に必要な措置をとるべきことを命ずることができる。

（認定の取消し等）

第34条　内閣総理大臣は、適格消費者団体について、次の各号のいずれかに掲げ
る事由があるときは、第13条第1項の認定を取り消すことができる。

一　偽りその他不正の手段により第13条第1項の認定、第17条第2項の有効期
間の更新又は第19条第3項若しくは第20条第3項の認可を受けたとき。

二　第13条第3項各号に掲げる要件のいずれかに適合しなくなったとき。

三　第13条第5項各号（第2号を除く。）のいずれかに該当するに至ったとき。

四　第12条の2第1項第2号本文の確定判決等に係る訴訟等の手続に関し、当
該訴訟等の当事者である適格消費者団体が、差止請求に係る相手方と通謀し
て請求の放棄又は不特定かつ多数の消費者の利益を害する内容の和解をし
たとき、その他不特定かつ多数の消費者の利益に著しく反する訴訟等の追行
を行ったと認められるとき。

五　第12条の2第1項第2号本文の確定判決等に係る強制執行に必要な手続
に関し、当該確定判決等に係る訴訟等の当事者である適格消費者団体がその
手続を怠ったことが不特定かつ多数の消費者の利益に著しく反するものと
認められるとき。

六　前各号に掲げるもののほか、この法律若しくはこの法律に基づく命令の規
定又はこれらの規定に基づく処分に違反したとき。

七　当該適格消費者団体の役員、職員又は専門委員が第28条第2項又は第3項
の規定に違反したとき。

2　適格消費者団体が、第23条第4項の規定に違反して同項の通知又は報告をし
ないで、差止請求に関し、同項第10号に規定する行為をしたときは、内閣総理
大臣は、当該適格消費者団体について前項第4号に掲げる事由があるものとみ
なすことができる。

3　第12条の2第1項第2号本文に掲げる場合であって、当該他の適格消費者団
体に係る第13条第1項の認定が、第22条各号に掲げる事由により既に失効し、
又は第1項各号に掲げる事由（当該確定判決等に係る訴訟等の手続に関する同

項第４号に掲げる事由を除く。）若しくは消費者裁判手続特例法第92条第２項各号に掲げる事由により既に取り消されている場合においては、内閣総理大臣は、当該他の適格消費者団体につき当該確定判決等に係る訴訟等の手続に関し第１項第４号に掲げる事由があったと認められるとき（前項の規定により同号に掲げる事由があるものとみなすことができる場合を含む。）は、当該他の適格消費者団体であった法人について、その旨の認定をすることができる。

4　前項に規定する場合における当該他の適格消費者団体であった法人は、清算が結了した後においても、同項の規定の適用については、なお存続するものとみなす。

5　内閣総理大臣は、第１項各号に掲げる事由により第13条第１項の認定を取り消し、又は第３項の規定により第１項第４号に掲げる事由があった旨の認定をしたときは、内閣府令で定めるところにより、その旨及びその取消し又は認定をした日を公示するとともに、当該適格消費者団体又は当該他の適格消費者団体であった法人に対し、その旨を書面により通知するものとする。

（差止請求権の承継に係る指定等）

第35条　適格消費者団体について、第12条の２第１項第２号本文の確定判決等で強制執行をすることができるものが存する場合において、第13条第１項の認定が、第22条各号に掲げる事由により失効し、若しくは前条第１項各号若しくは消費者裁判手続特例法第92条第２項各号に掲げる事由により取り消されるとき、又はこれらの事由により既に失効し、若しくは既に取り消されているときは、内閣総理大臣は、当該適格消費者団体の有する当該差止請求権を承継すべき適格消費者団体として他の適格消費者団体を指定するものとする。

2　前項の規定による指定がされたときは、同項の差止請求権は、その指定の時において（その認定の失効又は取消しの後にその指定がされた場合にあっては、その認定の失効又は取消しの時にさかのぼって）その指定を受けた適格消費者団体が承継する。

3　前項の場合において、同項の規定により当該差止請求権を承継した適格消費者団体が当該差止請求権に基づく差止請求をするときは、第12条の２第１項第２号本文の規定は、当該差止請求については、適用しない。

4　内閣総理大臣は、次の各号のいずれかに掲げる事由が生じたときは、第１項、第６項又は第７項の規定による指定を受けた適格消費者団体（以下この項から第７項までにおいて「指定適格消費者団体」という。）に係る指定を取り消さな

ければならない。

　一　指定適格消費者団体について、第13条第１項の認定が、第22条各号に掲げる事由により失効し、若しくは既に失効し、又は前条第１項各号若しくは消費者裁判手続特例法第92条第２項各号に掲げる事由により取り消されるとき。

　二　指定適格消費者団体が承継した差止請求権をその指定前に有していた者（以下この条において「従前の適格消費者団体」という。）のうち当該確定判決等の当事者であったものについて、第13条第１項の認定の取消処分、同項の認定の有効期間の更新拒否処分若しくは合併若しくは事業の全部の譲渡の不認可処分（以下この条において「認定取消処分等」という。）が取り消され、又は認定取消処分等の取消し若しくはその無効若しくは不存在の確認の判決（次項第２号において「取消判決等」という。）が確定したとき。

５　内閣総理大臣は、次の各号のいずれかに掲げる事由が生じたときは、指定適格消費者団体に係る指定を取り消すことができる。

　一　指定適格消費者団体が承継した差止請求権に係る強制執行に必要な手続に関し、当該指定適格消費者団体がその手続を怠ったことが不特定かつ多数の消費者の利益に著しく反するものと認められるとき。

　二　従前の適格消費者団体のうち指定適格消費者団体であったもの（当該確定判決等の当事者であったものを除く。）について、前項第１号の規定による指定の取消しの事由となった認定取消処分等が取り消され、若しくはその認定取消処分等の取消判決等が確定したとき、又は前号の規定による指定の取消処分が取り消され、若しくはその取消処分の取消判決等が確定したとき。

６　内閣総理大臣は、第４項第１号又は前項第１号に掲げる事由により指定適格消費者団体に係る指定を取り消し、又は既に取り消しているときは、当該指定適格消費者団体の承継していた差止請求権を承継すべき適格消費者団体として他の適格消費者団体を新たに指定するものとする。

７　内閣総理大臣は、第４項第２号又は第５項第２号に掲げる事由により指定適格消費者団体に係る指定を取り消すときは、当該指定適格消費者団体の承継していた差止請求権を承継すべき適格消費者団体として当該従前の適格消費者団体を新たに指定するものとする。

８　前２項の規定による新たな指定がされたときは、前２項の差止請求権は、その新たな指定の時において（従前の指定の取消し後に新たな指定がされた場合

にあっては、従前の指定の取消しの時（従前の適格消費者団体に係る第13条第
１項の認定の失効後に従前の指定の取消し及び新たな指定がされた場合に
あっては、その認定の失効の時）にさかのぼって）その新たな指定を受けた適
格消費者団体が承継する。

9　第３項の規定は、前項の場合において、同項の規定により当該差止請求権を
承継した適格消費者団体が当該差止請求権に基づく差止請求をするときにつ
いて準用する。

10　内閣総理大臣は、第１項、第６項又は第７項の規定による指定をしたときは、
内閣府令で定めるところにより、その旨及びその指定の日を公示するととも
に、その指定を受けた適格消費者団体に対し、その旨を書面により通知するも
のとする。第４項又は第５項の規定により当該指定を取り消したときも、同様
とする。

第４款　補則

（規律）

第36条　適格消費者団体は、これを政党又は政治的目的のために利用してはなら
ない。

（官公庁等への協力依頼）

第37条　内閣総理大臣は、この法律の実施のため必要があると認めるときは、官
庁、公共団体その他の者に照会し、又は協力を求めることができる。

（内閣総理大臣への意見）

第38条　次の各号に掲げる者は、適格消費者団体についてそれぞれ当該各号に定
める事由があると疑うに足りる相当な理由があるため、内閣総理大臣が当該適
格消費者団体に対して適当な措置をとることが必要であると認める場合には、
内閣総理大臣に対し、その旨の意見を述べることができる。

一　経済産業大臣　第13条第３項第２号に掲げる要件に適合しない事由又は
第34条第１項第４号に掲げる事由

二　警察庁長官　第13条第５項第３号、第４号又は第６号ハに該当する事由

（判決等に関する情報の公表）

第39条　内閣総理大臣は、消費者の被害の防止及び救済に資するため、適格消費
者団体から第23条第４項第４号から第９号まで及び第11号の規定による報告
を受けたときは、インターネットの利用その他適切な方法により、速やかに、
差止請求に係る判決（確定判決と同一の効力を有するもの及び仮処分命令の申

546　第2編　関係法令等　第1章　消費者契約法（平成12年法律第61号）

立てについての決定を含む。）又は裁判外の和解の概要、当該適格消費者団体の名称及び当該差止請求に係る相手方の氏名又は名称その他内閣府令で定める事項を公表するものとする。

2　前項に規定する事項のほか、内閣総理大臣は、差止請求関係業務に関する情報を広く国民に提供するため、インターネットの利用その他適切な方法により、適格消費者団体の名称及び住所並びに差止請求関係業務を行う事務所の所在地その他内閣府令で定める必要な情報を公表することができる。

3　内閣総理大臣は、独立行政法人国民生活センターに、前2項の情報の公表に関する業務を行わせることができる。

（適格消費者団体への協力等）

第40条　独立行政法人国民生活センター及び地方公共団体は、内閣府令で定めるところにより、適格消費者団体の求めに応じ、当該適格消費者団体が差止請求権を適切に行使するために必要な限度において、当該適格消費者団体に対し、消費生活相談及び消費者紛争（独立行政法人国民生活センター法（平成14年法律第123号）第1条の2第1項に規定する消費者紛争をいう。）に関する情報で内閣府令で定めるものを提供することができる。

2　前項の規定により情報の提供を受けた適格消費者団体は、当該情報を当該差止請求権の適切な行使の用に供する目的以外の目的のために利用し、又は提供してはならない。

第3節　訴訟手続等の特例

（書面による事前の請求）

第41条　適格消費者団体は、差止請求に係る訴えを提起しようとするときは、その訴えの被告となるべき者に対し、あらかじめ、請求の要旨及び紛争の要点その他の内閣府令で定める事項を記載した書面により差止請求をし、かつ、その到達した時から1週間を経過した後でなければ、その訴えを提起することができない。ただし、当該被告となるべき者がその差止請求を拒んだときは、この限りでない。

2　前項の請求は、その請求が通常到達すべきであった時に、到達したものとみなす。

3　前2項の規定は、差止請求に係る仮処分命令の申立てについて準用する。

547

（訴訟の目的の価額）

第42条　差止請求に係る訴えは、訴訟の目的の価額の算定については、財産権上の請求でない請求に係る訴えとみなす。

（管轄）

第43条　差止請求に係る訴訟については、民事訴訟法第5条（第5号に係る部分を除く。）の規定は、適用しない。

2　次の各号に掲げる規定による差止請求に係る訴えは、当該各号に定める行為があった地を管轄する裁判所にも提起することができる。

一　第12条同条に規定する事業者等の行為

二　不当景品類及び不当表示防止法第30第1項　同項に規定する事業者の行為

三　特定商取引に関する法律第58条の18から第58条の24までこれらの規定に規定する当該差止請求に係る相手方である販売業者、役務提供事業者、統括者、勧誘者、一般連鎖販売業者、関連商品の販売を行う者、業務提供誘引販売業を行う者又は購入業者（同法第58条の21第2項の規定による差止請求に係る訴えにあっては、勧誘者）の行為

四　食品表示法第11条　同条に規定する食品関連事業者の行為

（移送）

第44条　裁判所は、差止請求に係る訴えが提起された場合であって、他の裁判所に同一又は同種の行為の差止請求に係る訴訟が係属している場合においては、当事者の住所又は所在地、尋問を受けるべき証人の住所、争点又は証拠の共通性その他の事情を考慮して、相当と認めるときは、申立てにより又は職権で、当該訴えに係る訴訟の全部又は一部について、当該他の裁判所又は他の管轄裁判所に移送することができる。

（弁論等の併合）

第45条　請求の内容及び相手方が同一である差止請求に係る訴訟が同一の第1審裁判所又は控訴裁判所に数個同時に係属するときは、その弁論及び裁判は、併合してしなければならない。ただし、審理の状況その他の事情を考慮して、他の差止請求に係る訴訟と弁論及び裁判を併合してすることが著しく不相当であると認めるときは、この限りでない。

2　前項本文に規定する場合には、当事者は、その旨を裁判所に申し出なければならない。

548　第2編　関係法令等　第1章　消費者契約法（平成12年法律第61号）

（訴訟手続の中止）

第46条　内閣総理大臣は、現に係属する差止請求に係る訴訟につき既に他の適格消費者団体を当事者とする第12条の2第1項第2号本文の確定判決等が存する場合において、当該他の適格消費者団体につき当該確定判決等に係る訴訟等の手続に関し第34条第1項第4号に掲げる事由があると疑うに足りる相当な理由がある場合（同条第2項の規定により同号に掲げる事由があるものとみなすことができる場合を含む。）であって、同条第1項の規定による第13条第1項の認定の取消し又は第34条第3項の規定による認定（次項において「認定の取消し等」という。）をするかどうかの判断をするため相当の期間を要すると認めるときは、内閣府令で定めるところにより、当該差止請求に係る訴訟が係属する裁判所（以下この条において「受訴裁判所」という。）に対し、その旨及びその判断に要すると認められる期間を通知するものとする。

2　内閣総理大臣は、前項の規定による通知をした場合には、その通知に係る期間内に、認定の取消し等をするかどうかの判断をし、その結果を受訴裁判所に通知するものとする。

3　第1項の規定による通知があった場合において、必要があると認めるときは、受訴裁判所は、その通知に係る期間を経過する日まで（その期間を経過する前に前項の規定による通知を受けたときは、その通知を受けた日まで）、訴訟手続を中止することができる。

（間接強制の支払額の算定）

第47条　差止請求権について民事執行法第172条第1項に規定する方法により強制執行を行う場合において、同項又は同条第2項の規定により債務者が債権者に支払うべき金銭の額を定めるに当たっては、執行裁判所は、債務不履行により不特定かつ多数の消費者が受けるべき不利益を特に考慮しなければならない。

第4章　雑則

（適用除外）

第48条　この法律の規定は、労働契約については、適用しない。

（権限の委任）

第48条の2　内閣総理大臣は、前章の規定による権限（政令で定めるものを除く。）を消費者庁長官に委任する。

549

第5章　罰則

第49条　適格消費者団体の役員、職員又は専門委員が、適格消費者団体の差止請
求に係る相手方から、寄附金、賛助金その他名目のいかんを問わず、当該適格
消費者団体においてその差止請求権の行使をしないこと若しくはしなかった
こと、その差止請求権の放棄をすること若しくはしたこと、その相手方との間
でその差止請求に係る和解をすること若しくはしたこと又はその差止請求に
係る訴訟その他の手続を他の事由により終了させること若しくは終了させた
ことの報酬として、金銭その他の財産上の利益を受け、又は第三者（当該適格
消費者団体を含む。）に受けさせたときは、3年以下の懲役又は300万円以下の
罰金に処する。

2　前項の利益を供与した者も、同項と同様とする。

3　第1項の場合において、犯人又は情を知った第三者が受けた財産上の利益
は、没収する。その全部又は一部を没収することができないときは、その価額
を追徴する。

4　第1項の罪は、日本国外においてこれらの罪を犯した者にも適用する。

5　第2項の罪は、刑法（明治40年法律第45号）第2条の例に従う。

第50条　偽りその他不正の手段により第13条第1項の認定、第17条第2項の有効
期間の更新又は第19条第3項若しくは第20条第3項の認可を受けたときは、当
該違反行為をした者は、100万円以下の罰金に処する。

2　第25条の規定に違反して、差止請求関係業務に関して知り得た秘密を漏らし
た者は、100万円以下の罰金に処する。

第51条　次の各号のいずれかに該当する場合には、当該違反行為をした者は、50
万円以下の罰金に処する。

一　第14条第1項（第17条第6項、第19条第6項及び第20条第6項において準
用する場合を含む。）の申請書又は第14条第2項各号（第17条第6項、第19条
第6項及び第20条第6項において準用する場合を含む。）に掲げる書類に虚
偽の記載をして提出したとき。

二　第16条第3項の規定に違反して、適格消費者団体であると誤認されるおそ
れのある文字をその名称中に用い、又はその業務に関し、適格消費者団体で
あると誤認されるおそれのある表示をしたとき。

三　第30条の規定に違反して、帳簿書類の作成若しくは保存をせず、又は虚偽

550 　第 2 編　関係法令等　第 1 章　消費者契約法（平成12年法律第61号）

の帳簿書類の作成をしたとき。

　四　第32条第 1 項の規定による報告をせず、若しくは虚偽の報告をし、又は同
　　項の規定による検査を拒み、妨げ、若しくは忌避し、若しくは同項の規定に
　　よる質問に対して陳述をせず、若しくは虚偽の陳述をしたとき。

第52条　法人（法人でない団体で代表者又は管理人の定めのあるものを含む。以
　下この項において同じ。）の代表者若しくは管理人又は法人若しくは人の代理
　人、使用人その他の従業者が、その法人又は人の業務に関して、第49条、第50
　条第 1 項又は前条の違反行為をしたときは、行為者を罰するほか、その法人又
　は人に対しても、各本条の罰金刑を科する。

2　法人でない団体について前項の規定の適用がある場合には、その代表者又は
　管理人が、その訴訟行為につき法人でない団体を代表するほか、法人を被告人
　又は被疑者とする場合の刑事訴訟に関する法律の規定を準用する。

第53条　次の各号のいずれかに該当する者は、30万円以下の過料に処する。

　一　第16条第 2 項の規定による掲示をせず、又は虚偽の掲示をした者

　二　第18条、第19条第 2 項若しくは第 7 項、第20条第 2 項若しくは第 7 項又は
　　第21条第 1 項の規定による届出をせず、又は虚偽の届出をした者

　三　第23条第 4 項前段の規定による通知若しくは報告をせず、又は虚偽の通知
　　若しくは報告をした者

　四　第24条の規定に違反して、消費者の被害に関する情報を利用した者

　五　第26条の規定に違反して、同条の請求を拒んだ者

　六　第31条第 1 項の規定に違反して、財務諸表等を作成せず、又はこれに記載
　　し、若しくは記録すべき事項を記載せず、若しくは記録せず、若しくは虚偽
　　の記載若しくは記録をした者

　七　第31条第 2 項の規定に違反して、書類を備え置かなかった者

　八　第31条第 4 項の規定に違反して、正当な理由がないのに同条第 3 項各号に
　　掲げる請求を拒んだ者

　九　第31条第 5 項の規定に違反して、書類を提出せず、又は書類に虚偽の記載
　　若しくは記録をして提出した者

　十　第40条第 2 項の規定に違反して、情報を同項に定める目的以外の目的のた
　　めに利用し、又は提供した者

551

　　　附　　則

　この法律は、平成13年4月1日から施行し、この法律の施行後に締結された消費者契約について適用する。

　　　附　　則（平成13年11月28日法律第129号）抄

（施行期日）
1　この法律は、平成14年4月1日から施行する。
（罰則の適用に関する経過措置）
2　この法律の施行前にした行為及びこの法律の規定により従前の例によることとされる場合におけるこの法律の施行後にした行為に対する罰則の適用については、なお従前の例による。

　　　附　　則（平成17年7月26日法律第87号）抄

　この法律は、会社法の施行の日から施行する。

　　　附　　則（平成18年6月2日法律第50号）抄

　この法律は、一般社団・財団法人法の施行の日から施行する。

　　　附　　則（平成18年6月7日法律第56号）

（施行期日）
1　この法律は、公布の日から起算して1年を経過した日から施行する。
（検討）
2　政府は、消費者の被害の状況、消費者の利益の擁護を図るための諸施策の実施の状況その他社会経済情勢の変化を勘案しつつ、この法律による改正後の消費者契約法の施行の状況について検討を加え、必要があると認めるときは、その結果に基づいて所要の措置を講ずるものとする。

　　　附　　則（平成20年5月2日法律第29号）

（施行期日）
1　この法律は、平成21年4月1日から施行する。ただし、第2条及び第4条の規定は、特定商取引に関する法律及び割賦販売法の一部を改正する法律（平成

552　第2編　関係法令等　第1章　消費者契約法（平成12年法律第61号）

20年法律第74号）の施行の日から施行する。

（経過措置）

2　第1条又は第2条の規定の施行前にされた消費者契約法第13条第1項の認定の申請並びに同法第19条第3項及び第20条第3項の認可の申請に係る認定及び認可に関する手続については、それぞれ第1条又は第2条の規定による改正後の同法の規定にかかわらず、なお従前の例による。

3　第1条又は第2条の規定の施行前にした行為に対する罰則の適用については、それぞれ第1条又は第2条の規定による改正後の消費者契約法の規定にかかわらず、なお従前の例による。

　　　附　　則（平成21年6月5日法律第49号）抄

（施行期日）

第1条　この法律は、消費者庁及び消費者委員会設置法（平成21年法律第48号）の施行の日から施行する。ただし、次の各号に掲げる規定は、当該各号に定める日から施行する。

一　附則第9条の規定この法律の公布の日

（罰則の適用に関する経過措置）

第8条　この法律の施行前にした行為及びこの法律の附則においてなお従前の例によることとされる場合におけるこの法律の施行後にした行為に対する罰則の適用については、なお従前の例による。

（政令への委任）

第9条　附則第2条から前条までに定めるもののほか、この法律の施行に関し必要な経過措置（罰則に関する経過措置を含む。）は、政令で定める。

　　　附　　則（平成23年6月24日法律第74号）抄

（施行期日）

第1条　この法律は、公布の日から起算して20日を経過した日から施行する。

　　　附　　則（平成24年8月22日法律第59号）抄

（施行期日）

第1条　この法律は、公布の日から起算して6月を超えない範囲内において政令で定める日から施行する。

553

　　附　則　（平成25年6月28日法律第70号）抄

（施行期日）
第1条　この法律は、公布の日から起算して2年を超えない範囲内において政令で定める日から施行する。ただし、次条及び附則第18条の規定については、公布の日から施行する。
（罰則の適用に関する経過措置）
第17条　この法律の施行前にした行為に対する罰則の適用については、なお従前の例による。
（政令への委任）
第18条　この附則に規定するもののほか、この法律の施行に関し必要な経過措置は、政令で定める。
（検討）
第19条　政府は、この法律の施行後3年を経過した場合において、この法律の施行の状況を勘案し、必要があると認めるときは、この法律の規定について検討を加え、その結果に基づいて必要な措置を講ずるものとする。

　　附　則　（平成25年12月11日法律第96号）抄

（施行期日）
第1条　この法律は、公布の日から起算して3年を超えない範囲内において政令で定める日から施行する。

　　附　則　（平成26年6月13日法律第71号）抄

（施行期日）
第1条　この法律は、公布の日から起算して6月を超えない範囲内において政令で定める日から施行する。ただし、次の各号に掲げる規定は、当該各号に定める日から施行する。
　二　第1条中不当景品類及び不当表示防止法第10条の改正規定及び同法本則に1条を加える改正規定、第2条の規定（次号に掲げる改正規定を除く。）並びに附則第3条及び第7条から第11条までの規定公布の日から起算して2年を超えない範囲内において政令で定める日

554 　第2編　関係法令等　第1章　消費者契約法（平成12年法律第61号）

　　　　附　則（平成26年11月27日法律第118号）抄

（施行期日）
第1条　この法律は、公布の日から起算して1年6月を超えない範囲内において
　政令で定める日から施行する。

　　　　附　則（平成28年6月3日法律第61号）抄

（施行期日）
第1条　この法律は、公布の日から起算して1年を経過した日から施行する。た
　だし、次の各号に掲げる規定は、当該各号に定める日から施行する。
　一　附則第4条の規定　公布の日
　二　第5条第2項の改正規定（「及び第7条」を「から第7条まで」に改める部
　　分に限る。）、第6条の次に1条を加える改正規定及び附則第3条の規定　民
　　法の一部を改正する法律（平成29年法律第44号）の施行の日
　三　附則第6条の規定　民法の一部を改正する法律の施行に伴う関係法律の
　　整備等に関する法律（平成29年法律第45号）の公布の日又はこの法律の公布
　　の日のいずれか遅い日
（経過措置）
第2条　この法律による改正後の消費者契約法（以下「新法」という。）第4条第
　4項及び第5項（第3号に係る部分に限る。）（これらの規定を新法第5条第1
　項において準用する場合を含む。）の規定は、この法律の施行前にされた消費
　者契約の申込み又はその承諾の意思表示については、適用しない。
2　この法律の施行前にされた消費者契約の申込み又はその承諾の意思表示に
　係る取消権については、新法第7条第1項の規定にかかわらず、なお従前の例
　による。
3　この法律の施行前に締結された消費者契約の条項については、新法第8条第
　1項第3号及び第4号の規定にかかわらず、なお従前の例による。
4　新法第8条の2の規定は、この法律の施行前に締結された消費者契約の条項
　については、適用しない。
第3条　附則第1条第2号に掲げる規定による改正後の消費者契約法第6条の
　2の規定は、同号に掲げる規定の施行前に消費者契約に基づく債務の履行とし
　て給付がされた場合におけるその給付を受けた消費者の返還の義務について

は、適用しない。

（政令への委任）

第4条　前2条に定めるもののほか、この法律の施行に伴い必要な経過措置は、政令で定める。

（検討）

第5条　政府は、消費者の被害の状況、消費者の利益の擁護を図るための諸施策の実施の状況その他社会経済情勢の変化を勘案しつつ、新法の施行の状況について検討を加え、必要があると認めるときは、その結果に基づいて所要の措置を講ずるものとする。

（民法の一部を改正する法律の施行に伴う関係法律の整備等に関する法律の一部改正）

第6条　民法の一部を改正する法律の施行に伴う関係法律の整備等に関する法律の一部を次のように改正する。

　第98条のうち、消費者契約法第4条第5項の改正規定中「第4条第5項」を「第4条第6項」に改め、同法第8条の改正規定の次に次のように加える。

　第8条の2を次のように改める。

　（消費者の解除権を放棄させる条項の無効）

　第8条の2　事業者の債務不履行により生じた消費者の解除権を放棄させる消費者契約の条項は、無効とする。

　第99条第1項中「第4条第5項」を「第4条第6項」に改め、同条第2項中「第8条」の下に「、第8条の2」を加える。

　　　附　　則（平成29年6月2日法律第43号）抄

（施行期日）

第1条　この法律は、平成29年10月1日から施行する。ただし、附則第5条の規定は、公布の日から施行する。

（消費者契約法の一部改正に伴う経過措置）

第2条　この法律の施行の際現に第2条の規定による改正前の消費者契約法第13条第1項の認定を受けている者（次条において「既存適格消費者団体」という。）に係る当該認定の有効期間については、その満了の日までの間は、第2条の規定による改正後の消費者契約法第17条第1項の規定にかかわらず、なお従前の例による。

556 第2編 関係法令等 第1章 消費者契約法 (平成12年法律第61号)

（政令への委任）
第5条 前3条に定めるもののほか、この法律の施行に関し必要な経過措置は、政令で定める。

附　則（平成29年6月2日法律第45号）抄

この法律は、民法改正法の施行の日から施行する。ただし、第103条の2、第103条の3、第267条の2、第267条の3及び第362条の規定は、公布の日から施行する。

附　則（平成30年6月15日法律第54号）抄

（施行期日）
第1条 この法律は、公布の日から起算して1年を経過した日から施行する。ただし、附則第3条及び第5条の規定は、公布の日から施行する。
（経過措置）
第2条 この法律の施行前にされた消費者契約の申込み又はその承諾の意思表示については、この法律による改正後の消費者契約法（以下「新法」という。）第4条第2項（新法第5条第1項において準用する場合を含む。）の規定にかかわらず、なお従前の例による。
2 新法第4条第3項第3号から第8号まで（これらの規定を新法第5条第1項において準用する場合を含む。）の規定は、この法律の施行前にされた消費者契約の申込み又はその承諾の意思表示については、適用しない。
3 この法律の施行前に締結された消費者契約の条項については、新法第8条第1項及び第8条の2の規定にかかわらず、なお従前の例による。
4 新法第8条の3の規定は、この法律の施行前に締結された消費者契約の条項については、適用しない。
（政令への委任）
第3条 前条に定めるもののほか、この法律の施行に伴い必要な経過措置は、政令で定める。
（検討）
第4条 政府は、消費者の被害の状況、消費者の利益の擁護を図るための諸施策の実施の状況その他社会経済情勢の変化を勘案しつつ、新法の施行の状況について検討を加え、必要があると認めるときは、その結果に基づいて所要の措置

を講ずるものとする。

　　　附　則（令和4年6月1日法律第59号）抄

（施行期日）
第1条　この法律は、公布の日から起算して1年を経過した日から施行する。ただし、次の各号に掲げる規定は、当該各号に定める日から施行する。
　　一　第1条中消費者契約法第13条第5項の改正規定、同法第14条第2項第8号の改正規定、同法第18条の改正規定、同法第19条の改正規定、同法第20条第4項の改正規定、同法第31条の改正規定、同法第34条の改正規定、同法第35条の改正規定、同法第50条の改正規定、同法第51条の改正規定、同法第52条第1項の改正規定及び同法第53条の改正規定並びに第2条の規定並びに次条第5項から第7項まで並びに附則第3条、第4条及び第7条から第9条までの規定　公布の日から起算して1年6月を超えない範囲内において政令で定める日
　　二　附則第5条の規定　公布の日
（消費者契約法の一部改正に伴う経過措置）
第2条　第1条の規定による改正後の消費者契約法（以下この条において「新消費者契約法」という。）第4条第3項第3号及び第4号（これらの規定を消費者契約法第5条第1項において準用する場合を含む。）の規定は、この法律の施行の日（次項から第4項までの規定において「施行日」という。）以後にされる消費者契約（消費者契約法第2条第3項に規定する消費者契約をいう。次項及び第3項において同じ。）の申込み又はその承諾の意思表示について適用する。
2　新消費者契約法第4条第3項第9号（消費者契約法第5条第1項において準用する場合を含む。）の規定は、施行日以後にされる消費者契約の申込み又はその承諾の意思表示について適用し、施行日前にされた消費者契約の申込み又はその承諾の意思表示については、なお従前の例による。
3　新消費者契約法第8条第3項の規定は、施行日以後に締結される消費者契約の条項について適用する。
4　新消費者契約法第12条の5の規定は、施行日以後にされる新消費者契約法第12条第3項又は消費者契約法第12条第4項の規定による請求について適用する。
5　新消費者契約法第19条第4項の規定は、前条第1号に掲げる規定の施行の日

558　第2編　関係法令等　第1章　消費者契約法（平成12年法律第61号）

（以下この条から附則第4条までにおいて「第1号施行日」という。）以後にされる同項の申請について適用し、第1号施行日前にされた第1条の規定による改正前の消費者契約法（次項において「旧消費者契約法」という。）第19条第4項の申請については、なお従前の例による。

6　新消費者契約法第20条第4項の規定は、第1号施行日以後にされる同項の申請について適用し、第1号施行日前にされた旧消費者契約法第20条第4項の申請については、なお従前の例による。

7　新消費者契約法第31条第1項、第2項及び第5項の規定は、第1号施行日以後に開始する事業年度に係る同条第1項に規定する書類について適用し、第1号施行日前に開始した事業年度に係る書類については、なお従前の例による。

（罰則に関する経過措置）

第4条　第1号施行日前にした行為及びこの附則（附則第2条第2項を除く。）の規定によりなお従前の例によることとされる場合における第1号施行日以後にした行為に対する罰則の適用については、なお従前の例による。

（政令への委任）

第5条　前3条に定めるもののほか、この法律の施行に伴い必要な経過措置（罰則に関する経過措置を含む。）は、政令で定める。

（検討）

第6条　政府は、この法律の施行後5年を経過した場合において、この法律による改正後の規定の施行の状況について検討を加え、必要があると認めるときは、その結果に基づいて必要な措置を講ずるものとする。

　　　附　則（令和4年6月17日法律第68号）抄

（施行期日）

1　この法律は、刑法等一部改正法施行日から施行する。ただし、次の各号に掲げる規定は、当該各号に定める日から施行する。

一　第509条の規定　公布の日

　　　附　則（令和4年12月16日法律第99号）抄

（施行期日）

第1条　この法律は、公布の日から起算して20日を経過した日から施行する。

559

（消費者契約法の一部改正に伴う経過措置）

第2条 第1条の規定による改正後の消費者契約法（以下この条において「新法」という。）第4条第3項第6号（消費者契約法第5条第1項において準用する場合を含む。）の規定は、この法律の施行の日以後にされる消費者契約の申込み又はその承諾の意思表示について適用し、同日前にされた消費者契約の申込み又はその承諾の意思表示については、なお従前の例による。

2 新法第7条第1項の規定は、この法律の施行前にされた消費者契約の申込み又はその承諾の意思表示に係る取消権についても、適用する。ただし、第1条の規定による改正前の消費者契約法第7条第1項に規定する取消権の時効がこの法律の施行の際既に完成していた場合は、この限りでない。

（検討）

第3条 政府は、この法律の施行後5年を経過した場合において、この法律による改正後の規定の施行の状況について検討を加え、必要があると認めるときは、その結果に基づいて必要な措置を講ずるものとする。

第2章　消費者契約法施行令（平成19年政令第107号）

（法第13条第 5 項第 1 号の政令で定める法律）

第 1 条　消費者契約法（以下「法」という。）第13条第 5 項第 1 号の政令で定める法律は、次のとおりとする。

一　担保付社債信託法（明治38年法律第52号）

二　金融機関の信託業務の兼営等に関する法律（昭和18年法律第43号）

三　私的独占の禁止及び公正取引の確保に関する法律（昭和22年法律第54号）

四　農業協同組合法（昭和22年法律第132号）

五　金融商品取引法（昭和23年法律第25号）

六　消費生活協同組合法（昭和23年法律第200号）

七　水産業協同組合法（昭和23年法律第242号）

八　中小企業等協同組合法（昭和24年法律第181号）

九　協同組合による金融事業に関する法律（昭和24年法律第183号）

十　放送法（昭和25年法律第132号）

十一　質屋営業法（昭和25年法律第158号）

十二　商品先物取引法（昭和25年法律第239号）

十三　信用金庫法（昭和26年法律第238号）

十四　宅地建物取引業法（昭和27年法律第176号）

十五　旅行業法（昭和27年法律第239号）

十六　労働金庫法（昭和28年法律第227号）

十七　出資の受入れ、預り金及び金利等の取締りに関する法律（昭和29年法律第195号）

十八　割賦販売法（昭和36年法律第159号）

十九　不当景品類及び不当表示防止法（昭和37年法律第134号）

二十　積立式宅地建物販売業法（昭和46年法律第111号）

二十一　警備業法（昭和47年法律第117号）

二十二　大都市地域における住宅及び住宅地の供給の促進に関する特別措置

法（昭和50年法律第67号）

二十三　特定商取引に関する法律（昭和51年法律第57号）

二十四　銀行法（昭和56年法律第59号）

二十五　貸金業法（昭和58年法律第32号）

二十六　電気通信事業法（昭和59年法律第86号）

二十七　預託等取引に関する法律（昭和61年法律第62号）

二十八　商品投資に係る事業の規制に関する法律（平成３年法律第66号）

二十九　ゴルフ場等に係る会員契約の適正化に関する法律（平成４年法律第53号）

三十　特定優良賃貸住宅の供給の促進に関する法律（平成５年法律第52号）

三十一　不動産特定共同事業法（平成６年法律第77号）

三十二　保険業法（平成７年法律第105号）

三十三　中心市街地の活性化に関する法律（平成10年法律第92号）

三十四　住宅の品質確保の促進等に関する法律（平成11年法律第81号）

三十五　金融サービスの提供に関する法律（平成12年法律第101号）

三十六　農林中央金庫法（平成13年法律第93号）

三十七　信託業法（平成16年法律第154号）

三十八　探偵業の業務の適正化に関する法律（平成18年法律第60号）

三十九　株式会社日本政策金融公庫法（平成19年法律第57号）

四十　株式会社商工組合中央金庫法（平成19年法律第74号）

四十一　資金決済に関する法律（平成21年法律第59号）

四十二　株式会社国際協力銀行法（平成23年法律第39号）

四十三　食品表示法（平成25年法律第70号）

四十四　住宅宿泊事業法（平成29年法律第65号）

四十五　特定複合観光施設区域整備法（平成30年法律第80号）

四十六　法人等による寄附の不当な勧誘の防止等に関する法律（令和４年法律第105号）

（法第13条第５項第６号イの政令で定める法律）

第２条　法第13条第５項第６号イの政令で定める法律は、前条各号に掲げるもののほか、無限連鎖講の防止に関する法律（昭和53年法律第101号）とする。

（消費者庁長官に委任されない権限）

第３条　法第48条の２の政令で定める権限は、法第13条第１項、第17条第２項、

562　第2編　関係法令等　第2章　消費者契約法施行令（平成19年政令第107号）

第19条第3項、第20条第3項、第34条第1項及び第3項並びに第35条第1項及び第4項から第7項までの規定による権限とする。

　　　附　則

この政令は、消費者契約法の一部を改正する法律（平成18年法律第56号）の施行の日（平成19年6月7日）から施行する。

　　　附　則（平成19年8月3日政令第233号）　抄

（施行期日）
第1条　この政令は、改正法の施行の日から施行する。

　　　附　則（平成19年8月3日政令第235号）　抄

（施行期日）
第1条　この政令は、平成19年10月1日から施行する。
（消費者契約法第13条第5項第1号及び第6号イの法律を定める政令の一部改正に伴う経過措置）
第40条　旧簡易生命保険法又は整備法第2条の規定による廃止前の日本郵政公社による原動機付自転車等責任保険募集の取扱いに関する法律（平成12年法律第69号）の規定（整備法附則第117条の規定によりなお従前の例によることとされる場合におけるこれらの規定を含む。）に違反して罰金の刑に処せられた者については、第100条の規定による改正後の消費者契約法第13条第5項第1号及び第6号イの法律を定める政令第2条の規定にかかわらず、なお従前の例による。

　　　附　則（平成19年9月20日政令第292号）

この政令は、公布の日から施行する。

　　　附　則（平成19年11月7日政令第329号）　抄

（施行期日）
第1条　この政令は、貸金業の規制等に関する法律等の一部を改正する法律（以下「改正法」という。）の施行の日（平成19年12月19日。以下「施行日」という。）から施行する。

附　則（平成19年12月14日政令第373号）　抄

（施行期日）
第1条　この政令は、平成20年4月1日から施行する。

附　則（平成20年9月19日政令第297号）　抄

（施行期日）
第1条　この政令は、平成20年10月1日から施行する。

附　則（平成20年9月24日政令第304号）

この政令は、平成20年10月1日から施行する。

附　則（平成21年8月14日政令第217号）　抄

（施行期日）
1　この政令は、消費者庁及び消費者委員会設置法の施行の日（平成21年9月1日）から施行する。

附　則（平成22年9月10日政令第196号）　抄

（施行期日）
第1条　この政令は、改正法の施行の日（平成23年1月1日）から施行する。
（消費者契約法施行令の一部改正に伴う経過措置）
第4条　旧海外商品先物取引法の規定（改正法附則第3条の規定によりなおその効力を有することとされる場合及び改正法附則第25条の規定によりなお従前の例によることとされる場合における旧海外商品先物取引法の規定を含む。）又はこれに基づく処分に違反して罰金の刑に処せられた者については、第14条の規定による改正後の消費者契約法施行令第1条の規定にかかわらず、なお従前の例による。

附　則（平成23年7月29日政令第237号）

（施行期日）
1　この政令は、高齢者の居住の安定確保に関する法律等の一部を改正する法律（次項において「改正法」という。）の施行の日（平成23年10月20日）から施行

564　第2編　関係法令等　第2章　消費者契約法施行令（平成19年政令第107号）

する。

（消費者契約法施行令の一部改正に伴う経過措置）

2　改正法第1条の規定による改正前の高齢者の居住の安定確保に関する法律（以下この項において「旧法」という。）の規定（改正法附則第7条の規定によりなお従前の例によることとされる場合における旧法の規定を含む。）に違反して罰金の刑に処せられた者については、第6条の規定による改正後の消費者契約法施行令第1条の規定にかかわらず、なお従前の例による。

　　　附　　則（平成23年12月26日政令第423号）　抄

（施行期日）

第1条　この政令は、平成24年4月1日から施行する。

　　　附　　則（平成27年3月6日政令第68号）　抄

（施行期日）

第1条　この政令は、法の施行の日（平成27年4月1日）から施行する。

　　　附　　則（平成28年2月3日政令第40号）　抄

（施行期日）

1　この政令は、電気通信事業法等の一部を改正する法律の施行の日（平成28年5月21日）から施行する。

　　　附　　則（令和3年6月2日政令第162号）　抄

（施行期日）

1　この政令は、金融サービスの利用者の利便の向上及び保護を図るための金融商品の販売等に関する法律等の一部を改正する法律（以下「改正法」という。）の施行の日（令和3年11月1日）から施行する。

　　　附　　則（令和4年1月4日政令第4号）　抄

（施行期日）

1　この政令は、消費者被害の防止及びその回復の促進を図るための特定商取引に関する法律等の一部を改正する法律の施行の日（令和4年6月1日）から施行する。

附　　則　（令和5年1月18日政令第6号）

（施行期日）
1　この政令は、公布の日から起算して1月を経過した日から施行する。
　（経過措置）
2　この政令の施行の際現に消費者契約法第13条第1項の認定を受けている者
　に対する同法第33条第2項の規定による命令又は同法第34条第1項（第3号に
　係る部分に限る。）の規定による当該認定の取消しについては、この政令の施
　行の日の属する事業年度の終了後最初に招集される特定非営利活動促進法（平
　成10年法律第7号）第14条の2に規定する通常社員総会又は一般社団法人及び
　一般財団法人に関する法律（平成18年法律第48号）第36条第1項に規定する定
　時社員総会の終結の時までは、なお従前の例による。

　　　附　　則　（令和5年3月29日政令第84号）

　この政令は、法人等による寄附の不当な勧誘の防止等に関する法律（令和4年
法律第105号）附則第1条第2号に掲げる規定の施行の日（令和5年4月1日）か
ら施行する。

第3章　消費者契約法施行規則（平成19年内閣府令第17号）

（定義）

第1条　この府令において使用する用語は、消費者契約法（以下「法」という。）において使用する用語の例による。

（相談を行うための方法）

第1条の2　法第4条第3項第4号の内閣府令で定める方法は、次に掲げる方法その他の消費者が消費者契約を締結するか否かについて相談を行うために事業者以外の者と連絡する方法として通常想定されるものとする。

一　電話

二　電子メール（特定電子メールの送信の適正化等に関する法律（平成14年法律第26号）第2条第1号に規定する電子メールをいう。以下同じ。）その他のその受信をする者を特定して情報を伝達するために用いられる電気通信（電気通信事業法（昭和59年法律第86号）第2条第1号に規定する電気通信をいう。）を送信する方法

（消費者契約の条項の開示要請に係る手続）

第1条の3　法第12条の3第1項の規定による要請は、次に掲げる事項を記載し、又は記録した書面又は電磁的記録を交付し、又は提供して行うものとする。

一　名称及び住所並びに代表者の氏名

二　電話番号、電子メールアドレス（電子メールの利用者を識別するための文字、番号、記号その他の符号をいう。以下同じ。）及びファクシミリの番号（差止請求関係業務においてファクシミリ装置を用いて送受信しようとする場合に限る。以下同じ。）

三　当該事業者又はその代理人の氏名又は名称

四　法第12条の3第1項の規定による要請である旨

五　要請の理由

六　開示を要請する消費者契約の条項の要旨

七　希望する開示の実施の方法及び開示を実施するために必要な事項

（損害賠償の額を予定する条項等に関する説明の要請に係る手続）

第1条の4　法第12条の4第1項の規定による要請は、次に掲げる事項を記載し、又は記録した書面又は電磁的記録を交付し、又は提供して行うものとする。

一　名称及び住所並びに代表者の氏名

二　電話番号、電子メールアドレス及びファクシミリの番号

三　当該事業者又はその代理人の氏名又は名称

四　法第12条の4第1項の規定による要請である旨

五　要請の理由

六　希望する説明の実施の方法

（差止請求に係る講じた措置の開示要請に係る手続）

第1条の5　法第12条の5第1項の規定による要請は、次に掲げる事項を記載し、又は記録した書面又は電磁的記録を交付し、又は提供して行うものとする。

一　名称及び住所並びに代表者の氏名

二　電話番号、電子メールアドレス及びファクシミリの番号

三　当該事業者又はその代理人の氏名又は名称

四　法第12条の5第1項の規定による要請である旨

五　当該事業者又はその代理人が負う法第12条第3項又は第4項の規定に規定する行為の停止若しくは予防又は当該行為の停止若しくは予防に必要な措置をとる義務の内容

六　希望する開示の実施の方法

（特定の事業者の関係者の範囲）

第2条　法第13条第3項（法第17条第6項、法第19条第6項及び法第20条第6項において準用する場合を含む。以下同じ。）第4号ロ(1)の内閣府令で定める特別の関係は、次に掲げる関係とする。

一　2の事業者のいずれか一方の事業者が他方の事業者の発行済株式又は出資（その有する自己の株式又は出資を除く。以下「発行済株式等」という。）の総数（出資にあっては、総額。以下同じ。）の2分の1以上の株式（出資を含む。以下同じ。）の数（出資にあっては、金額。以下同じ。）を直接又は間接に保有する関係

二　2の事業者が同一の者によってそれぞれの事業者の発行済株式等の総数の2分の1以上の株式の数を直接又は間接に保有される関係がある場合における当該2の事業者の関係（第1号に掲げる関係に該当するものを除く。）

568　第２編　関係法令等　第３章　消費者契約法施行規則（平成19年内閣府令第17号）

２　前項第１号の場合において、一方の事業者が他方の事業者の発行済株式等の総数の２分の１以上の株式の数を直接又は間接に保有するかどうかの判定は、当該一方の事業者の当該他方の事業者に係る直接保有の株式の保有割合（当該一方の事業者の有する当該他方の事業者の株式の数が当該他方の事業者の発行済株式等の総数のうちに占める割合をいう。）と当該一方の事業者の当該他方の事業者に係る間接保有の株式の保有割合（次の各号に掲げる場合の区分に応じ当該各号に定める割合（当該各号に掲げる場合のいずれにも該当する場合には、当該各号に定める割合の合計割合）をいう。）とを合計した割合により行うものとする。

一　当該他方の事業者の株主等（株主又は合名会社、合資会社若しくは合同会社の社員その他法人の出資者をいう。以下本項において同じ。）である法人の発行済株式等の総数の２分の１以上の株式の数が当該一方の事業者により所有されている場合　当該株主等である法人の有する当該他方の事業者の株式の数が当該他方の事業者の発行済株式等の総数のうちに占める割合（当該株主等である法人が２以上ある場合には、当該２以上の株主等である法人につきそれぞれ計算した割合の合計割合）

二　当該他方の事業者の株主等である法人（前号に掲げる場合に該当する同号の株主等である法人を除く。）と当該一方の事業者との間にこれらの者と発行済株式等の所有を通じて連鎖関係にある１又は２以上の法人（以下この号において「出資関連法人」という。）が介在している場合（出資関連法人及び当該株主等である法人がそれぞれその発行済株式等の総数の２分の１以上の株式の数を当該一方の事業者又は出資関連法人（その発行済株式等の総数の２分の１以上の株式の数が当該一方の事業者又は他の出資関連法人によって所有されているものに限る。）によって所有されている場合に限る。）当該株主等である法人の有する当該他方の事業者の株式の数が当該他方の事業者の発行済株式等の総数のうちに占める割合（当該株主等である法人が２以上ある場合には、当該２以上の株主等である法人につきそれぞれ計算した割合の合計割合）

３　前項の規定は、第１項第２号の関係の判定について準用する。

４　法第13条第３項第４号ロ(1)の内閣府令で定める者は、次に掲げる者とする。

一　当該事業者及びその役員又は職員である者

二　過去２年間に前号に掲げる者であった者

5 法第13条第3項第4号ロ(1)に掲げる要件の判定に当たっては、当該者の責めに帰することのできない事由により当該要件を満たさないこととなった場合において、その後遅滞なく当該要件を満たしていると認められるときは、当該要件を継続して満たしているものとみなす。

（事業の区分）

第3条 法第13条第3項第4号ロ(2)の内閣府令で定める事業の区分は、統計法第28条の規定に基づき、産業に関する分類を定める件（平成25年総務省告示第405号）に定める日本標準産業分類に掲げる中分類01－農業から中分類71－学術・開発研究機関まで及び中分類73－広告業から中分類99－分類不能の産業までに属する事業にあっては当該各中分類により分類するものとし、中分類72－専門サービス業（他に分類されないもの）に属する事業にあっては中分類72－専門サービス業（他に分類されないもの）（法律事務所及び司法書士事務所に限る。）と中分類72－専門サービス業（他に分類されないもの）（法律事務所及び司法書士事務所を除く。）とに分類するものとする。ただし、内閣総理大臣が、事業活動の態様等を勘案し、差止請求関係業務の公正かつ適正な遂行に支障を及ぼすおそれがないと認めて別の区分を告示したときは、その区分とする。

2 前条第5項の規定は、法第13条第3項第4号ロ(2)に掲げる要件の判定について準用する。

（消費生活に関する事項について専門的な知識経験を有する者に係る要件）

第4条 法第13条第3項第5号イの内閣府令で定める条件は、次の各号のいずれかに該当するものとする。

一 消費者安全法（平成21年法律第50号）第10条の3第1項の消費生活相談員資格試験に合格し、かつ、同条第2項に規定する消費生活相談に応ずる業務に従事した期間が通算して1年以上の者

二 次に掲げるいずれかの資格を有し、かつ、消費生活相談に応ずる業務に従事した期間が通算して1年以上の者

　イ 独立行政法人国民生活センターが付与する消費生活専門相談員の資格

　ロ 一般財団法人日本産業協会が付与する消費生活アドバイザーの資格

　ハ 一般財団法人日本消費者協会が付与する消費生活コンサルタントの資格

三 前2号に掲げる条件と同等以上のものと内閣総理大臣が認めたもの

（法律に関する専門的な知識経験を有する者に係る要件）

第5条 法第13条第3項第5号ロの内閣府令で定める条件は、次の各号のいずれか一に該当するものとする。

一 弁護士

二 司法書士

三 学校教育法（昭和22年法律第26号）に定める大学の学部、専攻科又は大学院において民事法学その他の差止請求の要否及びその内容についての検討に関する科目を担当する教授、准教授、助教又は講師（非常勤の者を除く。）の職にある者

四 前各号に掲げる条件と同等以上のものと内閣総理大臣が認めたもの

（業務規程の記載事項）

第6条 法第13条第4項（法第17条第6項、法第19条第6項及び法第20条第6項において準用する場合を含む。）の内閣府令で定める事項は、次のとおりとする。

一 差止請求関係業務の実施の方法に関する事項として次に掲げる事項

イ 不特定かつ多数の消費者の利益のために差止請求権を行使する業務の実施の方法に関する事項

ロ イの業務の遂行に必要な消費者の被害に関する情報の収集に係る業務（第21条第1項第3号において「消費者被害情報収集業務」という。）の実施の方法に関する事項

ハ 消費者の被害の防止及び救済に資する差止請求権の行使の結果に関する情報の収集及び提供に係る業務（第21条第1項第4号において「差止請求情報収集提供業務」という。）の実施の方法に関する事項

ニ 法第13条第3項第5号の検討を行う部門における専門委員からの助言又は意見の聴取に関する措置及び役員、職員又は専門委員が差止請求に係る相手方と特別の利害関係を有する場合の措置その他業務の公正な実施の確保に関する措置に関する事項

ホ 適格消費者団体であることを疎明する方法に関する事項

ヘ その他必要な事項

二 適格消費者団体相互の連携協力に関する事項（法第23条第4項の通知及び報告の方法に関する事項並びに第17条第15号に規定する行為に係る当該通知及び報告の方針に関する事項を含む。）

三 役員及び専門委員の選任及び解任その他差止請求関係業務に係る組織、運営その他の体制に関する事項

四 差止請求関係業務に関して知り得た情報の管理及び秘密の保持の方法に関する事項

五 法第30条の帳簿書類の管理に関する事項

六 法第31条第2項各号に掲げる書類の備置き及び閲覧等の方法に関する事項

七 その他差止請求関係業務の実施に関し必要な事項

（認定の申請書の記載事項）

第7条 法第14条（法第17条第6項、法第19条第6項及び法第20条第6項において準用する場合を含む。以下同じ。）第1項第3号の内閣府令で定める事項は、次に掲げる事項とする。

一 電話番号、電子メールアドレス及びファクシミリの番号

二 法第14条第1項第2号の事務所の電話番号、電子メールアドレス及びファクシミリの番号

三 法人番号（行政手続における特定の個人を識別するための番号の利用等に関する法律（平成25年法律第27号）第2条第15項に規定する法人番号をいう。）

（認定の申請書の添付書類）

第8条 法第14条第2項第6号ロの内閣府令で定める事項は、役員、職員及び専門委員の電話番号その他の連絡先とする。

2 法第14条第2項第8号ロの内閣府令で定める書類は、一般社団法人及び一般財団法人に関する法律（平成18年法律第48号）第123条第2項（同法第199条において準用する場合を含む。）に規定する損益計算書であって、公益社団法人及び公益財団法人の認定等に関する法律（平成18年法律第49号）第5条に規定する公益認定を受けている者が作成したものとする。

3 法第14条第2項第11号の内閣府令で定める書類は、次に掲げる書類とする。

一 申請者の登記事項証明書

二 差止請求関係業務を実施することとなる機関、部門その他の組織において当該組織が分掌することとなる事務に相当又は類似する活動をしていることを示す活動に係る議事録

三 役員及び専門委員の住所又は居所を証する次に掲げる書類であって、申請

の日前 6 月以内に作成されたもの

　イ　当該役員又は専門委員が住民基本台帳法（昭和42年法律第81号）の適用を受ける者である場合にあっては、同法第12条第 1 項に規定する住民票の写し又はこれに代わる書類

　ロ　当該役員又は専門委員がイに該当しない者である場合にあっては、当該役員又は専門委員の住所又は居所を証する権限のある官公署が発給する文書（外国語で作成されている場合にあっては、翻訳者を明らかにした訳文を添付したもの）又はこれに代わる書類

四　理事の構成が法第13条第 3 項第 4 号ロ(1)又は(2)のいずれかに該当するものでないことを説明した書類（次に掲げる事項の説明を含む。）

　イ　各理事が、事業者及びその役員若しくは職員である者又は過去 2 年間に事業者及びその役員若しくは職員であった者（ハにおいて「過去の関係者」という。）に該当するか否か並びに該当する場合における当該事業者（以下本号において「各理事の関係する事業者」という。）の氏名又は名称、主たる事務所の所在地及びその行う事業の内容

　ロ　各理事の関係する事業者の間の第 2 条第 1 項各号に掲げる特別の関係の有無及びその内容

　ハ　各理事の関係する事業者の行う事業が属する業種（当該事業者が 2 以上の業種に属する事業を行っている場合には、主要な事業が属する業種及び各理事が担当する事業が属する業種（各理事が過去の関係者に該当する場合にあっては、各理事が直近において担当していた事業で現に当該事業者が行っているものが属する業種））

　ニ　法第13条第 3 項第 4 号ロ後段の規定の適用を受けようとする場合にあっては、その適用に係る各理事の関係する事業者が同項第 2 号に掲げる要件に適合する者であることを証する書類

五　専門委員が第 4 条及び第 5 条に定める要件に適合することを証する書類

（公告の方法）

第 9 条　法第15条第 1 項（法第17条第 6 項、法第19条第 6 項及び法第20条第 6 項において準用する場合を含む。以下この条において同じ。）の規定による公告は、法第15条第 1 項に規定する事項並びに同項の規定により公衆の縦覧に供すべき書類の縦覧の期間及び場所について、消費者庁の掲示板への掲示、インターネットを利用して公衆の閲覧に供する方法その他の方法により行うもの

とする。

（公示の方法）

第10条 法第16条第 1 項（法第17条第 6 項、法第19条第 6 項及び法第20条第 6 項
において準用する場合を含む。第29条第 1 号において同じ。）、法第19条第 8 項、
法第20条第 8 項、法第21条第 2 項、法第34条第 5 項及び法第35条第10項の規定
による公示は、官報に掲載することによって行う。

（適格消費者団体である旨の掲示）

第11条 法第16条第 2 項の規定による掲示は、適格消費者団体の名称及び「適格
消費者団体」の文字について、その事務所の入口又は受付の付近の見やすい場
所にしなければならない。

（変更の届出）

第12条 法第18条の規定により法第14条第 1 項各号に掲げる事項又は同条第 2
項各号（第 2 号及び第11号を除く。以下この条において同じ。）に掲げる書類に
記載した事項の変更の届出をしようとする者は、次の事項を記載した届出書を
提出しなければならない。

一　名称及び住所並びに代表者の氏名

二　変更した内容

三　変更の年月日

四　変更を必要とした理由

2　前項の届出書には、次の各号に掲げる場合に応じ、当該各号に定める書類を
添付しなければならない。

一　法第14条第 2 項各号に掲げる書類に記載した事項に変更があった場合変
更後の事項を記載した当該書類

二　法第14条第 1 項各号に掲げる事項又は同条第 2 項各号に掲げる書類に記
載した事項の変更に伴い第 8 条第 3 項に掲げる書類の内容に変更を生じた
場合　変更後の内容に係る当該書類（第 8 条第 3 項第 3 号に掲げる書類に
あっては、役員又は専門委員が新たに就任した場合（再任された場合を除
く。）に限る。）

3　法第18条の内閣府令で定める軽微な変更は、次に掲げる事項の変更とする。

一　法第14条第 2 項第 6 号ロの書類に記載した事項

二　法第14条第 2 項第 7 号の書類に記載した事項のうち次に掲げるもの

イ　適格消費者団体である法人の社員（個人に限る。）の数（その変更後の数

が、法第13条第 1 項の認定、法第17条第 2 項の有効期間の更新若しくは法第19条第 3 項若しくは法第20条第 3 項の認可を受けたとき、法第18条の規定による届出をしたとき又は法第31条第 5 項の規定による提出をしたときの社員（個人に限る。）の数のうち最近のものよりも10分の 1 以上増加し、又は減少した場合を除く。）

　ロ　社員が法人その他の団体である場合におけるその構成員の数

（通知及び報告の方法等）

第13条　法第23条第 4 項の規定による通知（同項第10号に掲げる場合に係るものを除く。）は、書面により行わなければならない。

2　法第23条第 4 項の規定による報告（同項第10号に掲げる場合に係るものを除く。）は、法第41条第 1 項に規定する書面、訴状若しくは申立書、判決書若しくは決定書、請求の放棄若しくは認諾、裁判上の和解又は調停の調書、仲裁判断書、準備書面その他その内容を示す書面（第15条第 1 項において「内容を示す書面」という。）の写しを添付した書面により行わなければならない。

3　法第23条第 4 項の規定による通知及び報告（それぞれ同項第10号に掲げる場合に係るものに限る。）は、第16条に規定する行為をしようとする日の 2 週間前までに、次の各号に掲げる事項を記載した書面により行わなければならない。

　一　当該行為をしようとする旨

　二　当該行為をしようとする日

　三　第16条第 3 号、第 7 号又は第 8 号に規定する行為をしようとする場合（民事訴訟法（平成 8 年法律第109号）第265条第 1 項の申立てをしようとするときを除く。）にあっては、相手方との間で成立することが見込まれる和解又は調停における合意の内容

4　前項に規定する「行為をしようとする日」とは、次の各号に掲げる場合における当該各号に定める日をいう。

　一　第16条第 1 号から第 3 号までに規定する行為をしようとする場合（次号から第 4 号までに規定する場合を除く。）　口頭弁論等の期日（民事訴訟法第261条第 3 項に規定する口頭弁論等の期日をいう。以下本項において同じ。）

　二　第16条第 3 号に規定する行為をしようとする場合であって、民事訴訟法第264条の規定に基づき裁判所又は受命裁判官若しくは受託裁判官から提示された和解条項案を受諾する旨の書面を提出しようとするとき　当該書面を

提出しようとする日

三　第16条第3号に規定する行為をしようとする場合であって、口頭弁論等の期日に出頭して前号の和解条項案を受諾しようとするとき　当該口頭弁論等の期日

四　第16条第3号に規定する行為をしようとする場合であって、民事訴訟法第265条第1項の申立てをしようとするとき　当該申立てをしようとする日

五　第16条第4号から第6号までに規定する行為をしようとする場合　口頭弁論等の期日又は期日外においてそれらの行為をしようとする日

六　第16条第7号に規定する行為をしようとする場合　当事者間で合意をしようとする調停の期日

七　第16条第8号に規定する行為をしようとする場合　仲裁廷に対し仲裁法（平成15年法律第138号）第38条第1項の申立てをしようとする日

5　第3項の通知及び報告の後、確定判決及びこれと同一の効力を有するものが存することとなるまでに、同項各号に掲げる事項に変更があった場合（その変更が客観的に明白な誤記、誤植又は脱字に係るものその他の内容の同一性を失わない範囲のものである場合を除く。）には、その都度、変更後の事項を記載した書面により、改めて通知及び報告をしなければならない。この場合においては、前2項の規定を準用する。

（消費者庁長官への報告事項）

第14条　法第23条第4項の内閣府令で定める事項は、差止請求に係る相手方から、法第23条第4項第4号から第9号まで及び第11号に規定する行為に関連して当該差止請求に係る相手方の行為の停止若しくは予防又は当該行為の停止若しくは予防に必要な措置をとった旨の連絡を受けた場合におけるその内容及び実施時期に係る情報（第28条第2号において「改善措置情報」という。）とする。

（通知及び報告に係る電磁的方法を利用する措置）

第15条　法第23条第4項に規定するすべての適格消費者団体及び内閣総理大臣が電磁的方法を利用して同一の情報を閲覧することができる状態に置く措置であって内閣府令で定めるものは、消費者庁長官が管理する電気通信設備の記録媒体に法第23条第4項前段に規定する事項、第13条第2項の内容を示す書面に記載された事項及び第13条第3項（同条第5項において準用する場合を含む。）各号に掲げる事項を内容とする情報を記録する措置であって、すべての

576　　第2編　関係法令等　第3章　消費者契約法施行規則（平成19年内閣府令第17号）

適格消費者団体及び消費者庁長官が当該情報を記録することができ、かつ、当該記録媒体に記録された当該情報をすべての適格消費者団体及び消費者庁長官が受信することができる方式のものとする。

2　適格消費者団体は、前項の措置を講ずるときは、あらかじめ、又は、同時に、当該措置を講じる旨又は講じた旨をすべての適格消費者団体及び消費者庁長官に通知するための電子メールを、消費者庁長官があらかじめ指定した電子メールアドレスあてに送信しなければならない。

3　法第23条第4項の通知及び報告が第1項の措置により行われたときは、消費者庁長官の管理に係る電気通信設備の記録媒体への記録がされた時にすべての適格消費者団体及び消費者庁長官に到達したものとみなす。

（差止請求に関する手続に係る行為）

第16条　法第23条第4項第10号の内閣府令で定める手続に係る行為は、次のとおりとする。

一　請求の放棄

二　請求の認諾

三　裁判上の和解

四　民事訴訟法第284条（同法第313条において準用する場合を含む。）の規定による権利の放棄

五　控訴をしない旨の合意又は上告をしない旨の合意

六　控訴、上告又は民事訴訟法第318条第1項の申立ての取下げ

七　調停における合意

八　仲裁法第38条第1項の申立て

第17条　法第23条第4項第11号の内閣府令で定める手続に係る行為は、次のとおりとする。

一　訴状（控訴状及び上告状を含む。）の補正命令若しくはこれに基づく補正又は却下命令

二　前号の却下命令に対する即時抗告、特別抗告若しくは許可抗告若しくはその即時抗告に対する抗告裁判所の決定に対する特別抗告若しくは許可抗告又はこれらの抗告についての決定の告知

三　再審の訴えの提起若しくは第1号の却下命令で確定したものに対する再審の申立て又はその再審の訴え若しくは再審の申立てについての決定の告知

四　前号の決定に対する即時抗告、特別抗告若しくは許可抗告若しくはその即時抗告に対する抗告裁判所の決定に対する特別抗告若しくは許可抗告又はこれらの抗告についての決定の告知

五　再審開始の決定が確定した場合における本案の裁判

六　仲裁判断の取消しの申立てについての決定の告知

七　前号の決定に対する即時抗告、特別抗告若しくは許可抗告若しくはその即時抗告に対する抗告裁判所の決定に対する特別抗告若しくは許可抗告又はこれらの抗告についての決定の告知

八　保全異議又は保全取消しの申立てについての決定の告知

九　前号の決定に対する保全抗告又はこれについての決定の告知

十　訴えの変更、反訴の提起又は中間確認の訴えの提起

十一　附帯控訴又は附帯上告の提起

十二　移送に関する決定の告知

十三　前号の決定に対する即時抗告、特別抗告若しくは許可抗告若しくはその即時抗告に対する抗告裁判所の決定に対する特別抗告若しくは許可抗告又はこれらの抗告についての決定の告知

十四　請求の放棄若しくは認諾、裁判上の和解、調停における合意又は仲裁法第38条第1項の和解の効力を争う手続の開始又は当該手続の終了

十五　攻撃又は防御の方法の提出その他の差止請求に関する手続に係る行為であって、当該適格消費者団体が差止請求権の適切な行使又は適格消費者団体相互の連携協力を図る見地から法第23条第4項の通知及び報告をすることを適当と認めたもの

（伝達の方法）

第18条　法第23条第5項に規定する内閣府令で定める方法は、次に掲げるものとする。

一　すべての適格消費者団体並びに消費者庁長官及び経済産業大臣が電磁的方法を利用して同一の情報を閲覧することができる状態に置く措置

二　書面の写しの交付、電子メールを送信する方法、ファクシミリ装置を用いた送信その他の消費者庁長官が適当と認める方法

（伝達事項）

第19条　法第23条第5項に規定する内閣府令で定める事項は、法第39条第1項の規定による情報の公表をした旨及びその年月日とする。

（差止請求関係業務を行うに当たり明らかにすべき事項）

第20条 法第26条に規定する内閣府令で定める事項は、次に掲げる事項とする。

一 弁護士の資格その他の自己の有する資格

二 法第23条第4項第2号に規定する差止請求をする場合にあっては、請求の要旨及び紛争の要点

（業務及び経理に関する帳簿書類）

第21条 法第30条に規定する内閣府令で定める業務及び経理に関する帳簿書類とは、次に掲げるものとする。

一 差止請求権の行使に関し、相手方との交渉の経過を記録したもの

二 差止請求権の行使に関し、適格消費者団体が訴訟、調停、仲裁、和解、強制執行、仮処分命令の申立てその他の手続の当事者となった場合、その概要及び結果を記録したもの

三 消費者被害情報収集業務の概要を記録したもの

四 差止請求情報収集提供業務の概要を記録したもの

五 前各号に規定する帳簿書類の作成に用いた関係資料のつづり

六 理事会の議事録並びに法第13条第3項第5号の検討を行う部門における検討の経過及び結果等を記録したもの

七 会計簿

八 会費、寄附金その他これらに類するもの（以下本号及び第25条第1項第1号及び第2項第1号において「会費等」という。）について、次に掲げる事項を記録したもの

　イ 会費等（ロに規定する寄附金を除く。）の納入、寄附その他これらに類するもの（以下本号及び第25条第1項第1号イ(3)及び(4)において「納入等」という。）をした者の氏名、住所及び職業（納入等をした者が法人その他の団体である場合には、その名称、主たる事務所の所在地及び当該団体の業務の種類）並びに当該会費等の金額及び納入等の年月日

　ロ 寄附金であってその寄附をした者の氏名を知ることができないもの（その寄附金を受け入れた時点における事業年度中の寄附をした者の氏名を知ることができない寄附金の総額が前事業年度の収入の総額の10分の1を超えない場合におけるものに限る。）を受け入れた年月日、当該年月日において受け入れた寄附金の募集の方法及びその金額

　ハ 会費等について定めた定款、規約その他これらに類するものの規定（第

25条第1項第1号イ(2)及びロ(2)において「会費等関係規定」という。)

九　法第28条第1項各号に規定する財産上の利益の受領について記録したもの

2　適格消費者団体が特定認定（消費者の財産的被害等の集団的な回復のための民事の裁判手続の特例に関する法律（平成25年法律第96号。以下「消費者裁判手続特例法」という。）第71条第1項に規定する特定認定をいう。第25条第2項において同じ。）を受けて被害回復関係業務（消費者裁判手続特例法第71条第2項に規定する被害回復関係業務をいう。以下同じ。）を行う場合における法第30条に規定する内閣府令で定める業務及び経理に関する帳簿書類とは、次に掲げるものとする。ただし、前項各号に掲げる帳簿書類と同一のものを作成し保存することとなる場合にあっては、この限りでない。

一　被害回復関係業務に関し、相手方との交渉の経過を記録したもの

二　被害回復裁判手続（消費者裁判手続特例法第2条第9号に規定する被害回復裁判手続をいう。第10号及び第24条第2号において同じ。）の概要及び結果を記録したもの

三　消費者裁判手続特例法第71条第2項第1号に掲げる業務の遂行に必要な消費者被害に関する情報の収集に係る業務の概要を記録したもの

四　消費者裁判手続特例法第71条第2項第1号に掲げる業務に付随する対象消費者等（消費者裁判手続特例法第26条第1項第10号に規定する対象消費者等をいう。第25条第2項第2号イにおいて同じ。）に対する情報の提供に係る業務の概要を記録したもの

五　前各号に規定する帳簿書類の作成に用いた関係資料のつづり

六　消費者裁判手続特例法第71条第4項第4号の検討を行う部門における検討の経過及び結果等を記録したもの

七　消費者裁判手続特例法第35条（消費者裁判手続特例法第57条第8項において準用する場合を含む。）により交付した書面の写し（電磁的記録を提供した場合は、その電磁的記録に記録された事項を記載した書面）

八　簡易確定手続授権契約（消費者裁判手続特例法第36条第1項に規定する簡易確定手続授権契約をいう。）及び訴訟授権契約（消費者裁判手続特例法第57条第4項に規定する訴訟授権契約をいう。）に関する契約書のつづり

九　特定適格消費者団体が消費者の財産的被害等の集団的な回復のための民事の裁判手続の特例に関する法律施行規則（平成27年内閣府令第62号）第8

条第1号ホに掲げる行為をすることについて、消費者裁判手続特例法第34条第1項及び第57条第1項の授権をした者の意思の表明があったことを証する書面（当該意思を確認するための措置を電磁的方法によって実施した場合にあっては、当該電磁的方法により記録された当該意思の表明があったことを証する情報を記載した書面）のつづり

九の二　消費者裁判手続特例法第82条第2項に規定する契約に関する契約書その他の報酬の額又は算定方法及び支払方法を証する資料（当該資料が電磁的記録をもって作成されている場合は、その電磁的記録に記録された事項を記載した書面）のつづり

十　被害回復裁判手続に係る金銭その他財産の管理について記録したもの

十一　被害回復関係業務の一部を委託した場合にあっては、事案ごとに次に掲げる事項を記録したもの

　イ　委託を受けた者の氏名又は名称及びその者を選定した理由

　ロ　委託した業務の内容

　ハ　委託に要した費用を支払った場合にあっては、その額

3　適格消費者団体は、前2項各号に掲げる帳簿書類を、各事業年度の末日をもって閉鎖するものとし、閉鎖後5年間当該帳簿書類を保存しなければならない。

第22条　削除

（財務諸表等の備置き）

第23条　適格消費者団体は、法第31条第2項の書類を、5年間事務所に備え置かなければならない。

（役職員等名簿の記載事項）

第24条　法第31条第2項第3号の内閣府令で定める事項は、次に掲げる事項とする。

一　前事業年度における報酬の有無

二　当該役員、職員及び専門委員について業務規程に定める役員、職員又は専門委員が差止請求に係る相手方又は被害回復裁判手続の相手方と特別の利害関係を有する場合の措置が講じられた場合における当該措置の内容

（経理に関する事項）

第25条　法第31条第2項第6号に規定する内閣府令で定める事項は、次に掲げる事項とする。

一　全ての収入について、その総額及び会費等、事業収入、借入金、その他の収入別の金額並びに次に掲げる事項

　　イ　第21条第1項第8号イに規定する会費等については、その種類及び当該種類ごとの次に掲げる事項

　　　(1)　総額

　　　(2)　会費等関係規定

　　　(3)　納入等をした者の総数及び個人又は法人その他の団体の別

　　　(4)　納入等をした者（その納入等をした会費等の金額の事業年度中の合計額が5万円を超える者に限る。）の氏名又は名称及び当該会費等の金額並びに納入等の年月日

　　ロ　第21条第1項第8号ロに規定する寄附金については、次に掲げる事項

　　　(1)　総額

　　　(2)　会費等関係規定

　　　(3)　寄附金を受け入れた年月日、当該年月日において受け入れた寄附金の募集の方法及びその金額

　　ハ　事業収入については、その事業の種類及び当該種類ごとの金額並びに当該種類ごとの収入の生ずる取引について、取引金額の最も多いものから順次その順位を付した場合におけるそれぞれ第1順位から第5順位までの取引に係る取引先、取引金額その他その内容に関する事項

　　ニ　借入金については、借入先及び当該借入先ごとの金額

二　全ての支出について、その総額及び支出の生ずる取引について、取引金額の最も多いものから順次その順位を付した場合におけるそれぞれ第1順位から第5順位までの取引に係る取引先、取引金額その他その内容に関する事項

2　適格消費者団体が特定認定を受けて被害回復関係業務を行う場合における法第31条第2項第6号の内閣府令で定める事項は、前項各号の規定にかかわらず、次に掲げる事項とする。

　一　全ての収入について、その総額及び会費等、被害回復関係業務による事業収入、被害回復関係業務以外の業務による事業収入、借入金、その他の収入別の金額並びに次に掲げる事項

　　イ　前項第1号イ、ロ及びニに掲げる事項

　　ロ　被害回復関係業務による事業収入については、その種類及び当該種類ご

582 第2編 関係法令等 第3章 消費者契約法施行規則（平成19年内閣府令第17号）

との金額

ハ 被害回復関係業務以外の業務による事業収入については、その事業の種類及び当該種類ごとの金額並びに当該種類ごとの収入の生ずる取引について、取引金額の最も多いものから順次その順位を付した場合におけるそれぞれ第1順位から第5順位までの取引の相手方、取引金額その他その内容に関する事項

二 全ての支出について、その総額及び被害回復関係業務に関する支出、その他の業務による支出別の金額並びに次に掲げる事項

イ 被害回復関係業務に関する支出については、その種類及び当該種類ごとの金額並びに対象消費者等に対する支出を除く支出について、支出金額の最も多いものから順次その順位を付した場合におけるそれぞれ第1順位から第5順位までの支出の相手方、支出金額その他その内容に関する事項

ロ その他の業務による支出については、支出金額の最も多いものから順次その順位を付した場合におけるそれぞれ第1順位から第5順位までの支出の相手方、支出金額その他その内容に関する事項

（電磁的記録に記録された事項を表示する方法）

第26条 法第31条第3項第3号の内閣府令で定める方法は、当該電磁的記録に記録された事項を紙面又は映像面に表示する方法とする。

（電磁的記録に記録された事項を提供するための電磁的方法）

第27条 法第31条第3項第4号の内閣府令で定める電磁的方法は、次に掲げるもののうち、適格消費者団体が業務規程で定めるものとする。

一 適格消費者団体の使用に係る電子計算機と法第31条第3項第4号に掲げる請求をした者（以下この条において「請求者」という。）の使用に係る電子計算機とを電気通信回線で接続した電子情報処理組織を使用する方法であって、当該電気通信回線を通じて情報が送信され、請求者の使用に係る電子計算機に備えられたファイルに当該情報が記録されるもの

二 電磁的記録媒体（電子的方式、磁気的方式その他人の知覚によっては認識することができない方式で作られる記録であって、電子計算機による情報処理の用に供されるものに係る記録媒体をいう。）をもって調製するファイルに情報を記録したものを請求者に交付する方法

2 前項各号に掲げる方法は、請求者がファイルへの記録を出力することによる書面を作成できるものでなければならない。

（公表する情報）

第28条 法第39条第1項の内閣府令で定める事項は、次に掲げる事項とする。

一 判決（確定判決と同一の効力を有するもの及び仮処分命令の申立てについての決定を含む。）又は裁判外の和解に当たらない事案であって、当該差止請求に関する相手方との間の協議が調ったと認められるものの概要

二 当該判決、裁判外の和解又は前号の事案に関する改善措置情報の概要

第29条 法第39条第2項の内閣府令で定める必要な情報は、次に掲げる情報とする。ただし、第2号イに掲げる書類（事業報告書に限る。）に被害回復関係業務の一部の委託に係る報酬の額が記載されている場合において、その額を公表することにより当該委託を受けた者の業務の遂行に支障を生ずるおそれのあるときにあっては、当該委託を受けた者の氏名又は名称を除いたものをもって足りるものとする。

一 法第16条第1項、法第19条第8項、法第20条第8項、法第21条第2項、法第34条第5項及び法第35条第10項の規定により公示した事項に係る情報

二 次に掲げる書類に記載された事項に係る情報

イ 法第31条第5項の規定により提出された書類

ロ 定款

ハ 業務規程

ニ 差止請求関係業務以外の業務を行う場合には、その業務の種類及び概要を記載した書類

（情報の提供の請求）

第30条 法第40条第1項の規定による情報の提供を受けようとする適格消費者団体は、次に掲げる事項（当該適格消費者団体が、独立行政法人国民生活センターから次条第1項第1号ロに掲げる情報の提供を受けようとする場合にあっては、第1号及び第3号から第6号までに掲げる事項。第8項及び第9項において同じ。）を記載した申請書を独立行政法人国民生活センター又は地方公共団体に提出しなければならない。

一 当該適格消費者団体の名称及び住所並びに代表者の氏名

二 提供を受けようとする情報に係る事業者又は消費者紛争を特定するために必要な事項

三 申請理由

四 提供される情報の利用目的並びに当該情報の管理の方法及び当該情報を

584　第２編　関係法令等　第３章　消費者契約法施行規則（平成19年内閣府令第17号）

　　　取り扱う者の範囲
　　五　希望する情報提供の範囲
　　六　希望する情報提供の実施の方法
２　前項第３号の申請理由には、当該適格消費者団体が収集した情報の概要その他の申請を理由づける事実等を具体的に記載しなければならない。
３　独立行政法人国民生活センター又は地方公共団体は、第１項の申請書の提出があった場合において、当該申請に相当の理由があると認めるときは、次条第１項各号に定める情報のうち必要と認められる範囲内の情報を提供するものとする。
４　独立行政法人国民生活センター又は地方公共団体は、消費生活相談に関する情報の提供をするに際しては、当該消費生活相談に関する情報が消費者の申出を要約したものであり、事実関係が必ずしも確認されたものではない旨を明らかにするものとする。
５　独立行政法人国民生活センター又は地方公共団体は、情報の提供をするに際しては、利用目的を制限し、提供された情報の活用の結果を報告することその他の必要な条件を付することができる。
６　独立行政法人国民生活センター又は地方公共団体は、第１項の申請に係る情報が、法第40条第２項の規定又は前項の規定により付そうとする制限又は条件に違反して使用されるおそれがあると認められるときは、当該情報を提供しないものとする。
７　独立行政法人国民生活センター又は地方公共団体は、情報の提供に当たっては、消費者の個人情報の保護に留意しなければならない。
８　適格消費者団体が、独立行政法人国民生活センターに対し、電子メールを送信する方法（当該送信を受けた独立行政法人国民生活センターが当該電子メールを出力することにより書面を作成することができるものに限る。）により、法第40条第１項の規定による情報の提供を希望する旨及び第１項各号に掲げる事項を通知したときは、第１項の申請書が独立行政法人国民生活センターに提出されたものとみなす。
９　前項の場合において、当該適格消費者団体は、第１項各号に掲げる事項についての情報に電子署名（電子署名及び認証業務に関する法律（平成12年法律第102号）第２条第１項に規定する電子署名をいう。）を行い、当該電子署名を行った者を確認するために必要な事項を証する電子証明書（同法第８条に規定する

認定認証事業者が作成した電子証明書（電子署名及び認証業務に関する法律施
行規則（平成13年総務省・法務省・経済産業省令第2号）第4条第1号に規定
する電子証明書をいう。）であって、独立行政法人国民生活センターの使用に
係る電子計算機から認証できるものをいう。）と併せてこれを送信しなければ
ならない。

（国民生活センター等が提供する情報）

第31条　法第40条第1項の内閣府令で定める情報は、次の各号の区分に従い、そ
れぞれ当該各号に定めるとおりとする。

一　独立行政法人国民生活センターの消費生活相談に関する情報　次に掲げ
る情報

イ　全国消費生活情報ネットワークシステム（消費者安全法（平成21年法律
第50号）第12条第4項に規定する全国消費生活情報ネットワークシステム
をいう。以下この項において同じ。）に蓄積された情報のうち、全国又は複
数の都道府県を含む区域を単位とした情報（都道府県別の情報その他これ
に類する情報を除く。）

ロ　消費者の被害の実態を早期に把握するための基準に基づき、全国消費生
活情報ネットワークシステムに蓄積された情報を利用して作成された統
計その他の情報

二　独立行政法人国民生活センターの消費者紛争に関する情報　独立行政法
人国民生活センター法（平成14年法律第123号）第3章第2節第2款の規定
による和解の仲介の手続又は同節第3款の規定による仲裁の手続が終了し
た事案における経過及び結果の概要、当事者の主張の要旨その他の当該事案
についての情報並びに当事者の氏名若しくは名称、住所又は連絡先について
の情報であって、これらの手続の実施に支障を及ぼすおそれがないと認めら
れるもの

三　地方公共団体の消費生活相談に関する情報　全国消費生活情報ネット
ワークシステムに蓄積された情報のうち、当該地方公共団体から独立行政法
人国民生活センターに提供（都道府県を経由して行われる提供を含む。）さ
れた情報（以下本号において「当該地方公共団体に係る情報」といい、他の
地方公共団体から独立行政法人国民生活センターに提供（都道府県を経由し
て行われる提供を含む。）された情報のうち、当該地方公共団体が当該地方
公共団体に係る情報と併せて法第40条第1項の規定による情報の提供を行

586　第2編　関係法令等　第3章　消費者契約法施行規則（平成19年内閣府令第17号）

うことを適当と認め、かつ、当該他の地方公共団体の同意を得ることができたものを含む。）

2　前条及び前項の規定は、独立行政法人国民生活センター又は地方公共団体が、法以外の法令（条例を含む。）の規定により同項各号に定める情報以外の情報を提供することを妨げるものではない。

（書面の記載事項）

第32条　法第41条第1項（同条第3項において準用する場合を含む。以下この条において同じ。）の内閣府令で定める事項は、次のとおりとする。

一　名称及び住所並びに代表者の氏名

二　電話番号、電子メールアドレス及びファクシミリの番号

三　被告となるべき者の氏名又は名称及び住所

四　請求の年月日

五　法第41条第1項の請求である旨

六　請求の要旨及び紛争の要点

2　法第41条第1項の請求においては、できる限り、訴えを提起し、又は仮処分命令を申し立てる場合における当該訴えを提起し、又は仮処分命令を申し立てる予定の裁判所を明らかにしなければならない。

（訴訟手続の中止に係る通知）

第33条　法第46条第1項の規定による通知は、他の適格消費者団体を当事者とする法第12条の2第1項第2号本文の確定判決等の内容を証する書面の写し（第15条第1項に規定する措置が講じられた場合にあっては、同項の記録媒体に記録された情報のうち当該書面に記載された事項に係るものを出力することにより作成された書面）を添付してするものとする。

　　　　附　　則

　この府令は、消費者契約法の一部を改正する法律（平成18年法律第56号）の施行の日（平成19年6月7日）から施行する。

　　　　附　　則（平成20年11月21日内閣府令第72号）

　この府令は、平成20年12月1日から施行する。

587

　附　　則（平成21年3月26日内閣府令第6号）

　この府令は、平成21年4月1日から施行する。

　　　附　　則（平成21年8月28日内閣府令第46号）

　この府令は、消費者庁及び消費者委員会設置法（平成21年法律第48号）の施行の日（平成21年9月1日）から施行する。

　　　附　　則（平成21年11月27日内閣府令第70号）

　この府令は、特定商取引に関する法律及び割賦販売法の一部を改正する法律（平成20年法律第74号）の施行の日（平成21年12月1日）から施行する。

　　　附　　則（平成24年6月25日内閣府令第41号）

　この府令は、出入国管理及び難民認定法及び日本国との平和条約に基づき日本の国籍を離脱した者等の出入国管理に関する特例法の一部を改正する等の法律の施行の日（平成24年7月9日）から施行する。

　　　附　　則（平成25年2月8日内閣府令第3号）

　この府令は、特定商取引に関する法律の一部を改正する法律の施行の日（平成25年2月21日）から施行する。

　　　附　　則（平成25年4月1日内閣府令第23号）

　この府令は、公布の日から施行する。

　　　附　　則（平成25年11月1日内閣府令第71号）

　この府令は、公布の日から施行する。

　　　附　　則（平成27年11月11日内閣府令第63号）

　この府令は、消費者の財産的被害の集団的な回復のための民事の裁判手続の特例に関する法律の施行の日（平成28年10月1日）から施行する。

588　第2編　関係法令等　第3章　消費者契約法施行規則（平成19年内閣府令第17号）

　　附　則（平成28年9月30日内閣府令第62号）

　この府令は、平成28年10月1日から施行する。

　　附　則（平成29年9月29日内閣府令第47号）

　この府令は、平成29年10月1日から施行する。

　　附　則（令和5年1月5日内閣府令第1号）

　この府令は、消費者契約法及び独立行政法人国民生活センター法の一部を改正する法律の施行の日（令和5年1月5日）から施行する。

　　附　則（令和5年1月18日内閣府令第5号）

（施行期日）
第1条　この府令は、消費者契約法及び消費者の財産的被害の集団的な回復のための民事の裁判手続の特例に関する法律の一部を改正する法律（以下「改正法」という。）附則第1条本文に規定する日（以下「施行日」という。）から施行する。ただし、第6条の改正規定（同条第1号ハの改正規定を除く。）、第8条の改正規定、第12条の改正規定、第21条第2項の改正規定、第22条から第26条までの改正規定、第27条第1項柱書及び第1号の改正規定並びに第29条第2号イの改正規定は、改正法附則第1条第1号の政令で定める日（令和5年10月1日）から施行する。

（経過措置）
第2条　この府令による改正後の第32条第1項の規定は、施行日以後にされる消費者契約法第41条第1項の規定による差止請求に係る書面について適用し、施行日前にされた同項の規定による差止請求に係る書面については、なお従前の例による。

第 4 章 適格消費者団体の認定、監督等に関するガイドライン

消　費　者　庁
平成19年 2 月16日制定
平成19年 6 月 7 日施行
平成20年12月 1 日改訂
平成21年 4 月 1 日改訂
平成21年 9 月 1 日改訂
平成25年 7 月 1 日改訂
平成28年10月 1 日改訂
平成29年10月 1 日改訂
平成31年 2 月 1 日改訂
令和 3 年 5 月15日改訂
令和 5 年 5 月30日改訂

目　次

1　目的
2　適格消費者団体の認定
(1)　法人格（法第13条第 3 項第 1 号関係）
(2)　団体の目的及び活動実績（法第13条第 3 項第 2 号関係）
(3)　体制及び業務規程（法第13条第 3 項第 3 号関係）
(4)　理事及び理事会（法第13条第 3 項第 4 号関係）
(5)　差止請求関係業務を適正に遂行することができる専門的な知識経験（法第13条第 3 項第 5 号関係）
(6)　経理的基礎（法第13条第 3 項第 6 号関係）
(7)　差止請求関係業務以外の業務（法第13条第 3 項第 7 号及び第29条第 1 項関係）
(8)　業務規程の記載事項（法第13条第 4 項関係）

590　第２編　関係法令等　第４章　適格消費者団体の認定、監督等に関するガイドライン

(9)　暴力団員等がその事業活動を支配する法人（法第13条第５項第３号関係）
3　有効期間の更新、合併の認可及び事業の譲渡の認可（法第17条第２項関係、第19条第３項関係及び第20条第３項関係）
4　差止請求関係業務等
(1)　他の適格消費者団体への通知及び内閣総理大臣への報告（法第23条第４項関係）
(2)　消費者の被害に関する情報の取扱い（法第24条関係）
(3)　秘密保持義務（法第25条関係）
(4)　情報の提供（法第27条関係）
(5)　財産上の利益の受領の禁止等（法第28条関係）
5　監督
(1)　帳簿書類（法第30条関係）
(2)　財務諸表等（法第31条第１項及び第４項関係）
(3)　不利益処分等（法第32条、第33条及び第34条関係）
(4)　差止請求権の承継に係る指定等（法第35条関係）
6　政党又は政治的目的のための利用（法第36条関係）
7　公表する情報（法第39条第２項関係）
8　手続のオンライン化

1　目的

　このガイドラインは、消費者契約法（平成12年法律第61号。以下「法」という。）、消費者契約法施行規則（平成19年内閣府令第17号。以下「規則」という。）に基づく申請に対する審査並びに適格消費者団体に対する監督及び不利益処分の基準等を明らかにすることにより、法及び規則を適切に実施し、適格消費者団体の業務の適正を図ることを目的とするものである。

　なお、具体的案件における審査並びに監督及び不利益処分に関する判断は、法令に照らし、個々の案件ごとになされるものとする。

2　適格消費者団体の認定

　適格消費者団体の認定については、法第13条第３項から第５項までに基準が掲げられているが、審査に当たり特に留意すべき点は以下のとおりである。なお、申請者が認定の要件（法、規則及び以下の審査の基準）を満たすかどうかについ

ては、申請書類に基づく審査とともに、必要に応じ、申請者に対し追加して書類の提出を求めるほか、申請者の役職員や情報提供者に対する事情聴取、実地の調査等（オンライン会議システム等のデジタル技術を活用した遠隔調査を含む。）を行い、個別具体的に判断するものとする。

(1) 法人格（法第13条第3項第1号関係）

申請者が、適格消費者団体として認定されるためには、特定非営利活動法人又は一般社団法人若しくは一般財団法人である必要がある。

(2) 団体の目的及び活動実績（法第13条第3項第2号関係）

ア 団体の目的

申請者が、適格消費者団体として認定されるためには、「消費生活に関する情報の収集及び提供並びに消費者の被害の防止及び救済のための活動その他の不特定かつ多数の消費者の利益の擁護を図るための活動を行うことを主たる目的とし」ている必要があり（法第13条第3項第2号）、団体の構成員の相互扶助を主たる目的とする団体は、この要件に適合しない。

この要件に適合するためには、①定款（特定非営利活動法人又は一般社団法人若しくは一般財団法人以外の団体が法第13条第3項第4号ロ後段の適用を受けようとする場合にあっては、規約等定款に類するものを含む。以下「定款等」という。）においてこれらの活動を行う旨の定めがあること、及び②申請者の活動を定款等や業務計画書などを参考に総合的に考慮し（活動の回数、従事者数又は支出額だけでなく、例えば、大量の情報の分析・検討を必要とする事業者に対する改善申入れの活動を積極的に行うことや、活動がボランティアによる無償の労務提供によって行われていることなどをも考慮する。）、量及び質の双方の観点から判断した場合に、それらの活動が申請者において主たる事業活動として行われていると認められることが必要である。

上記①の定款等の定めについては、法の規定の仕方と一言一句違わず定められている必要はないが、差止請求関係業務は法第13条第3項第2号に特記している「消費生活に関する情報の収集及び提供並びに消費者の被害の防止及び救済のための活動」として行われるべきものであり、申請者が「消費生活に関する情報の収集及び提供並びに消費者の被害の防止及び救済のための活動を行うこと」を目的としていることが定款等において明確に確認できるものであることが必要である。

なお、同号に規定する「不特定かつ多数の消費者の利益の擁護を図るための活動」には、「消費生活に関する情報の収集及び提供、消費者被害の防止及び救済のための活動」のほか、消費生活に関する意見の表明、消費者に対する啓発及び教育その他の消費者の消費生活の安定及び向上を図るための活動が含まれる。活動を例示すると、次のとおりである。

① 法第13条第3項第5号イに規定する消費生活相談、助言及びあっせん
② いわゆる110番活動（消費生活相談や情報の収集及び提供等を目的として電話又はインターネットその他の手段により行うもの）
③ 消費生活に関する情報の分析、評価及び提供
④ 消費者啓発のための教材、パンフレット又はリーフレット等の開発又は作成
⑤ 学校、地域等において行われる消費者教育への協力
⑥ 消費者被害の救済結果に関する事例集の作成及び公表
⑦ 消費者被害の防止に関する研修会、講演会、シンポジウム又はセミナーの実施
⑧ 事業者の不当な行為に対する改善の申入れ
⑨ 特定商取引に関する法律（昭和51年法律第57号）第60条に基づく主務大臣に対する申出など、事業者の不当な行為に対する行政措置の発動の申入れ
⑩ 消費生活に関する事項について事業者又は国若しくは地方公共団体との間で行う意見交換
⑪ 消費生活に関する意見の表明又は政策提言

イ　活動実績
（ア）　活動実績の評価の対象となる活動
　　活動実績の評価の対象となる活動は「消費生活に関する情報の収集及び提供並びに消費者の被害の防止及び救済のための活動」を含む「不特定かつ多数の消費者の利益の擁護を図るための活動」であり、「消費生活に関する情報の収集及び提供並びに消費者の被害の防止及び救済のための活動」（差止請求関係業務の基礎となる団体の自主的な活動に相当）についての相当期間の継続的な活動実績が必須である。

（イ）　相当期間
　　法第13条第3項第2号に規定する「相当期間」とは、申請時において、

申請者による上記(ア)の活動が2年以上継続してされていることを原則として要する。

　ただし、当該活動が充実して行われている場合や業務遂行体制の整備及び専門的知識経験の確保など他の要件の充実の程度によっては、継続している期間が2年には達しない場合であっても「相当期間」と評価することを否定するものではない。また、申請者が法人格を取得する前から上記の活動をしている場合は、団体としての同一性が認められる限り、法人格取得前の活動についても評価の対象とする。また、複数の団体が合併して一つの団体となったり、新たに設立した団体の構成員となっている場合は、合併前又は構成員である個々の団体の活動をも加味して考慮することとする。

(ウ)　適正性

　法第13条第3項第2号に規定する「適正に行っている」場合とは、例えば、消費生活相談の活動において、消費者の相談に対して誠実かつ真摯に対応し、合理的な根拠に基づいた助言を行っていること、また、事業者に対する改善申入れの活動において、合理的な根拠に基づいた申入れを行っていることなど、合理的な根拠に基づき真摯な活動を行っている場合をいい、実績作りの辻褄合わせのために合理的な根拠もなく行われた活動は評価しない。

ウ　申請書の添付書類

　団体の目的に関し、定款（法第14条第2項第1号）において、事業の内容を具体的に記載するとともに、差止請求関係業務に関する業務計画書（法第14条第2項第3号）並びに差止請求関係業務以外の業務を行う場合における、その業務の種類及び概要を記載した書類（法第14条第2項第10号）において、できる限り定款に記載した事業の内容に対応して、事業内容の詳細並びに予定している回数、日時、場所、従事者数及び支出額等について具体的に記載しなければならないこととする。また、審査に当たっては、最近の事業年度における財産目録等その他の経理的基礎を有することを証する書類（法第14条第2項第8号）として提出される「認定後3年間における収支の見込みとその算出根拠を具体的に記載した書類」も斟酌する。

　活動実績に関し、法第14条第2項第2号にいう「不特定かつ多数の消費者の利益の擁護を図るための活動を相当期間にわたり継続して適正に行って

いることを証する書類」としては、当該活動（消費生活相談やいわゆる110番活動、消費生活に関する情報の分析及び評価、消費者啓発のための教材等の開発又は作成、消費者被害の救済結果に関する事例集又は出版物の作成、研修会・講演会・シンポジウム又はセミナー、事業者に対する改善の申入れ、事業者の不当な行為に対する行政措置の発動の申入れ、消費生活に関する意見の表明又は政策提言等）の概要を記載した書類とともに、当該書類の記載内容が真実であることを証する書類（例えば、代表者が当該書類の記載内容を確認し、真実であることを認めて記名した書面など）を提出しなければならないこととする。

　また、申請者は、上記の概要を記載した書類が真実であることを担保するために、裏付けとなる資料を、認定された日から６年間保存しなければならないこととする。

(3)　体制及び業務規程（法第13条第３項第３号関係）

　ア　体制

　　法第13条第３項第３号に規定する「差止請求関係業務を適正に遂行するための体制…（中略）…が適切に整備されていること」とは、第一に、申請者の実態として、①差止請求関係業務の遂行に関し、消費者被害等に係る情報の収集（法第12条の３から第12条の５までに規定する要請を含む。）から分析・検討を経て差止請求をし、その結果を公表するに至る一連の業務を適正に遂行できるよう、適格消費者団体に具体的な機関又は部門その他の組織が設置され、業務の適正な遂行に必要な人員が、これらの組織に必要な数[1]だけ配置されていること（理事会及び理事、法第13条第３項第５号の検討を行う部門（以下「検討部門」という。）及び専門委員、職員、監事等）、②これらの組織の事務分掌、権限及び責任並びに事務の遂行に従事する役職員や専門委員等の選任・解任の基準及び方法が定款又は業務規程において適切に定められていること、③①及び②に従った運用がされていることをいう。

　　なお、以上のとおり組織及び人員等が整備されていることに加え、申請者

[1]　「必要な数」については、申請者の実施しようとする差止請求関係業務の規模や業務の実施の方法（その内容や手段等）、当該人員の勤務形態（常勤か非常勤か等）などによって異なるものであり、審査に当たっては、これらの点を総合して、「必要な数」を個別に判断することとする。

自体の社員数（法第13条第3項第1号の法人の社員数）についても、少なくとも会費を納入する等により活動に参加している者が100人存在していることを体制整備の一つの目安として斟酌する。

　第二に、差止請求関係業務に係る事務処理を行うために必要な事務所[2]その他の施設、IT機器その他の物品等が、差止請求関係業務の規模・内容等に応じ、確保されている必要がある。

　その際、事務所については、適切に情報を管理することができる施設でなければならないとともに、例えば、事業者（その者の活動内容などを考慮して客観的に差止請求の対象になることが考えられない者は除く。）が事業活動のために用いている施設内に事務所が設けられているなど、その外観、構造その他の事務所の置かれた状況からして事業者（その者の活動内容などを考慮して客観的に差止請求の対象になることが考えられない者は除く。）と混同されるものであってはならないこととする。

　また、申請内容（差止請求関係業務に関する業務計画書（法第14条第2項第3号）や業務規程の内容等）に整合するよう、必要な施設、物品等が整備されていなければならない（例えば、差止請求関係業務においてファクシミリ装置を用いて送受信しようとする場合には、当該装置の整備が必要である[3]。）。

イ　業務規程

　次に、法第13条第3項第3号に規定する「業務規程が適切に整備されていること」を認定の要件としているのは、業務規程において定める事項は、当

---

[2]　認定の申請書には、差止請求関係業務を行おうとする事務所の所在地を記載する必要があるところ（法第14条第1項第2号）、適格消費者団体として現に差止請求関係業務についての事務を行い、事務所としての実態を伴う場所の所在地を記載する必要がある。他方で、理事会や検討部門の会議等を事務所以外の場所で行うことは許容され、このような場所を事務所として認定の申請書に記載する必要はない。

[3]　差止請求関係業務においてファクシミリ装置を用いて送受信しようとする場合には、申請書や差止請求書においてファクシミリの番号を記載する必要がある（規則第7条第1号、第32条第1項第2号。規則第1条の3第2号参照）。仮に申請書にファクシミリ番号を記載していなかったとしても、その後ファクシミリ装置を用いて送受信する必要が生じた場合には、変更の届出をする必要がある（法第18条）。

該申請者における差止請求関係業務の遂行に直接的な影響を及ぼすものであり、その内容を確定し、一定の水準に達したものとする必要があること、及び上記アの体制を整備するとともに、差止請求関係業務の実施の方法等に関する規定を明文化することにより業務の公正な実施の確保を図る必要があることによるものであり、当該趣旨を踏まえ、業務規程において、「役員及び専門委員の選任及び解任その他差止請求関係業務に係る組織、運営その他の体制に関する事項」（規則第6条第3号）が上記の体制の整備の実質を担保する内容で規定されているほか、差止請求関係業務の実施の方法その他の必要な事項（規則第6条各号）が漏れなく、かつ、適切な内容で具体的に規定されている必要がある（下記(8)参照）。

　なお、業務規程には、差止請求関係業務の遂行に係る事項をまとめて記載する必要があるが、定款や事務分掌規程等申請者の定めるその他の関連する規程等を添付しつつ、必要に応じ当該規程等中の関係する規定を引用する方式で記載して差し支えない。

ウ　申請書の添付書類

　法第14条第2項第4号に規定する「差止請求関係業務を適正に遂行するための体制が整備されていることを証する書類」とは、上記アのような体制が整備されていることを示すものをいい、例えば、次のようなものが該当する。なお、①の「必要な人員が必要な数だけ配置」されているか否か及び②の「必要な事務所その他の施設、IT機器その他の物品等が確保」されているか否かについては、差止請求関係業務に関する業務計画書（法第14条第2項第3号）、業務規程に記載された差止請求関係業務の実施の方法等に照らしながら、判断する。

①　差止請求関係業務を行う機関又は部門その他の組織が設置され、必要な人員が必要な数だけ配置されていることを示す組織図等にその記載内容が真実であることを証する書類（例えば、代表者がそれらの書類の記載内容を確認し、真実であることを認めて記名した書面など）を添付したもの。

②　差止請求関係業務に係る事務処理を行うために必要な事務所その他の施設、IT機器その他の物品等が確保されていることを証する書類（賃貸借契約書又は使用許諾に係る契約書等の事務所の使用権限を明らかにする図書及び使用区域に関する図面等）

③　業務規程及びこれに添付された関連する規程等

(4)　理事及び理事会（法第13条第3項第4号関係）

ア　法第13条第3項第4号イ関係

法第13条第3項第4号イ(2)に規定する「差止請求関係業務の執行に係る重要な事項の決定」とは、不特定かつ多数の消費者の利益のために差止請求権を行使する業務の執行に係る事項の決定のうち、法第23条第4項各号に規定する行為（規則第17条第15号に規定する行為を除き、かつ、適格消費者団体が行うものに限る。）を差止請求に係る相手方又は裁判所等に対し行うかどうかの決定をいい、消費者被害情報収集業務及び差止請求情報収集提供業務の執行に係る事項の決定を含まない。

「理事その他の者に委任されていないこと」については、特定の理事に委任する場合のほか、いわゆる常任理事会など一部の理事によって構成される機関又は部門その他の組織に委任する場合であっても「委任」に該当する。また、特定の事業者からの指示又は委託を受けて当該事業者と競合関係にある事業者に対して差止請求をするなどの場合については、後記5(3)イ①に記載するとおりとする。

イ　法第13条第3項第4号ロ関係

各理事が、ある法人の役職員であるとともに別の法人の役職員を兼職している場合など、当該各理事の関係する事業者（規則第8条第3項第4号）が複数ある場合には、その全ての事業者が、法第13条第3項第4号ロに掲げる要件の判定の対象になる。

また、各理事の関係する事業者が2以上の業種に属する事業を行っている場合には、主要な事業が属する業種及び各理事が担当する事業が属する業種が同号ロ(2)の「同一の業種」であるかどうかの判定の対象になるが、主要な事業が属する業種とは、過去1年間の収入額又は販売額に照らして主要なものと認められる第1順位及び第2順位の業種（第2順位の業種に係る収入額又は販売額が当該事業者の総収入額又は総販売額のうちに占める割合が10分の2以下である場合には、第1順位の業種）とする。

同号ロ後段に規定する「第二号に掲げる要件に適合する者」には、その目的、活動実績が当該要件に適合する消費者団体（法人格を有すると否とを問わない）や、地方公共団体（その職員等のうち、消費生活相談に応ずる業務を主たる業務とする組織として条例、規則等に基づき地方公共団体に置かれ

598　第2編　関係法令等　第4章　適格消費者団体の認定、監督等に関するガイドライン

る消費生活センターその他の組織に置かれる消費生活相談員のみが申請者の理事となっている場合における当該地方公共団体）が該当する。

ウ　その他

　規則第2条第5項及び第3条第2項に規定する「責めに帰することができない事由」とは、真に予測不可能な事態が生じたことにより法第13条第3項第4号ロ(1)又は(2)の要件に反することとなった場合をいい、例えば、理事が急に死亡したことにより同号ロ(1)又は(2)の要件に反することになった場合などが該当する。

エ　申請書の添付書類

　法第14条第2項第6号の書類のほか、法第13条第3項第4号イの要件の具備については、定款（法第14条第2項第1号）により、法第13条第3項第4号ロの要件の具備については、理事の構成が法第13条第3項第4号ロ(1)又は(2)のいずれかに該当する者ではないことを説明した書類（規則第8条第3項第4号）により、審査する。なお、法第14条第2項第6号イの「職業」については、勤務先（兼職先）、当該勤務先における役職等を具体的に記載するものとする。

(5)　差止請求関係業務を適正に遂行することができる専門的な知識経験（法第13条第3項第5号関係）

ア　法第13条第3項第5号に規定する「差止請求関係業務を適正に遂行することができる専門的な知識経験を有する」場合とは、差止請求関係業務（差止請求権を行使する業務、消費者被害情報収集業務、差止請求情報収集提供業務）を法の規定に適合して行うことができる知識経験をいい、個々の役員、職員又は専門委員等についてではなく、一つの団体としての申請者につき、差止請求関係業務を遂行するための人的体制に照らして、専門的な知識経験を有すると認められることが必要である。なお、専門的な知識経験は、差止請求関係業務を適正に遂行することができるものでなければならないことから、例えば、専門委員が、消費生活相談に応じる業務に従事する者、弁護士又は司法書士等として遵守すべき規範を逸脱して業務を行っているような場合は、当該専門委員が置かれていることは、専門的な知識経験を有するか否かの判断に当たって、考慮に入れないものとする。

　組織その他の体制全般については法第13条第3項第3号に規定しているところであるが、このうち、同項第5号に規定する「人的体制」については、

検討部門が同号に明記されている要件に適合するほか、①検討部門以外の差止請求関係業務の実施に係る各組織（機関又は部門その他の組織）においても、当該各組織が分担する業務の適正な遂行に必要な専門的な知識経験を有する者が適切に配置されていること（具体的には、a. 消費者被害情報収集業務及び差止請求情報収集提供業務に携わる人員として、消費生活相談やいわゆる110番活動など類似の業務に一定期間以上携わった経験を有する者や消費者団体訴訟制度に精通した者が、b. 理事会及び理事、監事及び職員には、消費者団体訴訟制度に精通した者が、業務の規模・内容等に応じ必要な数だけ置かれていること）、②業務内容が専門的見地から一定水準に保たれるよう、処理要領・マニュアルが作成されているか否か、役員、職員及び専門委員に対する研修体制が整備されているか否か等を総合的に考慮して判断する。なお、検討部門においては、同項第５号イに掲げる者（消費生活の専門家）及び同号ロに掲げる者（法律の専門家）がそれぞれ業務の規模・内容等に応じ必要な数だけ置かれている必要があるが、当該専門委員が随時検討に参画することが確保されていれば足り、申請者に雇用されているなど常駐していることまで要するものではない。

イ　規則第４条第２号に規定する「消費生活相談に応ずる業務に従事した期間が通算して一年以上の者」とは、独立行政法人国民生活センター（以下「国民生活センター」という。）若しくは地方公共団体の消費生活センター等又は適格消費者団体その他の継続的に消費生活相談を行っている団体において、消費生活相談に応ずる業務に従事した期間が通算して１年以上の者をいう。

　　規則第４条第３号に規定する「前号に掲げる条件と同等以上のものと内閣総理大臣が認めたもの」とは、例えば、消費者団体において、事務職員としての勤務が相当期間に及ぶ者や、消費者向けパンフレットや商品説明書等の作成に携わるなど消費生活相談以外の消費者の利益の擁護に関する活動に従事し、消費生活に関する事項について専門的な知識経験を十分有していると認められる者が該当する。

ウ　規則第５条第４号に規定する「前各号に掲げる条件と同等以上のものと内閣総理大臣が認めたもの」とは、例えば、裁判官又は検察官であった者等が該当する。

エ　申請書の添付書類

（3）ウ①に規定する組織図等、業務規程（「役員及び専門委員の選任及び解任その他差止請求関係業務に係る組織、運営その他の体制に関する事項」（規則第6条第3号）及び「検討を行う部門における専門委員からの助言又は意見の聴取に関する措置…（中略）…に関する事項」（規則第6条第1号ニ）を記載した部分）の添付を必要とするほか、差止請求関係業務に関する処理要領やマニュアル、役員、職員及び専門委員に対する研修体制を示す書類等があればこれらを添付するものとする。規則第8条第3項第5号に規定する「専門委員が第四条及び第五条に定める要件に適合することを証する書類」のうち、規則第4条第1号及び第2号に関する書類としては、例えば、これらの号に掲げる資格を取得したことを証する書面の写し及び従事した消費生活相談に応ずる業務の内容、勤務先及び期間について記載した勤務先の作成に係る書面又は業務の内容等について具体的に記載し内容が真実であることを認めて記名した書面が該当し、規則第4条第3号に関する書類としては、例えば、消費生活相談に応ずる業務以外に消費者の利益の擁護に関する業務に従事してきたことについて具体的に記載し内容が真実であることを認めて記名した書面が該当する。規則第5条第3号に関する書類としては、例えば、大学が作成する在職証明書等が該当する。

(6) 経理的基礎（法第13条第3項第6号関係）

　ア　意義

　　法第13条第3項第6号に規定する「経理的基礎」とは、適格消費者団体が差止請求関係業務を安定的かつ継続的に行うに足りる財政基盤を有していることをいい、一定額以上の基本財産を自ら保有している場合に限られるものではないが、当該団体の規模、想定している差止請求訴訟の件数など差止請求関係業務の内容、継続的なボランティアの参画状況、差止請求関係業務による支出が当該業務に係る収入を大きく上回ると見込まれる場合における差止請求関係業務以外の業務による収入による補填の見込み、関連する法人や個人が当該団体に対して補填又は寄附を約している状況、オンラインの利用や他の適格消費者団体との連携体制の構築による効率的な業務運営の見込み等を総合的に考慮し、差止請求関係業務の安定性及び継続性を確保する限度における経理面での基礎が確立しているか否かを判断する。既に債務超過状態に陥っている場合は、債務超過の額、債務の支払期限、債務超過状態に陥った原因、債務超過状態を解消する見込み等も踏まえて、適格消費者

601

団体が差止請求関係業務を安定的かつ継続的に行うに足りる財政基盤を有しているか否かを判断するものとする。債務超過状態に陥ることが確実に予見される場合も、同様とする。

イ　申請書の添付書類

法第14条第2項第8号に規定する書類としては、以下の①及び②が該当する。

① 認定の申請の日の属する事業年度の直前の事業年度における財産目録、貸借対照表、及び申請者の法人の区分に応じた以下の書類又はこれらに準ずるもの

(i) 特定非営利活動法人　特定非営利活動促進法における活動計算書（同法第27条第3号）

(ii) 一般社団法人又は一般財団法人　一般社団法人及び一般財団法人に関する法律（平成18年法律第48号）における損益計算書（同法第123条第2項。同法第199条において準用する場合を含む。）

※ 公益社団法人及び公益財団法人の認定等に関する法律（平成18年法律第49号）の公益認定を受けている場合においては、一般社団法人及び一般財団法人に関する法律における損益計算書であって、公益社団法人及び公益財団法人の認定等に関する法律の公益認定を受けている者が作成したもの（規則第8条第2項）

② 認定後3年間における収支（会費、寄附金、差止請求関係業務以外の業務による収入、借入金等の収入及び役員又は専門委員の報酬、職員の賃金、弁護士報酬、事務所の賃料等の支出）の見込みとその算出根拠を具体的に記載した書類

なお、②の収支見込み等は、差止請求関係業務に関する業務計画書（法第14条第2項第3号）並びに差止請求関係業務以外の業務を行う場合における、その業務の種類及び概要を記載した書類（法第14条第2項第10号）と整合性が図られている必要がある。

(7) 差止請求関係業務以外の業務（法第13条第3項第7号及び第29条第1項関係）

ア　意義

法第13条第3項第7号に規定する「支障を及ぼすおそれ」とは、適格消費者団体が差止請求関係業務以外の業務（被害回復関係業務も含む。以下アに

602　第2編　関係法令等　第4章　適格消費者団体の認定、監督等に関するガイドライン

おいて同じ。）に人員や経費の配分を集中したり、社会的に妥当でない業務を行って社会的信頼性を失うなどのことにより、適正な差止請求関係業務の遂行をすることができなくなるおそれがある場合をいい、当該適格消費者団体が遂行しようとしている差止請求関係業務及び差止請求関係業務以外の業務の内容、場所及び回数その他の実施態様、それぞれの業務に必要な人員及び支出額等を総合的に考慮して、上記のような弊害が生ずるおそれがあると客観的に認められるか否かを判断する。

　また、差止請求関係業務以外の業務の社会的妥当性については、次のような点に留意して審査することとする[4]。

①　当該業務の内容が法令に抵触するものではないこと。

②　適格消費者団体の経理的基礎に悪影響を及ぼす投機的なものではないこと。

③　暴力団等反社会的勢力が関与しやすいものではないこと。

④　適格消費者団体としての社会的信用を損なうものではないこと。

　イ　申請書の添付書類

　　差止請求関係業務に関する業務計画書（法第14条第2項第3号）並びに差止請求関係業務以外の業務を行う場合における、その業務の種類及び概要を記載した書類（法第14条第2項第10号）については、それぞれ、予定している業務の内容及び実施態様、業務に必要な人員及び支出額等をできる限り具体的に記載しなければならない。

(8)　業務規程の記載事項（法第13条第4項関係）

　　法第13条第3項第3号の業務規程には、同条第4項及び規則第6条各号に規定する事項について、次の具体的な事項が定められていなければならない。

　ア　差止請求関係業務の実施の方法に関する事項

　　(ア)　不特定かつ多数の消費者の利益のために差止請求権を行使する業務の実施の方法に関する事項

　　　規則第6条第1号イに規定する「不特定かつ多数の消費者の利益のために差止請求権を行使する業務の実施の方法に関する事項」とは、消費者の

---

[4]　なお、法第13条第3項第7号の規定が適格消費者団体の認定の段階で「支障を及ぼすおそれ」の有無を抽象的に判断するのに対し、法第29条第1項の規定は、認定後の実際の活動状況に照らし現に支障が生じているか否かを具体的に判断するものである。

被害に関する情報を分析して差止請求の要否及びその内容について検討
を行い、差止請求権の行使について決定をする方法などに関する事項が該
当する。

(イ)　消費者被害情報収集業務の実施の方法に関する事項

　　規則第6条第1号ロに規定する「消費者の被害に関する情報の収集に係
る業務の実施の方法に関する事項」とは、例えば、消費者契約の条項の開
示要請（法第12条の3）及び損害賠償の額を予定する条項等に関する説明
の要請等（法第12条の4）の要否について検討を行い、これらの要請を行
うことを決定する方法、一般消費者からの情報の収集の方法（消費生活相
談やいわゆる110番活動などの具体的な実施の方法）や、当該適格消費者
団体の会員からの情報の収集の方法、他の適格消費者団体との情報交換に
関する方法に関する事項などが該当する。

(ウ)　差止請求情報収集提供業務の実施の方法に関する事項

　　規則第6条第1号ハに規定する「差止請求権の行使の結果に関する情報
の収集及び提供に係る業務の実施の方法に関する事項」とは、差止請求に
係る講じた措置の開示要請（法第12条の5）を行う方法及び差止請求権の
行使の結果に関する情報を提供する基準と方法に関する事項をいう。前者
については、差止請求に係る相手方の対応等を踏まえ、差止請求に係る講
じた措置の開示要請の要否について検討を行い、開示要請を行うことを決
定する方法などに関する事項が該当する。後者については、法第39条第1
項の規定により消費者庁長官が公表する対象以外のものに係る情報提供
の扱いを含めて、情報提供に係る基準及び方法（例えば、ある事案におけ
る差止請求権の行使の状況に関し、収集された情報の数、内容、差止請求
に係る相手方の対応状況、主な証拠関係等を斟酌した一定の合理的な基準
に基づき、一定の時点で一定の内容をホームページ上の掲載事項とするこ
と）などが該当する。

(エ)　検討部門における専門委員からの助言又は意見の聴取に関する措置等
に関する事項

　　規則第6条第1号ニに規定する「特別の利害関係を有する場合」とは、
例えば、当該役員等が現在及び過去2年の間に差止請求に係る相手方であ
る事業者等の役員又は職員である場合や当該差止請求に係る相手方と取
引関係を有している場合などが該当し、特別の利害関係を有する場合の

「措置」とは、例えば、当該役員等の理事会等その他の機関又は部門における議決権の停止や助言若しくは意見の聴取の停止に係る措置などが該当する。

規則第6条第1号ニに規定する「業務の公正な実施の確保に関する措置」には、理事が事業の内容や市場の地域性等を勘案して差止請求に係る相手方である事業者と実質的に競合関係にあると認められる事業を営み又はこれに従事するものである場合、適格消費者団体が差止請求権の行使に関し理事との間で当該行使に係る相当な実費を超える支出を伴う取引をする場合その他の理事の兼職の状況が適格消費者団体による差止請求権の行使の適正に影響を及ぼし得る場合における上記の特別の利害関係を有する場合の措置に準じた措置が該当する。

(ｵ)　適格消費者団体であることを疎明する方法に関する事項

規則第6条第1号ホに規定する「適格消費者団体であることを疎明する方法に関する事項」とは、適格消費者団体の認定を受けていない者が適格消費者団体になりすまして差止請求関係業務に類似した行為をした場合の弊害が著しいことにかんがみ、適格消費者団体が差止請求関係業務を行うに際し、適格消費者団体であることを疎明する方法を業務規程において定めるべき事項としたものであり、その方法としては、例えば、差止請求関係業務を行うに際し、差止請求に係る相手方からの請求があった場合には、内閣総理大臣が適格消費者団体の認定をした旨を通知する書面（法第16条第1項）の写しを提示することなどが該当する。

イ　適格消費者団体相互の連携協力に関する事項

規則第6条第2号に規定する「適格消費者団体相互の連携協力に関する事項」とは、例えば、消費者の被害に関する情報の共有や差止請求権の行使の状況に関する意見の交換等に関する基準及び方法に関する事項が該当し、法第23条第4項の通知及び報告の方法に関する事項（具体的には、規則第13条に規定する書面によってするか、規則第15条に規定する電磁的方法を利用する措置によってするか）並びに規則第17条第15号に規定する行為に係る通知及び報告の方針に関する事項（具体的には、どのような行為について通知及び報告の対象とするか）が含まれていなければならない。

ウ　差止請求関係業務に係る組織、運営その他の体制に関する事項

規則第6条第3号に規定する「差止請求関係業務に係る組織、運営その他

の体制に関する事項」とは、(3)アに規定したとおり、①具体的な機関又は部門その他の組織の設置及びこれらの組織に係る人員の配置の方針に関する事項、②これらの組織の事務分掌、権限及び責任並びに事務の遂行に従事する者に関する事項等（役員や専門委員等の選任・解任の基準及び方法、任期及び再任についてなど）が記載されていなければならない。

エ　情報の管理及び秘密の保持の方法に関する事項

　　規則第6条第4号に規定する「差止請求関係業務に関して知り得た情報の管理及び秘密の保持の方法に関する事項」とは、当該管理及び方法によれば、情報が適切に管理され、また、秘密が適切に保持される蓋然性が客観的に認められる具体的な事項をいい、例えば、当該情報及び秘密が記載されている文書等の管理及び保存の方法、責任者の設置、当該文書等の盗難防止策、当該文書等へのアクセス制御（情報を取り扱うことのできる者の範囲の特定等）、啓発・研修の実施、服務規定の整備等、情報の管理及び秘密の安全管理のための組織的、物理的、技術的な措置に関する事項が該当する。

　　なお、上記の事項に関しては、法第24条に規定する消費者の被害に関する情報の取扱いとの関係で、消費者から収集した消費者の被害に関する情報をその相手方その他の第三者が当該被害に係る消費者を識別することができる方法で利用する場合において、当該消費者から同意を得る方法を規定し（その際、当該情報の利用方法に関し、将来、訴訟等で利用される可能性があることや、適格消費者団体相互の連携協力を促進する観点から、他の適格消費者団体に提供することがあり得ること等について情報提供者である消費者に説明したうえ、包括的に同意を得ることも差し支えない。）、また、法第25条に規定する秘密保持義務との関係で、適格消費者団体の役員、職員又は専門委員との間で、在職中及び退職後も差止請求関係業務に関して知り得た秘密を保持する旨の契約を締結するなどの措置を講ずることが望ましい。

オ　帳簿書類の管理に関する事項

　　規則第6条第5号に規定する「帳簿書類の管理に関する事項」とは、帳簿書類の作成及び保存に関し、その方法及び責任者の設置に関する事項をいう。

カ　法第31条第2項各号に掲げる書類の備置き及び閲覧等の方法に関する事項

　　規則第6条第6号に規定する「法第三十一条第二項各号に掲げる書類の備

606　第2編　関係法令等　第4章　適格消費者団体の認定、監督等に関するガイドライン

置き及び閲覧等の方法に関する事項」とは、当該書類を備え置く場所及び方法並びに閲覧等の請求の方法及び費用に関する事項をいう[5]。

(9)　暴力団員等がその事業活動を支配する法人（法第13条第5項第3号関係）

法第13条第5項第3号に規定する「支配する」とは、議決権を背景として当該団体の業務に重大な影響力を及ぼしている場合のみならず、融資（間接融資を含む。）、人材派遣、取引関係等を通じて当該団体の業務に重大な影響力を及ぼしていると認められる場合を含み、実質的に判断する。

3　有効期間の更新、合併の認可及び事業の譲渡の認可（法第17条第2項、第19条第3項関係及び第20条第3項関係）

有効期間の更新、合併の認可及び事業の譲渡の認可に係る審査基準は、法第17条第6項、第19条第6項関係及び第20条第6項により準用する法第13条の認定の審査基準による。ただし、有効期間の更新の際に法第17条第6項において準用される法第13条第3項第2号の「相当期間」については、当該更新がされる前の認定の有効期間の全ての期間とする。

なお、有効期間の更新の際に法第17条第6項において準用される法第13条第3項第6号の経理的基礎に係る要件を満たしているか否かは、直近の認定又は有効期間の更新の申請の際にそれぞれ提出した収支の見込み（法第14条第2項第8号、2(6)イ）や事業報告書に記載された翌事業年度の収支の見込みと実際の収支との乖離の程度、その理由なども踏まえて判断する必要がある。

4　差止請求関係業務等

(1)　他の適格消費者団体への通知及び内閣総理大臣への報告（法第23条第4項関係）

ア　法第23条第4項に規定する「その内容」については、同項第1号から第3号までに掲げる場合には、差止請求に係る相手方の氏名又は名称、請求の要旨及び紛争の要点並びに請求の年月日が含まれていなければならないこととし、同項第8号に掲げる場合には、当該訴訟又は仮処分命令に関する手続が終了した事由が含まれていなければならないこととする。また、規則第17

---

[5]　電磁的記録により備え置き、電子メール等の電磁的方法により、請求を受け、提供することを基本とする。

条第15号に掲げる場合には、当事者がした攻撃又は防御の方法の提出その他の差止請求に関する手続に係る行為の概要が含まれていれば足りるものとする。

イ　法第23条第4項第9号に規定する「協議が調ったとき、又はこれが調わなかったとき」とは、適格消費者団体からの差止請求に対し、当該差止請求に係る相手方が明示的に回答等をした場合をいい、例えば、適格消費者団体が改善の申入れをしたところ、相手方が何ら回答等をせず自主的に改善をするなどの対応をした場合は該当しない。なお、この場合（相手方の手続に係る行為）も、任意に行う通知及び報告に係る規則第17条第15号に規定する行為には該当し得る。

ウ　規則第13条第2項に規定する「その内容を示す書面」には、同項に掲げる書面のほか、例えば、内容証明郵便その他の書面によって法第23条第4項第2号に規定する差止請求をした場合の当該書面、口頭によって法第23条第4項第2号に規定する差止請求をした場合の請求内容を記載した書面、規則第17条第15号に規定する「攻撃又は防御の方法の提出」としての証拠の申出に関する書面、同号に規定する「その他の差止請求に関する手続に係る行為」として書証を提出した場合における書証等が該当する。

エ　規則第13条第3項第3号に規定する「成立することが見込まれる和解又は調停における合意の内容」とは、当事者間で実質的な合意が成立し、最終的に和解調書、調停調書又は仲裁法第38条第3項に規定する決定書に記載される見込みの内容をいい、差止請求の対象とされた相手方の行為及びこれに関する当事者間の合意の内容及び当該合意の履行を確保する方法に関する事項が含まれていなければならないこととする。

オ　適格消費者団体が規則第15条第1項に規定する措置を利用して情報を記録する場合において、規則第13条第2項の内容を示す書面に記載された事項を記録する際は、当該書面をスキャナ（これに準ずる画像読取装置を含む。）により読み取ってできた電磁的記録を記録するほか、当該書面に記載されている事項と同一の内容に係る電磁的記録を記録するなどの方法により、当該書面に記載されている事項を正確に記録しなければならない。

カ　規則第17条第14号に規定する「請求の放棄若しくは認諾、裁判上の和解、調停における合意又は仲裁法第三十八条第一項の和解の効力を争う手続の開始又は当該手続の終了」とは、例えば、和解又は調停の無効確認の訴えの

608　第2編　関係法令等　第4章　適格消費者団体の認定、監督等に関するガイドライン

提起又は当該訴えに係る判決の確定、和解が無効であることを理由とする期日指定の申立て又は訴訟の終了宣言、和解又は調停が無効であることを理由とする請求異議の訴えの提起又は当該訴えに係る判決の確定、和解を解除したことを理由とする訴えの提起又は当該訴えに係る判決の確定等が該当する。

キ　規則第17条第15号に規定する「攻撃又は防御の方法の提出」とは、本案の申立てを基礎づけるためにする判断資料の提出をいい、典型的には事実の主張と証拠の申出が該当する。これらに関する通知及び報告は、適格消費者団体が業務規程に定める方針（規則第6条第2号。上記2(8)イ参照）に基づき、適格消費者団体が適当と認める限りにおいてされていれば足りるものとするが、適格消費者団体が準備書面や証拠を提出した場合など、当該差止請求に関する手続に係る適格消費者団体による行為のうち一定のものについては、業務規程において通知及び報告の対象として規定するのが法第23条第4項の規定の趣旨からは望ましい。

(2)　消費者の被害に関する情報の取扱い（法第24条関係）

法第24条に規定する消費者の同意を得る方法としては、例えば、苦情相談が寄せられた際に、情報の提供者たる消費者に対し、情報の利用目的等を説明したうえで同意を得ることや、情報提供者の名簿を作成しておき、実際に訴訟等で使用する段階で同意を得ることなどが考えられる。

(3)　秘密保持義務（法第25条関係）

法第25条に規定する「差止請求関係業務に関して知り得た秘密」とは、差止請求関係業務を遂行する過程で知り得た秘密（一般に知られていない事実であって、本人が他に知られないことにつき相当の利益を有するもの）をいい、例えば、差止請求権の行使に必要な消費者被害に関する情報収集等を行う過程で知り得た消費者の一身上の秘密や家計経済上の秘密が該当する。これに対し、隣家や飲食店等でたまたま見聞した事項のような差止請求関係業務とは無関係に知り得た事項は該当せず、また、差止請求に係る相手方の不当な行為に関する事項についても、当該相手方が他に知られないことにつき相当の利益を有するものとはいえず、該当しないと考えられる。

同条に規定する「正当な理由」としては、例えば、秘密の主体である本人が承諾した場合や、法令上の義務に基づいて秘密事項を告知する場合が該当するほか、事業者による不当行為がまさに行われようとしている場合に近接する他

の適格消費者団体に当該不当行為に係る重要な消費者被害に関する情報を提供するなど、緊急に必要な個別具体的な事情がある場合も該当し得る。また、適格消費者団体は、特定適格消費者団体が行う被害回復関係業務が円滑かつ効果的に実施されるよう、相互に連携を図りながら協力するように努めなければならないところ（消費者の財産的被害等の集団的な回復のための民事の裁判手続の特例に関する法律（平成25年法律第96号）第81条第4項）、消費者被害の救済を目的として、適格消費者団体が特定適格消費者団体に対して情報提供することも、個別具体的な事情によっては「正当な理由」に該当し得る。例えば、被害回復関係業務を行うのに適した特定適格消費者団体が存在し、当該特定適格消費者団体が被害回復関係業務を円滑かつ効果的に実施するために、消費者被害に関する情報が必要不可欠な場合において、個人情報等の取扱いに留意した上で当該情報を提供することは「正当な理由」に該当すると考えられる。

(4) 情報の提供（法第27条関係）

差止請求に係る判決等の情報の提供を行うに当たっては、消費者のプライバシーの侵害のおそれ等がある場合を除き、当該判決等の概要のほか、当該判決等の内容についても、個人情報等の取扱いに留意した上で、消費者が理解しやすい方法で提供するようにすることが望ましい。このほか、消費者の被害の防止及び救済に資するために必要な情報の提供を行う場合において、当該情報に他の者の業務に関する情報が含まれているときは、当該他の者の業務が適格消費者団体の業務と誤認されることのないように留意することが望ましい。

(5) 財産上の利益の受領の禁止等（法第28条関係）

法第28条第1項から第4項までに規定する「その差止請求権の行使に関し」とは、当該適格消費者団体による差止請求権の行使の適正及び制度の信頼性に影響を及ぼしうる場合をいい、例えば、適格消費者団体が、差止請求権の行使に係る個別事案とは関係なく寄附金を受領することや、不当な行為をしていた相手方との間で、それによって得た利得を個々の消費者に返還したり、消費者に対する支援活動を行う者に拠出するよう合意することは該当しない。

5 監督

(1) 帳簿書類（法第30条関係）

ア 法第30条に規定する帳簿書類は、書面のほか、電磁的記録媒体により作成又は保存をすることができるものとする。

イ　規則第21条第１項第１号に規定する帳簿書類は、適格消費者団体が差止請求権を行使した事案ごとに作成され、おおむね以下の事項が時系列的に記載されていなければならない。
①　交渉の相手方の氏名又は名称
②　事案の概要及び主な争点
③　交渉日時（法第41条第１項に規定する書面を発送した場合の発送日を含む。）、場所及び手法（電話、訪問、電子メール及び書面発送等の別）
④　交渉担当者（同席者等を含む。）
⑤　交渉内容及び相手方の対応
ウ　規則第21条第１項第２号に規定する「当事者となった場合」とは、適格消費者団体が法的手続を起こした場合と起こされた場合の双方を含む。同号に規定する帳簿書類は、適格消費者団体が法的手続の当事者となった場合ごとに作成され、おおむね以下の事項が記載されていなければならない。
　なお、第１号（上記イ関係）の相手方との交渉を経て、第２号の訴えの提起等に至った場合には、その旨⑥の冒頭に付記するものとする。
①　訴え提起等の相手方の氏名又は名称
②　事案の概要及び主な争点
③　法的手続の種類
④　訴え提起等の日
⑤　係属裁判所（部）
⑥　訴え提起等後の経緯及び結果
エ　規則第21条第１項第３号（消費者被害情報収集業務のうち、法第12条の３及び第12条の４に基づく事業者等に対する要請に係る業務を除く。）及び第４号（差止請求情報収集提供業務のうち、情報提供に係る業務）に規定する帳簿書類は、当該業務の概要に関し、おおむね以下の事項が記載されていなければならない。
①　当該業務をした日時、場所及び方法
②　当該業務をした結果
　規則第21条第１項第３号（消費者被害情報収集業務のうち、法第12条の３及び第12条の４に基づく事業者等に対する要請に係る業務）に規定する帳簿書類は、適格消費者団体が事業者等に対する要請を行った事案ごとに作成され、当該業務の概要に関し、おおむね以下の事項が記載されていな

ければならない。

① 要請の相手方の氏名又は名称
② 要請を行った日時及び方法
③ 要請の理由及び要請内容の概要
④ 要請後の経緯及び結果

　規則第21条第1項第4号（差止請求情報収集提供業務のうち、情報収集に係る業務）に規定する帳簿書類は、適格消費者団体が差止請求に係る講じた措置の開示要請（法第12条の5）を行った事案ごとに作成され、おおむね以下の事項が記載されていなければならない。なお、第1号（上記イ関係）の相手方との交渉又は第2号（上記ウ関係）の訴え提起等を経た結果、相手方が差止請求に係る措置をとる義務を負い、講じた措置の開示要請に至った場合には、その旨④の冒頭に付記するものとする。

① 開示要請の相手方の氏名又は名称
② 相手方が負う義務の内容
③ 開示要請を行った日時及び方法
④ 開示要請の内容の概要
⑤ 開示要請後の経緯及び結果

オ　規則第21条第1項第5号に規定する「関係資料」とは、例えば、第1号に規定する帳簿書類（上記イ関係）との関係では、差止請求に係る相手方との交渉の際の手控えのうち交渉の経過が分かる主要なもの、第2号に規定する帳簿書類（上記ウ関係）との関係では、適格消費者団体が訴訟の当事者となった場合の訴状、準備書面その他の関係する法的手続の記録一式、第3号及び第4号に規定する帳簿書類（上記エ関係）との関係では、業務の概要が分かる主要な手控え等が該当する。

カ　規則第21条第1項第7号に規定する「会計簿」とは、適格消費者団体の資産及び負債並びに収入及び支出に関する取引を記載したものをいい、例えば、仕訳帳、総勘定元帳、残高試算表、精算表等の書類が該当する。また、領収書などの証憑書類については、できる限り分類して保存しておくことが望ましい。

キ　規則第21条第1項第8号に規定する「会費、寄附金その他これらに類するもの」（会費等）とは、法人の社員として社員総会における表決権を有する者のほか、定款等に基づき当該団体の会員とされる者の地位に基づき納入等さ

612　第2編　関係法令等　第4章　適格消費者団体の認定、監督等に関するガイドライン

れるもの（会費）及び納入等をする者の任意に基づき直接の反対給付がなく
納入等されるもの（寄附金）その他これらに類するものをいい、「正会費」
「賛助会費」「支援金」「カンパ」「賛同金」など名称の如何を問わない。同号
に規定する帳簿書類は、会費等について、同項第7号に規定する会計簿とは
別途、同項第8号に規定する内容の明細を記録したものをいう。

　なお、同号ロに規定する「寄附金であってその寄附をした者の氏名を知る
ことができないもの」とは、例えば、シンポジウムの会場において募金箱を
設置する、寄附者が明らかにならないクラウド・ファンディングを利用する
等の寄附金を募集する方法の性質上、寄附をした者を適格消費者団体が知る
ことができない寄附金をいう。このような寄附金は、寄附金を受け入れた時
点における事業年度中の総額が前事業年度の収入の総額の10分の1を超え
ない限度において受け入れた年月日、当該年月日において受け入れた寄附金
を集めた方法及びその金額を記録すれば足り、10分の1を超える可能性があ
る場合には、寄附をした者を知ることができない方法により寄附を募集して
はならない。

ク　規則第21条第1項第9号に規定する帳簿書類は、法第28条第1項各号に規
定する財産上の利益の受領について、規則第21条第1項第7号に規定する会
計簿とは別途、作成されたものをいう。

(2)　財務諸表等（法第31条第1項及び第4項関係）

　適格消費者団体は、毎事業年度終了後3か月以内に、その事業年度の財務諸
表等（財産目録、貸借対照表、活動計算書又は損益計算書（法第14条第2項第
8号）及び事業報告書）を作成しなければならない。法人の区分に応じて作成
される活動計算書又は損益計算書は、法第29条第2項に規定するところにした
がい、区分して作成しなければならない。また、法第28条第1項各号に掲げる
財産上の利益については、その収入及び支出の状況が明瞭に記載されていなけ
ればならない。

　また、法第31条第1項に規定する事業報告書には、翌事業年度の収支（会費、
寄附金、差止請求関係業務以外の業務による収入、借入金等の収入及び役員又
は専門委員の報酬、職員の賃金、弁護士報酬、事務所の賃料等の支出）の見込
みとその算出根拠を具体的に記載しなければならないものとする。

　法第31条第4項に規定する「正当な理由がある場合」とは、例えば、同一の
請求を合理的な理由もなく繰り返すなど、当該請求が自己若しくは第三者の不

正な利益を図り又は当該適格消費者団体に損害を加える目的でされる場合や、請求が集中することにより当該適格消費者団体の業務活動に支障が生ずるなどの場合が該当する。

(3) 不利益処分等（法第32条、第33条及び第34条関係）

　ア　不利益処分等の選択等の基準

　　適格消費者団体に対する不利益処分等の選択及び適用に当たっては、不利益処分等の原因となる事実について、その経緯、動機・原因、手段・方法、故意・過失の別、被害の程度、社会的影響、再発防止の対応策等を総合的に考慮して、報告若しくは立入検査（法第32条）、適合命令若しくは改善命令（法第33条）又は認定の取消し（法第34条）の別を決するものとするが、下記ウ(ｱ)の場合を除き、適合命令又は改善命令によって是正が図られる場合には、原則としてそれらの命令を発し、それでも是正が図られないときに認定の取消しを選択するものとする。

　　また、報告若しくは立入検査、適合命令若しくは改善命令又は認定の取消しを実施した場合には、法令違反又はそのおそれの内容、程度及び自主的な改善措置の状況などを考慮しつつ、消費者庁のウェブサイトに公表することとする。

　イ　適合命令及び改善命令（法第33条関係）

　　法第33条第2項に規定する「その他適格消費者団体の業務の適正な運営を確保するため必要があると認めるとき」とは、適格消費者団体が法令違反の業務運営を行っている場合のみならず、およそ適格消費者団体として適正な業務運営を確保し得ないおそれのある場合を含み、例えば、次のような場合が該当する。

　①　理事会及び理事に関し法第13条第3項第4号に規定する要件を満たしていたとしても、特定の事業者からの指示若しくは委託を受けて当該事業者と競合関係にある事業者に対して差止請求をし又は特定の事業者と競合関係にある事業者に対して損害を加えることを目的として差止請求をする（典型的には、競合関係にある事業者の営業上の信用を害する目的で差止請求をすることが想定される。）など、実質的に同号の規定を潜脱するような差止請求関係業務を行う場合（もっとも、特定の事業者から寄附を受けたり、事業の委託を受けたとしても、直ちに同号の規定を潜脱するものと認めるわけではない。）

614 第2編 関係法令等 第4章 適格消費者団体の認定、監督等に関するガイドライン

② 適格消費者団体又はその役員、職員若しくは専門委員が、第三者に明らかにしない条件の下で取得した情報を第三者へ開示するなど、差止請求関係業務に関して知り得た情報の管理及び秘密の保持に関し、適格消費者団体に対する信頼を損なう行為をする場合

③ 消費者の被害の防止及び救済に資することを目的とせずに、事業者その他の者を誹謗・中傷し又は特定の事業者による営利事業の広告若しくは宣伝をすることを目的として、消費者に対する情報の提供を行う場合

④ 適格消費者団体が国民生活センター及び地方公共団体の有する消費生活相談に関する情報のみに依存して差止請求関係業務を行う常態となり、消費者からの情報収集を行っていない場合

⑤ 国民生活センター及び地方公共団体が情報の提供をするに際して付した必要な条件に違反して情報を利用した場合

⑥ 適格消費者団体の役員が、特定商取引に関する法律に基づく指示若しくは業務停止命令、不当景品類及び不当表示防止法（昭和37年法律第134号）に基づく措置命令若しくは課徴金納付命令又は食品表示法（平成25年法律第70号）に基づく指示若しくは命令を受けた事業者であって、これらの指示又は命令を受けた日から1年を経過しないものの役員又は職員に該当する場合であって、当該役員又は職員の当該事業者における地位及びこれらの指示又は命令を受けることとなった当該事業者の行為への関与の度合いなどを考慮して、当該適格消費者団体が差止請求関係業務を適正に遂行できるとはいえない場合

⑦ 適格消費者団体は、法に基づき、事業者等に対して、消費者契約の条項の開示要請、損害賠償の額を予定する条項等に関する説明の要請及び差止請求に係る講じた措置の開示要請を行うことができ、事業者等はこれに応じる努力義務を負うところ（法第12条の3から第12条の5まで）、およそ要件を満たさないことが明らかであるにもかかわらず、これらの法に基づく要請として、これに応じることを繰り返し求めるなど、法第12条の3から第12条の5までの規定の趣旨に反する行為をする場合

ウ 認定の取消し（法第34条第1項及び第2項関係）

(ア) 法第34条第1項各号に掲げる事項に該当する場合のうち、以下の場合には、原則として直ちに認定を取り消すこととする。

① 偽りその他不正の手段により第13条第1項の認定、第17条第2項の有

効期間の更新又は第19条第３項若しくは第20条第３項の認可を受けた
場合
② 暴力団員等と知りつつ適格消費者団体の業務に従事させ、又は業務の
補助者として使用した場合
③ 不特定かつ多数の消費者の利益に著しく反する訴訟等の追行を行っ
たと認められる場合
④ 適格消費者団体が法第28条第１項の規定に違反した場合
(イ) 不特定かつ多数の消費者の利益に著しく反する訴訟等の追行（法第34条
第１項第４号関係）
(a) 不特定かつ多数の消費者の利益を害する内容の和解
法第34条第１項第４号に規定する「不特定かつ多数の消費者の利益を
害する内容の和解」とは、適格消費者団体が差止請求に係る相手方と通
謀し、不特定かつ多数の消費者の利益の観点からは本来譲歩すべきでな
い重要な事項であることが関係証拠等により明らかであるにもかかわ
らず敢えて一方的に譲歩して和解をした場合や、差止請求に係る相手方
との通謀はなくても、本来譲歩すべきでない重要な事項であることを関
係証拠等により認識しながら敢えて一方的に譲歩して和解をした場合
をいい、例えば、ある勧誘行為又は契約条項について、差止請求に係る
相手方から見返りとなる譲歩が得られないにもかかわらず、敢えて消費
者契約法上明らかに不当な勧誘行為又は契約条項に該当するものに変
更する内容の和解等が該当する。
なお、適格消費者団体は民事実体法上の差止請求権を固有に有するも
のであり、紛争の早期解決の観点から差止請求に係る相手方と任意に交
渉し和解をすることは当然に可能であり、和解とは当事者双方の互譲に
基づき成立するものであることから、適格消費者団体が差止請求をし、
真摯な折衝の結果として請求内容の一部を譲歩したとしても、上記のよ
うな「不特定かつ多数の消費者の利益を害する内容の和解」に該当する
ものではない。また、和解は請求の対象以外の事情をも考慮してされる
こともあることにかんがみると、部分的には消費者に有利とはいえない
内容を含むものであっても、当該請求の対象以外の事情をも含めて全体
として見れば不特定かつ多数の消費者の利益の擁護に資する和解も想
定されるが、このような場合は「不特定かつ多数の消費者の利益を害す

616　第2編　関係法令等　第4章　適格消費者団体の認定、監督等に関するガイドライン

る内容の和解」に該当するとはいえない。

(b) 不特定かつ多数の消費者の利益に著しく反する訴訟等の追行

　　法第34条第1項第4号に規定する「不特定かつ多数の消費者の利益に著しく反する訴訟等の追行」とは、差止請求に係る相手方と通謀し、又はそうでなくても不特定かつ多数の消費者の利益に著しく反する訴訟等の追行であることを認識しながら敢えて消費者に不利な訴えの提起、陳述、証拠の提出等の訴訟等の追行をした場合をいい、例えば、次のような場合が該当する。なお、適格消費者団体が事業者等に対して差止請求をし、真摯な訴訟等の追行の結果、敗訴するなどしたとしても、上記のような「不特定かつ多数の消費者の利益に著しく反する訴訟等の追行」に該当するものではない。

① 重要な争点について、消費者に不利な虚偽の陳述をすること。

② 差止請求に係る訴訟の口頭弁論期日に故意に欠席を繰り返して当該訴訟を終結させること。

③ 消費者に不利な証拠を新たに作出したり、消費者に明らかに有利で重要な証拠を改ざんして不利な証拠として提出すること。

④ 重要な争点について、証人に対し、虚偽の証言をさせること。

⑤ 事業者等によって提起された適格消費者団体に対する差止請求権不存在等確認請求の訴えにおいて、相手方と通謀して請求原因事実を認める旨の答弁書を提出して欠席すること。

⑥ 当該差止請求権を根拠付ける重要な事実関係を仮装して差止請求に係る訴えを提起すること。

(c) 法第23条第4項の規定に違反して同項の通知又は報告をしないで同項第10号に規定する行為をしたとき（法第34条第2項）

　　和解に関し、法第34条第2項の規定により、内閣総理大臣が適格消費者団体について法第34条第1項第4号に掲げる事由があるものとみなすことができるのは、当該適格消費者団体が4(1)エにいう「合意の内容」に関する事項について通知又は報告をしなかった場合とする。

(ウ) 強制執行に必要な手続を怠ったことが不特定かつ多数の消費者の利益に著しく反する場合（法第34条第1項第5号、第35条第5項第1号関係）

　　法第34条第1項第5号に規定する「当該確定判決等に係る訴訟等の当事者である適格消費者団体がその手続を怠ったことが不特定かつ多数の消

費者の利益に著しく反するもの」及び法第35条第5項第1号に規定する
「当該指定適格消費者団体がその手続を怠ったことが不特定かつ多数の消
費者の利益に著しく反するもの」とは、法第12条の2第1項第2号本文の
確定判決等が存するにもかかわらず相手方が当該確定判決等に従わない
場合において、適格消費者団体又は指定適格消費者団体が法第12条の2第
1項第2号本文の確定判決等に係る強制執行に必要な手続をとることが
可能であるにもかかわらず、他の手段を講ずることもなく敢えて怠ってい
る場合をいう。なお、この場合においても、内閣総理大臣は、上記アの趣
旨に従い、原則として当該適格消費者団体に対し強制執行に必要な手続を
とるよう改善命令をしたうえ、これに従わない場合に認定を取り消すこと
とする。

(4) 差止請求権の承継に係る指定等（法第35条関係）

　　法第35条第1項及び第6項の規定に基づく適格消費者団体の指定は、当該適
格消費者団体の活動、組織及び経理的基礎等の状況により、同条第4項第2号
に規定する従前の適格消費者団体との差止請求関係業務に係る活動状況や活
動地域の類似性をも勘案し、当該従前の適格消費者団体が当事者である法第12
条の2第1項第2号本文の確定判決等に係る強制執行に必要な手続を適正に
すると認められるものに対してすることとする。

　　法第35条第5項第1号に規定する「当該指定適格消費者団体がその手続を
怠ったことが不特定かつ多数の消費者の利益に著しく反するもの」について
は、上記(3)ウ(ウ)と同様である。

6　政党又は政治的目的のための利用（法第36条関係）

ア　趣旨

　　適格消費者団体の活動が、消費者全体の利益擁護という公益的性格を持つも
のであることから、その政治的な中立性を確保し、その信頼性を高めるために、
政党又は政治的目的のための利用を禁止したものであり、いやしくも適格消費
者団体としての活動が選挙運動等に利用されることがあってはならない。

イ　規律

　　「政党のための利用」とは、特定の政党を支持し、又はこれに反対することを
いう。

　　「政治的目的のための利用」とは、公職の選挙において特定の候補者を支持

618　第2編　関係法令等　第4章　適格消費者団体の認定、監督等に関するガイドライン

し、又はこれに反対すること、特定の政治的団体を支持し、又はこれに反対することことこと、政策の提言や意見の表明であっても特定の政党や特定の候補者の支持等上記の禁止行為と同視できるものをすることをいう。

　ここで、「政治的団体」とは、「政党」以外の団体で政治上の主義若しくは施策を支持し、若しくはこれに反対し、又は公職の候補者を推薦し、支持し若しくはこれに反対する目的を有するものをいう。また、特定の政党又は特定の政治的団体を「支持し又は反対する」とは、特定の政党又は特定の政治的団体につき、それらの団体の勢力を維持拡大するように若しくは維持拡大しないように、又はそれらの団体の有する綱領、主張、主義若しくは施策を実現するように若しくは実現しないように又はそれらの団体に属する者が公職に就任し若しくは就任しないように影響を与えることをいう。

ウ　政策の提言や意見の表明の取扱い

　政策の提言や意見の表明のうち、消費者団体訴訟制度に関する制度の改善・運用の改善等に関する提言等は法第36条の規定によって制約されるものではない。

　このほかの政策の提言や意見の表明については、法第36条の規定によって直ちに制約されるものではないが、特定の政党や特定の候補者等からの指示又は委託を受けて当該政策の提言や意見の表明を行っているなど、特定の政党や特定の候補者の支持又は反対等と同視できるような場合であれば、同条の禁止行為に該当する。

エ　法第36条の規定に違反する場合等の取扱い

　既に法第13条第1項の認定を受けた適格消費者団体が法第36条の規定に違反する場合には、適合命令及び改善命令など不利益処分等（法第32条、第33条及び第34条）の対象となるほか、認定の申請の段階で、当該申請者が法第13条第5項第5号に規定する「政治団体」そのものには該当しなくても、当該申請者が特定の政党若しくは政治的団体又は特定の候補者から多額の融資を受け活動資金を依存している場合、その指揮命令下にある人物が役員、職員若しくは専門委員の大半を占め当該申請者の意思決定又は業務執行を実質的に決定している場合その他特定の政党若しくは政治的団体又は特定の候補者が当該申請者の意思決定又は業務執行に重大な影響を及ぼしていると認められる場合には、認定をしないものとする。

7 公表する情報（法第39条第2項関係）

法第39条第2項の規定により内閣総理大臣が公表する情報は規則第29条各号に掲げられている情報である。ここで、規則第29条に規定する「その額を公表することにより当該委託を受けた者の業務の遂行に支障を生ずるおそれのあるとき」とは、例えば、弁護士など専門的な知識経験を有する者に業務を委託した場合において、委託を受けた者に支払った報酬の額を公表することにより、その者の業務の遂行に支障を及ぼすおそれがあるときをいう。この場合には、匿名で公表するものとする。

8 手続のオンライン化

ア 以下の手続については、内閣府の所管する消費者庁関係法令に係る情報通信技術を活用した行政の推進等に関する法律施行規則（平成21年内閣府令第60号）第4条の規定の例により、消費者庁長官が管理する電気通信設備の記録媒体に以下に規定する事項を内容とする情報を記録する措置であって、消費者庁長官が当該情報を記録することができ、かつ、当該記録媒体に記録された当該情報を消費者庁長官が受信することができる方式を使用する方法によって申請、提出又は届出（以下「申請等」という。）を行うことができる。

① 法第18条に規定する変更の届出

② 法第31条第5項に規定する書類の提出

③ 法第17条第3項に規定する有効期間の更新の申請

④ 法第13条第2項に規定する適格消費者団体の認定の申請

⑤ 法第19条第4項に規定する合併の認可の申請及び法第20条第4項に規定する事業の譲渡の認可の申請

イ 添付書類のうちに、申請等に係る書面等のうちにその原本を確認する必要があるものがあると消費者庁が認める場合は、当該部分につき、別途送付の方法により提出することができる。この場合、当該部分以外の部分につきオンラインによる申請等を行った日から、1週間以内に提出しなければならない。

第 3 編

資料編

622　第3編　資料編　第1章　消費者契約法の制定（平成12年）

※　以下、本編において、過去の改正・改正時の資料等について当時の状況に基づき
　　説明しており、例えば、説明の中で言及する法令等には、その後現在に至るまで
　　に改廃があり得る。また、役職・所属等は当時のものである。

第1章　消費者契約法の制定（平成12年）

1　トラブルの現状

　我が国は、昭和43年の消費者保護基本法制定以来、30年の間に消費者行
政の組織体制の整備、安全・品質面における各種規制、悪質商法を防止す
るための法制度の整備等着実な歩みを続けてきている。しかしながら近年、
高齢化、グローバル化、サービス化等の急速な進展に伴い、契約・販売方
法に関するトラブルは増加している。

　国民生活センターや全国の消費生活センター等に寄せられた苦情・相談
件数は平成10年度で約42万件に達するが、そのうち8割強の約34万件が契
約や販売方法に関するもので占められている。

2　現行法制度と問題点

　これまで、適正な消費者契約の確保については、法令（民法、個別法）に
よる対応のほか、各種の非法令的措置（例えば、国民生活センター・消費生活
センターにおける相談受付体制の確立、国民生活審議会の調査審議を踏まえた各
業界の約款見直し）がとられており、一定の成果がみられる。

　しかし、これら従来の対応については、次のような問題点が存在する。

1　民法による対応

　(1)　意思表示に関する規定（詐欺、強迫、錯誤等）は、契約が対等な当事
　　者の合意に基づき成立することを前提としているため、要件が厳格で
　　ある。このため、消費者が事業者の不適切な行為によって契約を締結
　　した場合に、これら意思表示に関する規定を活用して速やかにこれを

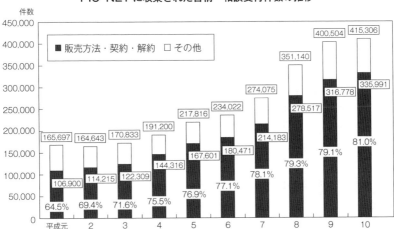

(備考) ① 1件の相談につき、複数項目への計上あり。
② グラフ（％）は、販売方法・契約・解約に該当する事例の全体に対する割合を表している。
③ 全相談受付件数のうち、全国消費生活相談情報ネットワーク・システム（PIO-NET）に収集されたものに限る。
④ 平成12年3月現在入力分
⑤ 国民生活センター資料により作成

解消することは、一般に困難である。
(2) 一般条項（公序良俗違反、信義則違反）に関しては、その抽象性により消費者トラブル解決についての予見可能性、法的安定性が低い。このため、消費者が一般条項を活用して速やかにこれを解決することは、一般に困難である。

2 個別法による対応
(1) 個別の消費者保護立法の適用範囲は、それぞれ特定の分野に限定されている。このため、個別法による対応は、
　ア　脱法的な悪質商法、

624 第3編 資料編 第1章 消費者契約法の制定（平成12年）

　　イ　規制緩和の進展に伴い活発となるニュー・ビジネス、については、後手に回らざるをえない。
　(2)　個別法における中心的な手法である行政規制については、
　　ア　消費者の救済は反射的・間接的なものにとどまり、契約の効力否定など私人間の権利義務に直接的な効果をもたらすものではない、
　　イ　政策運営の基本原則が事前規制から市場参加者が遵守すべきルールの整備へと転換しつつあるなかで、消費者政策といえども事前規制の新設・強化は厳しく抑制されざるをえない、
　　などの問題がある。

3　各種の非法令的措置

　個人の権利は究極的には裁判機構という国家権力を通じて実現されるところ、非法令的措置については、消費者が自ら自己の権利を実現するための強制力ある手段（裁判規範）として活用することはできないことから、結局、消費者トラブルの根本的な解決につながらない。

③　国民生活審議会における審議

　以上のような、契約・販売方法に関するトラブルの増加と、それに十分対応し切れていない現行法制度の現状に着目して、事業者、事業者団体、消費者団体、学識経験者、法曹関係者、マスコミ関係者から構成される内閣総理大臣の諮問機関である国民生活審議会消費者政策部会では次のような検討を行った。

　製造物責任法（PL法）の審議を終えた後、平成6年4月より消費者取引上の問題等の検討を開始し、11月には第14次国民生活審議会消費者政策部会消費者行政問題検討委員会が「今後の消費者行政の在り方について」を報告し、消費者取引の適正化の基本的な方向性を提言した。

　ついで、平成8年12月には第15次国民生活審議会消費者政策部会が「消費者取引の適正化に向けて」を報告し、契約締結過程および契約条項に関する具体的かつ包括的な民事ルールの立法化を提言した。また、平成9年10月には、消費者政策部会長である東京大学の落合誠一教授を中心とする検討グループが「消費者契約適正化法（仮称）の論点」を公表した。

これらを受けて第16次国民生活審議会消費者政策部会では平成10年1月、消費者契約法の具体的内容についての試案として消費者政策部会中間報告「消費者契約法（仮称）の具体的内容について」をとりまとめて公表した。3月から8月にかけて、同中間報告に示された消費者契約法の考え方をもとに同法が制定された場合の影響等について関係各界28業種・52団体から幅広く意見を聴取し、9月、意見聴取を踏まえて論点を整理し、民事ルールの内容と実効性を確保する方策（裁判外の紛争処理の在り方等）の審議を行うなどをした結果、平成11年1月に「消費者契約法（仮称）の制定に向けて」と題する消費者政策部会報告をとりまとめて公表した。

同報告では「消費者契約法の制定に当たっては、消費者、事業者双方が自己責任に基づいて行動することができる環境整備の一環として公正で予見可能性の高いルールを策定するという観点から、立法化の国民的コンセンサスを得るべく、本報告において示された検討の成果を踏まえるとともに、関係各方面との調整を十分に図りつつ、細部にわたって検討を深めていく必要がある。以上のとおり、我々は、消費者と事業者との間で締結される契約を幅広く対象としてその適正化を図るため、具体的な民事ルールを規定する消費者契約法をできる限り速やかに制定すべきである」との総括判断が示され、消費者契約法の早急な立法を求めた。

4月の第17次国民生活審議会総会では当面の調査・審議事項として、国民生活審議会消費者政策部会において消費者契約法（仮称）の具体的内容について審議すること、同消費者政策部会の下に消費者契約法検討委員会をそれぞれ設置することを決定し、5月の第1回国民生活審議会消費者政策部会では、先の国民生活審議会総会決定を受けて、消費者契約法についての具体的な調査審議内容、調査審議スケジュール等の概略を決定した。

6月から7月には、消費者契約法検討委員会委員から消費者契約法の論点を具体化した質問項目に沿った意見を求め、併せて、関係各界に同様の形式で文書による意見を募り、それらをもとに審議を行い、9月、消費者契約法検討委員会のとりまとめ状況を消費者政策部会に報告するとともに、引き続き審議を行った。11月、「消費者契約法（仮称）の具体的内容について」と題する消費者契約法検討委員会報告をとりまとめ、消費者政策部会に報告するとともに、公表した。

これを受けて消費者政策部会は、12月「消費者契約法（仮称）の立法に当たって」と題する消費者政策部会報告をとりまとめて公表した。そのなかで、「政府においては、消費者が事業者と締結する契約に係る紛争の公正かつ円滑な解決に資するため、『消費者契約法（仮称）の具体的内容について』の趣旨を十分尊重し、政府内及び関係者の調整を図り、消費者契約法の法制化を早急に行うとともに、同法の実効性を高めるため、関連する諸施策を適切に講じることが必要である」という立法に当たっての総括判断が示された。

このように、国民生活審議会は足掛け約6年にわたる検討の結果、消費者契約法の法制化を早急に行うべきであるとの結論に達した。

4　関係審議会等における検討（法務省、通商産業省）

消費者契約法をめぐる国民生活審議会の議論を受けて、関係審議会等においても、各々の視点から消費者契約法に関する検討が行われた。

1　現代契約法制研究会における検討（法務省）

平成10年1月の国民生活審議会消費者政策部会中間報告「消費者契約法（仮称）の具体的内容について」を受け、法務省民事局は、国民生活審議会消費者政策部会中間報告における消費者契約法の内容について、主として民法の観点から検討を加えること等を目的として、平成10年2月に民事局長の私的研究会として学識経験者で構成する「現代契約法制研究会」を設置して検討を行い、平成11年4月には「消費者契約を幅広く対象としてその適正化を図るための具体的な民事ルールとしての『消費者契約法（仮称）』についての法制化を早期に実現することが期待される」とした「消費者契約法（仮称）の論点に関する中間整理」を公表した。

2　産業構造審議会における検討（通商産業省）

通商産業省では、新たな時代における消費者取引ルールの在り方を探るために平成10年8月から、事業者、事業者団体、消費者団体、学識経験者、法曹関係者、マスコミ関係者から構成される産業構造審議会消費経済部会において検討を行い、平成11年2月には「消費者契約に広く適用される新

たな包括的民事ルールとしての『消費者契約法（仮称）』の立法化を検討していることは適切な問題提起として正鵠を射た取り組み」と評価した内容を盛り込んだ部会報告「今後の消費者取引のルールの在り方に関する提言——快適で安心な消費生活を目指して——」を公表した。

5 政府部内における検討と立案作業

平成11年12月に第17次国民生活審議会消費者政策部会報告が取りまとめられて公表された後、政府部内において、「消費者契約法案」の具体的な立案作業が開始された。

6 各政党における検討

消費者契約法の立法化に当たっては、政府部内のみならず、各政党においても次のような検討がなされた。

1 自由民主党

平成10年7月の参議院選挙公約に「国民の消費生活の安定及び向上のため、消費者契約に関する法制度整備を早期に図ります」を掲げ、第14回統一地方選挙の「わが党の公約」においては「消費者利益を確保し、もって国民生活の安定及び向上に資することを目的とした、消費者契約法の制定に向けて努力します」とした。

一方、平成10年9月に経済・物価問題調査会の下に消費者契約制度に関するワーキングチーム（座長：中山成彬衆議院議員）を発足させ、関係省庁、消費者団体、経済界、日弁連、学識経験者等から計11回にわたる意見聴取を行い、平成12年2月24日の第11回会合において、同ワーキングチームとして、経済企画庁がとりまとめた消費者契約法案を了承した。これを受け自民党は、同法案を2月29日の商工部会／経済物価問題調査会合同会議、3月2日の政調審議会、3月3日の総務会にそれぞれ諮り、了承した。

2 公明党・改革クラブ

平成11年8月13日に、平成12年度予算概算要求及び税制改正要望のなかで、「消費者の契約をめぐるトラブルを防止し、不当な内容の契約から消費

者を守るため、『消費者契約法』の制定を行うこと」を求めた。

経済企画庁によって政府案がとりまとめられた後、公明党・改革クラブは、同案を2月25日に経済産業委員会において検討し、2月29日の政審正副委員長会議において経過報告を行った上で、3月2日の同会議において法案審査を行い、これを了承した。

3　自由党

経済企画庁によって政府案がとりまとめられた後、自由党は、同案を2月29日に党・商工部会において検討し、3月2日の常任幹事会において法案審査を行った結果、これを了承した。

4　自由民主党、自由党、公明党・改革クラブ

平成12年度予算編成大綱において、「消費者契約法（仮称）の早期制定を図る」ことを掲げた。

5　民主党

平成10年8月に、消費者保護プロジェクトチーム（座長：枝野幸男衆議院議員、副座長：千葉景子参議院議員、事務局長：石毛鍈子衆議院議員）を発足させ、経済企画庁、消費者団体、日弁連等からヒアリングを行い、消費者契約法の具体的な内容についてパブリックコメントを求めながら検討し、それを踏まえて平成11年12月10日に第146回国会において衆議院及び参議院に法案を提出した。

政府が消費者契約法案を国会に提出したことを受け、商工・消費者問題調査会合同会議において、政府案について関係各方面からヒアリングを行いながら検討を行った。

6　社民党

政府が消費者契約法案を国会に提出したことを受け、平成12年3月10日に党の政策審議会経済通信部会の下に消費者契約法プロジェクトチーム（委員長：北沢清功衆議院議員、事務局長：福島瑞穂参議院議員）を発足させ、経済企画庁及び日弁連よりヒアリングを行いながら検討した。

7 第147回国会への提出

　政府部内における関係審議会等や各政党におけるそれぞれの検討を踏まえて作成された「消費者契約法案」については、経済企画庁が法案の内閣登録を行うこととし、関係各方面との協議を重ね、平成12年3月7日には閣議決定され（閣法第56号）、同日、衆議院に提出された。

8 第147回国会における審議の経過

　平成12年3月7日に閣議決定され、同日、衆議院に提出された「消費者契約法案」は、3月14日、本会議における堺屋太一経済企画庁長官による趣旨説明と質疑を行い、同日本会議後、商工委員会に付託され、先に提出された民主党案と一括して審査されることとなった。3月29日、堺屋太一経済企画庁長官の提案理由説明に引き続いて、商工委員会における審議が開始された。4月4日は5時間30分の質疑、5日午前には3時間にわたって参考人意見陳述及び参考人に対する質疑が行われ、12日午後は3時間30分の質疑が行われた。さらに、14日午前、締め括り総括質疑が3時間20分行われ、その後、民主党案の撤回及び政府案に対する修正案の提出及びその採決が行われ、修正案は否決となった後、政府案に対する採決と附帯決議の採決、同日衆議院本会議において緊急上程され採決の運びとなった。商工委員会、本会議ともに全会一致で政府案が可決された。

　参議院においては、4月19日、本会議における堺屋太一経済企画庁長官による趣旨説明と質疑を行い、同日本会議後、経済・産業委員会に付託され、先に提出された民主党案と一括して審査されることとなった。20日、堺屋太一経済企画庁長官の提案理由説明に引き続いて、経済・産業委員会における審議が開始された。20日は6時間の質疑、25日午前には3時間にわたって参考人意見陳述及び参考人に対する質疑が行われた。さらに、27日、締め括り総括質疑が6時間行われ、その後、民主党案の撤回及び政府案に対する修正案の提出及びその採決が行われ、修正案は否決となった後、政府案に対する採決と附帯決議の採決、28日参議院本会議において採決の運びとなった。経済・産業委員会、本会議ともに全会一致で政府案が可決された（公布日は平成12年5月12日）。

630　第3編　資料編　第1章　消費者契約法の制定（平成12年）

　衆議院、参議院ともに、堺屋太一経済企画庁長官及び小池百合子経済企画総括政務次官等が出席して、衆議院が合計約16時間、参議院が合計約16時間の慎重かつ熱心な審議が行われた。

⑨　附帯決議

衆議院　商工委員会　消費者契約法案に対する附帯決議（平成12年4月14日）

　政府は、本法が、消費者と事業者との間に情報の質・量及び交渉力の格差が存在することにかんがみ、消費者利益の擁護のための新たな民事ルールを定めようとするものであることの意義を十分に認識し、本法施行に当たり、消費者契約に係る紛争の防止とその公正かつ円滑な解決を図るため、次の諸点について適切な措置を講ずべきである。

1　立法趣旨や各条項の解釈等、当委員会の審議を通じて明らかにされた本法の内容について、消費者、事業者、各種の裁判外紛争処理機関、都道府県及び市町村自治体における消費者行政担当者等に十分周知徹底すること。

2　消費者契約に係る紛争の簡易、迅速な解決を図るため、裁判外の紛争処理機関の強化を図ること。
　　特に、
⑴　国民生活センター、都道府県及び市町村自治体に設置された消費生活センターが、消費者契約に係る紛争の解決について果たすべき役割の重要性にかんがみ、その充実・強化を図ること。都道府県及び市町村自治体に対しても、その住民が身近な消費生活センターで消費者契約に係る適切な情報提供、苦情相談、苦情処理が受けられる体制を確保されるよう要請すること。
⑵　消費生活センターにおいて、消費者契約に係る紛争（トラブル）についての相談、あっせんを行っている消費生活相談員は、その専門的な知識を基に本法を活用した消費者利益の擁護のために重要な役割を果たすことが期待されることにかんがみ、その育成・人材の確保及び本法のみならず民法や各般の個別法を総合的に活用できる専門性の向上のため、適切な施策の実施を行うこと。
⑶　都道府県等において条例で設置されている苦情処理委員会が、消

費生活センターと手続的連続性を有しながら、消費者契約に係る紛争を解決するための公正かつ中立的機関として活用できることにかんがみ、高度に専門的な紛争の処理能力を向上させるため、苦情処理機関の要請に応じて専門家を地方に派遣するなど、その活性化のための支援策を講ずること。

(4) 消費者契約に係る紛争が裁判外で適切に解決されるための手段を十分確保するため、各地の弁護士会が設置する弁護士仲裁センターが消費者契約に係る紛争解決に当たり、利用しやすいものとなるよう、日本弁護士連合会に協力を要請すること。

3 紛争の究極的な解決手段である裁判制度を消費者としての国民に利用しやすいものとするという観点から、司法制度改革に係る検討に積極的に参画するとともに、その検討を踏まえ、本法の施行状況もみながら差し止め請求、団体訴権の検討を行うこと。

4 本法の施行状況について十分に把握し、消費者契約に係る紛争防止のための是正策に資するため、国民生活センターと全国の消費生活センターを結ぶオンライン・ネットワーク・システムである全国消費生活情報ネットワーク・システム（PIO-NET）により消費者契約に係る紛争及びその解決の実態についての情報を正確に収集、整理し、その情報を可能な限り国会等に公表するとともに、PIO-NETの拡充を図ること。

5 消費者が本法を活用しつつ、自己責任に基づいて主体的・合理的に行動できる能力を培うため、消費者が、本法をはじめとする民事ルールの意義・役割、契約に関する的確な知識や契約に当たっての消費者の役割について理解を深め、判断能力を向上させることができるよう、学校教育などにおける消費者契約に関する消費者教育の支援に積極的に取り組むこと。

6 電子商取引の進展など消費者契約の内容や形態が急速に多様化・複雑化してくることを踏まえ、また本法が主として裁判等の規範としての性格を有することにかんがみ、消費者契約に係る判例に関する情報及び消費生活センター等の裁判外紛争処理機関における処理例の情報の蓄積に努め、本法施行後の状況につき分析、検討を行い、必要があ

れば5年を目途に本法の見直しを含め所要の措置を講ずること。
右決議する。

参議院　経済・産業委員会　消費者契約法案に対する附帯決議（平成12年4月27日）

政府は、本法施行に当たり、次の諸点について適切な措置を講ずべきである。

1　消費者契約に係る紛争の簡易・迅速な解決を図るため、裁判外紛争処理機関の充実・強化を図るとともに、その積極的な活用に努めること。

　　特に、都道府県及び市町村に設置された消費生活センター、苦情処理委員会等について、専門家の派遣等を含め、その支援に努めるとともに、紛争解決機能を充実する観点からセンター等の役割の明確化、消費生活相談員の育成及び人材の確保を図ること。

2　消費者契約に係る紛争を防止するため、国民生活センターの全国消費生活情報ネットワーク・システム（PIO-NET）を活用し、本法制定の趣旨に沿うよう、紛争及び解決の事例に関する情報の的確な収集・分析を行うとともに、その結果を可能な限り国会等に公表するよう努めること。

3　消費者が、契約に関して自己責任に基づいた主体的・合理的な判断及び行動ができるよう、消費者教育の支援等に積極的に取り組むこと。

4　商品等に係る情報等が高度化・専門化してきている実情から、事業者が、特に高齢者にみられる判断力の不足している者に対し、その状況に乗じて不当な消費者契約をすることのないよう消費者の利益の擁護に特段の配慮をすること。

5　紛争の最終的な解決手段である裁判制度が消費者にとって利用しやすいものとなるよう、司法制度改革の動向及び本法の施行状況を踏まえ、差止請求に係る団体訴権について検討すること。

6　消費者契約が今後ますます多様化かつ複雑化することにかんがみ、本法施行後の状況につき分析・検討を行い、必要に応じ5年を目途に本法の実効性をより一層高めるため、本法の見直しを含め適切な措置

を講ずること。

右決議する。

10 審議会等報告書等

国民生活審議会消費者政策部会報告「消費者契約法（仮称）の立法に当たって」

平成11年12月24日

1 背景

現在、わが国では、国民の自由な選択を基礎とした公正で自由な競争が行われる市場メカニズム重視の社会の実現を目指して、規制緩和を中心とする構造改革が推進されている。

こうした中では、政策の基本原則を事前規制から市場参加者が遵守すべき市場ルールの整備へと転換することが求められているが、もとより、規制緩和・撤廃は、無責任な自由放任や弱肉強食の社会を目指すものではない。公正で自由な競争が行われる市場メカニズム重視の社会を実現するためには、規制緩和の時代にふさわしい「消費者のための新たなシステムづくり」を行うことが大きな課題となっている。

一方で、グローバル化、情報化、構造改革の進展に伴う商品・サービスの多様化の一層の進展や、消費者と事業者の間にある情報、交渉力の格差を背景に、消費者が事業者と締結する契約（以下、「消費者契約」という。）に係る紛争が、多発・増加している。

こうしたことから、消費者契約（消費者が事業者と締結した契約）に係る紛争の公正かつ円滑な解決に資する、消費者契約に係る民事ルール（消費者契約法（仮称）。以下「消費者契約法」という。）を整備することは、「消費者のための新たなシステムづくり」の上で最も重要な緊急の課題となっており、本部会として、その早期制定を求めてきたものである。

2 審議の経過

消費者契約の在り方については、国民生活審議会において数次にわたり調査、審議が行われてきたところであるが、これらの調査、審議を受け、

634　第3編　資料編　第1章　消費者契約法の制定（平成12年）

　第16次国民生活審議会消費者政策部会（平成9年5月～平成11年2月）では、「消費者契約法（仮称）の具体的内容について」と題する報告書（平成10年1月。以下、「第16次中間報告」という。）に続き、「消費者契約法（仮称）の制定に向けて」と題する報告書（平成11年1月。以下、「第16次部会報告」という。）をまとめ、「我々は、消費者と事業者との間で締結される契約を幅広く対象としてその適正化を図るため、具体的な民事ルールを規定する消費者契約法をできる限り速やかに制定すべきであると考える。」との総括判断を示した。同時に立法に当たって更に詰めるべき論点についても指摘した。

　第17次国民生活審議会（平成11年4月～）では、第16次部会報告を踏まえ、消費者契約法の具体的内容について、国民的合意の早急な形成を目指すこととし、早期の立法化を実現するため、本部会の下に、幅広い関係者によって構成される消費者契約法検討委員会を設置して、消費者契約に関する重要事項、無効とされるべき契約条項の内容、適用対象の範囲など残された課題について、具体的な検討を実施し、平成11年末を目途に取りまとめを行うこととした。

　同委員会では、平成11年6月より合計11回の会合を開き、取引の実情やトラブルの実態等を踏まえ、公正で予見可能性の高いルールを策定するという観点から、立法によって措置するにふさわしいものを採用すべく検討を行った。

　こうした様々な観点からの検討を経て、同委員会は、消費者契約法を制定するに当たっての基本的な考え方について、平成11年11月30日、「消費者契約法（仮称）の具体的内容について」と題する報告を取りまとめた。

　本部会としても同委員会報告（以下、「消費者契約法（仮称）の具体的内容について」という。）を了承した。

3　消費者契約法の目指すところ

　これまで、消費者政策は、主として行政規制により、行政が事業者の活動へ直接に関与・介入することを通じて消費者トラブルを防止する、という手法がとられてきた。こうした手法を用いる以上、その対象は、現実に発生したトラブル等を踏まえ、特に規制が必要とされる必要最小限の分野に限定することは当然であるものの、行政規制により問題のある事業者に

行政処分がなされ、あるいは罰則が課されても、契約の効力には影響を与えないため、こうした手法は、消費者と事業者の間の紛争の解決のためのルールとしての機能を果たすものではない。

　他方、契約を含めた民事一般法である民法は、契約当事者が対等であることを基本にしていることもあって、情報や交渉力の格差から生ずることの多い消費者契約に係る紛争の解決のためのルールとしては限界がある。

　消費者契約法は、消費者契約を幅広く対象とし、消費者と事業者の間の情報や交渉力の格差が、消費者と事業者と締結した契約において発生する紛争（トラブル）の背景となることが少なくないことを前提に、契約の取消し、契約条項の無効という効果を消費者自らが主張できる場合を民法よりも拡大する民事ルールである。これにより、消費者契約に係る紛争の円滑かつ公正な解決が図られるとともに、このルールに沿って、消費者、事業者双方の契約当事者としての責任に基づいた行動が促されることにより、紛争の発生防止にも寄与することが期待される。

　消費者契約法は消費者契約を幅広く対象とする民事ルールであるため、特定分野を対象とする罰則等を含んだ行政規制に比べ、悪質商法等の事業者の不適切な行為の防止には限界があり、また、より具体的な民事ルールを定めることが紛争の円滑かつ公正な解決のために必要とされる分野も存在すると考えられる。したがって、消費者契約法は、民事ルールの基本を定めた民法、商法、特定の分野を対象とする個別法等と相互補完的な役割を果たすことにより、消費者契約に係る紛争の防止・救済のための総合的な法制度を構成するものである。

　さらには、消費者契約法の制定にともなって、取引に当たっての消費者、事業者双方の信頼感が醸成され、経済活動の活発化に資することも期待できる。

　なお、以上のような様々な役割を消費者契約法が果たすためには、同法が制定された場合において、その解釈を解説書等で明らかにするなど様々な工夫を通じて、消費者、事業者双方に対し、法律の内容の周知徹底を図ることが必要である。特に、本法の制定によって現在の民法その他により消費者が持っている権利は何らの制約を受けないことについては、十分周知徹底する必要がある。

消費者契約法の制定後においては、各方面において、法律の趣旨を十分に踏まえた取組みがなされることが望まれる。例えば、事業者団体における自主規制規約や標準約款等の作成の際には、競争政策上の問題も考慮した上で、消費者や法律家等の学識経験者に意見を聞く等、その公正性及び透明性を十分に確保するための工夫も必要であると考えられる。また、国民生活審議会において、過去行ったように、消費者契約に使用されている苦情の多い約款等について調査審議し、消費者契約法の趣旨と整合的な適正化の方向を提言することも有効な方策であると考えられる。

4 消費者契約法の実効性確保

(1) 消費者教育・情報提供

契約が有効に成立することにより契約の当事者は権利を得、義務を負い、契約内容によっては権利を失ったり、免れたりすることもある。契約を締結するということは、契約した内容に基づく権利義務関係に拘束されるということであり、消費者、事業者双方は、契約の当事者としての責任を果たさなければならないこととなる。

消費者契約法は、消費者、事業者双方が契約当事者としての責任を果たすことを前提とした民事ルールであることから、同法の実効性を高めるためには、こうした認識に基づく消費者、事業者双方の行動がより一層重要となる。

したがって、消費者政策としては、消費者が問題に直面した場合において、できる限り自らの判断及び行動により、その解決、救済を図ることができる必要があるため、消費者に対し、民事ルールの意義、役割、契約に関する的確な知識や契約に当たっての消費者の役割について理解を深め、判断能力を身に付けることができるよう努めることが重要である。その際、消費者の権利実現能力の向上についても留意が必要であり、裁判制度も含め、消費者が利用可能な各種の紛争処理制度について的確な知識を持つことも求められる。こうしたことは、適正な選択等を通じた紛争の回避につながると同時に悪質な行為の抑止力となり得ると考えられる。

また、消費者契約上のトラブルに関する問題意識・議論を喚起するとともに、消費者被害に係る情報提供体制の充実や消費者契約に関する教育の

支援に積極的に取り組むことが重要である。

具体的には、消費者が環境の変化に対応しつつ自己責任に基づいて主体的、合理的に行動できる能力を培うため、様々な業種の実情に即した消費者契約に関する教育の効果的な授業に資する副読本の作成、電子媒体などの効果的活用を含めた学校や社会における消費者契約に関する教育の推進に対する支援が求められる。また、様々な要求レベルに対して、情報通信の特性を活かした情報提供の体制整備を行うことも有用である。

さらに、消費者問題に関する研修や各種の情報提供を行う機関として、国の各機関、地方公共団体、国民生活センター、消費生活センター等の積極的利用も期待される。

(2) **紛争解決**

消費者契約に係る紛争は、紛争当事者間の相対交渉によって解決されることを基本とするものの、その公正かつ円滑な解決のためには、消費者契約に関する紛争解決制度が整備されていることが重要である。

民事ルールである消費者契約法は、裁判における紛争処理規範であることから、裁判制度が国民にとって利用しやすいものであることが消費者契約法が紛争解決の規範として十分活用されるための基本であるが、裁判外における紛争処理制度もまた、消費者契約法の活用のために必要である。

① 裁判外

個々の消費者契約に係る紛争は、少額なものが少なくなく、裁判における解決にはなじみにくい面があるため、裁判外の相対交渉等の場で、本法が機能する場合が少なくないと考えられる。消費者契約法の制定によって紛争解決基準が明確になれば、相対交渉等における迅速な解決がなされるという効果が期待できる。

裁判外における紛争の簡易・迅速な解決のためには、地方公共団体に条例によって設置されたいわゆる苦情処理委員会等、各省庁等、国民生活センター、消費生活センターなどの一層の活用が期待される。弁護士会仲裁センター等の積極的利用も有効であり、既に一部の業界で実現されているように、個別の業界において紛争処理制度を整備する際に活用することも考えられる。

また、消費生活センター等において、消費者と直接に接する消費生活相

談員は、専門的な知識を基に重要な役割を果たすことが一層期待され、その育成・人材の確保及び本法のみならず民法や各般の個別法を総合的に活用できる専門性の向上のための適切な施策の実施が望まれる。

② 裁判

消費者契約法の制定に当たっては、規定の仕方について工夫し、その内容をできる限り明確にすることが必要であるが、消費者契約法が包括性を有することから概念の抽象性は残らざるを得ず、裁判制度の活用に伴う裁判例等の一定の積み重ねがなされることにより、規範の内容が一層明確になるものである。また、このことは、同法による裁判外の紛争解決基準の明確化のためにも有意義である。

具体的な裁判制度としては、民事調停法に基づく民事調停、簡易裁判所における通常訴訟手続のほか、平成10年には改正新民事訴訟法のもとで少額訴訟手続が創設された。また、少額被害に係る紛争解決の円滑かつ効果的な実施のための適切な措置として、一般市民が訴えを提起しやすくする工夫が重ねられているところであるが、本人訴訟が通常であると考えられることから、本人訴訟をバックアップする取組みが拡大することが期待される。

また、現在、司法制度改革のための審議が本格化しているが、紛争の究極的な解決手段である裁判制度が消費者としての国民にとって真に利用しやすいものとなるよう検討が行われることが望まれる。具体的には、裁判所サービスや弁護士サービスへのアクセスの改善、裁判官等法曹人口の増員、法律扶助制度の拡充等が求められる。期待される司法の役割を果たすに足る法曹人口の増加が図られない場合には、司法書士等の弁護士の隣接職種（職能）に対し、弁護士による訴訟代理を期待しにくい分野で、訴訟における代理権を付与することも消費者の権利実現の実効性を確保するために意義のある検討課題である。

なお、消費者団体等に契約条項等の差止訴権を付与することについては、諸外国において認められているケースが存在するが、我が国における従来の当事者適格や訴えの利益の考え方によると、現行法の解釈としては認められないのではないかと考えられる。この点に関しては、産業界には慎重に検討すべき課題であるとの意見があるが、消費者及び弁護士には消費者

団体に訴権を認めるべきとの意見があり、今後、我が国の司法制度改革の流れを踏まえた上で、十分な検討を行う必要がある。

むすび

「消費者契約法（仮称）の具体的内容について」は、古くは昭和40年代から始まった国民生活審議会における消費者契約の適正化に関する取組みにはじまり、各界における議論を喚起した同題の第16次中間報告、また、原点に立ち返り様々な観点から同法について再検討した第16次部会報告を経た成果である。

しかしながら、こうした取組みは、消費者契約法の立法をもってすべてが終わりということではない。グローバル化、情報化等による市場構造の変化の進展に伴い、消費者契約は今後一層多様化・複雑化し、新たな紛争等が生じていくものと考えられる。消費者政策としては、国民生活センター等に寄せられる全国の消費者相談情報などのデータの集積、分析を有効活用することによって、常に時代の変遷に伴う消費者問題について注視するとともに、また、司法制度改革等の流れも踏まえ、諸施策を適切に講じることにより、消費者契約法の実効性をより高めていくことが必要である。

急速な構造変化の過程にある我が国経済社会の中で、消費者契約法が、真に「規制緩和の時代にふさわしい消費者のための必要なシステム」となるためには、法を運用する消費者、事業者双方によって、民法、商法その他の民事ルールや個別法・制度と消費者契約法が相互補完的に活用されることが必要である。これにより、消費者契約に係る紛争の防止・救済に大きな役割を果たし、取引上の信頼感を消費者、事業者双方に対して高め、我が国が目指す市場メカニズム重視の社会の重要なインフラとして機能すると考える。

政府においては、消費者が事業者と締結する契約に係る紛争の公正かつ円滑な解決に資するため、「消費者契約法（仮称）の具体的内容について」の趣旨を十分尊重し、政府内及び関係者の調整を図り、消費者契約法の法制化を早急に行うとともに、同法の実効性を高めるため、関連する諸施策を適切に講じることが必要である。

640　　第3編　資料編　第1章　消費者契約法の制定（平成12年）

消費者契約法（仮称）の具体的内容について

平成11年11月30日
消費者契約法検討委員会

第1　消費者契約法制定の緊急性

　現在、わが国では、国民の自由な選択を基礎とした公正で自由な競争が行われる市場メカニズム重視の社会の実現を目指して、規制緩和・撤廃が推進されているが、もとより、規制緩和・撤廃は、無責任な自由放任や弱肉強食の社会を目指すものではない。公正で自由な競争が行われる市場メカニズム重視の社会を実現するためには、規制緩和の時代にふさわしい「消費者のための新たなシステムづくり」を行うことが大きな課題となっている。

　消費者契約（消費者が事業者と締結した契約）に係る民事ルール（消費者契約法（仮称）。以下「消費者契約法」という。）の整備は、現在規制緩和が着実に進展している中で「消費者のための新たなシステムづくり」の上で最も重要な緊急の課題となっている。

第2　審議の経過

　消費者契約の在り方については、国民生活審議会において数次にわたり調査、審議が行われてきたところであるが、これらの調査、審議を受け、第16次国民生活審議会消費者政策部会（平成9年5月～平成11年2月）では、「消費者契約法（仮称）の制定に向けて」と題する報告書（平成11年1月。以下、「第16次部会報告」という。）をまとめ、「我々は、消費者と事業者との間で締結される契約を幅広く対象としてその適正化を図るため、具体的な民事ルールを規定する消費者契約法をできる限り速やかに制定すべきであると考える。」との総括判断が示された。同時に立法に当たって更に詰めるべき論点についても指摘された。

　第17次国民生活審議会（平成11年4月～）では、第16次部会報告を踏まえ、消費者契約法の具体的内容について、国民的合意の早急な形成を目指すこととし、早期の立法化を実現するため、消費者政策部会の下に、幅広い関係者によって構成される消費者契約法検討委員会を設置して、消費者契約

に関する重要事項、無効とされるべき契約条項の内容、適用対象の範囲など残された課題について、具体的な検討を実施し、平成11年末を目途に取りまとめを行うこととした。

消費者契約法検討委員会では、平成11年6月より合計11回の会合を開き、取引の実情やトラブルの実態等を踏まえ、公正で予見可能性の高いルールを策定するという観点から、立法によって措置するにふさわしいものを採用すべく検討を行った。

こうした様々な観点からの検討を経て、本委員会は、消費者契約法を制定するに当たっての基本的な考え方について、次のような結論を得たので、報告する。

今後、消費者契約法の制定に当たっては、本報告の趣旨を尊重して早急に立法が行われることを期待する。併せて、公正で予見可能性の高いルールを策定する観点から、法律の規定の仕方についてさらに検討し、その内容をできる限り明確なものとするよう一層の努力を行うとともに、その解釈を解説書等で明らかにするなど様々な工夫を通じて、法律の内容の周知徹底を図ることを期待する。特に、本法の制定によって現在民法その他により消費者が持っている権利は何らの制約を受けないことについては、十分周知徹底する必要がある。さらに、本法が趣旨通り機能するようにその具体的内容を踏まえて、必要な消費者教育の在り方などについて十分検討し、適切な対策がとられるべきである。

また、以下の「消費者契約法を制定するに当たっての基本的な考え方」は、本法の制定が緊急の課題であることに鑑みて当委員会として消費者契約を広く対象としたルールとして緊急に立法すべきものとして概ね共通認識が得られたものをまとめたものである。必ずしも共通認識を得るに至らなかったものについては、本法の施行状況もみながら、さらに検討することが望まれる。

第3　消費者契約法を制定するに当たっての基本的な考え方

市場取引においては基本的には契約自由の原則が妥当し、契約が有効に成立することによって当事者双方は、権利を得又は失い、義務を負い又は免れることになる。こうした契約による権利義務関係の実現に当たっては、

消費者、事業者双方の自己責任に基づいた行動が必要である。そして、このことは、規制の緩和が進展する中で、より一層求められることとなる。

しかしながら、消費者と事業者の間にある情報・交渉力の格差は、事業者の規模等によっても程度の差はあるが、消費者に自己責任を負わせることが適当でない状況をもたらすこともあり、このことが、消費者が事業者と締結した契約において発生する紛争（トラブル）の背景となっていることが少なくない。

こうした点を踏まえ、本法は、消費者に自己責任を求めることが適当でない場合のうち、消費者が事業者と締結した契約について、トラブルの実態、取引の実情を踏まえ、契約締結過程及び契約条項に関して消費者が契約の全部又は一部の効力を否定することができる場合を新たに定めようとするものである。

このような特別の定めを置くことによって、消費者が事業者と締結する契約に係る紛争の公正かつ円滑な解決に資するものと考えられる。また、このことは、ひいては紛争の発生防止にも寄与することが期待される。

その際には、第16次部会報告においても述べられている通り、本法によって、事業者にとって事業活動に即してどのような行為をするとどのような効果が生じるのか、また、消費者や紛争解決に携わる消費生活相談員等にとってどのような場合にどのような救済が新たになされうるのかが、できる限り明確となるような規範であることが求められる。もとより、本法の基本的性格は裁判規範であるが、裁判外紛争処理の指針ともなる予見可能性の高いものであることが必要である。

以下は、消費者契約の締結過程に係るトラブルについて、事業者の不適切な行為を網羅したものではなく、本法の趣旨に照らし、意思表示の瑕疵（事業者の不適切な行為によって消費者の自由な意思決定が妨げられたこと）として「取消し」という権利を民法の詐欺・強迫（民法第96条）に加えて消費者に新たに付与するに相応しい行為についての考え方を示すとともに、消費者契約の契約条項に係るトラブルについて、事業者間契約で使用されていれば必ずしも無効とする必要はないが、消費者が事業者と締結した契約において使用されていれば効力を否定することを相当とする条項を定め、予見可能性を十分確保できるよう明確化を図るものである。

1 適用範囲

消費者契約法は、消費者が事業者と締結した契約（＝消費者契約）を幅広く対象とすることとする。

消費者契約とは、例えば、当事者の一方（＝事業者）のみが、業として又は業のために締結する契約とすることが考えられる。

〔説明〕

1　消費者契約法は契約を対象とし、契約に基づくものと考えられない法律関係については適用しない。

2　事業者の契約の相手方が法人の場合は、消費者契約としない。消費者契約における事業者の相手方たる個人（自然人）を「消費者」と考えることができる。

3　消費者が事業者に財、役務又は権利の提供を行う契約についても、消費者契約法の対象とする実益があると考えられる。

4　業とは、営利を目的とした事業に限らず、自己の危険と計算によって、一定の目的をもって同種の行為を反復継続的に行うものを広く対象とする。社会通念に照らし客観的に事業の遂行とみることができる程度のものをいう。

5　労働者が事業者の業に対して労務に服する契約（労働契約）については、労働は他人（事業主）の業の中に位置づけられ、労働者が自己の危険と計算によらず他人（事業主）の指揮命令に服するものであることから、労働者が「業として」締結する契約とはみなさないが、消費者契約とはしない。また、労働者が労務に服するために必要な財・役務等を購入する契約は「業のために」締結する契約とはみなさない。

6　具体的には以下のような契約が対象となると考えられる。

ア　財、権利の売買、交換、贈与、信託

イ　財の賃貸借、使用貸借

ウ　金銭の消費貸借

エ　金銭の交換、贈与、信託

オ　請負、委任、寄託等の役務の提供・利用

カ　権利（担保物権、用益物権等）の設定行為、保証　等

　上記ア～カの契約のみならず、これらに関する混合契約やその他の

契約についても当然に対象に含まれる。

2　消費者契約の当事者の努力規定

　事業者は、消費者契約の条項を定めるに当たっては、当該契約の範囲及び当該契約による権利義務を明確にするとともに、分かりやすいものにするよう配慮しなければならないものとする。また、当該契約の範囲及び当該契約による権利義務の内容について契約の相手方となる消費者の理解を深めるために必要な情報を提供するよう努めなければならないものとする。

　消費者は、消費者契約を締結するに当たっては、事業者から提供された情報を活用し、当該契約の範囲及び当該契約による権利義務の内容について理解するよう努めるものとする。

〔説明〕

1　上記を法定する場合にも、民法を用いてこれまで展開されてきた理論、とりわけ情報提供義務違反を理由とする損害賠償に関する法理論について、変更が加えられるものではない。

2　消費者有利解釈の原則（事業者が契約条項を一方的に定めた場合であって、契約条項の意味について疑義が生じたときは、消費者にとって有利な解釈を優先するという原則）については、「作成者不利の原則」からいっても、法的ルールとして消費者に最も有利な解釈が優先されることは、公平の要請の当然の帰結であると考えられるが、特定の解釈原則が法定されることによって、安易にこの解釈原則に依拠した判断が行われ、真実から遠ざかることになるおそれがあることを考慮する必要がある。また、裁判外での相対交渉への影響を懸念する意見もあった。

3　契約締結過程

⑴　要件及び効果

　消費者は、事業者の下記①に該当する行為により誤認したことによって、又は、事業者の下記②に該当する行為により困惑したことによって、消費者契約を締結したとき、当該消費者契約の申込み又は承諾の意思表示を取り消すことができるものとする。

① 誤認

　当該消費者契約の締結の勧誘に際し、次に掲げるもののいずれかに関する事項であって、消費者が当該消費者契約を締結する判断に影響を及ぼす重要なものにつき、不実のことを告げ、将来の見込みについて断定的な判断を示し、又は告知した事実に密接に関連する消費者に不利益な事実を故意に告げない行為

　　ア．当該消費者契約の対象たる財、権利又は役務の質、用途その他の内容

　　イ．当該消費者契約の対象たる財、権利又は役務の対価その他の取引条件

　　ウ．当該消費者契約の消費者の解除権の有無

② 困惑

　当該消費者契約の締結の勧誘に際し、当該消費者がその住居若しくは就業場所から当該事業者に退去するよう求める旨の意思を示したにもかかわらずこれらの場所から退去しない行為又は当該事業者が勧誘をしている場所から当該消費者が退去したい旨の意思を示したにもかかわらず当該消費者の退去を困難にする行為。

〔説明〕

　1　消費者契約法においては、不実告知等の対象となる「重要事項」を可能な限り明確に示し、重要事項の範囲を明らかにすることが必要である。その場合、上記のように各業種の実態を踏まえた上で、共通した事項を示すことが有益である。

　2　「消費者契約を締結する判断に影響を及ぼす重要なもの」とは、「契約締結の時点の社会通念に照らし、当該消費者契約を締結しようとする一般平均的な消費者が当該消費者契約を締結するか否かについて、その判断を左右すると客観的に考えられるような、当該契約についての基本的事項」（平成11年1月　国民生活審議会消費者政策部会報告）を指す。それに当たるか否かは、その通常予見される契約の目的を考慮して判断されるものである。

　3　「不実」とは、真実又は真正でないこと、事実と相違することをいい、評価の言説であって客観的な事実によって真実と相違するか否か判断

不能なものは、本類型には該当しない。

4　「消費者に不利益な事実を告げない行為」については、故意等の事業者の主観的要件の要否、故意を要件とする場合のその故意の内容等に関し、共通の認識が得られなかった。故意の内容については、「消費者を誤認させる目的で」、「消費者が誤認していることを認識しながら」、「当該事実が消費者にとって不利益であることを知っていながら」、「当該事実を消費者が認識していないことを知っていながら」などの意見があった。また、「告知した事実に密接に関連する」の要件については、商品の展示、書面の備え置きだけでは、「告知した」ことには当たらないと考えられる。一方、「告知した事実に密接に関連する」ものに限定する必要はないとの意見もあった。

5　不実告知及び断定的な判断の提供を行う手段としては、
(1)　口頭による説明
(2)　商品、包装、容器への表示
(3)　説明書等書面の交付
(4)　電話、書状等通信による伝達
など、当該消費者との契約締結のための勧誘に際し、事業者が当該消費者に対して用いる手段を広く対象とすることが考えられる。

6　ウの「解除権」には、法定又は約定の解除権、解約告知権及び申込みの撤回権を含む。

7　財とは、民法において物とされる有体物に加え、無体物を含めた概念である。立法例では商品と表現されることが多い。

8　「意思を示した」とは、客観的に「意思を示した」といえるものであれば言語によると、動作（例えば、「勧誘されている場所から離れ、他の場所に行こうとした場合」）によるとを問わない。

9　①の重要事項の範囲については、上記ア．イ．ウ．に限定せず、ア．イ．ウ．は、例示にとどめてはどうかとの意見もあった。また、②の事業者側の行為の類型については、事業者が勧誘に際し威迫したことにより消費者が困惑した場合や、事業者が目的を隠匿して消費者に接近した場合等も対象とすべきとの意見もあった。

647

(2) 第三者が契約締結に介在する場合の取扱

事業者が第三者に対し、消費者に対して当該消費者契約を締結する旨勧誘することを依頼（以下、単に「依頼」という。当該第三者（当該第三者が依頼する別の第三者を含む。）が別の第三者に依頼する場合を含む。）し、当該第三者が(1)①②において定められた行為を当該消費者に行ったことによって、当該消費者が誤認したことによって又は困惑したことによって当該消費者契約を締結した場合には、当該消費者は当該消費者契約の申込み又は承諾の意思表示を取り消すことができるものとする。

〔説明〕

　　契約締結に関して、第三者が代理人又は復代理人として選任されている場合、代理人又は復代理人のした法律行為の効果は直接事業者本人に帰属するため、代理人又は復代理人が(1)①②において定められた行為を当該消費者に行った場合にも当然に当該消費者は当該消費者契約の申込み又は承諾の意思表示を取り消すことができる。

(3) 第三者への対抗

(1)(2)の規定により定められた取消しは、これをもって善意の第三者に対抗することができないものとする。

〔説明〕

　　動産及び有価証券の善意取得並びに不動産の登記制度及び自動車等の登録制度の対抗力については民法及び商法等の規定通りとする。

(4) 行使期間の制限

(1)(2)の規定により定められた取消権は、追認をすることができる時から６カ月これを行わないときは、時効によって消滅するものとする。当該消費者契約の締結の時から５年を経過したときも、同様とする。

〔説明〕

1　取消権者、取消しの効果、取り消すことができる行為の追認、取消し・追認の方法、追認の要件及び法定追認については民法の規定（第120条〜第125条）によるものとする。

2　上記の「追認をすることができる時」とは、当該消費者が、(1)①で定められた行為によって誤認したことに気付き、又は、(1)②で定められた行為を免れた時である。

648　第3編　資料編　第1章　消費者契約法の制定（平成12年）

4　契約条項

⑴　無効とすべき不当条項

消費者契約において、次のような契約条項を無効とする。

① 「当該消費者契約に関して、当該事業者、その代表者、代理人又は使用人その他の従業者の過失による債務不履行により消費者に生じた損害を賠償する事業者の責任を免除する条項」

② 「当該消費者契約に関して、当該事業者、その代表者、代理人又は使用人その他の従業者の故意又は重過失による債務不履行により消費者に生じた損害を賠償する事業者の責任を制限する条項」

③ 「当該消費者契約に関して、当該事業者、その代表者、代理人又は使用人その他の従業者の過失による不法行為により消費者に生じた損害を賠償する事業者の責任を免除する条項」

④ 「当該消費者契約に関して、当該事業者、その代表者、代理人又は使用人その他の従業者の故意又は重過失による不法行為により消費者に生じた損害を賠償する事業者の責任を制限する条項」

⑤ 「当該消費者契約に関して、当該消費者契約が有償契約であるとき、契約の目的物の隠れた瑕疵（請負契約の場合、「契約の目的物の隠れた瑕疵」を「仕事の目的物の瑕疵」と読み替えるものとする。以下同じ。）により消費者に生じた損害を賠償する事業者の責任を免除する条項（契約の目的物の隠れた瑕疵に係る瑕疵修補請求権及び代物請求権を免除している場合に限る。但し、契約の相手方である事業者が複数となる消費者契約において、ある事業者が契約の目的物の隠れた瑕疵に係る瑕疵修補若しくは代物提供を当該消費者に行い、又は当該瑕疵により当該消費者に生じた損害を賠償する責任を負う場合を除く。）」

⑥ 「当該消費者契約に関して、当該事業者が所有する土地の工作物の設置又は保存に瑕疵があることにより消費者に生じた損害を賠償する事業者の責任を免除する条項」

⑦ 「契約の解除に伴う消費者の損害賠償の額を予定し、又は違約金を定める場合に、これらを合算した額が、事業者に通常生ずべき損害を超えることとなる条項」

⑧ 「消費者が契約（金銭を目的とする消費貸借を除く。）についての対価の

全部又は一部の支払の義務を履行しない場合（契約が解除された場合を除く。）の損害賠償の額を予定し、又は違約金を定める場合にこれらを合算した額が、契約についての対価に相当する額から既に支払われた額を控除した額にこれに対する年14.6％による遅延損害金（日歩４銭）を超えることとなる条項」

⑨ 「その他、正当な理由なく、民法、商法その他の法令中の公の秩序に関しない規定の適用による場合よりも、消費者の権利を制限することによって又は消費者に義務を課すことによって、消費者の正当な利益を著しく害する条項」

〔説明〕
1　上記①から⑧は、契約の主要な目的及び価格以外の条項について、トラブルの実態等を踏まえ、およそ消費者契約において効力を認めることが適当でないものを明確な要件によって定型的に定めるものである。

2　契約の主要な目的及び価格に関する条項など①から⑨に当てはまらない条項の効力については、民法（公序良俗違反、信義則違反、権利の濫用等）による。

3　上記に掲げられた無効とすべき条項は、消費者契約についてのみ妥当するものであり、消費者契約のみならず契約一般に共通して無効とされるべき条項の取扱いについては、消費者契約法とは別に検討すべきものである。

4　①から⑧に当たる条項を一律に無効にすると著しく不合理な結果を招くような消費者の不当な権利主張は、権利濫用禁止の法理[注]等の援用によって排斥される。

（注）いかなる場合に「権利の濫用」に当たるかについては、

ア．単に他人に損害を与える目的でする場合　又は

イ．権利の行使によって権利者に得られる利益と、権利の行使によって相手方に与える不利益及び社会的な不利益とを比較考慮して、相手方に与える不利益がはるかに大きく、しかも、それが単に相手方に与える不利益に止まらず、社会全体の不利益になるという場合

であると理解されている。

650　第3編　資料編　第1章　消費者契約法の制定（平成12年）

5　効果については、当該条項を全部無効とするか、一部無効にすれば足りるものもないか検討が必要である。

6　契約締結時のあらゆる事情を考慮して、契約全体を有効としつつ⑨に当たるような個別の条項が民法上の信義則や公序良俗等の一般条項によって無効とされうることは、裁判実務上ほぼ定着している。このことは本法が制定されても変わらない。したがって、いわゆる「反対解釈」（ここでは本法で規定されたもののみ契約条項が無効とされ、これ以外は無効とならないという解釈）の考え方は誤りであるが、個別の条項が民法によって無効とされうるという趣旨を確認するという意味で、本法において、⑨のような規定を置く意義がある。

7　しかしながら、民法が規定する場合以外に、無効という効果を発生させるものとして消費者契約法において⑨のような条項を規定し機能させる場合には、「正当な理由なく」「正当な利益」「著しく害する」といった概念の内容を確定するための検討を行う必要があり、その概念が明確にできない場合には⑨のような条項を規定することは適当でないとの意見があった。

5　その他

(1)　他の法律との関係

　消費者契約については、この法律の規定によるほか、民法及び商法の規定によるものとする。また、消費者契約について、民法及び商法以外の他の法律に別段の定めがあるときは、その定めるところによるものとする。

〔説明〕

1　(1)前段に関して、消費者契約法が適用される消費者契約においても、本法に定めがないものは、民法、商法その他各種の個別法の民事規定が現行法のまま適用されるものである。これらの法の定める消費者の権利は、本法の制定によって何らの制約を受けないものとして立法されなければならない。本法と関連の深いものとしては、民法の錯誤、詐欺、強迫、債務不履行（解除、損害賠償）、不法行為（損害賠償）、個別法のクーリングオフ、中途解約権などがある。

2　(1)後段に関して、民法及び商法以外の他の法律の私法規定と消費者

契約法の私法規定が競合する場合には、原則として、民法及び商法以外の他の法律の私法規定によるものとする。

3　消費者の取消権の行使及び不当条項の無効の主張は、損害賠償の請求を妨げない。

4　本法の定める権利及び義務も、民法の一般原則である信義誠実の原則、権利濫用の禁止など私権の行使に関する制約を受ける。

(2)　証明責任

〔説明〕

当事者双方が、原則どおり自己に有利な法律効果の発生を定める法規の主要事実について証明責任を負うものとする。

(3)　基準時点

〔説明〕

取消し及び無効の要件を判断する基準時点は、原則として、契約が締結された時点となる。

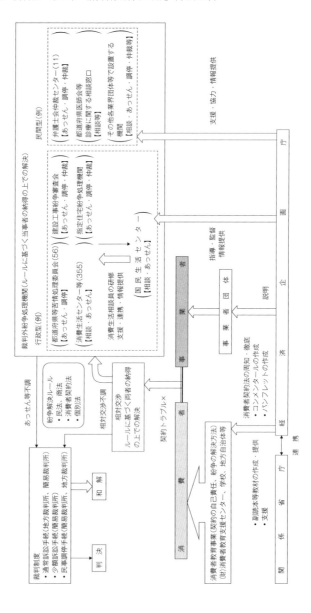

12 消費者契約に関する各国の法制度

国名／法律	イギリス	フランス	ドイツ	アメリカ	日 本
契約締結過程に係る法律(*1)	不実表示法（1967） （「非良心性」の法理(*2)（判例法））	消費法典（1993） （情報提供義務を規定するものの効果については規定せず）	（「契約締結上の過失」の法理(*3)（判例法））	（「非良心性」の法理(*2)（判例法）（州法）） （「不実表示」の法理(*4)（判例法）（州法））	消費者契約法 第二章 消費者契約の申込み又はその承諾の意思表示の取消し
契約条項に係る法律(*1)	不公正契約条項法（1977） 消費者契約における不公正条項規則（1994） （EU指令準拠）	（EU指令準拠）	普通取引約款規制法（1976）	（「非良心性」の法理(*2)の適用（州法）） （一定の不法行為責任の免責規定は無効（判例法））	第三章 消費者契約の条項の無効

(*1) 西欧各国においては、1993年に採択された「消費者契約における不公正条項に関する指令」(EU指令)に基づいて法整備が図られている。

(*2) 「非良心性」の法理：契約締結過程において当事者の一方の側での意味ある選択が存在しない場合や、他の当事者にとって不相当に都合のよい契約条項を含む場合に、両者を総合的に判断して非良心的とされた時、条項の効力の否定や適用範囲の制限、更には契約の効力を否定するという考え方。

(*3) 「契約締結上の過失」の法理：契約締結過程において、一方の当事者の行為により、相手方に損害が発生した場合、契約責任や損害賠償に基づき契約解除を求めることができることとする考え方。

(*4) 「不実表示」の法理：契約相手方による事実と一致しない書面又は口頭による表示が原因で契約が締結されたような場合に、当該契約が取り消しうるとする考え方。

第2章　消費者契約法の改正（平成18年）

1　トラブルの現状

近年、商品・サービスに関する消費者トラブルが増加しており、特に消費者契約に関わるトラブルについては、全国の消費生活センター等に寄せられた苦情相談の8割程度を占め、深刻な状況になっている。

消費者契約に関連した被害については、一般に、同種の被害が多数の者にわたるという特徴を有している。このため、消費者被害の未然防止・拡大防止を図ることが重要であり、事業者による不当な行為を何らかの方法で抑止する必要がある。

2　諸外国における消費者団体訴訟制度の状況

消費者団体訴訟制度については、既にEU諸国で広く導入されている。特に、EUが採択した「消費者の利益を保護するための差止命令に関するEU指令」（1998年）等が加盟国で国内法化されるに従い、普及が進んでいる。

とりわけ、ドイツやフランスでは古くから制度が定着しており、実際に裁判に至る前に相手方事業者との事前交渉で解決する事案が多い模様である。

具体的には、ドイツでは、差止訴訟法に基づく不当約款条項の使用の差止め、推奨の差止め、推奨の撤回の各請求、消費者保護法規違反行為に対する差止請求のほか、不正競争防止法に基づく同法違反行為に対する除去、差止請求等の制度が認められており、基本的には、全国中央団体であるVZBV（ドイツ消費者センター総連盟）が交渉や訴訟提起を行っている。

また、フランスでは、消費法典に基づく民事訴権（差止め・損害賠償請求）、不正行為差止訴権（不当条項削除訴権を含む）等の制度が認められており、特に、全国レベルの団体のうち、UFC（消費者連盟）やCLCV（消費・住居・生活の枠組組合）等の消費者団体が積極的に訴権を行使している。

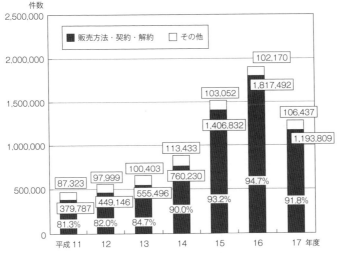

(備考) ① 1件の相談につき、複数項目への計上あり。
② グラフ（％）は、販売方法・契約・解約に該当する事例の全体に対する割合を表している。
③ 平成19年3月現在入力分
④ 全相談受付件数のうち、全国消費生活相談情報ネットワーク・システム（PIO-NET）に登録されたものに限る。
⑤ これらの件数のうち架空請求事案に関する苦情・相談件数は以下の通り。
　　平成12年度　15,071件　　平成13年度　17,308件
　　平成14年度　75,749件　　平成15年度　483,304件
　　平成16年度　675,516件　　平成17年度　249,267件
⑥ 国民生活センター資料により作成

　一方、アメリカには、消費者団体訴訟制度とは異なり、多数人による集団（クラス）が、ある事項に利害を有しているときに、クラスの代表者として1人ないし複数の者が訴訟当事者となるクラスアクション制度がある。クラスアクションは、被害を受けた被害者集団（クラス）を代表する者が訴訟当事者になるものであり、規模の大きさ、問題の共通性、代表者の主張がクラスの利益を代表していること、代表者が適切かつ公正にクラスの利

656　第3編　資料編　第2章　消費者契約法の改正（平成18年）

益を守ること、他の手続より適していること等所要の要件を満たすことが
裁判所によって認められた場合に、この手続が認められる（諸外国における
消費者団体訴訟制度の概要は本章**12**を参照）。

3　消費者団体訴訟制度の検討に関する経緯

　消費者団体訴訟制度については、消費者契約法制定に際しての衆参両院
における附帯決議（平成12年4月）、司法制度改革推進計画（平成14年3月19
日閣議決定）、第18次国民生活審議会消費者政策部会報告書「21世紀型の消
費者政策の在り方について」（平成15年5月28日）、第35回消費者保護会議決
定（平成15年7月22日）等において、その検討の必要性が指摘されてきた。
○衆議院商工委員会　消費者契約法案に対する附帯決議（平成12年4月14
　日）

　　「紛争の究極的な解決手段である裁判制度を消費者としての国民に利
　用しやすいものとするという観点から、司法制度改革に係る検討に積極
　的に参画するとともに、その検討を踏まえ、本法の施行状況もみながら
　差し止め請求、団体訴権の検討を行うこと。」
○参議院経済・産業委員会　消費者契約法案に対する附帯決議（平成12年
　4月27日）

　　「紛争の最終的な解決手段である裁判制度が消費者にとって利用しや
　すいものとなるよう、司法制度改革の動向及び本法の施行状況を踏まえ、
　差止請求に係る団体訴権について検討すること。」
○司法制度改革推進計画（抄）（平成14年3月19日閣議決定）

　　少額多数被害への対応として、「いわゆる団体訴権の導入、導入する場
　合の適格団体の決め方等について、法分野ごとに、個別の実体法におい
　て、その法律の目的やその法律が保護しようとしている権利、利益等を
　考慮した検討を行う。」
○第18次国民生活審議会消費者政策部会報告書「21世紀型の消費者政策の
　在り方について」（抄）（平成15年5月28日）

　　「被害を受けた消費者個人が被害救済のために訴えを提起することが
　困難な状況にかんがみれば、消費者被害を効果的に防止・救済するため、
　消費者団体訴訟制度を導入することが必要である。消費者団体訴訟制度

としては、消費者団体に、不当条項の使用や不当な勧誘行為等に対する差止請求権を認める制度や損害賠償請求権を認める制度が考えられるが、特に、消費者被害が多発している現状にかんがみると、消費者被害の発生・拡散を防止するための差止制度を早急に導入することが必要である。」

○第35回消費者保護会議決定「消費者が自立できる環境作りに向けて——暮らしの構造改革——」（抄）（平成15年7月22日）

　消費者団体訴訟制度の導入について、「事業者に比べ弱い立場にある消費者個人に代わり、一定の消費者団体に、訴訟を提起する権利を認める制度（消費者団体訴訟制度）について、特に、消費者被害が多発している現状にかんがみ、不当条項の使用等に対する差止制度の導入を検討する。」

4　国民生活審議会における審議

　以上のような消費者団体訴訟制度導入の必要性に係る指摘等を踏まえ、平成16年4月16日、第19次国民生活審議会消費者政策部会（部会長：落合誠一東京大学大学院教授）に消費者団体訴訟制度検討委員会（委員長：山本豊京都大学大学院教授）が設置された。以降、検討委員会では、関連団体へのヒアリングを経て、制度を構築するための主な論点について討議を行い、平成16年12月22日には「消費者団体訴訟制度の骨格について」がとりまとめられた。その後もさらなる論点整理を行い、また、平成17年4月8日に閣議決定された「消費者基本計画」において、消費者団体訴訟制度について「平成18年通常国会に関連法案を提出する。」こととされ、平成17年6月23日、「消費者団体訴訟制度の在り方について」と題する報告書がとりまとめられた。

5　政府部内における検討と立案作業

　内閣府は、「消費者団体訴訟制度の在り方について」報告書を踏まえつつ、消費者団体訴訟制度の立法化に向けた具体的な立案作業を開始し、「消費者契約法の一部を改正する法律案（仮称）の骨子（「消費者団体訴訟制度」の導入について）」を策定し、平成17年12月16日、第20次国民生活審議会第2

回消費者政策部会に報告するとともに、広く意見募集に付した。寄せられた意見等を踏まえて最終的な条文案の調整が行われ、平成18年3月3日、政府は「消費者契約法の一部を改正する法律案」を閣議決定し（閣法第54号）、同日、第164回国会に提出した。

6 各政党における検討

消費者団体訴訟制度の立法化に当たっては、政府部内のみならず、各政党においても次のような検討がなされた。

1 自由民主党

消費者団体訴訟制度の法制化については、自由民主党内閣部会「消費者問題に関するプロジェクトチーム」（座長：岸田文雄衆議院議員、事務局長：河野太郎衆議院議員）において、平成16年11月9日以降、消費者団体、経済界、日本弁護士連合会、国民生活センター、内閣府等からのヒアリングを行いながら検討が重ねられ、平成17年7月6日の内閣部会・消費者問題に関するプロジェクトチーム合同会議において「消費者団体訴訟制度に関する中間とりまとめ」が了承された。同年9月の衆議院総選挙における「自民党政権公約2005」では、消費者団体訴訟制度について「消費者被害の未然防止・拡大防止のため、一定の消費者団体が事業者の不当な行為を差し止める消費者団体訴訟制度を整備する法案を次期通常国会に提出する。」と掲げられた。

その後も引き続き、中間とりまとめのなかで「残された論点」とされた事項を中心に議論が重ねられ、同年12月1日の内閣部会・消費者問題に関するプロジェクトチーム合同会議において「消費者団体訴訟制度に関するとりまとめ」が了承されるとともに、同月8日には、当該とりまとめについて岸田座長から政調審議会に対して報告が行われた。平成18年2月16日の内閣部会においては、内閣府がとりまとめた消費者契約法の改正法案の概要について議論が行われ、続く2月24日の内閣部会において消費者契約法の改正法案本体が了承された。これを受け、自民党は、同法案を同月28日の政調審議会及び総務会にそれぞれ諮り、了承された。

2 公明党

党内に消費者問題対策プロジェクトチーム（現在の消費者問題対策委員会。委員長：田端正広衆議院議員）を設置し、消費者団体、日本弁護士連合会、内閣府等からヒアリングを行いながら検討が進められ、内閣府によって消費者契約法の改正法案がとりまとめられた後、平成18年2月24日の内閣部会・法務部会・消費者問題対策委員会合同会議において同改正法案は了承された。公明党は、同改正法案を同月28日の政調全体会議に諮り、了承された。

なお、平成17年9月の総選挙における「公明党マニフェスト2005」では、消費者団体訴訟制度について「消費者保護法制などの整備：悪質住宅リフォームをはじめさまざまな消費者被害を未然に防止し、被害者救済を促進するため、消費者団体訴訟制度を2006年通常国会で法制化します。」と掲げられた。

3 民主党

平成17年4月6日に、消費者団体訴訟制度ワーキングチーム（座長：石毛鍈子衆議院議員、副座長：泉房穂衆議院議員、事務局長：菊田真紀子衆議院議員）を発足させ、消費者団体、日本弁護士連合会、国民生活センター、内閣府等からヒアリングを行い、平成18年1月28日には「消費者団体訴訟制度の民主党案」についてパブリックコメントを求めながら検討し、それを踏まえて同年4月6日に「消費者契約法の一部を改正する法律案」（提出者：菊田真紀子衆議院議員、枝野幸男衆議院議員、大島敦衆議院議員、小宮山洋子衆議院議員）を衆議院へ提出した。

なお、平成17年9月の総選挙における「民主党2005年衆議院選挙マニフェスト政策各論」では、消費者団体訴訟制度について「消費者の利益を擁護するために、消費者団体が消費者全体の利益のために訴えを提起することを認める消費者団体訴訟制度創設の法案を提出します。」と掲げられた。

7 第164回国会における審議の経過

政府提出の「消費者契約法の一部を改正する法律案」は、4月6日に民主党より衆議院に提出された「消費者契約法の一部を改正する法律案」と

660 第3編 資料編 第2章 消費者契約法の改正（平成18年）

ともに、4月13日、本会議における猪口邦子内閣府特命担当大臣による趣旨説明（民主党案の趣旨説明者は菊田真紀子衆議院議員）と質疑を行い、同日本会議後、内閣委員会に付託され、民主党案と一括して審査されることとなった。4月14日、猪口邦子内閣府特命担当大臣による提案理由説明（民主党案の提案理由説明者は菊田真紀子衆議院議員）に引き続いて、内閣委員会における審議が開始された。4月21日は5時間の質疑、4月26日は2時間40分にわたって参考人意見陳述および参考人に対する質疑が行われた。さらに、4月28日は2時間40分の質疑が行われた後、自由民主党、民主党・無所属クラブおよび公明党提案による政府案に対する修正案の提出及びその採決が行われ、修正案は全会一致で可決され、当該修正部分を除く政府提出案に対する採決と附帯決議の採決、同日衆議院本会議において緊急上程され採決の運びとなった。内閣委員会、本会議ともに全会一致で政府案が可決された（民主党案については「審査未了」として処理された。）。

　参議院においては、5月12日、本会議における猪口邦子内閣府特命担当大臣による趣旨説明（衆議院の修正部分に係る内容を含む。）と質疑を行い、同日本会議後、内閣委員会に付託され審査されることとなった。5月18日、猪口邦子内閣府特命担当大臣による提案理由説明及び民主党・大島敦衆議院議員による衆議院修正案の提案理由説明に引き続いて、内閣委員会における審議が開始された。5月23日は3時間50分の質疑、5月25日は2時間40分にわたって参考人意見陳述および参考人に対する質疑が行われた。さらに、5月30日は1時間20分の質疑が行われた後、衆議院の修正部分に係る内容も含む政府案に対する採決と附帯決議の採決、翌5月31日には参議院本会議において採決の運びとなった。内閣委員会、本会議ともに全会一致で政府案が可決された（公布日は平成18年6月7日。改正法の法律番号は第56号）。

　衆議院、参議院ともに、猪口邦子内閣府特命担当大臣、山口泰明内閣府副大臣及び山谷えり子内閣府大臣政務官等が出席して、衆議院が合計約9時間半、参議院が合計約6時間半の慎重かつ熱心な審議が行われた。

8 政令の制定

　その後、消費者契約法の一部を改正する法律の成立を受け、改正消費者

契約法第13条第5項第1号および第6号イにおいて政令で定めることとされた「消費者の利益の擁護に関する法律」に該当するものについて、内閣府において選定作業が進められた。

消費者契約法法第13条第5項第1号及び第6号イの法律で定める政令（案）に関しては、平成18年11月22日の国民生活審議会第5回消費者政策部会で意見聴取を行った後、1か月間のパブリックコメントに付した。寄せられた意見等を踏まえ、平成19年3月27日に「消費者契約法第13条第5項第1号及び第6号イの法律を定める政令」が[注]閣議決定され、同月30日に公布された。

なお、この政令は、国会での立法動向等を踏まえ、随時対象法律の追加や削除が行われることとなる。

> [注]　消費者庁及び消費者委員会設置法及び消費者庁及び消費者委員会設置法の
> 　　　施行に伴う関係法律の整備に関する法律の施行に伴う関係政令の整備等に関
> 　　　する政令（平成21年政令第217号）により、題名が、消費者契約法施行令と改正
> 　　　された。

9　内閣府令（施行規則）・ガイドラインの制定

改正法の成立を受け、内閣府では、改正法の委任を受けて適格要件や監督措置等の細目的事項を定める「消費者契約法施行規則」、適格消費者団体が認定の申請を行う際の審査並びに適格消費者団体に対する監督及び不利益処分の基準等を明らかにした行政手続法に基づく審査・処分基準である「適格消費者団体の認定、監督等に関するガイドライン」の策定作業を進め、政令と同様に、平成18年11月22日の国民生活審議会第5回消費者政策部会で意見聴取を行った後、1か月間のパブリックコメントに付した。寄せられた意見等を踏まえ、内閣府令・ガイドラインともに平成19年2月16日に公布された。

662　第3編　資料編　第2章　消費者契約法の改正（平成18年）

10　附帯決議

衆議院　内閣委員会　消費者契約法の一部を改正する法律案に対する附帯決議
（平成18年4月28日）

　政府は、本法施行にあたり、次の諸点について適切な措置を講ずべきである。

一　国及び地方公共団体は、適格消費者団体の活動資金が円滑に確保されるよう、環境整備に努めること。また、その情報面における支援措置についても万全を期すること。

二　中小企業をはじめとする事業者が予想外の応訴負担を不当に負わされることのないよう、また、いやしくも制度が濫用・悪用されることのないよう、内閣総理大臣は適格消費者団体の認定及び監督を適切に行うこと。

三　消費者被害の救済の実効性を確保するため、適格消費者団体が損害賠償等を請求する制度について、司法アクセスの改善手法の展開を踏まえつつ、その必要性等を検討すること。また、特定商取引法、独占禁止法、景品表示法等の消費者関連諸法についても、消費者団体訴訟制度の導入について検討を進めること。

四　適格消費者団体の認定にあたっては、認定の基準を明確にするなど、その透明性確保に遺漏なきを期するとともに、より多くの団体が適格消費者団体の認定を受けられるよう配慮すること。また、その認定、監督等を行うに際して、適格消費者団体の自主的活動を過度に制約することのないよう留意すること。

五　消費者契約法に規定する不当な行為のみならず、詐欺・強迫行為を伴う勧誘行為や、民法の公序良俗に違反する条項を含む消費者契約の意思表示、さらには不当な契約条項を含む消費者契約の意思表示を行うことを推薦し提案する行為（いわゆる推奨行為）についても消費者被害の発生の防止に万全を尽くすとともに、本法の施行状況を踏まえつつ、差止請

求権の対象範囲のあり方についても引き続き検討すること。

六　本法に基づく内閣府令、ガイドライン等の運用基準の策定にあたっては、国民生活審議会への適宜の報告を行うとともに、広く消費者の意見を聴き、その反映に努めること。

七　本法の運用にあたっては、本委員会における審議において明らかにされた解釈基準等について、消費者、事業者、地方公共団体の消費者行政担当者等をはじめとした関係者に対し十分周知徹底を行うこと。

八　本法の施行状況等については、その点検評価に努め、消費者被害の発生・拡大防止のため、消費者対策に万全を期するとともに、地方公共団体に対しても所要の措置をとるよう要請すること。また、本法施行後5年を目途として、運用状況の総合的な評価を行い、本法の見直しを行うこと。その場合において、法令、運用改正等の所要の措置を行う際には、国民生活審議会への適宜の報告を行うとともに、広く消費者の意見を聴き、その反映に努めること。

参議院　内閣委員会　消費者契約法の一部を改正する法律案に対する附帯決議
（平成18年5月30日）

政府は、本法の施行に当たり、次の事項について万全を期すべきである。

一　適格消費者団体に期待される役割の重要性にかんがみ、国及び地方公共団体は、適格消費者団体の活動資金が円滑に確保されるよう、環境整備を始めとした諸施策に努めること。また、独立行政法人国民生活センター、地方公共団体等が有する情報が適切かつ効果的に活用されるよう、情報面における十分な支援措置を講ずること。

二　適格消費者団体の認定に当たっては、認定の基準を明確にするなど、その透明性確保に遺漏なきを期するとともに、より多くの団体が適格消費者団体の認定を受けられるよう配慮すること。また、その認定、監督等を行うに際して、適格消費者団体の自主的活動を過度に制約することのないよう留意すること。

三　中小企業を始めとする事業者が予想外の応訴負担を不当に負わされることのないよう、また、いやしくも制度が濫用・悪用されることのないよう、内閣総理大臣は適格消費者団体の認定及び監督を適切に行うこと。

四　本法に基づく内閣府令、ガイドライン等の運用基準の策定に当たっては、国民生活審議会への報告及び同審議会からの意見聴取を適宜行うとともに、広く消費者の意見を聴き、その反映に努めること。

五　本法の運用に当たっては、本法の趣旨及び本委員会の審議において明らかにされた解釈基準等について、消費者、事業者、地方公共団体の消費者行政担当者等を始めとした関係者に対し周知徹底を図り、差止請求に係る制度の健全な普及に努めること。

六　確定判決等があった場合の同一事件の後訴の制限に関する規定については、例外的な事由を含め解釈基準等の周知に努めるとともに、本法施行後の差止請求訴訟等の状況を踏まえ、必要に応じ見直しを行うこと。

七　消費者契約法に規定する不当な行為のみならず、詐欺・強迫行為を伴う勧誘行為や、民法の公序良俗に違反する条項を含む消費者契約の意思表示、さらには不当な契約条項を含む消費者契約の意思表示を行うことを推薦・提案する、いわゆる推奨行為についても、消費者被害の発生の防止に万全を尽くすとともに、本法の施行状況を踏まえつつ、差止請求権の対象範囲の在り方についても引き続き検討すること。

八　消費者被害の救済の実効性を確保するため、適格消費者団体が損害賠償等を請求する制度について、司法アクセスの改善手法の展開や犯罪収益剥奪・不当利益返還の仕組みの検討を踏まえつつ、その必要性等を検討すること。また、特定商取引法、独占禁止法、景品表示法等の消費者関連諸法についても、消費者団体訴訟制度の導入について検討を進めること。

九　本法の施行状況等については、その点検評価に努め、消費者被害の発生・拡大防止のため、消費者対策に万全を期するとともに、地方公共団体に対しても所要の措置を採るよう要請すること。また、本法施行後5年を目途として、運用状況の総合的な評価を行い、時期を失することなく所要の見直しを行うこと。その場合において、法令、運用改正等の所要の措置を行う際には、国民生活審議会への報告及び同審議会からの意

見聴取を適宜行うとともに、広く消費者の意見を聴き、その反映に努めること。

右決議する。

11 審議会等報告書

国民生活審議会消費者政策部会消費者団体訴訟制度検討委員会報告「消費者団体訴訟制度の在り方について」

平成17年6月23日

はじめに

近年、消費者契約に関わるトラブルが増加しており、その内容は一段と多様化・複雑化している。こうした中で、消費者の利益の擁護を図るための仕組みとして、消費者団体が消費者全体の利益のために訴えを提起することを認める制度（消費者団体訴訟制度）を導入する必要性が高まっている。

消費者団体訴訟制度については、消費者契約法制定に際しての衆参両院における附帯決議（平成12年4月）、司法制度改革推進計画（平成14年3月閣議決定）等において、その検討の必要性が指摘されてきた。

また、平成15年5月の国民生活審議会消費者政策部会報告においては、差止めを中心とする消費者団体訴訟制度を早急に導入することが必要である旨が提言された。

このような中で、平成16年4月、国民生活審議会消費者政策部会に消費者団体訴訟制度検討委員会が設置された。以降、本検討委員会では、関連団体へのヒアリングを経て、制度を構築するための主な論点について討議を行い、平成16年12月には「消費者団体訴訟制度の骨格について」をとりまとめたところである。

年明け後も、骨格をもとに更なる論点整理を行ってきたところであり、本報告は、これまでの検討に基づき、消費者団体訴訟制度の在り方につき、その方向性についてとりまとめたものである。

第1 消費者団体訴訟制度の必要性

1. 消費者被害の未然防止・拡大防止の必要性

　近年、商品・サービスに関する消費者トラブルが増加しており、特に消費者契約に関わるトラブルについては、全国の消費生活センター等に寄せられた苦情相談の8割程度を占め、深刻な状況となっている。

　消費者契約に関連した被害については、一般に、同種の被害が多数の者にわたるという特徴を有している。このため、消費者被害の未然防止・拡大防止を図ることが重要であり、事業者による不当な行為を何らかの方法で抑止する必要がある。

　この抑止の手法については、消費者政策の在り方に関し、行政による事業者に対する規制よりも、市場メカニズムを活用するものに重点をシフトすることが求められていることを踏まえて検討する必要がある。

　しかし、消費者にとって、事業者の行為の不当性を認識した場合には、契約の締結を回避すれば足りることもあり、現行法上、直接的な被害を受けていない消費者が、事業者の不当な行為の抑止を求める権利は認められないとされている。

　こうしたことを踏まえ、事業者の不当な行為の抑止につき、どのような者がどのような方法で当たるのが適当であるかについての検討が求められている。

2. 消費者被害の未然防止・拡大防止における消費者団体の重要性

　消費者団体には、消費者の利益の擁護を図るため、消費者に代わって、市場において事業者の行為を監視するなど消費者の視点に立って活動することが期待されている。

　平成16年6月に施行された消費者基本法において、新たに消費者団体に関する規定が設けられ、消費者団体の努める活動の一つとして、「消費者の被害の防止及び救済のための活動」が盛り込まれた。

　このような役割が期待される消費者団体は、事業者の不当な行為を抑止する重要な担い手と考えられる。

3．消費者団体に差止請求権を認める必要性

　消費者団体の中には、実際、事業者の不当な行為を抑止する担い手となるべく、事業者に対して、不当な行為の改善を求める活動などを自主的に行い、一定の成果を上げているものがある。

　しかしながら、これらの自主的な活動には法的な裏付けがないことから、事業者側から誠実な対応が得られない場合があるなど、その実効性において限界があると指摘されている。

　こうしたことを踏まえると、現行制度は、事業者の不当な行為を抑止していく上で十分とはいえないと考えられる。このため、一定の消費者団体に、消費者全体の利益を擁護するため、事業者の不当な行為に対して差止めを求める権利を認める必要がある[1]。

　　(1)　このような制度は、EU諸国をはじめとする多くの諸外国で既に導入されており、消費者被害の未然防止・拡大防止において相当の役割を果たしていると考えられる。

4．消費者被害の損害賠償請求について

　消費者被害は、同種の被害が多数の者に及ぶものの、個々の消費者に生じる被害額が比較的少額であることから、事後の被害救済を求めて個々の消費者が訴えを提起することは困難な場合が多い。このため、消費者団体が個々の被害者に代わって損害賠償を請求するといった制度の導入が必要との考え方がある。

　この考え方は、個々の被害者が損害賠償請求権など事業者に対する何らかの請求権を有していることを前提として、少額多数被害救済の実効性を確保しようとするものである[2]。

　しかしながら、このような少額多数被害救済のための手法については、消費者団体が損害賠償等を請求する制度以外にも、様々なものが想定され得る。

　実際、こうした観点から、選定当事者制度の改善[3]がなされ、その他司法アクセスの改善など、個人が訴えを提起することに伴う困難性そのものを改善しようとする具体的な施策が講じられつつある。

　このように、消費者団体が損害賠償等を請求する制度の導入については、

668　第3編　資料編　第2章　消費者契約法の改正（平成18年）

上記のような手法の展開を十分に注視し、その上で、同制度の必要性も含めて、慎重に検討されるべきである[4]。

　(2)　この点で、直接的な被害を受けていない者に事業者の不当な行為の差止めを求める権利が現行法上は認められていない未然防止の局面とは大きく異なる。

　(3)　選定当事者制度とは、共同の利益を有するものの中から全員のために原告（又は被告）となるべき一人又は数人を選定し、その選定された者が自己と他人のために、当事者として訴訟を行う制度。平成8年の民事訴訟法改正により、選定の要件が緩和された。

　(4)　なお、消費者団体による損害賠償の請求に関しては、消費者個人の損害賠償請求権を前提としない考え方（利益の吐き出し請求等）もあるが、そのような考え方は、我が国において一般的ではなく、慎重な検討が必要と考えられる。

第2　消費者団体訴訟制度の在り方

1．基本的考え方

　差止めを中心とする消費者団体訴訟制度は、消費者全体の利益を擁護するため、一定の消費者団体に対して民事実体法上の請求権を認めるものと考えるのが適切である。

　こうした考え方を踏まえると、本制度には、請求権を行使する主体とそれによって保護される利益の帰属先が異なるという大きな特徴がある。

　このため、制度の導入にあたっては、以下の点について、十分検討を行う必要がある。

　　ア．消費者全体の利益を擁護するという観点から、事業者のどのような行為を差止めの対象とすべきか（差止めの対象とすべき事業者の行為）

　　イ．消費者全体の利益のために請求権を行使する主体としてふさわしい消費者団体（適格消費者団体）はどのようなものか（適格消費者団体の要件の在り方）

　　ウ．請求権を行使する主体と、それによって保護される利益の帰属先が異なることなどから、訴訟手続において特段の措置を講じる必要があるか（訴訟手続の在り方）

　なお、差止請求権が不適切に行使されると、事業者の正当な事業活動を

阻害するだけでなく、消費者全体の利益をかえって損ねてしまうことにもなることから、このような事態を防ぐ観点からも十分な検討を行う必要がある。

2. 差止めの対象とすべき事業者の行為

(1) 基本的考え方

消費者契約法[5]は、消費者利益を擁護するために、消費者契約全般に広く適用される一般的な民事ルールとしての性格を有するものであり、本制度の対象となる実体法については、消費者契約法を基本とすることが適当である。

なお、私法関係の基本法である民法及び商法においても、消費者契約における事業者の不当な勧誘や不当な契約条項に広く適用され得る規定があるが、これらの規定を本制度の対象とするかどうかについては、その規定（要件）の具体性・明確性を踏まえ、慎重に検討する必要がある。

(5) 消費者契約法は、大きく分けて①不当な契約条項に対する規律及び②事業者の不当な勧誘行為に対する規律によって構成されている。

(2) 差止めの対象とすべき実体法の規定

① 不当な契約条項の使用

消費者契約においては、事業者が多数の消費者を対象として同一又は同種の取引を行うことが一般的である。このため、事業者が使用する契約条項の中に不当な契約条項が含まれている場合には、消費者被害が広く拡大しやすいことから、事業者による不当な契約条項の使用に対する差止めを認めることが必要である。

消費者契約法の規定の中で不当な契約条項を対象としているものは、以下のとおりであり、これらの規定に該当する契約条項を差止めの対象とすべきである。

第8条（事業者の損害賠償の責任を免除する条項の無効）

第9条（消費者が支払う損害賠償の額を予定する条項等の無効）

第10条（消費者の利益を一方的に害する条項の無効）

これらの規定の中には、該当する契約条項が具体的なケースによって有

効・無効の判断が分かれ得るものや、該当する契約条項の一部についてのみ無効とされるものがある。

こうした「一部無効」とされる契約条項については、

・無効となる場合があり得る契約条項がそのまま使用されることは適当でないこと

・事業者には消費者契約の内容が消費者にとって明確かつ平易なものになるよう配慮することが求められていること（消費者契約法第3条）

から、これらの規定に該当する契約条項についても差止めの対象とすべきである。

　②　不当な勧誘行為

消費者契約においては、事業者が契約の締結を勧誘するにあたって不当な勧誘方法が用いられ、消費者・事業者間のトラブルが発生する事例が多い。

このため、事業者による一定の不当な勧誘行為が反復継続して行われているなどの場合には、消費者被害が広く拡大しやすいことから、差止めを認める必要がある。

消費者契約法の規定の中で不当な勧誘行為を対象としているものは、以下のとおりであり、これらの規定に該当する勧誘行為は差止めの対象とすべきである。

第4条（消費者契約の申込み又はその承諾の意思表示の取消し）

　第1項第1号（不実告知）

　　　　第2号（断定的判断の提供）

　第2項（不利益事実の不告知）

　第3項第1号（不退去）

　　　　第2号（監禁）

(3)　具体的に差止請求の対象とすべき行為等

　①　基本的考え方

本制度は、消費者全体の利益を擁護するため、一定の消費者団体に対し差止請求権を認める制度である。

したがって、事業者の不当行為が消費者全体の利益に影響を及ぼす可能性がある場合に差止めを認める必要がある。

② 代理人や受託者等に対する差止め

事業者が、代理人や受託者等を通じて、消費者に対して契約の締結についての勧誘をしたり、消費者との間で契約を締結したりする場合がある。

不当な勧誘行為については、契約主体である事業者だけでなく、実際の勧誘行為を行う代理人や受託者等についても、差止めの相手方とする必要があると考えられる。

一方、不当な契約条項の使用については、これらの者が契約締結に関わっていても、契約を締結する主体はあくまで当該事業者であることから、当該事業者を差止めの相手方とすれば基本的に足りるものと考えられる。

③ いわゆる「推奨行為」について

事業者に対して、不当な契約条項を含む契約書を、当該事業者が消費者との間で締結する契約において用いるよう推薦したり提案したりするような場合があり、このようないわゆる「推奨行為」についても、効果的な差止めという観点から、差止めの対象とすべきとの考え方がある。

しかしながら、「推奨行為」は主体や推奨の程度がさまざまであることに加え、その取扱い如何によっては事業者団体による自主的なルールづくり等への萎縮効果をもたらすおそれもある。また、推奨された不当な契約条項を使用する事業者に対して差止請求をすることが可能であることを踏まえると、いわゆる「推奨行為」を差止めの対象とすることについては慎重に検討する必要がある。

④ いわゆる「認可約款」について

我が国では、個別法令により、特定の業を営む事業者が使用する約款につき、行政庁の認可を得ることを義務付ける等の規制がなされている例（いわゆる「認可約款」）がある。

このような認可約款の使用についても、これらの約款が裁判所の司法的判断に服することを踏まえると、特段、差止対象から除外する必要はないものと考えられる。

3. 適格消費者団体の要件の在り方

(1) 基本的考え方

消費者団体訴訟制度が、消費者全体の利益を擁護するため、一定の消費

者団体（適格消費者団体）に対し差止請求権を認める制度であることを踏まえると、適格消費者団体の要件は、以下の3つの観点を基本とすべきである。

　　　ア．消費者全体の利益を代表して消費者のために差止請求権を行使できるかどうか（消費者利益代表性）

　　　イ．差止請求権を行使し得る基盤を有しているかどうか（訴権行使基盤）

　　　ウ．不当な目的で訴えを提起するおそれはないか（弊害排除）

　具体的な適格要件の設定にあたっては、適格消費者団体の行使する差止請求権が、社会的にも経済的にも大きな影響を与え得るものであることを踏まえ、明確かつ適切な基準とする必要がある。

(2)　適格要件の具体的な在り方

① 　法人格

　団体は法人格を取得することによって権利・義務の主体となることが原則である[6]。

　我が国においては、法人格を有しない団体であっても、いわゆる権利能力なき社団と認められる場合には、訴えを提起することも民事訴訟法上可能とされている。しかしながら、権利能力なき社団に該当するかどうかは個々の裁判において判断されるため、法人格を有しない団体を適格消費者団体として認めることは、制度の安定性を欠く[7]。

　このため、法人格を有していることを要件とすることが必要である。

　(6)　法人とは、自然人以外のもので、法律上、権利・義務の主体たり得るものをいう。法人には、営利を目的とする法人のほか、公益法人や社会福祉法人等、いくつかの形態がある。

　(7)　近年、NPO法人制度や中間法人制度が新たに創設され、非営利団体が比較的容易に法人格を取得し得る環境が整備されてきている。

② 　団体の目的

　団体がその定款等において規定する団体の目的に消費者全体の利益擁護が掲げられている必要がある。

　営利を目的とする法人、消費者問題とは異なる分野の活動を目的とする

法人、特定の者の利益の擁護や団体の構成員の相互扶助を目的とする法人は適格消費者団体の対象から除外すべきである[8]。

なお、消費者問題のうち、特定の分野（金融分野、賃貸借分野等）に限って活動する法人であっても、その活動を通じて消費者全体の利益擁護を図ることを目的としているのであれば、活動が特定の分野であることのみをもって、適格消費者団体から除外する必要はない。

> (8) 適格消費者団体が活動資金の確保等のために事業を実施し、一定の収入を確保することについては、「消費者全体の利益擁護」という目的の遂行に支障のない限りにおいて実施できるものと考えられる。

③ 活動実績

消費者利益代表性を有すると真に認められるためには、当該団体の主たる活動が、上記②の目的に沿って、相当期間、継続的に行われている必要がある。

その判断に当たっては、当該団体自身の活動に基づくとともに、任意団体として活動していた団体が法人格を新たに取得した場合については、団体としての同一性、継続性が認められる活動である限り、任意団体時代の活動実績も考慮することが適切であると考えられる[9]。

> (9) また、団体の目的や活動実績の要件をいずれも満たす団体同士が合併する等して新団体を結成した場合においては、新団体結成後の活動期間について一定の配慮をすることが適切と考えられる。

④ 団体の規模

団体の規模の要件については、一定の消費者からの支持を得ていることの表れとして、消費者利益代表性を判断する基準の一つと考えられる一方、団体が継続して活動し得ることの表れとして、訴権行使基盤を判断する基準の一つとも考えられる。

この団体の規模の判断に当たっては、当該団体の構成員数（会員数）の規模ではなく、人材の確保、情報収集・分析体制、独自の事務局といった体制面や当該団体の行っている事業活動の内容（受益範囲や規模等）が重要な指標となると考えられる。

⑤　事業者等からの独立性

　適格消費者団体は、消費者の意見を十分反映して運営されるべきものであるが、当該団体が特定の事業者や事業者団体等の影響下にある場合、事業者の不当な行為に対して十分な対応を期待し得ない、競合する事業者に対する不当な訴えが提起されるおそれがあるなどの問題が想定される。消費者全体の利益を擁護するという消費者団体訴訟制度の趣旨に鑑みると、事業者等からの独立性を要件とする必要がある⑽。

　適格消費者団体が差止請求権を適切に行使し得るためには、適格消費者団体において差止請求権を行使するか否かを決定する機関がその意思決定を適切に行うことが必要である。

　このため、特定の事業者の関係者若しくは同一業界関係者が当該機関の構成員（役員）の一定割合以上を占めないようにすることが求められる⑾。

　また、個別の案件によっては、適格消費者団体の一部の役員と、差止めを求めようとする事業者等との間に利害関係が生ずる場合（当該役員が、当該事業者等の役員を兼任している場合など）が想定される。適格消費者団体は、こうした場合の弊害を排除するための措置（当該役員の議決権の停止等）を、その事業規程等において、あらかじめ定めておく必要がある。

　　⑽　適格消費者団体が活動資金の確保等のために事業を実施する場合、当該事業との関係で不当な訴えが提起されるといった弊害が想定される。このような場合についても、目的等適格要件の審査や後述する事後的担保措置等により、当該事業と同種の事業を行っている競合相手等に対し不当な訴えが提起される等の弊害が生じないようにする必要がある。

　　⑾　消費者全体の利益擁護を目的とし、その目的に沿った活動実績を有する非営利団体については、適格消費者団体自体の目的等に合致することから、影響を排除すべき事業者等と捉える必要はない。

⑥　組織運営体制、人的基盤、財政基盤

　ア．基本的考え方

　消費者団体訴訟制度が消費者全体の利益のために実効的かつ適切に運用されるためには、差止請求権が的確に行使される必要がある。

　このため、適格消費者団体には、差止請求の対象となり得る事案に関す

る情報の収集・分析、事業者に対する事前交渉や差止請求、消費者への情報提供等、一連の活動を適切に行うことが求められる。

適格消費者団体は、こうした活動が確実に遂行される基盤として、適切な組織運営体制や人的基盤、財政基盤を備えていることが必要である。

また、それらを裏付けるものとして、活動を公正かつ適切に行うために必要なルールが、適格消費者団体の事業規程等において、明確に定められている必要がある。

　イ．組織運営体制

適格消費者団体が差止請求権を適切に行使し得るためには、消費者被害情報を広く日常的に収集できる体制や検討部門など適切な組織体制の下で、健全で透明性の高い事業運営が行われていることが必要である。

このため、組織体制（理事会、情報収集体制、検討部門、独自の事務局等）や差止請求権行使の実施方法、情報管理・情報開示、団体としての意思決定の在り方や内部監査の措置等が適切に整備されていることが求められる。

　ウ．人的基盤

適格消費者団体が差止請求権を的確に行使するためには、消費者被害の実情に精通するとともに、法的な分析を行うことが求められる。

このため、適格消費者団体には、単に情報収集や分析・検討を行う体制が整備されているだけでなく、消費者問題や法律問題についての専門的知識や経験等を備えた人材（消費生活相談員、弁護士、司法書士等）が確保されていることが必要である。

　エ．財政基盤

財政基盤は団体の活動の裏付けとなるものであり、継続的に活動し得るに十分な財政基盤を有していることが必要である。

このため、訴えの提起に要する費用をはじめ、活動に要する支出の見込みが具体的に算定されており、かつ、それに見合う確実な収入の見通しがあるなど、健全な財政運営が求められる[12]。

　　(12)　寄付金等の収入を予定している場合や、ボランティアを活用することを想定している場合においては、十分な見込みがあることが求められる。

676　第3編　資料編　第2章　消費者契約法の改正（平成18年）

⑦　反社会的存在等の排除

差止請求権を行使しようとする団体が暴力団等の反社会的存在の支配の下にある場合、正当な権利行使を装って事業者等に不当な要求を行うことが想定される。このため、このような反社会的存在からの独立性を要件とすべきである。

具体的には、過去において団体自身に関係法令に違反する行為がないことを求めたり、役員の欠格事由を定めることが考えられる。

(3)　適格要件への適合性判断の在り方

消費者団体が適格要件を満たしているかどうかの判断については、あらかじめ行政が団体の適格要件への適合性を判断する方法と、団体が個別に提起した訴えごとに裁判所が当該団体の適格要件への適合性を判断する方法が考えられる。

前者の方法については、どの消費者団体が適格消費者団体であるかが消費者・事業者双方にとって明確となり、訴訟前交渉の促進、不適切な団体による不当な要求の防止等を通じて、消費者団体訴訟制度の効果的・効率的な運営に資すると考えられる。

一方、後者の方法については、訴え提起時点では制限がないことから、事業者の不当な行為の発生後、より迅速に訴えを提起することが可能になるといったメリットも考えられるが、前者の方法と比べ、制度の安定性や信頼性の確保の面で問題があると考えられる[13]。

以上を踏まえると、行政があらかじめ適格要件への適合性を公正かつ透明な手続の下に判断すべきである。

公正かつ透明な手続を実現するためには、

①　判断主体（行政）の拠って立つべき適合性判断の基準を法令等において明確に規定する、

②　必要に応じ、関係省庁等関係機関から意見を聴取する、

③　団体の申請について、一定期間、公衆の縦覧に供し、消費者利益代表性、訴権行使基盤、弊害排除の見地からの意見を参考にする

等の措置が必要と考えられる。

なお、判断主体に関連して、審査の専門性・透明性を高めるために第三者機関を設置すべきとの考え方もあり得るが、

・適格性を認められた消費者団体に特に差止請求権を認めるものであることを踏まえると、事後的担保措置も含めて、迅速かつ責任を持って判断し得る行政機関においてなすことが適当であること
・上記①〜③のような措置を講じることにより、専門性・透明性を高めるという趣旨を実現し得ると考えられること
から第三者機関を設置することについては、その必要性を含め慎重に検討すべきである。

　　　⒀　例えば、個別の訴えごとに適格要件の適合性が争われる可能性があるほか、不適切な団体を排除することや訴訟前の交渉を促すことが困難となることが考えられる。

⑷　事後的担保措置

① 基本的考え方

消費者団体訴訟制度を適正に運営していくためには、行政によって適格要件を満たしていると判断された後も、適格消費者団体の適格性が維持されていなければならない。そのため、適格性が維持されていることを担保する仕組みを整備し、適格要件を満たさなくなった団体が差止請求権を行使することのないようにすることが必要である。

② 具体的措置

具体的には、以下のような仕組みを構築することが適切である。

　　ア．一定の有効期間を定め、期限の到来時に行政が改めて申請時と同様の基準・方法で適格性を再審査する更新制を設ける。

　　イ．その有効期間内においては、行政が当該適格消費者団体から事業報告書の提出等、節目節目で報告を受けるとともに、適格性に疑いが生じる等必要な場合には、差止請求権の公正・適切な行使等を担保する観点から、行政が必要な措置（報告徴収、立入検査、改善命令、適合性判断の取消し等）を講じる。

　　ウ．適格消費者団体の事業活動やその活動資金等について広く情報公開・開示を行い透明性を高める。また、情報公開の内容の裏付けとなる帳簿の備付けを義務付けるとともに、虚偽記載等について一定のペナルティ措置を設ける。

678 第3編 資料編 第2章 消費者契約法の改正（平成18年）

事後的担保措置のための仕組みの一つとして、独立性・専門性を有する第三者による業務・会計に関する、いわゆる外部監査を適格消費者団体に対して義務付けるべきとの考え方もある。こうした外部監査は、他の制度においても一定の規模以上のものなどに対象が限定されていること、行政による事後的担保措置や情報公開措置を適切に講じることなどにより同様の趣旨を実現できるものと考えられることから、その義務付けについては慎重に検討する必要がある。

なお、適格消費者団体が自らの信頼性を高めるために、消費者・事業者への説明責任を積極的に果たすことが重要であるとともに、自主的に第三者のチェックを受けることが望ましい。

③　適格消費者団体の責務規定・行為規範

適格消費者団体が、適格要件を満たしていても、個別事案によっては、

　　ア．競合事業者に対する妨害目的といった不当な訴えの提起

　　イ．差止請求権の行使に仮託して和解金等の不当な利益を得る

など差止請求権を不適切に行使する事態も想定される。

このため、適格消費者団体による差止請求権の行使が、消費者全体の利益擁護のために適切に行われるための担保措置を講じる必要がある。

こうした担保措置としては、

　　ア．適格消費者団体に求められる責務規定・行為規範（例えば、上記のような事態を引き起さないための規範）を、法令等において明らかにするとともに、

　　イ．個々の適格消費者団体においても、当該規範等に適合するよう具体的な事業規程等、明文の規定を策定する

ことが適切である。

また、かかる責務規定・行為規範に反するような事態が発生する等必要な場合には、差止請求権の公正・適切な行使等を担保する観点から、行政が必要な措置（報告徴収、立入検査、改善命令、適合性判断の取消し等）を講じ得るものとするのが適当である。

4．訴訟手続の在り方

(1) 基本的考え方

消費者団体訴訟制度における訴訟手続については、本制度が民事訴訟の枠組みを利用するものであることから、原則として民事訴訟法の規定に従うべきである。

一方、本制度には、

・訴えを提起し得る適格消費者団体が複数存在すること

・訴訟により消費者全体の利益の擁護を目指すものであること

・我が国の法制上新しい訴訟類型であること

という特色がある。

これらの特色を踏まえ、手続ルールの明確化や濫訴の防止を図ることなどにより制度を有効・適切に運営するという観点から、訴訟手続に関して、特段の措置を講じる必要があるかどうかについて、個別に検討を行う必要がある。

(2) 適格消費者団体相互の関係について

① 既判力の範囲

本制度における差止請求権はそれぞれの適格消費者団体に認められた権利と考えられる。この場合、ある適格消費者団体が提起した差止請求事件における判決の既判力[14]の範囲については、当該事件の当事者限りとし、他の適格消費者団体には及ばないとすることが民事訴訟法の基本原則に整合的である。

一方、このような民事訴訟法の基本原則によった場合、他の適格消費者団体による訴え提起によって紛争の蒸返しが生じるのではないかという懸念がある。

このため、そうした訴えの提起自体が抑止され得るよう、適切な適格要件の設定・適合性の判断、適格消費者団体についての情報公開等の各種の措置を適切に運営するとともに、一定の不適切な訴えの提起自体を認めない仕組みを導入するなど、所要の措置について検討する必要がある。

[14] 確定判決には、以後この確定判決の判断に反する主張を認めないとする効力（既判力）が認められており、この既判力は原則として訴訟当事者に及ぶ。

680　第3編　資料編　第2章　消費者契約法の改正（平成18年）

② 同時複数提訴の可否

　ある適格消費者団体が起こしている差止めを求める訴えの係属中に、別の適格消費者団体が同一事案に関して、さらに差止めを求める訴えを提起（同時複数提訴）し得るかどうかに関しても、特段制限されないとするのが民事訴訟法の基本原則に整合的である。

　このような民事訴訟法の基本原則によった場合、他の適格消費者団体による訴え提起によって、事業者に過重な負担が生じるのではないかという懸念もある。

　このため、既判力の範囲の問題と同様に、適切な適格要件の設定等、各種の措置を適切に運営するとともに、一定の不適切な訴えの提起自体を認めない仕組みを導入するなど、所要の措置について検討する必要がある。

③ 請求の放棄、訴訟上の和解等の可否

　民事訴訟法上、請求の放棄、訴訟上の和解等については、原則として当事者の意思により自由になすことができることとされており、特段の制限がされないとするのが民事訴訟法の基本原則に整合的である。

(3)　差止判決の実効性確保について

① 判決の周知・公表

　本制度は、消費者全体の利益擁護を図ることを目指すものであり、被害の未然防止・拡大防止や個別事件の解決促進にも資するよう、差止判決の内容等を消費者に広く周知させることが重要である。このため、消費者への情報提供として効果的な手法が求められる。

　このための手法としては様々なものが考えられるが、適格消費者団体が消費者への情報提供を自主的かつ積極的に行うことが、まず求められる。

　このような適格消費者団体の自主的な活動を基本としつつ、差止判決等の内容が、できる限り多くの消費者に周知され、被害の未然防止・拡大防止や個別事件の解決促進につながるよう、国民生活センター等の公的機関による情報提供の仕組みについても検討する必要がある。

② 判決の援用制度

　消費者団体訴訟制度を導入している国のうちドイツ等一部の国では、差止判決の実効性を確保するため、消費者が個別訴訟の中で当該差止判決を援用する場合、差止めの対象とされた個別の条項を無効とみなす規定が設

けられている。

この援用制度については、判決の実効性確保、個別消費者の利益などの観点から、導入することが必要との指摘がある。

しかしながら、援用制度は、判決の効力に関する民事訴訟法の一般原則に対して、我が国の法制度上これまでにない例外を定めるものであることから、その導入の是非や、「一部無効」の契約条項の使用差止めをした判決を援用する場合の効果など制度設計の詳細をめぐって様々な考え方があり得る。また、その必要性についても、強制執行制度や判決の周知・公表といった差止判決の実効性確保策の効果を見極める必要がある。このため、援用制度の導入については、慎重な検討が必要と考えられる。

(4) 制度運営の円滑化について

① 事業者との事前交渉

消費者団体訴訟において、適格消費者団体と相手方事業者との間の事前交渉（警告・交渉等）を充実させることは、消費者団体及び相手方事業者双方の負担を軽減するとともに、早期解決につながると考えられる。

しかし、被害拡大防止のため緊急の対応が求められる場合や事業者が交渉に応じない旨を明らかにしている場合などが想定され、事前交渉を義務付けることは適切ではない。

一方、適格消費者団体と相手方事業者との交渉を促し、不当行為の抑止につなげる観点から、警告書の送付など、適格消費者団体が差止請求権の行使を準備していることを相手方事業者に対して通知することは必要と考えられる[15][16]。

(15) 相手方事業者との事前交渉等の場においては、ADR（裁判外紛争解決手続）を利用することも可能である。厳格な裁判手続とは異なるADRを利用することにより、当事者の自主性を生かしつつ、簡便・迅速な解決が期待できる。

(16) 事前交渉とは別に、本制度における差止請求権を被保全権利とする民事保全手続が利用されることも想定され得る。このため、保全の必要性、事前通知との関係などにつき検討する必要がある。

② 管轄裁判所の決定

本制度における差止めを求める訴えを管轄する裁判所については、当該

訴えが個別具体的な被害者の救済を求めるものではないこと、同時複数提訴による弊害に対処する必要があること、制度の円滑な運営を図る必要があることから、被告である事業者の普通裁判籍所在地を管轄する裁判所を基本とするのが適切である。

なお、こうした趣旨を踏まえつつ、双方当事者の合意による管轄など、一定の例外を認める必要があると考えられる。

③　訴額の算定

本制度における差止めを求める訴えの訴額の算定については、適格消費者団体が金銭的な利益を得るわけではないことから、非財産権上の訴えと同様の取扱いをすることが適当である。

(5)　不適切な訴えの提起に対する措置

真に消費者全体の利益擁護の目的ではなく、競合事業者に対する妨害目的等の不当な目的でなされる訴えの提起については、適切な適格要件の設定・適合性の判断、適格消費者団体についての情報公開等の各種の措置を適切に運営することにより、制度的に抑止され得るものと考えられる。しかしながら、消費者全体の利益擁護という適格消費者団体に差止請求権を認めた目的に鑑み、制度の濫用防止に万全を期す観点から、不当な目的でなされる訴えについては、その提起自体を認めない仕組みとする必要がある[17]。

> (17)　株主代表訴訟等において設けられている担保提供制度を導入すべきとの考え方もあるが、6箇月前より引き続き株式を有する株主であれば誰でも提起可能な仕組みに伴う制度とは、前提が異なること等を踏まえ、慎重に検討すべきである。

5．制度の実効性を高めるための方策

(1)　適格消費者団体の自主的な取組みの重要性

消費者団体訴訟制度が消費者全体の利益を擁護するという本来の目的を達するためには、適格消費者団体が差止請求権を制度の目的に沿って適切に行使することが求められる。

そのためには、適格消費者団体が、十分な情報収集力、人材、財政基盤等を備えている必要があり、これらは適格要件の重要な要素である。適格

消費者団体は、これらの基盤を備えるため、まずは自主的な取組みを行う必要がある。

(2) 環境整備の方向性

① 基本的考え方

適格消費者団体の自主的な取組みを基本としつつ、制度の実効性を高める観点から、適格消費者団体が差止請求権をより行使しやすくするための環境整備を図ることが求められる。

② 情報面における環境整備

差止請求権行使の前提となる消費者被害の情報収集については、適格消費者団体の自主的取組みが基本となるが、適格消費者団体が被害事案の分析を進める中で、地方自治体の消費生活センターや国民生活センター（以下「センター」）の保有する消費生活相談情報が必要となり、その提供を求める状況も想定される。

適格消費者団体が差止請求権をより行使しやすくするための環境を整備する観点から、差止請求権の的確な行使のために必要と認められる場合においては、センターが保有する消費生活相談情報につき、一定の範囲で情報を提供する必要がある。

一方、適格消費者団体の自主的取組みの重要性、センターが保有する消費生活相談情報には未確認情報や個人情報が含まれること等を踏まえると、提供すべき情報の範囲や提供された情報に関する守秘義務の在り方については、さらに検討する必要がある。

また、これら個別の消費生活相談情報の提供に限らず、消費者の自立支援のための情報提供の一環として、適格消費者団体や広く消費者に対し、消費者契約に関連した情報や研究成果が積極的に提供される必要がある。

③ 人材面における環境整備

適格消費者団体が差止請求権を的確に行使するためには、消費者問題や法律問題についての専門的知識や経験等を備えた人材を確保していることが必要である。

国民生活センターでは、地方公共団体、消費者団体、事業者等を対象として、新たなニーズに即して研修を実施することとしている。適格消費者団体の自主的な取組みに加え、国民生活センターが実施する研修を活用す

るなど、消費者団体訴訟制度に関する研修の機会を確保することが求められる。

④　資金面における環境整備

適格消費者団体が差止請求権を的確に行使するための財政基盤を確保・維持するためには、

　　ア．消費生活相談員、弁護士、司法書士等の専門家を活用した事業を実施し、一定の収入を確保する

　　イ．活動のPRを通じて、会費、寄付金収入を確保する

等の取組みが考えられる。

また、適格消費者団体から独立した中立的立場の団体・ファンド等が寄付金の受け皿になることも、社会一般にとって寄付をしやすい環境づくりにつながるものと考えられる。

行政としては、情報面、人材面の支援を行うとともに、制度に関する積極的な広報・啓発等を行い、制度の意義や適格消費者団体の活動への理解が国民の間に広く進むよう努めていく必要がある。

⑤　制度の十分な周知

制度の実効性を高めるためには、適格消費者団体が消費者被害の情報収集に努めるだけではなく、個々の消費者が消費者被害の情報を適格消費者団体に迅速に提供することも重要である。また、相手方となる事業者においても本制度が十分に理解され、問題の早期解決が図られるようにすることも必要である。このため、制度に関する広報・啓発等を通じて、個々の消費者や事業者の制度に対する理解の増進を図る必要がある。

審 議 経 過

回 数	開 催 日	議 題
第1回	平成16年 5月24日	○消費者団体訴訟制度に関する今後の検討方針について
第2回	7月2日	○関係団体からのヒアリング ・国民生活センター ・消費者団体 （消費者団体訴訟制度を考える連絡会議） ・日本弁護士連合会
第3回	7月20日	○関係団体からのヒアリング ・日本経済団体連合会 ・中小企業団体 （全国商工会連合会、日本商工会議所、全国中小企業団体中央会、全国商店街振興組合連合会） ・消費者団体 （全国消費者団体連絡会、全国消費生活相談員協会）
第4回	8月13日	○消費者団体訴訟制度に係る論点整理（第1回） ・訴権の種類 ・訴権の内容
第5回	9月10日	○消費者団体訴訟制度に係る論点整理（第2回） ・適格団体の要件
第6回	9月24日	○消費者団体訴訟制度に係る論点整理（第3回） ・制度運営上の諸問題
第7回	10月7日	○これまでの審議経過について
第8回	11月17日	○制度の実効性を高めるための方策について ○消費者団体訴訟制度の骨格について（素案）
第9回	12月13日	○消費者団体訴訟制度の骨格について（案）
第10回	平成17年 2月1日	○消費者団体訴訟制度に係る論点整理 ・差止請求の対象
第11回	2月21日	○消費者団体訴訟制度に係る論点整理 ・適格消費者団体の要件

第12回	3月31日	○消費者団体訴訟制度に係る論点整理
		・事後的担保措置・訴訟手続等
第13回	5月13日	○消費者団体訴訟制度に係る論点整理
		・制度の実効性確保のための方策等
第14回	6月2日	○最終報告案
第15回	6月23日	○最終報告

消費者団体訴訟制度検討委員会　委員名簿

委　員　長	山本　　豊	京都大学大学院法学研究科教授
委員長代理	三木　浩一	慶應義塾大学大学院法務研究科・法学部教授
委　　　員	岩佐　朱美	社団法人消費者関連専門家会議常任理事
	上原　敏夫	一橋大学大学院法学研究科教授
	大河内美保	主婦連合会副会長
	大村　多聞	三菱商事株式会社理事
	鹿野菜穂子	慶應義塾大学大学院法務研究科教授
	川本　　敏	独立行政法人国民生活センター理事
	小塚荘一郎	上智大学大学院法学研究科教授
	齋藤　憲道	松下電器産業株式会社法務本部理事
	品川　尚志	日本生活協同組合連合会専務理事
	髙橋　伸子	生活経済ジャーナリスト
	角田真理子	明治学院大学法学部消費情報環境法学科助教授
	寺田　範雄	全国商工会連合会専務理事
	長野　浩三	弁護士
	坂東　俊矢	京都産業大学大学院法務研究科教授
	升田　　純	中央大学法科大学院教授
	御船美智子	お茶の水女子大学生活科学部教授

⑫ 海外における消費者団体訴訟制度の概要

● 権限、要件、団体数等

国	法令	権限	登録認可等	法人格	適格団体の要件（内容）	適格消費者団体数	適格消費者団体の例
ドイツ	差止訴訟法	・不当約款条項の使用の差止、推奨の撤回、推奨の差止の各請求 ・消費者保護法規違反行為に対する差止請求	登録	要	①連邦管理庁のリストに登録された団体（登録要件） ・啓発・助言を通じて消費者利益の擁護が定款上の任務に属すること ・法人格を有する団体 ・上記の任務のもとで活動している団体もしくは75人以上の自然人を構成員を有すること ・1年以上の存続期間 ・適切な任務遂行を保証するものとする ※公的資金援助を受けている消費者団体は以上の要件を充足するものとする ②EUのリストに掲載された団体	69（注1）	消費者センター総連盟（VZBV）など
ドイツ	不正競争防止法	・不正競争防止法違反行為に対する差止、差止請求 ・不正競争行為により得た利益の国庫返還請求	登録	要	同上	同上	同上
ドイツ	書籍価格拘束法	書籍拘束法違反行為に対する差止請求	登録	要	同上	同上	同上
ドイツ	法律相談法	消費者個人の損害賠償請求 消費者個人の債権の譲渡に基づく請求	―	要 （注2）	公的資金により支援された消費者センター及びその他の消費者（注2）	不明	ベルリン消費者センターなど
フランス	消費法典	・民事訴訟権（差止・損害賠償請求） ・不正行為差止訴訟（不当条項削除請求権を含む） ・消費者による損害賠償請求 共同代理訴訟（損害賠償の代理請求）への訴訟参加	認可	要	消費問題担当大臣・法務大臣の共同のアレテ（命令）により認可された団体（認可要件） ・社団として適法に設立の届出がなされていること ・定款の目的に消費者利益保護を掲げていること ・あらゆる事業活動からの独立（消費者生協を除く） ・以下の要件を満たした消費者代表性を有すること ①1年以上の存続期間 ②消費者利益保護のための活動実績（情報収集・公表、相談業務の実行等）を有すること ③a）全国レベルの団体は1万人以上の会員を有すること b）地方レベルの団体はその地方に応じた数の会員を有すること	全国レベル18 地方レベル824	消費者連盟（UFC）、消費・住宅・生活の枠組み連合（CLCV）など

国	法令	権限	登録認可等	法人格	適格団体の要件 内容	適格消費者団体数	適格消費者団体の例
イギリス	1999年不公正条項規則	・不公正条項の使用、推奨の差止請求	規則付属書に記載	ー	・不公正条項規則の付属書に記載された団体　※消費者団体では消費者協会（CA）のみが指定されている。	1	消費者協会（CA）
イギリス	Enterprise Act2002	・消費者保護法規定違反行為の差止請求（不公正条項規則違反も含む）・競争法違反行為に対する2人以上の消費者の委任に基づく損害賠償請求	指定	（注4）	①国務大臣により指定された団体（指定の基準）・消費者の集団的利益を目的の一つとしていること・独立性・衡平性等・消費者の集団的利益を促進するための能力と専門的知識・法執行手続を実行できる能力・最善の慣行に従う用意と意思・公正取引庁に、その他の集団的利益と協力する用意、意思　②EUのリストに掲載された団体	0（3団体が申請中）	ー
オランダ	民法典3編305条	・団体の定款に利益促進が定められているかぎり、同種の利益保護の訴えが可能	不要	要	・完全な権利能力を有する財団あるいは社団法人	ー（注5）	コンスメンテンボンド
オランダ	民法典6編240条	・不当約款条項の使用禁止、使用推奨の撤回命令	不要	要	・職業・事業を営む者、また職業・事業用でない物品・役務の消費者の各利益を目的とする完全な能力法人	同上	同上
イタリア	消費者権利法	・消費者利益侵害行為の防止、差止請求	登録	不明	生産活動省の管理するリストに登録された団体（登録要件）・3年以上の存続期間・民主的に運営し、消費者の権利保護を目的とし、非営利で活動すること・メンバーリストの保管・全国人口の0.05％以上の登録者数、少なくとも5つの地域に存在し、各地域で0.02％以上の登録者を有する	14	消費者利用者協会など
イタリア	民法典1468条	・普通取引約款における不公正条項について差止請求	不要	不明	条文に規定なし（消費者権利法に準ずるものと解釈）	ー	同上

(注1) 実際に訴えを行っているのは活動していないが、連邦制に設置されている消費者センターは例外なく公益社団（私法上の非営利社団）になっている。

(注2) 地方レベルの団体の認可については、当該団体の主たる事務所の所在地の州知事のアドバイスにより認証される。

(注3) 法令上は必要としていないが、法人格がないと当事者能力に問題があるとみなされ、認定を受けるのは難しい。

(注4) 法令上は必要としていないが、法人格がないと当事者能力に問題があるとみなされ、認定を受けるのは難しい。認定を受ける団体は法人（実質的に、公正により設立された社団法人）である場合、通称・認可など不要である。

(注5) 完全な権利能力を有する財団または社団法人（実質的に、公正により設立、登録により設立された社団は不要とされており、それ以外の地域では不要）。

（備考） 1. この他EU諸国では、ベルギー、スペイン、ギリシャ、スウェーデン等で導入されている。台湾、タイ、インド、インドネシア、フィリピン、スリランカにおいても消費者団体訴訟制度が導入された。
2. 「適格EUにおける消費者団体訴訟制度に関する調査」より作成。

●差止請求に関する訴訟手続等

国名	ドイツ			フランス		
根拠法	差止訴訟法	不正競争防止法	書籍価格拘束法	消費法典		
				民事訴権	不正行為差止訴権	訴訟参加
請求主体	消費者団体、事業者団体、商工会議所、手工業会議所	競業者、事業者団体、消費者団体、商工会議所、手工業会議所	書籍販売業者、事業者団体、価格拘束受託者（弁護士）、差止訴訟法によって提訴権を有する消費者団体	消費者団体		
差止訴権の内容	①不当約款条項の使用の差止、推奨の差止、推奨の撤回の各請求 ②消費者保護法規違反行為に対する差止請求	不正競争防止法違反行為に対する除去、差止請求	書籍価格拘束法違反行為に対する差止請求（最終販売価格設定義務、価格維持義務）	刑事罰の科される消費者保護法規に違反する行為の差止請求	98年EU指令を国内法化した法規に違反する行為についての差止請求、約款中の不当条項の削除請求	刑事罰の科されない消費者保護法規に違反する行為に対する消費者個人の先行訴訟に参加して行う差止請求
判決効果の及ぶ範囲	提訴権を有する団体に固有の差止請求権が帰属することが明記（差止訴訟法3条、不正競争防止法8条3項）されており、判決の効果は訴訟当事者限りに及ぶ。 例外として、不当条項の差止判決について援用制度がある（差止訴訟法11条）。			判決の効果が及ぶ範囲は原則として訴訟当事者限り。		
二重提訴の可否	二重提訴は理論的には可能。 実際には団体間で連絡を取り合うため、ほとんど例がない。			二重提訴は可能で、実際に事例もある。		

イギリス		オランダ		イタリア	
1999年不公正条項規則	Enterprise Act 2002	民法3編305条	民法6編240条	消費者権利法	民法1468(6)条
同規則の付属書に記載された団体（公的機関、消費者団体（消費者協会（CA）のみ））	一般的執行者（公正取引庁等）指定執行者（国務大臣が指定する団体（公的機関、消費者団体等））共同体執行者（EU指令に基づくリストに掲載されている組織）	消費者団体、事業者団体その他あらゆる団体	職業若しくは事業を営む者、又は消費者の各利益の擁護を目的とする完全能力法人	消費者団体	
不公正条項の使用、推奨の差止請求	消費者保護法規違反行為（国内法、EU法）の差止請求（不公正条項規則違反も含まれる）	その団体の定款によって当該利益の促進が定められているかぎり、他者の同種の利益を保護するため訴訟を行うことが可能。	不当約款条項の使用禁止、使用推奨の撤回命令	消費者の利益を侵害する行為を防止し、不利な影響を正し、取り除くために必要な手段を講じることができる。具体的には不当約款条項、欺瞞的広告等の防止、差止請求を行うことができる。	消費者の利益を害する普通取引約款条項についての使用差止請求
原則当事者限り。ただし、他の事業者の使用する類似の契約条項にも効果が及ぶものと規定されている。	原則当事者限り。法人代表者や同一の企業グループを構成する他の事業者に効力を及ぼすことができる。	判決の効果は訴訟当事者限りに及ぶ。個人が判決の効力に異議を唱えることにより訴訟の結果を拒否できる。	判決の効果は訴訟当事者限りに及ぶ。不当約款使用に対する差止判決に対しては、援用制度がある。	判決の効果については、民事訴訟法に基づいて、訴訟当事者に限定される。	
二重提訴は理論上可能だが、提訴前に公正取引庁への通知（不公正条項規則）・協議（Enterprise Act 2002）を義務づけており、複数提訴の防止が図られている。		二重提訴は可能。ただし、管轄が被告の居住地（民法3編305条）若しくはハーグ控訴裁判所（民法6編240条）になるため裁判官の判断により併合される可能性が高い。		二重提訴は可能であり、消費者団体が敗訴した事例について、別の消費者団体が提訴することも可能。消費者団体間の連絡・連携体制が整っているため事例は存在しない。	

国名	ドイツ			フランス		
根拠法	差止訴訟法	不正競争防止法	書籍価格拘束法	消費法典		
				民事訴権	不正行為差止訴権	訴訟参加
濫訴の防止	消費者保護法規違反等に対する差止請求は濫訴の禁止規定有り。不当約款の差止請求は規定がない。	濫訴の禁止規定有り。		検事による公訴が先行しない民事訴権の提訴の際には供託金が必要であり、消費者団体が敗訴した場合、被告への賠償金に充当される。不当訴訟に対しては不法行為一般法理により損害賠償請求が命じられる。		
判決違反への対抗措置	判決に事業者が従わない場合には、消費者団体は行政裁判所に対し行政罰（秩序金）の申立てをすることが可能。事業者の行為に対する判決内容違反の判断は「核心の原則」の法理による。			判決に事業者が従わない場合には、消費者団体は罰金強制の申立てをすることが可能。その金額は高額であり、国庫に納付される。		
判決の公表制度	差止認容の際には、裁判所は、勝訴当事者に対し敗訴当事者の負担による判決を公表する権限を与えることができ、公表の種類、規模は判決によって定められる（差止訴訟法7条、不正競争防止法12条、書籍価格拘束法9条）。			裁判所が判決の情報を公に報道するよう命ずる（L421-9条）。結果を問わず敗訴当事者が費用を負担し、公表の媒体は裁判所が指定する。裁判所の職権でも可能だが、多くは消費者団体の要請により行われる。		
警告・事前交渉	法的義務なし。警告・事前交渉を行うのが通常。	裁判開始前に警告をするとともに、調停に付する機会を与える規定あり。	法的義務なし。	法的義務なし。警告・事前交渉を行うのが通常。		
主な消費者団体による訴訟追行等	基本的に全国中央団体であるVZBVが交渉や訴訟提起を行い、地方団体が行う例は少ない。ほとんどが警告・交渉で解決し、訴訟に至るのは1～2割である。VZBVは、不正競争防止法に関して年平均約60件、不当条項に関して年平均約40件の訴訟を提起している。			財政規模が大きいUFC・CLCVの消費者団体が積極的に訴権を行使している。ただし、交渉で解決するケースが多く、訴訟に発展するのは交渉案件の1～2割程度であり、民事訴権が多い。2002年に提起された民事訴権は464件。【UFC】年平均して約100件の訴訟が係属。不当約款の差止訴訟は年5～6件。【CLCV】調査時で約30件の訴訟が係属。不当約款の差止訴訟は年間数件。		

692　第3編　資料編　第2章　消費者契約法の改正（平成18年）

イギリス		オランダ		イタリア	
1999年不公正条項規則	Enterprise Act 2002	民法3編305条	民法6編240条	消費者権利法	民法1468(6)条
公正取引庁による事前協議により不適切な訴訟はスクリーニングされ、複数訴訟はコントロールがなされている。		権利の濫用に関する一般条項あり。訴訟提起前の事前交渉義務づけ制度あり。		不当訴訟については、名誉毀損等や不法行為の一般法理により対応。	
判決に事業者が従わない場合には、裁判所は法廷侮辱とみなし罰金や自由刑を課すことができる。		判決違反に対する強制執行手段として、判決の執行官の権限により銀行口座の凍結及び営業停止命令が可能。		判決に従わない事業者に対して消費者団体からの請求に基づき、罰金を課すことができる。罰金は国庫に組み入れられる。	
全ての情報が公正取引庁に集約され、公表される。	裁判所が事業者に対して判決の内容と是正の表明を公表する旨求めることができる。	裁判所が適切と判断し、社会的利益に資すると認めた場合、原告は被告に対して全国紙に判決の公表を求めることができる。		侵害の影響を正す可能性がある場合、全国紙等に是正対策公表の命令を裁判所に請求できる、判決そのものの公表は定められていない。	裁判所の裁量、消費者団体の請求により裁判所は判決を新聞に公表することを命じることができる。
法的義務なし。	Enterprise Act 2002に基づく訴えの提起前には、事業者との交渉が義務づけられている。公正取引庁は、訴訟提起よりも、訴訟外での解決（和解、ADR等）を推奨している。	団体訴訟の提起前に相手方と十分な交渉をすることを義務づけている。状況により行われないことはある。	約款使用差止についても、団体訴訟を提起する前に、業者に約款変更の機会を与えることを消費者団体に求めている。	訴訟提起前、相手方に差止要求を文書にて行う必要がある。訴訟提起前、商工職農会議所に調停手続を行うことが可能。	
消費者協会（CA）が、不当条項に関して2003年に交渉を行った件数は約10件。		全国的に活動する消費者団体はコンスメンテンボンドのみである。コストの問題から訴訟に発展する件数は少ない。事前交渉、ADRの活用が中心である。		訴訟に発展するのは、1団体あたり年間数件程度。交渉、商工会議所による仲裁によって解決されることが多い。	

第3章　消費者契約法等の改正（平成20年）

1　トラブルの現状

　近年における商品・役務の多様化を背景として、不当景品類及び不当表示防止法（以下「景品表示法」という。）および特定商取引に関する法律（以下「特定商取引法」という。）に違反する行為による消費者被害が多発している。

　こうした消費者被害については、個々の消費者には個別的・事後的に法的手段に訴えるインセンティブが低い。このため、消費者被害の未然防止・拡大防止を図ることが重要であり、事業者による不当な行為を何らかの方法で抑止する必要がある。

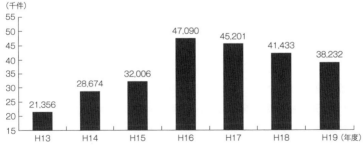

（国民生活センターPIO-NETより、公正取引委員会作成）（平成20年2月29日登録分）
（備考）　PIO-NETの分類上、「表示・広告」に関する相談件数を集計したものである（景品表示法の対象とならない相談が含まれている可能性がある。また、景品表示法の対象となる全ての相談が含まれているとは限らない。）。

特定商取引法に関する相談件数の推移

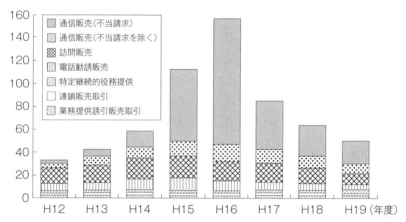

(国民生活センターPIO-NETより、経済産業省作成　3月11日登録分)

(備考)　ここで「連鎖販売取引」「業務提供誘引販売取引」に関する相談件数については、PIO-NETの分類上、それぞれ、「マルチ取引」「内職・副業」および「モニター商法」を集計したもの。また、「特定継続的役務提供」は、「エステティックサービス」「外国語・会話教室」「パソコン・ワープロ教室」「結婚相手紹介サービス」「学習塾」「家庭教師」に関する相談を合計したもの。特定継続的役務提供、業務提供誘引販売取引については一部他類型との重複有り。なお、相談件数には一部、特定商取引法対象外の商品・役務も含まれる。また、特定商取引法の対象となる全ての相談が含まれているとは限らない。

2　検討の経緯

　景品表示法及び特定商取引法に消費者団体訴訟制度を導入することは、司法制度改革推進計画（平成14年3月19日閣議決定）、消費者基本計画（平成17年4月8日閣議決定）、「消費者契約法の一部を改正する法律」の衆・参両院の附帯決議（平成18年4・5月）等において検討事項として掲げられている。

　公正取引委員会においては、「団体訴訟制度に関する研究会」が設置され、平成19年7月12日、「独占禁止法・景品表示法における団体訴訟制度の在り方について」をとりまとめ、公表した。経済産業省においては、「産業構造

審議会消費経済部会特定商取引小委員会」が設置され、平成19年12月10日、報告書をとりまとめ、公表した。内閣府においても、「消費者契約に関する検討委員会」を開催し、平成20年2月7日、「景品表示法及び特定商取引法への消費者団体訴訟制度導入に伴う消費者契約法上の論点について」をとりまとめ、公表した。

○衆議院内閣委員会　消費者契約法の一部を改正する法律案に対する附帯決議（平成18年4月28日）

　　「消費者被害の救済の実効性を確保するため、適格消費者団体が損害賠償等を請求する制度について、司法アクセスの改善手法の展開を踏まえつつ、その必要性等を検討すること。また、特定商取引法、独占禁止法、景品表示法等の消費者関連諸法についても、消費者団体訴訟制度の導入について検討を進めること。」

○参議院内閣委員会　消費者契約法の一部を改正する法律案に対する附帯決議（平成18年5月30日）

　　「消費者被害の救済の実効性を確保するため、適格消費者団体が損害賠償等を請求する制度について、司法アクセスの改善手法の展開や犯罪収益剥奪・不当利益返還の仕組みの検討を踏まえつつ、その必要性等を検討すること。また、特定商取引法、独占禁止法、景品表示法等の消費者関連諸法についても、消費者団体訴訟制度の導入について検討を進めること。」

○団体訴訟制度に関する研究会　独占禁止法・景品表示法における団体訴訟制度の在り方について（抄）（平成19年7月12日）

　　「消費者被害の未然防止・拡大防止の観点から、景品表示法違反行為に対する差止請求権を一定の消費者団体に付与する制度の創設について、消費者契約法に導入された消費者団体訴訟制度を踏まえて具体的な制度設計を進めるべきである。

　　また、景品表示法に消費者団体訴訟制度を導入するに当たっては、公正取引委員会と適格消費者団体の関係について整理することが必要である。」

○産業構造審議会消費経済部会特定商取引小委員会　報告書（抄）（平成19年12月10日）

696　第3編　資料編　第3章　消費者契約法等の改正（平成20年）

　「特定商取引法の対象となる商取引における消費者トラブルの解消に資するため、個々の消費者による権利主張や行政機関による取締りに加えて、消費者団体による監視が実効性を持って行われるようにするとの観点から消費者団体訴訟制度を導入するべきである。その際、できるだけ早急に消費者団体による差止請求制度を導入するべきとの観点から、特定商取引法に導入されるべき制度は、消費者契約法に導入された消費者団体訴訟（訴権）制度を基本的に踏襲することが適当である。」

○国民生活審議会消費者政策部会消費者契約に関する検討委員会　景品表示法及び特定商取引法への消費者団体訴訟制度の導入に伴う消費者契約法上の論点について（抄）（平成20年2月7日）

　「政府においては、景品表示法及び特定商取引法に消費者団体訴訟制度を導入するに際し、消費者行政を統一的・一元的に推進する観点から、消費者契約法についても所要の措置を講ずることにより、消費者利益の擁護により資する制度とすべきである。」

❸　政府部内における検討と立案作業

　内閣府、公正取引委員会、経済産業省は、「景品表示法及び特定商取引法への消費者団体訴訟制度導入に伴う消費者契約法上の論点について」等を踏まえつつ、景品表示法および特定商取引法への消費者団体訴訟制度導入に向けた具体的な立法作業を行い、平成20年3月4日、政府は「消費者契約法等の一部を改正する法律案」を閣議決定し（閣法58号）、同日、第169回国会に提出した。

❹　各政党における検討

1　自由民主党

　景品表示法及び特定商取引法への消費者団体訴訟制度導入については、平成20年2月13日、自由民主党内閣部会「消費者問題に関するプロジェクトチーム」（座長：河野太郎衆議院議員、事務局長：亀井善太郎衆議院議員）において了承された。

　その後、「内閣部会、内閣部会消費者問題に関するプロジェクトチーム、司法制度調査会、経済活動を支える民事・刑事の基本法制に関する小委員

会、ADR活性化戦略プロジェクトチーム合同会議」において、「消費者契約法等の一部を改正する法律案」について議論がなされ、平成20年2月21日に了承された。これを受け、自民党は、同法案を2月26日の政調審議会および総務会にそれぞれ諮り、了承された。

2　公明党

平成20年2月21日の内閣部会において、「消費者契約法等の一部を改正する法律案」について議論がなされ、了承された。その後、同法案を2月28日の政調全体会議に諮り、了承された。

5　第169回国会における審議の経過

「消費者契約法等の一部を改正する法律案」は「国民生活センター法の一部を改正する法律」とともに、平成20年4月8日、衆議院内閣委員会に付託された。4月9日、岸田文雄内閣府特命担当大臣による提案理由説明が行われ、4月11日には「国民生活センター法の一部を改正する法律」とともに、1時間30分の参考人からの意見聴取等及び参考人に対する質疑、4時間30分の質疑が行われた。同日、法案及び附帯決議の採決が行われ、全会一致で可決された。平成20年4月15日、衆議院本会議に上程され採決の運びとなり、本会議においても全会一致で可決された。

参議院においては、4月21日に内閣委員会に付託され、4月22日、岸田文雄内閣府特命担当大臣による提案理由説明が行われた。4月24日、衆議院同様「国民生活センター法の一部を改正する法律」とともに1時間30分の参考人からの意見聴取及び参考人に対する質疑、3時間の質疑が行われた。同日、法案及び附帯決議の採決、翌4月25日には参議院本会議にて採決の運びとなった。内閣委員会、本会議ともに全会一致で可決された（公布日は平成20年5月2日。改正法の法律番号は第29号）。

衆議院、参議院ともに、岸田文雄内閣府特命担当大臣、中川義雄内閣府副大臣及び西村明宏内閣府大臣政務官等が出席して、衆議院にて6時間、参議院にて4時間30分の慎重かつ熱心な審議が行われた。

698　第3編　資料編　第3章　消費者契約法等の改正（平成20年）

6　附帯決議

衆議院　内閣委員会　消費者契約法等の一部を改正する法律案に対する附帯決議（平成20年4月11日）

　政府は、本法施行に当たり、次の事項について十分配慮すべきである。

一　特定商取引法及び景品表示法への消費者団体訴訟制度の導入の意義を踏まえ、適格消費者団体と関係行政機関との連携や制度の適切かつ効率的な運用に留意すること。

二　消費者被害の救済の実効性を確保するため、適格消費者団体が損害賠償等を請求する制度の導入について、引き続き検討すること。

三　適格消費者団体による差止請求の対象行為については、特定商取引法において本法案の対象とならなかった条項（政省令事項を含む）にかかる行為や、詐欺・強迫行為を伴う勧誘行為、民法の公序良俗に違反する条項を含む消費者契約の意思表示、不当な契約条項を含む消費者契約の意思表示を行うことを推薦し提案する行為（いわゆる推奨行為）等をはじめとして、その範囲の拡大について引き続き検討を進めること。また、独占禁止法等の消費者関連諸法についても、消費者団体訴訟制度の導入について検討を進めること。

四　国及び地方公共団体は、適格消費者団体の活動が促進されるよう、円滑な資金の確保や情報提供など環境整備に努めること。

参議院　内閣委員会　消費者契約法等の一部を改正する法律案に対する附帯決議（平成20年4月24日）

　政府は、本法の施行に当たり、次の事項について適切な措置を講ずべきである。

一　景品表示法及び特定商取引法への消費者団体訴訟制度の導入の意義を踏まえ、公正取引委員会及び経済産業省と適格消費者団体が相互に情報

提供を行う等により連携を図り、制度を適切かつ効率的に運用すること。

二　消費者被害の救済の実効性を確保するため、適格消費者団体が損害賠償等を請求する制度の導入について、引き続き検討すること。

三　適格消費者団体による差止請求の対象行為については、特定商取引法において本法案の対象とならなかった条項（政省令事項を含む）にかかる行為や、詐欺・強迫行為を伴う勧誘行為、民法の公序良俗に違反する条項を含む消費者契約の意思表示、不当な契約条項を含む消費者契約の意思表示を行うことを推薦・提案する、いわゆる推奨行為等を始めとして、その範囲の拡大について引き続き検討を進めること。また、独占禁止法等の消費者関連諸法についても、消費者団体訴訟制度の導入について検討を進めること。

四　国及び地方公共団体は、適格消費者団体の活動が促進されるよう、円滑な資金の確保や情報提供など環境整備に努めること。

右決議する。

7　審議会等報告書

「景品表示法及び特定商取引法への消費者団体訴訟制度の導入に伴う消費者契約法上の論点について」

平成20年2月7日
国民生活審議会消費者政策部会
消費者契約に関する検討委員会

1．現内閣においては、生活者・消費者が主役となる社会を実現する「国民本位への行財政への転換」が政策の重要課題として位置付けられ、各省庁縦割りになっている消費者行政を統一的・一元的に推進することが掲げられている（第169回通常国会における福田内閣総理大臣施政方針演説）。

　　景品表示法及び特定商取引法への消費者団体訴訟制度の導入は、消費者利益の擁護を図るうえで極めて有益と考えられるが、その際、上記の

ような消費者行政の統一化・一元化の要請を踏まえつつ、申請者である消費者団体及び認定後の適格消費者団体の事務負担を軽減し、行政コストの効率化を図るとともに、事業者の過大な応訴負担や訴訟不経済といった弊害を可及的に排除する観点から制度設計をすることが適当である。

2．三法は、いずれも、消費者取引の適正化により消費者の利益を擁護しようとするものである点において共通していることや、現在の消費者契約法上の認定要件及び欠格事由のうち、「目的及び活動実績」（消費者契約法第13条第3項第2号）の要件についても、「不特定かつ多数の消費者の利益の擁護を図るための活動を行うこと」とある規定の中に景品表示法及び特定商取引法上の不当行為を抑止するための活動を読み込むことができること等を踏まえると、認定・監督及び訴訟手続を消費者契約法に一本化すべきである。具体的には、消費者契約法に基づき内閣総理大臣により認定された適格消費者団体が、景品表示法及び特定商取引法上の差止請求権をも行使することができることとしつつ、これらの差止請求権の行使について、関連実体法規である消費者契約法第4条、特定商取引法第9条の2、景品表示法第4条等の解釈に委ねるのはもとより、現在の消費者契約法第12条第5項第2号や同法第44条、第45条等の規定の解釈・適用による規律に委ねることとするのが適当と考えられる。

3．こうした場合、消費者契約法により認定された適格消費者団体が景品表示法及び特定商取引法上の差止請求権を行使し得ることになるため、適格消費者団体の認定及び監督の適切な実施・運用を図る観点から、消費者契約法において、内閣総理大臣から公正取引委員会及び経済産業大臣に対する意見聴取に関する規定を設けるなど連携を図るとともに、適格消費者団体による差止請求権の行使状況について情報共有をするための措置を講ずるのが適当と考えられる。

4．以上の検討を踏まえ、政府においては、景品表示法及び特定商取引法に消費者団体訴訟制度を導入するに際し、消費者行政を統一的・一元的に推進する観点から、消費者契約法についても所要の措置を講ずることにより、消費者利益の擁護により資する制度とすべきである。

消費者契約に関する検討委員会　委員名簿

委 員 長	山本　　豊	京都大学大学院法学研究科教授
委 　 員	阿部　泰久	社団法人日本経済団体連合会経済第二本部長
	夷石多賀子	日本女子大学家政学部非常勤講師、 常磐大学大学院被害者学研究科兼任教授
	笠井　正俊	京都大学大学院法学研究科教授
	鹿野菜穂子	慶應義塾大学大学院法務研究科教授
	河上　正二	東京大学大学院法学政治学研究科教授
	神田　敏子	前全国消費者団体連絡会事務局長
	菊地麻緒子	電気通信事業者協会消費者支援委員会委員、 弁護士、 ソフトバンクモバイル株式会社法務統括部統括部長
	藏本　一也	前社団法人消費者関連専門家会議理事長
	佐々木幸孝	日本弁護士連合会消費者問題対策委員会委員、 弁護士
	白川　弘子	特定非営利活動法人青森県消費者協会常務理事・事務局長
	田口　義明	独立行政法人国民生活センター理事
	寺田　範雄	全国商工会連合会専務理事
	野坂　雅一	読売新聞東京本社論説委員
	浜田　道代	前名古屋大学法学研究科教授
	平田　公一	日本証券業協会常務執行役
	丸山絵美子	筑波大学ビジネス科学研究科准教授
	三木　浩一	慶應義塾大学大学院法務研究科教授
	村　千鶴子	東京経済大学現代法学部教授
	山本　敬三	京都大学大学院法学研究科教授

第4章 消費者契約法の改正（平成28年）

1 トラブルの現状

　近年、高齢化の進展を始めとした社会経済情勢の変化等により、一人暮らしの高齢者に対し、過量な商品等を店舗で購入させる事案など、高齢者の消費者被害が増加している。

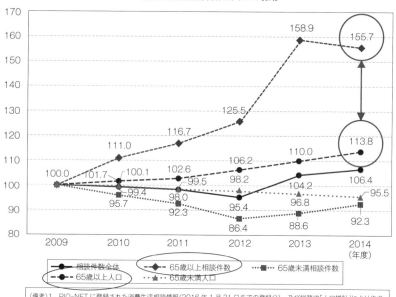

(参考)高齢者に関する相談の増加(高齢化の伸び以上)
消費生活相談件数と人口の推移

(備考) 1. PIO-NET に登録された消費生活相談情報(2016年1月31日までの登録分)、及び総務省「人口推計」により作成。
2. 2009年度＝100としたときの指数。

② 検討の経緯

　消費者契約法制定に際しての衆参両院における附帯決議（平成12年4月）においては、法施行後の状況につき分析・検討を行い、必要に応じ法の見直しを含め措置を講ずることとされているが、近年増加している高齢者の消費者被害等の中には、現行法では十分な被害救済を図ることが難しいものもある。また、平成13年の法施行後、消費者契約法についての裁判例や消費生活相談事例が蓄積しており、その傾向等も踏まえ、適切な措置を講じる必要がある。

　このような状況の中で、平成26年8月に内閣総理大臣から内閣府消費者委員会（以下単に「消費者委員会」という。）に対し、「施行後の消費者契約に係る苦情相談の処理例及び裁判例等の情報の蓄積を踏まえ、情報通信技術の発達や高齢化の進展を始めとした社会経済状況の変化への対応等の観点から、契約締結過程及び契約条項の内容に係る規律等の在り方」の検討を行うように諮問がなされた。

　これを受けて、平成26年10月に消費者委員会に消費者契約法専門調査会が設置された。以降、同専門調査会では、合計24回にわたる審議が行われ、平成27年12月に報告書がとりまとめられた。そして、平成28年1月、消費者委員会からは、同報告書の内容を踏まえ、消費者契約法の規律等の在り方についての答申が示された。

○衆議院商工委員会　消費者契約法案に対する附帯決議（抄）（平成12年4月14日）

　　「電子商取引の進展など消費者契約の内容や形態が急速に多様化・複雑化してくることを踏まえ、また本法が主として裁判等の規範としての性格を有することにかんがみ、消費者契約に係る判例に関する情報及び消費生活センター等の裁判外紛争処理機関における処理例の情報の蓄積に努め、本法施行後の状況につき分析、検討を行い、必要があれば5年を目途に本法の見直しを含め所要の措置を講ずること。」

○参議院経済・産業委員会　消費者契約法案に対する附帯決議（抄）（平成12年4月27日）

　　「消費者契約が今後ますます多様化かつ複雑化することにかんがみ、

本法施行後の状況につき分析・検討を行い、必要に応じ5年を目途に本法の実効性をより一層高めるため、本法の見直しを含め適切な措置を講ずること。」

○消費者委員会　消費者契約法の規律等の在り方についての答申（抄）（平成28年1月7日）

「別添『消費者契約法専門調査会報告書』の内容を踏まえ、現時点で法改正を行うべきとされた事項については速やかに消費者契約法の改正法案を策定した上で国会に提出し、また、解釈の明確化を図るべきとされた点については、消費者契約法に係る逐条解説に適切に反映するとともに改正の内容とあわせて幅広く周知活動を行うなど、必要な取組を進めることが適当である。」

3　政府部内における検討と立案作業

消費者庁は、消費者委員会からの答申等を踏まえつつ、消費者契約法の改正に向けた具体的な立案作業を行い、平成28年3月4日、政府は「消費者契約法の一部を改正する法律案」を閣議決定し（閣法第45号）、同日、第190回国会に提出した。

4　各政党における検討

1　自由民主党

平成28年2月25日、消費者問題調査会・内閣部会合同会議において、「特定商取引に関する法律の一部を改正する法律案」とともに「消費者契約法の一部を改正する法律案」について議論がなされ、了承された。その後、自由民主党は、両法案を3月1日の政調審議会及び総務会にそれぞれ諮り、了承された。

2　公明党

平成28年2月24日、消費者問題対策本部・内閣部会合同会議において、「特定商取引に関する法律の一部を改正する法律案」とともに「消費者契約法の一部を改正する法律案」について議論がなされ、了承された。その後、公明党は、両法案を3月2日の政調全体会議・部会長会議合同会議に諮り、

了承された。

5 第190回国会における審議の経過

「消費者契約法の一部を改正する法律案」は「特定商取引に関する法律の一部を改正する法律案」とともに、平成28年4月7日、衆議院消費者問題に関する特別委員会に付託された。4月27日、河野太郎内閣府特命担当大臣による提案理由説明が行われ、同日「特定商取引に関する法律の一部を改正する法律案」とともに、2時間50分の質疑が行われた。また、4月28日には、「特定商取引に関する法律の一部を改正する法律案」とともに、1時間10分の質疑が行われ、同日、法律案及び附帯決議の採決が行われ、全会一致で可決された。5月10日、衆議院本会議に上程され採決の運びとなり、本会議においても全会一致で可決された。

参議院においては、5月12日、地方・消費者問題に関する特別委員会に付託され、5月13日、河野太郎内閣府特命担当大臣による提案理由説明が行われた。5月18日、衆議院同様「特定商取引に関する法律の一部を改正する法律案」とともに、2時間30分の質疑が行われた。また、5月20日には、「特定商取引に関する法律の一部を改正する法律案」とともに、1時間20分の質疑が行われ、同日、法律案及び附帯決議の採決が行われ、全会一致で可決された。5月25日、参議院本会議に上程され採決の運びとなり、本会議においても全会一致で可決された（公布日は平成28年6月3日。改正法の法律番号は第61号）。

衆議院、参議院には、河野太郎内閣府特命担当大臣、松本文明内閣府副大臣、酒井庸行内閣府大臣政務官等が出席し、衆議院にて4時間、参議院にて3時間50分の慎重かつ熱心な審議が行われた。

6 附帯決議

衆議院　消費者問題に関する特別委員会　消費者契約法の一部を改正する法律案に対する附帯決議（平成28年4月28日）

政府は、本法の施行に当たり、次の事項について適切な措置を講ずべきである。

706　第3編　資料編　第4章　消費者契約法の改正（平成28年）

一　本改正の内容を始めとする消費者契約法の内容について、消費者委員会消費者契約法専門調査会報告書が解釈の明確化等を図るべきとした点も併せて、消費者、事業者、各種の裁判外紛争処理機関、都道府県及び市区町村における消費者行政担当者等に十分周知すること。

二　情報通信技術の発達や高齢化の進展を始めとした社会経済状況の変化に鑑み、消費者委員会消費者契約法専門調査会において今後の検討課題とされた、「勧誘」要件の在り方、不利益事実の不告知、困惑類型の追加、「平均的な損害の額」の立証責任、条項使用者不利の原則、不当条項の類型の追加その他の事項につき、引き続き、消費者契約に係る裁判例や消費生活相談事例等の更なる調査・分析、検討を行い、その結果を踏まえ、本法成立後3年以内に必要な措置を講ずること。

三　消費者契約法の定める民事ルールによる消費者被害の防止及び救済の実効性を確保するため、適格消費者団体による差止請求権の拡充及び消費者の財産的被害の集団的な回復のための民事の裁判手続の特例に関する法律の円滑な施行と実効的な運用並びにこれらの制度の担い手である適格消費者団体及び特定適格消費者団体に対する財政面及び全国消費生活情報ネットワーク・システム（PIO-NET）の配備等の情報面における支援、その他適切な施策を実施すること。

四　消費者被害の迅速かつ適切な解決を図る観点から、国民生活センター、都道府県及び市区町村における消費生活相談・あっせん体制を充実・強化するため、消費者行政担当者及び消費生活相談員に対する十分な研修体制の構築、消費生活相談員の処遇の改善等による人材の確保、その他必要な施策を実施すること。

参議院　地方・消費者問題に関する特別委員会　消費者契約法の一部を改正する法律案に対する附帯決議（平成28年5月20日）

　政府は、本法の施行に当たり、次の事項について適切な措置を講ずべきである。

一　本法及び消費者契約法の内容について、具体的にどのようなものが取

消や無効の対象となるのか、法律の専門的な知識がない者にとっても理解しやすいよう、消費生活相談事例や事業者の実務実態を踏まえた上で、逐条解説等において丁寧に解釈の明確化を図るとともに、消費者、事業者、地方公共団体における消費者行政担当者及び消費生活相談員並びに各種の裁判外紛争処理機関等に十分周知し、消費者や事業者の混乱を招かないようにすること。

二　消費者被害を防止することにより、被害で失われたであろう金額が正当な消費に向かうことが健全な内需拡大に資することに鑑み、消費者委員会消費者契約法専門調査会報告書において、今後の検討課題とされた論点については、消費者契約に係る裁判例、消費生活相談事例、様々な業界における事業者の実務実態等の調査・分析に基づき、健全な事業活動に支障を来すことのないよう配慮しつつ、消費者の安全・安心に寄り添って検討を行い、国会における審議も踏まえて、本法成立後遅くとも３年以内に必要な措置を講ずること。

三　消費者被害を防止することにより、被害で失われたであろう金額が正当な消費に向かうことが健全な内需拡大に資することに鑑み、消費者委員会消費者契約法専門調査会報告書において、今後の検討課題とされた論点については、消費者契約にかかる裁判例、消費生活相談事例、様々な業界における事業者の実務実態等の調査・分析に基づき、健全な事業活動に支障を来すことのないよう配慮しつつ、消費者の安全・安心に寄り添って検討を行い、国会における審議も費者契約法の定める民事ルールによる消費者被害の防止及び救済の実効性を確保するため、適格消費者団体による差止請求権の拡充及び消費者の財産的被害の集団的な回復のための民事の裁判手続の特例に関する法律の円滑な施行と実効的な運用に向けた施策を実施するとともに、これらの制度の担い手である適格消費者団体及び特定適格消費者団体に対する財政面の支援及び全国消費生活情報ネットワーク・システム（PIO-NET）の配備等による情報面の支援その他適切な支援を行うこと。

四　消費者被害の迅速かつ適切な解決を図る観点から、国民生活センター及び地方公共団体における消費生活相談・あっせん体制を充実・強化するため、消費者行政担当者及び消費生活相談員に対する十分な研修体制

の構築、消費生活相談員の処遇の改善等による人材の確保、その他必要な施策を実施すること。また、消費者庁、消費者委員会及び国民生活センターの徳島県への移転については、本法等消費者庁所管の法令の運用に重大な影響を与えかねないため、慎重に検討すること。

右決議する。

７　審議会等報告書等

消費者委員会　消費者契約法専門調査会「消費者契約法専門調査会報告書」（平成27年12月）

はじめに

　本専門調査会は、平成26年８月に内閣総理大臣から消費者委員会に対し、消費者契約法（平成12年法律第61号。以下単に「法」ということがある。）について、「施行後の消費者契約に係る苦情相談の処理例及び裁判例等の情報の蓄積を踏まえ、情報通信技術の発達や高齢化の進展を始めとした社会経済状況の変化への対応等の観点から、契約締結過程及び契約条項の内容に係る規律等の在り方」の検討を行うように諮問がなされたことを受け、同年10月に設置された。その後、同年11月から平成27年８月まで審議を行い、検討の状況について一旦整理し、今後の検討の方向性を示すために、「中間取りまとめ」を公表した。

　公表後、平成27年９月に消費者委員会において中間取りまとめに関する集中的な意見受付を実施し、また、同年10月から再開した本専門調査会の審議の中で関係団体からのヒアリングを実施した。その結果を踏まえ、さらに、同年12月25日開催の第24回専門調査会まで審議を重ねた。

　本報告書は、こうした審議内容をもとに、速やかに法改正を行うべき論点及び引き続き検討を要する論点について現時点での方向性を取りまとめたものである。

第１　見直しの検討を行う際の視点

　本専門調査会においては、法施行後の社会経済状況の変化、消費者被害

709

の救済と事業者の予測可能性の担保との両立、民法（明治29年法律第89号）[1]
の改正等との関係といった点を踏まえ、調査審議を行ってきた。具体的に
は、以下のとおりである。

　平成13年の法施行後、高齢化の更なる進展に伴い、高齢者の利便に資す
るような生活支援サービスも提供されているものの、高齢者の消費者被害
は増加している。その中には、現行の不当勧誘の類型には該当しない態様
により、判断力が不十分な高齢者が不必要な契約を締結させられたという
事例もある。また、情報通信技術の発達・インターネット取引の普及等の
影響も受け、消費者による情報の収集等が容易になっている側面もあるが、
契約締結の方法等が多様化したことに伴って生じた消費者被害も見られ
る。こうした社会経済状況の変化に起因する消費者被害に対し、消費者と
事業者の双方に対する啓発活動をいっそう強化するとともに、法の実効性
を確保する必要がある。

　また、消費者紛争の多くは消費生活相談において処理されており、裁判
のみならず、消費生活相談の現場における法の十分な活用を通じて、消費
者紛争が適切に解決されることにより、消費者被害の救済が図られる必要
がある。それとともに、消費者契約全般を対象とする包括的な民事ルール
である法については、広範な業種・業態に関わるものであることを踏まえ、
事業者の予測可能性を担保するとともに、経済活動が円滑に進むように留
意する必要がある。すなわち、「消費者の利益の擁護を図り、もって国民生
活の安定向上と国民経済の健全な発展に寄与する」（法第1条）ようにする
必要がある。

　さらに、消費者契約法については、民法との関係では、その特別法に当
たる[2]。他方で、消費者契約法は、個別の業法における民事ルールとの関係
では消費者契約に関する一般法に当たる[3]。このような位置付けを踏まえ、
法の適切な在り方を考える必要がある。

　上記の視点を踏まえ、本報告書においては、各論点について、

　①　解釈の明確化で一定の対応ができるものは、解釈の明確化を図る

---

1)　民法（債権関係）の改正については、法制審議会における審議を経て、「民法の一
　部を改正する法律案」（第189回国会閣法第63号）が平成27年3月31日に国会に提出
　されている（以下、同法律案による改正後の民法を「新民法」という。）。

710 第3編 資料編 第4章 消費者契約法の改正（平成28年）

②　解釈の明確化だけでは対応できないものは、規律の明確化に留意しつつ、速やかに法改正を行う

③　①と②のほか、現時点で法改正を行うことについてコンセンサスが得られていないものについては、今後の検討課題として引き続き検討を行う

という方向で整理をした。

第2　速やかに法改正を行うべき内容を含む論点

1．「重要事項」（法第4条第4項）

不実告知による取消し（法第4条第1項第1号）に限り、「消費者が当該消費者契約の締結を必要とする事情に関する事項」を法第4条第4項所定の事由に追加して列挙することとする。

［説明］

(1)　消費者契約法は、「重要事項」について不実告知（法第4条第1項第1号）又は不利益事実の不告知（法第4条第2項）が行われた場合に意思表示の取消しを認めている。ここでいう「重要事項」（法第4条第4項）とは、現行法では、物品、権利、役務その他の当該消費者契約の目的となるものの「質、用途その他の内容」（第1号）又は「対価その他の取引条件」（第2号）であって、「消費者の当該消費者契約を締結するか否かについての判断に通常影響を及ぼすべきもの」とされている。

　　もっとも、当該契約の締結を必要とする事情について不実告知を受けた結果、消費者が必要のない契約を締結したという被害も発生して

---

2)　民法は対等当事者間における法律関係を念頭に置くものであるのに対し、消費者契約法は消費者と事業者との間に存在する構造的な「情報の質及び量並びに交渉力の格差」（以下「情報・交渉力の格差」という。）に鑑み、意思表示の取消しや契約条項の無効等を規定することにより、「消費者の利益の擁護を図り、もって国民生活の安定向上と国民経済の健全な発展に寄与することを目的とする」（法第1条）ものである。

3)　個別の業法における民事ルールが特定の分野に限り適用されるのに対し、消費者契約法の規定は消費者契約一般に当てはまる民事ルールとして取引の適正化を図ろうとするものである。

おり、「重要事項」を柔軟に解釈することによって取消しを認めた裁判
例もある。また、特定商取引に関する法律（昭和51年法律第57号。以下
「特定商取引法」という。）では、平成16年改正により、契約の締結を必
要とする事情に関する不実告知について意思表示の取消しを認める規
定が設けられた。このような事情を踏まえ、法第4条第4項所定の事
由に、消費者が当該消費者契約を締結する必要性を基礎付ける客観的
な事実関係として「消費者が当該消費者契約の締結を必要とする事情
に関する事項」を追加して列挙することとする。

　また、当該事項について不利益事実の不告知を受けたために誤認し
たという被害が現時点では直ちには見当たらないことに照らし、不実
告知による取消しに限り、当該事項を追加して列挙することとする。
当該事項を、不利益事実の不告知による取消しとの関係でも、法第4
条第4項所定の事由に追加することの是非については、不利益事実の
不告知に関する規律の在り方と併せて、引き続き検討を行うべきであ
る。

(2)　なお、今後の検討課題としては、法第4条第4項所定の事由として、
当該消費者契約の締結が消費者に有利であることを裏付ける事情や、
当該消費者契約の締結に伴い消費者に生じる危険に関する事項を列挙
することのほか、列挙事由を例示として位置付けるべきとの意見も見
られたところであり、「重要事項」の規律の在り方について引き続き検
討を行うべきである。

2．合理的な判断をすることができない事情を利用して契約を締結させる類型

事業者が、消費者に対して、過量契約（事業者から受ける物品、権利、役務
等の給付がその日常生活において通常必要とされる分量、回数又は期間を著しく
超える契約）に当たること及び当該消費者に当該過量契約の締結を必要と
する特別の事情がないことを知りながら、当該過量契約の締結について勧
誘し、それによって当該過量契約を締結させたような場合に、意思表示の
取消しを認める規定を新たに設けることとする。

712　第3編　資料編　第4章　消費者契約法の改正（平成28年）

［説明］

(1)　高齢化の更なる進展に伴い、高齢者の消費者被害は増加しており、その中には、加齢や認知症等により判断力が不十分な消費者が不必要な契約を締結させられたという事例もある。また、高齢者に限らず、当該契約を締結するか否かを合理的に判断することができない事情がある消費者が、事業者にその事情を利用されて、不必要な契約を締結させられたという被害は多い。その救済は、現行法の下では、公序良俗（民法第90条）や不法行為（民法第709条）等の一般的な規定に委ねられているが、これらの規定は要件が抽象的であり、消費者にとって、どのような場合にこれらの規定が適用されるかは必ずしも明らかではない。そこで、事業者が、消費者に当該契約を締結するか否かを合理的に判断することができない事情があることを利用して、当該消費者に不必要な契約を締結させたような事例について、契約の効力を否定する規定を法に設ける必要がある。

　　もっとも、その要件が不明確であれば、取引実務の混乱を招きかねず、また、当該規定が適用される可能性のある取引を事業者が回避することになりかえって消費者にとって不利益になりかねない等の指摘もある。そのため、規定を設けるとしても、その要件は、できる限り客観的な要件をもって明確に定めることにより、事業者の予見可能性を確保する必要がある。

(2)　具体的には、不必要な契約の典型例の一つである過量契約を対象とした規定を設けることが考えられる。

　　これを前提とすると、消費者が、過量な給付を受ける必要性がないにもかかわらず過量契約を締結するのは、それが必要な契約であるか否かを合理的に判断することができない事情がある場合であると考えられる。そして、事業者が、消費者に対して、過量契約に当たること及び当該消費者に当該過量契約の締結を必要とする特別の事情がないことを知りながら、当該過量契約の締結について勧誘し、それによって当該過量契約を締結させたことを要件とすれば、事業者が消費者の上記事情を利用した場合を捉えることができると考えられる[4]。

(3)　また、上記要件を満たすのは、消費者が当該契約を締結する必要が

あるか否かを合理的に判断できない場合、すなわち、当該契約を締結するという意思表示に瑕疵がある場合であるという点において、法第4条第1項から第3項に定める類型と共通する。そのため、効果は取消しとすることが考えられる。

(4) なお、当該規定の適用対象とならない被害事例については、当面は、公序良俗の規定や不法行為の規定による救済等を図ることとしつつ、更に事例の収集・分析を重ね、明確かつ客観的な要件をもって類型化することについて引き続き検討を行うべきである。

3. 取消権の行使期間（法第7条第1項）

取消権の行使期間のうち、短期の行使期間を1年間に伸長することとする。

［説明］

消費者契約法に基づく意思表示の取消権の行使期間について、現行法は、「追認をすることができる時から6箇月間」（短期の行使期間）、「消費者契約の締結の時から5年」（長期の行使期間）としている。不当な勧誘を受けて契約を締結し、取消権の行使期間を経過してしまう消費者は一定数存在[5]しており、不当な勧誘行為を受けて契約を締結した消費者ができる限り救済されるよう、取消権の行使期間を適切に伸長する必要がある。

他方で、法は、民法の定める場合よりも取消しを広く認めるものであり、契約の一方当事者である事業者の負担を考慮すれば早期に法律関係を確定させる要請もあることに鑑みると、伸長をするとしても最低限度とすることが望ましく、短期の行使期間を1年間に伸長すべきである。もっとも、

---

4) これを要件とした場合、消費者がレジに同種の商品を大量に持参しただけの場合や、家族が何人いるか分からない消費者が食材を大量に購入していっただけの場合等は適用対象に含まれないと考えられる。

5) 「消費生活相談員に対するアンケート調査」（参考資料5）において、アンケートに回答した消費生活相談員の約40%が「契約してから5年以上経っていた」相談を、約35%が「騙されて契約していたことに気づいたときから6か月以上経っていた」相談を、約12%が「不退去・監禁（退去妨害）から解放されてから6か月以上経っていた」相談を、それぞれ受けた経験があるという結果となっている。

長期の行使期間を伸長した場合には資料保管といった事業者の負担も大きくなると見込まれることを踏まえ、現時点では、長期の行使期間は変更せず、短期の行使期間を伸長することが適当である。

4．不当勧誘行為に基づく意思表示の取消しの効果

　新民法第121条の２第１項の規定にかかわらず、消費者契約に基づく債務の履行として給付を受けた消費者が、消費者契約法の規定により当該消費者契約の申込み又はその承諾の意思表示を取り消した場合であって、給付を受けた当時その意思表示が取り消すことができるものであることを知らなかったときは、当該消費者の返還義務の範囲を現存利益に限定する旨の規定を設けることとする[6]。

［説明］
　消費者契約法の規定により意思表示が取り消された場合の消費者の返還義務について、現行法の下では、一般に、民法第703条が適用され、給付の時に取消原因があることを知らなかった場合には、消費者は現存利益の範囲で返還義務を負うことになると考えられる。これに対し、新民法第121条の２の下では、消費者契約法の規定により意思表示が取り消された場合、双方の当事者が原則として原状回復義務を負うことになる。しかしながら、消費者が原状回復義務を負うとすると、例えば消費者が受領した商品を費消してしまった場合、事業者の不当勧誘行為を理由に意思表示を取り消したにもかかわらず、費消した分の客観的価値を返還しなければならないことになり、その分の代金を支払ったのと同じ結果になってしまう。これでは、不当勧誘行為による「給付の押付け」や「やり得」を認めることにもなりかねない。
　そこで、現状の規律を維持する観点から、給付を受けた当時、その意思表示が取り消すことができるものであることを知らなかった消費者の返還義務の範囲を現存利益に限定する規定を設けることが適当である。

6）　この規定については、新民法の施行と同時に施行されることとするのが適当である。

715

5．事業者の損害賠償責任を免除する条項（法第8条第1項）

　法第8条第1項第3号及び第4号の「民法の規定による」という文言は削除することとする。

［説明］

　法第8条第1項第3号及び第4号は「当該事業者の不法行為により消費者に生じた損害を賠償する『民法の規定による』責任」の全部又は一部を免除する条項の有効性について規律している。しかし、法人の代表者による不法行為責任の規定が、消費者契約法の立法当時は民法に設けられていたものの、その後の民法改正により他の法律に規定されるようになったこと等を踏まえると、規律の対象を「民法の規定による」不法行為責任に限定すべきではない。

6．不当条項の類型の追加/消費者の利益を一方的に害する条項（法第10条）

①　債務不履行の規定に基づく解除権又は瑕疵担保責任の規定[7]に基づく解除権をあらかじめ放棄させる条項を例外なく無効とする規定を設けることとする。

②　法第10条前段を改正し、これに該当する消費者契約の条項の例示として、消費者の不作為をもって当該消費者が新たな契約の申込み又は承諾の意思表示をしたものとみなす条項を挙げることとする。

［説明］

(1)　現行法の下では、法第8条又は第9条に規定するもの以外の消費者契約の条項が無効とされるか否かは、法第10条によって判断されているが、同条の要件は抽象的であることから、契約当事者双方の予見可能性を高め、紛争を予防する等の観点から、具体的な契約条項を無効とする規定を追加することが必要である[8]。このような規定としては、

---

　7)　新民法の下では、債務の履行としての給付に瑕疵がある（新民法によると、契約の内容に適合しない）場合の解除は、債務不履行に基づく解除の規定（新民法第541条及び第542条）によって行われることになる（新民法第564条）。そのため、新民法が施行されれば、①の規定もそれを踏まえたものとする必要がある。

716　第3編　資料編　第4章　消費者契約法の改正（平成28年）

①対象となる契約条項を例外なく無効とする規定と、②対象となる契
約条項のうち一定のものを無効とする規定の二通りが考えられる。

(2)　まず、①対象となる契約条項を例外なく無効とする規定については、
個別の契約の類型や内容等に関わりなく当該条項を無効とするという
効果を伴うものであるから、事業者の予見可能性を確保する観点から、
消費者契約において類型的に信義則に反して消費者の利益を一方的に
害するものといえる契約条項を、具体的な要件をもって規定する必要
があると考えられる。

　この観点から、債務不履行の規定に基づく解除権又は瑕疵担保責任
の規定に基づく解除権をあらかじめ放棄させる条項を例外なく無効と
する規定を設けることが考えられる。このような契約条項は、消費者
が、事業者に債務不履行がある場合や、事業者の行った給付に瑕疵が
あり、契約の目的を達することができない場合であっても、当該契約
の拘束力から解放される術を奪うものであり、特に不当性が高い契約
条項といえる。

(3)　次に、②対象となる契約条項のうち一定のものを無効とする規定に
ついては、(a)原則として無効として一定の要件を満たすもののみを有
効とする規定と、(b)一定の要件を満たすもののみを無効とする規定の
二通りが考えられる。

　ア　このうち、(a)原則として無効とする規定を新たに設けるためには、
具体的な消費者契約の条項の類型のうち、原則として無効といえる

---

8)　規定を設けることを検討することが考えられる具体的な契約条項の類型として
は、ⓐ消費者の解除権・解約権をあらかじめ放棄させ又は制限する条項、ⓑ事業者
に当該条項がなければ認められない解除権・解約権を付与し又は当該条項がない場
合に比し事業者の解除権・解約権の要件を緩和する条項、ⓒ消費者の一定の作為又
は不作為をもって消費者の意思表示があったものと擬制する条項、ⓓ契約文言の解
釈権限を事業者のみに付与する条項、及び、法律若しくは契約に基づく当事者の権
利・義務の発生要件該当性若しくはその権利・義務の内容についての決定権限を事
業者のみに付与する条項、ⓔ本来であれば全部無効となるべき条項に、その効力を
強行法規によって無効とされない範囲に限定する趣旨の文言を加えたもの（サル
ベージ条項）及びⓕ事業者の軽過失により消費者の生命又は身体に生じた損害を賠
償する責任の一部を免除する条項等が挙げられる。

程度に類型的に不当性が高いといえるものを抽出する必要があるが、そのためには更なる事例の収集・分析を要すると考えられる。

イ　また、(b)一定の要件を満たすもののみ無効とする規定についても、どのような要件を満たした場合に無効とすべきかを契約条項の類型に応じて具体的に検討するには、上記と同様の作業が必要であると考えられる。

そこで、現時点では、「一定の要件」は、法第10条の前段要件[9]及び後段要件[10]によることが考えられる。ただし、法第10条前段要件については、同要件に該当するか否かが一見して分かりにくい条項があるため、契約当事者双方の予見可能性を高め、紛争を予防する等の観点から、そのような契約条項を法第10条前段の要件を満たす契約条項の例として挙げることにより、要件の明確化を図ることが考えられる[11]。

すなわち、法第10条の前段要件の内容は、賃貸借契約の更新料条項の有効性に関する最高裁判決（最判平成23年7月15日民集65巻5号2269頁）の判示[12]に従えば、問題となる契約条項が、当該契約におけるデフォルト・ルール（当該条項がなければ適用されるルール）と比較して、消費者の権利を制限し又は義務を加重するものであるというものになると考えられる。しかしながら、デフォルト・ルールが明文で規定されていない事項に関する契約条項が問題となった場合、

---

9)　法第10条のうち「民法、商法（明治三十二年法律第四十八号）その他の法律の公の秩序に関しない規定の適用による場合に比し、消費者の権利を制限し、又は消費者の義務を加重する消費者契約の条項であって、」という要件の部分。

10)　法第10条のうち「民法第一条第二項に規定する基本原則に反して消費者の利益を一方的に害するもの」という要件の部分。

11)　この場合であっても、法第10条後段要件を満たした場合にのみ無効となる。

12)　同判決は「任意規定には、明文の規定のみならず、一般的な法理等も含まれると解するのが相当である。」とした上で、「賃貸借契約は、賃貸人が物件を賃借人に使用させることを約し、賃借人がこれに対して賃料を支払うことを約することによって効力を生ずる（民法601条）のであるから、更新料条項は、一般的には賃貸借契約の要素を構成しない債務を特約により賃借人に負わせるという意味において、任意規定の適用による場合に比し、消費者である賃借人の義務を加重するものに当たるというべきである。」と判示した。

718 第3編 資料編 第4章 消費者契約法の改正（平成28年）

消費者や消費生活相談員にとって、当該条項がデフォルト・ルールと比較して消費者に不利な内容となっているかを判断することは容易ではないと思われる。

そこで、そのようなデフォルト・ルールが明文の規定から必ずしも明らかであるとはいえない契約条項の例としては、消費者の一定の作為又は不作為をもって消費者の意思表示があったものと擬制する条項が考えられるが、その中でも無効となる可能性が比較的高いものとして、消費者の不作為をもって当該消費者が新たな契約の申込み又は承諾の意思表示をしたものとみなす条項を挙げることが考えられる[13]。

(4) それ以外の契約条項の類型については、更なる事例の収集・分析を経た上で、類型的に不当性が高いといえるものを抽出し、①対象となる契約条項を例外なく無効とする規定、又は、②対象となる契約条項のうち一定のものを無効とする規定を設けることについて引き続き検討を行うべきである。

第3　上記以外の論点

1.「勧誘」要件の在り方（法第4条第1項、第2項、第3項）

(1)　「勧誘」要件の在り方に関しては、消費者の契約締結の意思の形成過程に瑕疵を生じさせたか否かが重要であり、その手段・方法は、必ずしも特定の者に向けたものでなければならないわけではないと考えられる。その一方で、不特定の者に向けた働きかけは非常に多様であり、媒体並びに内容及び表現手法も様々であることに鑑みると、取消しの規律の適用の対象となる行為の範囲として、いかなるものを含めるかについて、現時点ではコンセンサスを得ることは困難である。したがって、取消しの規律の適用対象となる行為の範囲について、引き続き、事業活動に対する影響について調査するとともに、裁判例や消費生活

---

13) 典型的には、Aという商品を購入したところ、その契約に、特段の連絡がなければ全く関係のないBという別の商品の定期購入の契約を締結したものとみなすという契約条項があった場合のように、消費者が、何もしていないにもかかわらず、新たに債務を負うことになる意思表示を擬制されるような場合が想定される。

相談事例を収集・分析して、検討を行うべきである。

(2) なお、法の規定が適用された裁判例を見ると、「勧誘」に不特定の者に向けたものが含まれない旨を示したと考えられる裁判例がある一方で、「勧誘」に不特定の者に向けたものが含まれることを前提としたと考えられる裁判例もある。そこで、これらの裁判例の双方を適宜紹介しつつ、必ずしも特定の消費者に対する働きかけでなければ「勧誘」に含まれないというわけではないことを逐条解説に記載すること等により、事業者や消費者、消費生活相談員等に周知するとともに、当面は、現行の規定の解釈や具体的な事案におけるその適用を通じて対応することが考えられる。

2．不利益事実の不告知（法第4条第2項）

(1) 不利益事実の不告知（法第4条第2項）について取消しを認めた裁判例を分析すると、故意要件の充足を必ずしも明確に判断せずに取消しを認めた裁判例や、具体的な先行行為（利益となる旨の告知）を認定することなく取消しを認めた裁判例が見られるところであり、不利益事実の不告知を類型化して規律することが考えられる。

(2) 故意要件が定められていることについては、消費生活相談において、事業者が不利益事実を「知らなかった」又は「わざとではなかった」と言い張ることであっせん交渉を拒絶するなど、あっせんの支障になっているという指摘がある。上記のような裁判例の現況や、利益となる旨のみが告げられ、それと結びついた不利益事実が告げられていない以上、全体として見れば誤った情報を提供したといえることを踏まえると、事業者の主観的要件について、故意要件を削除することのほか、故意のみならず過失又は重過失により不告知が行われた場合に拡張することが考えられる。

また、先行行為要件については、不告知が許されない不利益事実の範囲を明確にした上で、同要件を削除し、特定商取引法と同様に故意の不告知による取消しを規定することが考えられるほか、先行行為要件を何らかの形で緩和することも考えられる。

(3) 以上を踏まえると、不利益事実の不告知に関する規律の在り方につ

いては引き続き検討を行う必要があり、具体的には、不実告知の適用範囲との関係の整理を含めた類型化、事業者の主観的要件の削除又は拡張、先行行為要件の削除又は緩和等について、裁判例や消費生活相談事例を収集・分析し、事業活動に対する影響等も踏まえた上で検討を行うべきである。

3. 困惑類型の追加
(1) 執拗な電話勧誘
　執拗な電話勧誘は、特に自宅や勤務先といった生活・就労の拠点で電話による勧誘を受け続けた場合には、当該勧誘から逃れるためにやむなく消費者が契約を締結したという状況にあるとも言い得るところである。他方で、特定商取引法において電話勧誘販売に関する規律が設けられていることから、一定程度の被害防止が図られていると考えられるところ、特に電話勧誘に特化した執拗な勧誘についての規律を困惑類型に追加することについては、特定商取引法の規律に加えて法に民事効を認める必要があるかどうか、電話勧誘販売における勧誘の在り方に関する今後の特定商取引法の運用の状況等を踏まえた上で、必要に応じ検討していくこととするのが適当と考えられる[14]。

(2) 威迫による勧誘
　畏怖や恐怖までは生じさせていないこと等により、民法第96条第1項の強迫には該当しないが、客観的に人を不安にさせるような言動によって、消費者が、契約を締結しなければその勧誘から逃れられないと困惑して契約締結に及んでしまう被害事例が見受けられる。他方で、威迫による勧誘を困惑類型の新たな規律として設けるためには、何が取消事由となるかについて事業者の予見可能性を確保する必要もある。そこで、現行法上取消事由とされている不退去・監禁（法第4条第3項）に加えて、取消事由となる事業者の威迫行為の内容を明確にすることが求められる。困惑類型の新たな規律として、如何なる状況下において消費者に取消権を認め救済を図

---

14)　電話勧誘に限らない執拗な勧誘についての規律を困惑類型に追加するか否かについては、必要に応じて、裁判例や消費生活相談事例を収集・分析して検討を行うべきである。

るべきか、問題となる事例に類型的に見られる威迫行為の態様を抽出することが必要と考えられる。そのため、引き続き、裁判例や消費生活相談事例を収集・分析して検討を行うべきである。

4．不招請勧誘

不招請勧誘は、その不意打ち的な性質から消費者被害の温床になるなど様々な問題点の発生が指摘されているところである。中でも、消費者被害に発展するような不招請勧誘としては、その性質から、典型的には訪問販売や電話勧誘販売といった一定の態様による勧誘の場合が想定される。その一方で、法は、取引の種類や勧誘の態様にかかわらずあらゆる消費者契約に一般的に適用される。そのため、法に不招請勧誘に関する規律を設ける必要性があるか否かを含めて、訪問販売及び電話勧誘販売における勧誘の在り方に関する今後の特定商取引法の運用の状況等を踏まえた上で、必要に応じ検討していくこととするのが適当と考えられる。

5．第三者による不当勧誘（法第5条第1項）

現行法は、事業者と第三者との間の委託関係が認められる場合を取消しの対象としているが、いわゆる劇場型勧誘など、契約の相手方である事業者と勧誘をする第三者との間の委託関係の立証が困難な悪質なケースがあることが指摘されている。もっとも、委託関係の立証の困難性については、裁判実務における事実上の推定の活用などによっても一定程度対処することが可能と考えられるところである。そのため、委託関係にない第三者による不当勧誘を新たな取消しの規律の適用対象に含めるかについては、引き続き、裁判例や消費生活相談事例を収集・分析して、検討を行うべきである。

6．「解除に伴う」要件の在り方（法第9条第1号）

法第9条第1号は「当該消費者契約の解除に伴う」損害賠償額の予定・違約金条項を規律しているものの、損害賠償額の予定や違約金条項を定めることによって事業者が不当な利得を得るべきではないことは、契約の解除に伴わない場合においても同様であると考えられる。また、消費貸借に

おける期限前の弁済時に違約金を支払う旨の条項（いわゆる早期完済条項）について、法第10条により無効とした裁判例もある。

　他方で、早期完済条項に法第9条第1号の規律を及ぼすことにより、事業者が提供する商品やサービスの内容設計や価格にどのような影響があり得るかは必ずしも明らかではなく、また、建物賃貸借における明渡遅延損害金を定める条項については、損害賠償額の予定ではない（いわば純粋な）違約罰としての側面もあることを考慮する必要がある。

　以上を踏まえると、「解除に伴う」要件の在り方については、実質的に契約が終了する場合に要件を拡張することで、早期完済条項や明渡遅延損害金を定める条項を法第9条第1号によって規律することの適否を中心としつつ、違約罰についても「平均的な損害の額」という概念で規律することの適否も含め、引き続き検討を行うべきである。

7. 「平均的な損害の額」の立証責任（法第9条第1号）

(1)　法第9条第1号における「当該事業者に生ずべき平均的な損害の額」及びこれを超える部分について、最高裁判決は、事実上の推定が働く余地があるとしても、基本的には、消費者が立証責任を負うものと判断した[15]。しかし、「当該事業者に生ずべき平均的な損害の額」はその事業者に固有の事情であり、立証のために必要な資料は主として事業者が保有していることから、裁判や消費生活相談において、消費者による「平均的な損害の額」の立証が困難な場合もあると考えられる。

　そこで、「平均的な損害の額」の立証に関する規律の在り方について引き続き検討を行うべきである。具体的には、「平均的な損害の額」が争われた裁判例について、事実上の推定に関する議論を踏まえつつ、最高裁判決の趣旨と射程を分析するのはもとより、当事者の攻撃防御や裁判所の訴訟指揮の実情・実態を把握することが必要であり、そのためにヒアリング等を実施することが適当である。また、消費生活相談事例の調査・分析も十分に行うことで、裁判実務のみならず消費生活相談においても使いやすいものにするための検討が必要である。

---

15)　最判平成18年11月27日民集60巻9号3473頁。

(2) なお、法第3条第1項は事業者の努力義務として契約締結時における必要な情報の提供を定めているところ、同規定は、事業者と消費者との間に情報・交渉力の格差があることを踏まえ、消費者の理解を深めるために設けられたものである。この法第3条第1項の趣旨に照らすと、事業者と消費者との間で「平均的な損害の額」が問題となった場合にも、事業者は消費者に対して必要な情報を提供するよう努めなければならないと解される[16]。この解釈を逐条解説において記載すること等により、事業者や消費者、消費生活相談員等に周知することが適当である。

8．条項使用者不利の原則

契約の条項について、解釈を尽くしてもなお複数の解釈の可能性が残る場合には、条項の使用者に不利な解釈を採用すべきであるという考え方を条項使用者不利の原則という。この原則について、現行の消費者契約法には規定がないものの、消費者と事業者との間には情報・交渉力の格差があることに鑑みると、条項が不明確であることによって複数の解釈が可能である場合、紛争が生じたときには消費者は事業者から不利な解釈を押し付けられるおそれがあるので、消費者の利益の擁護を図る必要があると考えることができる。また、条項使用者不利の原則を定めることは、事業者に対して明確な条項を作成するインセンティブを与えることになり、ひいては条項の解釈に関する事業者と消費者の間の紛争を未然に防止することが期待できる。

消費者契約法は、事業者と消費者との間に情報・交渉力の格差が存在することが、事業者と消費者との間で締結された契約において発生する紛争の背景となることが少なくないことを踏まえ、事業者の努力義務として、消費者契約の条項を定めるに当たって明確性に配慮することを定めており（法第3条第1項）、条項使用者不利の原則は、同規定の趣旨から導かれる考え方の一つであるといえる。この点について、逐条解説の法第3条の解説

---

16) 民事訴訟法において、営業秘密等、文書の所持者がその提出を拒絶することができる事由があるとされるような場合（同法第220条第4号ハ）まで、その対象に含まれるという趣旨ではない。

において、ある条項についての解釈を尽くしてもなお複数の解釈の可能性が残る場合には、当該条項の使用者に不利な解釈を採用することが相当と考えられる具体的な事例を紹介しつつ記載すること等により、事業者や消費者、消費生活相談員等に周知することが適当である。

また、条項使用者不利の原則を適用するに至る条項解釈のプロセスが必ずしも明確とはいえず、同原則が本来適用されるべきでない場合についてまで援用されるおそれがあるという事業者からの懸念を現時点では完全には払拭できないことから、同原則の要件や適用範囲を定型約款に限定すべきか等について引き続き検討を行うべきである。

9．その他の論点

中間取りまとめにおいて整理された論点のうち、「消費者」概念の在り方（法第2条第1項）や情報提供義務（法第3条第1項）、断定的判断の提供（法第4条第1項第2号）など、本報告書の「第2　速やかに法改正を行うべき内容を含む論点」及び「第3　上記以外の論点」に個別には記載されていない論点については、中間取りまとめにおいて取りまとめられたところに従い、後述する「おわりに」に記載しているとおり、今後の検討課題とすることが適当である。

また、法第5条第1項にいう「媒介」の意義や、法第10条後段にいう「民法第1条第2項に規定する基本原則」に反するか否かについての判断の在り方など、本報告書に個別には記載されていない論点であっても、解釈の明確化等が必要と考えられる論点については、中間取りまとめにおける取りまとめ内容及び本専門調査会の検討結果を踏まえた上で、逐条解説に記載すること等により、事業者や消費者、消費生活相談員等に周知することが適当である。

おわりに

本報告書において、まずは、速やかに法改正を行うべきとされた論点について、政府内における法制的な見地からの調整等を経た上で、速やかに改正法案を国会に提出すべきである。また、改正法案が成立した場合においては、解釈の明確化を図るとされている点も逐条解説に適切に反映する

とともに、現行法の内容及び改正の内容をあわせて、消費者と事業者の双方に対して幅広く周知活動を行うことが重要である。

また、中間取りまとめに記載されている論点のうち、本報告書で速やかに法改正を行うべきとされた論点以外の部分については、今後の検討課題として、所要の調査・分析を踏まえて引き続き検討を行うべきである。今後の検討課題については、改正法案の立案及び国会における審議等も踏まえた上で、適切な時期に本専門調査会において審議を行うこととする。

消費者庁においては、改正法案の立案作業を着実に行うとともに、今後の審議に向けて、裁判例や消費生活相談事例、事業活動に対する影響等についての更なる分析等を始めとした検討作業を行うことが必要である。また、国民生活センターにおいては、「総合的見地から国民生活に関する情報の提供及び調査研究を行う」（独立行政法人国民生活センター法（平成14年法律第123号）第3条）組織として、消費生活相談事例の分析等の支援を行うことが重要であり、積極的に取り組むことが必要である。

（参考資料1）諮問書

消 制 度 第 137 号
平成26年8月5日

消費者委員会
　　委員長　河上　正二　殿

　　　　　　　内閣総理大臣　安倍　晋三

消費者庁及び消費者委員会設置法（平成21年法律第48号）第6条第2項第2号の規定に基づき、下記のとおり諮問する。

記

消費者契約法（平成12年法律第61号）について、施行後の消費者契約に

係る苦情相談の処理例及び裁判例等の情報の蓄積を踏まえ、情報通信技術の発達や高齢化の進展を始めとした社会経済状況の変化への対応等の観点から、契約締結過程及び契約の条項内容に係る規律等の在り方を検討すること。

以上

（参考資料２）消費者委員会　消費者契約法専門調査会設置・運営規程

平成26年10月21日
消費者委員会決定

消費者委員会令（平成21年政令第216号）第四条の規定に基づき、この規程を定める。

（総則）
第一条　消費者委員会（以下「委員会」という。）の消費者契約法専門調査会の設置、所掌事務、会議及び議事録の作成等については、この規程の定めるところによる。

（専門調査会の設置）
第二条　委員会に消費者契約法専門調査会（以下「専門調査会」という。）を置く。
2　専門調査会に属すべき構成員は、委員長が委員、臨時委員及び専門委員のうちから指名する。
3　専門調査会には座長を置き、専門調査会に属する構成員から委員長が指名し、座長は、専門調査会の事務を掌理する。
4　座長に事故があるときは、専門調査会に属する構成員のうちから座長があらかじめ指名する者が、その職務を代理する。

（専門調査会の所掌）

第三条　専門調査会は、平成26年8月5日付消制度第137号をもって内閣総理大臣より委員会に諮問のあった、消費者契約法（平成12年法律第61号）における契約締結過程及び契約条項の内容に係る規律等の在り方について、委員会の求めに応じて、調査審議する。

（調査会の設置）
第四条　座長は、必要に応じて、委員会の同意を得て専門調査会に調査会を置くことができる。
2　調査会は、専門調査会が行う調査審議に関し、必要な専門的事項を調査審議し又は検討する。
3　調査会に属すべき構成員は、委員長が委員、臨時委員及び専門委員のうちから指名する。
4　調査会には座長を置き、当該調査会に属する構成員から委員長が指名し、座長は、当該調査会の事務を掌理する。
5　調査会の座長に事故があるときは、当該調査会に属する構成員のうちから調査会の座長があらかじめ指名する者が、その職務を代理する。

（専門調査会の会議）
第五条　座長（座長に事故があるときはその職務を代理する者をいう。以下同じ。）は、専門調査会の会議を招集し、その議長となる。
2　専門調査会の会議への出席には、会議の開催場所への出席のほか、座長が必要と認めるときには、テレビ会議システムを利用した出席を含めるものとする。
3　専門調査会に属さない委員は、あらかじめ座長に届け出ることにより、専門調査会にオブザーバーとして出席することができる。
4　座長は、必要により、専門調査会に属さない臨時委員若しくは専門委員、行政機関職員又は調査審議事項に関して識見を有する者をオブザーバーとして会議に出席させることができる。
5　座長は、各回ごとの調査審議事項及びこれに関係する事項に関する意見又は説明を得る必要があると認める場合には、専門調査会に属さない臨時委員若しくは専門委員、行政機関職員又は当該調査審議事項に関し

728　第3編　資料編　第4章　消費者契約法の改正（平成28年）

て識見を有する者を参考人として会議に出席させることができる。

（審議の公開）

第六条　専門調査会の開催予定に関する日時及び開催場所等については、公開する。

2　専門調査会は、会議を公開することにより、当事者若しくは第三者の権利若しくは利益又は公共の利益を害するおそれがある場合その他座長が非公開とすることを必要と認めた場合を除き、公開する。非公開とすべき事由が終了したときは、公開するものとする。

3　前項の規定により座長が会議を非公開とすることを認めた場合は、専門調査会はその理由を公表する。

4　会議の議事録については、第2項の規定により座長が会議を非公開とすることを必要と認めた場合を除き、公開する。

5　第2項の規定により座長が会議を非公開とすることを必要と認めた場合は、議事要旨を速やかに作成し、公表するものとする。

（議事録の作成）

第七条　専門調査会の議事については、次の事項を記載した議事録を作成する。

一　会議の日時及び場所

二　出席した構成員の氏名及びこのうちテレビ会議システムを利用した出席者の氏名

三　議題となった事項

四　審議経過

五　審議結果

（消費者庁の協力）

第八条　専門調査会は、調査審議に当たって、消費者庁の協力を得る。

（雑則）

第九条　この規程に定めるもののほか、専門調査会の運営に関し必要な事

項は、座長が委員会に諮って定める。

（準用）
第十条　第五条から前条までの規定は、調査会について準用する。この場合において、これらの規定中「専門調査会」とあるのは「調査会」と読み替えるものとする。

附　則
この規程は、平成26年10月21日から施行する。

（参考資料３）審議経過

開催日	議事内容
第１回　平成26年11月４日	・消費者契約法（実体法部分）に関するこれまでの検討状況
第２回　平成26年11月21日	・今後の検討の進め方 ・委員からのプレゼンテーション（後藤巻則座長代理、山本健司委員）
第３回　平成27年１月16日	・委員からのプレゼンテーション（丸山絵美子委員）
第４回　平成27年１月30日	・委員からのプレゼンテーション（沖野眞已委員、阿部泰久委員）
第５回　平成27年２月13日	・委員からのプレゼンテーション（大澤彩委員、古閑由佳委員）
第６回　平成27年３月６日	・民法（債権関係）の改正について ・委員からのプレゼンテーション（後藤準委員、河野康子委員）
第７回　平成27年３月17日	・総則部分（第２条、第３条関連）の論点

730　第3編　資料編　第4章　消費者契約法の改正（平成28年）

第8回　平成27年4月10日	・不当勧誘に関する規律(1) 　「勧誘」要件の在り方、断定的判断の提供、不利益事実の不告知、「重要事項」
第9回　平成27年4月24日	・不当勧誘に関する規律(2) 　不当勧誘行為に関するその他の類型、第三者による不当勧誘、取消権の行使期間
第10回　平成27年5月15日	・不当条項に関する規律(1) 　事業者の損害賠償責任を免除する条項（第8条）、損害賠償額の予定・違約金条項（第9条第1号）、不当条項の一般条項（第10条）
第11回　平成27年5月29日	・不当勧誘に関する規律(3) 　法定追認の特則 ・不当条項に関する規律(2) 　不当条項の類型の追加
第12回　平成27年6月12日	・不当勧誘に関する規律(4) 　不当勧誘行為に基づく意思表示の取消しの効果 ・不当条項に関する規律(3) 　不当条項の類型の追加 ・その他 　抗弁の接続、複数契約の無効・取消し・解除、継続的契約の任意解除権
第13回　平成27年6月30日	・「勧誘」要件の在り方/第三者による不当勧誘 ・不利益事実の不告知/重要事項/情報提供義務
第14回　平成27年7月10日	・不当勧誘行為に関するその他の類型 ・不当勧誘行為に基づく意思表示の取消しの効果 ・取消権の行使期間 ・事業者の損害賠償責任を免除する条項（第8条） ・損害賠償額の予定・違約金条項（第9条第1号）

第15回	平成27年7月17日	・法定追認の特則 ・消費者の利益を一方的に害する条項（第10条） ・条項使用者不利の原則 ・不当条項の類型の追加
第16回	平成27年7月28日	・中間取りまとめに向けた検討(1)
第17回	平成27年8月7日	・中間取りまとめに向けた検討(2)
第18回	平成27年10月16日	・関係団体からのヒアリング(1)
第19回	平成27年10月23日	・関係団体からのヒアリング(2)
第20回	平成27年10月30日	・関係団体からのヒアリング(3)
第21回	平成27年11月13日	・集中的な意見受付及び関係団体からのヒアリングの結果概要の報告 ・今後の審議の進め方
第22回	平成27年11月27日	・「勧誘」要件の在り方 ・不利益事実の不告知 ・「重要事項」（第4条第4項） ・第三者による不当勧誘（第5条第1項） ・取消権の行使期間（第7条第1項） ・不当勧誘行為に基づく意思表示の取消しの効果
第23回	平成27年12月11日	・不当勧誘行為に関するその他の類型 ・損害賠償額の予定・違約金条項（第9条第1号） ・消費者の利益を一方的に害する条項（第10条）／ 　不当条項の類型の追加 ・条項使用者不利の原則
第24回	平成27年12月25日	・取りまとめに向けた検討

732　第3編　資料編　第4章　消費者契約法の改正（平成28年）

（参考資料4）委員名簿

（座長）	山本　敬三	京都大学大学院法学研究科教授
（座長代理）	後藤　巻則	早稲田大学大学院法務研究科教授
	阿部　泰久	一般社団法人日本経済団体連合会常務理事
	井田　雅貴	特定非営利活動法人大分県消費者問題ネットワーク理事長
	大澤　　彩	法政大学法学部准教授
	沖野　眞已	東京大学大学院法学政治学研究科教授
	河野　康子	一般社団法人全国消費者団体連絡会事務局長（共同代表）
	古閑　由佳	ヤフー株式会社決済金融カンパニープロデュース本部長
	後藤　　準	全国商工会連合会常務理事
	増田　悦子	公益社団法人全国消費生活相談員協会専務理事
	丸山絵美子	名古屋大学大学院法学研究科教授
	柳川　範之	東京大学大学院経済学研究科教授
	山本　和彦	一橋大学大学院法学研究科教授
	山本　健司	弁護士（清和法律事務所）

以上14名（敬称略）

※　なお、法務省、国民生活センター及び消費者委員会の河上正二委員長がオブザーバーとして出席したほか、第1回～第17回の専門調査会においては消費者委員会の石戸谷豊委員長代理、橋本智子委員が、第18回～第24回の専門調査会においては消費者委員会の鹿野菜穂子委員がオブザーバーとして出席した。

733

（参考資料５）消費生活相談員に対するアンケート調査

Ⅰ　調査概要

①調査目的

　　取消権の行使期間（消費者契約法第７条第１項）の在り方について検討するため、消費者が消費生活センターに相談に訪れるまでの期間や相談に訪れた契機等の実態を把握すること

②調査対象

　　全国の消費生活センターに勤務する消費生活相談員

③有効回答数

　　984

④調査方法

　　各都道府県を通じて消費生活相談員にウェブ上のアンケートフォームを周知し、各消費生活相談員が当該アンケートフォームに回答を入力する方法

⑤調査時期

　　平成27年９月28日～10月13日

Ⅱ　調査事項

［問１］以下１～３のようなケースについて、相談を受けたことがある場合は、はいを選択してください。相談を受けたことがあるケースすべてにチェックを入力し、それぞれの理由・経緯についての、質問(1)及び(2)に回答してください。１～３いずれの相談を受けたこともない場合は、いいえを選択してください。

　　　○はい　　○いいえ

□１　相談を受けた際、契約してから５年以上経っていた。

　(1)　この場合、すぐに相談してこなかった理由は、何でしたか。（あてはまるものすべてを選択）

　　　□１）事業者とやりとりしているうちに、時間が経ってしまった

　　　□２）事業者に苦情を聞き入れてもらえなかったため、あきらめていた。

734　第3編　資料編　第4章　消費者契約法の改正（平成28年）

□3）悩んでいたら、時間が経ってしまった
□4）高齢者や認知症であるため、被害に遭ったことに気づいていなかった
□5）わからない　　□6）その他（　　　　　　　　　　　　）

(2)　この場合、<u>相談してきた経緯</u>は、何でしたか。（あてはまるものすべてを選択）

□1）日常的に交流のある家族、親戚、知人、ヘルパー等が気づいて相談してきた
□2）帰省や法事等の行事で会った家族、親戚が気づいて相談してきた
□3）社会問題になったりマスコミで報道されたりして、本人が騙されて契約していたことに気づいて相談してきた
□4）家族や知人と話をして、本人が騙されて契約していたことに気づいて相談してきた
□5）本人はずっと悩んでいたようだが、最近になって相談してきた
□6）わからない　　□7）その他（　　　　　　　　　　　　）

□2　本人が騙されて契約していたことに気づいたときから6か月以上経っていた。

(1)　この場合、<u>すぐに相談してこなかった理由</u>は、何でしたか。（あてはまるものすべてを選択）

□1）事業者とやりとりしているうちに、時間が経ってしまった
□2）事業者に苦情を聞き入れてもらえなかったため、あきらめていた。
□3）悩んでいたら、時間が経ってしまった
□4）高齢者や認知症であるため、被害に遭ったことに気づいていなかった
□5）わからない　　□6）その他（　　　　　　　　　　　　）

(2)　この場合、<u>相談してきた経緯</u>は、何でしたか。（あてはまるものすべてを選択）

□1）日常的に交流のある家族、親戚、知人、ヘルパー等が気づい

て相談してきた

□2）帰省や法事等の行事で会った家族、親戚が気づいて相談してきた

□3）社会問題になったりマスコミで報道されたりして、本人が騙されて契約していたことに気づいて相談してきた

□4）家族や知人と話をして、本人が騙されて契約していたことに気づいて相談してきた

□5）本人はずっと悩んでいたようだが、最近になって相談してきた

□6）わからない　　□7）その他（　　　　　　　　　　　　　）

□3　不退去・監禁（退去妨害）から解放されてから6か月以上経っていた。

(1)　この場合、すぐに相談してこなかった理由は、何でしたか。（あてはまるものにすべてを選択）

□1）事業者とやりとりしているうちに、時間が経ってしまった

□2）事業者に苦情を聞き入れてもらえなかったため、あきらめていた。

□3）悩んでいたら、時間が経ってしまった

□4）わからない　　□5）その他（　　　　　　　　　　　　　）

(2)　この場合、相談してきた経緯は、何でしたか。（あてはまるものにすべてを選択）

□1）日常的に交流のある家族、親戚、知人、ヘルパー等が気づいて相談してきた

□2）帰省や法事等の行事で会った家族、親戚が気づいて相談してきた

□3）本人はずっと悩んでいたようだが、最近になって相談してきた

□4）わからない　　□5）その他（　　　　　　　　　　　　　）

［問2］（問1で、1から3までのいずれかにあてはまると回答された方にお伺いします。）それはどのようなケースでしたか。差し支えのない範

736　第3編　資料編　第4章　消費者契約法の改正（平成28年）

囲で具体的に（例えば、契約の性質（何を購入する契約であったか、どのようなサービスを受ける契約であったか等）、事業者の行為（事実でないことを告げた、帰りたいと言ったのに帰らせてもらえなかった等）、相談に来るのに時間がかかった理由等）ご記入下さい（回答できない場合は、空白のままでけっこうです）。

Ⅲ 調査結果

1．問1について

(1) 問1の各調査事項についての回答者数とその割合は以下のとおり。なお、参考までに、2007年に実施された類似の調査[1]の結果を右端の列に示している。

	2015 年	2007 年
計（割合）	984(100.0)	1553(100.0)
【はい】（1～3の相談を受けたことがある）	507(51.5)	1258(81.0)
1　相談を受けた際、契約してから5年以上経っていた　*1	389(39.5)	806(51.9)
2　本人が騙されて契約していたことに気づいたときから6か月以上経っていた　*2	341(34.7)	1136(73.1)
3　不退去・監禁（退去妨害）から解放されてから6か月以上経っていた　*3	121(12.3)	383(24.7)
【いいえ】（1～3いずれの相談を受けたこともない）	477(48.5)	265(17.1)
【無回答】		30(1.9)
*1　(1) この場合、すぐに相談してこなかった理由は、何でしたか。 （あてはまるものすべてを選択）	389(100.0)	
事業者とやりとりしているうちに、時間が経ってしまった	62(15.9)	
事業者に苦情を聞き入れてもらえなかったため、あきらめていた	130(33.4)	
悩んでいたら、時間が経ってしまった	181(46.5)	
高齢者や認知症であるため、被害に遭ったことに気づいていなかった	158(40.6)	
わからない	39(10.0)	
その他	108(27.8)	
無回答		
*1　(2) この場合、相談してきた経緯は、何でしたか。 （あてはまるものすべてを選択）	389(100.0)	806(100.0)
日常的に交流のある家族、親戚、知人、ヘルパー等が気づいて相談してきた	131(33.7)	366(45.4)
帰省や法事等の行事で会った家族、親戚が気づいて相談してきた	82(21.1)	
社会問題になったりマスコミで報道されたりして、本人が騙されて契約していたことに気づいて相談してきた	105(27.0)	407(50.5)
家族や知人と話をして、本人が騙されて契約していたことに気づいて相談してきた	111(28.5)	
本人はずっと悩んでいたようだが、最近になって相談してきた	184(47.3)	314(39.0)
わからない	37(9.5)	34(4.2)
その他	88(22.6)	82(10.2)
無回答		0(0.0)

---

1) 独立行政法人国民生活センター『消費生活相談の視点からみた消費者契約法のあり方』（2007年）91頁以降（第9回参考資料3）参照

738　第3編　資料編　第4章　消費者契約法の改正（平成28年）

	341(100.0)	1136(100.0)
*2 (1) この場合、すぐに相談してこなかった理由は、何でしたか。（あてはまるものすべてを選択）		
事業者とやりとりしているうちに、時間が経ってしまった	75(22.0)	113(9.9)
事業者に苦情を聞き入れてもらえなかったため、あきらめていた	145(42.5)	644(56.7)
悩んでいたら、時間が経ってしまった	195(57.2)	822(72.4)
高齢者や認知症であるため、被害に遭ったことに気づいていなかった	171(50.1)	
わからない	21(6.2)	37(3.3)
その他	48(14.1)	155(13.6)
無回答		3(0.3)
*2 (2) この場合、相談してきた経緯は、何でしたか。（あてはまるものすべてを選択）	341(100.0)	
日常的に交流のある家族、親戚、知人、ヘルパー等が気づいて相談してきた	159(46.6)	
帰省や法事等の行事で会った家族、親戚が気づいて相談してきた	94(27.6)	
社会問題になったりマスコミで報道されたりして、本人が騙されて契約していたことに気づいて相談してきた	105(30.8)	
家族や知人と話をして、本人が騙されて契約していたことに気づいて相談してきた	155(45.5)	
本人はずっと悩んでいたようだが、最近になって相談してきた	178(52.2)	
わからない	19(5.6)	
その他	37(10.9)	
無回答		
*3 (1) この場合、すぐに相談してこなかった理由は、何でしたか。（あてはまるものすべてを選択）	121(100.0)	
事業者とやりとりしているうちに、時間が経ってしまった	21(17.4)	
事業者に苦情を聞き入れてもらえなかったため、あきらめていた	66(54.5)	
悩んでいたら、時間が経ってしまった	86(71.1)	
わからない	15(12.4)	
その他	14(11.6)	
無回答		
*3 (2) この場合、相談してきた経緯は、何でしたか。（あてはまるものすべてを選択）	121(100.0)	
日常的に交流のある家族、親戚、知人、ヘルパー等が気づいて相談してきた	58(47.9)	
帰省や法事等の行事で会った家族、親戚が気づいて相談してきた	42(34.7)	
本人はずっと悩んでいたようだが、最近になって相談してきた	81(66.9)	
わからない	17(14.0)	
その他	13(10.7)	
無回答		

(2)「その他」の主な回答の例

1　相談を受けた際、契約してから5年以上経っていた

　(1)　この場合、すぐに相談してこなかった理由は、何でしたか

　　・相談するところがわからなかった。

　　・5年経過するまで被害に遭ったことに気付かなかった。

　　・自分も悪かったから仕方がないとあきらめ、被害回復ができるとは思っていなかった。

　(2)　この場合、相談してきた経緯は、何でしたか

　　・収入が減って払えなくなった。

　　・相手業者より請求を受けたため。

　　・事業者と連絡がとれなくなり、おかしいと思って相談してきた。

2　本人が騙されて契約していたことに気づいたときから6か月以上経っていた

　(1)　この場合、すぐに相談してこなかった理由は、何でしたか

　　・契約してしまったら仕方がないとあきらめていた。

　　・投資詐欺的な契約で配当が入っていないことに気づいていなかった。

　　・本人が問題のある契約だとは気付いていない。

　(2)　この場合、相談してきた経緯は、何でしたか

　　・支払いが困難になった。同様の被害に遭った知人から相談窓口を聞いた。

　　・業者の対応に業を煮やして相談してきた。

3　不退去・監禁（退去妨害）から解放されてから6か月以上経っていた

　(1)　この場合、すぐに相談してこなかった理由は、何でしたか

　　・事業者が怖くて、これ以上関わりたくないと思ったため。

　　・消費者センターのような相談室を知らなかった。

　　・20才の頃の契約で、契約しなければならないと業者に思い込まされていたので、騙されていることに気づくのに時間がかかった。

740　第3編　資料編　第4章　消費者契約法の改正（平成28年）

(2)　この場合、相談してきた経緯は、何でしたか
　　・周囲の人間の勧め。
　　・返済ができなくなって相談にきた。
　　・請求が債権譲渡会社や回収業者によって再開したことによって。

2．問2について
　　問1において、「はい」（1～3のケースのいずれか）と回答した対象
　者に、具体的にどのようなケースであったかを任意で尋ねた。主な回答
　の例は以下のとおり。

(1)　病気があり、電位治療器の体験教室に通う中で、自宅で機器を使
　　　用した方が、効果が断然違うと言われ、商品を購入。その後4年程
　　　使用してきたが、なかなか効果がなく、業者を尋ねた際に、より効
　　　果があがると別の商品を勧められて、2台目の商品購入。その後も
　　　機器を使用していたが、やはり効果がないうえに、別の病気も発症
　　　してしまった。販売員の説明が全く事実と違うと気付くのに、時間
　　　がかかってしまった。
　　　【「1．契約してから5年以上」に回答】

(2)　①　平成20年3月に店舗で家庭用電位治療器を無料体験し、販売
　　　　員に「体調が治る」等言われ、信じて契約締結し、しばらく使
　　　　用したが、体質改善効果を感じられなかったため、使用を中止
　　　　していたところ、平成25年4月の新聞記事にて、消費者庁が業
　　　　者に立ち入り検査に入ったことを知り、自分が詐欺的な勧　誘
　　　　にあって契約締結したことに気がついたため、数日後、センター
　　　　に相談した。
　　　②　平成23年11月、相談者のスマートフォンに頻繁に、相談者の
　　　　承諾を得ていないメールが届き、「メル友になれば謝礼金をあ
　　　　げる」と勧誘された。その後、有料の出会い系サイトに誘導さ
　　　　れ、高額なポイント料金や金銭を受取る手数料等を請求された。
　　　　損失を取り戻そうとした相談者が、騙されているかもしれない

741

と思いながらも金銭を受け取るために、次々と複数のサイトに登録・利用をし、金銭を受取ろうとし続けていたことと、出会い系サイト内の人物への恋愛感情から、被害にあっていることに気がつくのが遅れたため、相談までの期間を要したが、平成24年5月にセンターに相談するに至った。

【「1．契約してから5年以上」及び「2．気づいたときから6か月以上」に回答】

(3) 新築工事の際電柱が敷地内にはいっている予定ではなかったが入ることになっていた。どけることができるといわれていたが出来なかった。その事で事業者と話しているうちに6ヶ月経ってしまった事例。

【「2．気づいたときから6か月以上」に回答】

(以　上)

答申書

府 消 委 第 9 号
平成28年1月7日

内閣総理大臣　安　倍　　晋　三　殿

消費者委員会
委員長　河　上　正　二

答　申　書

　平成26年8月5日付け消制度第137号をもって当委員会に諮問のあった、消費者契約法（平成12年法律第61号）の契約締結過程及び契約条項の内容に係る規律等の在り方のうち、速やかに法改正等の対応が求められる点について、下記のとおり答申する。

なお、別添「消費者契約法専門調査会報告書」において、今後の検討課題として引き続き検討を行うべきとされている論点については、上記の法改正の立案及び国会における審議も踏まえながら、消費者委員会においてさらなる検討を加えた上でできる限り早く答申を行うものとする。

記

別添「消費者契約法専門調査会報告書」の内容を踏まえ、現時点で法改正を行うべきとされた事項については速やかに消費者契約法の改正法案を策定した上で国会に提出し、また、解釈の明確化を図るべきとされた点については、消費者契約法に係る逐条解説に適切に反映するとともに改正の内容とあわせて幅広く周知活動を行うなど、必要な取組を進めることが適当である。

第5章　消費者契約法の改正（平成29年）

1　検討の経緯

　平成25年12月、消費者の財産的被害を集団的に回復するため、「消費者の財産的被害の集団的な回復のための民事の裁判手続の特例に関する法律」（以下「消費者裁判手続特例法」という。）が制定された。消費者裁判手続特例法附則第4条においては、「政府は、特定適格消費者団体による被害回復関係業務の適正な遂行に必要な資金の確保、情報の提供その他の特定適格消費者団体に対する支援の在り方について、速やかに検討を加え、その結果に基づいて必要な措置を講ずるものとする。」と規定されていた。

　この規定に基づき、消費者庁において、平成27年10月から平成28年6月にかけて「消費者団体訴訟制度の実効的な運用に資する支援の在り方に関する検討会」を開催し、同月、報告書（以下「支援検討会報告書」という。）が公表された。

　支援検討会報告書において提言された事項は多岐に渡るが、消費者契約法の改正に関連する部分を抜粋すると、以下のとおりである。

> 　適格消費者団体及び特定適格消費者団体の認定の有効期間は原則として3年間であり（消費者契約法第17条第1項、消費者裁判手続特例法第69条第1項）、適格消費者団体は、認定の有効期間の更新の都度、多数の書類を用意しなければならず、その事務負担は大きい。この事務負担に要する時間とマンパワーを、差止請求関係業務又は被害回復関係業務に費やすことができるようになれば、これらの業務はより実効的に機能することになる。
> 　差止請求の制度は、平成19年の運用開始から安定的に運用されており、適格消費者団体は、順調に、適格認定の有効期間の更新をしている。このことからすると、他の許認可の有効期間やそれらにおける監督の在り方を参考にしつつ、認定の有効期間を伸長する方向で検討を進めることが適当と考えられる。

744　　第3編　資料編　第5章　消費者契約法の改正（平成29年）

２　政府部内における検討と立案作業

　消費者庁は、支援検討会報告書において提言された事項のうち、法改正が求められるものに必要な措置を講じるため、消費者契約法等の改正に向けた具体的な立案作業を行い、平成29年３月３日、政府は、消費者契約法第17条第１項の改正等を内容とする「独立行政法人国民生活センター法等の一部を改正する法律案」を閣議決定し（閣法第39号）、同日、第193回国会に提出した。

３　各政党における検討

１　自由民主党

　平成29年２月23日、内閣第一部会・消費者問題調査会合同会議において、「独立行政法人国民生活センター法等の一部を改正する法律案」について議論がなされ、了承された。その後、自由民主党は、同法案を２月28日の政調審議会及び総務会にそれぞれ諮り、了承された。

２　公明党

　平成28年２月21日、内閣部会・消費者問題対策本部において、「独立行政法人国民生活センター法等の一部を改正する法律案」について議論がなされ、了承された。その後、公明党は、同法案を２月28日の政調全体会議・部会長会議合同会議に諮り、了承された。

４　第193回国会における審議の経過

　「独立行政法人国民生活センター法等の一部を改正する法律案」は、平成29年３月31日、衆議院消費者問題に関する特別委員会に付託された。４月４日、松本純内閣府特命担当大臣による提案理由説明が行われた。４月18日、３時間の質疑が行われ、法律案及び附帯決議の採決が行われ、全会一致で可決された。４月21日、衆議院本会議に上程され採決の運びとなり、本会議においても全会一致で可決された。

　参議院においては、４月25日、消費者問題に関する特別委員会に付託され、４月28日、松本純内閣府特命担当大臣による提案理由説明が行われた。

5月24日、2時間30分の質疑が行われ、法律案及び附帯決議の採決が行われ、全会一致で可決された。5月26日、参議院本会議に上程され採決の運びとなり、本会議においても全会一致で可決された（公布日は平成29年6月2日。改正法の法律番号は第43号）。

5 附帯決議

衆議院 消費者問題に関する特別委員会 独立行政法人国民生活センター法等の一部を改正する法律案に対する附帯決議（平成29年4月18日）

政府は、本法の施行に当たり、次の事項について適切な措置を講ずべきである。

一 悪質な事業者から消費者の被害を回復するため、特定適格消費者団体から立担保の要請があった場合に、独立行政法人国民生活センター（以下「国民生活センター」という。）が直ちに担保を立てられるよう、国民生活センター、特定適格消費者団体、地方公共団体等関係者間での連携を強化し、また、国民生活センターにおける立担保の審査・手続体制を整備すること。

二 特定適格消費者団体が国民生活センターによる立担保を利用する場合の要件については、同団体が個別の事案に応じて柔軟な対応を行うことができるよう、立担保可能な額に一律に上限を設けるなどの過度なものとしないこと。

三 裁判所に違法とされた仮差押命令により事業者が損害を被り担保が実行された場合に、国民生活センターが特定適格消費者団体に対して行う求償については、公益のために特定適格消費者団体に仮差押命令の申立権限を付与した意義に鑑み、一定の要件を満たす場合には、返還の猶予又は免除を検討すること。

四 特定適格消費者団体の更新手続の事務負担を軽減し、被害回復関係業務に注力できるよう、特定認定の有効期間については、特定適格消費者団体の今後の活動状況を踏まえ、その延長を検討すること。

五 適格消費者団体及び特定適格消費者団体が、差止請求及び被害回復の

746 第3編 資料編 第5章 消費者契約法の改正（平成29年）

ための活動を行うことによって、経理的基礎を強化することが困難であることに鑑み、両団体に対して、その公益的な活動に必要な資金の確保等の財政面の支援を行うこと。

六　適格消費者団体及び特定適格消費者団体が差止請求や被害回復のための活動を迅速かつ適切に行うため、両団体に対する全国消費生活情報ネットワーク・システム（PIO-NET）に係る情報の開示の範囲やPIO-NET端末の配備について、個人情報保護に配慮しつつ、検討を行うこと。

参議院　消費者問題に関する特別委員会　独立行政法人国民生活センター法等の一部を改正する法律案に対する附帯決議（平成29年5月24日）

政府は、本法の施行に当たり、次の事項について適切な措置を講ずべきである。

一　悪質な事業者から消費者の被害を回復するため、特定適格消費者団体から立担保の要請があった場合に、国民生活センターが直ちに担保を立てられるよう、国民生活センター、特定適格消費者団体、地方公共団体等関係者間での連携を強化し、また、国民生活センターにおける立担保の審査・手続体制を整備すること。

二　特定適格消費者団体が国民生活センターによる立担保を利用する場合の要件については、裁判所において仮差押命令の要件が審理されていることを踏まえるとともに、立担保可能額についても、一律に上限を設けることなく個別の事案に応じて柔軟に対応し、特定適格消費者団体による消費者被害回復のための裁判手続が有効かつ円滑に機能するよう配慮すること。

三　裁判所に違法とされた仮差押命令により事業者が損害を被り担保が実行された場合に、国民生活センターが特定適格消費者団体に対して行う求償については、公益のために特定適格消費者団体に仮差押命令の申立権限を付与した意義に鑑み、一定の要件を満たす場合には、分割による返還、返還の猶予又は減額・免除をすること。

四　特定適格消費者団体の更新手続の事務負担を軽減し、被害回復関係業

務に注力できるよう、特定認定の有効期間については、特定適格消費者団体の今後の活動状況を踏まえ、その延長を検討すること。

五　適格消費者団体が行う差止請求のための活動は利益を生まないため、精力的に取り組むほど財政状況が厳しくなること、また、特定適格消費者団体が行う被害回復のための活動も、費用を回収できない場合があることから、両団体が経理的基礎を強化することは困難であることに鑑み、両団体に対して、既存の支援策を拡充するとともに、その公益的な活動に必要な資金の確保等の財政面の支援を行うこと。

六　適格消費者団体及び特定適格消費者団体に対する寄附に関する規定の見直しも含め、クラウドファンディングなどを活用した寄附を増進する方策を検討すること。

七　消費者から寄せられた情報を差止請求及び被害回復のための活動により有効活用できるよう、適格消費者団体相互間、特定適格消費者団体相互間のみならず、適格消費者団体と特定適格消費者団体との間のそれぞれの連携協力を促進する方策を検討すること。

八　適格消費者団体及び特定適格消費者団体が差止請求や被害回復のための活動を迅速かつ適切に行うため、事業者の対応状況等が把握できるよう、個人情報保護及び情報セキュリティ等に配慮しつつ、両団体に対する全国消費生活情報ネットワーク・システム（PIO-NET）に係る情報の開示の範囲の拡大、PIO-NET端末の配備及びその他の必要な情報の提供について検討すること。

　　右決議する。

第6章　消費者契約法の改正（平成30年）

1　トラブルの現状

　近年の消費者を取り巻く社会経済情勢の変化等もあり、高齢者のみならず、若年者を含めた幅広い年代において消費者被害は依然生じており、その中には、消費者の合理的な判断をすることができない事情を利用されて契約を締結させられたという事例等もある。こうした消費者被害に対し、消費者と事業者の双方に対する啓発活動を一層強化するとともに、消費者被害に対処するための法整備を行い、その実効性を確保する必要がある。

若年者の願望の実現に関連する商品・役務の相談件数

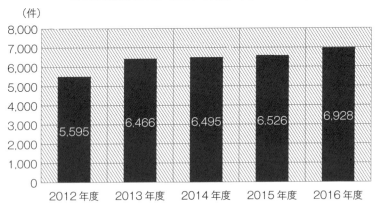

（2012～2016年度・20歳代）
（2017年8月31日までのPIO-NET登録分）

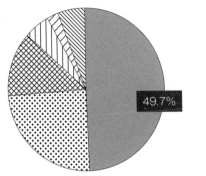

「デート商法」に関する相談の契約者年齢別割合

(2014〜2016年度合計1,156件の内訳)
(2016年11月30日までのPIO-NET登録)

2　検討の経緯

　消費者契約法の民事ルールに関する規定について、近年の高齢化の進展を始めとした社会経済状況の変化に適切に対応すること等を目的とした「消費者契約法の一部を改正する法律」（平成28年法律第61号）が平成29年6月3日に施行された（同法律の検討の経緯等は第4章を参照）。

　その後、消費者委員会消費者契約法専門調査会（以下「専門調査会」という。）の「消費者契約法専門調査会報告書」（平成27年12月。以下「平成27年報告書」という。）において「今後の検討課題」とされた論点について、平成28年9月に専門調査会の審議が再開された。専門調査会では、事業活動への影響等について幅広く事業者の意見を聞くためのヒアリングや関係団体からの意見聴取も行い、平成29年8月までに合計23回にわたる審議が行われた。審議に際しては、平成27年報告書において「今後の検討課題」とされた論点のうち、「消費者契約法の一部を改正する法律案」に対する附帯決議（衆議院消費者問題に関する特別委員会・平成28年4月28日）において明示された論点及び「成年年齢引下げ対応検討ワーキング・グループ報告書」（消費者委員会成年年齢引下げ対応検討ワーキング・グループ。平成29年1月）等の内容を踏まえ、優先的に検討すべきとされた論点が検討された。平成29年8

月に専門調査会の報告書が取りまとめられ、同月、消費者委員会からは、同報告書の内容を踏まえ、消費者契約法の規律等の在り方についての答申が示された。

③ 政府部内における検討と立案作業

消費者庁は、消費者委員会からの答申等を踏まえつつ、消費者契約法の改正に向けた具体的な立案作業を行い、平成30年3月2日、政府は「消費者契約法の一部を改正する法律案」を閣議決定し、同日、第196回国会に提出した（閣法第31号）。

④ 各政党における検討

1 自由民主党

平成30年2月14日、消費者問題調査会・内閣第二部会合同会議において、「消費者契約法の一部を改正する法律案」について議論がなされ、了承された。その後、同法案が2月27日の政調審議会及び総務会にそれぞれ諮られ、了承された。

2 公明党

平成30年2月14日、消費者問題対策本部・内閣部会合同会議において、「消費者契約法の一部を改正する法律案」について議論がなされ、了承された。その後、同法案が2月22日の政調部会長会議会議に諮られ、了承された。

⑤ 第196回国会における審議の経過

「消費者契約法の一部を改正する法律案」は、平成30年5月11日、衆議院本会議において、福井照内閣府特命担当大臣による趣旨説明及び約1時間40分の質疑が行われた。その後、衆議院消費者問題に関する特別委員会に付託された。その後、5月15日に参考人意見陳述の後、参考人に対する法案質疑（約2時間30分）、5月17日に法案に対する質疑（約3時間25分）、5月21日に法案に対する質疑（約1時間20分）が行われた。5月23日に、約2時間40分の質疑が行われた後、与野党7会派共同提案による修正案の提出と

採決が行われ、修正案及び修正部分を除く原案並びに附帯決議の採決が行われ、全会一致で可決された。5月24日、衆議院本会議に上程され採決の運びとなり、本会議においても全会一致で可決された。

参議院においては、5月25日、本会議における福井照内閣府特命担当大臣による趣旨説明及び約1時間40分の質疑が行われ、その後、消費者問題に関する特別委員会に付託された。5月30日、福井照内閣府特命担当大臣による提案理由説明と法案に対する質疑（約1時間）が行われた。その後、6月4日に参考人意見陳述の後、参考人に対する法案質疑（約1時間55分）、6月6日に法案に対する質疑（約4時間）が行われ、同日、採決が行われ、附帯決議と共に全会一致で可決された。6月8日、参議院本会議に上程され採決の運びとなり、本会議においても全会一致で可決された（公布日は平成30年6月15日。改正法の法律番号は第54号）。

衆議院、参議院には、福井照内閣府特命担当大臣、あかま二郎内閣府副大臣、山下雄平内閣府大臣政務官等が出席し、衆議院にて約11時間40分、参議院にて約8時間40分の慎重かつ熱心な審議が行われた。

6 附帯決議

衆議院　消費者問題に関する特別委員会　消費者契約法の一部を改正する法律案に対する附帯決議（平成30年5月23日）

政府は、本法の施行に当たり、次の事項について適切な措置を講ずべきである。

一　本法第4条第3項第3号及び第4号における、社会生活上の経験が乏しいことから、過大な不安を抱いていること等の要件の解釈については、契約の目的となるもの、勧誘の態様などの事情を総合的に考慮して、契約を締結するか否かに当たって適切な判断を行うための経験が乏しいことにより、消費者が過大な不安を抱くことなどをいうものとし、年齢にかかわらず当該経験に乏しい場合があることを明確にするとともに、法解釈について消費者、事業者及び消費生活センター等の関係機関に対し十分に周知すること。また、本法施行後3年を目途として、本規定の実

効性について検証を行い、必要な措置を講ずること。

二　法第9条第1号における「当該事業者に生ずべき平均的な損害の額」の立証に必要な資料は主として事業者が保有しており、消費者にとって当該損害額の立証が困難となっている場合が多いと考えられることから、損害賠償額の予定又は違約金を定める条項の運用実態について把握を進めた上で、「平均的な損害の額」の意義、「解除に伴う」などの本号の他の要件についても必要に応じて検討を加えた上で、当該損害額を法律上推定する規定の創設等の立証責任の負担軽減に向け早急に検討を行い、本法成立後2年以内に必要な措置を講ずること。

三　消費者が合理的な判断をすることができない事情を不当に利用して、事業者が消費者を勧誘し契約を締結させた場合における取消権の創設について、要件の明確化等の課題を踏まえつつ検討を行い、本法成立後2年以内に必要な措置を講ずること。

四　本法第3条第1項第2号の事業者の情報提供における考慮要素については、考慮要素と提供すべき情報の内容との関係性を明らかにした上で、年齢、生活の状況及び財産の状況についても要素とするよう検討を行うとともに、消費者が事前に消費者契約の条項を容易に知ることができるようにするための契約条項の開示の在り方についても検討を行うこと。

五　消費者契約の条項について解釈を尽くしてもなお複数の解釈の可能性が生じた場合には事業者に不利な解釈を採用するなど、消費者の利益擁護の観点から消費者契約の条項の解釈の在り方についての検討のほか、「消費者」概念の在り方（法第2条第1項）、断定的判断の提供（法第4条第1項第2号）、「第三者」による不当勧誘（法第5条第1項）、法定追認の特則、先行行為等の不利益事実の不告知（法第4条第2項）にかかる要件の在り方、威迫・執拗な勧誘等の困惑類型の追加、サルベージ条項等の不当条項の類型の追加など消費者委員会消費者契約法専門調査会報告書において今後の検討課題とされた事項につき、引き続き検討を行うこと。

六　本法施行後5年を目途として、独立行政法人国民生活センターや地方公共団体との間でPIO-NETの活用による一層の連携を図ること等により、消費者の被害状況や社会経済情勢の変化を把握しつつ、消費者契約法の実効性をより一層高めるため、同法の見直しを含め必要な措置を講

ずること。

七　差止請求制度及び集団的消費者被害回復制度が実効的な制度として機能するよう、適格消費者団体及び特定適格消費者団体に対する財政支援の充実、PIO-NETに係る情報の開示の範囲の拡大、両制度の対象範囲を含めた制度の見直しその他必要な施策を行うこと。

八　特定適格消費者団体による仮差押命令申立てにおける独立行政法人国民生活センターの立担保に係る手続等について消費者裁判手続特例法の趣旨を損なうことのない運用に努めること。

九　地方消費者行政の体制の充実・強化のため、恒久的な財政支援策を検討するとともに、既存の財政支援の維持・拡充、消費者行政担当者及び消費生活相談員に対する研修の充実、消費生活相談員の処遇改善等による人材の確保その他適切な施策を実施すること。

参議院　消費者問題に関する特別委員会　消費者契約法の一部を改正する法律案に対する附帯決議（平成30年6月6日）

　政府は、本法の施行に当たり、次の事項について適切な措置を講ずべきである。

一　本法第4条第3項第3号及び第4号における「社会生活上の経験が乏しい」とは、社会生活上の経験の積み重ねが契約を締結するか否かの判断を適切に行うために必要な程度に至っていないことを意味するものであること、社会生活上の経験が乏しいことから、過大な不安を抱いていること等の要件の解釈については、契約の目的となるもの、勧誘の態様などの事情を総合的に考慮して、契約を締結するか否かに当たって適切な判断を行うための経験が乏しいことにより、消費者が過大な不安を抱くことなどをいうものであること、高齢者であっても、本要件に該当する場合があること、霊感商法のように勧誘の態様に特殊性があり、その社会生活上の経験の積み重ねによる判断が困難な事案では高齢者でも本要件に該当し、救済され得ることを明確にするとともに、かかる法解釈について消費者、事業者及び消費生活センター等の関係機関に対し十分

に周知すること。また、本法施行後３年を目途として、本規定の実効性について検証を行い、必要な措置を講ずること。

二　本法第４条第３項第５号における「その判断力が著しく低下している」とは、本号が不安をあおる事業者の不当な勧誘行為によって契約を締結するかどうかの合理的な判断をすることができない状態に陥った消費者を救済する規定であることを踏まえ、本号による救済範囲が不当に狭いものとならないよう、各要件の解釈を明確にするとともに、かかる法解釈について消費者、事業者及び消費生活センター等の関係機関に対し十分に周知すること。また、本法施行後３年を目途として、本規定の実効性について検証を行い、必要な措置を講ずること。

三　法第９条第１号における「当該事業者に生ずべき平均的な損害の額」の立証に必要な資料は主として事業者が保有しており、消費者にとって当該損害額の立証が困難となっている場合が多いと考えられることから、「平均的な損害の額」の意義、「解除に伴う」などの本号の他の要件についても必要に応じて検討を加えつつ、当該損害額を法律上推定する規定の創設など消費者の立証責任の負担軽減に向け早急に検討を行い、本法成立後２年以内に必要な措置を講ずること。

四　高齢者、若年成人、障害者等の知識・経験・判断力の不足など消費者が合理的な判断をすることができない事情を不当に利用して、事業者が消費者を勧誘し契約を締結させた場合における消費者の取消権（いわゆるつけ込み型不当勧誘取消権）の創設について、消費者委員会の答申書において喫緊の課題として付言されていたことを踏まえて早急に検討を行い、本法成立後２年以内に必要な措置を講ずること。

五　本法第３条第１項第２号の事業者の情報提供における考慮要素については、考慮要素と提供すべき情報の内容との関係性を明らかにした上で、年齢、生活の状況及び財産の状況についても要素とするよう検討を行うこと。

六　消費者が消費者契約締結前に契約条項を認識できるよう、事業者における約款等の契約条件の事前開示の在り方について、消費者委員会の答申書において喫緊の課題として付言されていたことを踏まえた検討を行うこと。

七 消費者委員会消費者契約法専門調査会報告書において今後の検討課題
とされた諸問題である、「消費者」概念の在り方（法第2条第1項）、断定
的判断の提供（法第4条第1項第2号）、先行行為等の不利益事実の不告
知（法第4条第2項）にかかる要件の在り方、威迫・執拗な勧誘等の困惑
類型の追加、「第三者」による不当勧誘（法第5条第1項）、法定追認の特
則、サルベージ条項等の不当条項の類型の追加、条項使用者不利の原則、
抗弁権の接続、複数契約の無効・取消し・解除、継続的契約の任意解除
権などにつき、引き続き検討を行い、本法施行後3年を目途として必要
な措置を講ずること。

八 本法施行後5年を目途として、独立行政法人国民生活センターや地方
公共団体との間で全国消費生活情報ネットワーク・システム（PIO-NET）
の活用による一層の連携を図ること等により、消費者の被害状況や社会
経済情勢の変化を把握しつつ、消費者契約法の実効性をより一層高める
ため、同法の見直しを含め必要な措置を講ずること。

九 差止請求制度及び集団的消費者被害回復制度が実効的な制度として機
能するよう、適格消費者団体及び特定適格消費者団体に対する財政支援
の充実、PIO-NETに係る情報の開示の範囲の拡大、両制度の対象範囲を
含めた制度の見直しその他必要な施策を行うこと。

十 特定適格消費者団体による仮差押命令申立てにおける独立行政法人国
民生活センターの立担保に係る手続等について消費者裁判手続特例法の
趣旨を損なうことのない運用に努めるとともに、行政が事業者の財産を
保全し、消費者の被害の回復を図る制度の創設について早急に検討を行
うこと。

十一 地方消費者行政の体制の充実・強化のため、恒久的な財政支援策を
検討するとともに、既存の財政支援の維持・拡充、消費者行政担当者及
び消費生活相談員に対する研修の充実、消費生活相談員の処遇改善等に
よる人材の確保その他適切な施策を実施すること。

十二 消費者の自立を支援し、消費者が消費者契約法をはじめとする民事
ルールや消費生活センター等を活用できる実践的能力を培うため、消費
生活相談員などを学校教育において積極的に活用する方策を講じつつ、
すべての都道府県において充実した消費者教育を受けることができる機

756 第3編 資料編 第6章 消費者契約法の改正（平成30年）

会を確保すること。

　右決議する。

7 審議会等報告書等

消費者委員会　消費者契約法専門調査会「消費者契約法専門調査会報告書」（平成29年8月）

はじめに

　本専門調査会は、平成26年8月に内閣総理大臣から消費者委員会に対し、消費者契約法（平成12年法律第61号。以下単に「法」ということがある。）について、「施行後の消費者契約に係る苦情相談の処理例及び裁判例等の情報の蓄積を踏まえ、情報通信技術の発達や高齢化の進展を始めとした社会経済状況の変化への対応等の観点から、契約締結過程及び契約条項の内容に係る規律等の在り方」の検討を行うように諮問がなされたことを受け、同年10月に設置された。その後、同年11月から平成27年12月まで合計24回にわたる審議を行い、同月に、速やかに法改正を行うべき内容を含む論点及び今後の検討課題として引き続き検討を行うべき論点について取りまとめた「消費者契約法専門調査会報告書」（以下「平成27年報告書」という。）を公表した。平成27年報告書の内容を踏まえ、平成28年1月、消費者委員会から答申が示された。同答申等を踏まえた「消費者契約法の一部を改正する法律案」（第190回国会閣法第45号）は、同年3月4日閣議決定のうえ国会に提出され、両議院において、いずれも全会一致で可決成立し、同年6月3日に公布された（平成28年法律第61号）。

　他方、平成27年報告書において「今後の検討課題」とされた論点については、平成28年9月に専門調査会の審議を再開した。再開後は、平成29年3月まで各論点について1巡目の審議を行い、同年4月には、事業活動への影響等について幅広く事業者の意見を聞くためのヒアリングを開催し、関係団体から意見を聴取した。そして、同年6月からは、事業者ヒアリングの結果も踏まえ、各論点について更に審議を行った。再開以降、平成29年8月までに合計23回にわたる審議を重ねた。審議に際しては、平成27年

報告書において「今後の検討課題」とされた論点のうち、「消費者契約法の一部を改正する法律案」に対する附帯決議[1]において明示された論点及び「成年年齢引下げ対応検討ワーキング・グループ報告書」(平成29年1月)[2]等の内容を踏まえて、優先的に検討すべきとされた論点を検討した。また、平成29年6月以降の審議においては、再開後の当初から指摘のあった「約款の事前開示」が検討すべき論点に追加され、検討を行った。

本報告書は、こうした審議内容をもとに、措置すべき内容等について現時点での方向性を取りまとめたものである。

第1 見直しの検討を行う際の視点

本専門調査会においては、再開後の議論により、優先的に検討すべきとされた論点について、法施行後の社会経済状況の変化、公正な市場ルールの確立によって消費者被害の救済及び円滑な事業活動の確保の両立等といった点を踏まえ、調査・審議を行ってきた。具体的には、以下のとおりである。

近年の消費者を取り巻く社会経済情勢の変化等もあり、高齢者のみならず、若年者を含めた幅広い年代において消費者被害は依然生じており、その中には、消費者の合理的な判断をすることができない事情を利用されて

---

1) 消費者契約法の一部を改正する法律案に対する附帯決議第2号において、「情報通信技術の発達や高齢化の進展を始めとした社会経済状況の変化に鑑み、消費者委員会消費者契約法専門調査会において今後の検討課題とされた、『勧誘』要件の在り方、不利益事実の不告知、困惑類型の追加、『平均的な損害の額』の立証責任、条項使用者不利の原則、不当条項の類型の追加その他の事項につき、引き続き、消費者契約に係る裁判例や消費生活相談事例等の更なる調査・分析、検討を行い、その結果を踏まえ、本法成立後3年以内に必要な措置を講ずること。」とされた(衆議院消費者問題に関する特別委員会・平成28年4月28日)。

2) 成年年齢引下げ対応検討ワーキング・グループは、平成28年9月に消費者庁長官から消費者委員会に対し、民法の成年年齢が引き下げられた場合、新たに成年となる者の消費者被害の防止・救済のための対応策についての意見が求められたことを受け、同月に設置された。同報告書では、民法の成年年齢が引き下げられた場合の消費者被害の防止・救済のための制度整備として、消費者に対する配慮に努める義務及び不当勧誘に対する取消権(「合理的な判断をすることができない事情を利用して契約を締結させる類型」)の規律による対応策が提案された。

契約を締結させられたという事例等もある。こうした消費者被害に対し、消費者と事業者の双方に対する啓発活動を一層強化するとともに、消費者被害に対処するための法整備を行い、その実効性を確保する必要がある。

また、平成27年報告書記載の内容と同様に、消費者紛争の多くは消費生活相談において処理されており、裁判のみならず、消費生活相談の現場における法の十分な活用を通じて、消費者紛争が適切に解決されることにより、消費者被害の救済が図られる必要がある。同時に、消費者契約全般を対象とする包括的な民事ルールである消費者契約法については、広範な業種・業態に関わるものであることを踏まえ、事業者の予測可能性を担保するとともに、事業活動が円滑に進むように留意する必要がある。すなわち、「消費者の利益の擁護を図り、もって国民生活の安定向上と国民経済の健全な発展に寄与する」（法第1条）ようにする必要がある。

さらに、消費者契約法については、民法（明治29年法律第89号）[3]との関係では、その特別法に当たる[4]。他方で、消費者契約法は、個別の業法における民事ルールとの関係では消費者契約に関する一般法に当たる[5]。このような位置付けを踏まえ、法の適切な在り方を考える必要がある。

第2　措置すべき内容を含む論点

1．不利益事実の不告知

不利益事実の不告知（法第4条第2項）の主観的要件に「重大な過失」を

---

3) 民法（債権関係）の改正については、法制審議会における審議を経て、「民法の一部を改正する法律案」（第189回国会閣法第63号）が平成27年3月に国会に提出され、両議院において可決成立し、平成29年6月2日に公布された（平成29年法律第44号。以下、改正後の民法を「新民法」という。）。

4) 民法は、対等当事者間における法律関係を念頭に置くものであるのに対し、消費者契約法は、消費者と事業者との間に存在する構造的な「情報の質及び量並びに交渉力の格差」に鑑み、意思表示の取消しや契約条項の無効等を規定することにより、「消費者の利益の擁護を図り、もって国民生活の安定向上と国民経済の健全な発展に寄与することを目的とする」（法第1条）ものである。

5) 個別の業法における民事ルールが特定の分野に限り適用されるのに対し、消費者契約法の規定は消費者契約一般に当てはまる民事ルールとして取引の適正化を図ろうとするものである。

759

追加することとする。

［説明］

(1) 不利益事実の不告知に関して、消費者庁において実施した全国の消費生活センターに勤務する消費生活相談員に対するアンケート調査[6]によると、当該規定が「利用しにくいと思う」と回答した消費生活相談員の多数が、その理由として「『故意』の要件の認定判断が困難であること」を挙げており、消費生活相談の現場において当該規定を活用するという観点から、故意要件を見直すことが最も重要な課題[7]であると考えられる。

また、裁判例を分析すると、故意要件を事案に即して柔軟に解釈しているものがみられる。すなわち、先行行為が具体的な告知として認定されることを前提として、故意の認定に際しては、具体的な事実を摘示せずに結論として故意があるとする裁判例や、事業者が消費者の誤認を認識し得たことから、故意を認定（推認）した裁判例等が存在しており、故意要件の見直しは、訴訟における妥当な結論の確保という観点からも課題になっているものと考えられる。

(2) 問題となっているのは、取消しを認めてもよいはずの場合に、故意の立証が困難であるために、それが必ずしも実現できないという点にあると考えられる。そこで、このような立証の困難に起因する問題に対処するために、不利益事実の不告知の主観的要件に「重大な過失」を追加することが適当であると考えられる。

(3) なお、平成27年報告書において取りまとめられた、不実告知の適用範囲との関係の整理を含めた類型化、事業者の主観的要件の削除又は

---

6) 各都道府県を通じて消費生活相談員にウェブ上のアンケートフォームを周知し、各消費生活相談員が当該アンケートフォームに回答を入力する方法にて実施した。有効回答数は1373である。

7) 「『不利益事実の不告知』の規定は利用しやすいですか」との問について「利用しにくいと思う」と回答した消費生活相談員689人に対して、「不利益事実の不告知が利用しにくいと思う理由」を尋ねたところ、597人（86.6％）が、その理由として「『故意』要件の認定判断が困難であること」を挙げている。

760　第3編　資料編　第6章　消費者契約法の改正（平成30年）

拡張、先行行為要件の削除又は緩和等については、裁判例や消費生活相談事例を収集・分析し、事業活動に対する影響等も踏まえた上で、今後の課題として、必要に応じ検討を行うべきである。

２．合理的な判断をすることができない事情を利用して契約を締結させる類型

事業者の一定の行為によって消費者が困惑して意思表示をしたときの取消権を規定した法第４条第３項において、下記①及び②のような趣旨の規定を追加して列挙することとする。

① 当該消費者がその生命、身体、財産その他の重要な利益についての損害又は危険に関する不安を抱いていることを知りながら、物品、権利、役務その他の当該消費者契約の目的となるものが当該損害又は危険を回避するために必要である旨を正当な理由がないのに強調して告げること

② 当該消費者を勧誘に応じさせることを目的として、当該消費者と当該事業者又は当該勧誘を行わせる者との間に緊密な関係を新たに築き、それによってこれらの者が当該消費者の意思決定に重要な影響を与えることができる状態となったときにおいて、当該消費者契約を締結しなければ当該関係を維持することができない旨を告げること

［説明］

(1) 消費者が、判断力や知識・経験の不足、不安定な精神状態、断りきれない人間関係など、当該契約の締結について合理的な判断を行うことができないような事情を事業者に不当に利用され、不必要な契約を締結させられたという被害事例が存在している。そのような事例について、従来、民法の公序良俗違反による無効（同法第90条）又は不法行為に基づく損害賠償請求（同法第709条）等により被害の救済が図られていると考えられるが、どのような場合に救済されるかが必ずしも明確ではなく、特に消費生活相談において対応することが困難なことがあることから、契約の取消しを認める場合を明確にした規定を法に設けることが求められる。

もっとも、その規定の要件が不明確であれば、取引実務の混乱を招きかねず、その要件は、できる限り客観的な要件をもって明確に定める必要がある。そして、平成27年報告書においては、できる限り客観的な要件をもって規定を設ける観点から、合理的判断ができない事情を不当に利用され締結させられた不必要な契約の典型例の一つである過量な内容の消費者契約を対象として取消しを認める規定を設けることとし、平成28年の法改正によってその内容を踏まえた規定が設けられた。しかし、このような規定では救済対象とならない被害事例への対応策については、引き続き検討を行うべき課題とされていた。

　そこで、明確な要件をもってこうした被害事例に対応する規定を設けることが更に検討され、対応策の方向性として、「困惑」を要件としつつ、それと結び付く事業者の不当性の高い行為を類型化して取消権を認めるということが考えられた。そのような検討の結果としてまとめられたものが、上記①及び②のような事業者の行為類型である。

(2)　上記①は、消費者の不安を煽る告知という行為類型を示したものである。すなわち、消費者が損害又は危険に関する不安を抱いていることを事業者が知っていた場合において、裏付けとなる信頼性のある根拠や知見など、告知を正当化する理由がないのに、当該消費者契約の目的となるものが当該損害又は危険を回避するために必要である旨を強調して告げる行為を対象とする趣旨の規定を設けることが適当であると考えられる。

(3)　上記②は、勧誘目的で新たに構築した関係を濫用するという行為類型を示したものである。すなわち、事業者が消費者を勧誘に応じさせることを目的として、当該消費者と当該事業者又は当該勧誘を行わせる者（当該事業者の従業員等）との間の緊密な関係を、新たに築いた場合において、そのような関係によってこれらの事業者等が当該消費者の意思決定に重要な影響を与えることができる状態となったときに、当該消費者契約を締結しなければ当該関係を維持することができない旨を告げることによってこれを濫用するという行為類型を対象とする趣旨の規定を設けることが適当であると考えられる。

(4)　なお、合理的な判断をすることができない事情を利用して契約を締

結させる類型の被害事例の中には、必ずしも上記①や②のような事業者の行為はみられないものが存在する。特に高齢者等の判断力の不足等を不当に利用し、不必要な契約や過大な不利益をもたらす契約の勧誘が行われる場合も存在しており、これらの事例の救済は、民法上の公序良俗違反による無効等の一般規定に委ねられたままの状態となっている。

こうした事例への対応策については、消費者の取消権を付与して救済する規定、具体的には、「消費者は、事業者が消費者契約の締結について勧誘をするに際し、当該消費者の年齢又は障害による判断力の不足に乗じて、当該消費者の生活に不必要な商品・役務を目的とする契約や当該消費者に過大な不利益をもたらす契約の勧誘を行い、その勧誘により当該消費者契約の申込み又はその承諾の意思表示をしたときは、これを取り消すことができる」等といった規定を設けることについての当否が議論され、このような規定を設けることに賛成する意見も存在した。しかし、要件の明確化等の課題が解消されていないとの意見もあり、現時点においては消費者契約法上に新たな類型を設けることについてコンセンサスを得るには至らなかった。そこで、判断力の不足等を不当に利用し、不必要な契約や過大な不利益をもたらす契約の勧誘が行われる場合等の救済については、重要な課題として、民法の成年年齢の引下げの存否等も踏まえつつ、今後も検討を進めていくことが適当である。

3．心理的負担を抱かせる言動等による困惑類型の追加

事業者の一定の行為によって消費者が困惑して意思表示をしたときの取消権を規定した法第4条第3項において、下記①及び②のような趣旨の規定を追加して列挙することとする。

① 当該消費者が消費者契約の申込み又はその承諾の意思表示をする前に当該消費者契約における義務の全部又は一部の履行に相当する行為を実施し、当該行為を実施したことを理由として当該消費者契約の締結を強引に求めること

② 当該事業者が当該消費者と契約を締結することを目的とした行為を

763

実施した場合において、当該行為が当該消費者のためにされたもので
あるために、当該消費者が当該消費者契約の申込み又はその承諾の意
思表示をしないことによって当該事業者に損失が生じることを正当な
理由がないのに強調して告げ、当該消費者契約の締結を強引に求める
こと

［説明］

(1)　事業者が消費者に心理的負担を抱かせるような言動を行った上で、
　消費者に対して契約の締結を求めることにより、消費者が、契約を締
　結しなければならないなどと困惑して契約の締結に及んでしまうとい
　う被害事例が見受けられる。しかし、現行の消費者契約法では、消費
　者が困惑した場合に取消しが可能となる事業者の行為類型として、不
　退去又は退去妨害（法第4条第3項）が規定されているのみであり、上
　記のような被害事例を救済することができない。そこで、このように
　事業者が消費者に不当に心理的負担を抱かせるような言動により消費
　者を困惑させて契約を締結させた事例について、契約を取り消し得る
　規定を新たな困惑類型として法に設ける必要がある。

　　もっとも、新たな規定を設けるとしても、通常行われている取引に
　混乱を招くことがないよう、不当性が高い行為類型を捉えるという観
　点から適用範囲を特定し、できる限り要件も明確にする必要がある。

(2)　まず、事業者が消費者を困惑させ、契約を締結せざるを得ない状況
　を作出する不当な行為類型として、①消費者が消費者契約の申込み又
　はその承諾の意思表示をする前に、事業者が、当該消費者契約におけ
　る義務の全部又は一部の履行に相当する行為（以下「履行に相当する行
　為」という。）を実施した場合を対象とした規定を設けることが適当で
　あると考えられる。

　　すなわち、事業者が履行に相当する行為を実施して、一定の既成事
　実が作出されると、消費者のために一定の行為をしてくれたという見
　方も可能になり、消費者は、当該行為に対する何らかの対応の必要性
　や事業者への負い目といった心理的負担を生じさせられることにもな
　る。このような心理的負担により、消費者は、自由な判断に一定の制

約を受けるものといえる。

　一方で、消費者が意思表示をする前に事業者が履行に相当する行為を実施することは、通常の取引においては想定し難いものの、消費者に対するサービスの一環として事業者が事前に業務の一部を先に実施することも考えられる。そこで、不当性が高い行為類型を捉えるために、消費者を畏怖させる程度に至らないとしても、当該消費者契約の締結を強引に求めることといった、事業者の不当性を示す適切な要件を加えた上で、取消事由とすることが適当であると考えられる。

(3)　次に、②事業者が、消費者と契約を締結することを目的とした行為を実施した場合において、当該行為が当該消費者のためにされたものであるために、当該消費者が当該消費者契約の申込み又はその承諾の意思表示をしないことによって当該事業者に損失が生じることを正当な理由がないのに強調して告げた場合を対象とした規定を設けることが適当であると考えられる。

　すなわち、事業者が消費者と契約の締結を目的とする行為を実施したにもかかわらず、消費者が当該契約の締結を拒否することは、これまで消費者のために事業者が要した費用や労力を無駄にするものであるとして、消費者の倫理感に働きかけ消費者を非難し、契約の締結を強引に求めることが不当であるとの考え方を基にしている。この場合、事業者から消費者のためにされた行為によって損失が生じることを告げられることにより、消費者は負い目といった心理的負担を生じさせられるとともに精神的にも動揺し、当該契約を締結しなければならない状況にあるものと困惑して契約の締結に及んでしまうものといえる。

　一方で、消費者に、例えば自ら事業者に対して特別な要求を行っていた場合など、信義に反する行為があったとすれば、事業者が消費者のために実施したことで生じた費用（損失）について告げること自体の不当性は必ずしも高いとまではいえないと考えられる。そこで、不当性が高い行為類型を捉えるために、損失が生じることを告げることについて、事業者に正当な理由がない場合に限定するとともに、当該消費者契約の締結を強引に求めることといった、事業者の不当性を示

765

す適切な要件を加えた上で、取消事由とすることが適当であると考えられる。

(4) なお、上記①及び②のような趣旨の規定の適用対象とならない被害事例として、電話勧誘に限らない執拗な勧誘行為等の場合を新たな規定として困惑類型に追加するか否かについては、平成27年報告書において取りまとめられたところに従い、今後の課題として、必要に応じ検討を行うべきである。

4.「平均的な損害の額」の立証に関する規律の在り方

法第9条第1号の「平均的な損害の額」に関し、消費者が「事業の内容が類似する同種の事業者に生ずべき平均的な損害の額」を立証した場合には、その額が「当該事業者に生ずべき平均的な損害の額」と推定される旨の規定を設けることとする。

［説明］

(1) 法第9条第1号における「当該事業者に生ずべき平均的な損害の額」及びこれを超える部分について、最高裁判決[8]は、事実上の推定が働く余地があるとしても、基本的には、消費者が立証責任を負うものと判断した。しかし、「当該事業者に生ずべき平均的な損害の額」はその事業者に固有の事情であり、立証のために必要な資料は主として事業者が保有していることから、裁判や消費生活相談において、消費者による「平均的な損害の額」の立証が困難な場合があると考えられる[9]。

そこで、その対応策の一つとして、法律上の推定規定を設けることによってその立証の困難を緩和することが考えられる。

法律上の推定については、そのように推定することが経験則によっても支えられるべきものと考えられることから、「当該事業者に生ずべき平均的な損害の額」を推定する前提となる事実関係としては、当該事業者と同種の事業者であって、かつ事業の内容が類似することが

---

8) 最判平成18年11月27日民集60巻9号3437頁。

9) 第38回では「平均的な損害の額」についての立証に関する実態を把握するため、消費者団体からのヒアリングが行われ、立証が困難な実例があることが紹介された。

認められる事業者についての平均的な損害の額とすることが適当であると考えられる。

ただし、事業の内容の類似性を要件として規定する際には、事業活動の内容や事業規模その他の類似性判断の基礎となり得る要因を精査し、その判断が明確に行われるようにすることが適当であると考えられる。

(2) なお、法第9条第1号における「当該事業者に生ずべき平均的な損害の額」に関しては、事業者が、損害賠償の額を予定し又は違約金を定める条項を定める際に、あらかじめ「平均的な損害の額」を十分算定していれば、紛争が生じた場合でも、算定根拠を示した説明も容易となり、損害賠償の額の予定又は違約金を巡るトラブルも回避できるものと考えられる。

したがって、上記のような推定規定による立証困難の緩和とは別に、消費者庁その他の政府として、損害賠償の額の予定又は違約金の運用実態を把握しつつ、改めて法第9条第1号の意義を周知することが必要である。また、事業者においては、損害賠償の額の予定又は違約金を定めるに際しては、合理的な根拠をもって「平均的な損害の額」を算定しておくことが期待されている。

(3) さらに、本専門調査会では、上記の法律上の推定規定とは別に、事業者による根拠資料の提出を制度的に促す考え方も検討された。しかし、このような考え方については、一般的な文書提出義務を定める民事訴訟法第220条と異なる特別の規定を設ける必要性・合理性があるかという課題が存在しており、また、提出されるべき資料が営業秘密に関わるという問題もある。

そこで、このような考え方については、民事訴訟法等との関係を慎重に吟味し、実態把握や分析を更に積み重ねた上で、「解除に伴う」要件の在り方や「平均的な損害の額」の意義など法第9条第1号に関する他の論点と併せて、今後の課題として、必要に応じ検討を行うべきである。

767

5．不当条項の類型の追加

① 消費者契約が、物品、権利、役務その他の消費者契約の目的となるものの対価を消費者が支払うことを内容とする場合において、当該消費者が後見開始、保佐開始又は補助開始の審判を受けたことのみを理由として事業者に解除権を付与する条項を無効とする旨の規定を設けることとする。

② 次に掲げる消費者契約の条項は無効とする旨の規定を設けることとする。

 ア 事業者の債務不履行により消費者に生じた損害を賠償する責任の要件に該当するか否かを決定する権限を事業者に付与する条項

 イ 消費者契約における事業者の債務の履行に際してされる当該事業者の不法行為により消費者に生じた損害を賠償する責任の要件に該当するか否かを決定する権限を事業者に付与する条項

 ウ 事業者に債務不履行がある場合に消費者の契約を解除する権利の要件に該当するか否かを決定する権限を事業者に付与する条項

［説明］

（1） 不当条項の類型の追加については、平成27年報告書及びその内容を踏まえた平成28年の法改正により、債務不履行の規定に基づく解除権又は瑕疵担保責任の規定に基づく解除権をあらかじめ放棄させる条項を例外なく無効とする規定（法第8条の2）が設けられ、また、法第10条第一要件[10]に該当する条項の例示として、消費者の不作為をもって当該消費者が新たな契約の申込み又は承諾の意思表示をしたものとみなす条項が規定された。しかし、平成27年報告書においては、これら以外の契約条項についても、類型的に不当性が高いといえるものを抽出し、引き続き検討を行うべきこととされていた。そこで、以下の(2)から(5)の4つの条項について更に検討を行なった。

（2） 消費者の後見等の開始による解除権付与条項

10） 法第10条のうち「法令中の公の秩序に関しない規定の適用による場合に比して消費者の権利を制限し又は消費者の義務を加重する消費者契約の条項であって、」という要件の部分。

後見、保佐又は補助（以下「後見等」という。）開始の審判を受けたことのみを理由として事業者に解除権を付与する条項は、成年後見制度の趣旨に反するものであり、後見等開始の審判を受けた消費者に不利益を生じさせる不当性の高い契約条項といえる。また、建物賃貸借の契約書において使用された当該条項を法第10条により無効とした裁判例[11]があることや、成年後見制度の利用の促進に関する法律（平成28年法律第29号）が制定されたことなども踏まえると、当該条項を無効とする趣旨の規定を設けることが適当であると考えられる。

もっとも、民法は、受任者の後見開始を委任契約の終了事由としており（民法第653条第3号）、この規定は、準委任契約にも準用されていることから（民法第656条）、消費者が役務を提供する消費者契約において、消費者が後見開始の審判を受けた場合には、通常、当該契約は終了するものと考えられる。そのため、消費者が役務を提供する消費者契約に限っては、消費者の後見開始による解除権を事業者に付与しても、民法が定める任意規定から乖離しているとはいえない点を考慮し、法第8条第1項第5号[12]が「消費者契約が有償契約である場合において」という条件を定めていることを参考に、「消費者契約が、物品、権利、役務その他の消費者契約の目的となるものの対価を消費者が支払うことを内容とする場合において」という条件を付すことが適当であると考えられる。

なお、後見等の開始を契機に、個別に当該消費者への適合性の有無の確認等を行い、その結果、客観的に合理的な理由があるときに、最終的に解除に至ることまでも一律に無効とすることを想定したものではない。

(3) 解釈権限付与条項・決定権限付与条項

---

11) 大阪高判平成25年10月17日消費者法ニュース98号283頁。
12) なお、法第8条第1項第5号は、民法の一部を改正する法律の施行に伴う関係法律の整備等に関する法律（平成29年法律第45号。以下「民法整備法」という。）により、同法が施行される時に削除されることになっている。そして、民法整備法により法第8条第2項が改正され、「前条第1号又は第2号に掲げる条項のうち、消費者契約が有償契約である場合において」という規定が設けられる。

例えば、事業者が民法第415条等によって消費者に対して損害賠償責任を負う場合であっても、事業者が自らに過失があると認めた場合に限り損害賠償責任を負う旨の条項が許容されると、当該責任の発生要件該当性についての決定権限を事業者が持っているため、事業者は要件に該当しないと決定することで、損害賠償責任を免れることができることになる。このような条項は、民法第415条等と異なる合意を定めるものではなく、事業者の損害賠償責任を免除するものではないため、不当条項規制である法第8条により無効になるものではない。しかし、実質的には法第8条が不当とする事業者の損害賠償責任の免除を可能とするものであり、法第8条を潜脱しており、類型的に不当性が高いといえる。

この点を踏まえると、不当条項規制の潜脱を可能とするような決定権限を事業者に付与する条項を無効とする規定を設ける必要がある。具体的には、法第8条第1項第1号及び同項第2号の潜脱を可能とするような決定権限付与条項(ア)、法第8条第1項第3号及び第4号の潜脱を可能とするような決定権限付与条項(イ)、法第8条の2の潜脱を可能とするような決定権限付与条項(ウ)を無効とする旨の規定を設けることが適当であると考えられる。

なお、上記アからウまでの条項以外の決定権限付与条項及び解釈権限付与条項（以下、この段落において「これらの条項」という。）についても、法第10条に該当する蓋然性が高いものであり無効とされる不当条項の類型として追加すべきであるという意見があったが、他の法令の遵守や消費者利益の保護等のため実務上必要なものがあるという意見もあり、コンセンサスを得るには至らなかった。そこで、これらの条項に関する規律の在り方については、条項の使用実態や規律を設けたときに生じる事業活動に対する影響の把握等も踏まえた上で、今後の課題として、必要に応じて検討を行うべきである。また、これらの条項には法第10条により無効となるものがあることを逐条解説に記載するなどにより、事業者においてより適正な条項作成が行われるよう促すことが相当と考えられる。

(4) サルベージ条項

ある条項が強行法規に反し全部無効となる場合に、その条項の効力を強行法規によって無効とされない範囲に限定する趣旨の条項をサルベージ条項という。サルベージ条項が使用された場合、有効とされる条項の範囲が明示されていないため、消費者が不利益を受けるおそれがあるという問題がある。この問題点を踏まえ、サルベージ条項を無効とされる不当条項の類型として追加すべきであるという意見があったが、法改正や判例変更に逐一対応することは事業者に不可能を強いるものであることなどサルベージ条項を使用する必要性があることについての指摘もあり、コンセンサスを得るには至らなかった。そこで、サルベージ条項を現時点で不当条項として規律するのではなく、サルベージ条項の使用状況や裁判例の状況等を踏まえた上で、今後の課題として、必要に応じ検討を行うべきである。

もっとも、事業者は消費者にとって「明確かつ平易な」条項を作成するよう配慮する努力義務を負っていることから、サルベージ条項を使用せずに具体的に条項を作成するよう努めるべきであり、その旨を法第3条第1項の逐条解説に記載するなどにより、より適正な条項作成が行われるよう促すことが相当と考えられる。

(5) 事業者の軽過失により消費者の生命又は身体に生じた損害を賠償する責任の一部を免除する条項

事業者の軽過失により消費者の生命又は身体に生じた損害を賠償する責任の一部を免除する条項(以下「軽過失による人身損害の一部免責条項」という。)については、生命又は身体が重要な法益であることに照らすと、事業者の軽過失により人身損害を被った被害者の救済を図る要請が強いものの、この要請を貫徹すると、消費者の生命又は身体に損害が生じる可能性があるサービスを広範な者に低廉な価格で提供するユニバーサル・サービスも含めて価格に影響が生ずる可能性を否定できず、両者の調整につきなお慎重な検討を要すると考えられる。そこで、軽過失による人身損害の一部免責条項に関する規律については、当面は法第10条の解釈・適用に委ねつつ、その状況等を踏まえた上で、今後の課題として、必要に応じ検討を行うべきである。

もっとも、裁判例[13]に照らすと、消費者が事業者と締結する契約に

おいて軽過失による人身損害を一部免責する条項が使用された場合には、当該条項は法第10条により無効となり得るとされているところであり、その旨を法第10条の逐条解説に記載するなどにより、事業者においてより適正な条項作成が行われるよう促すことが相当と考えられる。

(6) その他—不当条項の規律の在り方全体

なお、不当条項の規律の在り方全体について、対象となる契約条項を原則として無効とし、例外的に有効となる場合の要件を定める旨の規定を設けることも含め、条項の使用状況、不当条項の効力が判断される際の実務の運用及び諸外国における法制度の動向を更に把握することなどを経た上で、今後の課題として、必要に応じ検討を行うべきである。

6. 条項使用者不利の原則

契約条項の明確化の努力義務を定めた法第3条第1項を改正し、事業者は、消費者契約の条項を定めるに当たっては、消費者の権利義務その他の消費者契約の内容が消費者にとって明確かつ平易なものになり、また、条項の解釈について疑義が生ずることのないよう配慮するよう努めなければならない旨を明らかとすることとする。

［説明］

条項使用者不利の原則とは、契約の条項について、解釈を尽くしてもなお複数の解釈の可能性が残る場合には、条項の使用者に不利な解釈を採用すべきであるという考え方である。平成27年報告書では、当該原則は、法第3条第1項が事業者の努力義務として、消費者契約の条項を定めるに当たって明確性に配慮することを定めており、その趣旨から導かれる考え方の一つであるとされた。

そして、本専門調査会で検討した結果、事業者は、条項を定めるに当たっては、解釈を尽くしてもなお複数の解釈の可能性が残ることがないように

---

13) 札幌高判平成28年5月20日判例時報2314号40頁。

772　第３編　資料編　第６章　消費者契約法の改正（平成30年）

努めなければならないという、条項使用者不利の原則の理由となっている部分を明文化することについてはコンセンサスがあったといえる。この点を踏まえるとともに、明確で分かりやすい条項を作成する事業者の取組みを促す観点から、法第３条第１項のうち、「事業者は、消費者契約の条項を定めるに当たっては、消費者の権利義務その他の消費者契約の内容が消費者にとって明確かつ平易なものになるよう配慮する」よう努めなければならないことを規定した部分を改正し、「条項の解釈について疑義が生ずることのないよう」という趣旨を明らかにしておくことが適当であると考えられる。

　なお、条項使用者不利の原則を解釈準則として明文化することについては、今後の課題として、必要に応じ検討を行うべきである。

７．消費者に対する配慮に努める義務

　事業者の情報提供の努力義務を定めた法第３条第１項を改正し、当該消費者契約の目的となるものの性質に応じ、当該消費者契約の目的となるものについての知識及び経験についても考慮した上で、消費者の権利義務その他の消費者契約の内容についての必要な情報を提供するよう努めなければならない旨を明らかとすることとする。

［説明］
　(1)　法第３条第１項においては、消費者と事業者の間に存在する構造的な情報の質及び量並びに交渉力の格差に着目し、事業者の消費者に対する一般的な情報提供の努力義務について規定されているが、その趣旨に照らすと、事業者の消費者に対する情報提供は、個別の消費者の事情についても考慮した上で実質的に行われるべきである。

　　　しかし、このような事業者の消費者に対する情報提供の場面における個別の消費者の事情の考慮については、現行法の法第３条第１項の規定からは必ずしも明らかではなく、この点を法文上で明示しておく必要がある。

　　　ただし、このような個別の消費者の事情の考慮の程度については、当該消費者契約の目的となるものの性質によって異なり得るものと考

えられるため、「当該消費者契約の目的となるものの性質に応じ」という点も、併せて明記しておくことが考えられる。

そして、考慮すべき要因となる個別の消費者の事情としては、「当該消費者契約の目的となるものについての知識及び経験」のほか、「当該消費者の年齢」等も考えられるが、「知識及び経験」と「年齢」とでは考慮要因として重複する側面があるため、法文上は前者を明示することとして、情報提供は個別の消費者の事情についても考慮した上で実質的に行われるべきであるという趣旨を明らかにしておくことが適当であると考えられる。

(2) なお、「成年年齢引下げ対応検討ワーキング・グループ報告書」では、消費者に対する配慮に努める義務として、「当該消費者の需要及び資力に適した商品及び役務の提供について、必要かつ合理的な配慮をする」ことについての提案が示されていたが、「消費者の需要及び資力に適した商品及び役務」かどうかの判断は事業者側から困難である、商品及び役務の提供に配慮した結果、提供を行わないとすることは、結果として消費者利益を害する場面があるといった指摘がなされ、現時点ではコンセンサスを得ることが困難であった。

したがって、この点については、当面は、不当な勧誘行為があった場合の取消しに関する規律による救済や、各業法における規律に委ねつつ、今後の課題として、必要に応じ検討を行うべきである。

第3 上記以外の論点

1.「勧誘」要件の在り方

「勧誘」要件の在り方に関しては、事業者による働きかけが不特定多数の消費者に向けられたものであったとしても、そのことから直ちにその働きかけが「勧誘」に当たらないということはできない旨を判示した最高裁判決[14]が出されたことを踏まえ、当面は、個別の事案における法の解釈・適用に委ねつつ、いかなる働きかけが「勧誘」に該当するかの明確化については、今後の裁判例等の状況を見定めるとともに、消費者被害の実情や事

---

14) 最判平成29年1月24日民集71巻1号1頁。

業活動に対する影響等も踏まえた上で、今後の課題として、必要に応じ検討を行うべきである。

2．約款の事前開示

約款の事前開示に関する規定に関しては、消費者契約法第３条を改正し、「消費者が消費者契約の締結に先立ち消費者契約の条項を容易に知ることができる状態に置く」という趣旨の文言を加えること等により、その内容を事業者の努力義務として定めることが検討された。

また、これに関し、その提案内容をより明確にするためには、いくつかの点で改善が求められるのではないかとして、「消費者契約法において、事業者は、合理的な方法で、消費者が、契約締結前に、契約条項（新民法548条の２以下の「定型約款」を含む）を予め認識できるよう努めなければならない（努めるものとする）。」とする提案があり、これを支持する意見があった。

消費者に対して適用される条件等の契約内容が定められた契約条項については、消費者が消費者契約の締結に先立ち容易に知ることができる状態に置くことが、事業者の抽象的な努力義務として求められること自体には、一定のコンセンサスがあったといえる。

他方、そのような状態を確保するために、具体的に事業者にどこまでの行為が求められるべきであるかという点について意見が分かれ、相手方からの請求があった場合には定型約款の内容を表示しなければならないものとした新民法の規定や、現行の消費者契約法第３条第１項等の規定でも足りるのではないかという意見や、それらの規定では明らかにされない条項の開示に関する具体的行為を求める趣旨で消費者契約法を改正するべきであるという意見等が出された。

しかし、開示の方法や態様をめぐる懸念は、どうすれば「消費者が消費者契約の締結に先立ち消費者契約の条項を容易に知ることができる状態に置く」ことになるかが具体的に明らかにされていないことに基づくものであり、問題のないところから必要に応じて逐条解説等でその方向性を具体的に示していくことも考えられる。

約款の事前開示については、消費者に対する契約条項の開示の実態を更

に把握することなどを経た上で、今後の課題として、必要に応じ検討を行うべきである。

3．その他

平成27年報告書において「今後の検討課題」とされた論点のうち、「消費者」概念の在り方（法第2条第1項）、断定的判断の提供（法第4条第1項第2号）、「第三者」による不当勧誘（法第5条第1項）、法定追認の特則など、本報告書の「第2　措置すべき内容を含む論点」に個別には記載されていない論点については、平成27年報告書において取りまとめられたところに従い、今後の課題として、必要に応じ検討を行うべきである。

おわりに

本報告書において、措置すべき内容を含むとされた論点については、消費者と事業者の双方から幅広く意見を聞く機会を設けるとともに、政府内における法制的な見地から更なる検討を行い、その実現に向けて必要な措置を採ることが求められる。また、法改正が求められる事項について、改正法案が成立した場合においては、現行法の内容及び改正の内容をあわせて、消費者と事業者の双方に対して幅広く周知活動を行うことが重要である。その際、本専門調査会における審議の状況も踏まえ、解釈や問題事例等について逐条解説等において明確化を図ることも必要である。

また、本報告書で措置すべき内容を含む論点とはされなかった部分についても、上記第3に記載したとおり、消費者庁において、今後の課題として、必要に応じ、所要の調査・分析を踏まえた上で、検討を行うべきである。

審議経過

開催日	議事内容
第25回　平成28年9月7日	・消費者契約法改正法についての説明 ・検討課題に関する意見交換
第26回　平成28年10月24日	・委員によるプレゼンテーション 　（有山雅子委員、中村美華委員）
第27回　平成28年10月28日	・委員によるプレゼンテーション 　（磯辺浩一委員、永江禎委員）
第28回　平成28年11月7日	・「今後の検討課題」についての整理
第29回　平成28年11月24日	・合理的な判断をすることができない事情を利用 　して契約を締結させる類型
第30回　平成28年12月16日	・合理的な判断をすることができない事情を利用 　して契約を締結させる類型
第31回　平成29年1月13日	・合理的な判断をすることができない事情を利用 　して契約を締結させる類型
第32回　平成29年2月6日	・不当条項の類型の追加
第33回　平成29年2月24日	・「平均的な損害の額」の立証に関する規律の在 　り方 ・条項使用者不利の原則
第34回　平成29年3月10日	・「勧誘」要件の在り方 ・不利益事実の不告知
第35回　平成29年3月27日	・困惑類型の追加 ・消費者に対する配慮に努める義務
第36回　平成29年4月14日	・事業活動への影響等に関するヒアリング
第37回　平成29年4月28日	・事業活動への影響等に関するヒアリング

第38回	平成29年5月12日	・優先的に検討すべき論点以外の論点の取扱いの検討について ・平均的な損害の額についての立証に関する実態の把握
第39回	平成29年5月26日	・不利益事実の不告知 ・「平均的な損害の額」の立証に関する規律の在り方
第40回	平成29年6月9日	・合理的な判断をすることができない事情を利用して契約を締結させる類型 ・困惑類型の追加
第41回	平成29年6月23日	・不当条項の類型の追加
第42回	平成29年6月30日	・不当条項の類型の追加 ・条項使用者不利の原則 ・消費者に対する配慮に努める義務
第43回	平成29年7月7日	・約款の事前開示
第44回	平成29年7月14日	・合理的な判断をすることができない事情を利用して契約を締結させる類型 ・困惑類型の追加
第45回	平成29年7月21日	・約款の事前開示 ・不当条項の類型の追加
第46回	平成29年7月27日	・取りまとめに対する検討
第47回	平成29年8月4日	・取りまとめに対する検討

委員名簿

（座長）	山本　敬三	京都大学大学院法学研究科教授
（座長代理）	後藤　巻則	早稲田大学大学院法務研究科教授
	有山　雅子	公益社団法人日本消費生活アドバイザー・コンサルタント・相談員協会理事
	石島　真奈	ヤフー株式会社メディアグループ事業開発本部長
	磯辺　浩一	特定非営利活動法人消費者機構日本専務理事
	井田　雅貴	特定非営利活動法人大分県消費者問題ネットワーク理事長
	大澤　　彩	法政大学法学部教授
	沖野　眞已	東京大学大学院法学政治学研究科教授
	河野　康子	一般社団法人全国消費者団体連絡会前事務局長
	後藤　　準	全国商工会連合会常務理事
	永江　　禎	一般社団法人日本広告業協会法務委員会委員長
	中村　美華	日本チェーンストア協会総務委員会委員
	長谷川雅巳	一般社団法人日本経済団体連合会経済基盤本部副本部長
	増田　悦子	公益社団法人全国消費生活相談員協会理事長
	丸山絵美子	名古屋大学大学院法学研究科教授
	柳川　範之	東京大学大学院経済学研究科教授
	山本　和彦	一橋大学大学院法学研究科教授
	山本　健司	弁護士（清和法律事務所）

以上18名（敬称略）

※　なお、法務省、国民生活センター及び消費者委員会の河上正二委員長、鹿野菜穂子委員がオブザーバーとして出席した。

参考事例・条項例集

　本専門調査会において、各論点を審議する際に参考とした事例及び条項例の一部を整理し、掲載する。

1．不利益事実の不告知

参考事例①

　集合墓地から自宅の庭先に墓を移転する契約を石材店と締結した後に、役場に相談したところ、役場から墓の移転を却下されてしまった。自分は、墓の建立に行政の許可が必要であることや、行政は自宅の庭への建立を認めない方針であることなど全く知らなかった。石材店が正しい情報を伝えてくれさえしていれば契約していない。石材店はあくまでも契約の履行を迫ってくる。

2．合理的な判断をすることができない事情を利用して契約を締結させる類型

参考事例②

　大学や就職セミナーの会場周辺で、「就活生の意識調査」「学生生活のアンケート」などと学生に声をかけて連絡先を聞き出し、無料の説明会や就活セミナーに参加するように誘って事務所に来訪させた学生に対して、「あんたは一生成功しない」などと不安をあおり、就職活動支援や人材育成をかかげる有料講座の受講契約について勧誘を行った。

参考事例③

　ＳＮＳの婚活サイトで知り合ったファイナンシャルプランナーの男性と交流を始め、数回食事をした。お金の管理の話題になり、投資信託をしていると告げると、ファイナンシャルプランナーの立場として源泉徴収票や投資信託の報告書を見せてほしいと言われたので見せて相談した。その後、男性はコンサルティング会社勤務であることがわかり、投資用マンション購入の見積書を見せられて、ローンは家賃から支払っていけるなどと言われて勧誘を受けた。契約をする前に「契約をやめたい」と男性に伝えたが、二人の将来のことを言われたため、やめられなかった。ところが、契約後、男性から連絡が来なくなった。

780　第3編　資料編　第6章　消費者契約法の改正（平成30年）

3．心理的負担を抱かせる言動等による困惑類型の追加

参考事例④

　ガソリンを入れようとガソリンスタンドに立ち寄ったところ、「ワイパーの
ゴムが外れていますね。」と言いながらワイパーを外し、頼みもしていないの
に前も後ろもワイパーを交換し始めた。また、ボンネットを開け「エンジンオ
イルが少ないと…。」などと言いながら勝手にエンジンオイルを入れ始めたの
で、時間がないからと断ったが、強引にオイル交換され、代金を請求された。
納得いかなかったが怖かったので支払った。

参考事例⑤

　不用品回収業者のトラックがマンションの前を回っていたので主人が呼び
止めた。すると主人と一緒にすぐ部屋まで来て、回収するので品物を出してほ
しいと言って来た。いくつかの不用な家電製品の引取りをお願いすると「全部
で3850円になる。」と告げられた。私たちは無料だと思っていたので、お金が
かかるのならやめると言うと、急に態度を変え「わざわざ上の階まで来ている
のにこのままでは帰れない。」と脅し口調になった。怖くなったので仕方なく、
1つだけでも持って帰ってもらわないと帰ってくれないと思い、一部の家電
製品について代金を支払って引き取ってもらった。

4．不当条項の類型の追加
（1）消費者の後見等の開始による解除権付与条項

参考条項例①（建物賃貸借の契約書において用いられている条項）

　乙（賃借人）に、次の各号のいずれかの事由が該当するときは、甲（賃貸人）
は、直ちに本契約を解除できる。（中略）

(6)解散、破産、民事再生、会社整理、会社更生、競売、仮差押、仮処分、強制
　執行、成年被後見人、被保佐人の宣告や申し立てを受けたとき。

（2）解釈権限付与条項・決定権限付与条項

> **参考条項例②**（フィットネスクラブの会則において用いられている条項）
>
> 　本クラブの施設利用に際して本人または第三者に生じた人的・物的事故については、会社の調査により会社に過失があると認めた場合に限り、損害賠償責任を負います。

以　　上

答申書

府 消 委 第 196 号

平成29年 8 月 8 日

内閣総理大臣　安　倍　　晋　三　殿

消費者委員会

委員長　河　上　正　二

答　　申　　書

　平成26年 8 月 5 日付け消制度第137号をもって当委員会に諮問のあった、消費者契約法（平成12年法律第61号）の契約締結過程及び契約条項の内容に係る規律等について、次のとおり答申する。

　別添「消費者契約法専門調査会報告書」の内容を踏まえ、措置すべき内容を含むとされた論点のうち、法改正を行うべきとされた事項については、速やかに消費者契約法の改正法案を策定した上で国会に提出し、改正法案が成立した場合においては、現行法の内容及び改正法の内容について幅広く周知活動を行うこと及び解釈の明確化が必要な点については逐条解説等において明確化を図ることなど、必要な取組を進めることが適当である。

782 第3編 資料編 第6章 消費者契約法の改正（平成30年）

　なお、当委員会は、専門調査会における報告を受けて、ぜい弱な消費者の保護の必要性等現下の消費者問題における社会的情勢、民法改正及び成年年齢の引下げ等にかかる立法の動向等を総合的に勘案した結果、特に以下の事項を早急に検討し明らかにすべき喫緊の課題として付言する。

1　消費者契約における約款等の契約条件の事前開示につき、事業者が、合理的な方法で、消費者が契約締結前に、契約条項（新民法第548条の2以下の「定型約款」を含む。）をあらかじめ認識できるよう努めるべきこと。

2　合理的な判断をすることができない事情を利用して契約を締結させるいわゆる「つけ込み型」勧誘の類型につき、特に、高齢者・若年成人・障害者等の知識・経験・判断力の不足を不当に利用し過大な不利益をもたらす契約の勧誘が行われた場合における消費者の取消権。

3　消費者に対する配慮に努める事業者の義務につき、考慮すべき要因となる個別の消費者の事情として、「当該消費者契約の目的となるものについての知識及び経験」のほか、「当該消費者の年齢」等が含まれること。

第7章 消費者契約法の改正
(令和4年通常国会)

1 トラブルの現状

　法は、平成28年と平成30年に改正が重ねられてきたところであるが、超高齢社会がますます展しており、高齢社会対策大綱や認知症施策推進大綱など政府が推進すべき基本的な施策が定められている。また、情報通信技術の進展により普及しつつあったオンライン取引が、新型コロナウイルス禍による新たな日常とあいまって急激に拡大している。このように、消費者や消費者契約を取り巻く環境が急激に変化しており、環境の変化に対応した法の規律の在り方を改めて考える必要がある。

2 検討の経緯

　平成30年改正に向けた検討が行われた消費者委員会による答申（平成29年8月）及び平成30年改正法案の審議の際の衆議院・参議院「消費者問題に関する特別委員会」の附帯決議において、更に検討を深め、早急に必要な措置を講ずべきとされた論点について検討を行うべく、平成31年2月から、消費者契約法改正に向けた専門技術的側面の研究会が開催された。この研究会では、令和元年9月までに合計9回にわたる審議が行われ、報告書が取りまとめられた。令和元年12月からは、研究会の成果を踏まえて、消費者契約に関する検討会で議論が開始され、令和3年9月までに合計23回の審議が行われ、同月、報告書が取りまとめられた。

3 政府部内における検討と立案作業

　消費者庁は、「消費者契約法改正に向けた専門技術的側面の研究会報告書」、これに続く「消費者契約に関する検討会報告書」を踏まえつつ、消費者契約法の改正に向けた具体的な立案作業を行い、令和4年3月1日、政

府は「消費者契約法及び消費者の財産的被害の集団的な回復のための民事の裁判手続の特例に関する法律の一部を改正する法律案」を閣議決定し、同日、第208回国会に提出した（閣法第41号）。

４ 各政党における検討

(1) 自由民主党

令和４年２月17日、消費者問題調査会・内閣第二部会合同会議において、「消費者契約法及び消費者の財産的被害の集団的な回復のための民事の裁判手続の特例に関する法律の一部を改正する法律案」について議論がなされ、了承された。その後、同法案が２月24日の政調審議会、２月25日の総務会にそれぞれ諮られ、了承された。

(2) 公明党

令和４年２月15日、消費者問題対策本部・内閣部会合同会議において、「消費者契約法及び消費者の財産的被害の集団的な回復のための民事の裁判手続の特例に関する法律の一部を改正する法律案」について議論がなされ、了承された。その後、同法案が２月24日の政調部会長会議に諮られ、了承された。

５ 第208回国会における審議の経過

「消費者契約法及び消費者の財産的被害の集団的な回復のための民事の裁判手続の特例に関する法律の一部を改正する法律案」は、令和４年３月25日、衆議院本会議において、若宮健嗣内閣府特命担当大臣による趣旨説明及び質疑が行われた。その後、衆議院消費者問題に関する特別委員会に付託された。４月７日に法案に対する質疑（約３時間）、４月12日に参考人意見陳述及び、参考人に対する質疑（約１時間30分）、４月19日に法案に対する質疑（約３時間）が行われ、同日、法律案及び附帯決議の採決が行われ、全会一致で可決された。４月21日、衆議院本会議に上程され採決の運びとなり、賛成多数で可決された。

参議院においては、５月10日、参議院消費者問題に関する特別委員会に付託され、５月11日、若宮健嗣内閣府特命担当大臣による趣旨説明が行わ

れた。その後、5月13日に法案に対する質疑（約3時間）、5月18日に参考人意見陳述及び、参考人に対する質疑（約1時間30分）、5月20日に法案に対する質疑（約3時間）が行われ、同日、法律案及び附帯決議の採決が行われ、全会一致で可決された。5月25日、参議院本会議に上程され採決の運びとなり、賛成多数で可決された（公布日は令和4年6月1日。法律番号は第59号）。

6 附帯決議

衆議院消費者問題に関する特別委員会　消費者契約法及び消費者の財産的被害の集団的な回復のための民事の裁判手続の特例に関する法律の一部を改正する法律案に対する附帯決議（令和4年4月19日）

政府は、本法の施行に当たり、次の事項について適切な措置を講ずべきである。

一　法改正後直ちに、諸外国における法整備の動向を踏まえ、消費者契約法が消費者契約全般に適用される包括的な民事ルールであることの意義や同法の消費者法令における役割を多角的な見地から整理し直した上で、判断力の低下等の個々の消費者の多様な事情に応じて消費者契約の申込み又はその承諾の意思表示を取り消すことができる制度の創設、損害賠償請求の導入、契約締結時以外への適用場面の拡大等既存の枠組みに捉われない抜本的かつ網羅的なルール設定の在り方について検討を開始すること。

二　一の検討の際には、超高齢社会が進展し高齢者の消費者保護の重要性が高まっていることや、成年年齢の引下げ後における若年者の消費者被害の状況等を踏まえ、悪質商法による被害を実効的に予防・救済するとの観点を十分に踏まえること。

三　一の検討の際には、「平均的な損害」の額に係る立証責任の転換を含め、消費者契約に関する検討会の報告書において将来の検討課題とされた事項等について引き続き検討すること。

四　消費者契約法第4条第3項第3号については、同項第1号及び第2号

786　第3編　資料編　第7章　消費者契約法の改正（令和4年通常国会）

の従前の解釈を狭めるものではないことを周知すること。また、同項第
４号に関し、内閣府令で相談を行う方法を定めるに当たっては、特定の
相談方法が除外されることがないように網羅的に規定すること。

五　消費者契約法第９条第２項の算定根拠の概要の説明については、請求
されている損害賠償又は違約金が平均的な損害の額を超えているか否か
について消費者が理解し得るような説明を事業者がすべきことを周知す
ること。

六　消費者契約法第12条の３から第12条の５までに関し、内閣府令で要請
の方法を定めるに当たっては、適格消費者団体が過度の負担を負うこと
がないようにすること。

七　集団的消費者被害回復制度における共通義務確認訴訟の対象範囲の拡
大及び和解の柔軟化並びに簡易確定手続の対象消費者への通知方法の見
直し等について、十分な周知を行うとともに、政省令等を検討するに当
たっては、改正の趣旨を踏まえたものとすること。

八　差止請求制度及び集団的消費者被害回復制度が実効的な制度として機
能するよう、新たに創設される消費者団体訴訟等支援法人に対し、充実
した業務を実施するための支援を行うとともに、適格消費者団体及び特
定適格消費者団体に対する支援の充実及びPIO-NETに係る情報の開示
の範囲の更なる拡大の検討を行うこと。

九　裁判手続のIT化及びオンラインでの紛争解決（ODR）推進の議論を踏
まえて、簡易確定手続における特定適格消費者団体と対象消費者の間の
手続のIT化に当たって、必要な支援について、検討を行い、必要な措置
を講ずること。

十　消費者裁判手続特例法等に関する検討会の報告書において、提言がな
されたが改正事項とはならなかった「公告に要する費用の一定額を事業
者が負担すること」、同報告書で将来的な検討課題とされた「特定適格消
費者団体が事業者以外の第三者から対象消費者に関する情報を取得する
こと」及び「財産に関する情報を含む事業者の情報の開示手続を新設し、
同手続を含む事業者の情報について行政機関や事業者以外の第三者から
取得すること」について、改正法の運用を踏まえ必要な検討を行うこと。

十一　より効率的に集団的な被害回復を図る制度として、オプトアウト方

式等の事業者に不当な収益を残さないための有効な手段の導入につい
て、改正法の運用を踏まえ必要な検討を行うこと。

十二　悪質商法による被害に遭った消費者の被害回復には、集団的消費者
被害回復制度のみでは不十分であることから、特定適格消費者団体又は
行政庁による破産申立て及び行政庁が加害者の財産を保全し違法収益を
はく奪する制度などを含め、改正法の運用を踏まえ必要な検討を行うこ
と。

十三　具体的な消費者団体訴訟事案に関し、適格消費者団体等の活動状況
や消費者団体訴訟の訴訟結果を一覧できる仕組みの構築等を通じて、消
費者が安心して案件を確認し、訴訟に参加できる環境を整備すること。

十四　全国どこに住んでいても質の高い消費者行政サービスを受けること
ができる地域体制を整備することが重要であり、そのためには全国各地
の消費生活センター及び消費生活相談員の活動支援に努めることが不可
欠であることから、その実現に向けて地方公共団体に対する更なる支援
に努めること。その他、地方消費者行政の体制の充実・強化のため、恒
久的な財政支援策を検討するとともに、既存の財政支援の維持・拡充、
消費者行政担当者及び消費生活相談員に対する研修の充実、消費生活相
談員の処遇改善等による人材の確保、若年者が利用しやすくなるよう
SNSを活用した消費生活相談窓口の充実に向けた支援措置、地方公共団
体の執行体制強化につながる支援措置、消費者安全確保地域協議会の設
置の促進等の適切な施策を実施すること。

　　参議院消費者問題に関する特別委員会　消費者契約法及び消費者の財
産的被害の集団的な回復のための民事の裁判手続の特例に関する法律の
一部を改正する法律案に対する附帯決議（令和４年５月20日）

　　政府は、本法の施行に当たり、次の諸点について適切な措置を講ずる
べきである。

一　法改正後直ちに、諸外国における法整備の動向を踏まえ、消費者契約
法が消費者契約全般に適用される包括的な民事ルールであることの意義

788 第3編 資料編 第7章 消費者契約法の改正（令和4年通常国会）

や同法の消費者法令における役割を多角的な見地から整理し直した上で、判断力の低下等の個々の消費者の多様な事情に応じて消費者契約の申込み又はその承諾の意思表示を取り消すことができる制度の創設、損害賠償請求の導入、契約締結時以外への適用場面の拡大等既存の枠組みに捉われない抜本的かつ網羅的なルール設定の在り方について検討を開始し、必要な措置を講ずること。

二　一の検討の際には、超高齢社会が進展し高齢者の消費者保護の重要性が高まっていることや、成年年齢の引下げ後における若年者の消費者被害の状況等を踏まえ、悪質商法による被害を実効的に予防・救済するとの観点を十分に踏まえること。

三　一の検討の際には、消費者が合理的な判断をすることができない事情を不当に利用して、事業者が消費者を勧誘し契約を締結させた場合における消費者の取消権（いわゆるつけ込み型不当勧誘取消権）の創設について検討するとともに、「平均的な損害」の額に係る立証責任の転換を含め、消費者契約に関する検討会の報告書において将来の検討課題とされた事項等について引き続き検討すること。

四　消費者契約法第4条第3項第3号については、同項第1号及び第2号の従前の解釈を狭めるものではないことを周知すること。また、同項第4号に関し、内閣府令で相談を行う方法を定めるに当たっては、特定の相談方法が除外されることがないように網羅的に規定すること。

五　消費者契約法第9条第2項の算定根拠の概要の説明については、請求されている損害賠償又は違約金が平均的な損害の額を超えているか否かについて消費者が理解し得るような説明を事業者がすべきことを周知すること。

六　消費者契約法第12条の3から第12条の5までに関し、内閣府令で要請の方法を定めるに当たっては、適格消費者団体が過度の負担を負うことがないようにすること。

七　集団的消費者被害回復制度における共通義務確認訴訟の対象範囲の拡大及び和解の柔軟化並びに簡易確定手続の対象消費者への通知方法の見直し等について、十分な周知を行うとともに、政省令等を検討するに当たっては、改正の趣旨を踏まえたものとすること。

八　差止請求制度及び集団的消費者被害回復制度が実効的な制度として機能するよう、新たに創設される消費者団体訴訟等支援法人に対し、充実した業務を実施するための支援を行うとともに、適格消費者団体及び特定適格消費者団体に対する財政面を含めた支援の充実及びPIO-NETに係る情報の開示の範囲の更なる拡大の検討を行うこと。

九　裁判手続のIT化及びオンラインでの紛争解決（ODR）推進の議論を踏まえて、簡易確定手続における特定適格消費者団体と対象消費者の間の手続のIT化に当たって、必要な支援について、検討を行い、必要な措置を講ずること。

十　消費者裁判手続特例法等に関する検討会の報告書において、提言がなされたが改正事項とはならなかった「公告に要する費用の一定額を事業者が負担すること」、同報告書で将来的な検討課題とされた「特定適格消費者団体が事業者以外の第三者から対象消費者に関する情報を取得すること」及び「財産に関する情報を含む事業者の情報の開示手続を新設し、同手続を含む事業者の情報について行政機関や事業者以外の第三者から取得すること」について、改正法の運用を踏まえ必要な検討を行うこと。

十一　より効率的に集団的な被害回復を図る制度として、オプトアウト方式等の事業者に不当な収益を残さないための有効な手段の導入について、改正法の運用を踏まえ必要な検討を行うこと。

十二　悪質商法による被害に遭った消費者の被害回復には、集団的消費者被害回復制度のみでは不十分であることから、特定適格消費者団体又は行政庁による破産申立て及び行政庁が加害者の財産を保全し違法収益をはく奪する制度などを含め、改正法の運用を踏まえ必要な検討を行うこと。

十三　具体的な消費者団体訴訟事案に関し、適格消費者団体等の活動状況や消費者団体訴訟の訴訟結果を一覧できる仕組みの構築等を通じて、消費者が安心して案件を確認し、訴訟に参加できる環境を整備すること。

十四　全国どこに住んでいても質の高い消費者行政サービスを受けることができる地域体制を整備することが重要であり、そのためには全国各地の消費生活センター及び消費生活相談員の活動支援に努めることが不可欠であることから、その実現に向けて地方公共団体に対する更なる支援

に努めること。その他、地方消費者行政の体制の充実・強化のため、恒久的な財政支援策を検討するとともに、既存の財政支援の維持・拡充、消費者行政担当者及び消費生活相談員に対する研修の充実、消費生活相談員の処遇改善等による人材の確保、若年者が利用しやすくなるようSNSを活用した消費生活相談窓口の充実に向けた支援措置、地方公共団体の執行体制強化につながる支援措置、消費者安全確保地域協議会の設置の促進等の適切な施策を実施すること。

右決議する。

7　審議会等報告書

「消費者契約法改正に向けた専門技術的側面の研究会」報告書概要（令和元年9月）

「消費者契約法改正に向けた専門技術的側面の研究会」報告書概要

研究会の開催及び審議経過

・専門技術的側面の研究会の開催（平成31年2月）
・関係団体等に対するヒアリングを実施し、①～③の論点について審議
・計9回の審議を経た後、報告書を取りまとめ（令和元年9月）

H30改正時【衆・参消費者特委 附帯決議等】

早急に必要な措置を講ずべきとされた事項
① いわゆる「つけ込み型」勧誘
② 「平均的な損害の額」の立証負担の軽減
③ 契約条項の事前開示及び情報提供の考慮要素

・社会経済情勢の変化への対応
・法制的・技術的な観点からの検討の必要
・行動経済学等の視点

早急に必要な措置を講ずべきとされた事項の想定事例等

事項① いわゆる「つけ込み型」勧誘
○消費者の合理的判断ができない事情を不当に利用して動機が発生。
→例えば、高齢の消費者であって認知能力が低下している場合等が想定される。

<事例1>
消費者の返済を遅滞し経済的に切迫していた認知前の高齢者が、その状況を知る事業者に、所有する不動産を廉価で買い取られた事例

<事例2>
末期がん患者に対し、医療を受けるまでに治療を否定したので「今日で今日まで15時まで」と施術を急がせたために、気が動転して80万円の施術を受けつけた事例

事項② 事業者のキャンセル料条項
キャンセル料の定め
平均的な損害の額

○事業者の解約料条項のうち「平均的な損害の額（を超える部分は無効（法第9条第1号）
○不当に高額な解約料を設定するようなケースも依然として存在
○「平均的な損害の額」のその立証責任は消費者にあるものでその立証は困難

事項③
(1)改正民法の定型約款の規定
○定型約款を契約の内容とする旨の表示があれば個別の条項について合意とみなす（定型約款表示義務なし）
→消費者が契約条項を事前に認識できるようにする環境を整備

(2)消費者への情報提供
○高齢者・若年者等様々な消費者のトラブル
○個々の消費者の事情に応じた情報提供の必要

委員一覧（◎＝座長 ○＝座長代理 以下五十音順、敬称略）

◎ 山本 和彦　一橋大学大学院法学研究科教授
○ 沖野 眞已　東京大学大学院法学政治学研究科教授
　 垣内 秀介　東京大学大学院法学政治学研究科教授
　 黒沼 悦郎　早稲田大学法学学術院教授
　 角田 美穂子　一橋大学大学院法学研究科教授
　 髙橋 美加　立教大学法学部教授
　 西内 康人　京都大学大学院法学研究科准教授
　 丸山 絵美子　慶應義塾大学法学部教授
　 室岡 健志　大阪大学大学院国際公共政策研究科准教授
　 山下 純司　学習院大学法学部教授

※オブザーバーとして、法務省、国民生活センター、最高裁判所が参加

各論点の検討

次のような方向性が示されたと考えられ、関係者の意見を聞きながら引き続き検討を進める

1. いわゆる「つけ込み型」勧誘

検討の背景

- H30改正では、不安をあおる告知等の「つけ込み型」勧誘の規定を創設
- 合理的な判断ができない事情は様々であり（高齢者、若者等）被害が多様化
- 人間の合理性には限界があるという行動経済学の視点等

【考え方Ⅰ】消費者の判断力に着目した規定

○ 判断力を著しく低下させた消費者が、その生活に著しい支障を生じさせる契約を締結した場合に、消費者に取消権を付与することを原則としつつ、親族等の適当な第三者が、契約の締結に同席するなどの一定の関与をした場合には、これを考慮して取消しの可否が定まるような規定

【考え方Ⅱ】「幻惑」という心理状態に着目した規定

○「浅慮」：検討時間を不当に制限し、当該時間内に契約を締結しなければ利益を得ることができない旨を告げる行為
○「幻惑」：消費者の期待等をあおり、当該契約を締結すれば願望が実現する旨を告げたり断定する行為に係る規定

【考え方Ⅲ】困惑類型（第4条第3項）の包括的規定

○ 第1号から第8号まで類型化が図られたことを踏まえて、包括的・汎用性のある規定
○ 各種事法における消費者保護規定等を参酌するような規定を検討しつつ本法の逐条解説等によって、対象範囲を明示する。

2. 「平均的な損害の額」の立証負担の軽減

- 年間3万件の解約料トラブル
- 「平均的な損害の額」の立証責任は消費者
- 事業者の内部情報（計算資料、帳簿等）の立証困難
- 適格消費者団体（文書提出命令等）の限界

【考え方Ⅰ】推定規定

○ 同種事業者の損害額で当該者の「平均的な損害の額」を法律上推定する規定

【考え方Ⅱ】資料提出を促す規定

○ 事業者に「平均的な損害の額」の算定根拠の任意の説明を求める規定（積極否認の特則）
○ 訴訟において、事業者に資料提出の義務を課す規定（文書提出命令の特則）。相手方当事者には秘密保持義務を課す。 ※実体法上の資料請求権を付与する規定。

【その他】自主ルール策定の促進

○ 透明性、合理性のある事業者団体に、実体法上の資料請求権を付与する規定

3. 契約条項の事前開示

- 定期購入トラブル（不意打ち条項）の増加
- 改正民法の定型約款の規定で事前開示義務なし

【考え方Ⅰ】努力義務規定

○ 開示請求権に関する情報提供の努力義務規定
○ 定型約款を容易に確認できる状態に置く努力義務規定

4. 消費者に対する情報提供

- 年齢、財産の状況、生活の状況を考慮事項とすべきという附帯決議（H30改正時）
- 事業者による情報提供の不足と限定合理性

【考え方Ⅰ】現行法上の努力義務規定に、考慮要素を追加

○ いずれの要素についても、「つけ込み型」不当勧誘取消権の議論を踏まえ、検討が必要。

【考え方Ⅱ】解約料等に係る情報提供の努力義務規定

○ 適切な時期に適切な方法で解約料等に関する事項の情報提供に置く努力義務規定

793

消費者契約に関する検討会報告書（令和3年9月）

報告書の取りまとめに当たって

　消費者契約法（平成12年法律第61号。以下「法」という。）は、消費者契約全般に適用される包括的な民事実体法であり、その規律は、社会経済情勢の変化等に適切に対応し得るものであることが求められる。

　そのため、法は、平成28年と平成30年に改正が重ねられてきたところであるが、昨今、超高齢社会が益々進展しており、高齢社会対策大綱や認知症施策推進大綱など政府が推進すべき基本的な施策が定められている。また、情報通信技術の進展により普及しつつあったオンライン取引が、コロナ禍による新たな日常と相まって急激に拡大している。このように、消費者や消費者契約を取り巻く環境が急激に変化しており、環境の変化に対応した法の規律の在り方を、改めて考える必要がある。

　それに当たっては、消費者の脆弱性には消費者の属性に基づく恒常的・類型的な脆弱性と、消費者であれば属性を問わず誰もが陥り得る一時的な脆弱性とがあること、消費者の有する合理性には限界があること（限定合理性）、消費者の思考に関する二重過程理論（消費者の思考は、直感的で便宜的な思考と論理的な思考があるとする理論）、さらにはデジタル化や複雑化する消費者取引に対する消費者のリテラシーの限界等を踏まえつつ、消費者が事業者との健全な取引を通じて安心して安全に生活していくためのセーフティネットを整備するという視点が欠かせない。

　また、平成30年改正の前提となった消費者委員会の答申（平成29年8月）に付言された喫緊の課題[1]や、平成30年改正に際しての衆議院・参議院の消費者問題に関する特別委員会における附帯決議で更なる改正を視野に入れた検討が求められていることに応えられるものでもあることも必要である。

　消費者契約に関する検討会（以下「本検討会」という。）は、これらの必要性に応えるため、平成31年2月から令和元年9月にかけて開催された消費者契約法改正に向けた専門技術的側面の研究会の成果を踏まえつつ、消費者が安全・安心に契約を締結できる社会環境を確保すること、また、正常な取引が阻害されないようにすることが、消費者・事業者の双方にとって

重要な利益であるという共通認識の下で、消費者の代表者、事業者の代表者、民事実体法の研究者だけではなく、民事手続法、行動経済学、心理学、情報通信技術などの研究者が集い、令和元年12月の第1回から今日まで合計23回にわたって議論を重ねた。本報告書は、その成果を取りまとめたものである。

　本報告書において示した事項については、これまでの法の考え方を更に拡充・発展させるものも含まれる。そのため、その実現に向けては、法制面その他の困難も予想されるが、消費者庁には、本検討会の精力的な議論をしっかりと受け止め、その成果の可及的な実現に向けて、早急に、法制的な検討に着手することを期待する。その際には、当然ながら、本報告書及び本検討会において指摘された懸念や留意点を示す意見にも十分に配慮する必要があり、また、各論点ごとに議論の熟度に差があることや、解釈がまちまちにならないよう規定の明確性にも留意する必要がある。

　これにより、社会経済情勢の変化等に対応した消費者契約に関する新しい規律が実現することを切に希望する。

第1　消費者の取消権について

1．検討の経緯

　法は、消費者と事業者との間には情報の質及び量並びに交渉力の格差があることに鑑み、消費者の利益の擁護を図るため、事業者の一定の行為により消費者が誤認し又は困惑した場合等における消費者の取消権を

---

1)　喫緊の課題として、以下の3つを早急に検討すべきとされた。
「1　消費者契約における約款等の契約条件の事前開示につき、事業者が、合理的な方法で、消費者が契約締結前に、契約条項（新民法第548条の2以下の『定型約款』を含む。）をあらかじめ認識できるよう努めるべきこと。
2　合理的な判断をすることができない事情を利用して契約を締結させるいわゆる『つけ込み型』勧誘の類型につき、特に、高齢者・若年成人・障害者等の知識・経験・判断力の不足を不当に利用し過大な不利益をもたらす契約の勧誘が行われた場合における消費者の取消権。
3　消費者に対する配慮に努める事業者の義務につき、考慮すべき要因となる個別の消費者の事情として、『当該消費者契約の目的となるものについての知識及び経験』のほか、『当該消費者の年齢』等が含まれること。」

定めている（法第１条参照）。

　平成28年及び平成30年の法改正では、取消しの範囲を広げる改正が行われた。もっとも、超高齢社会がますます進展し、高齢者である消費者の保護がより重要な課題となっている。一方で、若年者である消費者が巻き込まれる消費者被害も多様化している。成年年齢引下げが間近に迫る中で、若年成人の消費者被害の予防や救済が喫緊の課題となっている。これらの高齢者や若年者の消費者被害は消費者の属性に基づいて恒常的・類型的に存在する脆弱性に起因するものであるが、誰もが陥り得る一時的な脆弱性に起因する消費者被害もあり、消費者契約をめぐる社会経済情勢は日々変化している。

　平成30年の法改正等に際しては、消費者が合理的な判断をすることができない事情を不当に利用して、事業者が消費者を勧誘し契約を締結させた場合における取消権の創設について検討を行い必要な措置を講ずることとされた。これはすなわち、消費者の脆弱性に起因して不当な契約にさらされた消費者が契約から解放される手段として、効果的でかつ様々な消費者の脆弱性に対応できるような取消権について、検討を行い必要な措置を講ずることが政府に求められたものであり[2]、対応が必要である。

2. 困惑類型の脱法防止規定

(1) 問題の所在

　法第４条第３項は、事業者の一定の行為により消費者が困惑し、契約を締結した場合における取消権を定めている（困惑類型）。事業者の行為として、立法時に不退去（第１号）と退去妨害（第２号）の２つが規定されたところ、平成30年改正により６つの行為が追加され計８つとなった。この改正により救済できる消費者被害が広がった一方で、困惑類型について課題も残されていると考えられる。

　すなわち、法第４条第３項各号は、事業者の行為態様を個別具体的かつ詳細に定めており、文言の拡張解釈等の柔軟な解釈により救済を図ることにも限界がある。その結果、実質的には法第４条第３項各号と同程度の不当性を有する消費者を困惑させる行為であっても形式的には各号

796　　第3編　資料編　第7章　消費者契約法の改正（令和4年通常国会）

の要件に該当しないため、消費者は契約を取り消すことができないという事態が生じている。

　なお、法第4条第3項各号は行為が8つ列挙されている状態であり、各行為の基礎にどのような考え方があるのか、行為を列挙する順番にはどのような意味があるのかが必ずしも明らかではなく、全体として分かりにくい規律となっている。この点にも留意した上で、脱法的な行為への対応を行う必要がある。

(2)　考えられる対応

　法第4条第3項各号のうち、不退去（第1号）、退去妨害（第2号）、契約前の義務実施（第7号）及び契約前活動の損失補償請求（第8号）は、契約の内容や目的が合理的であるか否かを問わず、本当は契約を締結したくないと考えている一般的・平均的な消費者であっても、結局、契約を締結してしまう程度に消費者に心理的な負担をかける行為であり、この点に不当性の実質的な根拠があると考えられる。しかし、これらの規定に列挙された行為に形式的に該当しないものであっても、これらの不

---

2)　衆議院消費者問題に関する特別委員会における消費者契約法の一部を改正する法律案に対する附帯決議（平成30年5月23日。以下「衆議院附帯決議」という。）第3号（「消費者が合理的な判断をすることができない事情を不当に利用して、事業者が消費者を勧誘し契約を締結させた場合における取消権の創設について、要件の明確化等の課題を踏まえつつ検討を行い、本法成立後二年以内に必要な措置を講ずること。」）、参議院消費者問題に関する特別委員会における消費者契約法の一部を改正する法律案に対する附帯決議（平成30年6月6日。以下「参議院附帯決議」という。）第4号（「高齢者、若年成人、障害者等の知識・経験・判断力の不足など消費者が合理的な判断をすることができない事情を不当に利用して、事業者が消費者を勧誘し契約を締結させた場合における消費者の取消権（いわゆるつけ込み型不当勧誘取消権）の創設について、消費者委員会の答申書において喫緊の課題として付言されていたことを踏まえて早急に検討を行い、本法成立後二年以内に必要な措置を講ずること。」）及び参議院法務委員会における民法の一部を改正する法律案に対する附帯決議（平成30年6月12日。以下「民法附帯決議」という。）第1号の1（「成年年齢引下げに伴う消費者被害の拡大を防止するための法整備として、早急に以下の事項につき検討を行い、本法成立後二年以内に必要な措置を講ずること。1知識・経験・判断力の不足など消費者が合理的な判断をすることができない事情を不当に利用して、事業者が消費者を勧誘し契約を締結させた場合における消費者の取消権（いわゆるつけ込み型不当勧誘取消権）を創設すること。」）。

当性の実質的な根拠に照らすと、同様に扱うことが必要と考えられる場合もある。そこで、上記4つの各号と実質的に同程度の不当性を有する行為について、脱法防止規定を設けることが考えられる。

具体的には、上記4つの各号の受皿であることを明確にすることにより、これらと同等の不当性が認められる行為を捉えることを明らかにしつつ、例えば、その場で勧誘から逃れようとする行動を消費者がとることを困難にする行為という形で類型化することで、事業者の威迫による（威力を用いた）言動や偽計を用いた言動、執拗な勧誘行為を捉えることが考えられる。その際は、対象となる行為をある程度具体化した上で、正当な理由がある場合を除くなど、評価を伴う要件も併せて設けることで、正常な事業活動については取消しの対象にならないよう調整することが可能な規定とすることが考えられる。

また、上記4つの各号のうち第7号及び第8号については、規定上第8号が第7号の受皿規定となっており、脱法防止規定を設けることが難しいのではないかという意見があったが、この点については、第8号の要件を整理し直すことによって第8号を脱法防止規定とすることも考えられる。

他方、霊感等による知見を用いた告知（第6号）は、消費者の心理状態やこれに関する事業者の認識が要件とされていない点で上記4つの各号と共通するものの、消費者が契約を締結したいと考えるよう誘導するものである点において異なるものであることから、受皿となる脱法防止規定の対象とはしないことが考えられる。

さらに、法第4条第3項各号のうち、経験の不足による不安をあおる告知（第3号）、経験の不足による好意の感情の誤信に乗じた関係の破綻の告知（第4号）及び判断力の低下による不安をあおる告知（第5号）については、消費者の属性や心理状態を要件としており、当該消費者が有している合理的判断ができない事情が判断の対象となるが、そのような事情は多様であって受皿となる脱法防止規定を設けることは困難であると考えられる。また、消費者の心理状態に関する事業者の認識が要件とされているところ、多様な消費者の心理状態の全てを事業者が認識することは難しく、また消費者がこれを主張立証することも困難であると考

えられる。

なお、脱法防止規定の法制化に当たっては、取消しの要件を明確にすることが望ましいという意見があった一方で、脱法防止のための受皿規定という性格上一定の抽象度が必要であり、過度に明確性を求めるあまり受皿としての意味が乏しくなるような規定は望ましくないという意見もあった。また、消費者の心理状態に着目した規定により救済され得る事例を見極めた上で、法第4条第3項第3号から第5号までの受け皿となる脱法防止規定も検討すべきとの意見もあった。

3．消費者の心理状態に着目した規定

(1) 問題の所在

典型的な消費者被害の一つとして、事業者が、自分にとって都合の良い、消費者にとっては不要な商品やサービスを購入させることがある。社会心理学の知見によると、この種の消費者被害において、悪質な事業者は、人の構成要素である認知（あたま）、感情（こころ）及び身体（からだ）の3要素に働きかけることで、消費者に慎重な検討（熟慮）をさせないよう仕向け、消費者を直感的で便宜的な思考（ヒューリスティックな判断）に誘導していると分析されている。このような消費者被害は社会経験が未熟な若年者に比較的多いと考えられるが、必ずしもそれに限られるわけではなく、誰もが熟慮の機会を奪われヒューリスティックな判断に導かれ得る脆弱性を有していると考えられる。

消費者をヒューリスティックな判断に誘導する勧誘手法としては、例えば、消費者の検討時間を制限して焦らせたり、広告とは異なる内容の勧誘を行って不意を突いたり、長時間の勧誘により疲弊させることなどがある。しかし、契約の性質上、検討時間が制限されるのがやむを得ない場合や、広告とは異なる商品を勧めるのが消費者のためでもある場合があり得るところであり、これらの勧誘手法それ自体は、正常な事業活動においても用いられるものであって、必ずしも不当とは言えない。しかし、悪質な事業者は、これらの手法を組み合わせたり、極端な形で用いることで濫用し、消費者をヒューリスティックな判断に誘導して契約を締結させており、この場合には消費者の意思決定を歪めたと言え、契

約の取消しに値するものと考えられる。

　法第4条は、消費者の意思決定が歪められ、意思表示に瑕疵がある場合として、事業者の一定の行為により消費者が誤認し、又は困惑した場合等における取消権を定めているが、上述の消費者をヒューリスティックな判断に誘導する消費者被害は、必ずしも誤認や困惑という心理状態で捉えることができるものではない。

(2)　考えられる対応

　事業者が、正常な商慣習に照らして不当に消費者の判断の前提となる環境に対して働きかけることにより、一般的・平均的な消費者であれば当該消費者契約を締結しないという判断をすることが妨げられることとなる状況を作出し、消費者の意思決定が歪められた場合における消費者の取消権を設けることが考えられる。

　具体的には、正常な商慣習に照らして不当に消費者の判断の前提となる環境に対して働き掛ける行為としては、例えば、消費者の検討時間を制限して焦らせたり、広告とは異なる内容の勧誘を行って不意を突いたり、長時間の勧誘により疲弊させたりする勧誘手法を組み合わせたり、そうした勧誘手法を極端な形で用いることにより、消費者が慎重に検討する機会を奪う行為を規定することが考えられる。その際、正常な商慣習については、契約の性質や類型に照らして判断されるべきと考えられる。また、消費者が慎重に検討する機会を奪う行為については、上記のような勧誘手法の組合せや過度の利用が問題であることに照らすと、事業者の行為を細分化するのではなく、組み立てられた一連の行為を総合的に捉えるべきである。また、正当な理由がある場合を除くなど、評価を伴う要件も併せて設けることで、正常な事業活動については取消しの対象にならないよう調整することが可能な規定とすることが考えられる。

　なお、正常な商慣習に照らして不当に消費者の判断の前提となる環境に対して働き掛ける行為を規律するに当たっては、類型的に不当な行為と言い得るものを踏まえつつ正当な理由がある場合を除外する等と規定すべきであって、一連の行為を総合的に捉えるというだけでは、どのような行為が取り消し得るものとなるのかが明らかでなく、通常の営業活

動への支障が大きいという意見があった。また、正当な理由がある場合ではないのに、意思表示をする期間を極めて短く限定したり広告とは異なる勧誘を行ったりした場合に限定した上で、この場合を具体化する方向で規定を設けるべきという意見もあった。また、高揚感をあおる行為が対象となることを明らかにすべきという意見があったが、この意見については、通常の営業活動が含まれる可能性があるため慎重に考える必要があるという意見や、過大な期待を抱かせる等の単なる意識の高ぶりを超えて高揚感をあおる行為が対象となることを明らかにすべきという意見もあった。さらに、消費者の心理状態に着目した規定については、議論の状況に照らして一定の方向性を示すことが難しいのではないかとの意見もあった。

4．消費者の判断力に着目した規定
(1) 問題の所在
　超高齢社会が進展する中で、認知症高齢者等の消費者被害が深刻化している。これまでも、平成28年改正により過量契約取消権（法第4条第4項）を創設し、平成30年改正により判断力の著しい低下による不安をあおるような告知を困惑類型に追加する（法第4条第3項第5号）等の対応をしてきたが、判断力の著しく低下した消費者が、自宅を売却して住むところを失うなど、自らの生活に著しい支障を及ぼすような内容の契約を締結してしまうという消費者被害が発生しているところ、上記の各規定では救済が困難である。
(2) 考えられる対応
　判断力の著しく低下した消費者[3]が、自らの生活に著しい支障を及ぼすような内容の契約を締結した場合における取消権を定めることが考えられる。
　具体的には、この規定は、契約の当事者には契約自由の原則（民法（明

3）　判断力の著しい低下について、内閣府令又は逐条解説等により基準の明確化を図ることも考えられる（例えば、改訂長谷川式簡易知能評価スケール若しくはミニメンタルステート検査（MMSE）の点数又は介護保険を利用する際の主治医意見書があることなど）。

治29年法律第89号）第521条）がある中で、当該契約が当該消費者に及ぼす影響に着目した取消権を定めるものであることから、対象となる契約は消費者保護の観点から真に必要な範囲に限定すべきである。そこで、当該消費者の生活を将来にわたり成り立たなくするような契約を対象とすることが考えられ、例えば、自宅を売却し、しかも、今後住むところがないような場合[4]や、自身の労働によって新たに収入を得ていくことが期待できない中で貯蓄や年金収入の大半を消尽してしまう場合が想定される。その際、過量契約取消権（法第4条第4項）のように契約の目的となるものの量に着目するものではなく、質に着目するものであること、当該契約によって直ちに生活が成り立たなくなる場合だけでなく、当該契約によって将来にわたる生活に著しい支障を及ぼす場合も捕捉すべきであること、代理人が本人に代わって意思表示をした場合や被保佐人が保佐人の同意を得て意思表示をした場合などは取消しの対象とならないことを明確にすべきである。

　同じ内容の契約でも、消費者によってその生活に著しい支障を及ぼすかどうかは異なる可能性があり、その契約が当該消費者の生活に著しい支障を及ぼすこととなることについての事業者の認識を要件とすることが必要である。もっとも、事業者の悪意を消費者が立証することは困難であることから、契約が当該消費者の生活に著しい支障を及ぼすことについて事業者に悪意がある場合及び悪意と同視される程度の重過失がある場合に限り取り消すことができる旨の規定とすることが考えられる[5]。

---

4)　リバースモーゲージのように自宅の処分であっても自宅に住み続けることが前提となっている場合や、住み替え準備のための自宅処分などは、当該消費者の生活を将来にわたり成り立たなくするような契約ではないことから、対象として想定されていない。

5)　例えば、自宅を売却し、しかも、今後住むところがないような場合には、契約が当該消費者の生活に著しい支障を及ぼすものであるといえるが、当該消費者や同席した近親者等が、事業者に対し、今後の住むところは確保されている旨の説明をしていたときは、通常、契約が当該消費者の生活に著しい支障を及ぼすことについて事業者に悪意がある場合又は悪意と同視される程度の重過失がある場合には該当しないものと考えられる。

また、消費者の判断力に関する事業者の認識については、判断力が著しく低下している消費者について特に自己の生活に著しい支障を及ぼす契約に限って取消権を認めるという趣旨や、判断力に関する認識を要件とすると本規定案による救済の範囲が大幅に縮減されると考えられること、民法上、意思能力を有しなかったときは、意思無能力についての相手方の認識の有無に関係なく契約が無効となること（民法第3条の2）に照らし、消費者保護の観点から、要件としないことが考えられる。

法制化に当たっては、判断力の著しい低下が消費者の脆弱性のうち恒常的・類型的な脆弱性の典型的場面であり、超高齢社会の進展を踏まえた対応が法において求められることを踏まえつつ、他方で、事業者・消費者の双方に生じる負担の兼ね合いにも配慮が必要である。すなわち、生活に著しい支障を及ぼすことを典型的場面に限定すること等により、事業者の予見可能性を確保し、消費者が必要な契約ができなくなることがないように配慮することが必要である。

なお、消費者の判断力に関する事業者の認識については、悪意又は善意であっても過失がある場合に限り取り消すことができる旨の規定とすべきであるという意見があった。これによると、悪意又は過失について消費者が立証責任を負うことになるが、仮にこの考え方によるとしても、事業者が立証責任を負うべきであるという意見もあった。事業者が消費者の判断力を確認しようとしたにもかかわらず消費者がこれに応じなかった場合には取り消すことができないようにすべきとの意見もあった。また、対象となる契約については、当該契約内容それ自体において合理性を欠く場合に限定すべきであるという意見や、生活に著しい支障を及ぼす契約のみならず、対価的に不均衡な契約や、当該消費者の契約目的と合致しないような内容の契約も対象とすべきであるという意見もあった。また、契約が当該消費者の生活に著しい支障を及ぼすことについての事業者の認識（主観要件）については、悪意又は重過失を要件とすると訴訟や消費生活相談における被害救済が困難になるとして、悪意又は過失を要件とすべきであるという意見もあった。さらに、民法上の保佐制度に倣ったものとし、例えば、判断力の著しく低下した消費者が民法第13条第1項第3号に定める行為（不動産その他重要な財産に関する権

利の得喪を目的とする行為をすること）を目的とする契約を締結したとき
は、これを取り消すことができること、ただし、配偶者又は民法第877条
第1項に定める範囲の者（直系血族及び兄弟姉妹）のうち一人の同意を得
たときについてはこの限りではないものとすることを検討すべきという
意見もあった。さらに、消費者の判断力に着目した規定については、議
論の状況に照らして一定の方向性を示すことが難しいのではないかとの
意見もあった。

5．過量契約取消権における「同種」の解釈

(1) 問題の所在

　過量契約取消権（法第4条第4項）における「同種」の解釈について、
①「同種」であるか別の種類であるかは、事業者の設定した区分による
のではなく、過量性の判断対象となる分量等に合算されるべきかどうか
という観点から判断され、②具体的には、その目的となるものの種類、
性質、用途等に照らして、別の種類のものとして並行して給付を受ける
ことが通常行われているかどうかによって判断されるものとされてい
る。

　しかしながら、例えば、ネックレスとブレスレットは、いずれも身を
飾るための装身具であり、通常は「同種」であると判断されるものと考
えられるが、②の基準を形式的に適用すると「同種」とは言い難いと解
する余地もあり、具体的な場面における適切な運用に支障が生じ得るの
ではないかという懸念がある。

(2) 考えられる対応

　「同種」の範囲は、過度に細分化して解すべきではなく、過量性の判断
対象となる分量等に合算されるべきかどうかという観点から、別の種類
のものとして並行して給付を受けることが通常行われているかどうかの
みならず、当該消費者が置かれた状況に照らして合理的に考えたときに
別の種類のものと見ることが適当かどうかについても、社会通念に照ら
して判断すべきである旨を逐条解説等によって明らかにすることが考え
られる。

804　第3編　資料編　第7章　消費者契約法の改正（令和4年通常国会）

第2　「平均的な損害」について

1．検討の経緯

　法第9条第1号は、契約の解除に伴う損害賠償又は違約金を定める条項（以下「違約金条項」という。）であって、当該条項において設定された解除の事由、時期等の区分に応じ、当該消費者契約と同種の契約の解除に伴い当該事業者に生ずべき「平均的な損害」の額を超える部分を無効とすることを定めている。これは、消費者契約の解除に伴い、事業者に損害が生じても事業者には多数の事案について実際に生じる損害の平均的な額の賠償を当該消費者から受ければ足り、それ以上の賠償の請求を認める必要はないためである。

　しかし、違約金条項に関する消費生活相談件数は依然として多く[6]、適格消費者団体による差止請求訴訟も一定程度存在するが[7]、「平均的な損害」の額については、その事業者に固有の事情であり、主張立証のために必要な情報は主として事業者が保有しており、裁判や消費生活相談において、消費者による「平均的な損害」の額の主張立証が困難となっている。また、そもそも「平均的な損害」が不明確であり、消費者及び事業者の間で共通認識ができていないためにトラブルが多発していることが考えられるため、「平均的な損害」の意義等についても検討を加える必要がある。

　平成30年の法改正時においても、消費者の「平均的な損害」に関する立証責任の負担軽減に向けた検討を行い必要な措置を講ずることが政府に求められており[8]、対応が必要である。

---

6)　解約料をめぐる消費生活相談の件数は、平成29年度から平成31年度までの各年度において、それぞれ33,054件、32,173件、36,152件という水準で推移している（独立行政法人国民生活センター「消費者契約法に関連する消費生活相談の概要と主な裁判例等」令和2年12月10日http://www.kokusen.go.jp/pdf/n-20201210_1.pdf(参照2021-09-10)）。

7)　法第23条第4項第1号に基づき消費者庁に報告されている差止請求訴訟の総数及びそのうち法第9条第1号に関する訴訟件数は、平成29年度から平成31年度までの各年度において、それぞれ7件中1件、10件中3件、4件中2件という水準で推移している。

2．「平均的な損害」の考慮要素の列挙

(1)　問題の所在

　法第9条第1号は、「平均的な損害」としか規定しておらず、違約金条項を定めるに当たって、具体的にどのような要素を考慮すべきかについては定めていない。そのため、消費者は「平均的な損害」について、具体的にどのような事項を主張立証しなければならないのかが分からず、また、どのような要素を考慮して事業者が違約金条項を定めるべきかを判断することが困難になっていると思われる。

(2)　考えられる対応

　「平均的な損害」を算定する際の主要な考慮要素として、当該消費者契約における商品、権利、役務等の対価、解除の時期[9]、当該消費者契約の性質、当該消費者契約の代替可能性、費用の回復可能性などを列挙することにより「平均的な損害」の明確化を図ることが考えられる。これにより、消費者が具体的に主張立証すべき対象が明確化されるとともに、事業者が違約金条項を定める際の参考となるため、事業者にとっても有益と考えられる。その際、「平均的な損害」の考慮要素については、法第

---

8)　衆議院附帯決議第2号（「法第九条第一号における『当該事業者に生ずべき平均的な損害の額』の立証に必要な資料は主として事業者が保有しており、消費者にとって当該損害額の立証が困難となっている場合が多いと考えられることから、損害賠償額の予定又は違約金を定める条項の運用実態について把握を進めた上で、『平均的な損害の額』の意義、『解除に伴う』などの本号の他の要件についても必要に応じて検討を加えた上で、当該損害額を法律上推定する規定の創設等の立証責任の負担軽減に向け早急に検討を行い、本法成立後二年以内に必要な措置を講ずること。」）、参議院附帯決議第3号（「法第九条第一号における『当該事業者に生ずべき平均的な損害の額』の立証に必要な資料は主として事業者が保有しており、消費者にとって当該損害額の立証が困難となっている場合が多いと考えられることから、『平均的な損害の額』の意義、『解除に伴う』などの本号の他の要件についても必要に応じて検討を加えつつ、当該損害額を法律上推定する規定の創設など消費者の立証責任の負担軽減に向け早急に検討を行い、本法成立後二年以内に必要な措置を講ずること。」）。

9)　法第9条第1号においては、既に「解除の…時期」が列挙されているが、これは違約金条項において設定された区分の例示であって、「平均的な損害」の考慮要素としての例示ではない。

806　第3編　資料編　第7章　消費者契約法の改正（令和4年通常国会）

9条第1号に網羅的かつ一律に定めることが困難な部分もあり、また事業者による新しい商品・サービスの開発等のイノベーションを阻害しないよう、あくまで例示列挙であることを明確にすべきと考えられる。

3．解約時の説明に関する努力義務の導入

(1)　問題の所在

　違約金条項については、消費者が、違約金が発生することが契約条項に明記されていたとしてもその金額が解除に際して不当に高額なのではないかと思ってしまうこと、すなわち、違約金額が妥当なものであることについて事業者から十分な説明がないため、消費者が納得できず紛争に発展しているという側面があると考えられる。

(2)　考えられる対応

　事業者に違約金条項について不当でないことを説明する努力義務を課すことが考えられる。

　まず、説明の時期については、①違約金条項がトラブルとなりやすいのは、実際に事業者が消費者に対して違約金を請求する場面等であること、②消費者が違約金について事業者に対して説明を求めていない場合にまで事業者に義務を課す必要はないことから、事業者が消費者に対して違約金条項に基づいて違約金を請求する場合等において、当該消費者から説明を求められた場合に限定することが考えられる。

　次に、説明の内容については、どのような考慮要素及び算定基準に従って「平均的な損害」を算定し、違約金が当該「平均的な損害」の額を下回っていると考えたのかについて、その概要を説明することが考えられる。その際、具体的な金額などは営業秘密に該当する可能性がある上、消費者も具体的な金額についてまで説明を求めていないと思われるため、例えば、算定基準として逸失利益が平均的損害に含まれると考えたかどうかを説明することが想定され、逸失利益が具体的に何円であると算出したのかまで説明する必要はないと考えられる。また、契約対象となる商品等の原価として材料費や人件費を積み上げて解約金を定めたのであって（原価以外に再販売できないことによる損失も生じていることから）「平均的な損害」を下回ることは明らかである等との説明も考えられる

ところであり、この場合においても具体的に原価やその内訳が何円であるかまで説明する必要はないと考えられる。もっとも、消費者が「平均的な損害」の額との関係で違約金がどのように定められているのかではなく、違約金の合理的根拠そのものの説明を求める場合にあっては、事業者においても、違約金を定めるに当たって考慮した要素や算定の基準の概要、違約金の考え方等をもって、違約金の合理性を説明することが考えられる。この点、6．で後述するとおり「平均的な損害」を基準とすること自体について揺らぎが生じていることに照らしても、「平均的な損害」のみに依拠しない努力義務の規定とすることが考えられる。

最後に、この義務の効果については、①どのような場合に義務に違反したこととなるのか基準を明確に示すことが困難であること、②「平均的な損害」の額については、事業者の業態、ビジネスモデルにより多種多様な要素、考え方等が存在するため、説明内容や説明方法について事業者の創意工夫に委ねる必要性が高く事業者が説明すべき範囲等について明確に定めることも難しいことから、説明に努める義務（努力義務）にとどめるべきと考えられる。

また、努力義務への取り組み方としては、個々の消費者に説明する方法のほか、ホームページ等で説明する等様々な方法があり得ることについて逐条解説等で示していくことが望ましいと考えられる。

なお、取消権の発生等の法的効果を定める必要まではないが、努力義務ではなく法的義務であることを明らかにすべきとの意見もあった。

4．違約金条項についての在り方に関する検討
(1)　問題の所在
「平均的な損害」の考え方については、事業者の商品・サービスのほか、業態やビジネスモデルに応じて多種多様なものが存在し、法第9条第1号に例示列挙した考慮要素以外の考慮要素が重要な役割を果たす場面や、例示列挙された考慮要素が妥当しない場面も存在すると考えられる。トラブルが多い分野を中心に、「平均的な損害」の考慮要素や算定基準を踏まえつつ、相当な違約金についての考え方が整理されることで、トラブルの低減を図ることが有益である。

808 第3編 資料編 第7章 消費者契約法の改正〔令和4年通常国会〕

(2) 考えられる対応

「平均的な損害」の考え方について、違約金条項に関する消費生活相談事例や差止請求訴訟の実例も参考にし、関係する事業者、業界団体や適格消費者団体等の意見も踏まえつつ、法学、経済学等の観点から違約金条項の在り方に関する検討を行い、逐条解説等により随時示していくことが考えられる。

なお、違約金条項について一定の考え方を示すことにより、事業者による新たな商品・サービスの開発等のイノベーションを阻害しないように留意する必要があるとの意見もあった。

5. 立証責任の負担を軽減する特則の導入

(1) 問題の所在

「平均的な損害」の額は、その事業者に固有の事情であり、その主張立証に必要な情報は事業者に偏在している事例が多いため、消費者や適格消費者団体が「平均的な損害」の額について主張立証することが困難な状況となっている。

(2) 考えられる対応

主張立証の負担の軽減を図るに当たっては、訴訟上の新たな規律を設けること、すなわち、特許法(昭和34年法律第121号)第104条の2[10]の規定等を参考として、「平均的な損害」の額に関する違約金条項の効力に係る訴訟において、事業者が、その相手方が主張する「平均的な損害」の額を否認するときは、その事業者は自己の主張する「平均的な損害」の額とその算定根拠を明らかにしなければならないこととする規定、いわゆる積極否認の特則の規定を設けることが考えられる。

もっとも、「平均的な損害」の額とその算定根拠には営業秘密に該当し得る情報が含まれている可能性もあり、事業者が当該算定根拠を明らかにすることが困難である事例が存在することも考えられる。さらに、「平均的な損害」の額について消費者側が具体的な主張を行わない等、いわ

---

10) 特許法第104条の2の規定は、特許権侵害訴訟において、特許権者が侵害の行為を組成したものとして主張する物又は方法の具体的態様を否認するときは、相手方は、自己の行為の具体的態様を明らかにしなければならない旨を定めている。

809

ゆる濫訴に該当する事例が発生する可能性もある。そこで、これらの「相当の理由」が存在する場合には、事業者が当該算定根拠について明らかにする必要がないようにする規律とすべきと考えられる。

積極否認の特則の利用主体については、法第25条等により秘密保持義務が課されており、厳格な情報管理体制の構築が求められている適格消費者団体（法第13条第4項）及び特定適格消費者団体（消費者の財産的被害の集団的な回復のための民事の裁判手続の特例に関する法律（平成25年法律第96号）第65条第5項）に限定することで事業者が明らかにした情報が不正に利用されることを防止し、よって事業者の情報の不正利用に関する懸念を払拭することが考えられる。また、実際にも「平均的な損害」の額及びその算定根拠には粗利益、原価、再販率などの情報が含まれており、当該内容を用いて立証活動を行うには相応の専門性と労力負担が求められるため、適格消費者団体及び特定適格消費者団体に利用主体を限定することが現実的であると考えられる。

さらに、適格消費者団体及び特定適格消費者団体が積極否認の特則により知った情報についてその目的外利用が禁止されることを明らかにすべきであるとともに、裁判実務においては、裁判記録の閲覧等制限の制度が適宜活用されるべきと考えられる。

なお、違約金条項に関する訴訟は消費者個人が訴訟当事者となる事例があることから、利用主体を限定すべきでないとの意見もあった。また、積極否認の特則は文書提出命令の特則と共に導入することにより機能するため、文書提出命令の特則についても同時に導入する必要があるとの意見もあった。さらに、訴訟構造が必ずしも同じではない中で特許法等と同様の制度を持ち込むことは難しいとの意見もあった。

6．将来の検討課題

「平均的な損害」に係る立証責任の負担を軽減するために、文書提出命令の特則及び「平均的な損害」の額の立証責任の転換等については、法第9条第1号に考慮要素を列挙することの効果、「平均的な損害」の説明に努める義務及び積極否認の特則の運用実態を踏まえて、それでも「平均的な損害」に係る負担の軽減が不十分であると判明した場合に、将来

810　第3編　資料編　第7章　消費者契約法の改正（令和4年通常国会）

改めて検討することが考えられる。

　また、文書提出命令の特則について導入を検討する際には、営業秘密が含まれている可能性のある文書を開示する義務を負うという性質に鑑み、特許法等と異なる部分があることを踏まえつつ秘密保持命令の導入等の営業秘密の保護に関しても改めて検討する必要があると考えられる。

　さらに、「平均的な損害」を違約金の策定やその相当性判断の基準とすることの当否についても問題提起がされてきており、「平均的な損害」という概念自体から見直す必要についても意見があった。すなわち、消費者の多様なニーズに対応するために同じ商品・サービスについて複数の価格を設定する場合においては、違約金条項も含めた契約内容の全てが価格設定の要素となっており、必ずしも損害の発生を前提として違約金を定めていない商品・サービスも生じてきているところ、そのような場合には、まず当該商品・サービスの価格設定の在り方が考慮されるべきであり、「平均的な損害」の額との関係のみで違約金の規律を考えることは、新しい商品・サービスの提供や多様な価格設定を阻害するとの指摘や、「平均的な損害」に焦点を当てた議論は、事業者の経営形態や取引実態からかけ離れているとの指摘があり、さらには「平均的な損害」という基準の立て方自体を変えることで、現在生じている種々の問題を軽減できる可能性も考えられる。そこで、上記の各制度改正後の実務の状況や違約金条項についての在り方の提示の進捗状況も踏まえて、「平均的な損害」の概念を見直すことを将来的に検討課題とすることが考えられる。

第3　不当条項等について

1．検討の経緯

　不当条項の類型の追加については、平成28年及び平成30年の法改正により、消費者の解除権を放棄させる条項（法第8条の2）や事業者に対し後見開始の審判等による解除権を付与する条項（法第8条の3）が不当条項の類型として追加されたほか、法第10条前段を改正し、これに該当す

る契約条項の例示として「消費者の不作為をもって当該消費者が新たな消費者契約の申込み又はその承諾の意思表示をしたものとみなす条項」を挙げる等の改正が行われた。

　もっとも、サルベージ条項等の不当条項の類型の追加など消費者委員会消費者契約法専門調査会報告書（平成29年8月）において今後の検討課題とされた事項につき、引き続き検討を行うことが求められているため[11]、不当条項の類型の追加について本検討会では各契約条項の使用実態等を踏まえ、以下の契約条項について検討を行った。

2．サルベージ条項
(1)　問題の所在

　サルベージ条項とは、ある条項が強行法規に反し全部無効となる場合に、その条項の効力を強行法規によって無効とされない範囲に限定する趣旨の契約条項をいう。同条項については、これを不当条項の類型として追加するか否かについて、かつて消費者委員会消費者契約法専門調査会（平成26年10月から平成29年8月にかけて開催）で議論が行われたが、不当条項として規律するのではなく、「事業者は消費者にとって『明確かつ平易な』条項を作成するよう配慮する努力義務を負っていることから、サルベージ条項を使用せずに具体的に条項を作成するよう努めるべきであり、その旨を法第3条第1項の逐条解説に記載するなどにより、より適正な契約条項の作成が行われるよう促すことが相当と考えられる。」とし、今後の課題として必要に応じ検討を行うべきとされた（「消費者契約法専門調査会報告書」（平成29年8月）12頁参照）。

　もっとも、現在も、事業者の損害賠償責任を免除する契約条項に「法律上許される限り」等の留保文言が付される形式で、サルベージ条項が

---

11)　衆議院附帯決議第5号（抜粋）（「…サルベージ条項等の不当条項の類型の追加など消費者委員会消費者契約法専門調査会報告書において今後の検討課題とされた事項につき、引き続き検討を行うこと。」）、参議院附帯決議第7号（抜粋）（「消費者委員会消費者契約法専門調査会報告書において今後の検討課題とされた諸問題である…サルベージ条項等の不当条項の類型の追加…などにつき、引き続き検討を行い、本法施行後三年を目途として必要な措置を講ずること。」）。

使用される例が見られる。

　このような形式を有するサルベージ条項は、留保文言が付される結果、契約条項のうち有効とされる範囲が不明確となり、消費者が法律上請求可能な権利行使を抑制されてしまう、また、軽過失の場合に損害賠償の限度額を定めることとせずに「法律上許される限り賠償限度額を〇万円」とする契約条項を作成する場合は、留保文言がない場合には、本来全てが無効となる可能性があるところ、「法律上許される限り」等の留保文言によって、条項の文言からはその趣旨が読み取れないにもかかわらず軽過失の一部免除を意図するものとして有効になる可能性があるという不当性が見られる。

(2)　考えられる対応

　事業者の損害賠償責任の範囲についてサルベージ条項が用いられる場合には、消費者の事業者に対する損害賠償責任の追及を抑制してしまい、法第8条の目的が大きく損なわれることとなりかねない点に不当性があると考え、事業者の損害賠償責任の範囲を軽過失の場合に一部免除する旨の契約条項は、これを明示的に定めなければ効力を有さない（サルベージ条項によっては同様の効果を生じない）こととする規定を設けることが考えられる。

　その際、事業者が何を明示的に定めれば良いのか明確化する必要があるが、例えば、事業者が、軽過失の場合に損害賠償の限度額を定めるのであれば、明示的に、「当社の損害賠償責任は、当社に故意又は重大な過失がある場合を除き、顧客から受領した本サービスの手数料の総額を上限とする。」等の契約条項とすることが求められると考えられる。

　ただし、サルベージ条項の問題は理論的には事業者の損害賠償責任の一部免除に関わる場合に限定されないことには留意する必要があり、「法律上許される限り」という留保文言は契約内容の不透明さという点で非常に問題があり、法第3条第1項第1号との関係で問題があること等を逐条解説等で示すことも必要と考えられる。また、事業者の損害賠償責任の一部免除条項以外のサルベージ条項についても規律を設ける必要があるかについては、具体的に問題ある使用事例が相当程度確認された際に検討課題とすることが適切と考えられる。

813

なお、ある責任制限について判例や学説による評価が定まっていないときや、国際的に展開するサービスにおいて各国の判例や学説などの状況が把握し切れない場合などに万一紛争が生じたときには、裁判所の判断に従うことをあらかじめ明記し、ある条項や規約の一部が裁判等で無効となっても、それ以外の部分は有効性が維持されることを確認するような条項については不当性があるとはいえないという意見もあった。また、「法律上許される限り」という留保文言は、法第3条第1項第1号との関係においても、これを使用したことのみをもって直ちに問題があるものではないという意見もあった。

3．所有権等を放棄するものとみなす条項
(1)　問題の所在

例えば、建物等の一時的な利用契約において、消費者が賃借物件内に動産を残置する等の一定の行為をしたことをもって、当該消費者が有する所有権等の権利を放棄したものとみなす契約条項や、ウェブサイト利用規約において、消費者が情報等を事業者に送付したことをもって、当該情報等に関する一切の権利を放棄したものとみなす契約条項のように、消費者の一定の行為をもって消費者が自らの権利を放棄する意思表示をしたものとみなす契約条項の使用例がみられる（以下「所有権等を放棄するものとみなす条項」という。）。

所有権等を放棄するものとみなす条項は、例えば、賃貸借契約終了後に賃借人が残置した廃棄物について所有権放棄の意思表示の擬制を行う場合等のように、一定の社会的な必要性がある、消費者が権利を放棄する意思を推定する基礎がある、黙示の意思表示があると見られる等の理由により、一律に不当条項と評価することが適切ではない場合もあると考えられる。

他方で、権利放棄意思を擬制するための前提事実となる一定の行為から推認される意思と、擬制される権利放棄の意思との間の乖離の程度が大きい場合には、権利の放棄は権利者の意思によるという私法の原則との抵触が見られ、消費者に不利益を与える不当性が見られる。

814　第3編　資料編　第7章　消費者契約法の改正（令和4年通常国会）

⑵　考えられる対応

　法第10条の第1要件の「法令中の公の秩序に関しない規定」（任意規定）には明文の規定のみならず一般的な法理等も含まれることを踏まえ、平成28年の法改正により、「消費者の不作為をもって当該消費者が新たな消費者契約の申込み又はその承諾の意思表示をしたものとみなす条項」が例示されたが、所有権等を放棄するものとみなす条項についても、権利の放棄は権利者の意思によるという私法の明文の規定によらない一般的な法理と抵触する場面が見られることを踏まえ、法第10条の第1要件に例示することが考えられる。

　契約条項の使用例を踏まえると、例示すべき権利については、擬制の対象となる権利の中核的なものは所有権と考えられることから、消費者の所有権に係るものとすることが考えられる。また、みなされる消費者の行為については、権利放棄意思の前提事実が消費者の作為とも不作為とも解釈できる例が見られることから、法第10条の第1要件の例示はそのいずれかに限定すべきでないと考えられる。

　また、所有権等を放棄するものとみなす条項には、所有権以外の権利についても放棄の対象とする使用例が見られるところ、これらも法第10条の第1要件を満たすことを逐条解説等によって明らかにする必要があると考えられる。また、所有権等を放棄するものとみなす条項であっても法第10条の第2要件の適用等により不当性が否定される場合として、例えば、明示的な作為をもって意思表示が推定されるような場合や、然るべき手続や段階・期間などを経ている場合、あるいは消費者の保護の必要性がある場合などについても、逐条解説等で一定の考え方を示すことにより、事業者及び消費者の予見可能性を高めることも考えられる。もっとも、所有権等を放棄するものとみなす条項には、法律上事業者に動産類の処分が認められている場合について同様の規定を行う例が考えられるところ、このような場合は法律に基づき動産類の処分が有効に行われるのであって、契約条項の効力が問題とされなければならない場面ではないと考えられる。

　なお、法第10条の第1要件の例示について、これが不当条項の例示であることを踏まえ、不当性が高い契約条項を例示するものであると考え

るのであれば、例示に際しては「法令に基づく場合を除き」等の要件を設けるべきとの意見もあった。

4．消費者の解除権の行使を制限する条項
(1)　問題の所在

　例えば、電気通信回線の利用契約等において、消費者による解除権の行使の方法を電話や店舗の手続に限定する契約条項や、予備校の利用規約等において、消費者による解除事由を限定するとともに、中途解約権の行使の際には、解除事由が存在することを明らかにする診断書等の書類の提出を要求する契約条項の使用例が見られる。

　このような契約条項が使用され、消費者が解除権を容易に行使できない状態が生じる場合には、消費者に解除権が認められた趣旨が没却されかねない。他方で、事業者は、消費者が消費者契約を解除する際、本人確認や契約関係の確認を行うため、解除を書面や対面によるものに限る必要性が生じる場面も考えられる。また、解除権の行使方法をあらかじめ定めておくことで、消費者からの解除の意思表示を見逃さずに対応できることや、大量の契約について統一的な手法・手続によることで迅速な事務作業が可能になり、それによって多くの消費者に一定の品質でサービスを提供できるといった、消費者にとってのメリットもあり得ると考えられる。

　そこで、このような必要性がない、又は必要な範囲を超えて、契約条項により、消費者が解除権を容易に行使できない状況が生じている場合には一定の不当性があると考えられる。加えて、事業者側から見れば、契約の締結の際には大きなエネルギーを割くインセンティブがあるが、契約解除の場面では通常これを抑制したいというインセンティブが働くと考えられること、反対に消費者側から見れば、契約の締結の際には契約への期待があるため大きな負担感は生じない一方で、契約を解除する際には相手方である事業者の意に沿わない効果を実現するために、自身が積極的に行動を起こさなければならないという大きな負担感が生じるという問題状況も考慮する必要がある。

816　第3編　資料編　第7章　消費者契約法の改正（令和4年通常国会）

⑵　考えられる対応

　少なくとも、契約条項の定めのみをもって、消費者の解除権の行使を制限するものと評価できる契約条項が存するのであれば、このような契約条項について消費者契約法上の不当条項規制によって対応すべきと考えられる。もっとも、これらは常に無効とすべきものではないことを踏まえて、法第10条の第1要件の例示とすることが考えられる。

　具体的には、解除に伴う手続に必要な範囲を超えて、消費者に労力又は費用をかけさせる方法に制限する条項とし、さらに、その範囲の判断を画するため、「本人確認その他の解除に係る手続に通常必要な範囲」等として、必要な範囲の典型例を具体的に示すことが考えられる。また、これに加えて、当該消費者契約の締結の際に必要とされた手続等と比して、消費者の労力又は費用を加重することを要素とすることも考えられる。

　法第10条の第1要件に例示すべきものとしては、任意規定と乖離しているというだけではなく、不当性が認められる相応の蓋然性があるものとすべきと考えられるが、他方、例示部分を除いた法第10条の第1要件としては、任意規定との乖離、すなわち「法令中の公の秩序に関しない規定の適用による場合に比して消費者の権利を制限し、又は消費者の義務を加重する消費者契約の条項」であれば要件該当性が認められると考えられるため、この点については逐条解説等で明確にすべきと考えられる。

　なお、法第10条の第1要件の例示に際しては、正常な事業活動で用いられる契約条項が無効とならないように留意する必要があるという意見がある一方で、そのような考慮は法第10条の第2要件によってなされるべきものであるという意見もあった。また、「本人確認」を必要な範囲の典型例として示すと、契約の類型により本来厳格な本人確認が必要ないと思われる場合であっても、個人情報の提供を受けなければ契約の解除に応じない等として悪用される恐れがあるとの意見や、法第10条の第1要件の例示について、これが不当条項の例示であることを踏まえ、不当性が高い契約条項を例示するものであると考えるのであれば、例示に際しては「法令に基づく場合を除き」等の要件を設けるべきとの意見もあっ

た。さらに、消費者が解除権を容易に行使できないという不当性を生じ
させるのは解除手続における事業者側の体制や運用の問題であって、契
約の条項の問題ではないため、法第10条の第1要件の例示として掲げる
べきではないという意見や、解除権の行使を制限する条項を法第10条の
第1要件の例示として掲げることには消極的であるが、仮に掲げるとし
ても、例示の内容は、事業者が実質的に解除を妨げていると評価され得
るものとすべきであり、そのような観点から、例えば、消費者の解除権
の行使を事業者の受理その他の事業者の行為に係らしめる条項とすべき
との意見もあった。

5. 消費者の解除権に関する努力義務
(1) 問題の所在

　消費者が解除権を容易に行使できなくなる状態は、上記4記載のよう
に事業者による契約条項の使用が原因となる場合の他に、事業者による
運用が原因となる場合も考えられる。具体的には、例えば、①事業者が
開設するホームページ上で契約の解除の方法について紹介しているが、
ホームページの表記が分かりにくい、②契約を解除するためにはウェブ
ページやアプリケーション上で手続をすることとされているが、解除を
するためのリンクが分かりにくく表示される、③解除は電話によるとさ
れるが、消費者が電話をしても事業者の担当者に電話が繋がりにくい、
解除を進めるためには複数のウィンドウでクリックを繰り返す必要があ
る、④特にオンラインで結ばれる契約では、契約者の相続人による解除
が非常に難しい場合がある、⑤サブスクリプション契約においては、契
約締結の容易さに比して、解約手続が困難に設定されている場合がある
等の運用があり得る。

　このような運用は、場合によっては、解除権が消費者に認められてい
る趣旨を没却しかねない。

(2) 考えられる対応

　上記のような問題は、事業者が消費者の解除権の行使のために必要な
情報を、消費者が解除権を行使する時点において十分に提供できていな
いために生じている場合が多いと考えられる。この点、法第3条第1項

818　第3編　資料編　第7章　消費者契約法の改正（令和4年通常国会）

第2号によって事業者に求められる情報提供の努力義務はあくまでも勧誘時のものであるが、事業者側から見れば、契約の締結の際に一番大きなエネルギーが割かれるところ、消費者側から見れば、契約の締結の際には契約への期待があるため大きな負担が生じない一方で、契約を解除する際には大きな負担が生じることから、解除に関する情報提供は契約締結時だけでなく、消費者が契約を解除する際にこそより丁寧になされる必要があると考えられ、これを努力義務とする規定を設けることが考えられる。

　また、単に消費者の解除権の行使のために必要な情報の提供にとどまらず、例えばサポート体制の構築に見られるような、消費者による解除権の行使が円滑に行われるための配慮も有益と考えられるところ、消費者が解除権の行使を円滑に行える様々な手法による配慮を含めて努力義務の内容とすることが考えられる。

　なお、上記のような運用の原因は、事業者が消費者の解除権の行使を意図的に妨げていることに原因がある可能性もあるところ、これに対しては法的義務及び当該義務違反への制裁により対処することが適切であるという意見もあった。他方で、これが行為規制の規定を持たない消費者契約法で対処すべき問題であるか否かは慎重な検討を要するという意見も見られた。

6．将来の検討課題

　以上の論点のほか、本検討会では第三者が消費者取引に介入する契約条項についてもその不当性について議論が行われた。同条項については、使用される場面が限定的であることを踏まえると、現時点においては一定の対応を採ることとはされなかったが、将来の検討課題として引き続きその実態を注視することが考えられる。

第4　消費者契約の条項の開示について

1．検討の経緯

　消費者に対して適用される条件等の契約内容が定められた契約条項について、消費者が消費者契約の締結に先立ち容易に知ることができる状

態に置くことは、少なくとも抽象的な努力義務として、事業者に求められているものと考えられる[12]。この考え方を基礎とした上で、消費者保護の観点から消費者契約の条項の開示について具体的にどのような制度を設けるかが課題であり、平成30年の法改正における附帯決議においても契約条項の開示の在り方についての検討が求められている[13]。

2. 定型約款の表示請求権に係る情報提供の努力義務

(1) 問題の所在

民法の一部を改正する法律（平成29年法律第44号）により、民法に定型約款の規定が設けられたところ、定型約款の内容を知る権利を保障するという観点から、定型約款準備者の相手方は、定型約款準備者に対し、定型約款の内容の表示を請求する権利を行使して内容を確認することができる旨が定められた（民法第548条の3第1項）。しかし、定型約款準備者の相手方が消費者である場合には、当該消費者はこのような請求権があることを知らないことが多いと考えられる。

(2) 考えられる対応

事業者は、消費者契約の条項として定型約款を使用するときは、消費者契約の締結について勧誘をするに際し、定型約款の表示請求権の存在及び行使方法についての必要な情報を提供することを努力義務として定めることが考えられる。

もっとも、定型約款を使用する事業者の多くは、消費者が定型約款の内容を容易に知ることができるようにするための措置を講じているものと考えられ、この場合には、別途、定型約款の表示請求権についての情報提供を行う必要はないと考えられる。そこで、事業者が上記の措置を

---

12) 消費者契約法専門調査会報告書（平成29年8月）16頁。

13) 衆議院附帯決議第4号（「…消費者が事前に消費者契約の条項を容易に知ることができるようにするための契約条項の開示の在り方についても検討を行うこと。」）及び参議院附帯決議第6号（「消費者が消費者契約締結前に契約条項を認識できるよう、事業者における約款等の契約条件の事前開示の在り方について、消費者委員会の答申書において喫緊の課題として付言されていたことを踏まえた検討を行うこと。」）。

講じている場合には、定型約款の表示請求権に係る努力義務を負わない旨を明らかにすることが考えられる。

なお、急速に進化したデジタル技術を活用することができる現代の取引環境においては、定型約款の内容を容易に知り得る状態に置くようにすることを原則とすることに支障はなく、このことは法第3条第1項第2号の解釈に含まれていることを逐条解説等で明らかにすべきとの意見もあった。

3．適格消費者団体の契約条項の開示請求
(1)　問題の所在

適格消費者団体は、事業者が不特定かつ多数の消費者との間で不当条項を使用しているときは、当該事業者に対して差止請求権を行使することができる（法第12条第3項）。

適格消費者団体は消費者から提供される契約条項に関する情報に基づいて差止請求権を行使するところ、消費者からの情報が最新のものではないこともあり、その場合には、適格消費者団体は、事業者に対し、最新の契約条項の開示を求めることになる。ところが、契約条項の開示に応じない事業者が存在し、差止請求権の行使の障害となっている。

適格消費者団体が差止請求権を行使した結果、事業者が契約条項の改善を約束したり、訴訟上の差止請求を認諾したにもかかわらず、その後、確認のため、当該適格消費者団体が契約条項の開示を請求したところ、当該事業者は開示を拒絶したという事例も存在する。

(2)　考えられる対応

事業者が不特定かつ多数の消費者との間で不当条項を含む消費者契約を締結している疑いがあると客観的な事情に照らして認められる場合には、適格消費者団体は、どのような不当条項の疑いがあるのか、またそれに関係し得る条項・内容としてどのようなものが考えられるのか等の開示を求める趣旨を示して、当該事業者に対し、当該事業者が不特定かつ多数の消費者との間で使用している契約条項[14]の開示等を求めること

---

14)　したがって、個別の消費者との間で合意した契約条項は開示の対象とならない。

ができる仕組みを設けることが考えられる。消費者契約の条項の適正化という観点からすると、消費者団体と事業者が協働してより良い契約条項を作っていくよう促すことが重要であり、そのためにも、適格消費者団体が契約条項の開示を請求することができるようにすることが有益である。

　もっとも、事業者に不合理な負担が生じることを避けるため、事業者が不特定かつ多数の消費者との間で使用している契約条項の内容を消費者が容易に知ることができる状態に置く措置を講じている場合には、適格消費者団体は開示を求めることができない旨を明らかにすることが考えられる。

第5　消費者契約の内容に係る情報提供の努力義務における考慮要素について

1．問題の所在

　消費者と事業者との間には情報の質及び量に格差があることを踏まえると、事業者は、消費者契約の締結について勧誘をするに際しては、消費者の理解が不十分であるときは一般的・平均的な消費者のときよりも基礎的な内容から説明を始めるなど、個々の消費者の理解に応じて丁寧に情報提供を行うことが望ましい。この観点から、法第3条第1項第2号は、事業者の努力義務として、消費者の理解を深めるために、個々の消費者の知識及び経験を考慮した上で、消費者契約の内容についての必要な情報を提供することを定めている[15]。

　近年、消費者取引がますます多様化・複雑化していることに照らし、個々の消費者の理解に応じた丁寧な情報提供がより積極的に行われるようにするため、情報提供に際し事業者が考慮すべき要素として、個々の消費者の「知識及び経験」以外の要素を加えることが考えられるところであり、平成30年の法改正等における附帯決議により、年齢、生活の状況及び財産の状況についても考慮要素とすることの検討が求められてい

---

15)　「個々の消費者の知識及び経験を考慮した上で」という文言は、平成30年改正により加えられたものである。

822 　第3編　資料編　第7章　消費者契約法の改正（令和4年通常国会）

る[16]。

2．考えられる対応

　消費者の「年齢」が同じであっても、理解の程度は個々の消費者によって異なるものであり、「年齢」のみで一律の対応をすることは適切ではない。もっとも、消費者が若年者である又は高齢者であるという意味で、消費者の「年齢」は理解の不十分さを伺わせる一つの手掛かりになるものと考えられる[17]。また、消費者の「年齢」は、消費者の「知識及び経験」と比べると、取引の態様によっては事業者が容易に知ることができることから、消費者の「年齢」を考慮要素とすることで、個々の消費者の理解に応じた丁寧な情報提供が、より多くの取引において行われるようになることが期待できる。

　消費者の「年齢」、「知識及び経験」は個々の消費者に関する事情であり、事業者が知っているとは限らないが、事業者はこれらの要素を知ることができた場合には考慮した上で情報提供を行うことが期待されており、これらの要素を積極的に調査することまで求めるものではないことを明らかにすることが考えられる。また、これらの要素は消費者の理解

---

16)　衆議院附帯決議第4号（「本法第三条第一項第二号の事業者の情報提供における考慮要素については、考慮要素と提供すべき情報の内容との関係性を明らかにした上で、年齢、生活の状況及び財産の状況についても要素とするよう検討を行う…こと。」）、参議院附帯決議第5号（「本法第三条第一項第二号の事業者の情報提供における考慮要素については、考慮要素と提供すべき情報の内容との関係性を明らかにした上で、年齢、生活の状況及び財産の状況についても要素とするよう検討を行うこと。」）及び民法附帯決議第1号の2（「成年年齢引下げに伴う消費者被害の拡大を防止するための法整備として、早急に以下の事項につき検討を行い、本法成立後二年以内に必要な措置を講ずること。2　消費者契約法第三条第一項第二号の事業者の情報提供における考慮要素については、考慮要素と提供すべき情報の内容との関係性を明らかにした上で、年齢、生活の状況及び財産の状況についても要素とすること。」）。

17)　裁判例の中には、82歳又は92歳と高齢で理解力が低下していた可能性がある者に対して十分な説明を行わないまま不合理な内容の契約を締結させたとして、公序良俗違反により契約を無効としたものがある（東京地判平成30年5月25日判タ1469号240頁）。

の不十分さを伺わせる手掛かりであるから、これらの要素を総合的に考慮し、消費者の理解に応じた情報提供を行うべきであり、「年齢」だけで画一的な対応をすべきではない旨も明らかにすることが考えられる。

他方、消費者の「生活の状況」及び「財産の状況」については、一般的には消費者の理解の程度との関連性が低いため、考慮要素とはしないことが考えられる。

以上を踏まえ、法第３条第１項第２号については、事業者が知ることができた個々の消費者の年齢、知識及び経験を総合的に考慮した上で情報を提供すべきである旨を明らかにすることが考えられる。

なお、世界的に見ても年齢を問うことに対して制限的であるべきとの傾向がある中で、消費者の年齢を考慮要素とすることにより積極的に消費者の年齢を確認する口実となり、ひいては年齢による差別のきっかけとなり得る懸念があることや、知識・経験に加えて新たに年齢を考慮要素とすることにより年齢による画一的な対応を促すことになりかねないとの意見があった。

「消費者契約に関する検討会」委員等名簿

（委員）

沖野　眞已	東京大学大学院法学政治学研究科教授
垣内　秀介	東京大学大学院法学政治学研究科教授
河村　耕平	早稲田大学政治経済学術院教授
楠　正憲	一般社団法人OpenIDファウンデーション・ジャパン代表理事（令和３年６月まで）
小浦　道子	一般社団法人全国消費者団体連絡会理事、東京消費者団体連絡センター事務局長
後藤　準	全国商工会連合会常務理事
高橋　美加	立教大学法学部教授
坪田　郁子	公益社団法人全国消費生活相談員協会専務理事
遠山　優治	一般社団法人日本経済団体連合会　消費者契約法改正検討ワーキンググループ委員、日本生命

		保険相互会社調査部上席専門部長
にしだ 西田	きみあき 公昭	立正大学心理学部教授
ひらお 平尾	よしあき 嘉晃	弁護士、日本弁護士連合会　消費者問題対策委員会委員
やました 山下	よしかず 純司	学習院大学法学部教授
やまもと 山本	かずひこ 和彦 （座長代理）	一橋大学大学院法学研究科教授
やまもと 山本	けいぞう 敬三 （座長）	京都大学大学院法学研究科教授
やまもと 山本	たつひこ 龍彦	慶應義塾大学大学院法務研究科教授
わたなべ 渡辺	ひろよし 弘美	アジアインターネット日本連盟

（敬称略、五十音順）

（オブザーバー）

最高裁判所

法務省

独立行政法人国民生活センター

「消費者契約に関する検討会」開催状況

	日　時	主　な　議　題
第1回	令和元年 12月24日（火） 17：30～19：00	検討会の進め方について等
第2回	令和2年 1月27日（月） 15：30～17：30	消費者の取消権について①
第3回	2月10日（月） 16：00～18：00	消費者の取消権について②
第4回	5月13日（水） 9：30～12：00	消費者契約の条項の開示について① 不当条項について①

第5回	6月17日（水） 9：30〜12：00	消費者の取消権について③
第6回	6月25日（木） 17：00〜19：30	「平均的な損害」について①
第7回	7月7日（火） 9：30〜12：00	消費者の取消権について④
第8回	7月16日（木） 17：00〜19：00	不当条項について②
第9回	8月6日（木） 13：00〜15：30	「平均的な損害」について②
第10回	11月11日（水） 10：00〜12：00	不測の事態における消費者契約のキャンセルについて等①
第11回	12月2日（水） 9：30〜12：00	不測の事態における消費者契約のキャンセルについて等②
第12回	令和3年 1月27日（水） 9：00〜12：00	消費者の取消権について⑤
第13回	2月12日（金） 9：00〜12：00	消費者の取消権について⑥
第14回	3月9日（火） 9：00〜12：00	不当条項について③
第15回	3月26日（金） 13：00〜15：30	「平均的な損害」について③
第16回	4月2日（金） 9：00〜12：00	「平均的な損害」について④ 消費者契約の条項の開示について② 情報提供の努力義務における考慮要素について①

第17回	5月14日（金） 9：00〜11：00	論点に関するヒアリング
第18回	6月18日（金） 9：00〜12：00	「平均的な損害」について⑤
第19回	6月25日（金） 9：00〜12：00	不当条項について④
第20回	7月2日（金） 9：00〜12：00	消費者の取消権について⑦ 消費者契約の条項の開示について③ 情報提供の努力義務における考慮要素について②
第21回	7月16日（水） 9：00〜12：00	消費者の取消権について⑧ 「平均的な損害」について⑥ 不当条項について⑤
第22回	8月6日（金） 9：00〜12：00	報告書作成に向けた議論①
第23回	9月7日（火） 11：00〜13：00	報告書作成に向けた議論②

第8章　消費者契約法の改正
（令和4年臨時国会）

1　トラブルの現状

　PIO-NET（全国消費生活情報ネットワーク）におけるいわゆる霊感商法に関する消費生活相談の件数は、近時、約1200件から1500件程度の範囲内で推移している。具体的には、占い・祈とうサービス等に関する相談が中心である。

いわゆる霊感商法等に関する消費生活相談の件数の推移

2017年度	2018年度	2019年度	2020年度	2021年度
1424件	1559件	1312件	1177件	1435件

（※）PIO-NETに「開運商法」のキーワードで2022年7月31日までに登録された件数（第1回霊感商法等の悪質商法への対策検討会の資料4を参照したもの）。

2　検討の経緯等

　「旧統一教会」問題等のいわゆる霊感商法への対応の強化を求める社会的な要請が高まっていることを踏まえ、消費者庁において、霊感商法等の悪質商法への対策検討会（以下この章において「検討会」という。）を開催し、消費者被害の発生及び拡大の防止を図るための対策等を検討した。

　検討会は、令和4年8月29日から同年10月13日までの間に合計7回の審議を行い、同年10月17日付けで報告書を公表した。報告書においては、「霊感商法等による消費者被害の救済の実効化を図るため、取消権の対象範囲を拡大するとともに、その行使期間を延長するための法制上の措置を講ずるべき」ことなどが提言されている。

828　第3編　資料編　第8章　消費者契約法の改正（令和4年臨時国会）

③　政府部内における検討と立案作業

　消費者庁は、報告書の提言を踏まえつつ、消費者契約法等の改正に向けた具体的な立案作業を行い、令和4年11月18日、政府は「消費者契約法及び独立行政法人国民生活センター法の一部を改正する法律案」を閣議決定し、第210回国会に提出した（閣法第18号）。

④　各政党における検討

(1)　自由民主党

　令和4年11月10日の「内閣部会、消費者問題調査会、霊感・悪徳商法等の被害救済に関する小委員会合同会議」、11月15日の政調審議会及び総務会にそれぞれ諮られ、了承された。

(2)　公明党

　令和4年11月10日の「消費者問題対策本部、内閣部会合同会議」、11月15日の政調部会長会議に諮られ、了承された。

⑤　第210回国会における審議の経過

　「消費者契約法及び独立行政法人国民生活センター法の一部を改正する法律案」については、法人等による寄附の不当な勧誘の防止等に関する法律案とともに審議が行われた。

　衆議院においては、令和5年12月6日に本会議で河野太郎内閣府特命担当大臣による趣旨説明及び質疑が行われ（約2時間20分）、同日に消費者問題に関する特別委員会に付託された。同特別委員会においては、同日に提案理由説明及び質疑（約1時間10分）、12月7日に参考人の意見陳述（約30分）及び参考人に対する質疑（約1時間30分）、法案に対する質疑（約5時間）がそれぞれ行われた。さらに、12月8日に岸田文雄内閣総理大臣も出席して法案に対する質疑（約3時間30分）が行われた後、本村伸子議員提出消費者契約法及び独立行政法人国民生活センター法の一部を改正する法律案に対する修正案が否決され、消費者契約法及び独立行政法人国民生活センター法の一部を改正する法律案は原案のとおり全会一致で可決された。な

お、同日、附帯決議の採決が行われ、全会一致で可決された。同日に消費者契約法及び独立行政法人国民生活センター法の一部を改正する法律案は本会議に上程され、本会議においても賛成多数で可決された。

参議院においては、同日に本会議で河野太郎内閣府特命担当大臣による趣旨説明及び質疑が行われ（約2時間30分）、同日に消費者問題に関する特別委員会に付託された。同特別委員会においては、12月9日に提案理由説明及び質疑（約6時間）、参考人の意見陳述（約40分）及び参考人に対する質疑（約1時間30分）がそれぞれ行われた。さらに、12月10日に岸田文雄内閣総理大臣も出席して法案に対する質疑（約4時間30分）が行われた後、消費者契約法及び独立行政法人国民生活センター法の一部を改正する法律案は全会一致で可決された。なお、附帯決議（「消費者契約法及び独立行政法人国民生活センター法の一部を改正する法律案」及び「法人等による寄附の不当な勧誘の防止等に関する法律案」に対する附帯決議）が全会一致で付されている。同日に消費者契約法及び独立行政法人国民生活センター法の一部を改正する法律案は本会議に上程され、本会議においても賛成多数で可決された（公布日は令和4年12月16日。法律番号は第99号）。

このように衆議院及び参議院において、岸田文雄内閣総理大臣、河野太郎内閣府特命担当大臣等が出席し、法人等による寄附の不当な勧誘の防止等に関する法律案と併せて、衆議院で約14時間、参議院で約15時間の審議が行われた。

6 附帯決議

衆議院消費者問題に関する特別委員会　消費者契約法及び独立行政法人国民生活センター法の一部を改正する法律案並びに法人等による寄附の不当な勧誘の防止等に関する法律案に対する附帯決議（令和4年12月8日）

政府は、両法律の施行に当たり、次の事項について適切な措置を講ずべきである。

一　法人等による寄附の不当な勧誘の防止等に関する法律附則第五条の検

討に当たっては、国会における審議において実効性に課題が示された点について検討し、必要な措置を講ずること。

二　円滑な法運用を可能とすべく、法施行後、政府は速やかに行政措置の基準を示すとともに、配慮義務の内容についても具体例を示すなどして周知すること。

三　効果的に取消権の行使や配慮義務規定の活用ができるようにするため、政府は、法人等による寄附の不当な勧誘の防止等に関する法律案（以下「新法」という）及び消費者契約法改正案の国会における審議を踏まえて、その解釈について、十分な周知をすること。

四　禁止行為の違反に対する法人等への勧告・命令を実効あるものとするため、罰則の適用に当たっては、実行者のみが制裁対象となることがないよう併科規定を設けた趣旨を踏まえ、新法の規定内容・趣旨について、関係機関等に対して周知すること。

五　悪質な勧誘行為を受けたことにより、取消権又は債権者代位権を有している者が、実際にはその取消権又は債権者代位権を行使することができない事態が生じないよう、きめ細かな相談体制を構築するとともに、相談体制の整備に留まらず、権利行使の実効性確保に必要な支援措置を十分に講ずること。

六　親権者が寄附をしている場合には未成年の子が債権者代位権を行使することは困難であることから、未成年者の子の援助を充実すること。

七　法テラスの活用については、相談体制を整備するとともに、被害回復に向けた返還請求訴訟等につなげるよう、利用者にとって必要な支援措置を十分講ずること。

八　親族間の問題、心の悩み、宗教二世を含むこどもが抱える問題等の解決に向け、法的支援にとどまらず、心理専門によるカウンセリング等の精神的支援、児童虐待や生活困窮問題の解決に向けた支援等を一体的・迅速に提供するなどの支援体制を構築すること。

九　円滑な法運用を可能とすべく、法施行後、政府は速やかに条文解説、Ｑ＆Ａなどを作成し、ホームページ等において公表すること。また、禁止行為の違反に対する行政措置については、当該措置が十分に機能するよう体制を整備すること。

十　消費者契約法については、行政措置を導入して民事ルールと相まって被害の防止・救済を実現しようとする新法の意義や配慮義務その他の規定に係る新法の成立過程における国会での議論も踏まえて、第二百八回国会における附帯決議で求められた、同法の消費者法令における役割を多角的見地から整理し直した上で、既存の枠組みに捉われない抜本的かつ網羅的なルール設定の在り方についての検討をすすめること。

十一　消費者契約法第四十条により、独立行政法人国民生活センター及び地方公共団体が、適格消費者団体に対し提供する消費者紛争に関する情報を内閣府令で定める際には、消費者取引に関連する幅広い情報が提供できるよう検討すること。

十二　独立行政法人国民生活センターは、独立行政法人国民生活センター法第四十二条第二項による公表について、消費者被害の拡大を防ぐため、事業者の名称を迅速に公表することができるよう体制を整備すること。

参議院消費者問題に関する特別委員会　「消費者契約法及び独立行政法人国民生活センター法の一部を改正する法律案」及び「法人等による寄附の不当な勧誘の防止等に関する法律案」に対する附帯決議（令和4年12月10日）

政府は、両法の施行に当たり、次の諸点について適切な措置を講ずるべきである。

一　法人等による寄附の不当な勧誘の防止等に関する法律附則第五条の検討に当たっては、国会における審議において実効性に課題が示された点について検討し、必要な措置を講ずること。その際、不当な勧誘行為による被害者、被害対策に携わる弁護士等関係者を含む多様な者の意見を聴取しつつ、検討を進めること。

二　円滑な法運用を可能とすべく、法施行後、政府は速やかに行政措置の基準を示すとともに、配慮義務の内容についても具体例を示すなどして周知すること。また、配慮義務規定に定められた自由な意思を抑圧し、適切な判断ができない状況等の具体例について、継続的に事例の収集、

832　第3編　資料編　第8章　消費者契約法の改正（令和4年臨時国会）

　分析を行うこと。

三　効果的に取消権の行使や配慮義務規定の活用ができるようにするため、政府は、法人等による寄附の不当な勧誘の防止等に関する法律案（以下「新法」という。）及び消費者契約法改正案の国会における審議を踏まえて、その解釈について、十分な周知をすること。

四　新法が、寄附勧誘の不法行為該当性に関してこれまで裁判所で示されてきた解釈を限定する趣旨のものではないことを確認し、周知徹底すること。

五　禁止行為の違反に対する法人等への勧告・命令を実効あるものとするため、罰則の適用に当たっては、実行者のみが制裁対象となることがないよう両罰規定を設けた趣旨を踏まえ、新法の規定内容・趣旨について、関係機関等に対して周知すること。

六　悪質な勧誘行為を受けたことにより、取消権又は債権者代位権を有している者が、実際にはその取消権又は債権者代位権を行使することができない事態が生じないよう、法テラス等においてきめ細かな相談体制を構築するとともに、相談体制の整備に留まらず、権利行使の実効性確保に必要な支援措置を十分に講ずること。その上で、活用状況の確認をしつつ必要な措置を講ずること。

七　親権者が寄附をしている場合には未成年の子が債権者代位権を行使することは困難であることから、未成年者の子の援助を充実すること。

八　霊感商法等の悪質商法への対策検討会で示された家族による財産保全又は管理の制度について現状や課題を把握し、必要な検討を行うこと。

九　国は、法人等からの不当な勧誘により寄附をした者等の実効的救済を図るため、日本司法支援センターを中核とする関係機関及び関係団体等相互間の連携を緊密に図り、包括的な支援体制の整備・強化及びその周知広報を徹底するとともに、償還免除の拡大、給付制の導入、常勤弁護士や契約弁護士の積極的活用等を含め、民事法律扶助制度の充実・強化やこれを実現するための日本司法支援センターの人的・物的体制の拡充に向けた検討を進め、必要な措置を講ずること。

十　親族間の問題、心の悩み、宗教二世を含むこどもが抱える問題等の解決に向け、法的支援にとどまらず、心理専門家によるカウンセリング等

の精神的支援、児童虐待や生活困窮問題の解決に向けた支援等を一体的・迅速に提供するなどの支援体制を構築すること。成人した宗教二世についても、親子間の葛藤や心の悩み、就職等も含め社会参画の困難性を抱えていることから、同様の支援や、就労の支援等の支援体制を構築すること。

十一　不当な勧誘行為によって、既に多くの被害者やその家族が困窮している現状に鑑み、新法の適用外となる被害者等に対する支援について検討し、必要な措置をできるだけ速やかに講ずること。また、被害者等を支援する団体や困惑からの回復を支援する団体に対する支援についても検討し、措置すること。

十二　円滑な法運用を可能とすべく、法施行後、政府は速やかに国会での答弁内容を含めて条文解説、Ｑ＆Ａなどを作成し、消費者、事業者、各種の裁判外紛争処理機関、都道府県及び市区町村における消費者行政担当者等に十分周知し、ホームページ等において公表すること。また、禁止行為の違反に対する行政措置については、当該措置が十分に機能するよう体制を整備すること。

十三　行政措置を導入して民事ルールと相まって被害の防止・救済を実現しようとする新法の意義や配慮義務その他の規定に係る新法の成立過程における国会での議論も踏まえて、第二百八回国会における附帯決議で求められた、消費者契約法の消費者法令における役割を多角的見地から整理し直した上で、既存の枠組みに捉われない抜本的かつ網羅的なルール設定の在り方についての検討をすすめること。

十四　消費者契約法第四十条により、独立行政法人国民生活センター及び地方公共団体が、適格消費者団体に対し提供する消費者紛争に関する情報を内閣府令で定める際には、消費者取引に関連する幅広い情報が提供できるよう検討すること。

十五　独立行政法人国民生活センターは、独立行政法人国民生活センター法第四十二条第二項による公表について、消費者被害の拡大を防ぐため、事業者の名称を迅速に公表することができるよう体制を整備すること。

十六　地方消費者行政の体制の充実・強化のため、恒久的な財政支援策を検討するとともに、消費者行政担当者及び消費生活相談員に対する研修

834 第3編 資料編 第8章 消費者契約法の改正（令和4年臨時国会）

の充実、消費生活相談員の処遇改善等による人材の確保その他適切な施策を実施すること。

右決議する。

7 審議会等報告書

霊感商法等の悪質商法への対策検討会報告書（令和4年10月17日）

Ⅰ はじめに

霊感商法等の悪質商法への対策検討会（以下「本検討会」という。）においては、霊感商法等に関するこれまでの消費者庁の対応を検証するとともに、消費者被害の発生及び拡大の防止を図るための対策等を検討する観点から、令和4年8月29日から令和4年10月13日までの間に合計7回の審議を行った。

上記の審議を踏まえ、これまでの霊感商法等に関する消費生活相談の状況及びその対応を振り返った上で、本検討会として提言を行うものである。

Ⅱ 霊感商法等に関する消費生活相談の状況及びその対応

1．霊感商法等

PIO-NET（全国消費生活情報ネットワークシステム）におけるいわゆる霊感商法等に関する消費生活相談の近年の件数は、約1200件から1500件程度で推移[1]している。

これまでの消費者庁及び独立行政法人国民生活センター（以下「国民生活センター」という。）における対応としては、消費者被害の未然防止の観点からの注意喚起を継続的に行うとともに、消費者契約法（平成12年法律第61号）の平成30年改正の際に取消しの対象に追加されたいわゆる霊感等を用いた告知等による勧誘に対する取消権の内容等を周知している。また、消

---

1) 詳細な件数については、本検討会の第1回の資料4の3頁及び4頁に記載されている。

費者被害の救済の観点からは、消費生活センターにおいて、消費生活相談の解決に向けて情報提供や助言、必要に応じてあっせんを行うとともに、事案によっては法律相談等を紹介している。

さらに、消費者被害の未然防止及び救済の両方の観点から、「消費者ホットライン188（いやや）」を通じた早期の相談を呼びかけている。

2. 「旧統一教会」関係

本検討会の第2回及び第4回の個別事案の分析と検証（一部は非公開）において、旧統一協会に関する消費生活相談等の情報の分析を行った。

個別の団体に関する消費生活相談の件数等は原則として公表していないところ、旧統一協会については、

① 「旧統一教会」問題関係省庁連絡会議（以下「関係省庁連絡会議」という。）が設置され、政府全体で対策を講じることとされていること

② 「旧統一教会」問題合同電話相談窓口で把握した現時点での状況に加え、過去の相談件数等の情報が被害の防止の対策の検討に資するという基準に照らして、公表することに社会的な公益性があると判断したことから、消費者庁において、令和4年9月30日に旧統一教会に関する消費生活相談の情報を公表している。

さらに、当該情報については、同日に開催された関係省庁連絡会議に消費者庁から提出し、関係省庁連絡会議の構成員で共有している。

Ⅲ 提言

これまでの審議を踏まえ、本検討会による提言は以下のとおりである。

1. 総論

① 旧統一教会については、社会的に看過できない深刻な問題が指摘されているところ、解散命令請求も視野に入れ、宗教法人法（昭和26年法律第126号）第78条の2に基づく報告徴収及び質問の権限を行使する必要がある。

② 霊感商法等による消費者被害の救済の実効化を図るため、取消権の対象範囲を拡大するとともに、その行使期間を延長するための法制上

836 第3編 資料編 第8章 消費者契約法の改正（令和4年臨時国会）

の措置を講ずるべきである。

③ 寄附に関する被害の救済を図るため、公益社団法人及び公益財団法人の認定等に関する法律（平成18年法律第49号）第17条（寄附の募集に関する禁止行為）の規定を参考にしつつ、寄附の要求等に関する一般的な禁止規範及びその効果を定めるための法制化に向けた検討を行うべきである。

④ 相談対応に関しては、より多くの関連分野の専門家とも連携を図り、特にこどもの立場に立って、児童虐待等からの保護はもちろん、いわゆる宗教二世に対する支援を行う必要がある。

⑤ 周知啓発・消費者教育に関しては、消費者被害に関する情報を迅速に公表するとともに、消費生活センターの存在の周知を強化し、また高校生を含めた消費者教育の過程で霊感商法等に関する情報を伝えることが重要である。

2．旧統一教会への対応等

宗教法人法第81条に基づく解散命令については、団体としての存続は許容されるとはいえ、法人格を剥奪するという重い対応であり、信教の自由を保障する観点から、裁判例[2]にみられる同条の趣旨や要件についての考え方も踏まえ、慎重に判断する必要がある。

---

2) 東京高等裁判所決定（平成7年12月19日）において、解散命令制度が設けられた理由に関し、「同法が宗教団体に法人格を取得する道を開くときは、これにより法人格を取得した宗教団体が、法人格を利用して取得・集積した財産及びこれを基礎に築いた人的・物的組織等を濫用して、法の定める禁止規範もしくは命令規範に違反し、公共の福祉を害する行為に出る等の犯罪的な、反道徳的・反社会的存在に化することがありうるところから、これを防止するための措置及び宗教法人がかかる存在となったときにこれに対処するための措置を設ける必要があるとされ、かかる措置の一つとして、右のような存在となった宗教法人の法人格を剥奪し、その世俗的な財産関係を清算するための制度を設けることが必要不可欠であるとされたからにほかならない」との考え方が示されている。あわせて同決定においては、オウム真理教の解散命令に関し、①法人の代表役員等が、法人の人的・物的組織等を用いて行ったものであること、②社会通念に照らして、当該宗教法人の行為といえること、③刑法等の実定法規の定める禁止規範又は命令規範に違反すること、といった要件を満たす必要があるとの考え方が示されている。

837

　また、宗教法人法第78条の２に規定する報告及び質問に関する権限は、解散命令の事由等に該当する疑いがあると認められるときに、宗教法人法の規定に従って行使すべきものとされ、これまで行使した例はない。しかし、これらの消極的な対応には問題があり、運用の改善を図る必要があるとの指摘があった。

　旧統一教会については、旧統一教会を被告とする民事裁判において、旧統一教会自身の組織的な不法行為に基づき損害賠償を認める裁判例が複数積み重なっており、その他これまでに明らかになっている問題[3]を踏まえると、宗教法人法における「法令に違反して、著しく公共の福祉を害すると明らかに認められる行為をした」又は「宗教団体の目的を著しく逸脱した行為をした」宗教法人に該当する疑いがあるので、所轄庁において、解散命令請求も視野に入れ、宗教法人法第78条の２第１項に基づく報告徴収及び質問の権限を行使する必要がある。

３．法制度に関する事項

(1) 消費者契約

　いわゆる霊感等を用いた告知等による勧誘に対する取消権を規定する現行の消費者契約法第４条第３項第６号[4]については、霊感商法等による消費者被害の実態を踏まえつつ、その要件の緩和を検討すべきである。また、当該取消権については、マインドコントロールから抜け出すためには相当程度の時間を要するとの指摘がなされていることも踏まえ、その行使期間（現行では追認をすることができる時から１年間、消費者契約の締結の時から５年間のいずれか早い方）の延長を検討すべきである。

---

3)　具体的には、「日本の旧統一教会に献金させるのではなく、韓国の旧統一教会に献金させる、直接お金を持っていかせることも脱法行為としてされている。これは二重の脱法行為であり、日本法の適用をさせない。もう一つは、外国為替管理法違反の行為、個々の信者にお金を持っていかせることによって脱法する。」といった指摘があった。

4)　消費者契約法の令和４年改正、すなわち「消費者契約法及び消費者の財産的被害の集団的な回復のための民事の裁判手続の特例に関する法律の一部を改正する法律（令和４年法律第59号）」による改正によって第８号に繰り下げられる（同改正は令和５年６月１日に施行予定）。

838　第3編　資料編　第8章　消費者契約法の改正（令和4年臨時国会）

さらに、いわゆるつけ込み型の不当勧誘に対する取消権[5]については、これまでも包括的な救済条項として消費者契約法の取消権の対象とすることが必要であるとの指摘がなされているところ、マインドコントロール下にあって合理的な判断ができない状況が問題となる霊感商法等に対応できるものとして法制化に向けた検討を早急に行うべきである。

(2)　いわゆる寄附の位置付け等

いわゆる寄附の性質については、贈与・信託的譲渡その他の契約に該当する場合が多いと考えられるものの、金銭等の移転・交付の具体的状況ごとに評価する必要があること、さらに契約かどうかという入口で争いとなることを避けるためにもあえて契約に限定せずに意思表示の取消し、寄附の無効等の対策を考えることが重要である。

寄附の要求等に関する規制については、公益社団法人及び公益財団法人の認定等に関する法律第17条（寄附の募集に関する禁止行為）の規定も参考としつつ、正体隠しの伝道等の本人の自由な意思決定の前提を奪うような活動手法やマインドコントロール下にあって合理的な判断ができない状況が問題となる寄附の要求等への対応も念頭に、より幅広く一般的な禁止規範を規定すべきである。当該禁止規範に違反した場合の効果については、意思表示の取消し・無効、寄附の無効等を規定することが考えられる[6]が、本人及び家族による主張の実効性の確保の観点も踏まえつつ、法制化に向けた検討を行うべきである。

(3)　その他の指摘事項

上記(1)及び(2)に加え、過度の献金による本人及び家族の生活に必要な

---

5)　参議院法務委員会における「民法の一部を改正する法律案に対する附帯決議」（平成30年6月12日）においては、「知識・経験・判断力の不足など消費者が合理的な判断をすることができない事情を不当に利用して、事業者が消費者を勧誘し契約を締結させた場合における消費者の取消権」とされている。

6)　「民法（債権関係）の改正に関する中間試案」において民法（明治29年法律第89号）第90条の改正案として示された「相手方の困窮、経験の不足、知識の不足その他の相手方が法律行為をするかどうかを合理的に判断することができない事情があることを利用して、著しく過大な利益を得、又は相手方に著しく過大な不利益を与える法律行為は、無効とする」を参考として検討することも考えられるとの指摘があった。

839

資産が失われる危険性を防ぐべく、一定範囲での献金に関する上限規制を考えるべきとの指摘、家族による財産保全又は管理の制度を設けるべきとの指摘があった。また、宗教法人法の解散命令の前段階としての質問権等の実効性を高めるための調査権や改善命令の創設、税優遇措置の剝奪等を可能とするための法整備の検討、会社法（平成17年法律第86号）の解散命令の運用の強化等、特定商取引に関する法律（昭和51年法律第57号）の執行の充実、目的を秘匿した勧誘に対する規制の新設の検討を求める指摘もあった。

4．相談対応に関する事項

全国の消費生活センターにおける消費生活相談に加え、政府においても「旧統一教会」問題合同電話相談窓口を設け、悩みを抱えている方々から幅広く相談を受け付けた上で、必要に応じ、日本司法支援センター（法テラス）等の関係機関を紹介している。

この点に関し、霊感商法による消費者被害については、消費生活相談の対応の一層の充実を図った上で、公認心理師、精神保健福祉士、精神科医、宗教社会学者、弁護士等の専門家[7]とも連携しつつ、当事者及びその家族の支援を行うより専門的な相談窓口を設けるとともに、関係機関等が適切に連携を図ることも必要と考えられる。特に、児童虐待等からの保護も視野に入れ、こどもの側に立っていわゆる宗教二世に対する支援を行う必要がある。

PIO-NET（全国消費生活情報ネットワークシステム）における消費生活相談の情報の保存期間は、現状では10年とされている。この点に関し、特定の団体に関する継続的な消費生活相談がある場合には保存期間が10年では十分ではないとの指摘も踏まえ、国民生活センターにおいて、消費生活相談のデジタル化の検討も踏まえつつ、その保存期間の延長を行う必要があ

---

7) 児童相談所に公認心理師や精神保健福祉士のような専門家を確実に配置して、かつ、研修ないし教育のプログラムの中で、マインドコントロールとか、批判的思考法といった対処方法を学ばせる必要がある。また、消費生活相談員に対しても同様の研修プログラムを実施するとともに、予算の強化を図る必要があるとの指摘があった。

る。

5．周知啓発・消費者教育に関する事項

　消費者被害の未然防止及び解決の促進を図るためには、被害情報を迅速に公表すること、さらに消費生活センターの存在の周知[8]を強化することが重要である。

　したがって、個別の注意喚起を行うとともに、幅広い世代への消費者教育を推進すべきである。また、国民生活センターが消費生活相談の情報を消費者向けの注意喚起だけでなく、事業者に対する再発防止等の取組を働きかける方向で活用するための制度的な担保を検討すべきである。

　また、特定の集団が霊感商法を引き起こしているときに、その実名を具体的に出して説明しなければ、消費者被害の防止に役立たないとの指摘があった。この点に関し、高校生も含めて消費者教育[9]の中でしっかりと伝え、消費者被害をどう避けるか、どう救済されるのか、どこに相談できるのかということを教えることが重要である。

6．その他

　消費者庁においては、本検討会における提言を踏まえた施策をスピード感を持って着実に実施すべきである。上記の3から5までに記載した事項のうち、法制上の措置を要する事項については、現行法の改正又は新法の制定による対応を早期に行うことが求められる。

　また、消費者庁の所掌事務の範囲を超える事項については、消費者庁は、それぞれの行政機関における実施を強く働きかけるべきである。

---

8)　「消費者ホットライン188（いやや）」経由で相談が入ることも増加しており、この番号を設けた意味は大きく、「188」の番号の周知も重要であるとの指摘があった。

9)　一般の人は必ずしも法律の詳細を知らないこと、教育現場との連携が不十分であること、そもそも教育の中身そのものが具体性を欠き霊感商法等対策に合わせて十分ではないことの3点が課題であるとの指摘があった。

（参考資料１）

霊感商法等の悪質商法への対策検討会
委員名簿

（座長）　河上　正二　　東京大学名誉教授、青山学院大学客員教授

　　　　　菅野志桜里　　弁護士（一般社団法人国際人道プラット
　　　　　　　　　　　　フォーム代表理事）

　　　　　紀藤　正樹　　弁護士（リンク総合法律事務所所長）

　　　　　田浦　道子　　消費生活相談員（相模原市消費生活総合セン
　　　　　　　　　　　　ター）

　　　　　西田　公昭　　立正大学教授

（座長代理）宮下　修一　　中央大学教授

　　　　　山田　昭典　　独立行政法人国民生活センター理事長

　　　　　芳野　直子　　日本弁護士連合会副会長

　　　　　　　　　　　　　　　　　　（五十音順、敬称略）

842　　第3編　資料編　第8章　消費者契約法の改正（令和4年臨時国会）

（参考資料2）

霊感商法等の悪質商法への対策検討会
審議経過

開催日	議題
第1回 令和4年8月29日	・検討会の運営 ・霊感商法(開運商法)に関する消費生活相談
第2回 令和4年9月7日	・消費者契約法と特定商取引法の運用状況 ・個別事案に関する分析と検証（非公開）
第3回 令和4年9月15日	・いわゆる寄附の位置付け ・法人の解散命令等に関する規定
第4回 令和4年9月22日	・個別事案に関する分析と検証（非公開）
第5回 令和4年9月28日	・消費者教育に関する取組 ・消費生活相談に関する対応
第6回 令和4年10月4日	・取りまとめに向けたフリーディスカッション
第7回 令和4年10月13日	・取りまとめに向けた議論（非公開）

843

●事項索引

◆ あ行

移送……………………………… 444
著しく超える…………………… 109
一部を免除…………………… 163, 167
因果関係……………………… 61, 102
公の秩序に関しない規定………… 210

◆ か行

解散……………………………… 341
解釈権限付与条項………………… 218
解釈について疑義が生じない……… 26
解除
　——に伴う…………………… 192
　——の事由…………………… 193
　——の事由、時期等の区分に応じ
　……………………………… 193
解除権を放棄させる……………… 181
改善命令………………………… 397
会費、寄附金その他これらに類する
　もの…………………………… 380
隠れた瑕疵……………………… 181
瑕疵担保責任………… 157, 182, 230
過大な不安…………………… 82, 91
活動計算書…………… 316, 387, 506
合併……… 293, 334～337, 339, 341, 343,
　403, 414, 427, 460, 465, 472
株式の引受け…………………… 151
株取引…………………………… 20
過量な内容…………………… 106, 110
加齢……………………………… 90
管轄……………………………… 439
官公庁等への協力依頼…………… 420
間接強制………………………… 452
勧誘……………………………… 47

——をするに際し……… 47, 74, 111
基金の拠出……………………… 151
寄附金であってその寄附をした者の
　氏名を知ることができないもの…… 380
協議が調ったとき………………… 349
強迫……… 62, 102, 126, 134, 141, 151
業務規程
　——の記載事項…………… 305, 430
業務計画書…………………… 314, 330
区分経理………………………… 374
軽微な変更……………………… 333
景品表示法…………………… 12, 266
契約の内容……………………… 25
契約不適合…………… 158, 172, 181
経理的基礎…………… 303, 304, 328
　——を有することを証する書類
　…………………………… 316, 331
欠格事由……………………… 309, 310
権限の委任……………………… 459
権限を付与…… 160, 163, 167, 183
検査……………………………… 395
現在の生活の維持………………… 91
原状の回復を著しく困難にすること
　…………………………………… 96
検討部門……… 294, 301, 302, 306, 384
現に行い又は行うおそれがあるとき
　………………………………… 260
権利義務………………………… 25
好意の感情……………………… 86
後見開始、保佐開始又は補助開始の
　審判…………………… 185, 186
公告………… 314, 319, 322, 328, 388
更新………………………… 328, 330
更新料…………………… 211, 219
合理的に実証することが困難な特別

844　事項索引

な能力……………………………93
国民生活センター……302, 382, 394, 399,
　428, 432, 475, 485
個々の消費者の年齢、心身の状態、
　知識及び経験……………………28
個人……………………………10
誤認……………………………62
困惑……………………………65, 102

◆　さ行

財産上の利益の受領の禁止…………368
財産目録………………………386
財務諸表………………………386
債務不履行…………51, 159, 178, 182
詐欺………………………63, 134, 151
差止請求関係業務…………288, 345
　──以外の業務………303, 374
　──に係る組織、運営その他の体
　　制…………………………307
　──に関して知り得た秘密………362
　──に支障がない限り………375
　──の実施の方法………………305
差止請求権……………………257
　──の行使……………………345
　──の行使に関し………………370
　──の承継……………………409
　──を適切に行使するために必要
　　な限度……………………432
差止請求情報収集提供業務
　…………297, 301, 306, 379, 384
サルベージ条項………………177
算定（の）根拠………………278
　──の概要……………………204
資格商法………………………19
事業……………………………9
　──として………………9, 455
　──の譲渡……………………338
　──のため……………………456
　──のために……………………9

事業者……………………………8
事業報告書……………………386
事実上の推定……………………207
失効…………………………328, 343
質、用途その他の内容……………119
指定……………………………409
氏名等の明示……………………364
社会生活上の経験が乏しいことから
　………………………………81, 86
社会生活上の重要な事項……………81
宗教活動…………………………14
重要事項…………………………45, 117
縦覧……………………………319
消費者……………………………8
　──の権利を制限し又は消費者の
　　義務を加重する………………211
　──の生活の状況………………108
　──の利益の擁護を図るための活
　　動…………………………292
　──の利益を一方的に害する条項
　　………………………………209
消費者契約…………………13, 454
　──の締結を目指した事業活動……98
　──の目的となるものの内容
　　………………………………107, 119
消費者庁長官……………………459
消費者被害情報収集業務
　………297, 301, 305, 379, 383
消費者紛争……………429, 430, 432
消費生活相談に関する情報…………432
　──の提供……………………429
消費生活の専門家………………302
情報開示………………………390
情報の管理及び秘密の保持…………307
情報の質及び量並びに交渉力の格差……2
情報の提供………………………366
情報の取扱い……………………360
将来における変動が不確実な事項……53
書面による事前の請求……………434

事項索引　845

推奨行為‥‥‥‥‥‥‥‥‥‥‥‥264
心身の故障‥‥‥‥‥‥‥‥‥‥‥90
請求の内容及び相手方が同一である
　　場合‥‥‥‥‥‥‥‥‥‥‥‥269
請求の要旨‥‥‥‥‥‥‥‥‥‥434
政治活動‥‥‥‥‥‥‥‥‥‥‥417
正当な理由‥‥‥‥84, 92, 99, 362, 393
生命、身体、財産その他の重要な利
　　益‥‥‥‥‥‥‥‥‥‥‥‥‥122
善意でかつ過失がない第三者‥‥‥125
善意の第三者‥‥‥64, 103, 125, 127
専門的な知識経験‥‥‥‥‥‥‥301
相当期間‥‥‥‥‥‥‥‥‥‥‥293
訴訟手続の中止‥‥‥‥‥‥‥‥449
訴訟の目的の価額‥‥‥‥‥‥‥438
備置き‥‥‥‥‥‥‥‥‥‥‥‥390
その他の団体‥‥‥‥‥‥‥‥‥13
損益計算書‥‥‥‥‥‥316, 387, 506
損害賠償の額を予定する条項‥‥‥191
損害賠償の責任を免除する条項‥‥155
損害又は危険‥‥‥‥‥‥‥‥‥122
損失の補償を請求‥‥‥‥‥‥‥100

◆　た行

対価その他の取引条件‥‥‥‥‥120
退去すべき旨の意思を示した‥‥‥74
退去する旨の意思を示した‥‥‥‥76
退去妨害‥‥‥‥‥‥‥‥‥‥‥76
貸借対照表‥‥‥‥‥‥‥‥‥‥387
体制‥‥‥‥‥‥‥‥‥‥‥‥‥294
　　――が整備されていることを証す
　　る書類‥‥‥‥‥‥‥‥‥‥315
代理人‥‥‥‥‥‥‥‥‥‥‥‥134
断定的判断の提供‥‥‥‥‥‥‥53
帳簿書類
　　――の管理‥‥‥‥‥‥‥‥308
　　――の作成及び保存‥‥‥‥377
通常の分量等‥‥‥‥‥‥‥‥‥107
通知‥‥‥‥‥‥‥‥‥‥‥349, 356

告げる‥‥‥‥‥‥‥‥‥‥‥‥52
定款‥‥‥‥‥‥‥‥‥‥‥‥‥314
定型約款‥‥‥‥‥‥‥‥‥‥30, 276
適格消費者団体‥‥‥‥‥‥‥24, 257
　　――の認定‥‥‥‥‥‥‥‥285
適合命令‥‥‥‥‥‥‥‥‥‥‥397
適用除外‥‥‥‥‥‥‥‥‥‥‥454
添付書類‥‥‥‥‥‥‥314, 329, 330
同種契約‥‥‥‥‥‥‥‥‥‥‥109
同様の感情を抱いている‥‥‥‥‥88
特定商取引法‥‥‥‥‥‥‥‥‥266
特別の求め‥‥‥‥‥‥‥‥‥‥99
取消し‥‥‥‥‥‥‥‥‥‥‥‥63
取消権の行使期間‥‥‥‥‥‥‥146
努力義務‥‥‥‥22, 205, 277, 280, 284

◆　な行

任意規定‥‥‥‥‥‥‥‥‥‥‥209
認定
　　――の公示‥‥‥‥‥‥‥‥324
　　――の失効‥‥‥‥‥‥‥‥343
　　――の申請‥‥‥‥‥‥‥‥312
　　――の喪失事由‥‥‥‥‥‥412
　　――の取消し‥‥‥‥‥‥‥401
　　――の有効期間‥‥‥‥‥‥327

◆　は行

PIO-NET（パイオネット）‥‥‥112, 432
媒介‥‥‥‥‥‥‥‥‥‥‥‥‥132
　　――の委託‥‥‥‥‥‥‥‥132
罰則‥‥‥‥‥‥‥‥‥‥‥‥‥461
判決等に関する情報の公表‥‥‥‥424
判断力が著しく低下‥‥‥‥‥‥‥90
秘密保持義務‥‥‥‥‥‥‥‥‥362
不安をあおり‥‥‥‥‥‥‥84, 92, 93
不実告知‥‥‥‥‥‥‥‥‥‥‥48
不退去‥‥‥‥‥‥‥‥‥‥‥‥74
不特定かつ多数の消費者‥‥‥‥259
不利益事実の不告知‥‥‥‥‥‥57

846　事項索引

不利益となる事実……………………57
紛争の要点……………………… 434
平均的な損害………………… 192
返還義務の範囲………………… 142
変更の届出………………… 332
弁論等の併合………………… 446
放棄………………………… 358
放棄させる………………… 182
報告…………………… 349, 356
報告徴収………………… 396
法律の専門家………………… 302

◆　ま行

マルチ商法…………………………15

明確かつ平易……………………… 25
免責事由……………………………58

◆　ら行

理事会…………………………… 296
理事の構成………………… 297, 317
霊感………………………… 93, 149
恋愛感情その他の好意の感情………86
連携…………………………… 347
連携協力………………… 307, 348
労働契約………………………… 454

逐条解説　消費者契約法〔第5版〕

2000年12月20日　初　版第1刷発行
2003年3月18日　補訂版第1刷発行
2007年6月15日　新　版第1刷発行
2010年5月25日　第2版第1刷発行
2015年5月15日　第2版補訂版第1刷発行
2018年5月30日　第3版第1刷発行
2019年9月5日　第4版第1刷発行
2023年12月31日　第5版第1刷発行

編　　者　消費者庁消費者制度課

発 行 者　石 川 雅 規

発 行 所　株式会社　商 事 法 務

〒103-0027 東京都中央区日本橋3-6-2
TEL 03-6262-6756・FAX 03-6262-6804〔営業〕
TEL 03-6262-6769〔編集〕
https://www.shojihomu.co.jp/

落丁・乱丁本はお取り替えいたします。
© 2023 消費者庁消費者制度課
Shojihomu Co., Ltd.
ISBN978-4-7857-3062-8

印刷/三報社印刷㈱
Printed in Japan

＊定価はカバーに表示してあります。

JCOPY ＜出版者著作権管理機構　委託出版物＞
本書の無断複製は著作権法上での例外を除き禁じられています。
複製される場合は、そのつど事前に、出版者著作権管理機構
（電話 03-5244-5088、FAX 03-5244-5089、e-mail：info@jcopy.or.jp）
の許諾を得てください。